國家圖書館藏敦煌遺書

中國國家圖書館編

第二十五册　北敦〇一八〇一號——北敦〇一八六八號

北京圖書館出版社

圖書在版編目(CIP)數據

國家圖書館藏敦煌遺書·第二十五册/中國國家圖書館編;任繼愈主編.—北京:北京圖書館出版社,2006.4

ISBN 7-5013-2967-2

Ⅰ.國… Ⅱ.①中…②任… Ⅲ.敦煌學-文獻 Ⅳ.K870.6

中國版本圖書館 CIP 數據核字(2006)第007297號

ISBN 7-5013-2967-2

9 787501 329670 >

書　　名 國家圖書館藏敦煌遺書·第二十五册
著　　者 中國國家圖書館編　任繼愈主編
責任編輯 徐　蜀　孫　彦
封面設計 李　璀

出　　版 北京圖書館出版社　(100034　北京西城區文津街7號)
發　　行 010-66139745　66151313　66175620　66126153
66174391(傳真)　66126156(門市部)
E-mail cbs@nlc.gov.cn(投稿)　btsfxb@nlc.gov.cn(郵購)
Website www.nlcpress.com
經　　銷 新華書店
印　　刷 北京文津閣印務有限責任公司

開　　本 八開
印　　張 57.5
版　　次 2006年4月第1版第1次印刷
印　　數 1-150册(套)

書　　號 ISBN 7-5013-2967-2/K·1250
定　　價 990.00圓

編輯委員會

主　　編　任繼愈
常務副主編　方廣錩
副 主 編　李際寧　張志清
編委（按姓氏筆畫排列）　王克芬　王姿怡　吴玉梅　胡新英　陳　穎　黄　霞（常務）　劉玉芬

出版委員會

主　任　詹福瑞
副主任　陳　力
委　員（按姓氏筆畫排列）　李　健　姜　紅　郭又陵　徐　蜀　孫　彦

攝製人員（按姓氏筆畫排列）

于向洋　王富生　王遂新　谷韶軍　張　軍　張紅兵　張　陽　曹　宏　郭春紅　楊　勇　嚴　平

目錄

如是无量事　我今但略說
尒時千二百阿羅漢心自在者作是念我等歡
喜得未曾有若世尊各見授記如餘大弟
子者不亦快乎佛知此等心之所念告摩訶
迦葉是千二百阿羅漢我今當現前次第與
受阿耨多羅三藐三菩提記於此衆中我大
弟子憍陳如比丘當供養六万二千億佛然
後得成為佛号曰普明如來應供正遍知明
行足善逝世間解无上士調御丈夫天人師
佛世尊其五百阿羅漢優樓頻螺迦葉伽耶
迦葉那提迦葉迦留陁夷優陁夷阿㝹樓馱
離波多劫賓那薄拘羅周陁莎伽陁等皆當
得阿耨多羅三藐三菩提盡同一号名曰普
明尒時世尊欲重宣此義而說偈言
憍陳如比丘　當見无量佛　過阿僧祇劫　乃成等正覺
常放大光明　具足諸神通　名聞遍十方　一切之所敬
常說无上道　故号為普明　其國土清淨　菩薩皆勇猛
咸昇妙樓閣　遊諸十方國　以无上供養　奉獻於諸佛
作是供養已　心懷大歡喜　須臾還本國　有如是神力
佛壽六万劫　正法住倍壽　像法復倍是　法滅天人憂
其五百比丘　次第當作佛　同号曰普明　轉次而授記
我滅度之後　某甲當作佛　其所化世間　亦如我今日

BD01801 號　妙法蓮華經卷四

（4–1）

常說无上道　故号為普明　其國土清淨　菩薩皆勇猛
咸昇妙樓閣　遊諸十方國　以无上供養　奉獻於諸佛
作是供養已　心懷大歡喜　須臾還本國　有如是神力
佛壽六万劫　正法住倍壽　像法復倍是　法滅天人憂
其五百比丘　次第當作佛　同号曰普明　轉次而授記
我滅度之後　某甲當作佛　其所化世間　亦如我今日
國土之嚴淨　及諸神通力　菩薩聲聞衆　正法及像法
壽命劫多少　皆如上所說　迦葉汝已知　五百自在者
餘諸聲聞衆　亦當復如是　其不在此會　汝當為宣說
尒時五百阿羅漢於佛前得受記已歡喜踊
躍即從座起到於佛前頭面礼足悔過自責
世尊我等常作是念自謂已得究竟滅度今
乃知之如无智者所以者何我等應得如來
智慧而便自以小智為足世尊譬如有人至
親友家醉酒而卧是時親友官事當行以无
價寶珠繫其衣裏與之而去其人醉卧都不
覺知起已遊行到於他國為衣食故勤力求
索甚大艱難若少有所得便以為足於後親
友會遇見之而作是言咄哉丈夫何為衣食
乃至如是我昔欲令汝得安樂五欲自恣於
某年日月以无價寶珠繫汝衣裏今故現在
而汝不知勤苦憂惱以求自活甚為癡也汝
今可以此寶貿易所須常可如意无所乏短
佛亦如是為菩薩時教化我等令發一切智
心而尋廢忘不知不覺既得阿羅漢道自謂
[illegible]

BD01801 號　妙法蓮華經卷四

（4–2）

其年日月以无價寶珠繫汝衣裏今故現在
而汝不知勤苦憂惱以求自活甚為癡也汝
今可以此寶貿易所須常可如意无所乏短
佛亦如是為菩薩時教化我等令發一切智
心而尋廢忘不知不覺既得阿羅漢道自謂
滅度資生艱難得少為足一切智願猶在不
失今者世尊覺悟我等作如是言諸比丘汝
等所得非究竟滅我久令汝等種佛善根以
方便故示涅槃相而汝謂為實得滅度世尊
我今乃知實是菩薩得受阿耨多羅三藐三
菩提記以是因緣甚大歡喜得未曾有尒時
阿若憍陳如等欲重宣此義而說偈言
我等聞无上　安隱授記聲　歡喜未曾有　礼无量智佛
今於世尊前　自悔諸過咎　於无量佛寶　得少涅槃分
如无智愚人　便自以為足　譬如貧窮人　往至親友家
其家甚大富　具設諸餚饍　以无價寶珠　繫著內衣裏
嘿與而捨去　時卧不覺知　是人既已起　遊行詣他國
求衣食自濟　資生甚艱難　得少便為足　更不願好者
不覺內衣裏　有无價寶珠　與珠之親友　後見此貧人
苦切責之已　示以所繫珠　貧人見此珠　其心大歡喜
富有諸財物　五欲而自恣　我等亦如是　世尊於長夜
常愍見教化　令種无上願　我等无智故　不覺亦不知
得少涅槃分　自足不求餘　今佛覺悟我　言非實滅度
得佛无上慧　尒乃為真滅　我今從佛聞　受記莊嚴事
及轉次受決　身心遍歡喜

BD01801號　妙法蓮華經卷四　（4–3）

富有諸財物　五欲而自恣　我等亦如是　世尊於長夜
常愍見教化　令種无上願　我等无智故　不覺亦不知
得少涅槃分　自足不求餘　今佛覺悟我　言非實滅度
得佛无上慧　尒乃為真滅　我今從佛聞　受記莊嚴事
及轉次受決　身心遍歡喜
妙法蓮華經授學无學人記品第九
尒時阿難羅睺羅而作是念我等每自思惟
設得受記不亦快乎即從座起到於佛前頭
面礼足俱白佛言世尊我等於此亦應有分
唯有如来我等所歸又我等為一切世間天
人阿脩羅所見知識阿難常為侍者護持法
藏羅睺羅是佛之子若佛見授阿耨多羅三
藐三菩提記者我願既滿眾望亦足尒時學
无學聲聞弟子二千人皆從座起偏袒右肩
到於佛前一心合掌瞻仰世尊如阿難羅睺
羅所願住立一面尒時佛告阿難汝於来世
當得作佛号山海慧自在通王如来應供正
遍知明行足善逝世間解无上士調御丈夫
天人師佛世尊當供養六十二億諸佛護持
法藏然後得阿耨多羅三藐三菩提教化二

BD01801號　妙法蓮華經卷四　（4–4）

諸佛說諸音聲有定果相者則非諸佛世尊
之相是魔王相生死之相遠涅槃相何以故
一切諸佛凡所演說无定果相善男子譬如
刀中見人面像豎則見長橫則見闊若有定
相云何而得豎則見長橫則見闊以是義故
諸佛世尊凡所演說无定果相善男子夫涅
槃者實非聲果若使涅槃是聲果者當知涅
槃非是常法善男子譬如世間從因生法有
因則有果无因則无果因无常故果亦无常
所以者何因亦作果果亦作因以是義故一切
諸法无有定相若使涅槃從因生者因无
常故果亦无常而是涅槃不從因生體非是
果是故為常善男子以是義故涅槃之體无
定无果善男子夫涅槃者亦可言定亦可言
果云何為定一切諸佛所有涅槃常樂我淨
是故為定无生老壞是故為定一闡提等犯
四重禁誹謗方等作五逆罪捨除本心必定
得故是故為定善男子如汝所言若人聞我
說大涅槃一字一句得阿耨多羅三藐三菩

BD01802號　大般涅槃經（北本）卷二四　　（2–1）

諸法无有定相若使涅槃從因生者因无
常故果亦无常而是涅槃不從因生體非是
果是故為常善男子以是義故涅槃之體无
定无果善男子夫涅槃者亦可言定亦可言
果云何為定一切諸佛所有涅槃常樂我淨
是故為定无生老壞是故為定一闡提等犯
四重禁誹謗方等作五逆罪捨除本心必定
得故是故為定善男子如汝所言若人聞我
說大涅槃一字一句得阿耨多羅三藐三菩
提者汝於是義猶未了了汝當諦聽吾當為
汝更分別之善男子若有善男子善女人聞
大涅槃一字一句不作字相不作句相不作
聞相不作佛相不作說相如是義者名无相
相以无相相故得阿耨多羅三藐三菩提善
男子如汝所說聞惡聲故到三塗者是義不
何以故非以惡聲而至三塗當知是果乃
雖聞

BD01802號　大般涅槃經（北本）卷二四　　（2–2）

火宅勿貪麤弊色聲香味觸也若貪着生愛
則為所燒汝速出三界當得三乘聲聞辟支
佛佛乘我今為汝保任此事終不虛也汝等
但當勤修精進如來以是方便誘進衆生復
作是言汝等當知此三乘法皆是聖所稱歎
自在无繫无所依求乘是三乘以无漏根力
覺道禪定解脫三昧等而自娛樂便得无量
安隱快樂舍利弗若有衆生內有智性從佛
世尊聞法信受慇懃精進欲速出三界自求
涅槃是名聲聞乘如彼諸子為求羊車出於
火宅若有衆生從佛世尊聞法信受慇懃精
進求自然慧樂獨善寂深知諸法因緣是名
辟支佛乘如彼諸子為求鹿車出於火宅若
有衆生從佛世尊聞法信受勤修精進求一
切智佛智自然智无師智如來知見力无所
畏愍念安樂无量衆生利益天人度脫一切
是名大乘菩薩求此乘故名為摩訶薩如彼
諸子為求牛車出於火宅舍利弗如彼長者
見諸子等安隱得出火宅到无畏處自惟財
富无量等以大車而賜諸子如來亦復如是
為一切衆生之父若見无量億千衆生以佛

BD01803號　妙法蓮華經卷二　（6–1）

畏愍念安樂无量衆生利益天人度脫一切
是名大乘菩薩求此乘故名為摩訶薩如彼
諸子為求牛車出於火宅舍利弗如彼長者
見諸子等安隱得出火宅到无畏處自惟財
富无量等以大車而賜諸子如來亦復如是
為一切衆生之父若見无量億千衆生以佛
教門出三界苦怖畏險道得涅槃樂如來爾
時便作是念我有无量无邊智慧力无畏等
諸佛法藏是諸衆生皆是我子等與大乘不
令有人獨得滅度皆以如來滅度而滅度之
是諸衆生脫三界者悉與諸佛禪定解脫等
娛樂之具皆是一相一種聖所稱歎能生淨
妙第一之樂舍利弗如彼長者初以三車誘
引諸子然後但與大車寶物莊嚴安隱第一
然後長者无虛妄之咎如來亦復如是无有
虛妄初說三乘引導衆生然後但以大乘而
度脫之何以故如來有无量智慧力无所畏
諸法之藏能與一切衆生大乘之法但不盡
能受舍利弗以是因緣當知諸佛方便力故
於一佛乘分別說三佛欲重宣此義而說偈
言
譬如長者　有一大宅　其宅久故　而復頓弊
堂舍高危　柱根摧朽　梁棟傾斜　基陛頹毀
牆壁圮坼　泥塗褫落　覆苫亂墜　椽梠差脫
周障屈曲　雜穢充遍　有五百人　止住其中
鵄梟鵰鷲　烏鵲鳩鴿　蚖蛇蝮蝎　蜈蚣蚰蜒
守宮百足　狖狸鼷鼠　諸惡蟲輩　交橫馳走
屎尿臭處　不淨流溢　蜣蜋諸蟲　而集其上

BD01803號　妙法蓮華經卷二　（6–2）

牆壁圮坼　泥塗褫落　覆苫亂墜　椽梠差脫
周障屈曲　雜穢充遍　有五百人　止住其中
鵄梟鵰鷲　烏鵲鳩鴿　蚖蛇蝮蝎　蜈蚣蚰蜒
守宮百足　狖狸鼷鼠　諸惡虫輩　交橫馳走
屎尿臭處　不淨流溢　蜣蜋諸虫　而集其上
狐狼野干　咀嚼踐蹋　嚌齧死屍　骨肉狼藉
由是群狗　競来搏撮　飢羸慞惶　處處求食
鬪諍摣掣　啀喍嘷吠　其舍恐怖　變狀如是
處處皆有　魑魅魍魎　夜叉惡鬼　食噉人肉
毒虫之屬　諸惡禽獸　孚乳產生　各自藏護
夜叉競来　爭取食之　食之既飽　惡心轉熾
鬪諍之聲　甚可怖畏　鳩槃茶鬼　蹲踞土埵
或時離地　一尺二尺　往返遊行　縱逸嬉戲
捉狗兩足　撲令失聲　以脚加頸　怖狗自樂
復有諸鬼　其身長大　裸形黑瘦　常住其中
發大惡聲　叫呼求食　復有諸鬼　其咽如針
復有諸鬼　首如牛頭　或食人肉　或復噉狗
頭髮髼亂　殘害凶險　飢渴所逼　叫喚馳走
夜叉餓鬼　諸惡鳥獸　飢急四向　窺看窓牖
如是諸難　恐畏无量　是朽故宅　屬于一人
其人近出　未久之間　於後舍宅　欻然火起
四面一時　其燄俱熾　棟梁椽柱　爆聲震裂
摧折墮落　牆壁崩倒　諸鬼神等　揚聲大叫
鵰鷲諸鳥　鳩槃茶鬼　周慞惶怖　不能自出
惡獸毒虫　藏竄孔穴　毗舍闍鬼　亦住其中
薄福德故　為火所逼　共相殘害　飲血噉肉
野干之屬　並已前死　諸大惡獸　競来食噉

BD01803號　妙法蓮華經卷二　（6–3）

四面一時　其燄俱熾　棟梁椽柱　爆聲震裂
摧折墮落　牆壁崩倒　諸鬼神等　揚聲大叫
鵰鷲諸鳥　鳩槃茶鬼　周慞惶怖　不能自出
惡獸毒虫　藏竄孔穴　毗舍闍鬼　亦住其中
薄福德故　為火所逼　共相殘害　飲血噉肉
野干之屬　並已前死　諸大惡獸　競来食噉
臭烟熢㶿　四面充塞　蜈蚣蚰蜒　毒虵之類
為火所燒　爭走出穴　鳩槃茶鬼　隨取而食
又諸餓鬼　頭上火然　飢渴熱惱　周慞悶走
其宅如是　甚可怖畏　毒害火災　眾難非一
是時宅主　在門外立　聞有人言　汝諸子等
先因遊戲　来入此宅　稚小无知　歡娛樂著
長者聞已　驚入火宅　方宜救濟　令无燒害
告喻諸子　說眾患難　惡鬼毒虫　災火蔓莚
眾苦次第　相續不絕　毒虵蚖蝮　及諸夜叉
鳩槃茶鬼　野干狐狗　鵰鷲鵄梟　百足之屬
飢渴惱急　甚可怖畏　此苦難處　況復大火
諸子无知　雖聞父誨　猶故樂著　嬉戲不已
是時長者　而作是念　諸子如此　益我愁惱
今此舍宅　无一可樂　而諸子等　耽湎嬉戲
不受我教　將為火害　即便思惟　設諸方便
告諸子等　我有種種　珍玩之具　妙寶好車
羊車鹿車　大牛之車　今在門外　汝等出来
吾為汝等　造作此車　隨意所樂　可以遊戲
諸子聞說　如此諸車　即時奔競　馳走而出
到於空地　離諸苦難　長者見子　得出火宅
住於四衢　坐師子座　而自慶言　我今快樂

BD01803號　妙法蓮華經卷二　（6–4）

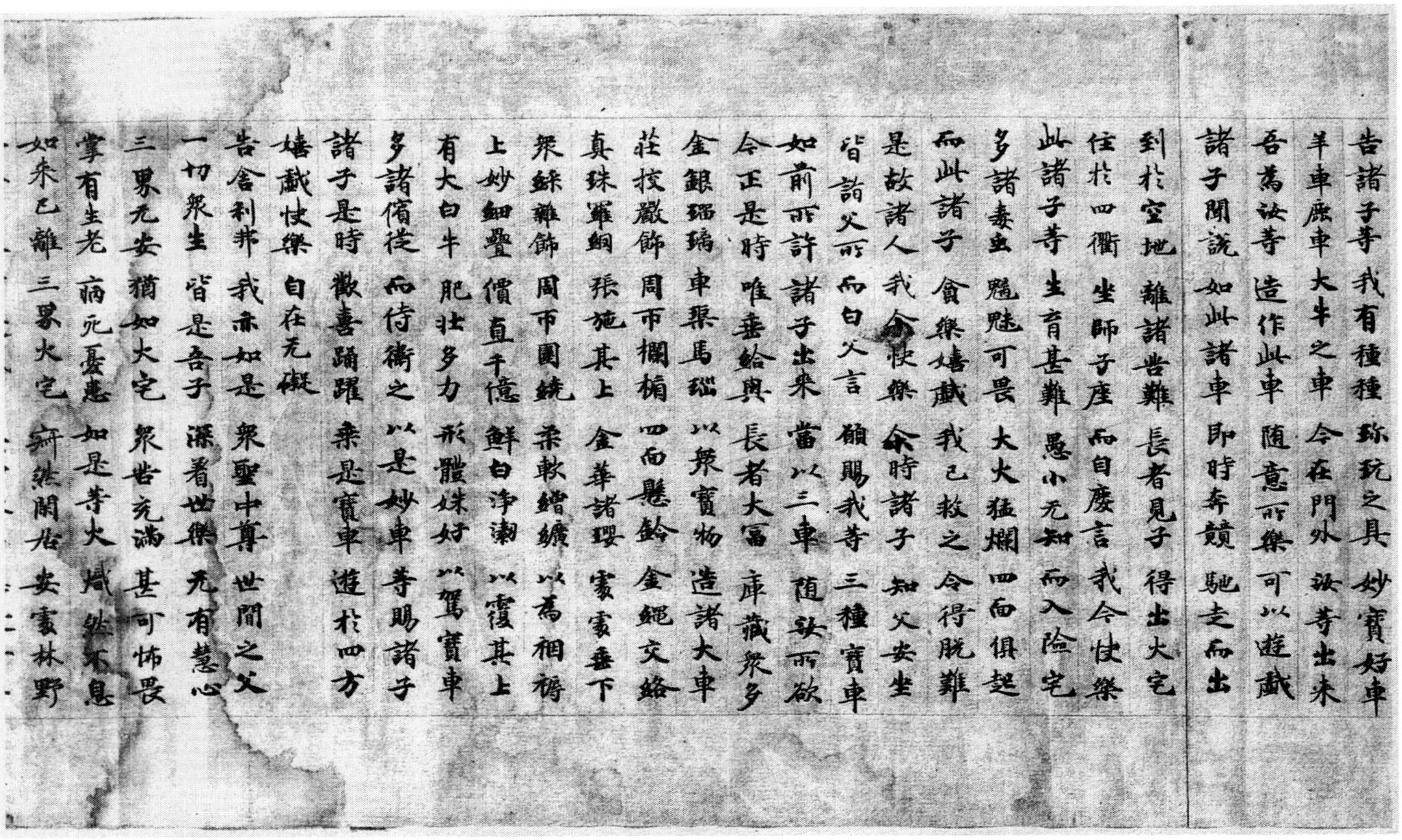

告諸子等　我有種種　珎玩之具　妙寶好車
羊車鹿車　大牛之車　今在門外　汝等出來
吾為汝等　造作此車　随意所樂　可以遊戲
諸子聞說　如此諸車　即時奔競　馳走而出
到於空地　離諸苦難　長者見子　得出火宅
住於四衢　坐師子座　而自慶言　我今快樂
此諸子等　生育甚難　愚小无知　而入險宅
多諸毒虫　魑魅可畏　大火猛焰　四面俱起
而此諸子　貪樂嬉戲　我已救之　令得脫難
是故諸人　我今快樂　尒時諸子　知父安坐
皆詣父所　而白父言　願賜我等　三種寶車
如前所許　諸子出來　當以三車　随汝所欲
今正是時　唯垂給與　長者大富　庫藏衆多
金銀琉璃　車𤦲馬瑙　以衆寶物　造諸大車
莊校嚴飾　周帀欄楯　四面懸鈴　金繩交絡
真珠羅網　張施其上　金華諸瓔　處處垂下
衆綵雜飾　周帀圍繞　柔軟繒纊　以為裀褥
上妙細疊　價直千億　鮮白淨潔　以覆其上
有大白牛　肥壯多力　形體姝好　以駕寶車
多諸儐從　而侍衛之　以是妙車　等賜諸子
諸子是時　歡喜踊躍　乘是寶車　遊於四方
嬉戲快樂　自在无礙
告舍利弗　我亦如是　衆聖中尊　世間之父
一切衆生　皆是吾子　深著世樂　无有慧心
三界无安　猶如火宅　衆苦充滿　甚可怖畏
常有生老　病死憂患　如是等火　熾然不息
如來已離　三界火宅　寂然閑居　安處林野

BD01803號　妙法蓮華經卷二　（6–5）

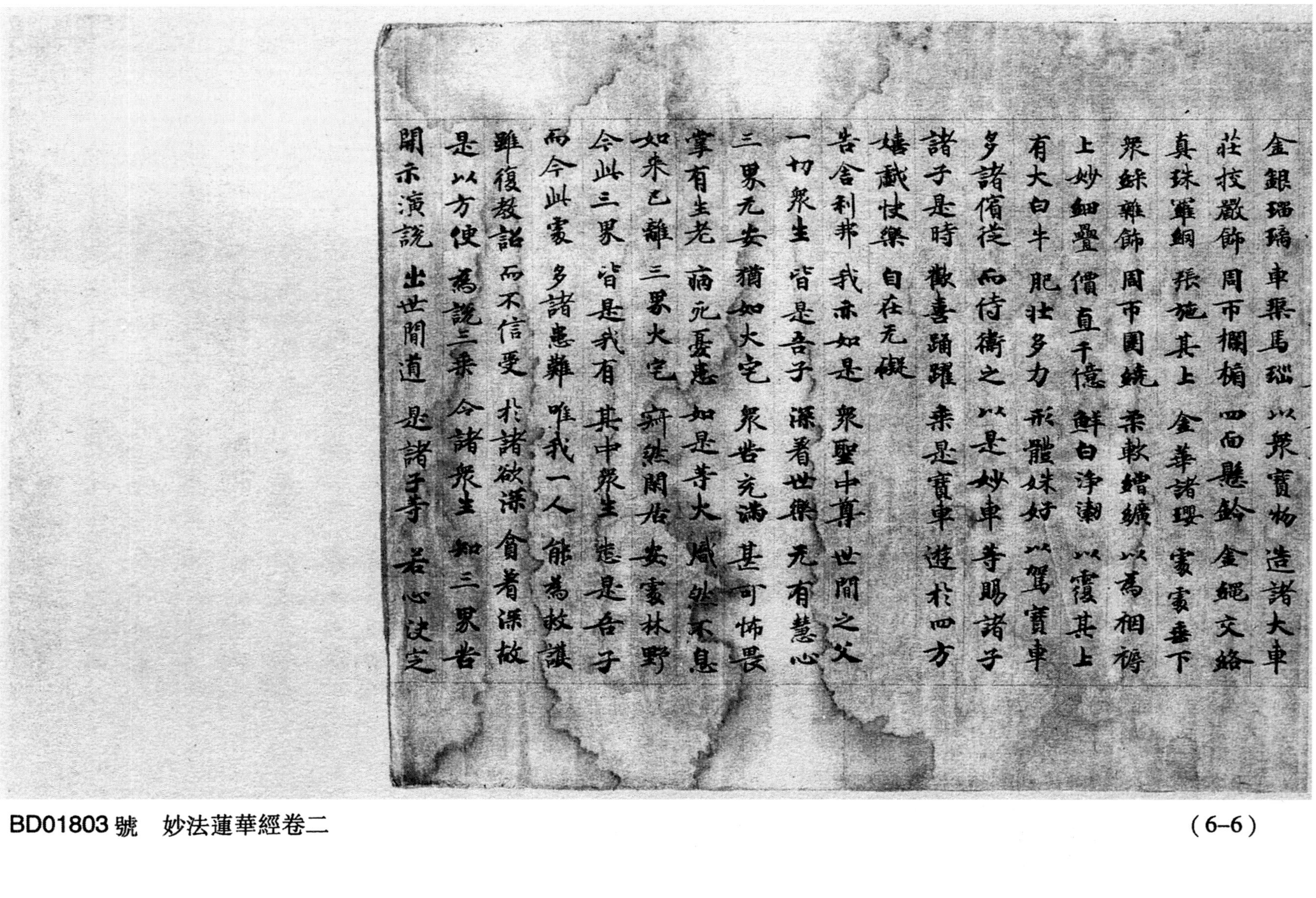

金銀琉璃　車𤦲馬瑙　以衆寶物　造諸大車
莊校嚴飾　周帀欄楯　四面懸鈴　金繩交絡
真珠羅網　張施其上　金華諸瓔　處處垂下
衆綵雜飾　周帀圍繞　柔軟繒纊　以為裀褥
上妙細疊　價直千億　鮮白淨潔　以覆其上
有大白牛　肥壯多力　形體姝好　以駕寶車
多諸儐從　而侍衛之　以是妙車　等賜諸子
諸子是時　歡喜踊躍　乘是寶車　遊於四方
嬉戲快樂　自在无礙
告舍利弗　我亦如是　衆聖中尊　世間之父
一切衆生　皆是吾子　深著世樂　无有慧心
三界无安　猶如火宅　衆苦充滿　甚可怖畏
常有生老　病死憂患　如是等火　熾然不息
如來已離　三界火宅　寂然閑居　安處林野
今此三界　皆是我有　其中衆生　悉是吾子
而今此處　多諸患難　唯我一人　能為救護
雖復教詔　而不信受　於諸欲染　貪著深故
是以方便　為說三乘　令諸衆生　知三界苦
開示演說　出世間道　是諸子等　若心決定

BD01803號　妙法蓮華經卷二　（6–6）

……常
慳悋心隨諸有情所須飲食衣服
香花財寶燈明車乘舍宅及餘
與是菩薩摩訶薩由布施故受持戒
人中得大尊貴由施戒故復得定蘊由
定之故復得慧蘊由施戒定之慧故復得解脫
由施戒定慧解脫故復得解脫智見蘊由施
乃至解脫智見蘊圓滿故起諸聲聞及獨覺
地證入菩薩正性離生既入菩薩正性離生
如有情嚴淨佛土作此事已證得無上正
等菩提轉妙法輪以三乘法安立度脫諸有
情類令出生死證得涅槃善現是菩薩摩訶
薩由布施故雖能如是作漸次業脩漸次學
行漸次行而於一切都無所得所以者何以
一切法無自性故復次善現是菩薩摩訶薩
從初發心脩學淨戒波羅蜜多時應自行淨
戒亦勸他行淨戒無倒稱揚淨戒功德歡喜
讚歎行淨戒者由此因緣戒蘊清淨生天人
中得大尊貴施貧窮者所須財物既行施已
安住戒蘊定之蘊慧蘊解脫蘊解脫智見蘊由
戒定之慧解脫解脫智見蘊清淨故起諸聲聞
及獨覺地證入菩薩正性離生既入菩薩正

BD01804 號　大般若波羅蜜多經卷四六六

（20–1）

讚歎行淨戒者由此因緣戒蘊清淨生天人
中得大尊貴施貧窮者所須財物既行施已
安住戒蘊定之蘊慧蘊解脫蘊解脫智見蘊由
戒定之慧解脫解脫智見蘊清淨故起諸聲聞
及獨覺地證入菩薩正性離生既入菩薩正
性離生成熟有情嚴淨佛土作此事已證得
無上正等菩提轉妙法輪以三乘法安立度
脫諸有情類令出生死證得涅槃善現是菩
薩摩訶薩由淨戒故雖能如是作漸次業脩
漸次學行漸次行而於一切都無所得所以
者何以一切法無自性故復次善現是菩薩
摩訶薩從初發心脩學安忍波羅蜜多時應
自行安忍亦勸他行安忍無倒稱揚安忍功
德歡喜讚歎行安忍者是菩薩摩訶薩行安
忍時能以資具施諸有情皆令充足既行施
已安住戒蘊定蘊慧蘊解脫蘊解脫智見蘊
由戒定之慧解脫解脫智見蘊清淨故起諸聲
聞及獨覺地證入菩薩正性離生既入菩薩
正性離生成熟有情嚴淨佛土作此事已證
得無上正等菩提轉妙法輪以三乘法安立
度脫諸有情類令出生死證得涅槃善現是
菩薩摩訶薩由安忍故雖能如是作漸次業
脩漸次學行漸次行而於一切都無所得所
以者何以一切法無自性故復次善現是菩
薩摩訶薩從初發心脩學精進波羅蜜多時
應自於諸善法發勤精進亦勸他於諸善法
發勤精進無倒稱揚精進功德歡喜讚歎行
精進者是菩薩摩訶薩行精進時能以資具

BD01804 號　大般若波羅蜜多經卷四六六

（20–2）

以者何以一切法無自性故復次善現是菩
薩摩訶薩從初發心脩學精進波羅蜜多時
應自於諸善法發勤精進亦勸他於諸善法
發勤精進無倒稱揚精進功德歡喜讚歎行
精進者是菩薩摩訶薩行精進時能以資具
施諸有情皆令充足既行施已安住戒蘊定
蘊慧蘊解脫蘊解脫智見蘊由戒定慧解脫
解脫智見蘊清淨故超諸聲聞及獨覺地證
入菩薩正性離生既入菩薩正性離生成熟
有情嚴淨佛土作此事已證得無上正等菩
提轉妙法輪以三乘法安立度脫諸有情類
令出生死證得涅槃善現是菩薩摩訶薩由
精進故雖能如是作漸次業脩漸次學行漸
次行而於一切都無所得所以者何以一切
法無自性故復次善現是菩薩摩訶薩從初
發心脩學靜慮波羅蜜多時應自入四靜慮
四無量四無色定亦勸他入四靜慮四無量
四無色定無倒稱揚四靜慮四無量四無色
定功德歡喜讚歎入四靜慮四無量四無色
定者是菩薩摩訶薩行靜慮時能以資具施
諸有情皆令充足既行施已安住戒蘊定蘊
慧蘊解脫蘊解脫智見蘊由戒定慧解脫解
脫智見蘊清淨故超諸聲聞及獨覺地證入
菩薩正性離生既入菩薩正性離生成熟有
情嚴淨佛土作此事已證得無上正等菩提
轉妙法輪以三乘法安立度脫諸有情類令
出生死證得涅槃善現是菩薩摩訶薩由靜
慮故雖能如是作漸次業脩漸次學行漸次

BD01804號　大般若波羅蜜多經卷四六六　（20–3）

脫智見蘊清淨故超諸聲聞及獨覺地證入
菩薩正性離生既入菩薩正性離生成熟有
情嚴淨佛土作此事已證得無上正等菩提
轉妙法輪以三乘法安立度脫諸有情類令
出生死證得涅槃善現是菩薩摩訶薩由靜
慮故雖能如是作漸次業脩漸次學行漸次
行而於一切都無所得所以者何以一切法無
自性故復次善現是菩薩摩訶薩從初發
心脩學般若波羅蜜多時以無所得而為方
便應自行六波羅蜜多亦勸他行六波羅蜜
多無倒稱揚六波羅蜜多功德歡喜讚歎行
六波羅蜜多者是菩薩摩訶薩由於六波羅
蜜多方便善巧超諸聲聞及獨覺地證入菩
薩正性離生既入菩薩正性離生成熟有情
嚴淨佛土作此事已證得無上正等菩提轉
妙法輪以三乘法安立度脫諸有情類令出
生死證得涅槃善現是菩薩摩訶薩由般若
故雖能如是作漸次業脩漸次學行漸次行
而於一切都無所得所以者何以一切法無
自性故善現是為初發心菩薩摩訶薩依學
六種波羅蜜多作漸次業脩漸次學行漸次
行與諸有情作利樂事
復次善現諸菩薩摩訶薩作漸次業脩漸次
學行漸次行時從初發心以一切智智相應
作意信解一切法皆以無性而為自性先應
脩學佛隨念次應脩學法隨念次應脩學僧
隨念次應脩學戒隨念次應脩學捨隨念後
應脩學天隨念善現云何菩薩摩訶薩脩學

BD01804號　大般若波羅蜜多經卷四六六　（20–4）

學行漸次行時從初發心以一切智智相應
作意信解一切法皆以無性而為自性先應
脩學佛隨念次應脩學法隨念次應脩學僧
隨念次應脩學戒隨念次應脩學捨隨念後
應脩學天隨念善現云何菩薩摩訶薩脩學
佛隨念謂菩薩摩訶薩脩學佛隨念時不應
以色思惟如來應正等覺不應以受想行識
思惟如來應正等覺何以故色乃至識皆無
自性若法無自性則不可念不可思惟所以
者何若無念無思惟是為佛隨念復次善現
諸菩薩摩訶薩脩學佛隨念時不應以三十
二大士相思惟如來應正等覺不應以真金
色身常光一尋八十隨好思惟如來應正等
覺何以故如是相好金光色身都無自性若
法無自性則不可念不可思惟所以者何若
無念無思惟是為佛隨念復次善現諸菩薩
摩訶薩脩學佛隨念時不應以戒蘊思惟如
來應正等覺不應以定蘊慧蘊解脫蘊解脫
智見蘊思惟如來應正等覺何以故如是諸
蘊皆無自性若法無自性則不可念不可思
惟所以者何若無念無思惟是為佛隨念復次
善現諸菩薩摩訶薩脩學佛隨念時不應
以五眼六神通思惟如來應正等覺不應以佛
十力乃至十八佛不共法思惟如來應正等
覺何以故如是諸法皆無自性若法無自性
則不可念不可思惟所以者何若無念無思
惟是為佛隨念復次善現諸菩薩摩訶薩脩
學佛隨念時不應以無忘失法恒住捨性思

BD01804號　大般若波羅蜜多經卷四六六　（20–5）

十力乃至十八佛不共法思惟如來應正等
覺何以故如是諸法皆無自性若法無自性
則不可念不可思惟所以者何若無念無思
惟是為佛隨念復次善現諸菩薩摩訶薩脩
學佛隨念時不應以無忘失法恒住捨性思
惟如來應正等覺不應以一切智道相智一
切相智及餘無量無邊佛法思惟如來應正
等覺何以故如是諸法皆無自性若法無自
性則不可念不可思惟所以者何若無念無
思惟是為佛隨念復次善現諸菩薩摩訶薩
脩學佛隨念時不應以緣性法思惟如來應
正等覺不應以緣起法思惟如來應正等覺
何以故緣性緣起俱無自性若法無自性則
不可念不可思惟所以者何若無念無思惟
是為佛隨念善現諸菩薩摩訶薩行深般
若波羅蜜多時應如是脩學佛隨念若如
是脩學佛隨念是為作漸次業脩漸次學
行漸次行若菩薩摩訶薩能如是作漸次業
脩漸次學行漸次行時則能圓滿四念住乃
至八聖道支亦能圓滿四靜慮四無量四無
色定亦能圓滿八解脫乃至十遍處亦能圓
滿布施波羅蜜多乃至般若波羅蜜多亦能
圓滿內空乃至無性自性空亦能圓滿真如
乃至不思議界亦能圓滿苦集滅道聖諦亦
能圓滿空無相無願解脫門亦能圓滿諸菩
薩地亦能圓滿一切陁羅尼門三摩地門亦
能圓滿五眼六神通亦能圓滿如來十力乃
至十八佛不共法亦能圓滿無忘失法恒住

BD01804號　大般若波羅蜜多經卷四六六　（20–6）

能圓滿空無相無願解脫門亦能圓滿諸菩
薩地亦能圓滿一切陀羅尼門三摩地門亦
能圓滿五眼六神通亦能圓滿如來十力乃
至十八佛不共法亦能圓滿無忘失法恒住
捨性亦能圓滿一切智道相智一切相智由
此證得一切智智善現是菩薩摩訶薩以一
切法無性為性方便力故覺一切法皆無自
性其中無有想亦復無無想善現諸菩薩摩
訶薩應如是修學佛隨念謂一切法無性性
中佛尚不可得況有佛隨念善現云何菩薩
摩訶薩修學法隨念謂菩薩摩訶薩修學法
隨念時不應思惟善法非善法不應思惟有
記法無記法不應思惟世間法出世間法不
應思惟有愛味法無愛味法不應思惟有諍
法無諍法不應思惟聖法非聖法不應思惟
有漏法無漏法不應思惟墮三界法不墮三
界法不應思惟有為界法無為界法何以故
如是諸法皆無自性若法無自性則不可念
不可思惟所以者何若無念無思惟是為法
隨念善現諸菩薩摩訶薩行深般若波羅蜜
多時應如是修學法隨念若如是修學法隨
念是為作漸次業修漸次學行漸次行若菩
薩摩訶薩能如是作漸次業修漸次學行漸
次行時則能圓滿四念住廣說乃至一切相
智由此證得一切智智善現是菩薩摩訶薩
以一切法無性為性方便力故覺一切法皆無
自性其中無有想亦復無無想善現諸菩
薩摩訶薩應如是修學法隨念謂一切法無

BD01804號　大般若波羅蜜多經卷四六六　（20–7）

智由此證得一切智智善現是菩薩摩訶薩
以一切法無性為性方便力故覺一切法皆無
自性其中無有想亦復無無想善現諸菩
薩摩訶薩應如是修學法隨念謂一切法無
性性中法尚不可得況有法隨念善現云何
菩薩摩訶薩修學僧隨念謂菩薩摩訶薩
修僧學隨念時應作是念佛弟子眾具淨戒蘊
定蘊慧蘊解脫蘊解脫智見蘊四雙八隻補
特伽羅一切皆是無為所顯皆以無性而為
自性由此因緣不應思惟何以故如是善士
皆無自性若法無自性則不可念不可思惟
所以者何若無念無思惟是為僧隨念善現
諸菩薩摩訶薩行深般若波羅蜜多時應如
是修學僧隨念若如是修學僧隨念是為作
漸次業修漸次學行漸次行若菩薩摩訶薩
能如是作漸次業修漸次學行漸次行時則
能圓滿四念住廣說乃至一切相智由此證
得一切智智善現是菩薩摩訶薩以一切法
無性為性方便力故覺一切法皆無自性其
中無有想亦復無無想善現諸菩薩摩訶薩
應如是修學僧隨念謂一切法無性性中僧
尚不可得況有僧隨念善現云何菩薩摩訶
薩修學戒隨念謂菩薩摩訶薩修學戒隨
念時從初發心應念聖戒無缺無隙無瑕無穢
無所取著應受供養智者所讚妙善受持形
善究竟隨順勝定思惟此戒無性為性由是
因緣不應思惟何以故如是聖戒都無自性
若法無自性則不可念不可思惟所以者何

BD01804號　大般若波羅蜜多經卷四六六　（20–8）

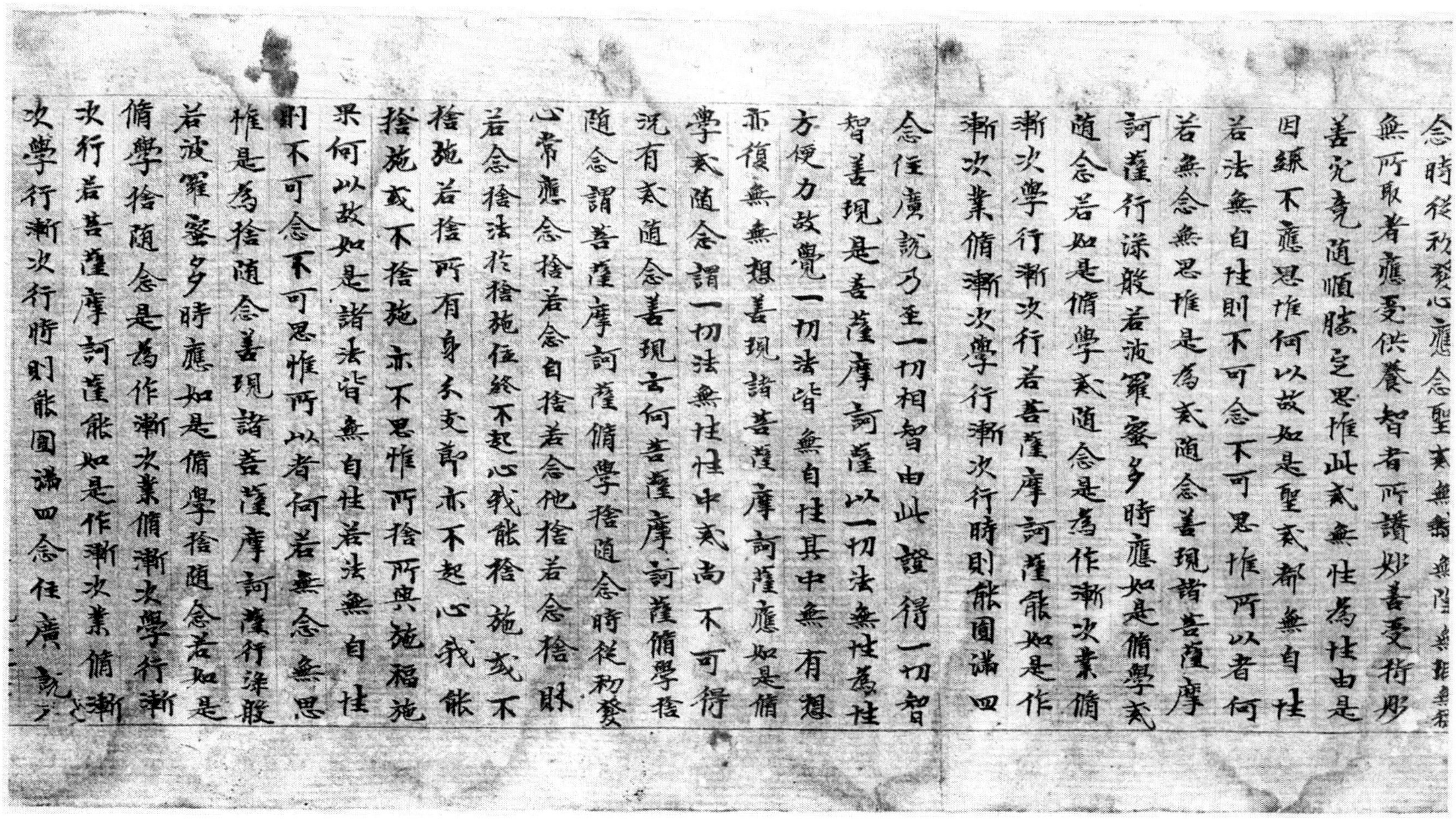

念時從初發心應念聖戒無缺無隙無瑕無穢
無所取著應受供養智者所讚妙善受持妙
善究竟隨順勝定思惟此戒無性為性由是
因緣不應思惟何以故如是聖戒都無自性
若法無自性則不可念不可思惟所以者何
若無念無思惟是為戒隨念善現諸菩薩摩
訶薩行深般若波羅蜜多時應如是修學戒
隨念若如是修學戒隨念是為作漸次業修
漸次學行漸次行若菩薩摩訶薩能如是作
漸次業修漸次學行漸次行時則能圓滿四
念住廣說乃至一切相智由此證得一切智
智善現是菩薩摩訶薩以一切法無性為性
方便力故覺一切法皆無自性其中無有想
亦復無無想善現諸菩薩摩訶薩應如是修
學戒隨念謂一切法無性性中戒尚不可得
況有戒隨念善現云何菩薩摩訶薩修學捨
隨念謂菩薩摩訶薩修學捨隨念時從初發
心常應念捨若念自捨若念他捨若念捨財
若念捨法於捨施位終不起心我能捨施或不
捨施若捨所有身分支節亦不起心我能
捨施或不捨施亦不思惟所捨所與施福施
果何以故如是諸法皆無自性若法無自性
則不可念不可思惟所以者何若無念無思
惟是為捨隨念善現諸菩薩摩訶薩行深般
若波羅蜜多時應如是修學捨隨念若如是
修學捨隨念是為作漸次業修漸次學行漸
次行若菩薩摩訶薩能如是作漸次業修漸
次學行漸次行時則能圓滿四念住廣說乃

BD01804號　大般若波羅蜜多經卷四六六　（20–9）

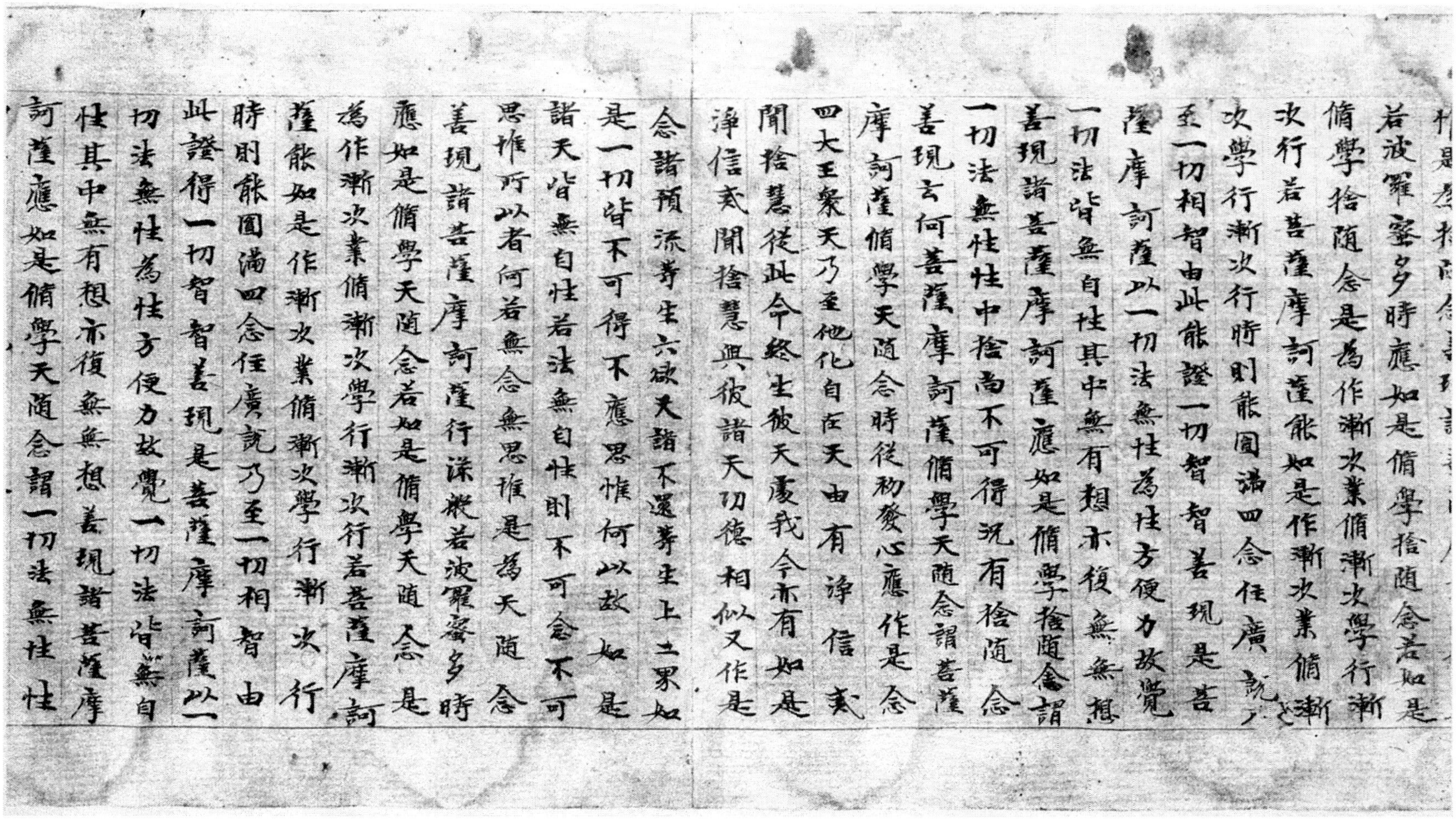

惟是為捨隨念善現諸[illegible]
若波羅蜜多時應如是修學捨隨念若如是
修學捨隨念是為作漸次業修漸次學行漸
次行若菩薩摩訶薩能如是作漸次業修漸
次學行漸次行時則能圓滿四念住廣說乃
至一切相智由此能證一切智智善現是菩
薩摩訶薩以一切法無性為性方便力故覺
一切法皆無自性其中無有想亦復無無想
善現諸菩薩摩訶薩應如是修學捨隨念謂
一切法無性性中捨尚不可得況有捨隨念
善現云何菩薩摩訶薩修學天隨念謂菩薩
摩訶薩修學天隨念時從初發心應作是念
四大王衆天乃至他化自在天由有淨信戒
聞捨慧從此命終生彼天處我今亦有如是
淨信戒聞捨慧與彼諸天功德相似又作是
念諸預流等生六欲天諸不還等生上二界如
是一切皆不可得不應思惟何以故如是
諸天皆無自性若法無自性則不可念不可
思惟所以者何若無念無思惟是為天隨念
善現諸菩薩摩訶薩行深般若波羅蜜多時
應如是修學天隨念若如是修學天隨念是
為作漸次業修漸次學行漸次行若菩薩摩訶
薩能如是作漸次業修漸次學行漸次行
時則能圓滿四念住廣說乃至一切相智由
此證得一切智智善現是菩薩摩訶薩以一
切法無性為性方便力故覺一切法皆無自
性其中無有想亦復無無想善現諸菩薩摩
訶薩應如是修學天隨念謂一切法無性性

BD01804號　大般若波羅蜜多經卷四六六　（20–10）

切法無性為性方便力故覺一切法皆無自
性其中無有想亦復無無想善現諸菩薩摩
訶薩應如是脩學天隨念謂一切法無性性
中天尚不可得況有天隨念
復次善現諸菩薩摩訶薩行深般若波羅蜜
多時若欲圓滿作漸次業脩漸次學行漸次
行以一切法無性為性方便力故應學內空
乃至無性自性空應學真如乃至不思議界
應學苦集滅道聖諦應學四念住乃至八聖
道支應學四靜慮四無量四無色定應學八
解脫乃至十遍處應學空無相無願解脫門
應學布施波羅蜜多乃至般若波羅蜜多應
學菩薩摩訶薩地應學一切陀羅尼門三摩
地門應學五眼六神通應學如來十力乃至
十八佛不共法應學無忘失法恒住捨性應
學一切智道相智一切相智善現是菩薩摩
訶薩如是脩學菩提道時覺一切法皆以無
性而為自性於中尚無少念可得況有念色
受想行識況有念眼處乃至意處況有念色
處乃至法處況有念眼界乃至意界況有念
色界乃至法界況有念眼識界乃至意識界
況有念眼觸乃至意觸況有念眼觸為緣所
生諸受乃至意觸為緣所生諸受況有念地
界乃至識界況有念因緣乃至增上緣況有
念無明乃至老死況有念布施波羅蜜多乃
至般若波羅蜜多況有念內空乃至無性自
性空況有念真如乃至不思議界況有念苦

BD01804號　大般若波羅蜜多經卷四六六　(20-11)

念無明乃至老死況有念布施波羅蜜多乃
至般若波羅蜜多況有念內空乃至無性自
性空況有念真如乃至不思議界況有念苦
集滅道聖諦況有念四念住乃至八聖道支
況有念四靜慮四無量四無色定況有念八
解脫乃至十遍處況有念空無相無願解脫
門況有念淨觀地乃至如來地況有念極喜
地乃至法雲地況有念一切陀羅尼門三摩
地門況有念五眼六神通況有念如來十力
乃至十八佛不共法況有念三十二大士相
八十隨好況有念無忘失法恒住捨性況有
念一切智道相智一切相智況有念預流果
乃至獨覺菩提況有念一切菩薩摩訶薩行
況有念諸佛無上正等菩提況有念一切智
智善現如是諸念及所念法若少實有無有
是處如是善現諸菩薩摩訶薩行深般若波
羅蜜多時雖作漸次業脩漸次學行漸次行
而於其中心皆不轉以一切法無自性故具
壽善現白言世尊若一切法皆無自性則應
無色受想行識乃至應無一切智智是則應
無佛法僧寶道果染淨亦無得無現觀則一
切法皆應是無佛告善現於意云何於一切
法無性性中有性無性為可得不善現對曰
不也世尊佛告善現若一切法無性性中有
性無性俱不可得汝今云何可作是說若一
切法皆無自性則應無色受想行識乃至應
無得及現觀則一切法皆應是無善現白言
我於是義自無疑惑但為未來有苾芻等或

BD01804號　大般若波羅蜜多經卷四六六　(20-12)

不也世尊佛告善現若一切法無性性中有
性無性俱不可得汝今云何可作是說若一
切法皆無自性則應無色受想行識乃至應
無得及現觀則一切法皆應是無善現白言
我於是義自無疑惑但為未來有苾芻等或
求聲聞或求獨覺或求佛果彼作是念若一
切法皆無自性誰染誰淨誰縛誰解彼於染
淨縛解義中不了知故毀戒毀見毀威儀毀
淨命由此當墮三惡趣中受諸劇苦難得解
脫我觀未來當有如是可怖畏事故作是說
然我於此實無疑惑佛告善現善哉善哉汝
今乃能為未來世諸苾芻等作如是問然一
切法無性性中若有若無俱不可得
第二分無相品第七十四
尒時具壽善現白佛言世尊若一切法皆以
無性而為自性諸菩薩摩訶薩見何等義為
欲利益安樂有情求趣無上正等菩提佛告
善現以一切法皆以無性而為自性諸菩薩
摩訶薩為欲利益安樂有情所以者何諸有
情類具斷常見住有所得難可調伏愚癡顛
倒難可解脫善現當知住有所得者由有所
得想無得無現觀亦無無上正等菩提具壽
善現復白佛言若有所得者無得無現觀亦
無無上正等菩提無所得者為有得有現觀
有無上正等菩提不佛告善現若無所得即
是得即是現觀即是無上正等菩提所以者
何以彼不壞法界相故善現當知若有於此
無所得中欲有所得欲得現觀欲得無上正

BD01804 號　大般若波羅蜜多經卷四六六　（20–13）

無無上正等菩提無所得者為有得有現觀
有無上正等菩提不佛告善現若無所得即
是得即是現觀即是無上正等菩提所以者
何以彼不壞法界相故善現當知若有於此
無所得中欲有所得欲得現觀欲得無上正
等菩提當知彼為欲壞法界具壽善現復白
佛言若有所得者無得無現觀亦無無上正
等菩提若無所得即是得即是現觀即是無
上正等菩提無所得中無得無現觀亦無無
上正等菩提諸菩薩摩訶薩云何得有初地
乃至十地云何得有無生法忍云何得有異
熟神通云何得有異熟布施波羅蜜多乃至
般若波羅蜜多云何得有安住如是異熟生
法成熟有情嚴淨佛土於諸佛所恭敬供養
上妙供具所殖善根乃至無上正等菩提與
果無盡展轉乃至般涅槃後自設利羅及諸
弟子猶得種種恭敬供養善根勢力尒乃窮
盡佛告善現以一切法無所得故諸菩薩摩
訶薩得有初地乃至十地即由此故得有無
生法忍即由此故得有異熟神通即由此故
得有異熟布施波羅蜜多乃至般若波羅蜜
多即由此故得有安住異熟生法成熟有情
嚴淨佛土於諸佛所恭敬供養上妙供具所
殖善根乃至無上正等菩提與果無盡展轉
乃至般涅槃後自設利羅及諸弟子猶得種
種恭敬供養善根勢力尒乃窮盡具壽善現
復白佛言若一切法皆無所得布施淨戒安
忍精進靜慮般若波羅蜜多及諸神通有何

BD01804 號　大般若波羅蜜多經卷四六六　（20–14）

種善根乃至無上正等菩提與果無盡展轉乃至般涅槃後自設利羅及諸弟子猶得種種恭敬供養善根勢力尒乃窮盡具壽善現復白佛言若一切法皆無所得布施淨戒安忍精進靜慮般若波羅蜜多及諸神通有何差別佛告善現無所得者布施等六波羅蜜多及諸神通皆無差別為欲令彼有所得者誰諸染者方便宣說布施等六波羅蜜多及諸神通有差別相具壽善現復白佛言以何因緣無所得者布施等六波羅蜜多及諸神通說無差別佛告善現諸菩薩摩訶薩行深般若波羅蜜多時不得布施不得施者不得受者不得所施不得施果而行布施不得淨戒而護淨戒不得安忍而脩安忍不得精進而勤精進不得靜慮而入靜慮不得般若而起般若不得神通而發神通不得四念住乃至八聖道支而脩四念住乃至八聖道支不得三解脫門而脩三解脫門不得四靜慮四無量四無色定而脩四靜慮四無量四無色定不得八解脫乃至十遍處而脩八解脫乃至十遍處不得菩薩地而脩菩薩地不得陀羅尼門三摩地門而脩陀羅尼門三摩地門不得五眼六神通而脩五眼六神通不得如來十力乃至十八佛不共法而脩如來十力乃至十八佛不共法不得無忘失法恒住捨性而脩無忘失法恒住捨性不得一切智道相智一切相智而脩一切智道相智一切相智不得有情而成熟有情不得佛土而嚴淨

BD01804號　大般若波羅蜜多經卷四六六　（20–15）

性而脩無忘失法恒住捨性不得一切智道相智一切相智而脩一切智道相智一切相智不得有情而成熟有情不得佛土而嚴淨佛土不得一切佛法而證無上正等菩提如是善現諸菩薩摩訶薩應行無所得甚深般若波羅蜜多若菩薩摩訶薩能行無所得甚深般若波羅蜜多一切惡魔及魔眷屬皆不能壞

尒時具壽善現白佛言世尊云何菩薩摩訶薩行深般若波羅蜜多時一心現起則能攝受六波羅蜜多亦能攝受四靜慮四無量四無色定亦能攝受三十七菩提分法亦能攝受三解脫門亦能攝受八解脫乃至十遍處亦能攝受一切陀羅尼門三摩地門亦能攝受五眼六神通亦能攝受如來十力乃至十八佛不共法亦能攝受無忘失法恒住捨性亦能攝受一切智道相智一切相智亦能攝受三十二大士相八十隨好佛告善現若菩薩摩訶薩行深般若波羅蜜多時所脩布施乃至般若波羅蜜多皆為般若波羅蜜多之所攝受方得圓滿如是乃至所引三十二大士相八十隨好皆為般若波羅蜜多之所攝受方得圓滿如是善現諸菩薩摩訶薩行深般若波羅蜜多時一心現起則能攝受六波羅蜜多如是乃至亦能攝受三十二大士相八十隨好具壽善現白言世尊云何菩薩摩訶薩行深般若波羅蜜多時諸有所作皆為

BD01804號　大般若波羅蜜多經卷四六六　（20–16）

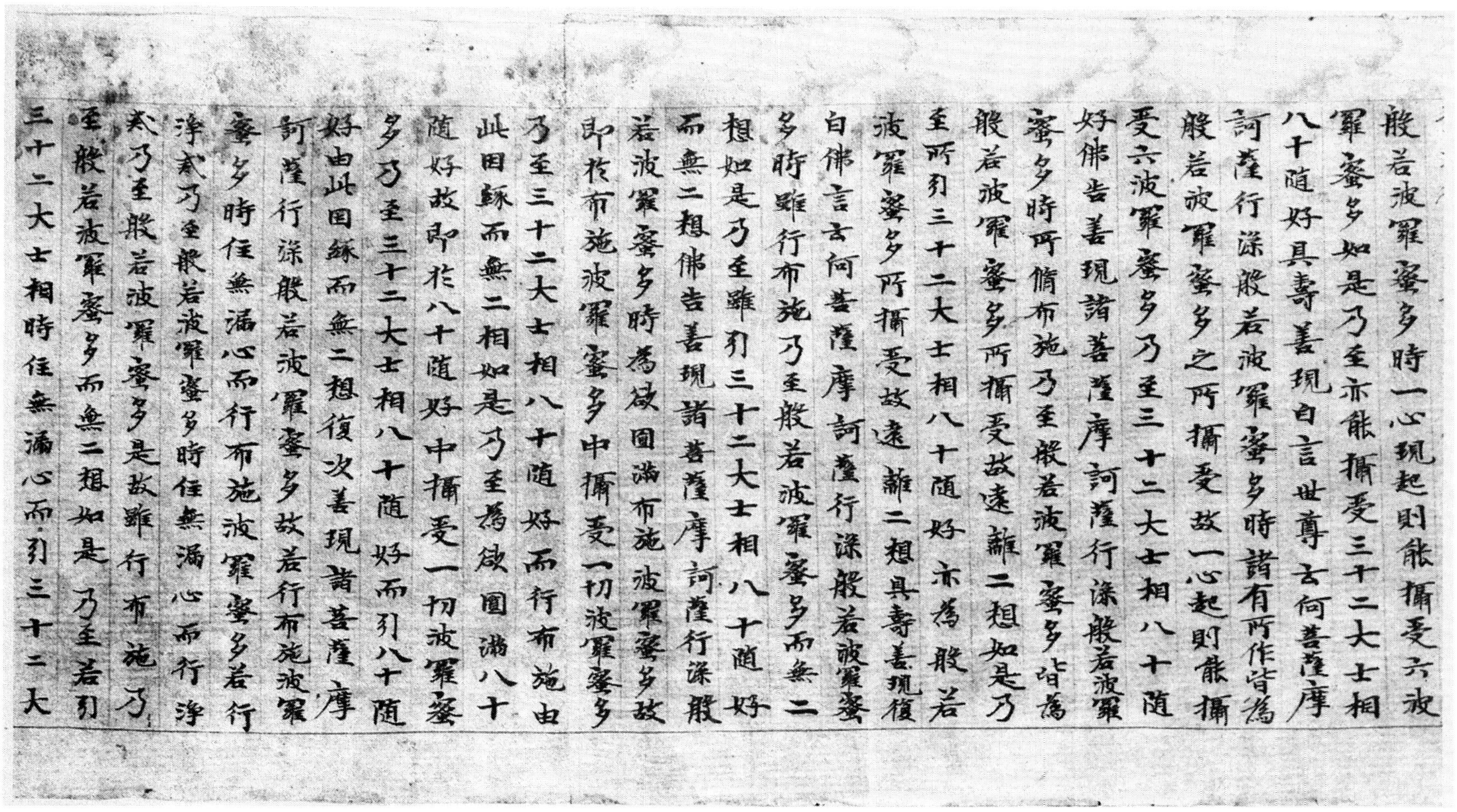
般若波羅蜜多時一心現起則能攝受六波
羅蜜多如是乃至亦能攝受三十二大士相
八十隨好具壽善現白言世尊云何菩薩摩
訶薩行深般若波羅蜜多時諸有所作皆為
般若波羅蜜多之所攝受故一心起則能攝
受六波羅蜜多乃至三十二大士相八十隨
好佛告善現諸菩薩摩訶薩行深般若波羅
蜜多時所脩布施乃至般若波羅蜜多皆為
般若波羅蜜多所攝受故遠離二想如是乃
至所引三十二大士相八十隨好亦為般若
波羅蜜多所攝受故遠離二想具壽善現復
白佛言云何菩薩摩訶薩行深般若波羅蜜
多時雖行布施乃至般若波羅蜜多而無二
想如是乃至雖引三十二大士相八十隨好
而無二想佛告善現諸菩薩摩訶薩行深般
若波羅蜜多時為欲圓滿布施波羅蜜多故
即於布施波羅蜜多中攝受一切波羅蜜多
乃至三十二大士相八十隨好而行布施由
此因緣而無二相如是乃至為欲圓滿八十
隨好故即於八十隨好中攝受一切波羅蜜
多乃至三十二大士相八十隨好而引八十隨
好由此因緣而無二想復次善現諸菩薩摩
訶薩行深般若波羅蜜多故若行布施波羅
蜜多時住無漏心而行布施波羅蜜多若行
淨戒乃至般若波羅蜜多時住無漏心而行淨
戒乃至般若波羅蜜多是故雖行布施乃
至般若波羅蜜多而無二想如是乃至若引
三十二大士相時住無漏心而引三十二大

BD01804 號　大般若波羅蜜多經卷四六六　（20–17）

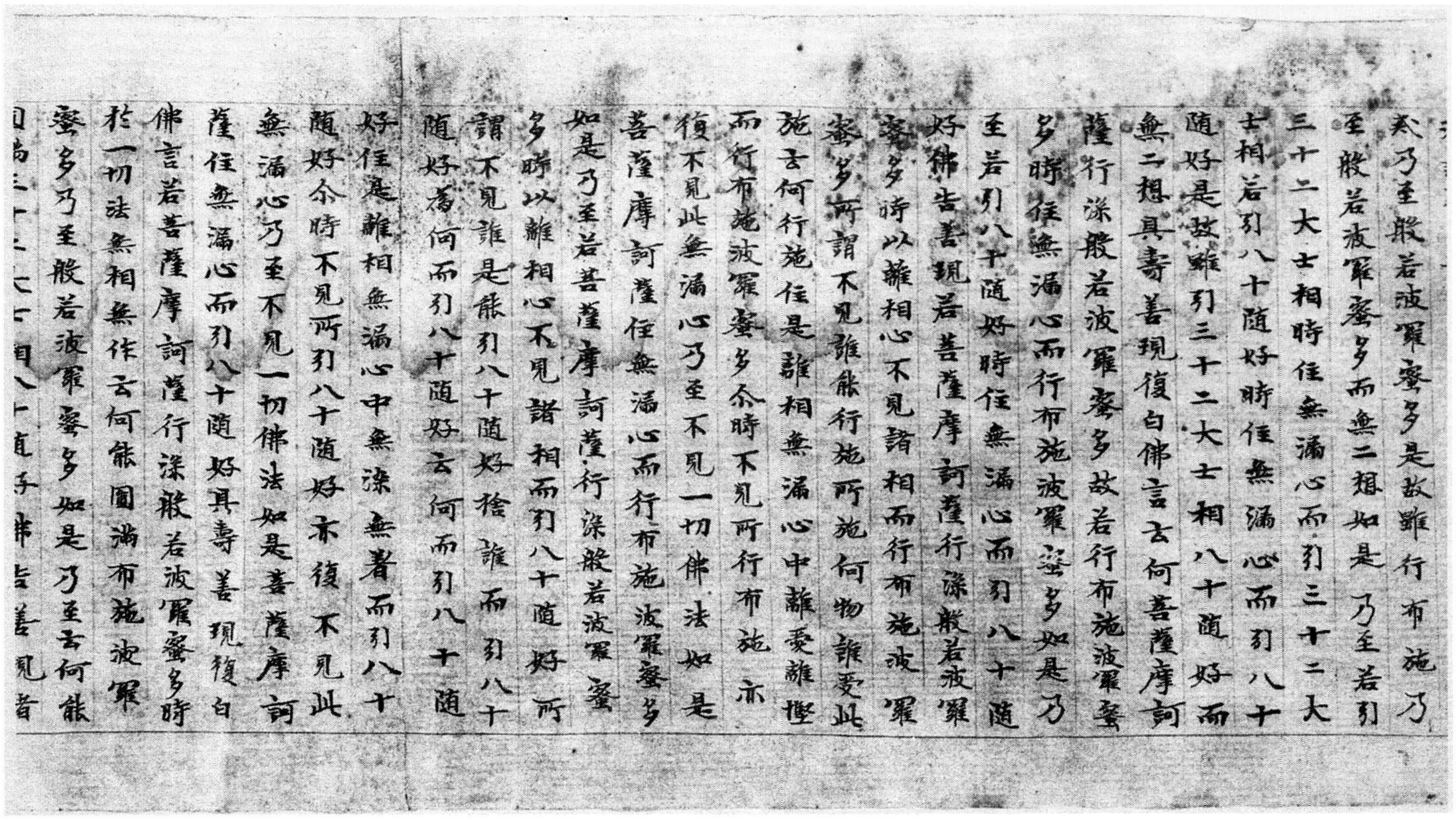
戒乃至般若波羅蜜多是故雖行布施乃
至般若波羅蜜多而無二想如是乃至若引
三十二大士相時住無漏心而引三十二大
士相若引八十隨好時住無漏心而引八十
隨好是故雖引三十二大士相八十隨好而
無二想具壽善現復白佛言云何菩薩摩訶
薩行深般若波羅蜜多故若行布施波羅蜜
多時住無漏心而行布施波羅蜜多如是乃
至若引八十隨好時住無漏心而引八十隨
好佛告善現若菩薩摩訶薩行深般若波羅
蜜多時以離相心不見諸相而行布施波羅
蜜多所謂不見誰能行施所施何物誰受此
施云何行施住是離相無漏心中離慳
而行布施波羅蜜多尒時不見所行布施亦
復不見此無漏心乃至不見一切佛法如是
菩薩摩訶薩住無漏心而行布施波羅蜜多
如是乃至若菩薩摩訶薩行深般若波羅蜜
多時以離相心不見諸相而引八十隨好所
謂不見誰是能引八十隨好捨誰而引八十
隨好為何而引八十隨好云何而引八十隨
好住是離相無漏心中無染無著而引八十
隨好尒時不見所引八十隨好亦復不見此
無漏心乃至不見一切佛法如是菩薩摩訶
薩住無漏心而引八十隨好具壽善現復白
佛言若菩薩摩訶薩行深般若波羅蜜多時
於一切法無相無作云何能圓滿布施波羅
蜜多乃至般若波羅蜜多如是乃至云何能
圓滿三十二大士相八十隨好佛告善現若

BD01804 號　大般若波羅蜜多經卷四六六　（20–18）

佛言若菩薩摩訶薩行深般若波羅蜜多時
於一切法無相無作云何能圓滿布施波羅
蜜多乃至般若波羅蜜多如是乃至云何能
圓滿三十二大士相八十隨好佛告善現諸
菩薩摩訶薩行深般若波羅蜜多時能以離
相無漏之心而行布施隨諸有情所須資具
悉皆施與若有須內頭目髓腦皮肉支節筋
骨身命亦皆施與若有須外國城妻子所愛
親屬種種嚴具亦皆施與如是施時設有人
來現前呵毀呰我大士何用行此無益施為
如是施者今世後世多諸苦惱是菩薩摩訶
薩行深般若波羅蜜多故雖聞其言而不退
屈但作是念彼人雖來呵毀於我而我不應
心生憂悔我當勇猛施諸有情所須之物身
心無倦是菩薩摩訶薩持此布施與諸有情
平等共有迴向無上正等菩提如是布施及
迴向時不見其相所謂不見誰能布施所施
何物誰受此施云何行施亦復不見誰能迴
向何所迴向云何迴向何處迴向於如是等
一切事物悉皆不見所以者何如是諸法無
不皆由內空故空如是乃至由自相空故空
是菩薩摩訶薩觀一切法無不空已復作是
念誰能迴向何所迴向云何迴向何處迴向
如是等法皆不可得是菩薩摩訶薩由如
是觀及如是念所作迴向名善迴由此復
能成熟有情嚴淨佛土亦能圓滿布施波羅
蜜多乃至般若波羅蜜多如是乃至亦能圓

BD01804號　大般若波羅蜜多經卷四六六　（20–19）

是菩薩摩訶薩觀一切法無不空已復作是
念誰能迴向何所迴向云何迴向何處迴向
如是等法皆不可得是菩薩摩訶薩由如
是觀及如是念所作迴向名善迴由此復
能成熟有情嚴淨佛土亦能圓滿布施波羅
蜜多乃至般若波羅蜜多如是乃至亦能圓
滿三十二大士相八十隨好是菩薩摩訶薩
雖能如是圓滿布施波羅蜜多而不攝受施
異熟果雖不攝受施異熟果而由布施波羅
蜜多善清淨故隨意能辦一切資具譬如他
化自在諸天一切所須隨意皆現此菩薩摩
訶薩亦復如是諸有所須隨意能辦能以種
種上妙供具供養恭敬尊重讚歎諸佛世尊
亦能究竟世間天人阿素洛等所須資具由
此布施波羅蜜多攝諸有情方便善巧以三
乘法而安立之令隨所宜各得利樂如是善
現諸菩薩摩訶薩行深般若波羅蜜多時由
離諸相無漏心力能於無相無作法中圓滿
布施波羅蜜多亦能圓滿諸餘功德

大般若波羅蜜多經卷第四百六十六

BD01804號　大般若波羅蜜多經卷四六六　（20–20）

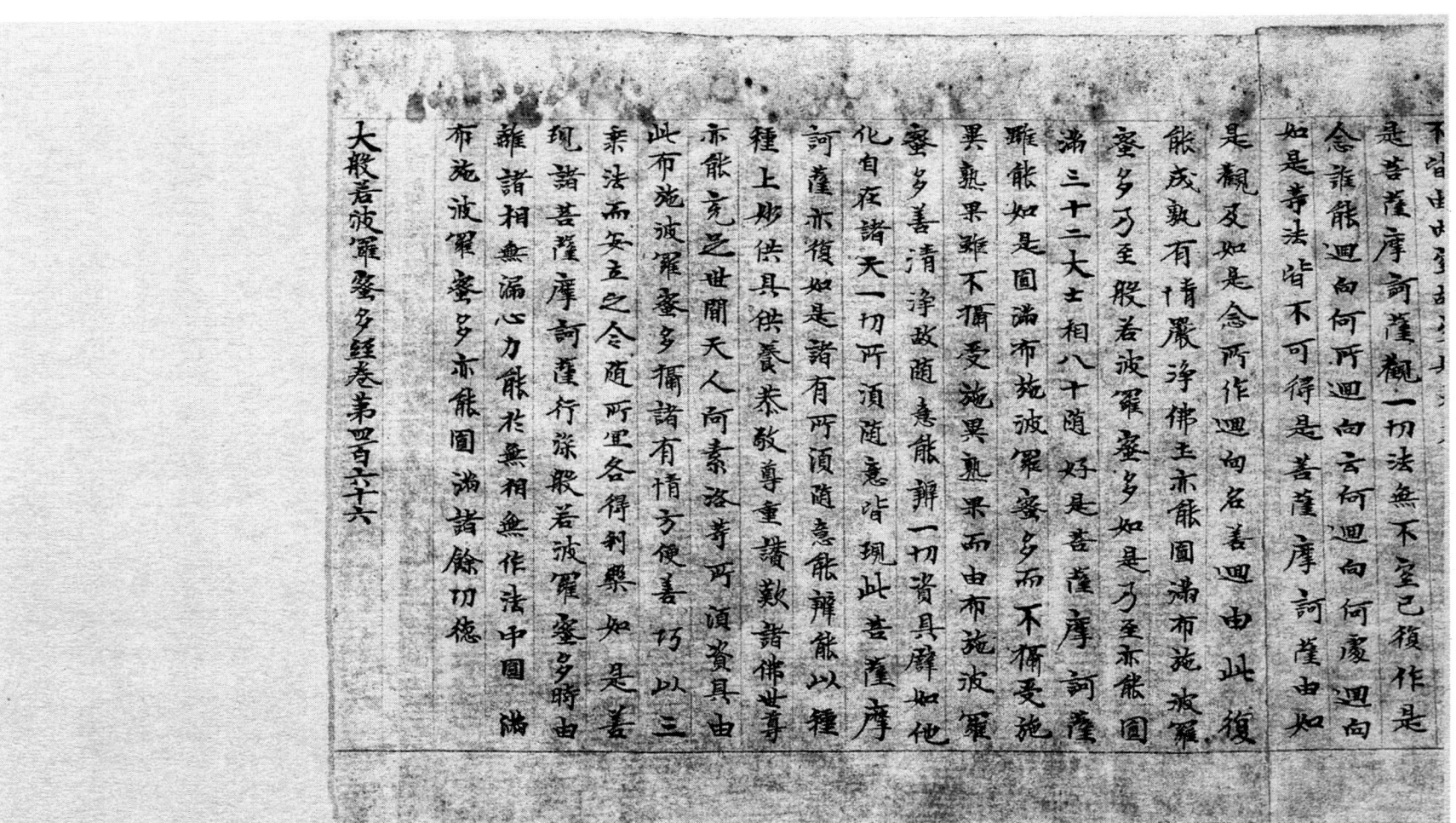

BD01804 號背　勘記 （1–1）

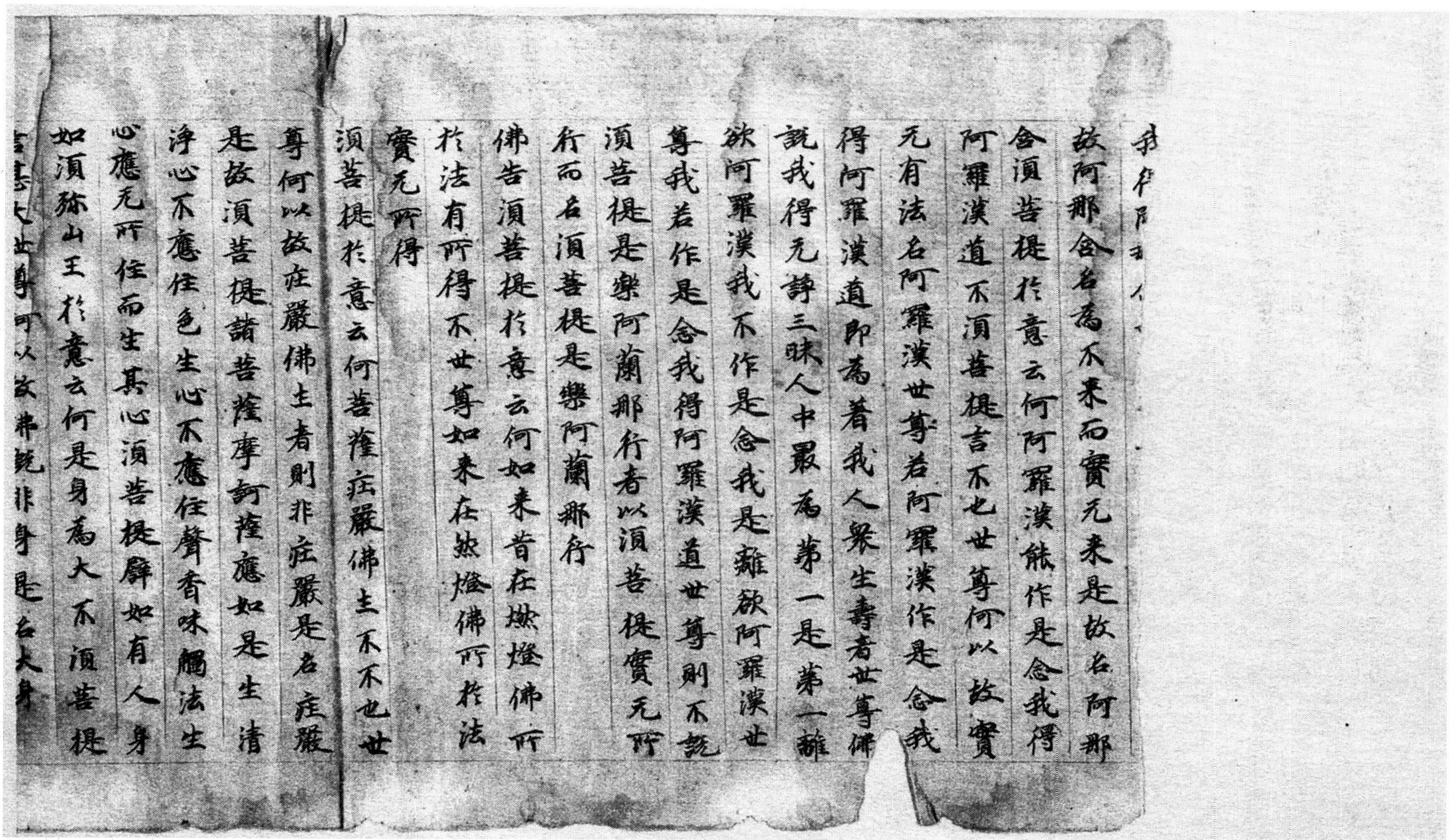
[illegible]
故阿那含名為不來而實无來是故名阿那
含須菩提於意云何阿羅漢能作是念我得
阿羅漢道不須菩提言不也世尊何以故實
无有法名阿羅漢世尊若阿羅漢作是念我
得阿羅漢道即為著我人衆生壽者世尊佛
說我得无諍三昧人中最為第一是第一離
欲阿羅漢我不作是念我是離欲阿羅漢世
尊我若作是念我得阿羅漢道世尊則不說
須菩提是樂阿蘭那行者以須菩提實无所
行而名須菩提是樂阿蘭那行
佛告須菩提於意云何如來昔在然燈佛所
於法有所得不世尊如來在然燈佛所於法
實无所得
須菩提於意云何菩薩庄嚴佛土不不也世
尊何以故庄嚴佛土者則非庄嚴是名庄嚴
是故須菩提諸菩薩摩訶薩應如是生清
淨心不應住色生心不應住聲香味觸法生
心應无所住而生其心須菩提譬如有人身
如須弥山王於意云何是身為大不須菩提
言甚大世尊何以故佛說非身是名大身

BD01805 號　金剛般若波羅蜜經 （2–1）

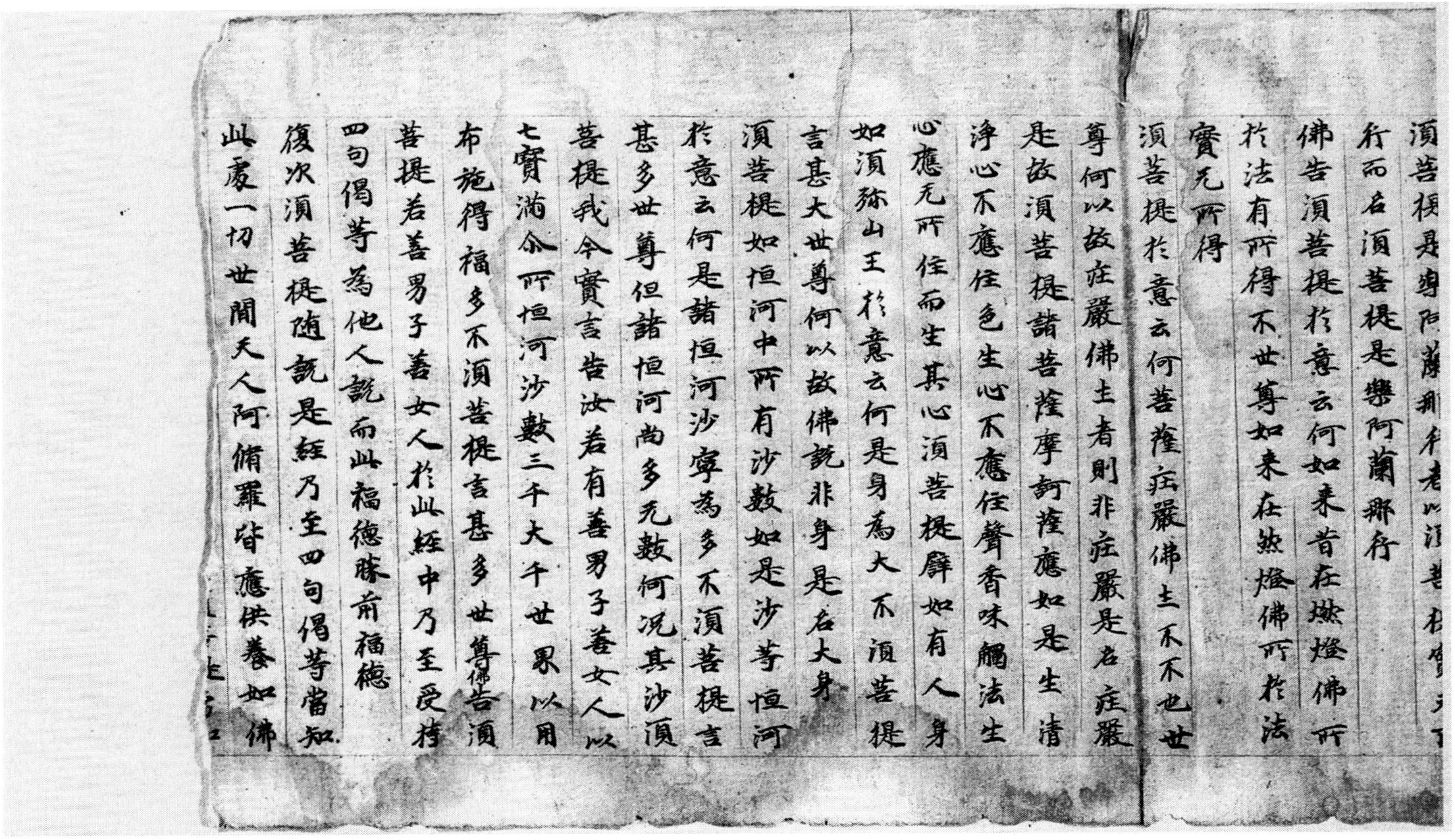

須菩提是樂阿蘭那行者以須菩提實无所
行而名須菩提是樂阿蘭那行
佛告須菩提於意云何如來昔在燃燈佛所
於法有所得不世尊如來在然燈佛所於法
實无所得
須菩提於意云何菩薩莊嚴佛土不不也世
尊何以故莊嚴佛土者則非莊嚴是名莊嚴
是故須菩提諸菩薩摩訶薩應如是生清
淨心不應住色生心不應住聲香味觸法生
心應无所住而生其心須菩提譬如有人身
如須弥山王於意云何是身為大不須菩提
言甚大世尊何以故佛說非身是名大身
須菩提如恒河中所有沙數如是沙等恒河
於意云何是諸恒河沙寧為多不須菩提言
甚多世尊但諸恒河尚多无數何況其沙須
菩提我今實言告汝若有善男子善女人以
七寶滿尒所恒河沙數三千大千世界以用
布施得福多不須菩提言甚多世尊佛告須
菩提若善男子善女人於此經中乃至受持
四句偈等為他人說而此福德勝前福德
復次須菩提隨說是經乃至四句偈等當知
此處一切世間天人阿脩羅皆應供養如佛

BD01805號　金剛般若波羅蜜經　（2–2）

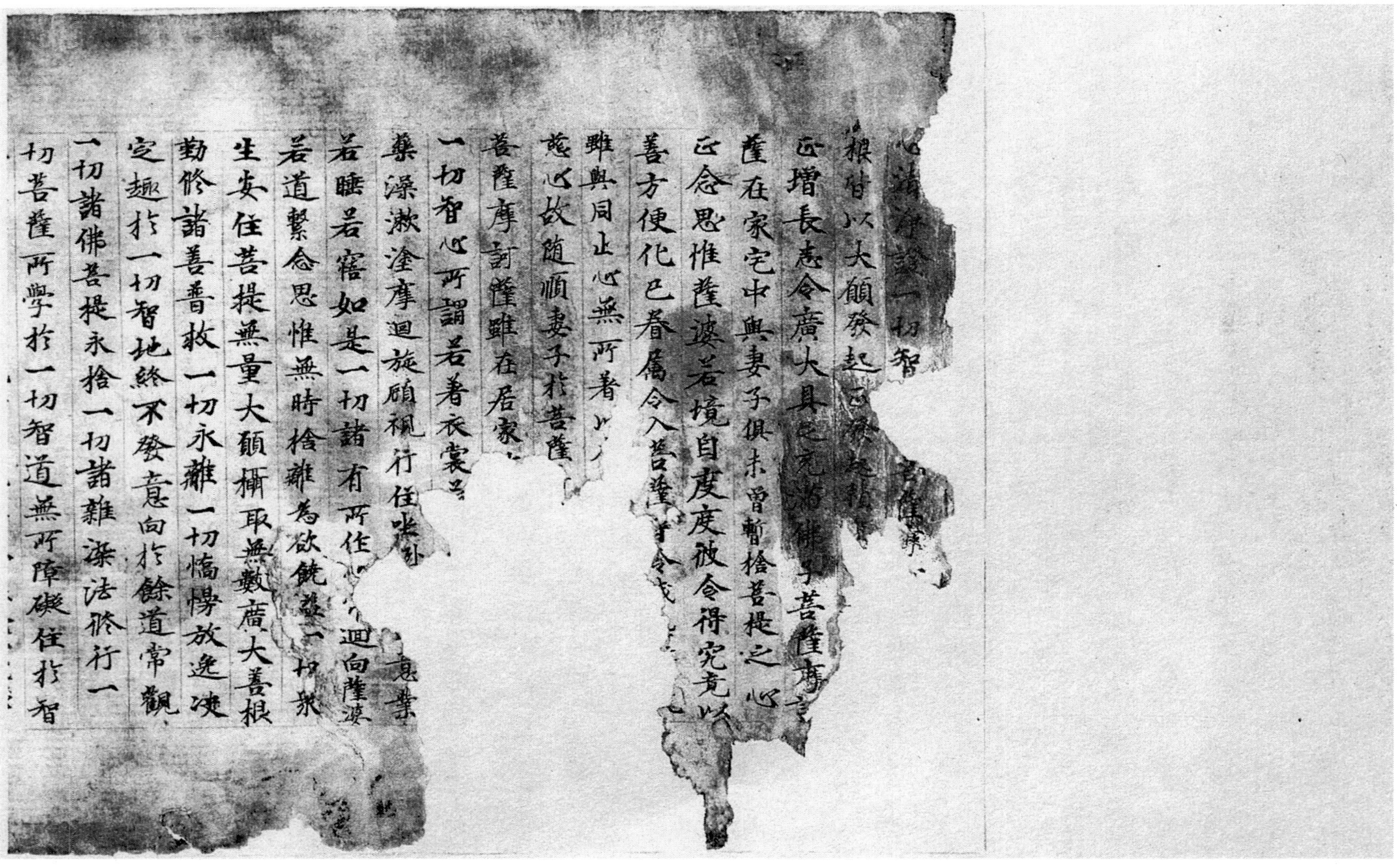

心清淨於一切智
根皆以大願發起正念……菩薩摩
正增長志令廣大具足无礙佛子菩薩摩
薩在家宅中與妻子俱未曾暫捨菩提之心
正念思惟薩婆若境自度度彼令得究竟以
善方便化己眷屬令入菩薩……令成
雖與同止心無所著以
悲心故隨順妻子於菩薩
菩薩摩訶薩雖在居家
一切智心所謂若著衣裳若
藥澡漱塗摩迴旋顧視行住坐臥……業
若睡若寤如是一切諸有所作……迴向薩婆
若道繫念思惟無時捨離為欲饒益一切衆
生安住菩提無量大願攝取無數廣大善根
勤修諸善普救一切永離一切憍慢放逸決
定趣於一切智地終不發意向於餘道常觀
一切諸佛菩提永捨一切諸雜染法修行一
切菩薩所學於一切智道無所障礙住於智

BD01806號　大方廣佛華嚴經（唐譯八十卷本）卷二四　（12–1）

勤修諸善普救一切永離一切惱惕放逸決
定趣於一切智地終不發意向於餘道常觀
一切諸佛菩提永捨一切諸雜染法修行一
切菩薩所學於一切智道無所障礙住於智
地愛樂誦習以無量智集諸善根心不戀
樂一切世間亦不染著所行之行專心受持諸
佛教法菩薩如是處在居家普攝善根令
其增長迴向諸佛無上菩提佛子菩薩尒時
乃至施與畜生之食一摶一粒咸作是願當
令此等捨畜生道利益安樂究竟解脫永度
苦海永滅苦受永除苦蘊永斷苦覺苦聚苦
行苦因苦本及諸苦處願彼眾生皆得捨離
菩薩如是專心繫念一切眾生以彼善根而
為上首為其迴向一切種智菩薩初發菩提
之心普攝眾生修諸善根悉以迴向欲令永
離生死曠野得諸如來無礙快樂出煩惱海
修佛法道慈心遍滿悲力廣大普使一切得
清淨樂守護善根親近佛法出魔境界入
佛境界斷世間種植如來種住於三世平等法
中菩薩摩訶薩如是所有已集當集現集
善根悉以迴向復作是念如過去諸佛菩薩所
行恭敬供養一切諸佛度諸眾生令永出離
勤加修習一切善根悉以迴向而無所著所
謂不依色不著受無倒想不作行不取識捨
離六處不住世法樂出世間知一切法皆如
虛空無所從來不生不滅無有真實無所染

BD01806號　大方廣佛華嚴經（唐譯八十卷本）卷二四　（12–2）

謂不依色不著受無倒想不作行不取識捨
離六處不住世法樂出世間知一切法皆如
虛空無所從來不生不滅無有真實無所染
著遠離一切諸分別見不動不轉不失不壞
住於實際無相離相唯是一相如是深入一切
法性常樂習行普門善根悉見一切諸佛眾
會如彼過去一切如來善根迴向我亦如是
而為迴向解如是法證如是法依如是法發心
修習不違法相知所修行如幻如影如水
中月如鏡中像因緣和合之所顯現乃至如
來究竟之地佛子菩薩摩訶薩復作是念如
過去諸佛修菩薩行時以諸善根如是迴向
未來現在悉亦如是我今亦應如彼諸佛
如是發心以諸善根而為迴向第一迴向勝
迴向最勝迴向上迴向無上迴向無等迴向
無等等迴向無比迴向無對迴向尊迴向妙迴
向平等迴向正直迴向大功德迴向廣大迴向
善迴向清淨迴向離惡迴向不隨惡迴向
菩薩如是以諸善根正迴向已成就清淨
身語意業住菩薩住無諸過失修習善業離
身語惡心無瑕穢修一切智住廣大心知一切
法無有所作住出世法世法不染分別了知
無量諸業成就迴向善巧方便永拔一切
取著根本佛子是為菩薩摩訶薩第三等
一切佛迴向菩薩摩訶薩住此迴向深入一切
諸如來業趣向如來勝妙功德入深清淨智
慧境界不離一切諸菩薩業善能分別巧妙

BD01806號　大方廣佛華嚴經（唐譯八十卷本）卷二四　（12–3）

取著根本佛子是為菩薩摩訶薩第三等
一切佛迴向菩薩摩訶薩住此迴向深入一切
諸如來業趣向如來勝妙功德入深清淨智
慧境界不離一切諸菩薩業善能分別巧妙
方便入深法界善知菩薩修行次第入佛種
性以巧方便分別了知無量無邊一切諸法
雖復現身於世中生而於世法心無所著尒
時金剛幢菩薩承佛神力普觀十方即說
頌言
彼諸菩薩摩訶薩　修過去佛迴向法
亦學未來現在世　一切導師之所行
於諸境界得安樂　諸佛如來所稱讚
廣大光明清淨眼　悉以迴向大聰哲
菩薩身根種種樂　眼耳鼻舌亦復然
如是無量上妙樂　悉以迴向諸最勝
一切世間衆善法　及諸如來所成就
於彼悉攝無有餘　盡以隨喜益衆生
世間隨喜無量種　令此迴向為衆生
人中師子所有樂　願使群萌悉圓滿
一切國土諸如來　凡所知見種種樂
願令衆生皆悉得　而為照世大明燈
菩薩所得勝妙樂　悉以迴向諸群生
雖為群生故迴向　而於迴向無所著
菩薩修行此迴向　興起無量大悲心
如佛所修迴向德　願我修行悉成滿
如諸最勝所成就　一切智乘微妙樂

BD01806 號　大方廣佛華嚴經（唐譯八十卷本）卷二四　（12–4）

雖為群生故迴向　而於迴向無所著
菩薩修行此迴向　興起無量大悲心
如佛所修迴向德　願我修行悉成滿
如諸最勝所成就　一切智乘微妙樂
及我在世之所行　諸菩薩行無量樂
示入衆趣安隱樂　恒守諸根寂靜樂
悉以迴向諸群生　普使修成無上智
非身語意即是業　亦不離此而別有
但以方便滅癡冥　如是修成無上智
菩薩所修諸行業　積集無量勝功德
隨順如來生佛家　寂然不亂正迴向
十方一切諸世界　所有衆生咸攝受
悉以善根迴向彼　願令具足安隱樂
不為自身求利益　欲令一切悉安樂
未曾暫起戲論心　但觀諸法空無我
十方無量諸最勝　所見一切真佛子
悉以善根迴向彼　願使速成無上覺
一切世間含識類　等心攝取無有餘
以我所行諸善業　令彼衆生速成佛
無量無邊諸大願　無上導師所演說
願諸佛子皆清淨　隨其心樂悉成滿
普觀十方諸世界　悉以功德施於彼
願令皆具妙莊嚴　菩薩如是學迴向
心不稱量諸二法　但恒了達法無二
諸法若二若不二　於中畢竟無所著
十方一切諸世間　悉是衆生想分別
於想非想無所得　如是了達於諸想

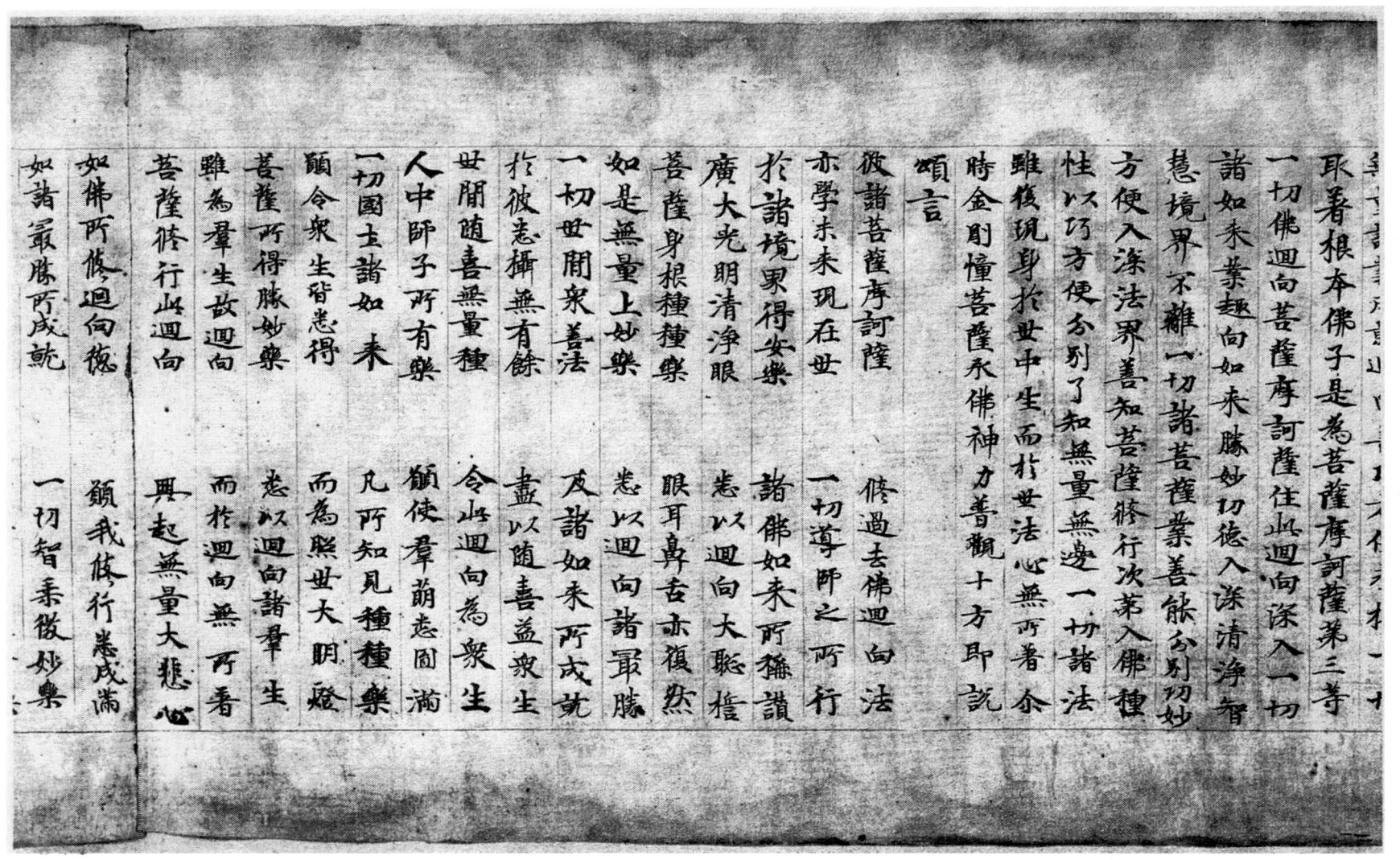

BD01806 號　大方廣佛華嚴經（唐譯八十卷本）卷二四　（12–5）

心不稱量諸二法　但恒了達法無二
諸法若二若不二　於中畢竟無所著
十方一切諸世間　悉是衆生想分別
於想非想無所得　如是了達於諸想
彼諸菩薩身淨已　則意清淨無瑕穢
語業已淨無諸過　當知意淨无所著
一心正念過去佛　亦憶未來諸導師
及以現在天人尊　悉學於其所說法
三世一切諸如来　智慧明達心无礙
為欲利益衆生故　迴向菩提集衆業
彼第一慧廣大慧　不虛妄慧无倒慧
平等實慧清淨慧　最勝慧者如是說
佛子云何為菩薩摩訶薩至一切處迴向佛
子此菩薩摩訶薩修習一切諸善根時作
是念言願此善根功德之力至一切處譬如
實際无處不至至一切物至一切世間至一切
衆生至一切國土至一切法至一切虛空至
一切三世至一切有為無為至一切語言音
聲願此善根亦復如是遍至一切諸如来所
供養三世一切諸佛過去諸佛所願悉滿未
来諸佛具足莊嚴現在諸佛及其國土道
場衆會遍滿一切虛空法界願以信解大威
力故廣大智慧無障礙故一切善根悉迴向故
以如諸天諸供養具而為供養充滿無量無
邊世界佛子菩薩摩訶薩復作是念諸佛世
尊普遍一切虛空法界種種業所起十方不

BD01806號　大方廣佛華嚴經（唐譯八十卷本）卷二四　（12–6）

以如諸天諸供養具而為供養充滿無量無
邊世界佛子菩薩摩訶薩復作是念諸佛世
尊普遍一切虛空法界種種業所起十方不
可說一切世界種世界不可說佛國土佛境界
種種世界無量世界無分齊世界轉世界側
世界仰世界覆世界如是一切諸世界中現
住於壽示現種種神通變化彼有菩薩以勝
解力為諸衆生堪受化者於彼一切諸世界
中現為如来出興於世以至一切處智普遍
開示如来無量自在神力法身遍往無有差
別平等普入一切法界如来藏身不生不滅
善巧方便普現世間證法實性超一切故得
不退轉無礙力故生於如来無障礙見廣大
威德種性中故佛子菩薩摩訶薩以其所種一
切善根願於如是諸如来所以衆妙花及衆妙
香鬘蓋幢幡衣服燈燭及餘一切諸莊嚴具以
為供養若佛形像若佛塔廟悉亦如是以此善
根如是迴向所謂不亂迴向一心迴向自意迴向
尊敬迴向不動迴向無住迴向無依迴向無衆
生心迴向無躁競心迴向寂靜心迴向復作是念
盡法界虛空界去来現在一切劫中諸佛世
尊得一切智成菩提道無量名字各各差別於
種種時現成正覺悉皆住壽盡未來際一一
各以法界莊嚴其身道場衆會周遍法界
一切國土隨時出興而作佛事如是一切諸佛
如来我以善根普皆迴向願以無數香蓋無

BD01806號　大方廣佛華嚴經（唐譯八十卷本）卷二四　（12–7）

尊得一切智成菩提道無量名字各各差別於
種種時現成正覺悉皆住壽盡未來際一一
各以法界莊嚴其身道場衆會周遍法界
一切國土隨時出興而作佛事如是一切諸佛
如來我以善根普皆迴向願以無數香蓋無
數香幢無數香幡無數香帳無數香網無數
香像無數香光無數香燄無數香雲無數香座
無數香經行地無數香所住處無數香世界
無數香山無數香海無數香河無數香樹無
數香衣服無數香蓮花無數香宮殿無量花
蓋廣說乃至無量花宮殿無邊鬘蓋廣說乃
至無邊鬘宮殿無等塗香蓋廣說乃至無等
塗香宮殿不可數末香蓋廣說乃至不可數末
香宮殿不可稱衣蓋廣說乃至不可稱衣宮殿
不可思寶蓋廣說乃至不可思寶宮殿不可量
燈光明蓋廣說乃至不可量燈光明宮殿 不
可說莊嚴具蓋廣說乃至不可說莊嚴具宮
殿不可說不可說摩尼寶蓋不可說不可說
摩尼寶幢如是摩尼寶幡摩尼寶帳摩尼寶
網摩尼寶像摩尼寶光摩尼寶燄摩尼寶
雲摩尼寶座摩尼寶經行地摩尼寶所住處
摩尼寶剎摩尼寶山摩尼寶海摩尼寶河摩
尼寶樹摩尼寶衣服摩尼寶蓮花摩尼寶宮
殿皆不可說不可說如是一一諸境界中各有無
數欄楯無數宮殿無數樓閣無數門闥無數半
月無數却敵無數窗牖無數清淨寶 無數
莊嚴具以如是等諸供養物恭敬供養如上

BD01806號　大方廣佛華嚴經（唐譯八十卷本）卷二四　（12–8）

尼寶樹摩尼寶衣服摩尼寶蓮花摩尼寶宮
殿皆不可說不可說如是一一諸境界中各有無
數欄楯無數宮殿無數樓閣無數門闥無數半
月無數却敵無數窗牖無數清淨寶 無數
莊嚴具以如是等諸供養物恭敬供養如上
所說諸佛世尊願令一切世間皆得清淨 一
切衆生咸得出離住十力地於一切法中得
無礙法明令一切衆生具足善根悉得調伏
其心无量等虛空界往一切剎而無所至入
一切土施諸善法常得見佛植諸善根成就
大乘不着諸法具足衆善立無量行普入無
邊一切法界成就諸佛神通之力得於如來
一切智智譬如無我普攝諸法我諸善根亦
復如是普攝一切諸佛如來咸悉供養無有
餘故普攝一切無量諸法悉能悟入无障礙
故普攝一切諸菩薩衆究竟皆與同善根故
普攝一切諸菩薩行以本願力皆圓滿故 普
攝一切菩薩法明了達諸法皆無礙故普攝
諸佛大神通力成就無量諸善根故普攝諸
佛力無所畏發無量心滿一切故普攝菩薩
三昧辯才陁羅尼門善能照了無二法故普
攝諸佛善巧方便示現如來大神力故普攝
三世一切諸佛降生成道轉正法輪調伏衆
生入般涅槃恭敬供養悉周遍故普攝十方
一切世界嚴淨佛剎咸究竟故普攝一切諸
廣大劫於中出現修菩薩行無斷絕故普攝
一切所有趣生悉於其中現受生故普攝一

BD01806號　大方廣佛華嚴經（唐譯八十卷本）卷二四　（12–9）

一切世界嚴淨佛剎咸究竟故普攝一切諸
廣大劫於中出現脩菩薩行無斷絕故普攝
一切所有趣生悉於其中現受生故普攝一
切諸衆生界具足普賢菩薩行故普攝一切
諸惑習氣悉以方便令清淨故普攝一切衆
生諸根無量差別咸了知故普攝一切衆生
解欲令離雜染得清淨故普攝一切化衆生
行隨其所應爲現身故普攝一切應衆生道
悉入一切衆生界故普攝一切如來智性護
持一切諸佛教故佛子菩薩摩訶薩以諸業
如是迴向時用無所得而爲方便不於業中
分別報不於報中分別業雖無分別而普入
法界雖無所作而恒住善根雖無所起而勤
脩勝法不信諸法而能深入不有於法而悉
知見若作不作皆不可得知諸法性恒不自
在雖悉見諸法而無所見普知一切而無
所知菩薩如是了達境界知一切法因緣爲
本見於一切諸佛法身至一切法離染實際
解了世間皆如變化明達衆生唯是一切無
有二性不捨業境善巧方便於有爲界示無
爲法而不滅壞有爲之相於無爲界示有爲
法而不分別無爲之相菩薩如是觀一切法
畢竟寂滅成就一切清淨善根而起救護衆
生之心智慧明達一切法海常樂脩行離愚
癡法已具成就出世功德不更脩學世間之
法得淨智眼離諸癡翳以善方便脩迴向道

BD01806號　大方廣佛華嚴經（唐譯八十卷本）卷二四　（12-10）

生之心智慧明達一切法海常樂脩行離愚
癡法已具成就出世功德不更脩學世間之
法得淨智眼離諸癡翳以善方便脩迴向道
佛子菩薩摩訶薩以諸善根如是迴向稱可
一切諸佛之心嚴淨一切諸佛國土教化成
就一切衆生具足受持一切佛法作一切衆
生最上福田爲一切商人智慧導師作一切
世間清淨日輪一一善根充遍法界悉能救
護一切衆生皆令清淨具足功德佛子菩薩
摩訶薩如是迴向時能攝持一切佛種能成
熟一切衆生能嚴淨一切國土能不壞一切
諸業能了知一切諸法能等觀諸法無二能
遍往十方世界能了達離欲實際能成就清
清信解能具足明利諸根佛子是爲菩薩摩
訶薩第四至一切處迴向菩薩摩訶薩住此
迴向時得至一切處身業普能應現一切世界
故得至一切處語業於一切世界中演說法
故得至一切處意業受持一切佛所說法故
得至一切處神足通隨衆生心悉往應故得
至一切處隨證智普能了達一切法故得至
一切處總持辯才隨衆生心令歡喜故得至
一切處入法界於一毛孔中普入一切世界故
得至一切處遍入身於一衆生身普入一切
衆生身故得至一切處普見劫一一劫中常
見一切諸如來故得至一切處普見念一一
念中一切諸佛悉現前故佛子菩薩摩訶薩

BD01806號　大方廣佛華嚴經（唐譯八十卷本）卷二四　（12-11）

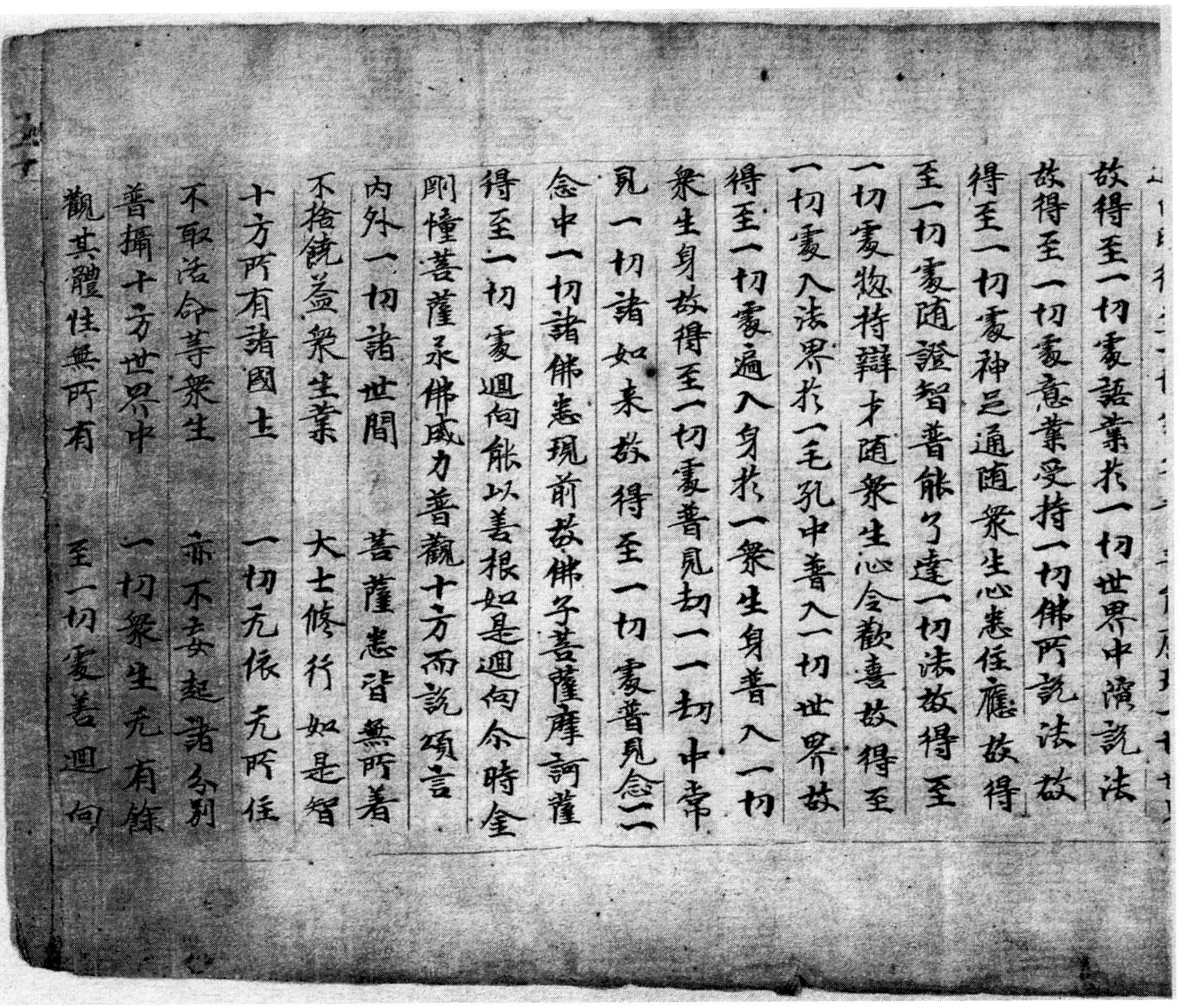
故得至一切處語業於一切世界中演說法
故得至一切處意業受持一切佛所說法故
得至一切處神足通隨衆生心悉往應故得
至一切處隨證智普能了達一切法故得至
一切處總持辯才隨衆生心令歡喜故得至
一切處入法界於一毛孔中普入一切世界故
得至一切處遍入身於一衆生身普入一切
衆生身故得至一切處普見劫一一劫中常
見一切諸如來故得至一切處普見念一一
念中一切諸佛悉現前故佛子菩薩摩訶薩
得至一切處迴向能以善根如是迴向尒時金
剛幢菩薩承佛威力普觀十方而說頌言
內外一切諸世間　菩薩悉皆無所著
不捨饒益衆生業　大士修行如是智
十方所有諸國土　一切无依无所住
不取活命等衆生　亦不妄起諸分別
普攝十方世界中　一切衆生无有餘
觀其體性無所有　至一切處善迴向

BD01806號　大方廣佛華嚴經（唐譯八十卷本）卷二四　（12–12）

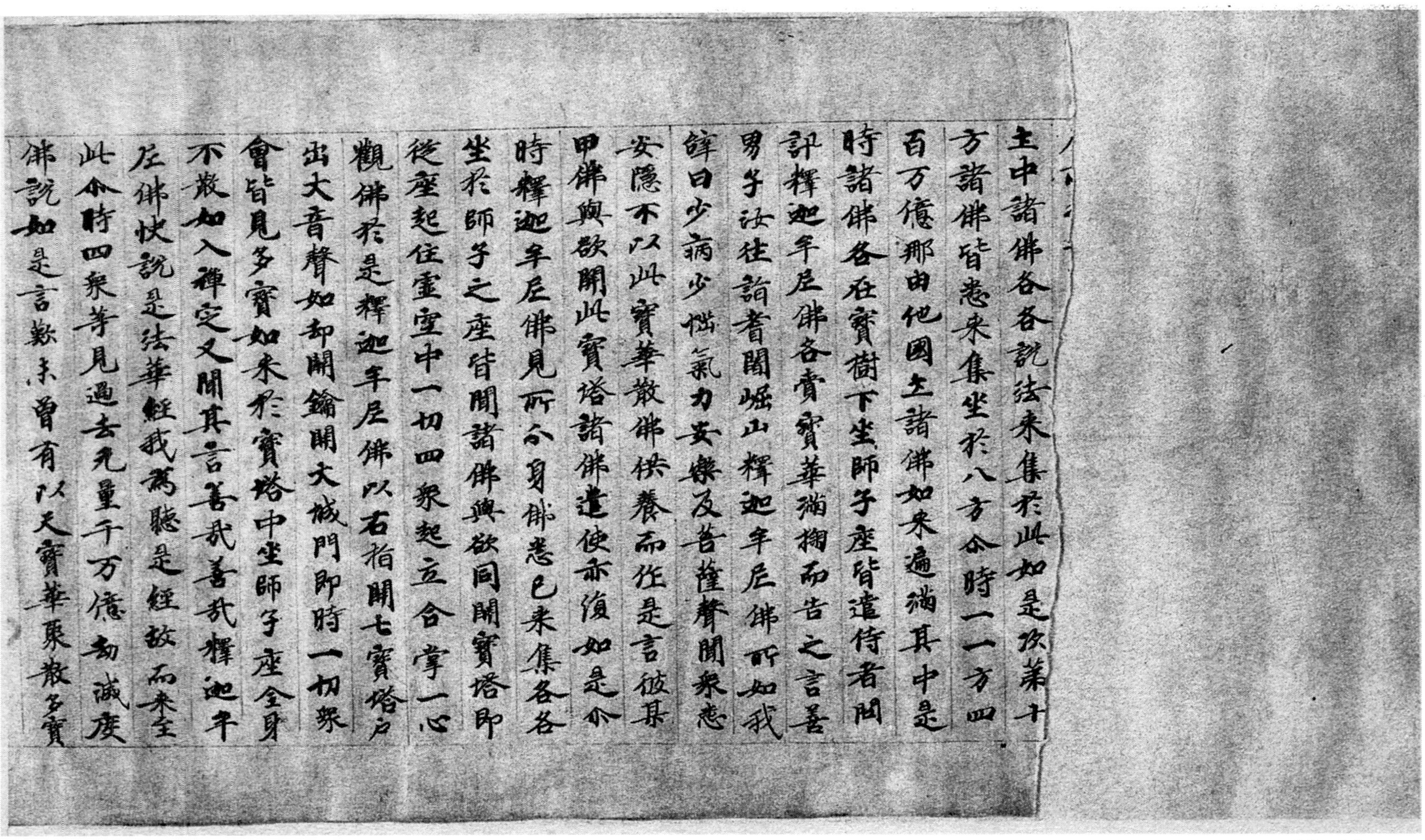
土中諸佛各各說法來集於此如是次第十
方諸佛皆悉來集坐於八方尒時一一方四
百万億那由他國土諸佛如來遍滿其中是
時諸佛各在寶樹下坐師子座皆遣侍者問
訊釋迦牟尼佛各賫寶華滿掬而告之言善
男子汝往詣耆闍崛山釋迦牟尼佛所如我
辭曰少病少惱氣力安樂及菩薩聲聞衆悉
安隱不以此寶華散佛供養而作是言彼某
甲佛與欲開此寶塔諸佛遣使亦復如是尒
時釋迦牟尼佛見所分身佛悉已來集各各
坐於師子之座皆聞諸佛與欲同開寶塔即
從座起住虛空中一切四衆起立合掌一心
觀佛於是釋迦牟尼佛以右指開七寶塔戶
出大音聲如却關鑰開大城門即時一切衆
會皆見多寶如來於寶塔中坐師子座全身
不散如入禪定又聞其言善哉善哉釋迦牟
尼佛快說是法華經我爲聽是經故而來至
此尒時四衆等見過去无量千万億劫滅度
佛說如是言歎未曾有以天寶華聚散多寶

BD01807號　妙法蓮華經卷四　（3–1）

不散如入禪定又聞其言善哉善哉釋迦牟
尼佛快說是法華經我為聽是經故而來至
此爾時四衆等見過去无量千万億劫滅度
佛說如是言歎未曾有以天寶華聚散多寶
佛及釋迦牟尼佛上
爾時多寶佛於寶塔中分半座與釋迦牟尼
佛而作是言釋迦牟尼佛可就此座即時釋
迦牟尼佛入其塔中坐其半座結跏趺坐爾
時大衆見二如來在七寶塔中師子座上結
跏趺坐各作是念佛座高遠唯願如來以神
通力令我等輩俱處虛空即時釋迦牟尼佛
以神通力接諸大衆皆在虛空以大音聲普
告四衆誰能於此娑婆國土廣說妙法華經
今正是時如來不久當入涅槃佛欲以此妙
法華經付囑有在爾時世尊欲重宣此義而
說偈言
聖主世尊　雖久滅度　在寶塔中　尚為法來
諸人云何　不勤為法　此佛滅度　无央數劫
處處聽法　以難遇故　彼佛本願　我滅度後
在在所往　常為聽法　又我分身　无量諸佛
如恒沙等　來欲聽法　及見滅度　多寶如來
各捨妙土　及弟子衆　天人龍神　諸供養事
令法久住　故來至此　為坐諸佛　以神通力
移无量衆　令國清淨　諸佛各各　詣寶樹下
如清涼池　蓮華莊嚴　其寶樹下　諸師子座

BD01807 號　妙法蓮華經卷四

(3–2)

跏趺坐各作是念佛座高遠唯願如來以神
通力令我等輩俱處虛空即時釋迦牟尼佛
以神通力接諸大衆皆在虛空以大音聲普
告四衆誰能於此娑婆國土廣說妙法華經
今正是時如來不久當入涅槃佛欲以此妙
法華經付囑有在爾時世尊欲重宣此義而
說偈言
聖主世尊　雖久滅度　在寶塔中　尚為法來
諸人云何　不勤為法　此佛滅度　无央數劫
處處聽法　以難遇故　彼佛本願　我滅度後
在在所往　常為聽法　又我分身　无量諸佛
如恒沙等　來欲聽法　及見滅度　多寶如來
各捨妙土　及弟子衆　天人龍神　諸供養事
令法久住　故來至此　為坐諸佛　以神通力
移无量衆　令國清淨　諸佛各各　詣寶樹下
如清涼池　蓮華莊嚴　其寶樹下　諸師子座
佛坐其上　光明嚴飾　如夜闇中　然大炬火
身出妙香　遍十方國　[illegible]薰　[illegible]不自勝

BD01807 號　妙法蓮華經卷四

(3–3)

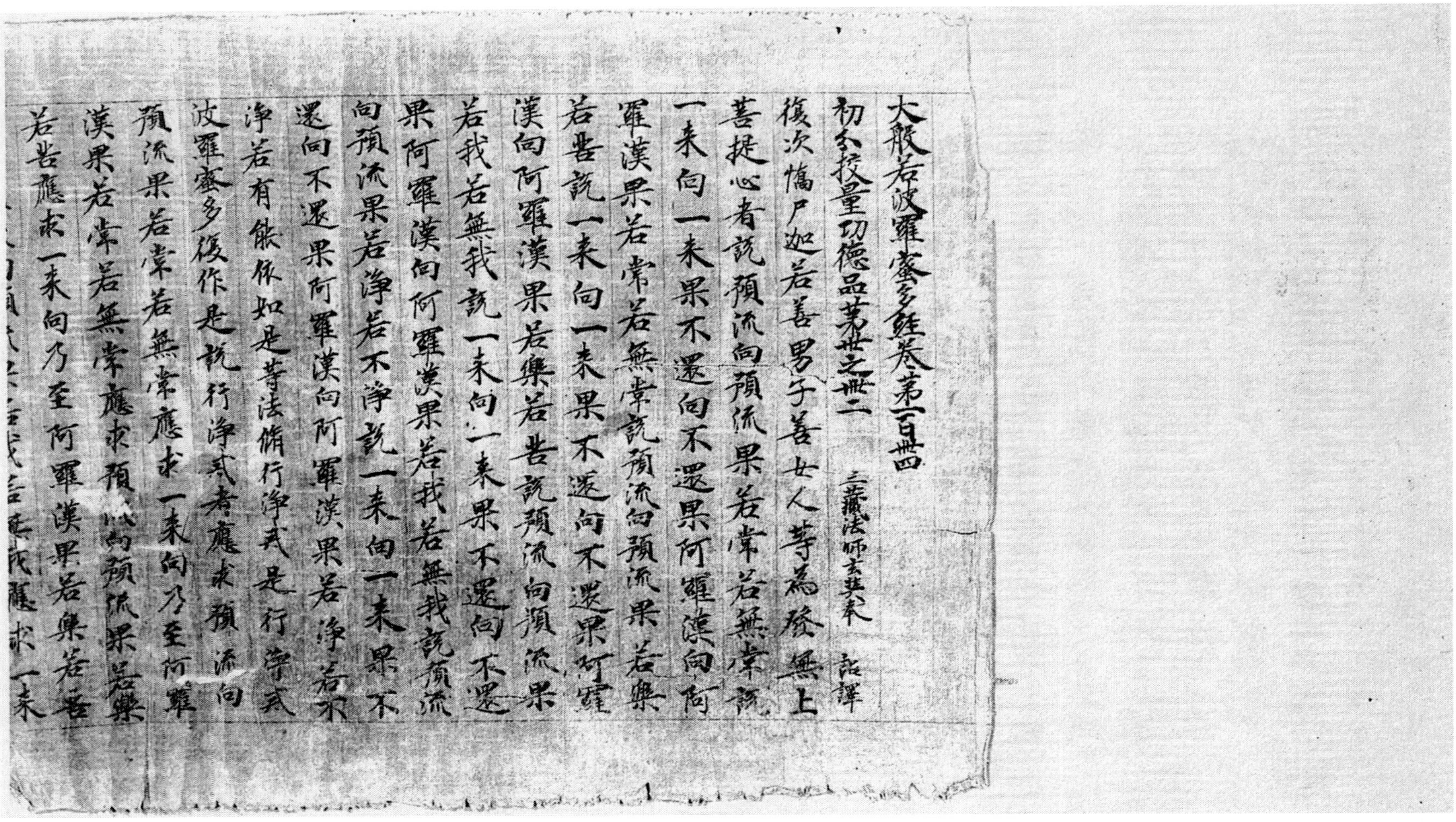

大般若波羅蜜多經卷第一百卌四
初分校量功德品第卅之卌二　三藏法師玄奘奉　詔譯
復次憍尸迦若善男子善女人等為發無上
菩提心者說預流向預流果若常若無常說
一來向一來果不還向不還果阿羅漢向阿
羅漢果若常若無常說預流向預流果若樂
若苦說一來向一來果不還向不還果阿羅
漢向阿羅漢果若樂若苦說預流向預流果
若我若無我說一來向一來果不還向不還
果阿羅漢向阿羅漢果若我若無我說預流
向預流果若淨若不淨說一來向一來果不
還向不還果阿羅漢向阿羅漢果若淨若不
淨若有能依如是等法脩行淨戒是行淨戒
波羅蜜多復作是說行淨戒者應求預流向
預流果若常若無常應求一來向乃至阿羅
漢果若常若無常應求預流向預流果若樂
若苦應求一來向乃至阿羅漢果若樂若苦

BD01808 號　大般若波羅蜜多經卷一四四　（3–1）

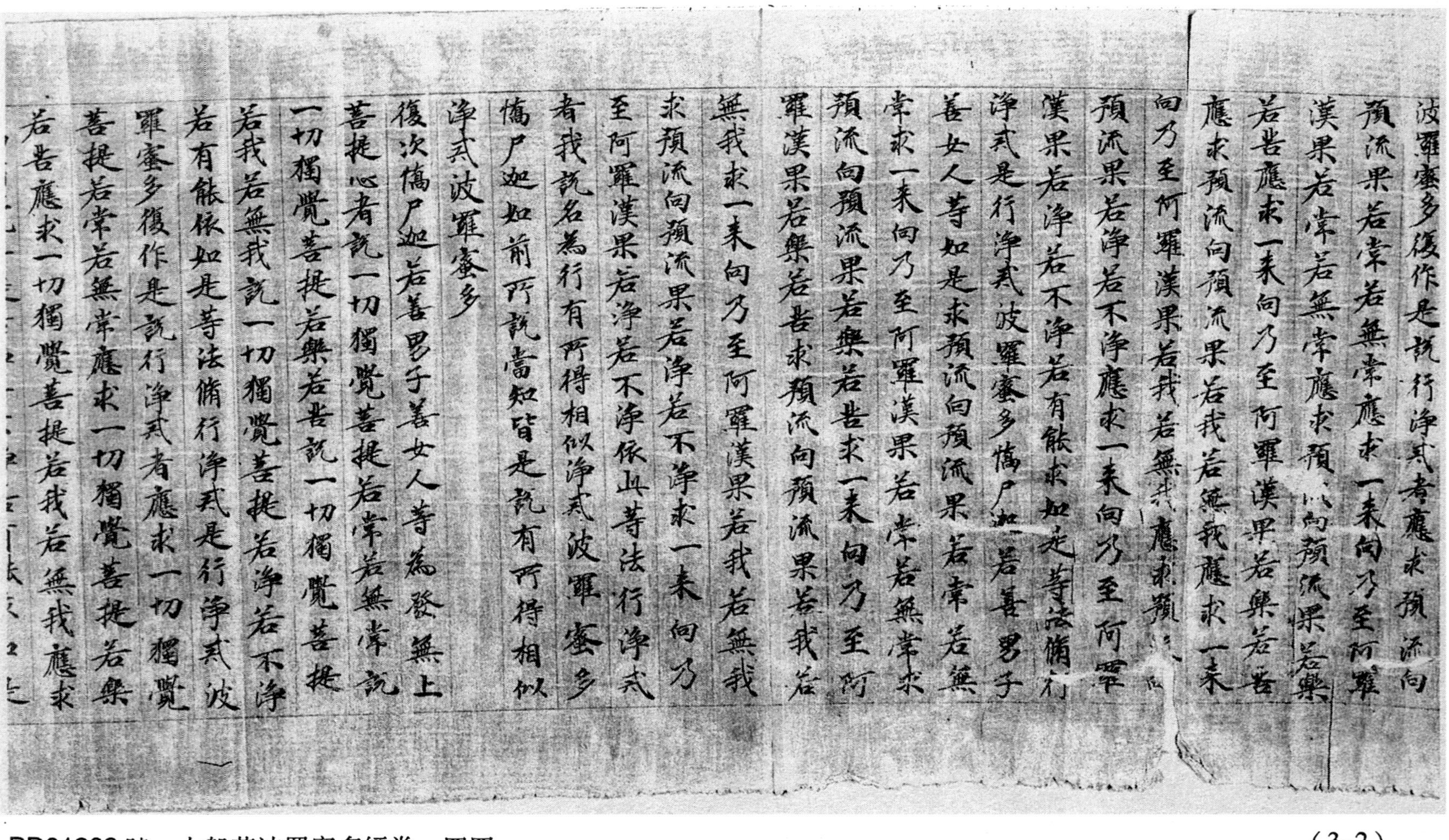

波羅蜜多復作是說行淨戒者應求預流向
預流果若常若無常應求一來向乃至阿羅
漢果若常若無常應求預流向預流果若樂
若苦應求一來向乃至阿羅漢果若樂若苦
應求預流向預流果若我若無我應求一來
向乃至阿羅漢果若我若無我應求預流向
預流果若淨若不淨應求一來向乃至阿羅
漢果若淨若不淨若有能求如是等法脩行
淨戒是行淨戒波羅蜜多憍尸迦若善男子
善女人等如是求預流向預流果若常若無
常求一來向乃至阿羅漢果若常若無常求
預流向預流果若樂若苦求一來向乃至阿
羅漢果若樂若苦求預流向預流果若我若
無我求一來向乃至阿羅漢果若我若無我
求預流向預流果若淨若不淨求一來向乃
至阿羅漢果若淨若不淨依此等法行淨戒
者我說名為行有所得相似淨戒波羅蜜多
憍尸迦如前所說當知皆是說有所得相似
淨戒波羅蜜多
復次憍尸迦若善男子善女人等為發無上
菩提心者說一切獨覺菩提若常若無常說
一切獨覺菩提若樂若苦說一切獨覺菩提
若我若無我說一切獨覺菩提若淨若不淨
若有能依如是等法脩行淨戒是行淨戒波
羅蜜多復作是說行淨戒者應求一切獨覺
菩提若常若無常應求一切獨覺菩提若樂
若苦應求一切獨覺菩提若我若無我應求

BD01808 號　大般若波羅蜜多經卷一四四　（3–2）

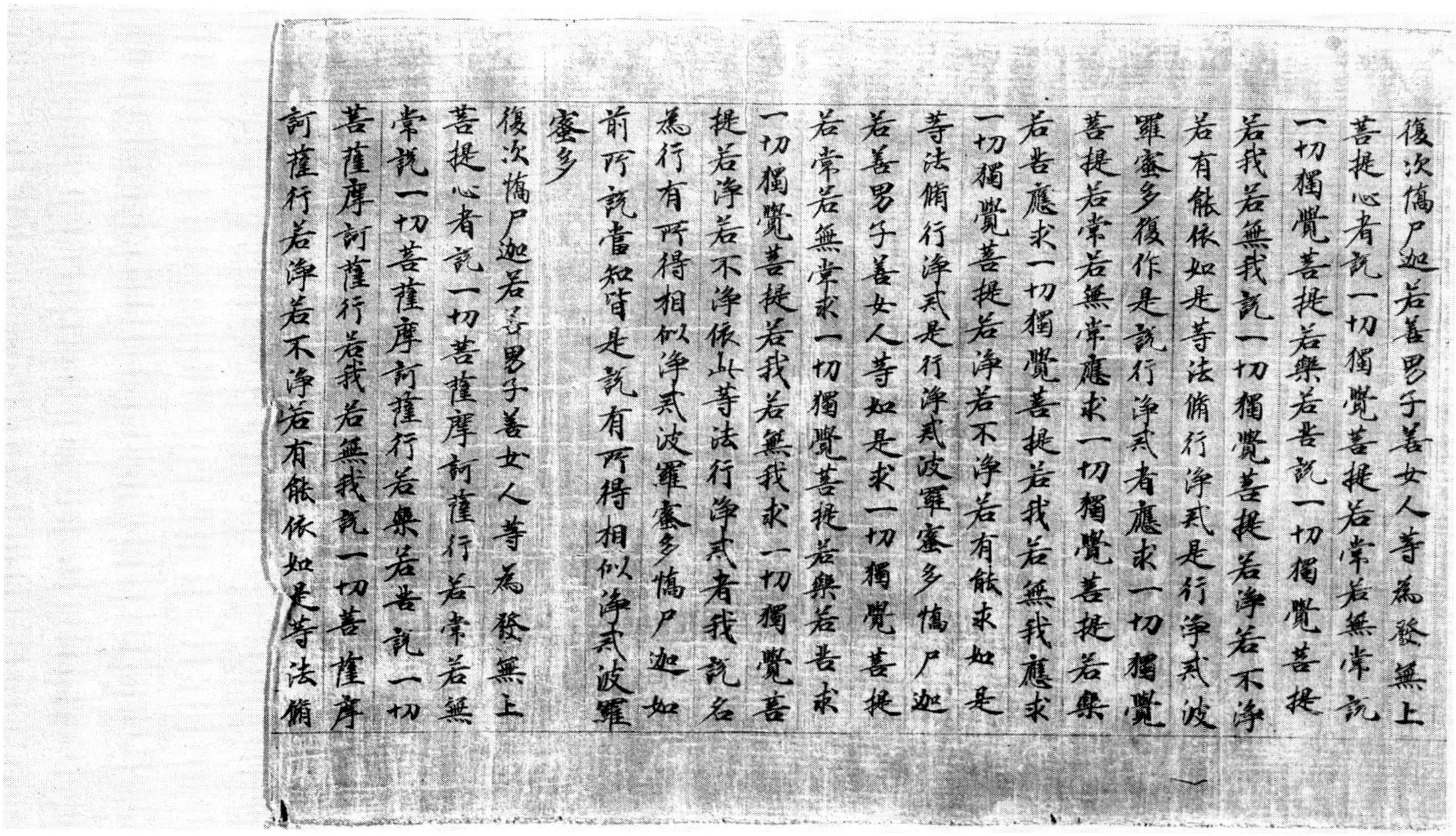

復次憍尸迦若善男子善女人等為發無上
菩提心者說一切獨覺菩提若常若無常說
一切獨覺菩提若樂若苦說一切獨覺菩提
若我若無我說一切獨覺菩提若淨若不淨
若有能依如是等法脩行淨戒是行淨戒波
羅蜜多復作是說行淨戒者應求一切獨覺
菩提若常若無常應求一切獨覺菩提若樂
若苦應求一切獨覺菩提若我若無我應求
一切獨覺菩提若淨若不淨若有能求如是
等法脩行淨戒是行淨戒波羅蜜多憍尸迦
若善男子善女人等如是求一切獨覺菩提
若常若無常求一切獨覺菩提若樂若苦求
一切獨覺菩提若我若無我求一切獨覺菩
提若淨若不淨依此等法行淨戒者我說名
為行有所得相似淨戒波羅蜜多憍尸迦如
前所說當知皆是說有所得相似淨戒波羅
蜜多
復次憍尸迦若善男子善女人等為發無上
菩提心者說一切菩薩摩訶薩行若常若無
常說一切菩薩摩訶薩行若樂若苦說一切
菩薩摩訶薩行若我若無我說一切菩薩摩
訶薩行若淨若不淨若有能依如是等法脩

BD01808號　大般若波羅蜜多經卷一四四　　（3–3）

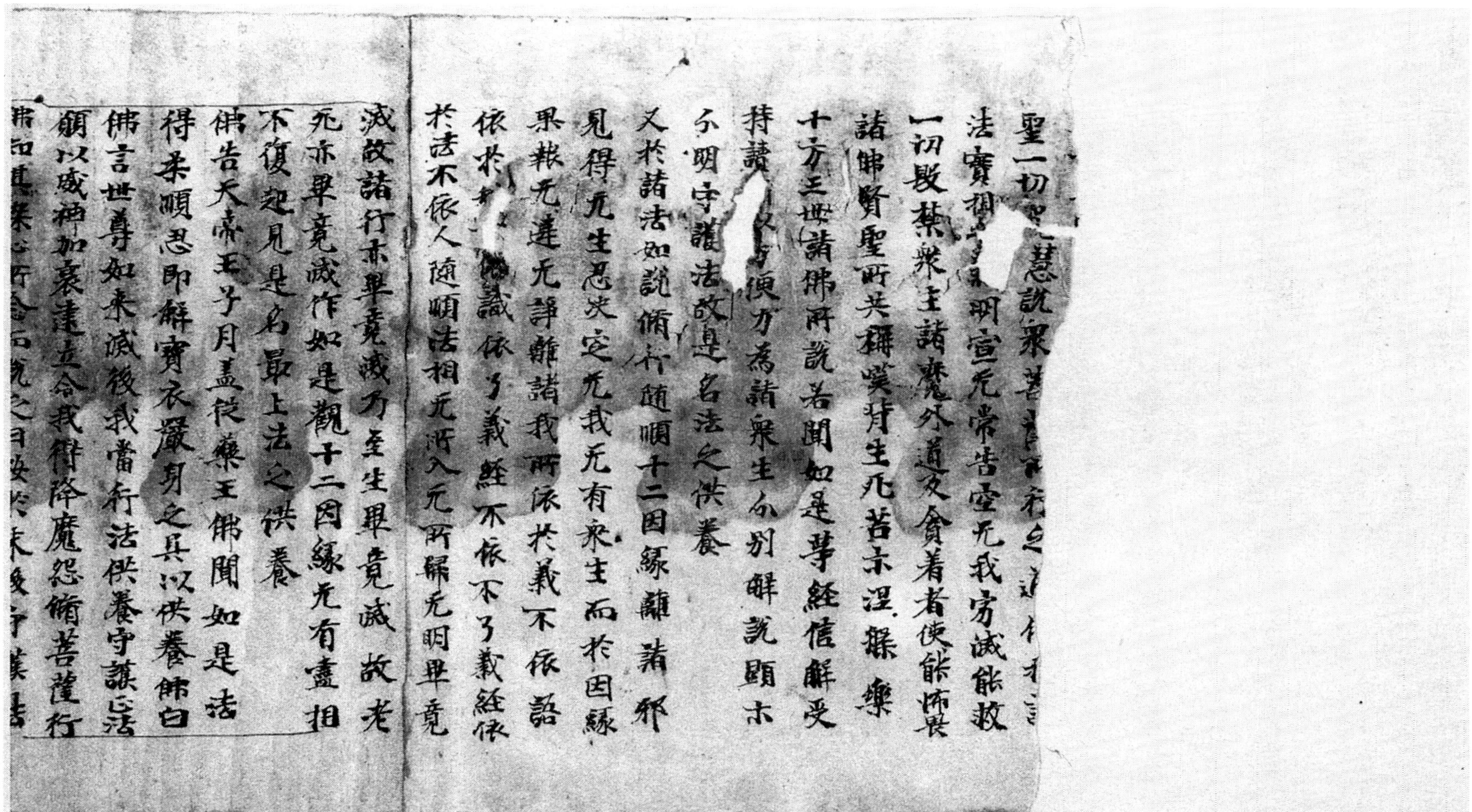

聖一切[illegible]慧說衆菩[illegible]行之道依於諸
法實相[illegible]明宣无常苦空无我寂滅能救
一切毀禁衆生諸魔外道及貪着者使能怖畏
諸佛賢聖所共稱嘆背生死苦示涅槃樂
十方三世諸佛所說若聞如是等經信解受
持讀[illegible]方便力為諸衆生分別解說顯示
分明守護法故是名法之供養
又於諸法如說脩行隨順十二因緣離諸邪
見得无生忍決定无我无有衆生而於因緣
果報无違无諍離諸我所依於義不依語
依於[illegible]識依了義經不依不了義經依
於法不依人隨順法相无所入无所歸无明畢竟
滅故諸行亦畢竟滅乃至生畢竟滅故老
死亦畢竟滅作如是觀十二因緣无有盡相
不復起見是名最上法之供養
佛告天帝王子月蓋從藥王佛聞如是法
得柔順忍即解寶衣嚴身之具以供養佛白
佛言世尊如來滅後我當行法供養守護正法
願以威神加哀建立令我得降魔怨脩菩薩行
佛知其深心所念而記之曰汝於末後守[illegible]

BD01809號　維摩詰所說經卷下　　（2–1）

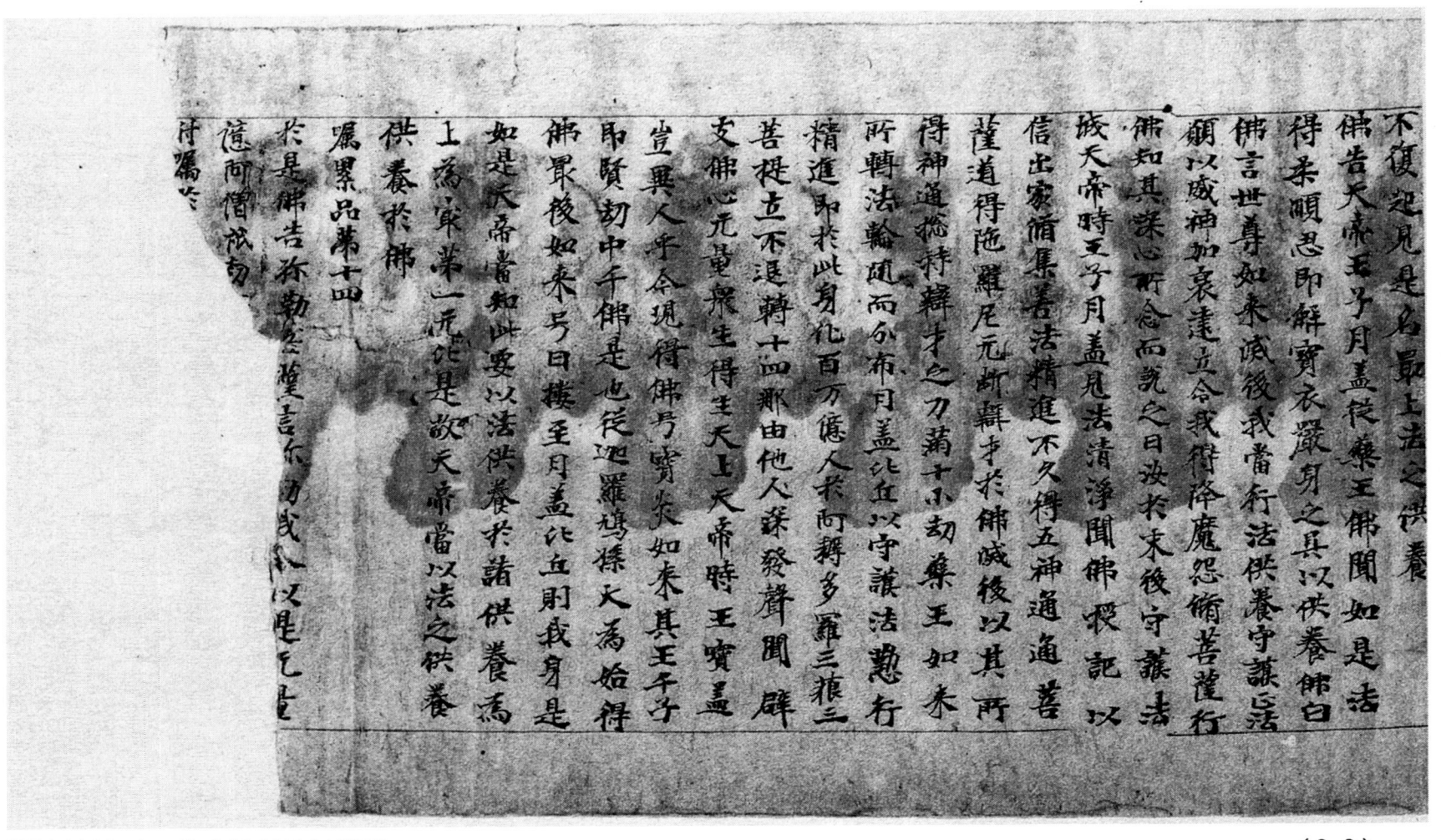

不復起見是名最上法之供養
佛告天帝王子月蓋從藥王佛聞如是法
得柔順忍即解寶衣嚴身之具以供養佛白
佛言世尊如來滅後我當行法供養守護正法
願以威神加哀建立令我得降魔怨脩菩薩行
佛知其深心所念而記之曰汝於末後守護法
城天帝時王子月蓋見法清淨聞佛授記以
信出家脩集善法精進不久得五神通逮菩
薩道得陁羅尼无斷辯才於佛滅後以其所
得神通總持辯才之力滿十小劫藥王如來
所轉法輪隨而分布月蓋比丘以守護法懃行
精進即於此身化百万億人於阿耨多羅三藐三
菩提立不退轉十四那由他人深發聲聞辟
支佛心无量衆生得生天上天帝時王寶蓋
豈異人乎今現得佛号寶炎如來其王千子
即賢劫中千佛是也從迦羅鳩孫大為始得
佛最後如來号曰樓至月蓋比丘則我身是
如是天帝當知此要以法供養於諸供養為
上為最第一无比是故天帝當以法之供養
供養於佛
囑累品第十四
於是佛告弥勒菩薩言尒勒我今以是无量
億阿僧祇劫
付囑於

BD01809 號　維摩詰所說經卷下　　（2–2）

大般若波羅蜜多經卷第一百四十三

BD01810 號背　大般若波羅蜜多經卷一四三護首　　（1–1）

大般若波羅蜜多經卷第一百卌三
初分校量功德品第卅之卌一
復次憍尸迦若善男子善女人等
菩提心者說身界若常若无常
界及身觸身觸為緣所生諸受
說身界若樂若苦說觸界
觸為緣所生諸受若樂

BD01810號　大般若波羅蜜多經卷一四三　（4-1）

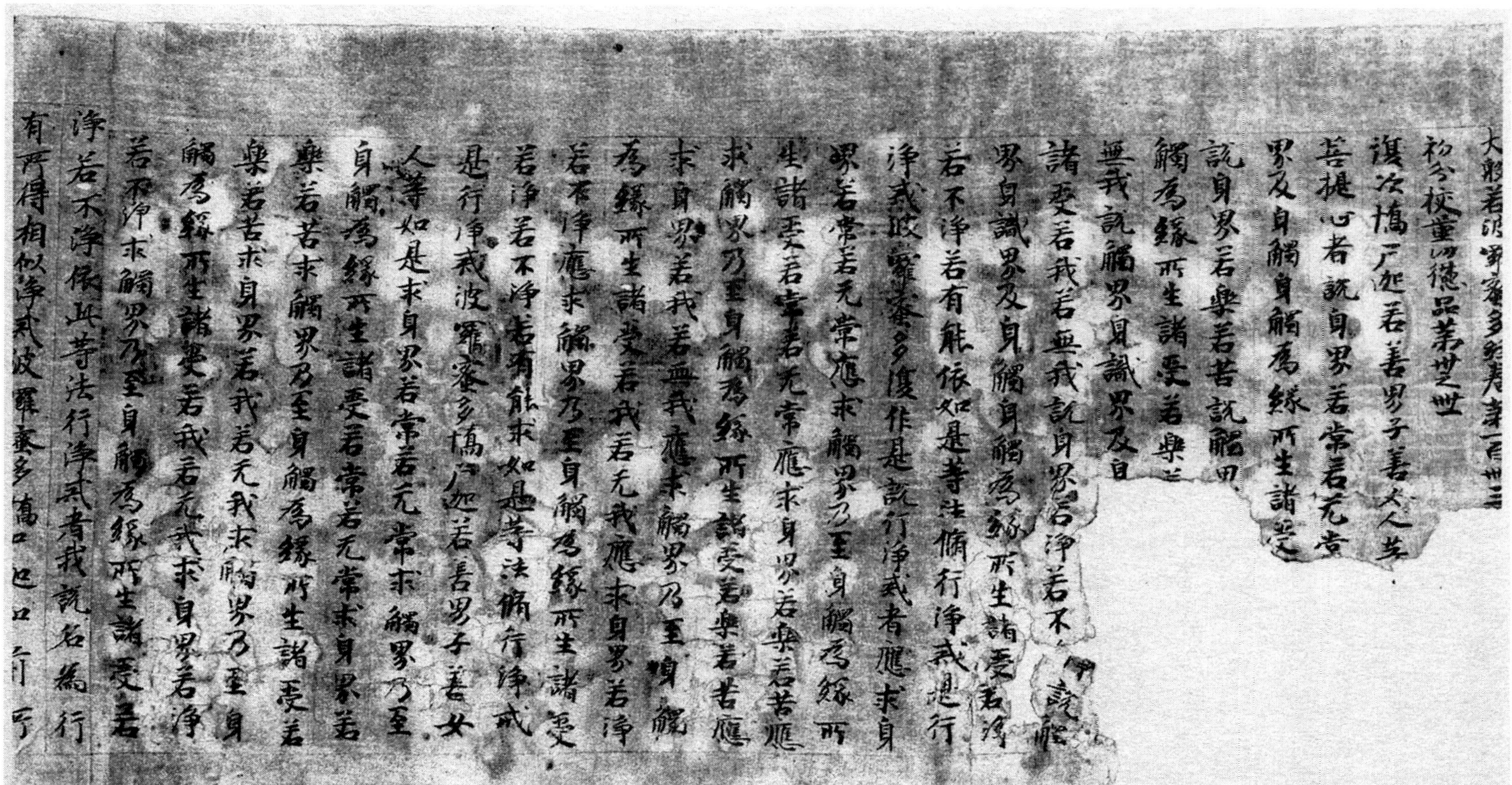
大般若波羅蜜多經卷第一百卌三
初分校量功德品第卅之卌一
復次憍尸迦若善男子善女人等
菩提心者說身界若常若无常
界及身觸身觸為緣所生諸受
說身界若樂若苦說觸界
觸為緣所生諸受若樂若
無我說觸界身識界及身
諸受若我若無我說身界若淨若不淨說觸
界身識界及身觸身觸為緣所生諸受若淨
若不淨若有能依如是等法脩行淨戒是行
淨戒波羅蜜多復作是說行淨戒者應求身
界若常若无常應求觸界乃至身觸為緣所
生諸受若常若无常應求身界若樂若苦應
求觸界乃至身觸為緣所生諸受若樂若苦應
求身界若我若無我應求觸界乃至身觸
為緣所生諸受若我若无我應求身界若淨
若不淨應求觸界乃至身觸為緣所生諸受
若淨若不淨若有能求如是等法脩行淨戒
是行淨戒波羅蜜多憍尸迦若善男子善女
人等如是求身界若常若无常求觸界乃至
身觸為緣所生諸受若常若无常求身界若
樂若苦求觸界乃至身觸為緣所生諸受若
樂若苦求身界若我若无我求觸界乃至身
觸為緣所生諸受若我若无我求身界若淨
若不淨求觸界乃至身觸為緣所生諸受若
淨若不淨依此等法行淨戒者我說名為行
有所得相似淨戒波羅蜜多憍

BD01810號　大般若波羅蜜多經卷一四三　（4-2）

觸為緣所生諸受若我若無我求身界若淨
若不淨求觸界乃至身觸為緣所生諸受若
淨若不淨依此等法行淨戒者我說名為行
有所得相似淨戒波羅蜜多憍尸迦如前所
說當知皆是說有所得相似淨戒波羅蜜多
復次憍尸迦若善男子善女人等為發無上菩
提心者說意界若常若無常說法界意識
界及意觸意觸為緣所生諸受若常若無常
說意界若樂若苦說法界意識界及意觸意
觸為緣所生諸受若樂若苦說意界若我若
無我說法界意識界及意觸意觸為緣所生
諸受若我若無我說意界若淨若不淨說法
界意識界及意觸意觸為緣所生諸受若淨
若不淨若有能依如是等法脩行淨戒是行
淨戒波羅蜜多復作是說行淨戒者應求意
界若常若無常應求法界乃至意觸為緣所
生諸受若常若無常應求意界若樂若苦應
求法界乃至意觸為緣所生諸受若樂若苦
應求意界若我若無我應求法界乃至意觸
為緣所生諸受若我若無我應求意界若淨
若不淨應求法界乃至意觸為緣所生諸受若
淨若不淨若有能求如是等法脩行淨戒
是行淨戒波羅蜜多憍尸迦若善男子善女
人等如是求意界若常若無常求法界乃至
意觸為緣所生諸受若常若無常求意界若
樂若苦求法界乃至意觸為緣所生諸受若

BD01810 號　大般若波羅蜜多經卷一四三　（4–3）

無我說法界意識界及意觸意觸為緣所生
諸受若我若無我說意界若淨若不淨說法
界意識界及意觸意觸為緣所生諸受若淨
若不淨若有能依如是等法脩行淨戒是行
淨戒波羅蜜多復作是說行淨戒者應求意
界若常若無常應求法界乃至意觸為緣所
生諸受若常若無常應求意界若樂若苦應
求法界乃至意觸為緣所生諸受若樂若苦
應求意界若我若無我應求法界乃至意觸
為緣所生諸受若我若無我應求意界若淨
若不淨應求法界乃至意觸為緣所生諸受若
淨若不淨若有能求如是等法脩行淨戒
是行淨戒波羅蜜多憍尸迦若善男子善女
人等如是求意界若常若無常求法界乃至
意觸為緣所生諸受若常若無常求意界若
樂若苦求法界乃至意觸為緣所生諸受若
樂若苦求意界若我若無我求法界乃至意
觸為緣所生諸受若我若無我求意界若淨
若不淨求法界乃至意觸為緣所生諸受若
淨若不淨依此等法行淨戒者我說名為行

BD01810 號　大般若波羅蜜多經卷一四三　（4–4）

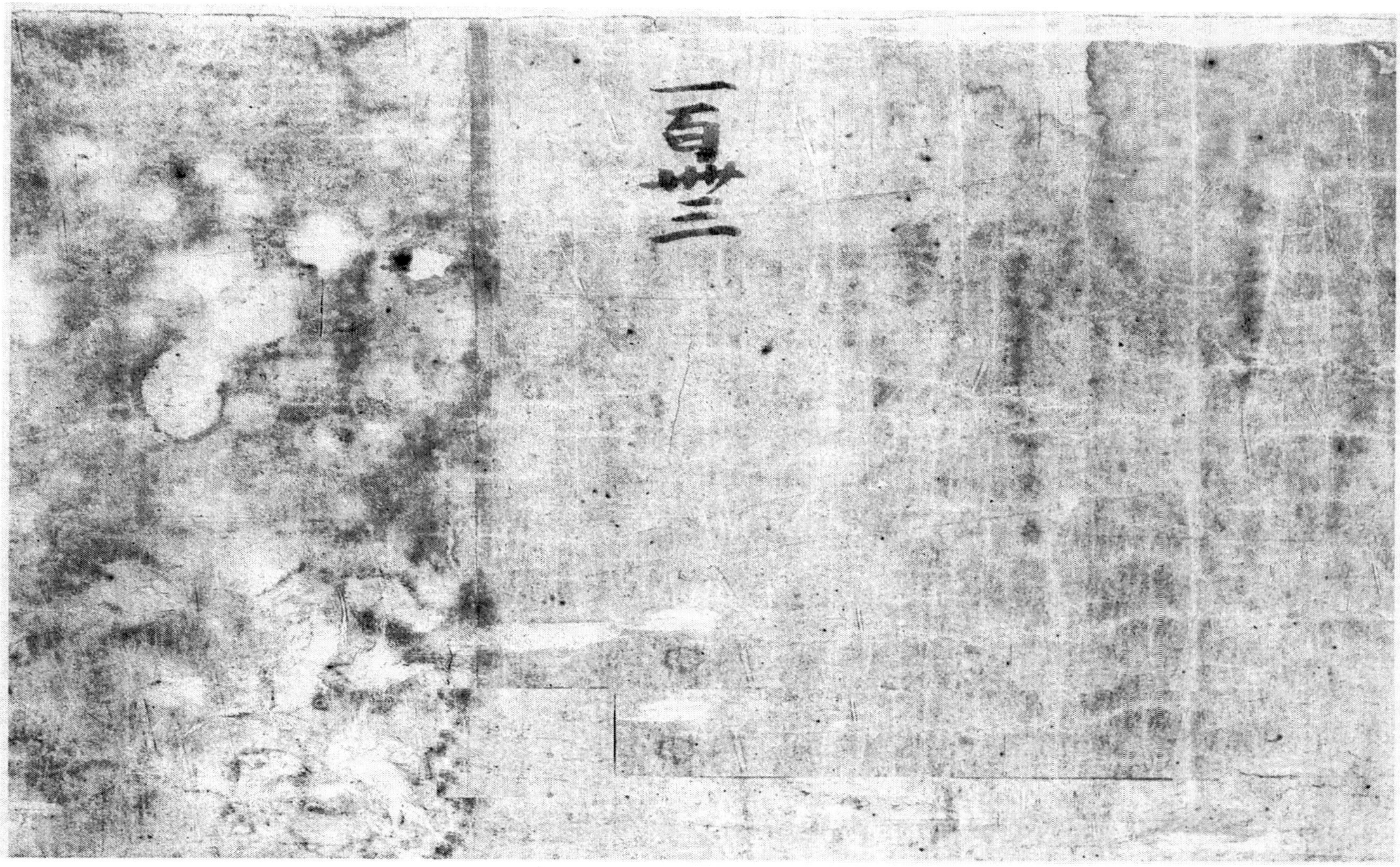

BD01810 號背　勘記　　（1–1）

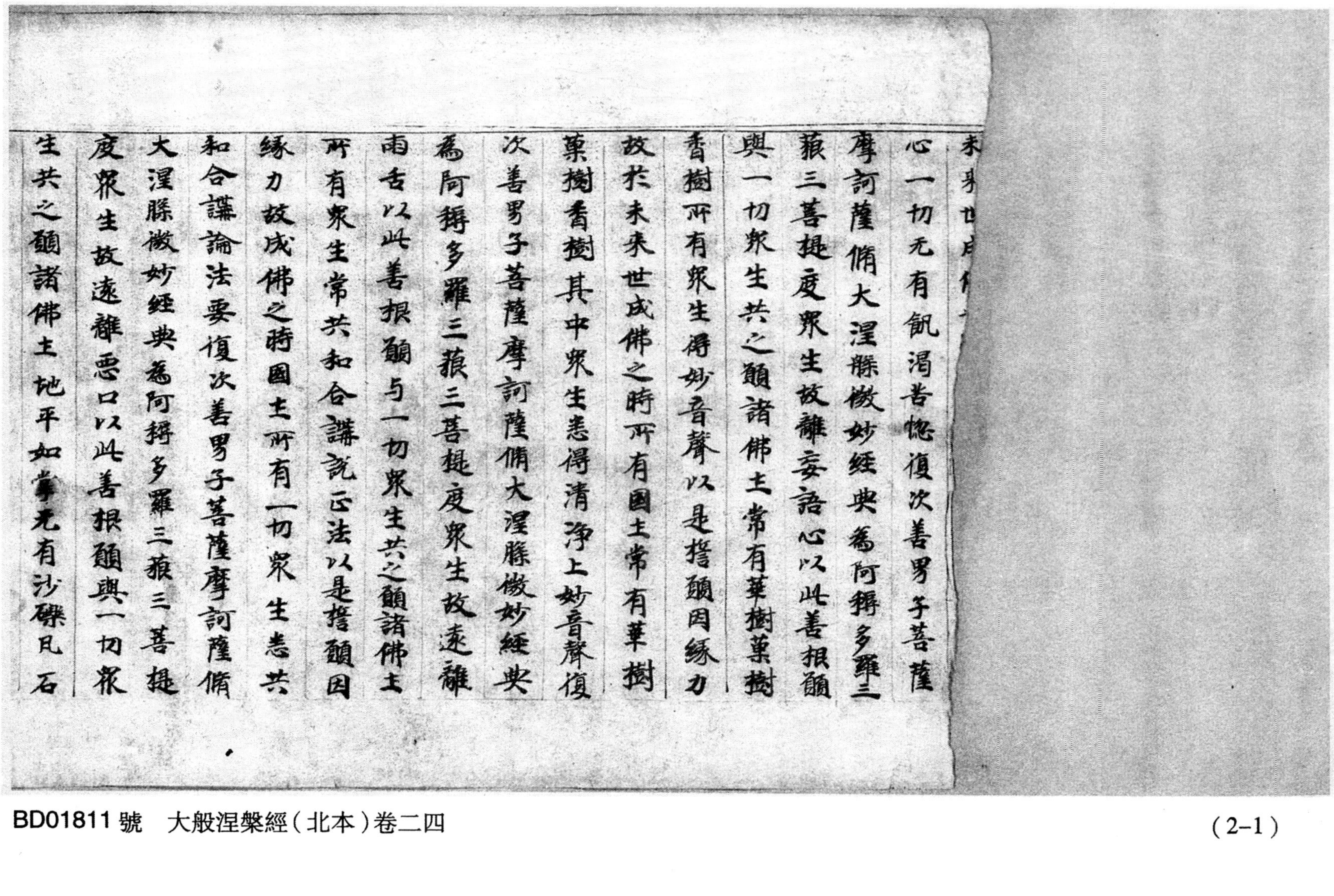
來世成佛……
心一切无有飢渴苦惱復次善男子菩薩
摩訶薩修大涅槃微妙經典爲阿耨多羅三
藐三菩提度衆生故離妄語心以此善根願
與一切衆生共之願諸佛土常有華樹葉樹
香樹所有衆生得妙音聲以是誓願因緣力
故於未來世成佛之時所有國土常有華樹
葉樹香樹其中衆生悉得清淨上妙音聲復
次善男子菩薩摩訶薩修大涅槃微妙經典
爲阿耨多羅三藐三菩提度衆生故遠離
兩舌以此善根願與一切衆生共之願諸佛土
所有衆生常共和合講說正法以是誓願因
緣力故成佛之時國土所有一切衆生悉共
和合講論法要復次善男子菩薩摩訶薩修
大涅槃微妙經典爲阿耨多羅三藐三菩提
度衆生故遠離惡口以此善根願與一切衆
生共之願諸佛土地平如掌无有沙礫瓦石

BD01811 號　大般涅槃經（北本）卷二四　　（2–1）

大涅槃微妙經典爲阿耨多羅三藐三菩提
度衆生故遠離惡口以此善根願與一切衆
生共之願諸佛土地平如掌无有沙礫瓦石
之屬荊蕀惡剌所有衆生其心平等以是諸
願因緣力故於未來世成佛之時所得國土
地平如掌无有沙礫荊蕀惡剌所有衆生其
心平等復次善男子菩薩摩訶薩脩大涅槃
微妙經典爲阿耨多羅三藐三菩提度衆生
故離无義語以此善根願與一切衆生共之
願諸佛土所有衆生无有苦惱以是諸願因
緣力故於未來世成佛之時國土所有一切
衆生无有苦惱復次善男子菩薩摩訶薩脩
大涅槃微妙經典爲阿耨多羅三藐三菩提
度衆生故遠離貪嫉以此善根願與一切衆
生共之願諸佛土一切衆生无有貪嫉惱害
耶見以是諸願因緣力故於未來世成佛之
時國土所有一切衆生悉无貪嫉惱害耶見
復次善男子菩薩摩訶薩脩大涅槃微妙經
典爲阿耨多羅三藐三菩提度衆生故遠離

BD01811號　大般涅槃經（北本）卷二四　（2–2）

脩羅所應供養當知此處則爲是塔
敬作礼圍遶以諸華香而散其處
復次須菩提善男子善女人受持讀誦此經
若爲人輕賤是人先世罪業應墮惡道以今
世人輕賤故先世罪業則爲消滅當得阿耨
多羅三藐三菩提須菩提我念過去无量阿
僧祇劫於燃燈佛前得値八百四千万億那
由他諸佛悉皆供養承事无空過者若復有
人於後末世能受持讀誦此經所得功德於
我所供養諸佛功德百分不及一千万億分
乃至筭數譬喻所不能及
須菩提若善男子善女人於後末世有受持
讀誦此經所得功德我若具說者或有人聞
心則狂乱狐疑不信須菩提當知是經義不
可思議果報亦不可思議
尒時須菩提白佛言世尊善男子善女人發
阿耨多羅三藐三菩提心云何應住云何降
伏其心佛告須菩提善男子善女人發阿耨
多羅三藐三菩提者當生如是心我應滅度
一切衆生滅度一切衆生已而无有一衆生

BD01812號　金剛般若波羅蜜經　（3–1）

尒時須菩提白佛言世尊善男子善女人發
阿耨多羅三藐三菩提心云何應住云何降
伏其心佛告須菩提善男子善女人發阿耨
多羅三藐三菩提者當生如是心我應滅度
一切衆生滅度一切衆生已而无有一衆生
實滅度者何以故若菩薩有我相人相衆生
相壽者相則非菩薩所以者何須菩提實无
有法發阿耨多羅三藐三菩提者須菩提於
意云何如來於然燈佛所有法得阿耨多羅
三藐三菩提不不也世尊如我解佛所說義
佛於然燈佛所无有法得阿耨多羅三藐三
菩提佛言如是如是須菩提實无有法如來
得阿耨多羅三藐三菩提須菩提若有法如
來得阿耨多羅三藐三菩提者然燈佛則不
與我受記汝於來世當得作佛号釋迦牟尼
以實无有法得阿耨多羅三藐三菩提是故
然燈佛與我受記作是言汝於來世當得作
佛号釋迦牟尼何以故如來者即諸法如義
若有人言如來得阿耨多羅三藐三菩提須
菩提實无有法佛得阿耨多羅三藐三菩提
須菩提如來所得阿耨多羅三藐三菩提
於是中无實无虛是故如來說一切法皆是
佛法須菩提所言一切法者即非一切法是
故名一切法須菩提譬如人身長大須菩提
言世尊如來說人身長大則為非大身是名
大身須菩提菩薩亦如是若作是言我當滅度

BD01812號　金剛般若波羅蜜經　　（3–2）

須菩提如來所得阿耨多羅三藐三菩提
於是中无實无虛是故如來說一切法皆是
佛法須菩提所言一切法者即非一切法是
故名一切法須菩提譬如人身長大須菩提
言世尊如來說人身長大則為非大身是名
大身須菩提菩薩亦如是若作是言我當滅度
无量衆生則不名菩薩何以故須菩提實无
有法名為菩薩是故佛說一切法无我无人
无衆生无壽者須菩提若菩薩作是言我當
莊嚴佛土是不名菩薩何以故如來說莊嚴
佛土者即非莊嚴是名莊嚴須菩提若菩薩
通達无我法者如來說名真是菩薩
須菩提於意云何如來有肉眼不如是世尊
如來有肉眼須菩提於意云何如來有天眼
不如是世尊如來有天眼須菩提於意云何
如來有慧眼不如是世尊如來有慧眼須菩
提於意云何如來有法眼不如是世尊如來
有法眼須菩提於意云何如來有佛眼不如
是世尊如來有佛眼須菩提於意云何恒河
中所有沙佛說是沙不如是世尊如來說是
沙須菩提於意云何如一恒河中所有沙有

BD01812號　金剛般若波羅蜜經　　（3–3）

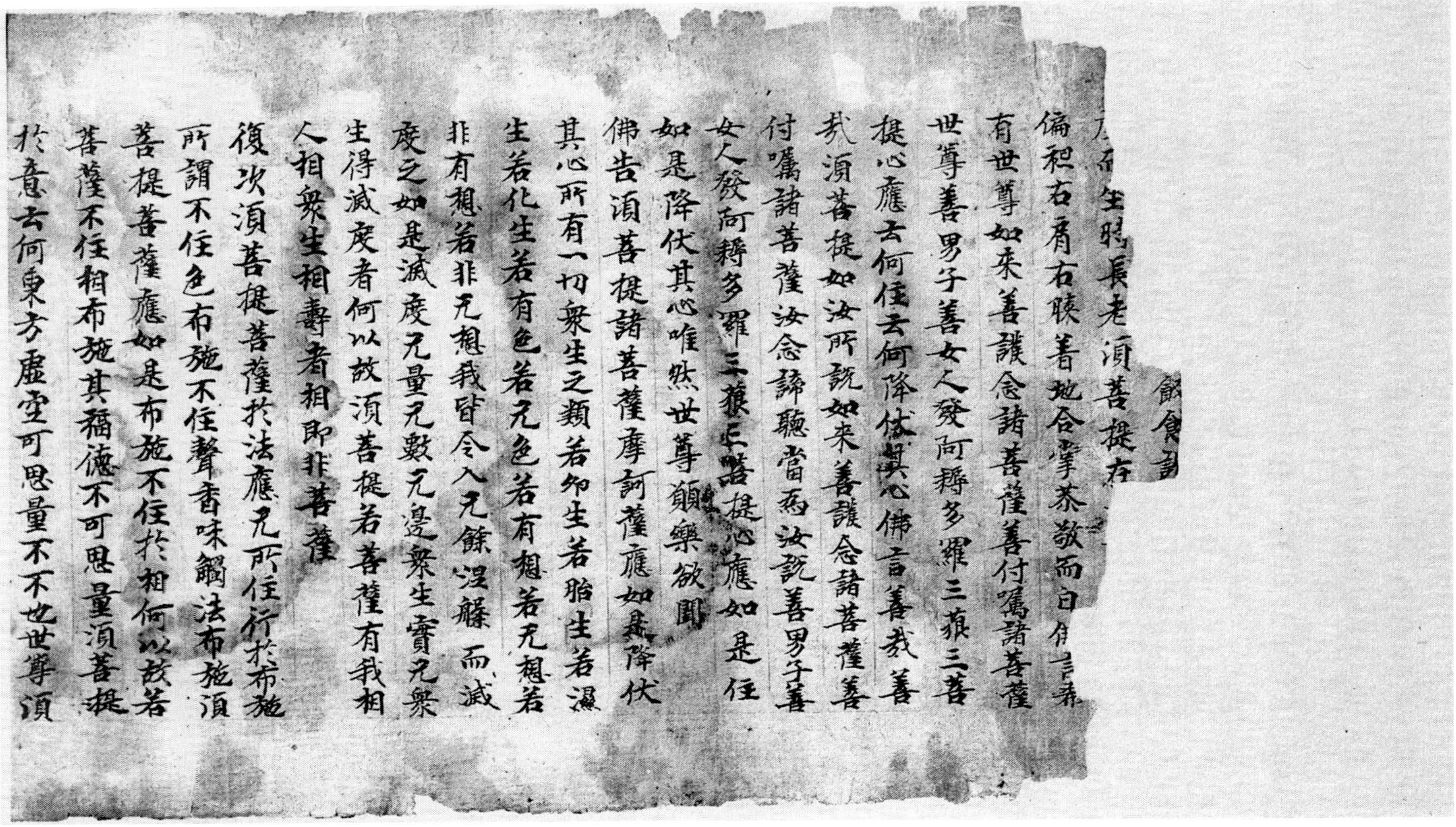

飲食訖

尒時長老須菩提在

偏袒右肩右膝著地合掌恭敬而白佛言希
有世尊如來善護念諸菩薩善付囑諸菩薩
世尊善男子善女人發阿耨多羅三藐三菩
提心應云何住云何降伏其心佛言善哉善
哉須菩提如汝所說如來善護念諸菩薩善
付囑諸菩薩汝今諦聽當為汝說善男子善
女人發阿耨多羅三藐三菩提心應如是住
如是降伏其心唯然世尊願樂欲聞
佛告須菩提諸菩薩摩訶薩應如是降伏
其心所有一切衆生之類若卵生若胎生若濕
生若化生若有色若无色若有想若无想若
非有想若非无想我皆令入无餘涅槃而滅
度之如是滅度无量无數无邊衆生實无衆
生得滅度者何以故須菩提若菩薩有我相
人相衆生相壽者相即非菩薩
復次須菩提菩薩於法應无所住行於布施
所謂不住色布施不住聲香味觸法布施須
菩提菩薩應如是布施不住於相何以故若
菩薩不住相布施其福德不可思量須菩提
於意云何東方虛空可思量不不也世尊須

BD01813號　金剛般若波羅蜜經　（14–1）

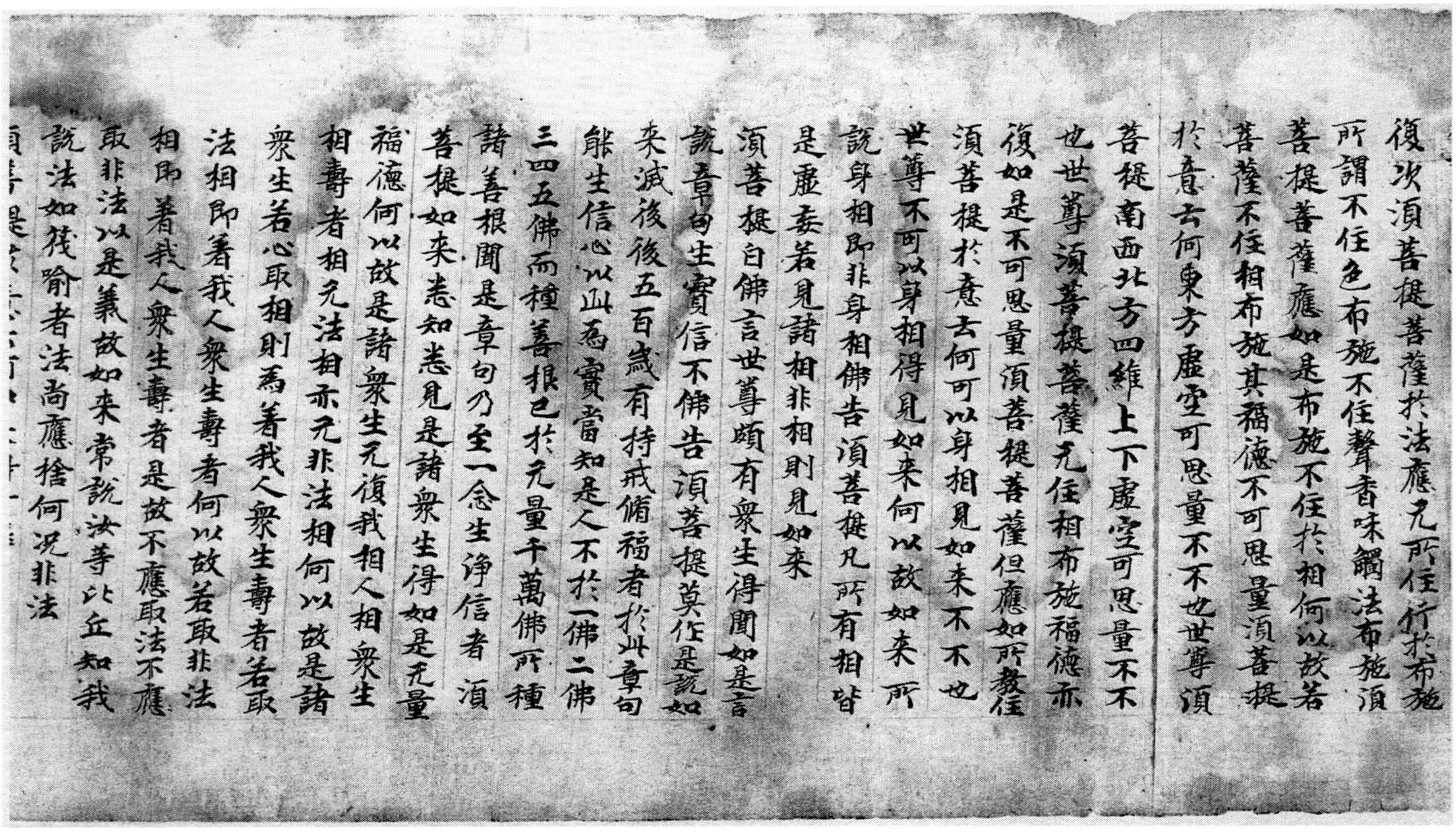

復次須菩提菩薩於法應无所住行於布施
所謂不住色布施不住聲香味觸法布施須
菩提菩薩應如是布施不住於相何以故若
菩薩不住相布施其福德不可思量須菩提
於意云何東方虛空可思量不不也世尊須
菩提南西北方四維上下虛空可思量不不
也世尊須菩提菩薩无住相布施福德亦
復如是不可思量須菩提菩薩但應如所教住
須菩提於意云何可以身相見如來不不也
世尊不可以身相得見如來何以故如來所
說身相即非身相佛告須菩提凡所有相皆
是虛妄若見諸相非相則見如來
須菩提白佛言世尊頗有衆生得聞如是言
說章句生實信不佛告須菩提莫作是說如
來滅後後五百歲有持戒脩福者於此章句
能生信心以此為實當知是人不於一佛二佛
三四五佛而種善根已於无量千萬佛所種
諸善根聞是章句乃至一念生淨信者須
菩提如來悉知悉見是諸衆生得如是无量
福德何以故是諸衆生无復我相人相衆生
相壽者相无法相亦无非法相何以故是諸
衆生若心取相則為著我人衆生壽者若取
法相即著我人衆生壽者何以故若取非法
相即著我人衆生壽者是故不應取法不應
取非法以是義故如來常說汝等比丘知我
說法如筏喻者法尚應捨何況非法
須菩提於意[illegible]

BD01813號　金剛般若波羅蜜經　（14–2）

法相即著我人衆生壽者何以故若取非法
相即著我人衆生壽者是故不應取法不應
取非法以是義故如来常說汝等比丘知我
說法如筏喻者法尚應捨何况非法
須菩提於意云何如来得阿耨多羅三藐三
菩提耶如来有所說法耶須菩提言如我解
佛所說義无有定法名阿耨多羅三藐三菩
提亦无有定法如来可說何以故如来所說法
皆不可取不可說非法非非法所以者何一切
賢聖皆以无為法而有差別
須菩提於意云何若人滿三千大千世界七
寶以用布施是人所得福德寧為多不須菩
提言甚多世尊何以故是福德即非福德性
是故如来說福德多若復有人於此經中受
持乃至四句偈等為他人說其福勝彼何以
故須菩提一切諸佛及諸佛阿耨多羅三藐
三菩提法皆從此經出須菩提所謂佛法者
即非佛法
須菩提於意云何須陀洹能作是念我得須
陀洹果不須菩提言不也世尊何以故須陀洹
名為入流而无所入不入色聲香味觸法是
名須陀洹須菩提於意云何斯陀含能作
是念我得斯陀含果不須菩提言不也世尊
何以故斯陀含名一往来而實无往来是名
斯陀含須菩提於意云何阿那含能作是念
我得阿那含果不須菩提言不也世尊何以
故阿那[illegible]

BD01813號　金剛般若波羅蜜經　（14–3）

是念我得斯陀含果不須菩提言不也世尊
何以故斯陀含名一往来而實无往来是名
斯陀含須菩提於意云何阿那含能作是念
我得阿那含果不須菩提言不也世尊何以
故阿那含名為不来而實无来是故名阿那
含須菩提於意云何阿羅漢能作是念我得
阿羅漢道不須菩提言不也世尊何以故實
无有法名阿羅漢世尊若阿羅漢作是念我
得阿羅漢道即為著我人衆生壽者世尊
佛說我得无諍三昧人中最為第一是第一離
欲阿羅漢我不作是念我是離欲阿羅漢世
尊我若作是念我得阿羅漢道世尊則不說
須菩提是樂阿蘭那行者以須菩提實无
所行而名須菩提是樂阿蘭那行
佛告須菩提於意云何如来昔在然燈佛所
於法有所得不世尊如来在然燈佛所於法
實无所得須菩提於意云何菩薩莊嚴佛土
不不也世尊何以故莊嚴佛土者則非莊嚴
是名莊嚴是故須菩提諸菩薩摩訶薩應如
是生清淨心不應住色生心不應住聲香味
觸法生心應无所住而生其心須菩提譬如
有人身如須弥山王於意云何是身為大不須
菩提言甚大世尊何以故佛說非身是名大
身須菩提如恒河中所有沙數如是沙等恒
河於意云何是諸恒河沙寧為多不須菩提
言甚多世尊但諸恒河尚多无數何况其

BD01813號　金剛般若波羅蜜經　（14–4）

善提言甚大世尊何以故佛說非身是名大
身須菩提如恒河中所有沙數如是沙等恒
河於意云何是諸恒河沙寧為多不須菩提
言甚多世尊但諸恒河尚多无數何況其
沙須菩提我今實言告汝若有善男子善
女人以七寶滿尒所恒河沙數三千大千世界以
用布施得福多不須菩提言甚多世尊佛告
須菩提若善男子善女人於此經中乃至受
持四句偈等為他人說而此福德勝前福德
復次須菩提隨說是經乃至四句偈等當知
此處一切世間天人阿脩羅皆應供養如佛
塔廟何況有人盡能受持讀誦須菩提當
知是人成就最上第一希有之法若是經典
所在之處則為有佛若尊重弟子
尒時須菩提白佛言世尊當何名此經我等
云何奉持佛告須菩提是經名為金剛般若
波羅蜜以是名字汝當奉持所以者何須菩
佛說般若波羅蜜則非般若波羅蜜須菩
提於意云何如來有所說法不須菩提白佛
言世尊如來无所說須菩提於意云何三千
大千世界所有微塵是為多不須菩提言甚
多世尊須菩提諸微塵如來說非微塵是名
微塵如來說世界非世界是名世界須菩提
於意云何可以三十二相見如來不不也世尊
不可以三十二相得見如來何以故如來說

BD01813號　金剛般若波羅蜜經　（14–5）

多世尊須菩提諸微塵如來說非微塵是名
微塵如來說世界非世界是名世界須菩提
於意云何可以三十二相見如來不不也世尊
不可以三十二相得見如來何以故如來說
三十二相即是非相是名三十二相須菩提
若有善男子善女人以恒河沙等身命布
施若復有人於此經中乃至受持四句偈等
為他人說其福甚多
尒時須菩提聞說是經深解義趣涕淚悲泣
而白佛言希有世尊佛說如是甚深經典我
從昔來所得慧眼未曾得聞如是之經世尊
若復有人得聞是經信心清淨則生實相當
知是人成就第一希有功德世尊是實相者
則是非相是故如來說名實相世尊我今
得聞如是經典信解受持不足為難若當來
世後五百歲其有衆生得聞是經信解受持
是人則為第一希有何以故此人无我相人相衆
生相壽者相所以者何我相即是非相人相
衆生相壽者相即是非相何以故離一切諸
相則名諸佛
佛告須菩提如是如是若復有人得聞是經
不驚不怖不畏當知是人甚為希有何以故
須菩提如來說第一波羅蜜非第一波羅蜜
是名第一波羅蜜
須菩提忍辱波羅蜜如來說非忍辱波羅蜜
何以故須菩提如我昔為歌利王割截身體

BD01813號　金剛般若波羅蜜經　（14–6）

是名第一波羅蜜
須菩提忍辱波羅蜜如来說非忍辱波羅蜜
何以故須菩提如我昔為歌利王割截身體
我於尒時无我相无人相无衆生相无壽者
相何以故我於往昔節節支解時若有我相
人相衆生相壽者相應生瞋恨須菩提又念
過去於五百世作忍辱仙人於尒所世无我相
无人相无衆生相无壽者相是故須菩提菩
薩應離一切相發阿耨多羅三藐三菩提心
不應住色生心不應住聲香味觸法生心應
生无所住心若心有住則為非住是故佛說
菩薩心不應住色布施須菩提菩薩為利
益一切衆生應如是布施如来說一切諸相
即是非相又說一切衆生則非衆生須菩提
如来是真語者實語者如語者不誑語者不
異語者須菩提如来所得法此法无實无虛
須菩提若菩薩心住於法而行布施如人入
闇則无所見若菩薩心不住法而行布施如
人有目日光明照見種種色須菩提當来之
世若有善男子善女人能於此經受持讀誦
則為如来以佛智慧悉知是人悉見是人皆
得成就无量无邊功德
須菩提若有善男子善女人初日分以恒河
沙等身布施中日分復以恒河沙等身布施
後日分亦以恒河沙等身布施如是无量百
千萬億劫以身布施若復有人聞此經典
信心不逆其福勝彼何況書寫受持讀誦為

善女人初日分以恒河
沙等身布施中日分復以恒河沙等身布施
後日分亦以恒河沙等身布施如是无量百
千萬億劫以身布施若復有人聞此經典
信心不逆其福勝彼何況書寫受持讀誦為
人解說須菩提以要言之是經有不可思議不
可稱量无邊功德如来為發大乘者說為發
最上乘者說若有人能受持讀誦廣為人說
如来悉知是人悉見是人皆得成就不可量
不可稱无有邊不可思議功德如是人等則
為荷擔如来阿耨多羅三藐三菩提何以故
須菩提若樂小法者著我見人見衆生見壽
者見則於此經不能聽受讀誦為人解說須
菩提在在處處若有此經一切世間天人阿
脩羅所應供養當知此處則為是塔皆應恭
敬作礼圍繞以諸華香而散其處
復次須菩提善男子善女人受持讀誦此經
若為人輕賤是人先世罪業應墮惡道以今
世人輕賤故先世罪業則為消滅當得阿耨
多羅三藐三菩提須菩提我念過去无量阿
僧祇劫於然燈佛前得值八百四千萬億
那由他諸佛悉皆供養承事无空過者若復
有人於後末世能受持讀誦此經所得功德於
我所供養諸佛功德百分不及一千萬億分
乃至筭數譬喻所不能及須菩提若善男子
善女人於後末世有受持讀誦此經所得功
德我若具說者或有人聞心則狂亂

有人於後末世能受持讀誦此經所得功德於
我所供養諸佛功德百分不及一千萬億分
乃至筭數譬喻所不能及須菩提若善男子
善女人於後末世有受持讀誦此經所得功
德我若具說者或有人聞心則狂亂狐疑不
信須菩提當知是經義不可思議果報亦
不可思議
尒時須菩提白佛言世尊善男子善女人發
阿耨多羅三藐三菩提心云何應住云何降
伏其心佛告須菩提善男子善女人發阿耨
多羅三藐三菩提者當生如是心我應滅度
一切衆生滅度一切衆生已而无有一衆生相
壽者相則非菩薩所以者何須菩提實无
有法發阿耨多羅三藐三菩提者須菩提於
意云何如來於然燈佛所有法得阿耨多羅
三藐三菩提不不也世尊如我解佛所說義
佛於然燈佛所无有法得阿耨多羅三藐三
菩提佛言如是如是須菩提實无有法如來
得阿耨多羅三藐三菩提須菩提若有法
如來得阿耨多羅三藐三菩提者然燈佛則
不與我受記汝於來世當得作佛号釋迦牟
尼以實无有法得阿耨多羅三藐三菩提是
故然燈佛與我受記作是言汝於來世當得作
佛号釋迦牟尼何以故如來者即諸法如義
若有人言如來得阿耨多羅三藐三菩提須
菩提實无有法佛得阿耨多羅三藐三菩
提須菩提如來所得阿耨多羅三藐三菩提

BD01813號　金剛般若波羅蜜經　（14–9）

佛号釋迦牟尼何以故如來者即諸法如義
若有人言如來得阿耨多羅三藐三菩提須
菩提實无有法佛得阿耨多羅三藐三菩
提須菩提如來所得阿耨多羅三藐三菩提
於是中无實无虛是故如來說一切法皆是佛
法須菩提所言一切法者即非一切法是故名
一切法須菩提譬如人身長大須菩提言世
尊如來說人身長大則為非大身是名大身
須菩提菩薩亦如是若作是言我當滅度
无量衆生則不名菩薩何以故須菩提實无
有法名為菩薩是故佛說一切法无我无人
无衆生无壽者須菩提若菩薩作是言我當
莊嚴佛土是不名菩薩何以故如來說莊嚴
佛土者即非莊嚴是名莊嚴須菩提若菩薩
通達无我法者如來說名真是菩薩
須菩提於意云何如來有肉眼不如是世尊
如來有肉眼須菩提於意云何如來有天眼
不如是世尊如來有天眼須菩提於意云何
如來有慧眼不如是世尊如來有慧眼須菩
提於意云何如來有法眼不如是世尊如來
有法眼須菩提於意云何如來有佛眼不如
是世尊如來有佛眼須菩提於意云何恒河
中所有沙佛說是沙不如是世尊如來說是
沙須菩提於意云何如一恒河中所有沙有
如是等恒河是諸恒河所有沙數佛世界如
是寧為多不甚多世尊佛告須菩提尒所國
土中所有衆生若干種心[illegible]

BD01813號　金剛般若波羅蜜經　（14–10）

沙須菩提於意云何如一恒河中所有沙有
如是等恒河是諸恒河所有沙數佛世界如
是寧為多不甚多世尊佛告須菩提尒所國
土中所有衆生若干種心如来悉知何以故
如来說諸心皆為非心是名為心所以者何須
菩提過去心不可得現在心不可得未来心
不可得須菩提於意云何若有人滿三千
大千世界七寶以用布施是人以是因緣得
福多不如是世尊此人以是因緣得福甚多
須菩提若福德有實如来不說得福德多以
福德无故如来說得福德多
須菩提於意云何佛可以具足色身見不
不也世尊如来不應以具足色身見何以故如来
說具足色身即非具足色身是名具足色身
須菩提於意云何如来可以具足諸相見不
也世尊如来不應以具足諸相見何以故如
来說諸相具足即非具足是名諸相具足須
菩提汝勿謂如来作是念我當有所說法莫
作是念何以故若人言如来有所說法即為
謗佛不能解我所說故須菩提說法者无法
可說是名說法須菩提白佛言世尊佛得阿
耨多羅三藐三菩提為无所得耶如是如是
須菩提我於阿耨多羅三藐三菩提乃至无
有少法可得是名阿耨多羅三藐三菩提復
次須菩提是法平等无有高下是名阿耨多
羅三藐三菩提以无我无人无衆生无壽者
脩一切善法則得阿耨多羅三藐三菩提須

BD01813號　金剛般若波羅蜜經　（14–11）

須菩提我於阿耨多羅三藐三菩提乃至无
有少法可得是名阿耨多羅三藐三菩提復
次須菩提是法平等无有高下是名阿耨多
羅三藐三菩提以无我无人无衆生无壽者
脩一切善法則得阿耨多羅三藐三菩提須
菩提所言善法者如来說非善法是名善法
須菩提若三千大千世界中所有諸須弥山
王如是等七寶聚有人持用布施若人以此
般若波羅蜜經乃至四句偈等受持讀誦為
他人說於前福德百分不及一百千萬億分
乃至筭數譬喻所不能及
須菩提於意云何汝等勿謂如来作是念我
當度衆生須菩提莫作是念何以故實无有
衆生如来度者若有衆生如来度者如来則
有我人衆生壽者須菩提如来說有我者則
非有我而凡夫之人以為有我須菩提凡夫
者如来說則非凡夫須菩提於意云何可以
三十二相觀如来不須菩提言如是如是以
三十二相觀如来佛言須菩提若以三十二
相觀如来者轉輪聖王則是如来須菩提白
佛言世尊如我解佛所說義不應以三十二
相觀如来尒時世尊而說偈言
若以色見我　以音聲求我　是人行邪道　不能見如来
須菩提汝若作是念如来不以具足相故得
阿耨多羅三藐三菩提須菩提莫作　是念
如来不以具足相故得阿耨多羅三藐三菩提
須菩提汝若作是念發阿耨多羅三藐三菩

BD01813號　金剛般若波羅蜜經　（14–12）

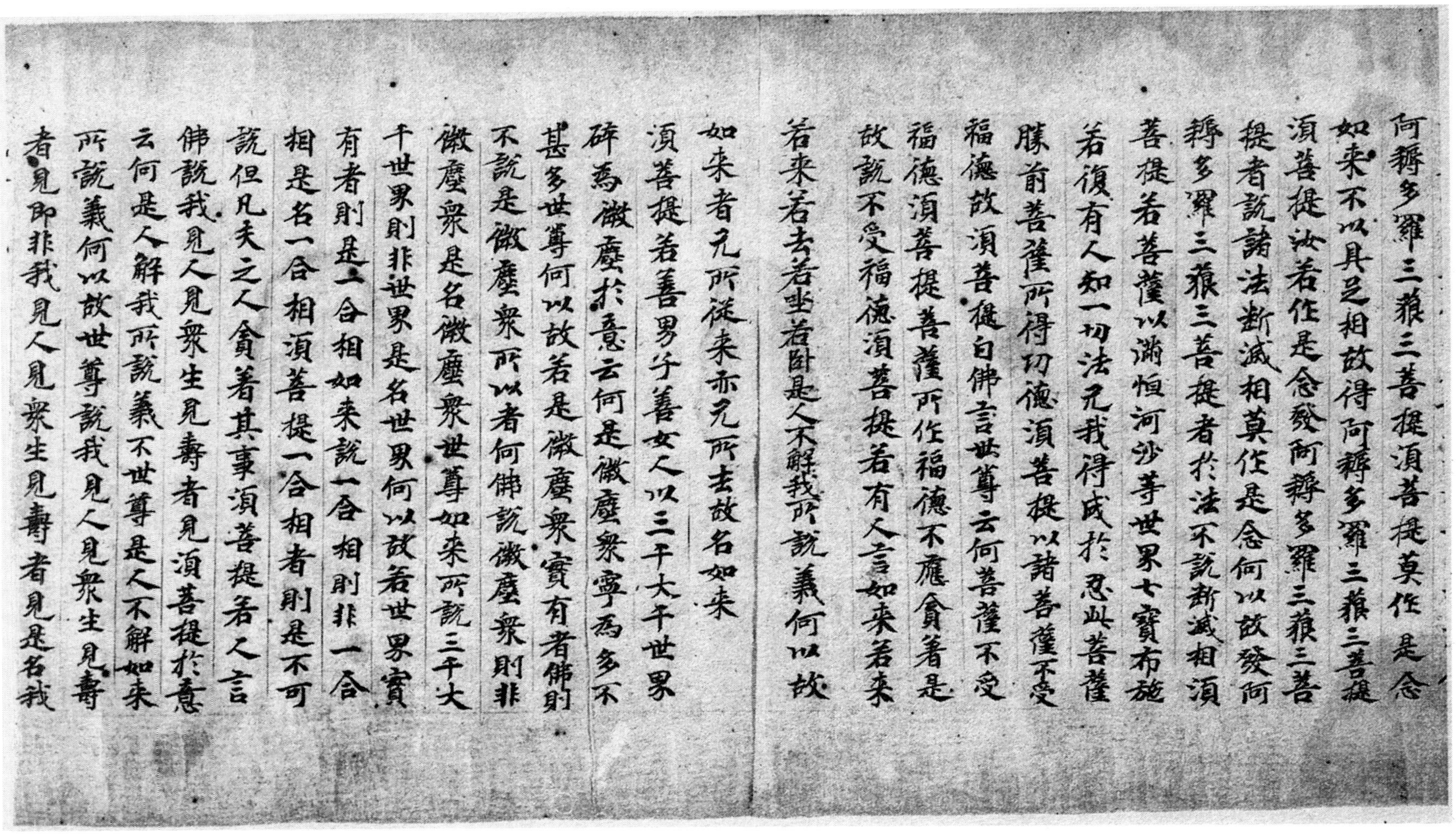
阿耨多羅三藐三菩提須菩提莫作是念
如来不以具足相故得阿耨多羅三藐三菩提
須菩提汝若作是念發阿耨多羅三藐三菩
提者說諸法斷滅相莫作是念何以故發阿
耨多羅三藐三菩提者於法不說斷滅相須
菩提若菩薩以滿恒河沙等世界七寶布施
若復有人知一切法无我得成於忍此菩薩
勝前菩薩所得功德須菩提以諸菩薩不受
福德故須菩提白佛言世尊云何菩薩不受
福德須菩提菩薩所作福德不應貪著是
故說不受福德須菩提若有人言如来若来
若去若坐若卧是人不解我所說義何以故
如来者无所從来亦无所去故名如来
須菩提若善男子善女人以三千大千世界
碎為微塵於意云何是微塵衆寧為多不
甚多世尊何以故若是微塵衆實有者佛則
不說是微塵衆所以者何佛說微塵衆則非
微塵衆是名微塵衆世尊如来所說三千大
千世界則非世界是名世界何以故若世界實
有者則是一合相如来說一合相則非一合
相是名一合相須菩提一合相者則是不可
說但凡夫之人貪著其事須菩提若人言
佛說我見人見衆生見壽者見須菩提於意
云何是人解我所說義不世尊是人不解如来
所說義何以故世尊說我見人見衆生見壽
者見即非我見人見衆生見壽者見是名我

BD01813 號　金剛般若波羅蜜經　（14–13）

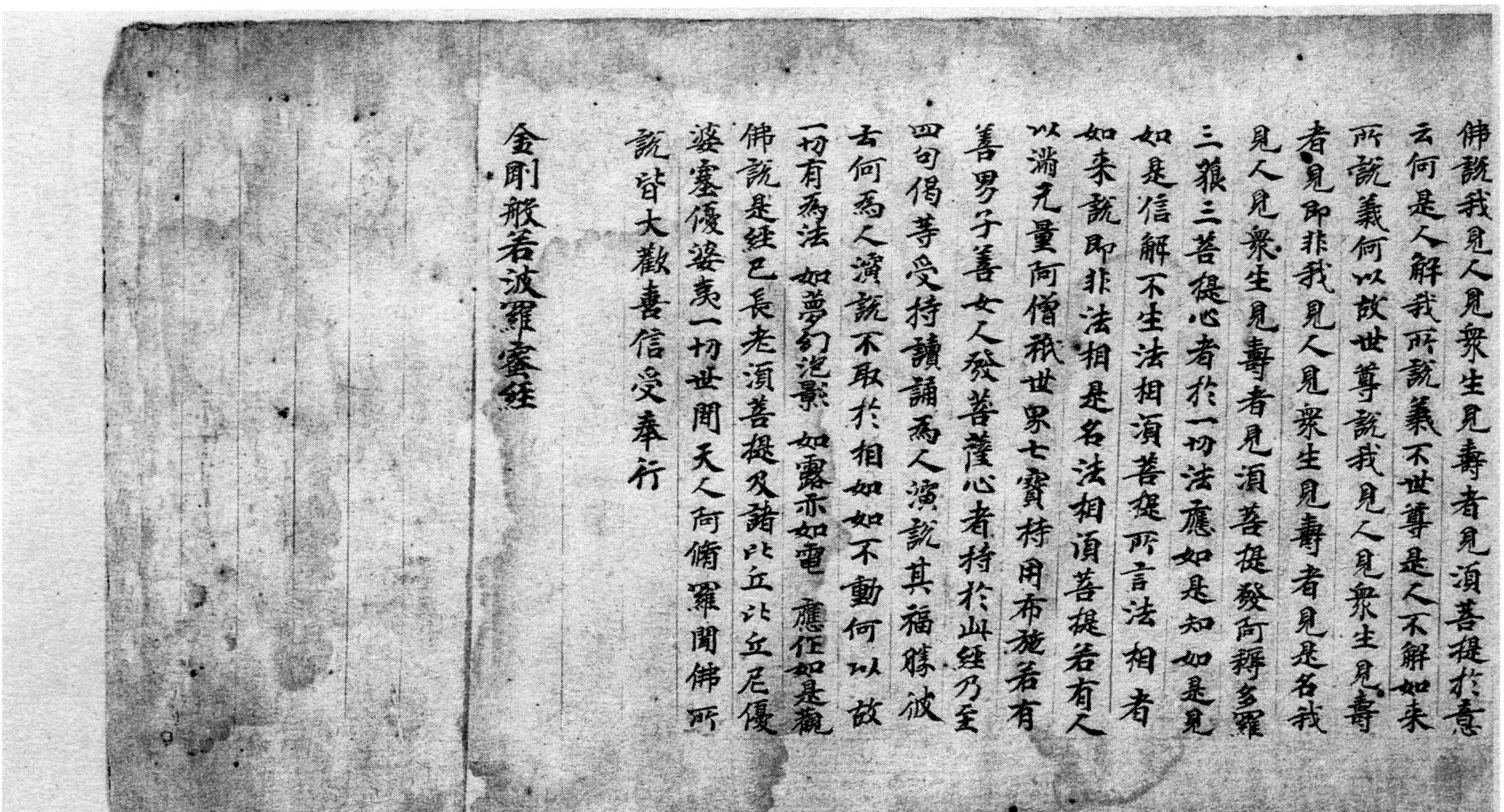
佛說我見人見衆生見壽者見須菩提於意
云何是人解我所說義不世尊是人不解如来
所說義何以故世尊說我見人見衆生見壽
者見即非我見人見衆生見壽者見是名我
見人見衆生見壽者見須菩提發阿耨多羅
三藐三菩提心者於一切法應如是知如是見
如是信解不生法相須菩提所言法相者
如来說即非法相是名法相須菩提若有人
以滿无量阿僧祇世界七寶持用布施若有
善男子善女人發菩薩心者持於此經乃至
四句偈等受持讀誦為人演說其福勝彼
云何為人演說不取於相如如不動何以故
一切有為法　如夢幻泡影　如露亦如電　應作如是觀
佛說是經已長老須菩提及諸比丘比丘尼優
婆塞優婆夷一切世間天人阿脩羅聞佛所
說皆大歡喜信受奉行

金剛般若波羅蜜經

BD01813 號　金剛般若波羅蜜經　（14–14）

鼻舌身意觸爲緣所生諸受耳鼻舌身意
觸爲緣所生諸受即是本性空本性空即是
鼻舌身意觸爲緣所生諸受善現地界不異
本性空本性空不異地界地界即是本性空
本性空即是地界水火風空識界不異本性空
本性空不異水火風空識界水火風空識界即
是本性空本性空即是水火風空識界善
現因緣不異本性空本性空不異因緣因
緣即是本性空本性空即是因緣等無間緣
所緣緣增上緣不異本性空本性空不異等
無間緣所緣緣增上緣等无間緣所緣緣增上
緣即是本性空本性空即是等無間緣所
緣緣增上緣善現從緣所生諸法不異本性
空本性空不異從緣所生諸法從緣所生諸
法即是本性空本性空即是從緣所生諸
法善現無明不異本性空本性空不異無明無
明即是本性空本性空即是无明行識名色六
處觸受愛取有生老死愁歎苦憂惱不異本
性空本性空不異行乃至老死愁歎苦憂惱
行識名色六處觸受愛取有生老死愁歎苦
憂惱即是本性空本性空即是行乃至老死

BD01814 號　大般若波羅蜜多經卷三八九　（2–1）

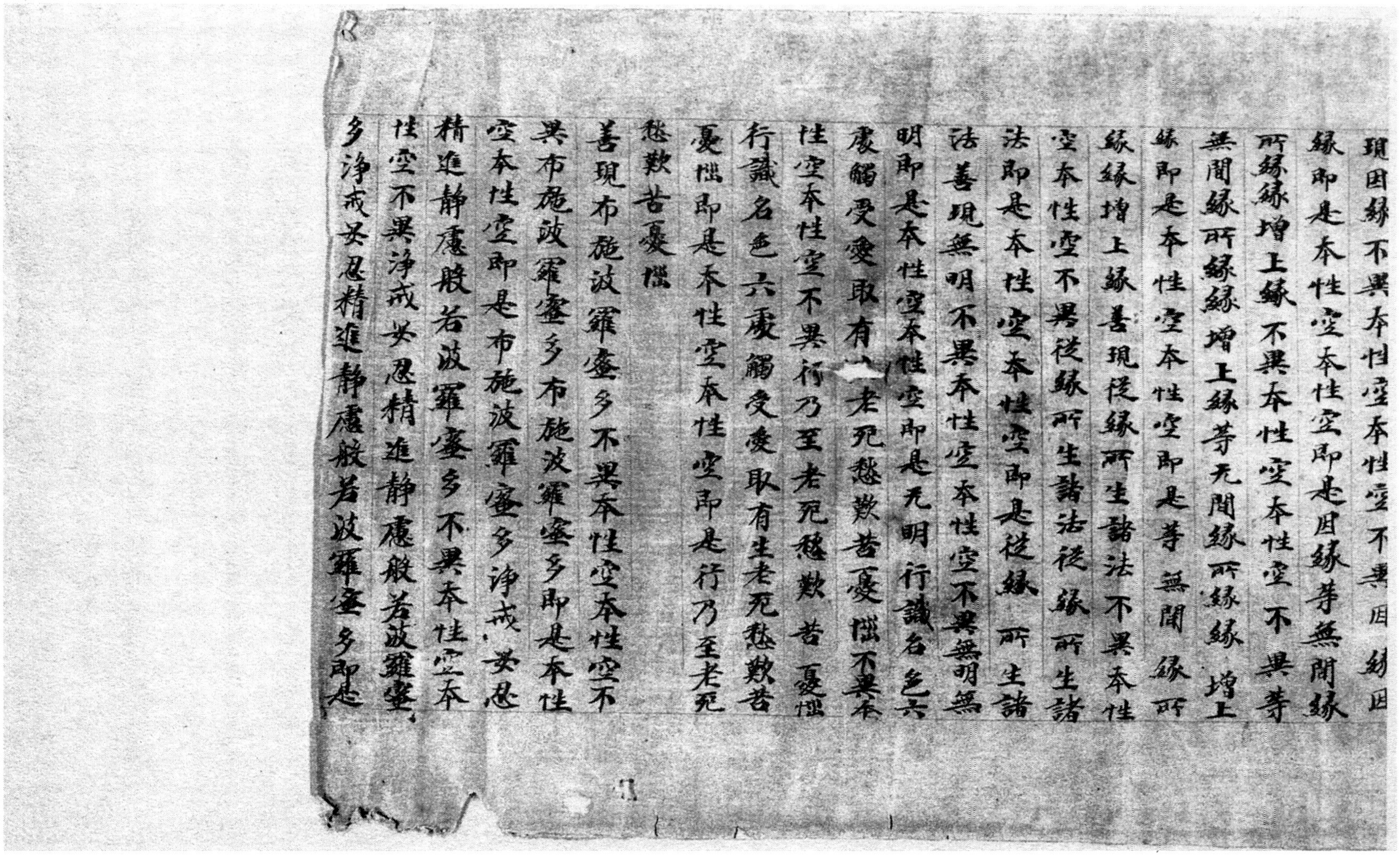

現因緣不異本性空本性空不異因緣因
緣即是本性空本性空即是因緣等無間緣
所緣緣增上緣不異本性空本性空不異等
無間緣所緣緣增上緣等无間緣所緣緣增上
緣即是本性空本性空即是等無間緣所
緣緣增上緣善現從緣所生諸法不異本性
空本性空不異從緣所生諸法從緣所生諸
法即是本性空本性空即是從緣所生諸
法善現無明不異本性空本性空不異無明無
明即是本性空本性空即是无明行識名色六
處觸受愛取有生老死愁歎苦憂惱不異本
性空本性空不異行乃至老死愁歎苦憂惱
行識名色六處觸受愛取有生老死愁歎苦
憂惱即是本性空本性空即是行乃至老死
愁歎苦憂惱
善現布施波羅蜜多不異本性空本性空不
異布施波羅蜜多布施波羅蜜多即是本性
空本性空即是布施波羅蜜多淨戒安忍
精進靜慮般若波羅蜜多不異本性空本
性空不異淨戒安忍精進靜慮般若波羅蜜
多淨戒安忍精進靜慮般若波羅蜜多即是

BD01814 號　大般若波羅蜜多經卷三八九　（2–2）

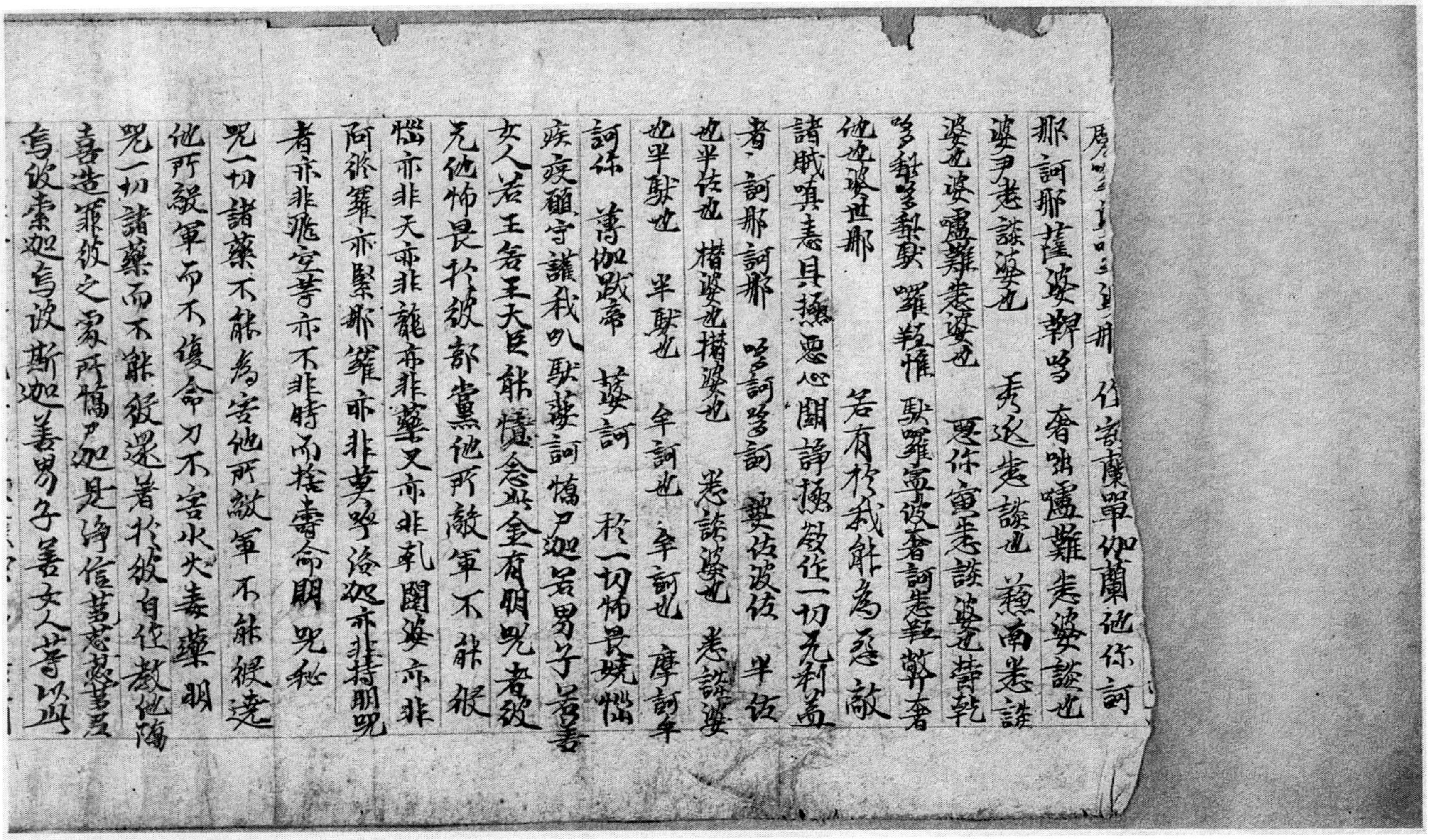
[illegible] 佉富蘭單伽蘭拖你訶
那訶那薩婆鞞哆 奢咄盧難差婆詫也
婆尹差詫婆也 秀迷差詫也 薩南差詫
婆也婆盧難差婆也 思你宣差詫婆也薛乾
哆翻哆翻馱 羅粒惟 馱羅富波奢訶差粒鄲奢
他迦婆世那 若有於我能為惡敵
諸賊嗔恚貝摭惡心鬪諍摭殺作一切无利益
者 訶那訶那 哆訶哆訶 婆佉波佉 半佉
也半佉也 楷婆也楷婆也 差詫婆也 差詫婆
也半馱也 半馱也 牟訶也 牟訶也 摩訶牟
訶佉 薄伽毗帝 莎婆訶 於一切怖畏嬈惱
疾疫𤸎守護我叭馱莎婆訶 憍尸迦若男子若善
女人若王若王大臣能憶念此金有明呪者彼
无他怖畏於彼部黨他所敵軍不能破
惱亦非天亦非龍亦非藥叉亦非乾闥婆亦非
阿修羅亦緊那羅亦非莫呼洛迦亦非持明呪
者亦非飛空等亦不非時而損壽命明呪秘
呪一切諸藥不能為害他所敵軍不能破違
他所殺軍而不復命刀不害水火毒藥明
呪一切諸藥而不能殺還著於彼自作教他傷
喜造罪彼之處所憍尸迦是淨信善惡甚足
烏彼案迦烏彼斯迦善男子善女人等以此

BD01815號　金有陀羅尼經　（3–1）

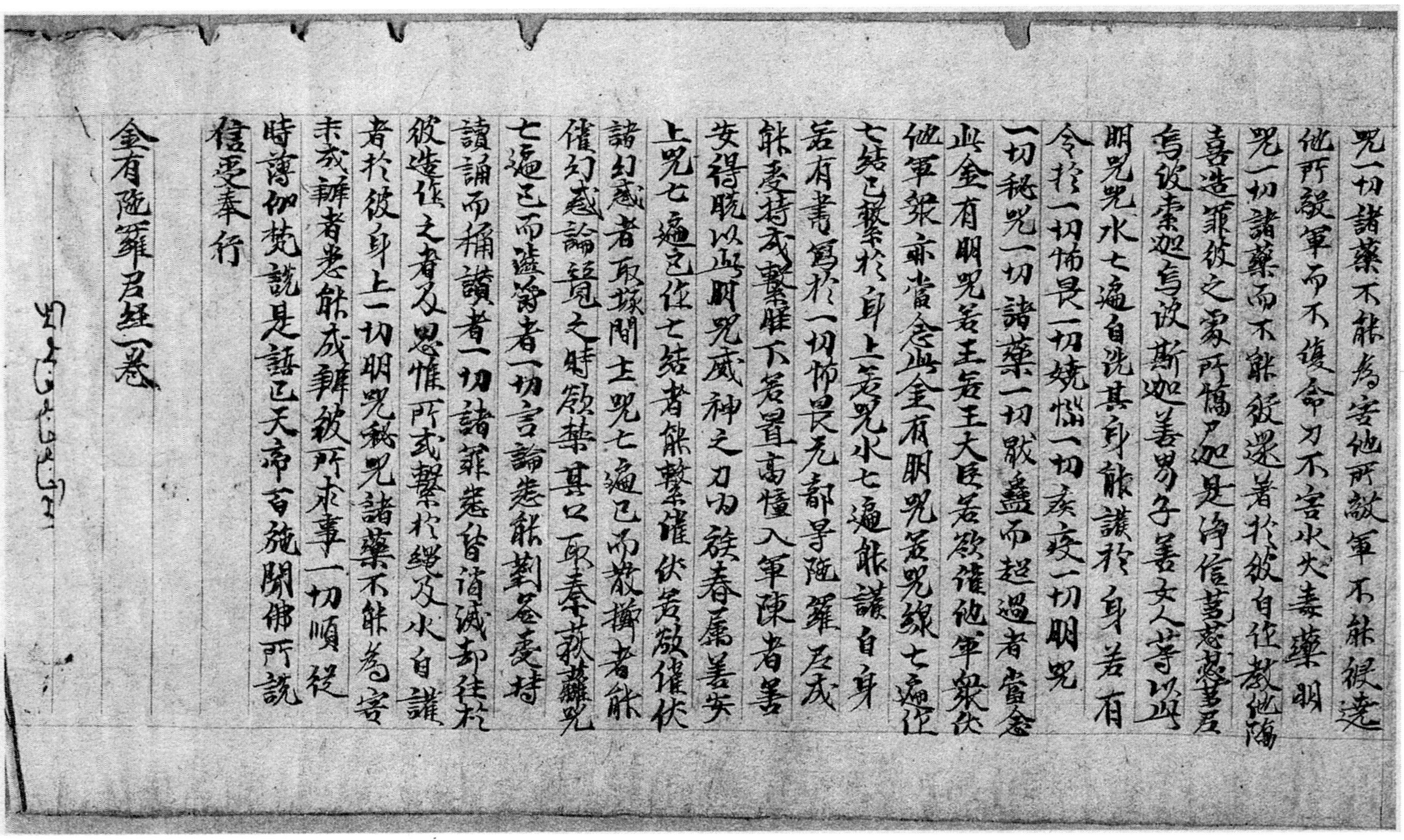
呪一切諸藥不能為害他所敵軍不能破違
他所殺軍而不復命刀不害水火毒藥明
呪一切諸藥而不能殺還著於彼自作教他傷
喜造罪彼之處所憍尸迦是淨信善惡甚足
烏彼案迦烏彼斯迦善男子善女人等以此
明呪呪水七遍自洗其身能護於身若有
令於一切怖畏一切嬈惱一切疾疫一切明呪
一切秘呪一切諸藥一切厭蠱而超過者當念
此金有明呪若王若王大臣若欲摧他軍衆伏
他軍衆亦當念此金有明呪若呪線七遍作
七結已繫於身上若呪水七遍能護自身
若有書寫於一切怖畏无都易隨羅尼成
能受持或繫髀下若置高幢入軍陣者善
安得勝以此明呪威神之力而殊眷屬善安
上呪七遍已作七結者能繫摧伏若欲摧伏
諸幻惑者取塚間土呪七遍已而散擲者能
摧幻惑論競之時欲禁其口取奉菽蘇呪
七遍已而遙𥪡者一切言論悉能劉㐫受持
讀誦而稱讚者一切諸罪悉皆消滅却往於
彼造作之者及思惟所式繫於繩及水自護
者於彼身上一切明呪秘呪諸藥不能為害
未戒辯者悉能成辯彼所求事一切順從
時薄伽梵說是語已天帝百施聞佛所說
信受奉行
金有陁羅尼經一卷
[illegible]

BD01815號　金有陀羅尼經　（3–2）

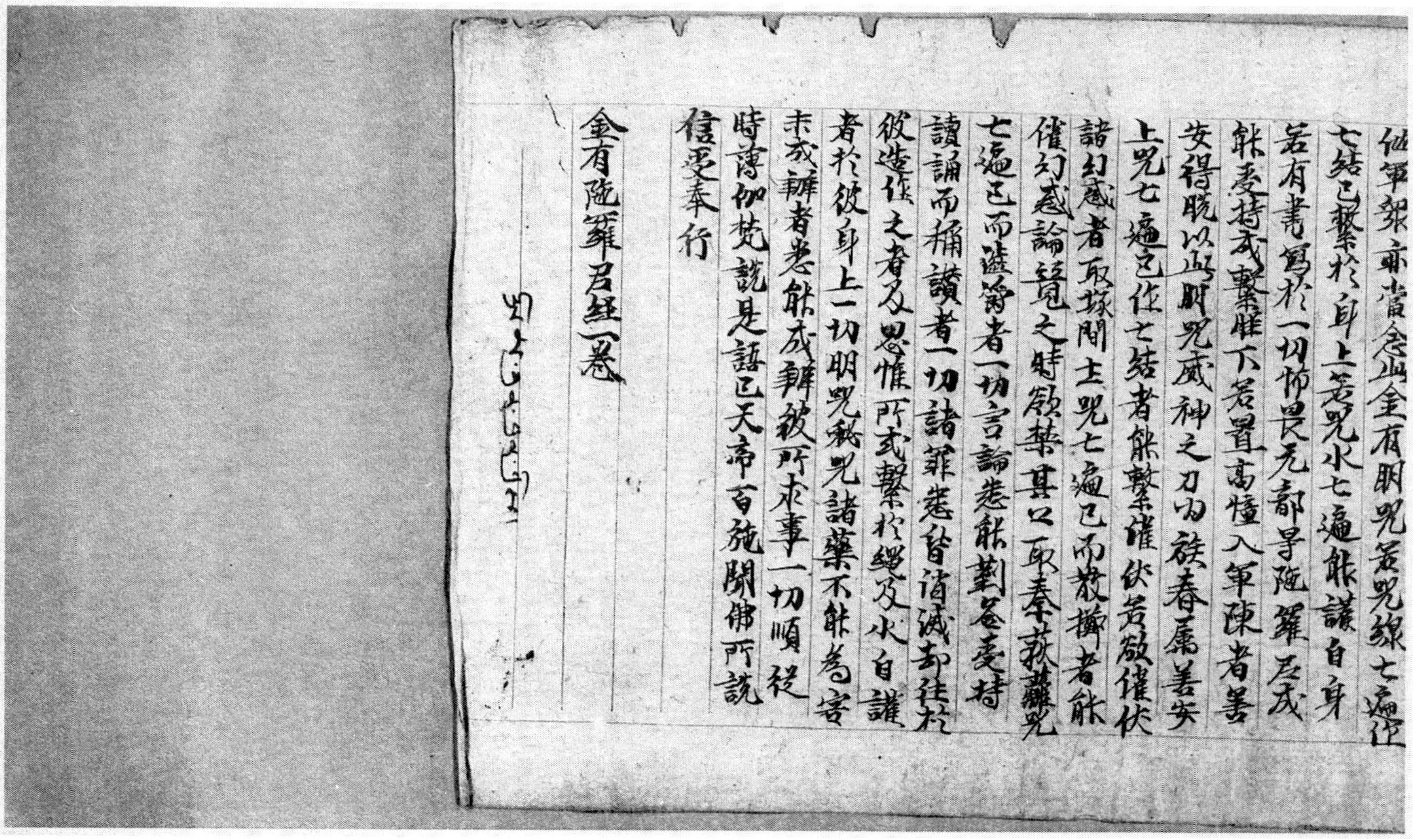
他軍衆亦當念此金有明呪若呪線七遍作
七結已繫於身上若呪水七遍能護自身
若有書寫於一切怖畏无鄣导陁羅尼成
能受持或繫腰下若置高幢入軍陣者善
安得勝以此明呪威神之力切族眷屬善安
上呪七遍已作七結者能繫催伏若欲催伏
諸幻惑者取塚間土呪七遍已而散擲者能
催幻惑論競之時欲禁其口取秦艽蘖呪
七遍已而遮塞者一切言論悉能尅各受持
讀誦而稱讚者一切諸罪悉皆消滅却往於
彼造作之者及恩惟所或繫於繩及水自護
者於彼身上一切明呪秘呪諸藥不能為害
未成辦者悉能成辦彼所求事一切順從
時薄伽梵說是語已天帝百施聞佛所說
信受奉行

金有陁羅尼經一卷

BD01815號　金有陀羅尼經　（3–3）

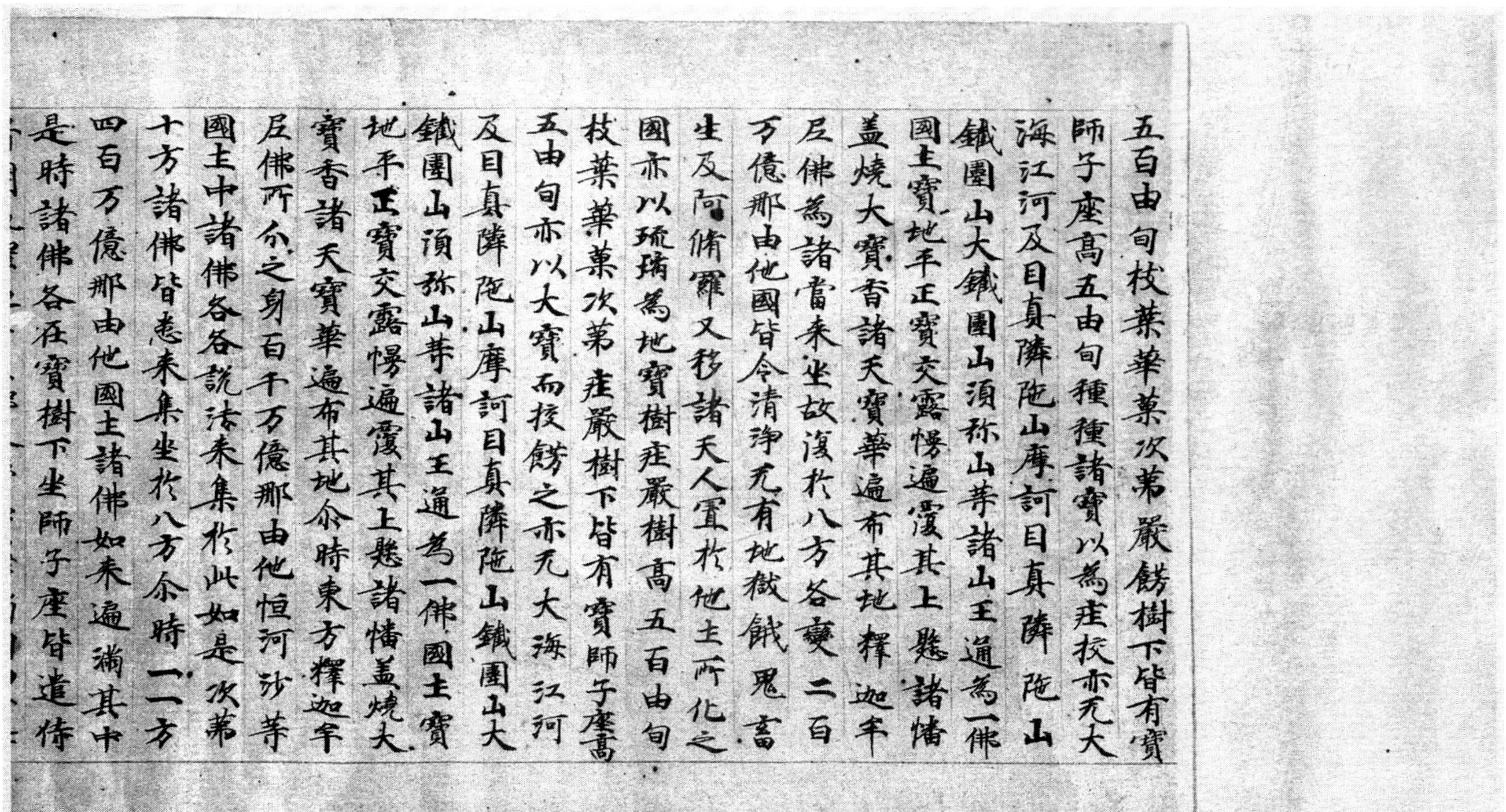
五百由旬枝葉華菓次第嚴餝樹下皆有寶
師子座高五由旬種種諸寶以為莊校亦无大
海江河及目真隣陁山摩訶目真隣陁山
鐵圍山大鐵圍山須弥山等諸山王通為一佛
國土寶地平正寶交露幔遍覆其上懸諸幡
蓋燒大寶香諸天寶華遍布其地釋迦牟
尼佛為諸當來坐故復於八方各變二百
万億那由他國皆令清淨无有地獄餓鬼畜
生及阿脩羅又移諸天人置於他土所化之
國亦以瑠璃為地寶樹莊嚴樹高五百由旬
枝葉華菓次第莊嚴樹下皆有寶師子座高
五由旬亦以大寶而校餝之亦无大海江河
及目真隣陁山摩訶目真隣陁山鐵圍山大
鐵圍山須弥山等諸山王通為一佛國土寶
地平正寶交露幔遍覆其上懸諸幡蓋燒大
寶香諸天寶華遍布其地尒時東方釋迦牟
尼佛所分之身百千万億那由他恒河沙等
國土中諸佛各各說法來集於此如是次第
十方諸佛皆悉來集坐於八方尒時一一方
四百万億那由他國土諸佛如來遍滿其中
是時諸佛各在寶樹下坐師子座皆遣侍

BD01816號　妙法蓮華經（八卷本）卷四　（5–1）

寶香諸天寶華遍布其地尒時東方釋迦牟
尼佛所分之身百千万億那由他恒河沙等
國土中諸佛各各說法來集於此如是次第
十方諸佛皆悉來集坐於八方尒時一一方
四百万億那由他國土諸佛如來遍滿其中
是時諸佛各在寶樹下坐師子座皆遣侍
者問訊釋迦牟尼佛各賫寶華滿掬而告之言
善男子汝詣耆闍崛山釋迦牟尼佛所如
我辭曰少病少惱氣力安樂及菩薩聲聞
衆悉安隱不以此寶華散佛供養而作是言
彼某甲佛與欲開此寶塔諸佛遣使亦復如是
尒時釋迦牟尼佛見所分身佛悉已來集各
各坐於師子之座皆聞諸佛與欲同開寶塔
即從座起住虛空中一切四衆起立合掌一
心觀佛於是釋迦牟尼佛以右指開七寶塔
戶出大音聲如却關鑰開大城門即時一切
衆會皆見多寶如來於寶塔中坐師子座全
身不散如入禪定又聞其言善哉善哉釋迦
牟尼佛快說是法華經我為聽是經故而來
至此尒時四衆等見過去无量千万億劫滅
度佛說如是言歎未曾有以天寶華聚散多
寶佛及釋迦牟尼佛上尒時多寶佛於寶塔
中分半座與釋迦牟尼佛而作是言釋迦牟
尼佛可就此座即時釋迦牟尼佛入其塔中
坐其半座結跏趺坐尒時大衆見二如來在
七寶塔中師子座上結跏趺坐各作是念佛
座高遠唯願如來以神通力令我等輩俱

BD01816號　妙法蓮華經（八卷本）卷四　（5-2）

寶佛及釋迦牟尼佛上尒時多寶佛於寶塔
中分半座與釋迦牟尼佛而作是言釋迦牟
尼佛可就此座即時釋迦牟尼佛入其塔中
坐其半座結跏趺坐尒時大衆見二如來在
七寶塔中師子座上結跏趺坐各作是念佛
座高遠唯願如來以神通力令我等輩俱
處虛空即時釋迦牟尼佛以神通力接諸大衆
皆在虛空以大音聲普告四衆誰能於此娑
婆國土廣說妙法華經今正是時如來不久
當入涅槃佛欲以此妙法華經付囑有在尒
時世尊欲重宣此義而說偈言
聖主世尊　雖久滅度　在寶塔中　尚為法來
諸人云何　不勤為法　此佛滅度　无鞅數劫
處處聽法　以難遇故　彼佛本願　我滅度後
在在所往　常為聽法　又我分身　无量諸佛
如恒沙等　來欲聽法　及見滅度　多寶如來
各捨妙土　及弟子衆　天人龍神　諸供養事
令法久住　故來至此　為坐諸佛　以神通力
移无量衆　令國清淨　諸佛各各　詣寶樹下
如清淨池　蓮華莊嚴　其寶樹下　諸師子座
佛坐其上　光明嚴飾　如夜闇中　然大炬火
身出妙香　遍十方國　衆生蒙薰　喜不自勝
譬如大風　吹小樹枝　以是方便　令法久住
告諸大衆　我滅度後　誰能護持　讀誦斯經
今於佛前　自說誓言　其多寶佛　雖久滅度
以大誓願　而師子吼　多寶如來　及與我身
所集化佛　當知此意　諸佛子等　誰能護法

BD01816號　妙法蓮華經（八卷本）卷四　（5-3）

譬如大風　吹小樹枝　以是方便　令法久住
告諸大衆　我滅度後　誰能護持　讀誦斯經
今於佛前　自說誓言　其多寶佛　雖久滅度
以大誓願　而師子吼　多寶如來　及與我身
所集化佛　當知此意　諸佛子等　誰能護法
當發大願　令得久住　其有能護　此經法者
則為供養　我及多寶　此多寶佛　處於寶塔
常遊十方　為是經故　亦復供養　諸來化佛
莊嚴光餝　諸世界者　若說此經　則為見我
多寶如來　及諸化佛　諸善男子　各諦思惟
此為難事　宜發大願　諸餘經典　數如恒沙
雖說此等　未足為難　若接須弥　擲置他方
无數佛土　亦未為難　若以足指　動大千界
遠擲他國　亦未為難　若立有頂　為衆演說
无量餘經　亦未為難　若佛滅後　於惡世中
能說此經　是則為難　假使有人　手把虚空
而以遊行　亦未為難　於我滅後　若自書持
若使人書　是則為難　若以大地　置足甲上
昇於梵天　亦未為難　佛滅度後　於惡世中
暫讀此經　是則為難　假使劫燒　擔負乾草
入中不燒　亦未為難　我滅度後　若持此經
為一人說　是則為難　若持八万　四千法藏
十二部經　為人演說　令諸聽者　得六神通
雖能如是　亦未為難　於我滅後　聽受此經
問其義趣　是則為難　若人說法　令千万億
无量无數　恒沙衆生　得阿羅漢　具六神通
雖有是益　亦未為難　於我滅後　若能奉持

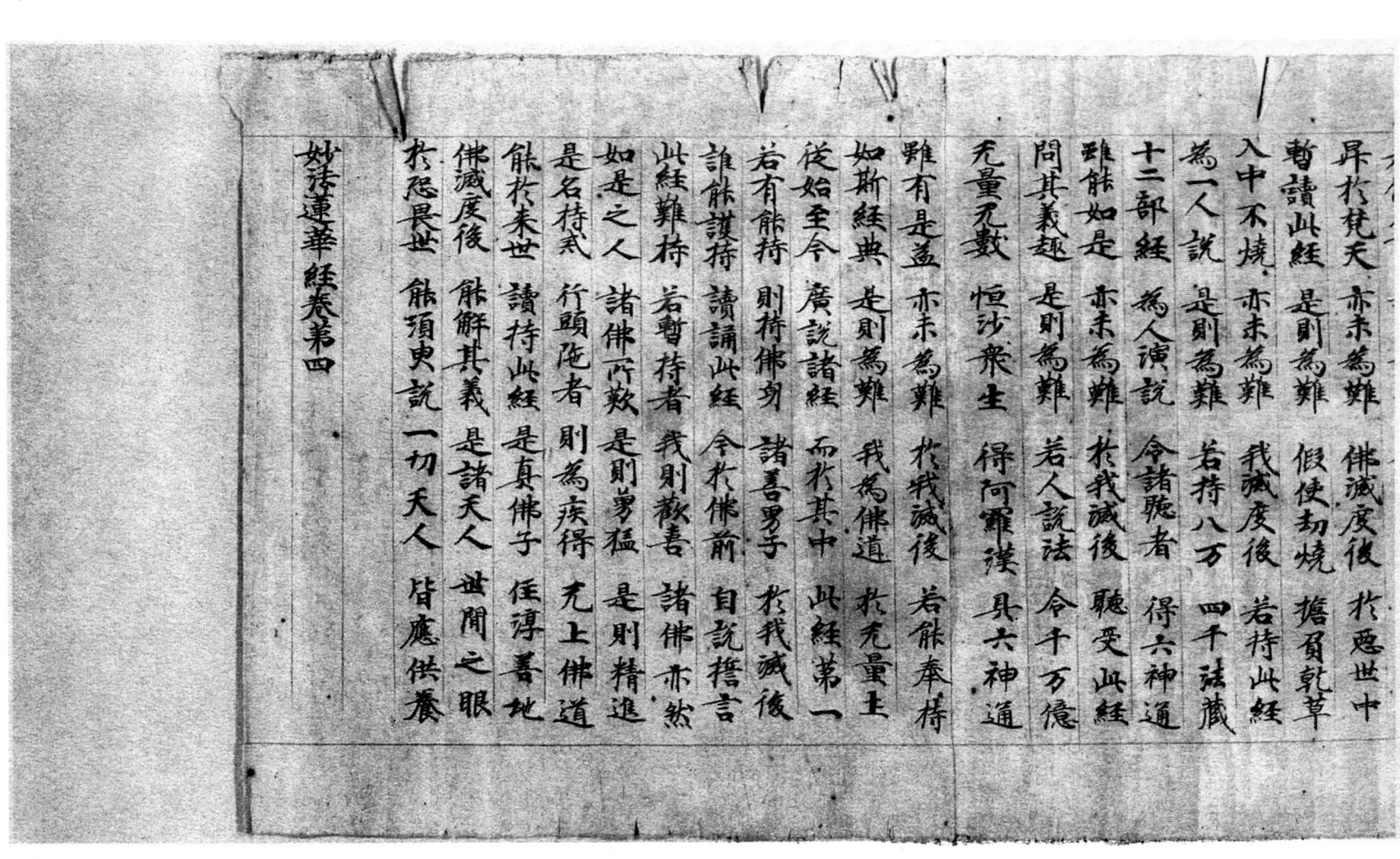

BD01816 號　妙法蓮華經（八卷本）卷四　　（5–4）

昇於梵天　亦未為難　佛滅度後　於惡世中
暫讀此經　是則為難　假使劫燒　擔負乾草
入中不燒　亦未為難　我滅度後　若持此經
為一人說　是則為難　若持八万　四千法藏
十二部經　為人演說　令諸聽者　得六神通
雖能如是　亦未為難　於我滅後　聽受此經
問其義趣　是則為難　若人說法　令千万億
无量无數　恒沙衆生　得阿羅漢　具六神通
雖有是益　亦未為難　於我滅後　若能奉持
如斯經典　是則為難　我為佛道　於无量土
從始至今　廣說諸經　而於其中　此經第一
若有能持　則持佛身　諸善男子　於我滅後
誰能護持　讀誦此經　今於佛前　自說誓言
此經難持　若暫持者　我則歡喜　諸佛亦然
如是之人　諸佛所歎　是則勇猛　是則精進
是名持戒　行頭陀者　則為疾得　无上佛道
能於來世　讀持此經　是真佛子　住淳善地
佛滅度後　能解其義　是諸天人　世間之眼
於恐畏世　能須臾說　一切天人　皆應供養

妙法蓮華經卷第四

BD01816 號　妙法蓮華經（八卷本）卷四　　（5–5）

菩薩應離一切相發阿耨多羅三藐三菩提
心不應住色生心不應住聲香味觸法生心
應生无所住心若心有住則為非住是故佛
說菩薩心不應住色布施須菩提菩薩為利
益一切衆生應如是布施如來說一切諸相
即是非相又說一切衆生則非衆生須菩提
如來是真語者實語者如語者不誑語者不
異語者須菩提如來所得法此法无實无虚
須菩提若菩薩心住於法而行布施如人入
闇則无所見若菩薩心不住法而行布施如人
有目日光明照見種種色須菩提當來之世
若有善男子善女人能於此經受持讀誦則
為如來以佛智慧悉知是人悉見是人皆得
成就无量无邊功德
須菩提若有善男子善女人初日分以恒河
沙等身布施中日分復以恒河沙等身布施
後日分亦以恒河沙等身布施如是无量百
千万億劫以身布施若復有人聞此經典信
心不逆其福勝彼何況書寫受持讀誦為人
解說須菩提以要言之是經有不可思議不
可稱量无邊功德如來為發大乘者說為發
最上乘者說若有人能受持讀誦廣為人說
如來悉知是人悉見是人皆成就不可量不
可稱无有邊不可思議功德如是人等則為

BD01817號　金剛般若波羅蜜經　（2–1）

有目日光明照見種種色須菩提當來之世
若有善男子善女人能於此經受持讀誦則
為如來以佛智慧悉知是人悉見是人皆得
成就无量无邊功德
須菩提若有善男子善女人初日分以恒河
沙等身布施中日分復以恒河沙等身布施
後日分亦以恒河沙等身布施如是无量百
千万億劫以身布施若復有人聞此經典信
心不逆其福勝彼何況書寫受持讀誦為人
解說須菩提以要言之是經有不可思議不
可稱量无邊功德如來為發大乘者說為發
最上乘者說若有人能受持讀誦廣為人說
如來悉知是人悉見是人皆成就不可量不
可稱无有邊不可思議功德如是人等則為
荷擔如來阿耨多羅三藐三菩提何以故須
菩提若樂小法者則著我見人見衆生見壽
者見則於此經不能聽受讀誦為人解說須
菩提在在處處若有此經一切世間天人阿

BD01817號　金剛般若波羅蜜經　（2–2）

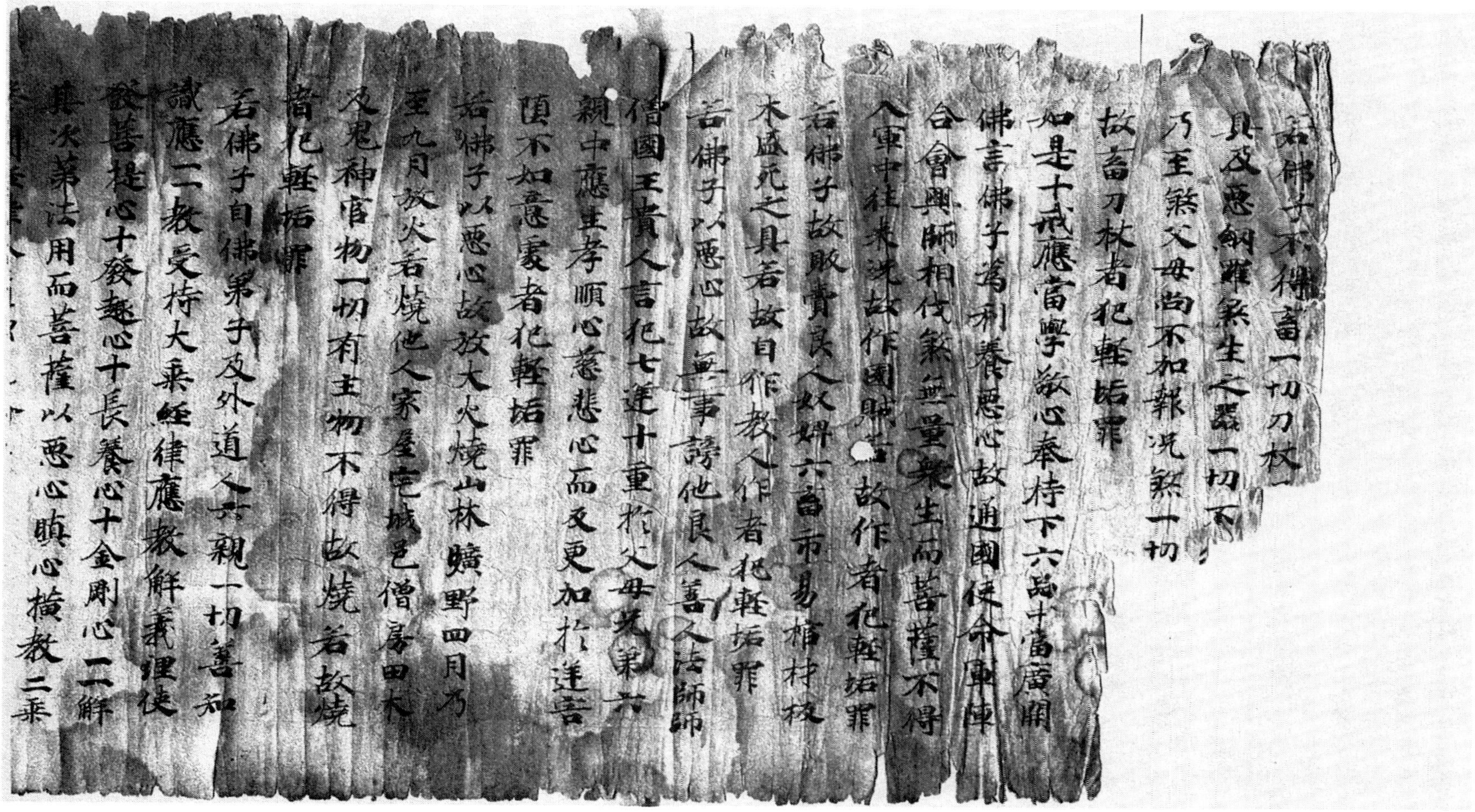
若佛子不得畜一切刀杖
具及惡網羅殺生之器一切不
乃至殺父母尚不加報況殺一切
故畜刀杖者犯輕垢罪
如是十戒應當學敬心奉持下六品中當廣開
佛言佛子爲利養惡心故通國使命軍陣
合會興師相伐殺無量衆生而菩薩不得
入軍中往來況故作國賊若故作者犯輕垢罪
若佛子故販賣良人奴婢六畜市易棺材板
木盛死之具若故自作教人作者犯輕垢罪
若佛子以惡心故無事謗他良人善人法師師
僧國王貴人言犯七逆十重於父母兄弟六
親中應生孝順心慈悲心而反更加於逆害
墮不如意處者犯輕垢罪
若佛子以惡心故放大火燒山林曠野四月乃
至九月放火若燒他人家屋宅城邑僧房田木
及鬼神官物一切有主物不得故燒若故燒
者犯輕垢罪
若佛子自佛弟子及外道惡人六親一切善知
識應一一教受持大乘經律應教解義理使
發菩提心十發趣心十長養心十金剛心一一解
其次第法用而菩薩以惡心瞋心橫教二乘

BD01818 號　梵網經盧舍那佛說菩薩心地戒品第十卷下　（16–1）

墮不如意處者犯輕垢罪
若佛子以惡心故放大火燒山林曠野四月乃
至九月放火若燒他人家屋宅城邑僧房田木
及鬼神官物一切有主物不得故燒若故燒
者犯輕垢罪
若佛子自佛弟子及外道惡人六親一切善知
識應一一教受持大乘經律應教解義理使
發菩提心十發趣心十長養心十金剛心一一解
其次第法用而菩薩以惡心瞋心橫教二乘
聲聞經律外道邪見論等者犯輕垢罪
若佛子應以好心先學大乘威儀經律廣開
解義味見後新學菩薩有百里千里來求
大乘經律應如法爲說一切苦行若燒身燒臂
燒指若不燒身臂指供養諸佛非出家菩薩
乃至餓虎狼師子一切餓鬼悉應舍身肉手
足而供養之然後一一次第爲說正法使心開
意解而菩薩爲利養故應荅不荅倒說經律
文字無前無後謗三寶說者犯輕垢罪
若佛子自爲飲食錢物利養名譽故親近國
王王子大臣百官恃作形勢乞索打拍牽挽
橫取錢物一切求利名爲惡求多求教他人
求都無慈心無孝順心者犯輕垢罪
若佛子學誦戒者日夜六時持菩薩戒解其
義理佛性之性而菩薩不解一句一偈戒律
因緣詐言能解者即爲自欺誑亦欺誑他人

BD01818 號　梵網經盧舍那佛說菩薩心地戒品第十卷下　（16–2）

積聚錢物一切求利名為惡求多求教他人
求都無慈心無孝順心者犯輕垢罪
若佛子學誦戒者日夜六時持菩薩戒解其
義理佛性之性而菩薩不解一句一偈戒律
因緣詐言能解者即為自欺誑亦欺誑他人
一一不解一切法而為他人作師受戒者犯輕
垢罪
若佛子以惡心故見持戒比丘手捉香爐行
菩薩行而鬪構兩頭謗欺賢人無惡不造
若故作者犯輕垢罪
若佛子以慈心故行放生業一切男子是我父
一切女人是我母我生生無不從之受生故六
道衆生皆是我父母而殺而食者即殺我
父母亦殺我故身一切地水是我先身一切火
風是我本體故常行放生生生受生若見
世人殺畜生時應方便救護解其苦難常教
化講說菩薩戒救度衆生若父母兄弟死亡
之日應請法師講菩薩戒經福資亡者得見
諸佛生人天上而若菩薩不尒者犯輕垢罪
如是十戒應當學敬心奉持如滅罪品中廣
明一一戒相
佛言佛子以瞋報瞋以打報打若殺父母兄
弟六親不得加報若國主為他人殺者亦不
得加報殺生報生不順孝道尚不畜奴婢打
拍罵辱日日起三業口罪無量況故作七逆

BD01818 號　梵網經盧舍那佛說菩薩心地戒品第十卷下　（16–3）

明一一戒相
佛言佛子以瞋報瞋以打報打若殺父母兄
弟六親不得加報若國主為他人殺者亦不
得加報殺生報生不順孝道尚不畜奴婢打
拍罵辱日日起三業口罪無量況故作七逆
之罪而菩薩無慈報讎乃至六親中若故報
者犯輕垢罪
若佛子初始出家未有所解而自恃聰明有
智或高貴年宿或恃大姓高門大解大富
饒財七寶以此憍慢而不諮受先學法師
經律其法師者或小姓年少卑門貧窮諸根
不具而實有德一切經律盡解而新學菩薩
不得觀法師種性而不來諮受法師第一義
諦者犯輕垢罪
若佛子佛滅度後欲以好心受菩薩戒時於佛
菩薩形像前自誓受戒當七日佛前懺悔
得見好相便得戒若不得好相應二七三七
日乃至一年要得好相得好相以便得佛菩
薩形像前受戒若不得好相雖佛像前受
戒不名得戒若現前先受菩薩戒法師前受
戒時不須要見好相何以故是法師師師相
授故不須好相是以法師前受戒即得戒以生
重心故便得戒若千里內無能受戒師得佛菩
薩形像前受戒而要見好相若法師自倚解
經律大乘學戒與國王太子百官以為善友

BD01818 號　梵網經盧舍那佛說菩薩心地戒品第十卷下　（16–4）

戒時不須要見好相何以故是法師師師相
授故不須好相是以法師前受戒即得戒以生
重心故便得戒若千里内無能受戒師得佛菩
薩形像前受戒而要見好相若法師自倚解
經律大乘學戒與國王太子百官以為善友
而新學菩薩來問若經義律義輕心惡心慢
心不一一好荅問者犯輕垢罪
若佛子有佛經律大乘法正見正性正法身
而不能懃學修習而捨七寶反學邪見二
外道俗典阿毗曇雜論書記是斷佛性障
道因緣非行菩薩道若故作者犯輕垢罪
若佛子佛滅度後為說法主為僧房主教
化主坐禪主行來主應生慈心善和鬪訟
善守三寶物莫無度用如自己有而反亂衆
鬪諍恣心用三寶物者犯輕垢罪
若佛子先在僧房中住後見客菩薩比丘
來入僧房舍宅城邑國王宅舍中乃至夏坐
安居處及大會中先住僧應迎來送去飲食
供養房舍卧具繩床事事給與若無物應
賣自身及男女身供給所須悉以與之若有
檀越來請衆僧客僧有利養分僧房主應次
第差客僧受請而先住僧獨受請而不差
客僧房主得無量罪畜生無異非沙門非釋
種姓者犯輕垢罪
若佛子一切不得受別請利養入己而此利

BD01818號　梵網經盧舍那佛說菩薩心地戒品第十卷下　（16–5）

第差客僧受請而先住僧獨受請而不差
客僧房主得無量罪畜生無異非沙門非釋
種姓者犯輕垢罪
若佛子一切不得受別請利養入己而此利
養屬十方僧而別受請即取十方僧物入
己及八福田中諸佛聖人一一師僧父母病人物
自己用故者犯輕垢罪
若佛子有出家菩薩在家菩薩及一切檀越
請僧福田求願之時應入僧房中問知事人今
欲次第請者即得十方賢聖僧而世人別請
五百羅漢菩薩僧不如僧次一凡夫僧若別
請僧者是外道法七佛無別請法不順孝道
若故別請僧者犯輕垢罪
若佛子以惡心故為利養故販賣男女色自
手作食自磨自舂占相男女解夢吉凶是男
是女呪術工巧調鷹方法和合百種毒藥千
種毒藥蛇毒生金銀蠱毒都無慈心若故作
者犯輕垢罪
若佛子以惡心故自身謗三寶詐現親附口
便說空行在有中為白衣通致男女交會婬
色作諸縛著於六齋日年三長齋月作殺
生劫盜破齋犯戒者犯輕垢罪
如是十戒應當學敬心奉持制戒品中廣
解佛言佛子佛滅度後於惡世中若見外道
一切惡人劫賊賣佛菩薩父母形像販賣經律

BD01818號　梵網經盧舍那佛說菩薩心地戒品第十卷下　（16–6）

色作諸縛着於六齋日年三長齋月作煞
生劫盜破齋犯戒者犯輕垢罪
如是十戒應當學敬心奉持制戒品中廣
解佛言佛子佛滅度後於惡世中若見外道
一切惡人劫賊賣佛菩薩父母形像販賣經律
販賣比丘比丘尼亦賣發心菩薩人或為官使與
一切人作奴婢者而菩薩見是事已應生慈悲
心方便救護處處教化取物贖佛菩薩父母
形像及比丘比丘尼發心菩薩一切經律若不
贖者犯輕垢罪
若佛子不得畜刀仗弓箭販賣輕秤小斗因
官形勢取人財物害心繫縛破壞成功長養
猫狸猪狗若故養者犯輕垢罪
若佛子以惡心故觀一切男女等鬪軍陣兵將
劫賊等鬪亦不得聽吹貝鼓角琴瑟箏笛
箜篌歌叫妓樂之聲不得摴蒲圍碁波
羅塞戲彈棊六博拍毬擲石投壺牽道八
道行城爪鏡芝草楊枝鉢盂髑髏而作卜筮
不得作盜賊使命二不得作若故作者犯輕垢罪
若佛子護持禁戒行住坐卧日夜六時讀誦
是戒猶如金剛如帶持浮囊欲度大海如草
繫比丘常生大乘善信自知我是未成之佛
諸佛是已成之佛發菩提心念念不去心若
起一念二乘外道心者犯輕垢罪
若佛子常應發一切願孝順父母師僧三寶常願

BD01818號　梵網經盧舍那佛說菩薩心地戒品第十卷下　（16–7）

……欲度大海如草
繫比丘常生大乘善信自知我是未成之佛
諸佛是已成之佛發菩提心念念不去心若
起一念二乘外道心者犯輕垢罪
若佛子常應發一切願孝順父母師僧三寶常願
得好師同學善友知識常教我大乘經律
十發趣十長養十金剛十地使我開解如法修行
行堅持佛戒寧捨身命念念不去心若一切
菩薩不發是願者犯輕垢罪
若佛子發十大願已持佛禁戒作是願言寧
以此身投熾然猛火大坑刀山終不毀犯三世
諸佛經律與一切女人作不淨行
復作是願寧以熱鐵羅網千重周帀纏身終
不以破戒之身受於信心檀越一切衣服
復作是願寧以此口吞熱鐵丸及大流猛火
經百千劫終不以破戒之口食於信心檀越百
味飲食
復作是願寧以此身卧大猛火羅網熱鐵地
上終不以破戒之身受信心檀越百種床座
復作是願寧以此身受三百鉾刺經一劫二
劫終不以破戒之身受信心檀越百味醫藥復
作是願寧以此身投熱鐵鑊經百千劫終
不以破戒之身受信心檀越千種房舍屋宅
園林田地
復作是願寧以鐵鎚打碎此身從頭至足令
如微塵終不以此破戒之身受信心禮拜

BD01818號　梵網經盧舍那佛說菩薩心地戒品第十卷下　（16–8）

作是願寧以此身投熱鐵鑊經百千劫終
不以破戒之身受信心檀越千種房舍屋宅
園林田地
復作是願寧以鐵鎚打碎此身從頭至足令
如微塵終不以此破戒之身受信心檀越恭
敬礼拜
復作是願寧以百千熱鐵刀鉾挑其兩目終不
以破戒之心視他好色
復作是願寧以百千鐵錐遍擿刺耳根經一
劫二劫終不以破戒之心聽好音聲
復作是願寧以百千刃刀割去其鼻終不以
破戒之心貪齅諸香
復作是願寧以百千刃刀割斷其舌終不以
破戒之心食人百味淨食
復作是願寧以利斧斬破其身終不以破戒
之心貪著好觸
復作是願願一切衆生悉得成佛而菩薩若
不發是願者犯輕垢罪
若佛子常應二時頭陀冬夏坐禪結夏安
居常用楊枝澡豆三衣缾鉢坐具錫杖香爐
漉水囊手巾刀子火燧鑷子繩床經律諸佛菩
薩形像而菩薩行頭陀時及遊方時行來百
里千里此十八種物常隨其身頭陀者從正
月十五日至三月十五日八月十五日至十月十
五日是二時中此十八種物常隨其身如鳥

BD01818號　梵網經盧舍那佛說菩薩心地戒品第十卷下　（16–9）

薩形像而菩薩行頭陀時及遊方時行來百
里千里此十八種物常隨其身頭陀者從正
月十五日至三月十五日八月十五日至十月十
五日是二時中此十八種物常隨其身如鳥
二翼若布薩日新學菩薩半月半月常布
薩誦十重四十八輕戒時於諸佛菩薩形
像前一人布薩即一人誦若二人三人乃至百
千人亦一人誦誦者高座聽者下座各披九條
七條五條袈裟結夏安居一一如法若頭陀
時莫入難處若國難惡王土地高下草木
深邃師子虎狼水火風難及以劫賊道路毒
虵一切難處悉不得入若頭陀行道乃至坐
夏安居是諸難處皆不得入若入者犯輕垢罪
若佛子應如法次第坐先受戒者在前坐
後受戒者在後坐不問老少比丘比丘尼貴人
國王王子乃至黃門奴婢皆應先受戒者在
前坐後受戒者隨次第而坐莫如外道癡
人若老若少無前無後坐無次第兵奴之法
我佛法中先者先坐後者後坐而菩薩不次
第坐者犯輕垢罪
若佛子常應教化一切衆生建立僧房山林
園田立作佛塔冬夏安居坐禪處所一切行
道處皆應立之而菩薩應為一切衆生講說
大乘經律若疾病國難賊難父母兄弟和上

BD01818號　梵網經盧舍那佛說菩薩心地戒品第十卷下　（16–10）

園田立作佛塔冬夏安居坐禪處所一切行
道處皆應立之而菩薩應為一切衆生講說
大乘經律若疾病國難賊難父母兄弟和上
阿闍梨亡滅之日及三七日四五七日乃至七七
日亦應讀誦講說大乘經律齋會求福行
來治生大火所燒大水所漂黑風所吹船舫江
河大海羅刹之難亦讀誦講說此經律乃至
一切罪報三惡七逆八難杻械枷鎖繫縛其身
多婬多瞋多愚癡多疾病皆應讀誦講說
此經律而新學菩薩若不尒者犯輕垢罪
如是九戒應當學敬心奉持梵壇品中當說
佛言佛子與人受戒時不得簡擇一切國王
王子大臣百官比丘比丘尼信男信女婬男婬
女十八梵六欲天無根二根黄門奴婢一切鬼神
盡得受戒應教身所着袈裟皆使壞色與
道相應皆染使青黄赤黑紫色一切染衣乃
至卧具盡以壞色身所著衣一切染色若一切
國土中國人所著衣服比丘皆應與其俗服
有異若欲受戒時師應問言汝現身不作
七逆罪耶菩薩法師不得與七逆人現身受
戒七逆者出佛身血煞父煞母煞和上煞阿
闍梨破羯磨轉法輪僧煞聖人若具七遮即
身不得戒餘一切人盡得受戒出家人法不
向國王礼拜不向父母礼拜六親不敬鬼神不
礼但解法師語有百里千里来求戒者而菩

BD01818號　梵網經盧舍那佛說菩薩心地戒品第十卷下　（16–11）

戒七逆者出佛身血煞父煞母煞和上煞阿
闍梨破羯磨轉法輪僧煞聖人若具七遮即
身不得戒餘一切人盡得受戒出家人法不
向國王礼拜不向父母礼拜六親不敬鬼神不
礼但解法師語有百里千里来求戒者而菩
薩法師以惡心瞋心而不即與一切衆生受
戒者犯輕垢罪
若佛子教化人起信心時菩薩與他人作教
戒法師者見欲受戒人應教請二師和上阿
闍梨二師應問言汝有七遮罪不若現身有
七遮師不應與受戒無七遮者得受若有
犯十戒者應教懺悔在佛菩薩形像前日夜
六時誦十重四十八輕戒苦頂礼三世千佛得見
好相若一七日二七日三七日乃至一年要見
好相相者佛来摩頂見光見華種種異相
便得滅罪若無好相雖懺無益是人現身亦
不得戒而得增受戒若犯四十八輕戒者對手
懺滅不同七遮而教戒師於是法中一一好解
若不解大乘經律若輕若重是非之相不解
第一義諦習種性長養性不可壞性道種
性正法性其中多少觀行出入十禪支一切
行法一一不得此法中意而菩薩為利養故
為名聞故惡求貪利弟子而詐現解一切
經律是自欺誑亦欺誑他人故與人受戒
者犯輕垢罪

BD01818號　梵網經盧舍那佛說菩薩心地戒品第十卷下　（16–12）

性正法性其中多少觀行出入十禪支一切
行法一一不得此法中意而菩薩為利養故
為名聞故惡求貪利弟子而詐現解一切
經律是自欺詐亦欺詐他人故與人受戒
者犯輕垢罪
若佛子不得為利養故於未受菩薩戒
者前外道惡人前說此千佛大戒耶見人
前亦不得說除國王餘一切不得說是惡人
輩不受佛戒名為畜生生生不見三寶如木石
無心名為外道耶見人輩木頭無異而菩薩於
是外道惡人前說七佛教戒者犯輕垢罪
若佛子言心出家受佛正戒故起心毀犯聖
戒者不得受一切檀越供養亦不得國王地
上行不得飲國王水五千大鬼常遮其前鬼
言大賊若入房舍城邑宅中鬼復常掃其
脚跡一切世人罵言佛法中賊一切眾生眼不
欲見犯戒之人畜生無異木頭無異若毀
正戒者犯輕垢罪
若佛子常應一心受持讀誦大乘經律剥
皮為紙刺血為墨以髓為水析骨為筆書
寫佛戒木皮穀紙絹素竹帛亦應悉書持
常以七寶無價香華一切雜寶為箱囊
盛經律卷若不如法供養者犯輕垢罪
若佛子常起大悲心若入一切城邑舍宅見一
切眾生應唱言汝等眾生盡應受三歸十

BD01818號　梵網經盧舍那佛說菩薩心地戒品第十卷下　（16–13）

常以七寶無價香華一切雜寶為箱囊
盛經律卷若不如法供養者犯輕垢罪
若佛子常起大悲心若入一切城邑舍宅見一
切眾生應唱言汝等眾生盡應受三歸十
戒若見牛馬猪羊一切畜生應心念口言汝
是畜生發菩提心而菩薩入一切山林川
野皆使一切眾生發菩提心是菩薩若不發
教化眾生心者犯輕垢罪
若佛子常行教化起大悲心入檀越貴人
家一切眾中不得立為白衣說法應白衣眾前
高座上坐法師比丘不得地立為四眾說法
若說法時法師高座香華供養四眾聽者
下坐如孝順父母敬順師教如事火婆羅門
其說法者若不如法說犯輕垢罪
若佛子皆以信心受佛戒者若國王太子百
官四部弟子自恃高貴破滅佛法戒律明作
制法制我四部弟子不聽出家行道亦復不
聽造立形像佛塔經律破三寶之罪而菩
薩故作破法者犯輕垢罪
若佛子以好心出家而為名聞利養於國王
百官前說七佛戒橫與比丘比丘尼菩薩戒
弟子繫縛如師子身中虫自食師子肉非外
道天魔能破壞若受佛戒者應護佛戒如
念一子如事父母而聞外道惡人以一惡言誹
謗佛戒時如三百鉾刺心千刀万丈打其身

BD01818號　梵網經盧舍那佛說菩薩心地戒品第十卷下　（16–14）

弟子繫縛如師子身中虫自食師子肉非外
道天魔能破壞若受佛戒者應護佛戒如
念一子如事父母而聞外道惡人以一惡言謗
謗佛戒時如三百鉾刺心千刀万杖打柏其身
等無有異寧自入地獄經百劫而不用聞一
惡言破佛戒之聲而况自破佛戒教人破法因
緣亦無孝順之心若故作者犯輕垢罪
如是九戒應當學敬心奉持
告諸佛子是四十八輕戒汝等受持過去諸佛
菩薩已學現在諸佛菩薩今學未来諸佛
菩薩當學諸佛子聽十重四十八輕戒三世
諸佛已誦今誦當誦我今亦如是誦汝等一
切大衆若國王王子百官比丘比丘尼信男信
女受持菩薩戒者應受持讀誦解說書寫
佛性常住戒經流通三世一切衆生化化不絶
得見千佛千佛授手世世不墮惡道八難常
生人道天中我今在此樹下略開七佛法戒
汝等當一心學波羅提木叉歡喜奉行如
無相天王品勸學中一一廣明三千學士時
坐聽者聞佛自誦心心頂戴喜躍受持
尒時釋迦牟尼佛說上蓮華臺藏世界盧
舍那佛心地法門品中十無盡戒法品竟千
百億釋迦亦如是說從摩醯首羅天王宮
至此道樹下十住處說法品為一切菩薩
不可說大衆受持讀誦解說其義亦如

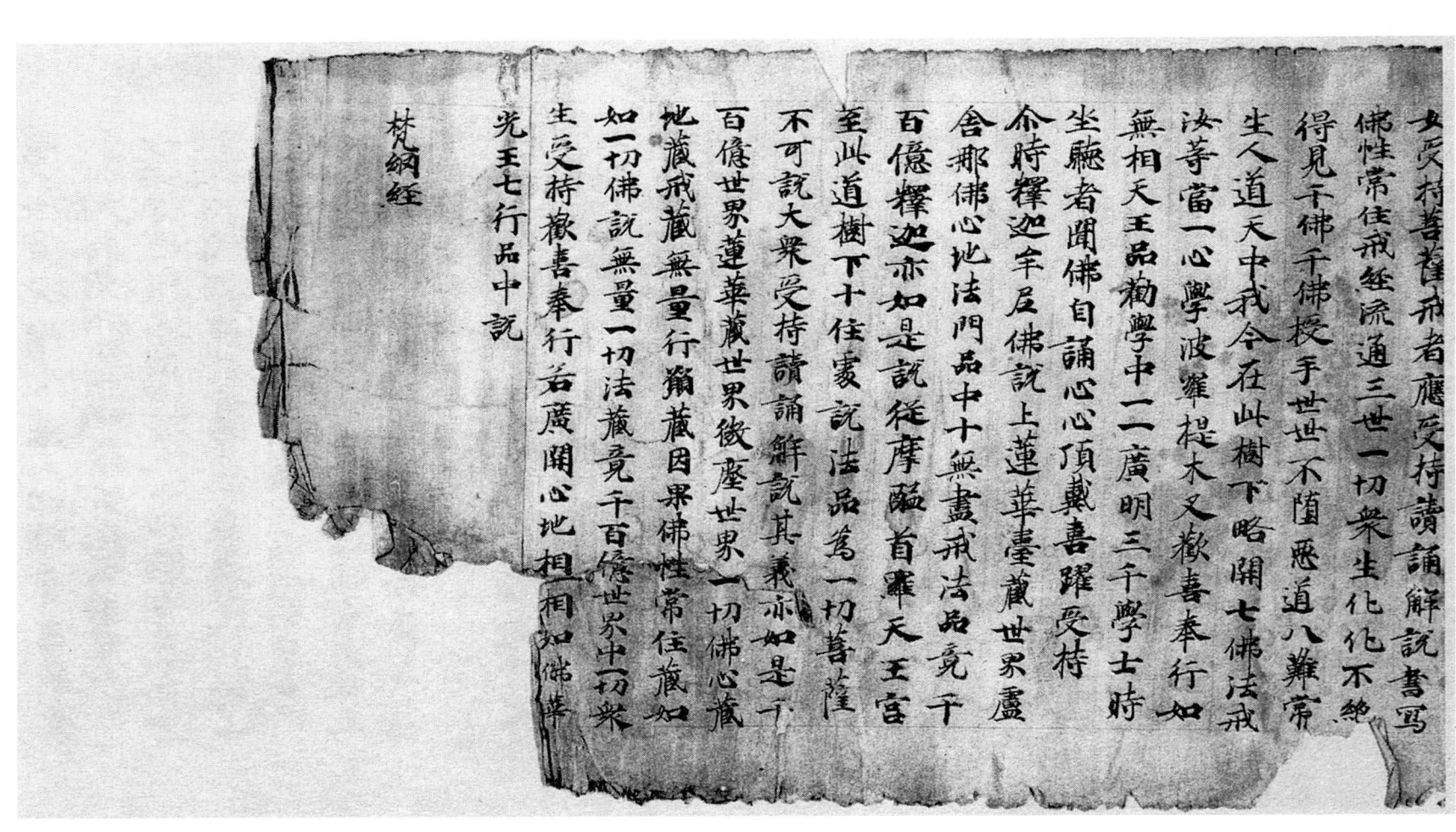

BD01818 號　梵網經盧舍那佛說菩薩心地戒品第十卷下　（16–15）

女受持菩薩戒者應受持讀誦解說書寫
佛性常住戒經流通三世一切衆生化化不絶
得見千佛千佛授手世世不墮惡道八難常
生人道天中我今在此樹下略開七佛法戒
汝等當一心學波羅提木叉歡喜奉行如
無相天王品勸學中一一廣明三千學士時
坐聽者聞佛自誦心心頂戴喜躍受持
尒時釋迦牟尼佛說上蓮華臺藏世界盧
舍那佛心地法門品中十無盡戒法品竟千
百億釋迦亦如是說從摩醯首羅天王宮
至此道樹下十住處說法品為一切菩薩
不可說大衆受持讀誦解說其義亦如是千
百億世界蓮華藏世界微塵世界一切佛心藏
地藏戒藏無量行願藏因果佛性常住藏如
如一切佛說無量一切法藏竟千百億世界中一切衆
生受持歡喜奉行若廣開心地相相如佛華
光王七行品中說

梵網經

BD01818 號　梵網經盧舍那佛說菩薩心地戒品第十卷下　（16–16）

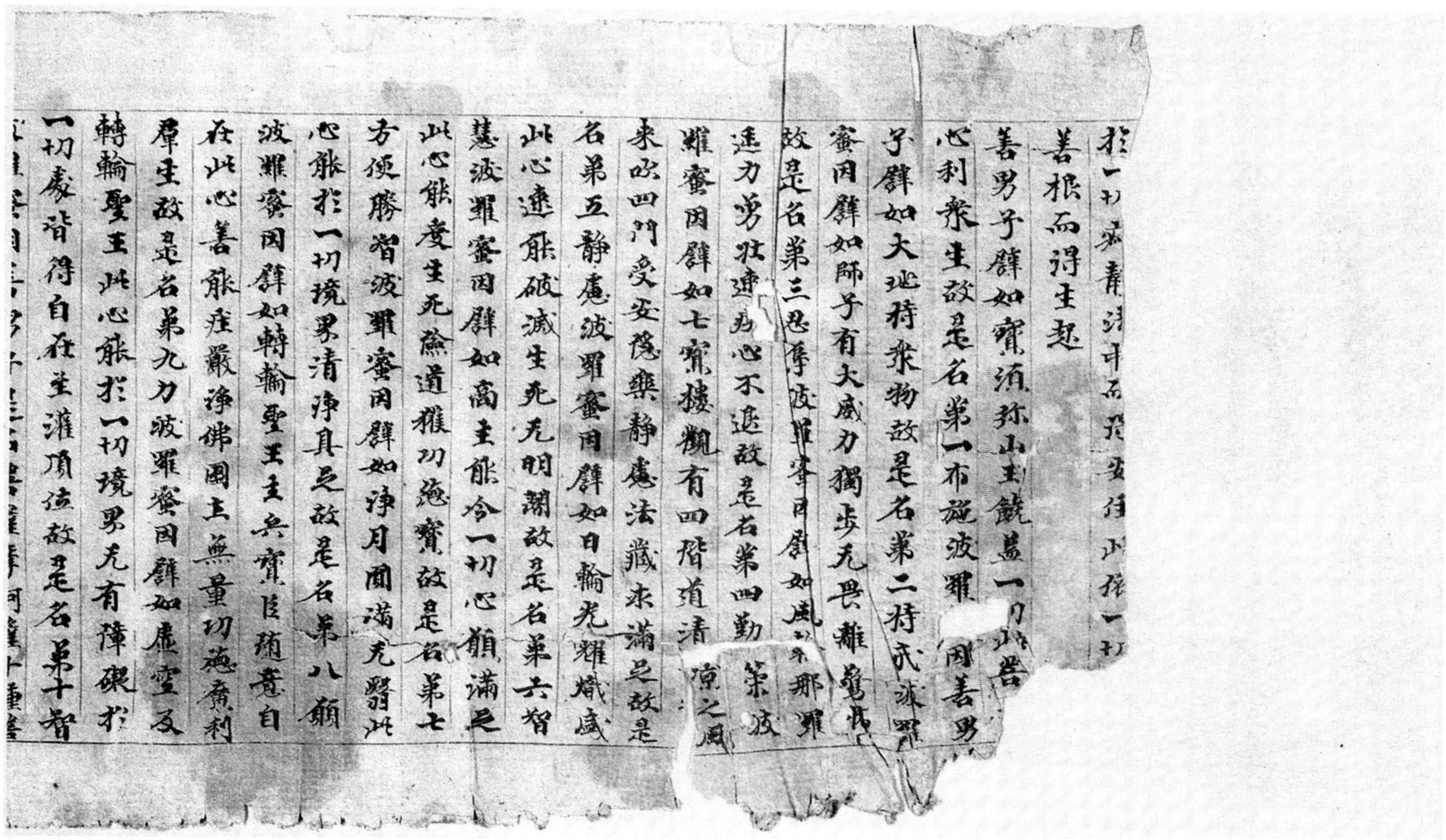
於一切衆龍法中而發安住此依一切
善根而得生起
善男子譬如寶須彌山王饒益一切皆
心利衆生故是名第一布施波羅蜜因善男
子譬如大地持衆物故是名第二持戒波羅
蜜因譬如師子有大威力獨步无畏離驚怖
故是名第三忍辱波羅蜜因譬如風輪那羅
延力勇壯速疾心不退故是名第四勤策波
羅蜜因譬如七寶樓觀有四階道清涼之風
來吹四門受安隱樂靜慮法藏求滿足故是
名第五靜慮波羅蜜因譬如日輪光耀熾盛
此心速能破滅生死无明闇故是名第六智
慧波羅蜜因譬如商主能令一切心願滿足
此心能度生死險道獲功德寶故是名第七
方便勝智波羅蜜因譬如淨月圓滿无翳此
心能於一切境界清淨具足故是名第八願
波羅蜜因譬如轉輪聖王主兵寶臣隨意自
在此心善能莊嚴淨佛國土無量功德廣利
羣生故是名第九力波羅蜜因譬如虛空及
轉輪聖王此心能於一切境界无有障礙於
一切處皆得自在至灌頂位故是名第十智

BD01819 號　金光明最勝王經卷四

（16–1）

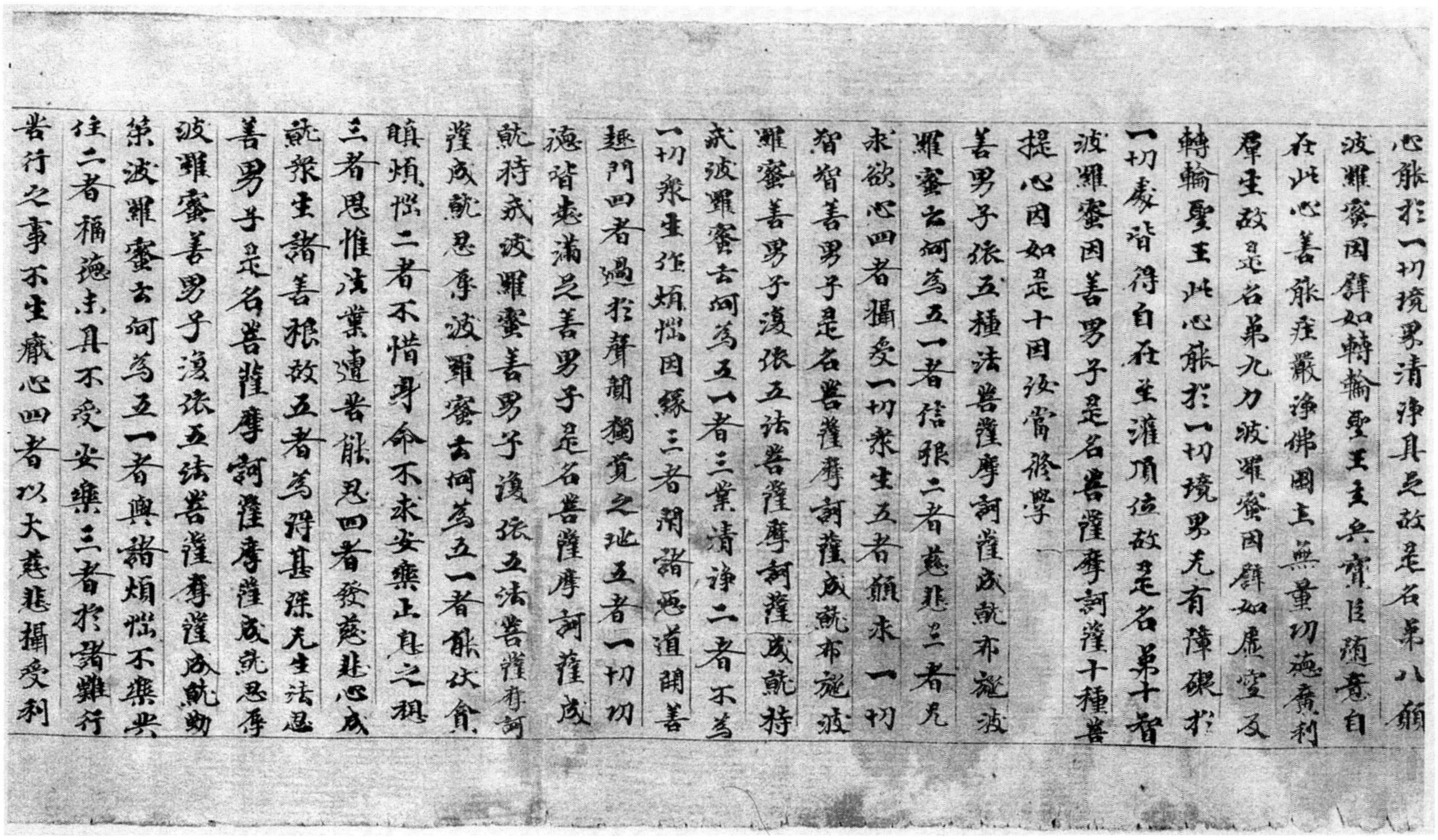
心能於一切境界清淨具足故是名第八願
波羅蜜因譬如轉輪聖王主兵寶臣隨意自
在此心善能莊嚴淨佛國土無量功德廣利
羣生故是名第九力波羅蜜因譬如虛空及
轉輪聖王此心能於一切境界无有障礙於
一切處皆得自在至灌頂位故是名第十智
波羅蜜因善男子是名菩薩摩訶薩十種菩
提心因如是十因汝當修學
善男子依五種法菩薩摩訶薩成就布施波
羅蜜云何為五一者信根二者慈悲三者无
求欲心四者攝受一切衆生五者願求一切
智智善男子是名菩薩摩訶薩成就布施波
羅蜜善男子復依五法菩薩摩訶薩成就持
戒波羅蜜云何為五一者三業清淨二者不為
一切衆生作煩惱因緣三者閉諸惡道開善
趣門四者過於聲聞獨覺之地五者一切功
德皆悉滿足善男子是名菩薩摩訶薩成
就持戒波羅蜜善男子復依五法菩薩摩訶
薩成就忍辱波羅蜜云何為五一者能伏貪
瞋煩惱二者不惜身命不求安樂止息之想
三者思惟往業遭苦能忍四者發慈悲心成
就衆生諸善根故五者為得甚深无生法忍
善男子是名菩薩摩訶薩成就忍辱
波羅蜜善男子復依五法菩薩摩訶薩成就勤
策波羅蜜云何為五一者與諸煩惱不樂共
住二者福德未具不受安樂三者於諸難行
苦行之事不生厭心四者以大慈悲攝受利

BD01819 號　金光明最勝王經卷四

（16–2）

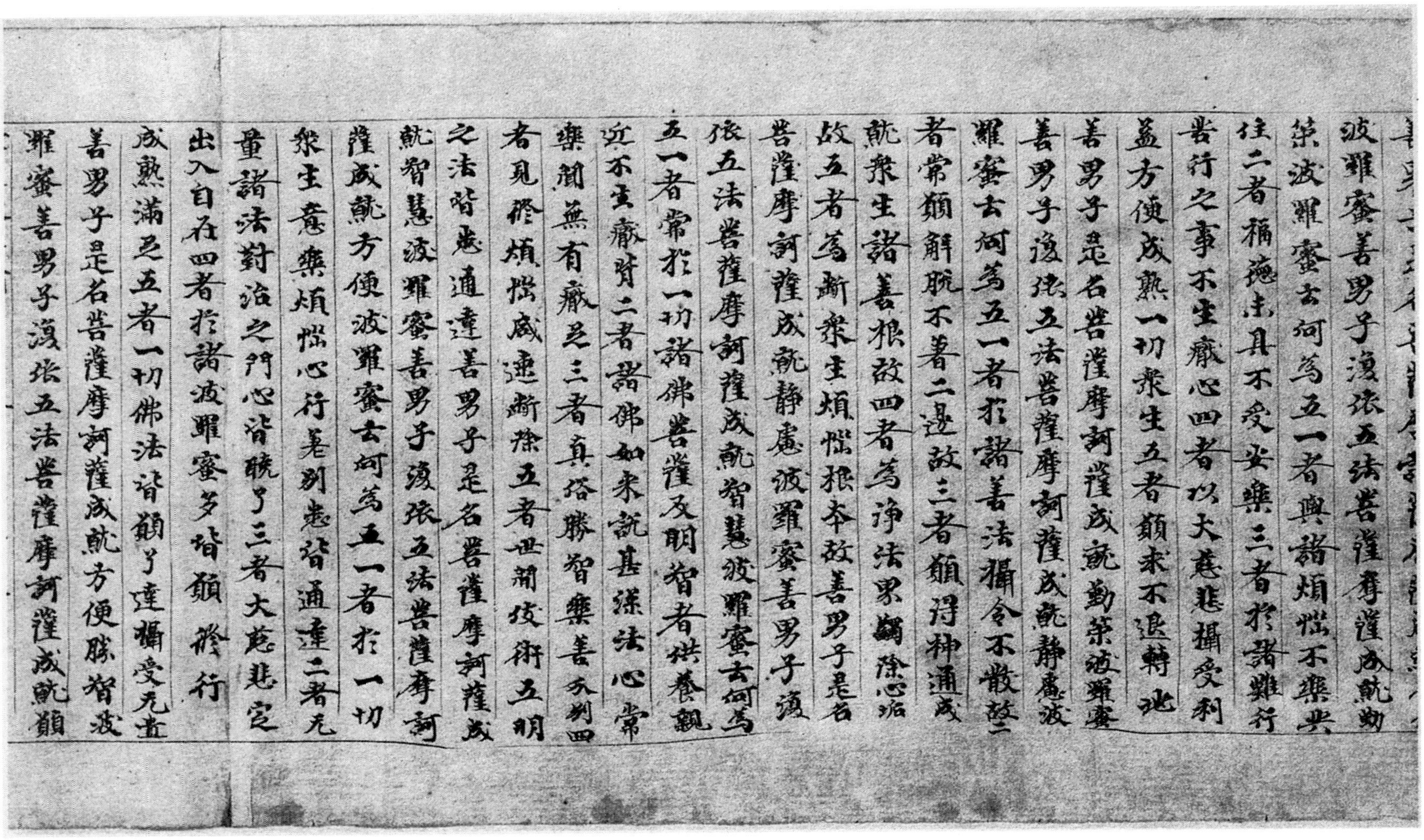
波羅蜜善男子復依五法菩薩摩訶薩成就勤
策波羅蜜云何為五一者與諸煩惱不樂共
住二者福德未具不受安樂三者於諸難行
苦行之事不生厭心四者以大慈悲攝受利
益方便成熟一切衆生五者願求不退轉地
善男子是名菩薩摩訶薩成就勤策波羅蜜
善男子復依五法菩薩摩訶薩成就靜慮波
羅蜜云何為五一者於諸善法攝令不散故二
者常願解脫不著二邊故三者願得神通成
就衆生諸善根故四者為淨法界蠲除心垢
故五者為斷衆生煩惱根本故善男子是名
菩薩摩訶薩成就靜慮波羅蜜善男子復
依五法菩薩摩訶薩成就智慧波羅蜜云何為
五一者常於一切諸佛菩薩及明智者供養親
近不生厭背二者諸佛如來說甚深法心常
樂聞無有厭足三者真俗勝智樂善分別四
者見修煩惱咸速斷除五者世間伎術五明
之法皆悉通達善男子是名菩薩摩訶薩成
就智慧波羅蜜善男子復依五法菩薩摩訶
薩成就方便波羅蜜云何為五一者於一切
衆生意樂煩惱心行差別悉皆通達二者无
量諸法對治之門心皆曉了三者大慈悲定
出入自在四者於諸波羅蜜多皆願修行
成熟滿足五者一切佛法皆願了達攝受无遺
善男子是名菩薩摩訶薩成就方便勝智波
羅蜜善男子復依五法菩薩摩訶薩成就願

BD01819號　金光明最勝王經卷四　（16–3）

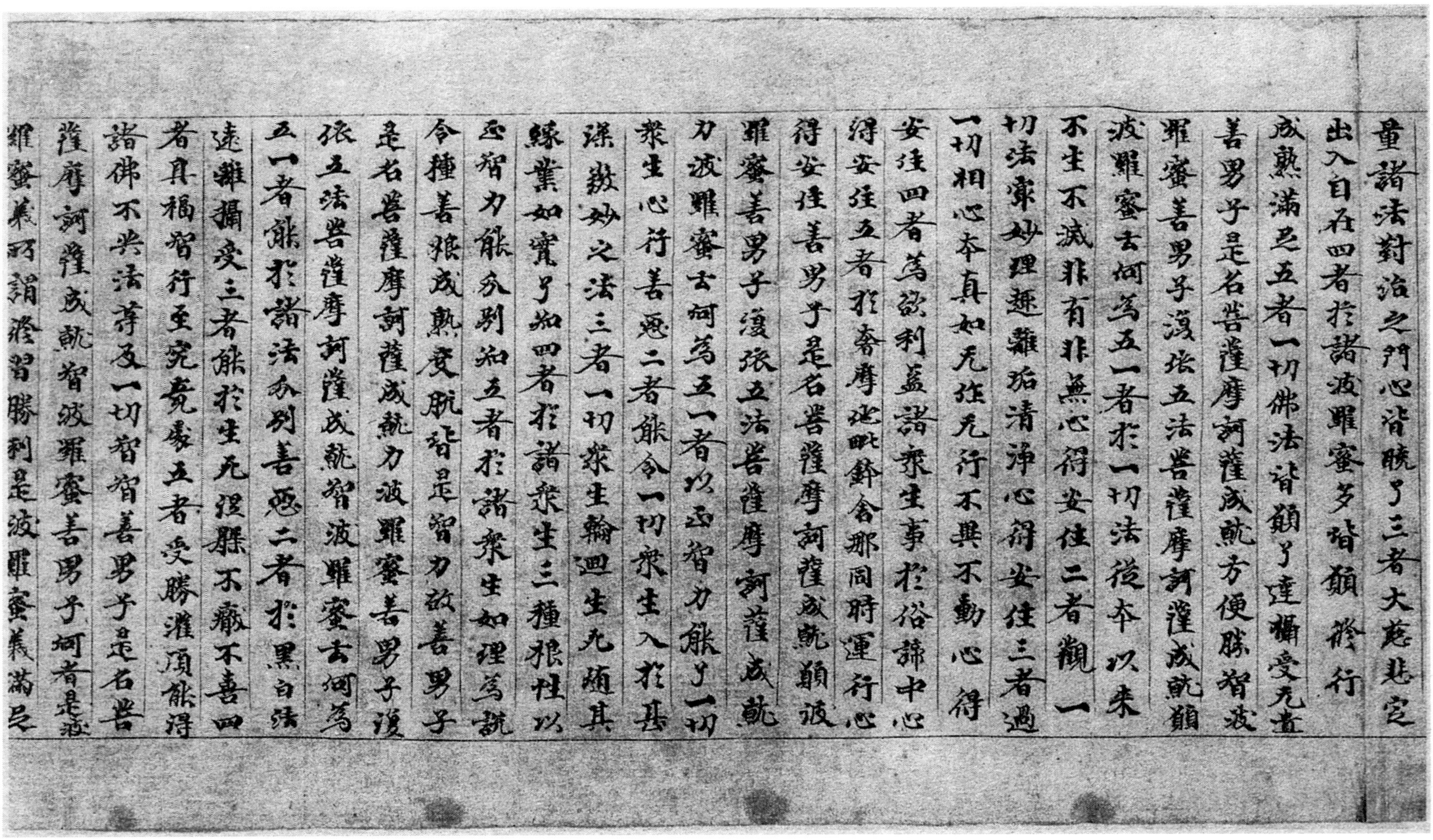
量諸法對治之門心皆曉了三者大慈悲定
出入自在四者於諸波羅蜜多皆願修行
成熟滿足五者一切佛法皆願了達攝受无遺
善男子是名菩薩摩訶薩成就方便勝智波
羅蜜善男子復依五法菩薩摩訶薩成就願
波羅蜜云何為五一者於一切法從本以來
不生不滅非有非無心得安住二者觀一
切法最妙理趣離垢清淨心得安住三者過
一切相心本真如无作无行不異不動心得
安住四者為欲利益諸衆生事於俗諦中心
得安住五者於奢摩他毗鉢舍那同時運行心
得安住善男子是名菩薩摩訶薩成就願波
羅蜜善男子復依五法菩薩摩訶薩成就
力波羅蜜云何為五一者以正智力能了一切
衆生心行善惡二者能令一切衆生入於甚
深微妙之法三者一切衆生輪迴生死隨其
緣業如實了知四者於諸衆生三種根性以
正智力能分別知五者於諸衆生如理為說
令種善根成熟度脫皆是智力故善男子
是名菩薩摩訶薩成就力波羅蜜善男子復
依五法菩薩摩訶薩成就智波羅蜜云何為
五一者能於諸法分別善惡二者於黑白法
遠離攝受三者能於生死涅槃不厭不喜四
者具福智行至究竟處五者受勝灌頂能得
諸佛不共法等及一切智智善男子是名菩
薩摩訶薩成就智波羅蜜善男子何者是波
羅蜜義所謂修習勝利是波羅蜜義滿足

BD01819號　金光明最勝王經卷四　（16–4）

遠離攝受三者能於生死涅槃不厭不喜四
者具福智行至究竟處五者受勝灌頂能得
諸佛不共法等及一切智智善男子是名菩
薩摩訶薩成就智波羅蜜善男子何者是智
波羅蜜義所謂發習勝利是波羅蜜義滿足
無量大甚深智是波羅蜜義行非行法心不
執著是波羅蜜義生死過失涅槃功德正覺
正觀是波羅蜜義愚人智人皆悉攝受是波
羅蜜義能現種種珍妙法寶是波羅蜜義无
礙解脫智慧滿足是波羅蜜義法界眾生界
正分別知是波羅蜜義施等及智能令至不退
轉是波羅蜜義无生法忍能令滿足是波羅
蜜義一切眾生功德善根能令成熟是波羅
蜜義能於菩提成佛十力四无所畏不共法等
皆悉成就是波羅蜜義生死涅槃了无二相
是波羅蜜義濟度一切是波羅蜜義一切外
道來相詰難善能解釋令其降伏是波羅蜜
義能轉十二妙行法輪是波羅蜜義无所著
无所見无患累是波羅蜜多義
善男子初地菩薩是相先現三千大千世界
無量無邊種種寶藏无不盈滿菩薩悉見
善男子二地菩薩是相先現三千大千世界地
平如掌无量无邊種種妙色清淨珍寶莊嚴
之具菩薩悉見善男子三地菩薩是相先現
自身勇健甲仗莊嚴一切怨賊皆能摧伏
菩薩悉見善男子四地菩薩是相先現四方
風輪種種妙花悉皆散灑充布地上菩薩悉

BD01819號　金光明最勝王經卷四

（16–5）

之具菩薩悉見善男子三地菩薩是相先現
自身勇健甲仗莊嚴一切怨賊皆能摧伏
菩薩悉見善男子四地菩薩是相先現四方
風輪種種妙花悉皆散灑充布地上菩薩悉
見善男子五地菩薩是相先現有妙寶女眾寶
瓔珞周遍嚴身首冠名花以為其飾菩薩悉
見善男子六地菩薩是相先現七寶花池有
四階道金沙遍布清淨無穢八功德水皆悉
盈滿鉢羅花拘物頭花芬陀利花隨處莊
嚴於花池所遊戲快樂清涼無比菩薩悉見
善男子七地菩薩是相先現於菩薩前有諸
眾生應墮地獄以菩薩力便得不墮无有損
傷亦無恐怖菩薩悉見善男子八地菩薩是
相先現於身兩邊有師子王以為衛護一切
眾獸悉皆怖畏菩薩悉見善男子九地菩薩
是相先現轉輪聖王无量億眾圍繞供養頂
上白蓋无量眾寶之所莊嚴菩薩悉見善男
子十地菩薩是相先現如來之身金色晃耀
无量淨光悉皆圓滿有无量億梵王圍遶恭
敬供養轉於无上微妙法輪菩薩悉見
善男子云何初地名為歡喜謂初證得出世
之心昔所未得而今始得於大事用如其所
願悉皆成就生極喜樂是故最初名為歡
喜諸微細垢犯戒過失皆得清淨是故二地
名為无垢无量智慧三昧光明不可傾動无能
摧伏聞持陀羅尼以為根本是故三地名為明
地以智慧火燒諸煩惱增長光明脩行覺品

BD01819號　金光明最勝王經卷四

（16–6）

喜諸麁細垢犯戒過失皆得清淨是故二地
名為无垢无量智慧三昧光明不可傾動无能
摧伏聞持陁羅尼以為根本是故三地名為明
地以智慧火燒諸煩惱增長光明脩行覺品
是故四地名為燄地脩行方便勝智自在極
難得故見脩煩惱難伏能伏是故五地名為
難勝行法相續了了顯現無相思惟皆悉現
前是故六地名為現前無漏无間无相思惟
解脫三昧遠脩行故是地清淨无有障礙
是故七地名為遠行无相思惟脩得自在諸
煩惱行不能令動是故八地名為不動說一
切法種種差別皆得自在无患无累增長智
慧自在无礙是故九地名為善慧法身如虛
空智慧如大雲皆能遍滿覆一切故是故第
十名為法雲
善男子執著有相我法无明怖畏生死惡趣无
明此二無明障於初地微細學處誤犯无明
發起種種業行无明此二无明障於二地未
得令得愛著無明能障殊勝捴持无明此
二无明障於三地味著等至喜悅无明微妙淨
法愛樂無明此二无明障於四地欲背生死
無明希趣涅槃無明此二無明障於五地觀
行流轉无明麁相現前无明此二无明障於
六地微細諸相現行无明作意欲樂無相無
明此二無明障於七地於無相觀功用無明
執相自在無明此二無明障於八地於所說
義及名句文此二无量未善巧无明於詞辯

BD01819號　金光明最勝王經卷四　（16–7）

行流轉无明麁相現前无明此二无明障於
六地微細諸相現行无明作意欲樂無相無
明此二無明障於七地於無相觀功用無明
執相自在無明此二無明障於八地於所說
義及名句文此二无量未善巧无明於詞辯
才不隨意无明此二无明障於九地於大神
通未得自在變現無明微細秘密未能悟
解事業無明此二无明障於十地於一切境微
細所知障礙无明極細煩惱麁重无明此二
无明障於佛地
善男子菩薩摩訶薩於初地中行施波羅蜜
於第二地行戒波羅蜜於第三地行忍波羅
蜜於第四地行勤波羅蜜於第五地行定波
羅蜜於第六地行慧波羅蜜於第七地行方
便勝智波羅蜜於第八地行願波羅蜜於第
九地行力波羅蜜於第十地行智波羅蜜善
男子菩薩摩訶薩初發心攝受能生妙寶
三摩地第二發心攝受能生可愛樂三摩地
第三發心攝受能生難動三摩地第四發心
攝受能生不退轉三摩地第五發心攝受能
生寶花三摩地第六發心攝受能生日圓光
焰三摩地第七發心攝受能生一切願如意
成就三摩地第八發心攝受能生現前證住
三摩地第九發心攝受能生智藏三摩地第
十發心攝受能生勇進三摩地善男子是名
菩薩摩訶薩十種發心善男子菩薩摩訶薩
於此初地得陁羅尼名依功德力尒時世尊

BD01819號　金光明最勝王經卷四　（16–8）

三摩地業九發心攝受能生智藏三摩地第
十發心攝受能生勇進三摩地善男子是名
菩薩摩訶薩十種發心善男子菩薩摩訶薩
於此初地得陁羅尼名依功德力尒時世尊
即說呪曰
怛姪他 晡律你曷奴囉剃
獨虎獨虎獨虎 耶跋蘇利瑜
阿婆婆薩底丁里反下皆同 耶跋彌達囉
調怛底 多跋達哈叉瀉
憚荼鉢喇訶藍 鄔嚕莎訶
善男子此陁羅尼是過一恒河沙數諸佛所
說為護初地菩薩故若有誦持此陁羅尼呪
者得脫一切怖畏所謂虎狼師子惡獸之類
一切惡鬼人非人等怨賊災橫及諸苦惱解脫
五障不忘念初地
善男子菩薩摩訶薩於第二地得陁羅尼
名善安樂住
怛姪他 嗢篅入聲下同 里
質里質里 嗢篅羅篅羅引南
鞊䩞鞊䩞 嗢篅里 虎嚕虎嚕 莎訶
善男子此陁羅尼是過二恒河沙數諸佛所
說為護二地菩薩故若誦持此陁羅尼呪
者脫諸怖畏惡獸惡鬼人非人等怨賊災橫
及諸苦惱解脫五障不忘念二地
善男子菩薩摩訶薩於第三地得陁羅尼
名難勝力
怛姪他 憚宅枳 般宅枳

BD01819 號　金光明最勝王經卷四

（16–9）

及諸苦惱解脫五障不忘念二地
善男子菩薩摩訶薩於第三地得陁羅尼
名難勝力
怛姪他 憚宅枳 般宅枳
羯頼撥 高頼撥 雞田里 憚攞里 莎訶
善男子此陁羅尼是過三恒河沙數諸佛所
說為護三地菩薩故若有誦持此陁羅尼
呪者脫諸怖畏惡獸惡鬼人非人等怨賊災
橫及諸苦惱解脫五障不忘念三地
善男子菩薩摩訶薩於第四地得陁羅尼
名大利益
怛姪他 室唎 室唎
陁弭你 陁弭你 陁哩 陁哩你
室唎室唎你 毗舍羅波世波始娜
畔陁弭帝 莎訶
善男子此陁羅尼是過四恒河沙數諸佛
所說為護四地菩薩故若有誦持此陁羅尼
呪者脫諸怖畏惡獸惡鬼人非人等怨賊災
橫及諸苦惱解脫五障不忘念四地
善男子菩薩摩訶薩於第五地得陁羅尼
名種種功德莊嚴
怛姪他 訶哩訶引哩你
遮哩遮引哩你 羯喇摩引你
僧羯喇摩引你 三婆山你 瞻跋你
悉耽婆你 謨漢你 碎闍步陛 莎訶
善男子此陁羅尼是過五恒河沙數諸佛所
說為護五地菩薩摩訶薩故若有誦持此陁

BD01819 號　金光明最勝王經卷四

（16–10）

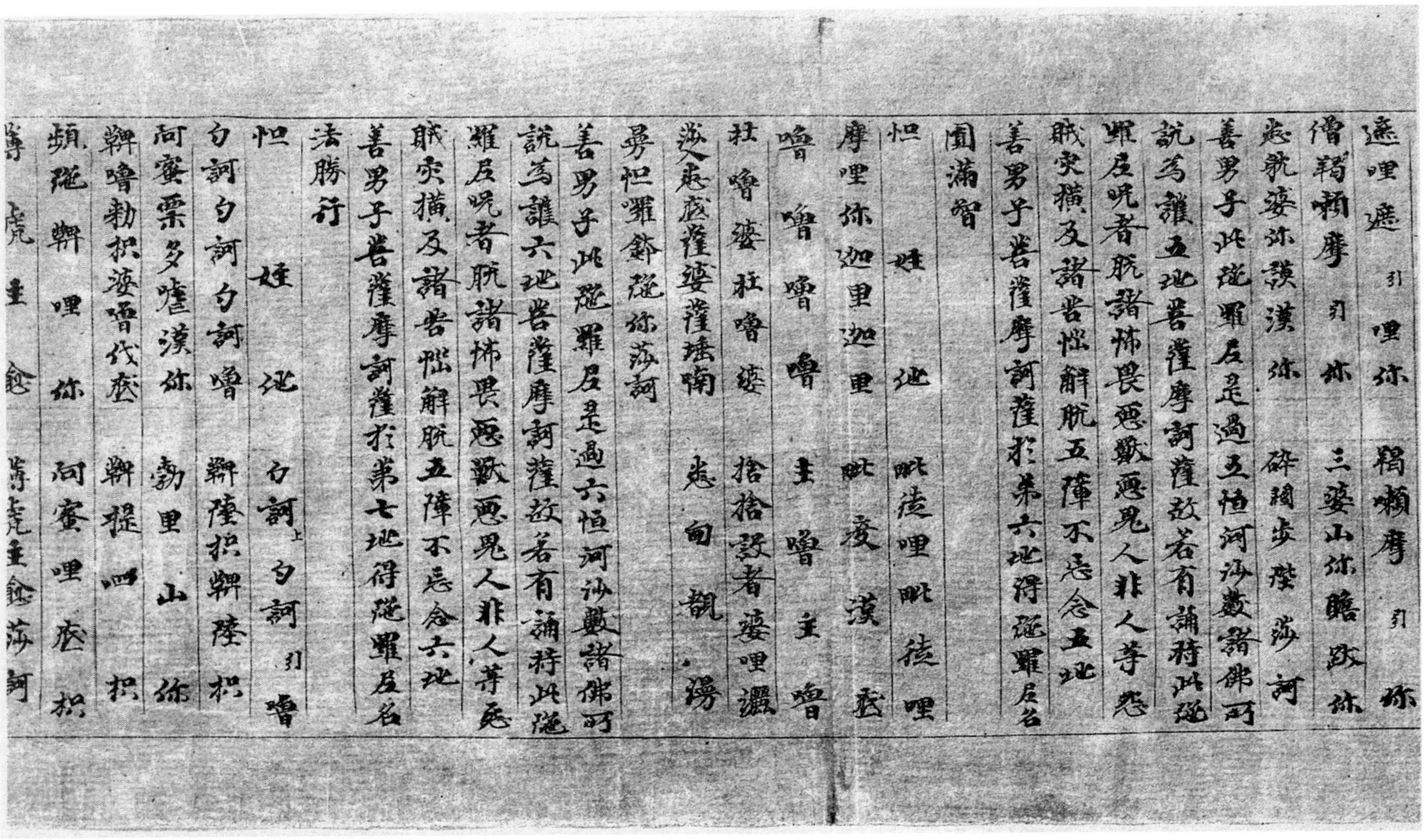

遮哩遮引哩你 羯頼摩引你
僧羯頼摩引你 三婆山你 瞻跋你
悉耽婆你 謨漢你 碎睹步陛 莎訶
善男子此陀羅尼是過五恒河沙數諸佛所
說為護五地菩薩摩訶薩故若有誦持此陀
羅尼呪者脫諸怖畏惡獸惡鬼人非人等怨
賊災横及諸苦惱解脫五障不忘念五地
善男子菩薩摩訶薩於第六地得陀羅尼名
圓滿智
怛 姪 他 毗徒哩 毗徒哩
摩哩你 迦里迦里 毗度漢 底
嚕嚕嚕 主嚕主嚕
杜嚕婆 杜嚕婆 捨捨 設者婆哩灑
莎悉底 薩婆薩埵喃 悉甸覩 湯
曼怛囉鉢陀你莎訶
善男子此陀羅尼是過六恒河沙數諸佛所
說為護六地菩薩摩訶薩故若有誦持此陀
羅尼呪者脫諸怖畏惡獸惡鬼人非人等怨
賊災横及諸苦惱解脫五障不忘念六地
善男子菩薩摩訶薩於第七地得陀羅尼名
法勝行
怛 姪 他 勺訶上 勺訶引 嚕
勺訶勺訶嚕 鞞陸枳鞞陸枳
阿蜜栗多嚧漢你 勃里山你
鞞嚕勒枳婆嚕伐底 鞞提四 枳
頻陀鞞哩你 阿蜜哩底枳
薄虎主愈 薄虎主愈莎訶

BD01819號　金光明最勝王經卷四　（16–11）

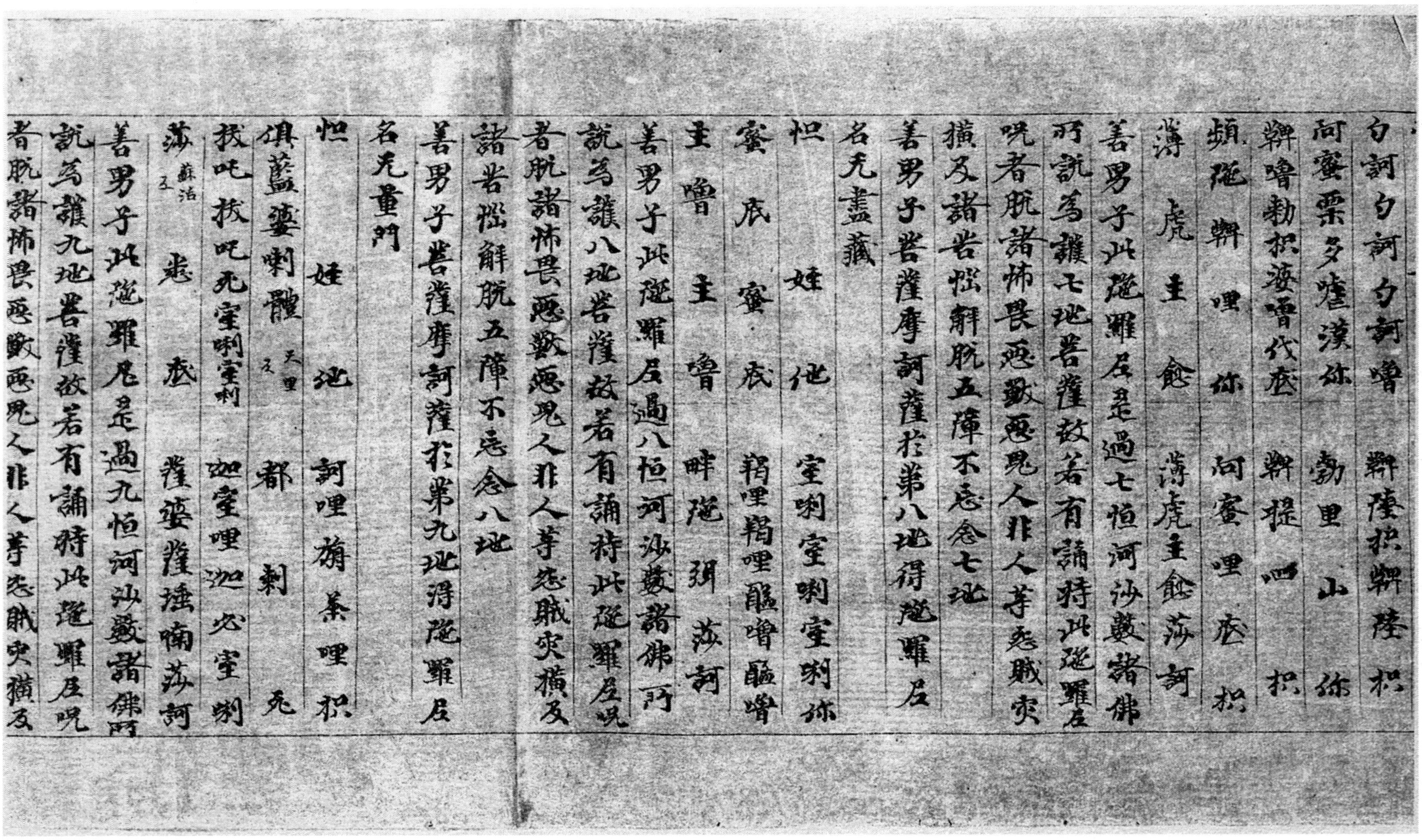

勺訶勺訶嚕 鞞陸枳鞞陸枳
阿蜜栗多嚧漢你 勃里山你
鞞嚕勒枳婆嚕伐底 鞞提四 枳
頻陀鞞哩你 阿蜜哩底枳
薄虎主愈 薄虎主愈莎訶
善男子此陀羅尼是過七恒河沙數諸佛
所說為護七地菩薩摩訶薩故若有誦持此陀羅尼
呪者脫諸怖畏惡獸惡鬼人非人等怨賊災
横及諸苦惱解脫五障不忘念七地
善男子菩薩摩訶薩於第八地得陀羅尼
名无盡藏
怛 姪 他 室唎室唎室唎你
蜜底 蜜底 羯哩羯哩醯嚕醯嚕
主嚕 主嚕 畔陀 頞 莎訶
善男子此陀羅尼是過八恒河沙數諸佛所
說為護八地菩薩摩訶薩故若有誦持此陀羅尼呪
者脫諸怖畏惡獸惡鬼人非人等怨賊災横及
諸苦惱解脫五障不忘念八地
善男子菩薩摩訶薩於第九地得陀羅尼
名无量門
怛 姪 他 訶哩旃荼哩枳
俱藍婆 喇體天里反 都 剌 死
拔吒拔吒死室唎室唎 迦室哩迦必室唎
莎蘇活反 悉底 薩婆薩埵喃莎訶
善男子此陀羅尼是過九恒河沙數諸佛所
說為護九地菩薩摩訶薩故若有誦持此陀羅尼呪
者脫諸怖畏惡獸惡鬼人非人等怨賊災横及

BD01819號　金光明最勝王經卷四　（16–12）

抜吒 抜吒 死室喇室喇 迦室哩迦 必室㗚
莎(蘇活反) 悉 底 薩婆薩埵喃莎訶
善男子此陀羅尼是過九恒河沙數諸佛所
說為護九地菩薩故若有誦持此陀羅尼呪
者脫諸怖畏惡獸惡鬼人非人等怨賊灾横及
諸苦惱解脫五障不忘念九地
善男子菩薩摩訶薩於第十地得陀羅尼名
破金剛山
怛 姪 他 悉提(去) 蘇悉提(去)
謨折你 木察你 毗木底 庵末麗
毗末麗 涅末麗 怛 揭 麗
嗢瀾若 揭鞞 遏喇怛娜 揭鞞
三曼多跋姪麗 薩婆頞他娑憚你
摩捺斯莫訶摩捺斯 頞 步 底
阿喇揩 毗喇 揩 頞主底菴蜜栗底
阿嚩揩毗喇揩 跋 盧謎
跋囉蚶麼莎(入)囉 晡喇你晡喇娜
曼奴喇剃 莎訶
善男子此陀羅尼灌頂吉祥句是過十恒河
沙數諸佛所說為護十地菩薩故若有誦持
此陀羅尼呪者脫諸怖畏惡獸惡鬼人非人等
怨賊灾横一切毒害皆悉除滅解脫五障不
忘念十地
尒時師子相无礙光燄菩薩聞佛說此不可
思議陀羅尼已即從座起偏袒右肩右膝著
地合掌恭敬頂禮佛足以頌讚佛
敬禮无譬喻 甚深无相法 衆生失正知 唯佛能濟度

BD01819號　金光明最勝王經卷四

（16–13）

忘念十地
尒時師子相无礙光燄菩薩聞佛說此不可
思議陀羅尼已即從座起偏袒右肩右膝著
地合掌恭敬頂禮佛足以頌讚佛
敬禮无譬喻 甚深无相法 衆生失正知 唯佛能濟度
如來明慧眼 不見一法相 復以正法眼 普照不思議
不生於一法 亦不滅一法 由斯平等見 得至无上處
不壞於生死 亦不住涅槃 不著於二邊 是故證圓寂
於淨不淨品 世尊知一味 由不分別故 獲得極清淨
世尊无邊身 不說於一字 令諸弟子衆 法雨皆充滿
佛觀衆生相 一切種皆無 然於苦惱者 常興於救護
苦樂常无常 有我无我等 不一亦不異 不生亦不滅
如是衆多義 隨說有差別 譬如空谷響 唯佛能了知
法界无分別 是故无異乘 為度衆生故 分別說有三
尒時大自在梵天王亦從座起偏袒右肩右膝
著地合掌恭敬頂禮佛足而白佛言世尊此
金光明最勝王經希有難量初中後善文義
究竟皆能成就一切佛法若受持者是人則
為報諸佛恩佛言善男子如是如是如汝所
說善男子若得聽聞是經典者皆不退於阿
耨多羅三藐三菩提何以故善男子是能成
熟不退地菩薩殊勝善根是第一法印是衆
經王故應聽聞受持讀誦何以故善男子若
一切衆生未種善根未成熟善根未親近諸
佛者不能聽聞是微妙法若善男子善女
人能聽受者一切罪障皆悉除滅得最清淨
常得見佛不離諸佛及善知識勝行之人恒

BD01819號　金光明最勝王經卷四

（16–14）

佛者不能聽聞是微妙法若善男子善女
人能聽受者一切罪障皆悉除滅得最清淨
常得見佛不離諸佛及善知識勝行之人恒
聞妙法住不退地獲得如是勝陀羅尼門所
謂无盡无滅海印出妙功德陀羅尼无盡无
滅通達衆生意行言語陀羅尼无盡无滅
日圓无垢相光陀羅尼无盡无滅滿月相光陀
羅尼无盡无滅能伏諸惑演功德流陀羅尼
無盡无滅破金剛山陀羅尼无盡无滅說不
可說義因緣藏陀羅尼无盡无滅通達實語
法則音聲陀羅尼无盡无滅虛空无垢心行
印陀羅尼无盡无滅无邊佛身皆能顯現陀
羅尼无盡无滅
善男子如是等无盡无滅諸陀羅尼門得成
就故是菩薩摩訶薩能於十方一切佛土化
作佛身演說无上種種正法於法真如不動
不住不來不去善能成熟一切衆生善根亦
不見一切衆生可成熟者雖說種種諸法於
言詞中不動不住不去不來能於生滅證无
生滅以何因緣說諸行法无有去來由一切
法體无異故說是法時三万億菩薩摩訶薩
得无生法忍无量諸菩薩不退菩提心无量
无邊苾芻苾芻尼得法眼淨无量衆生發菩
薩心尒時世尊而說頌曰
勝法能逆生死流　甚深微妙難得見
有情盲冥貪欲覆　由不見故受衆苦
尒時大衆俱從座起頂礼佛足而白佛言世

BD01819號　金光明最勝王經卷四　（16–15）

无邊苾芻苾芻尼得法眼淨无量衆生發菩
薩心尒時世尊而說頌曰
勝法能逆生死流　甚深微妙難得見
有情盲冥貪欲覆　由不見故受衆苦
尒時大衆俱從座起頂礼佛足而白佛言世
尊若所在處講宣讀誦此金光明最勝王經
我等大衆皆悉往彼為作聽衆是說法師令
得利益安樂无障身意泰然我等皆當
盡心供養亦令聽衆安隱快樂所住國土无諸
怨賊恐怖厄難飢饉之苦人民熾盛此說法
處道場之地一切諸天人非人等一切衆生不
應履踐及以汙穢何以故說法之處即是
制底當以香花繒綵幡蓋而為供養我等常
為守護令離衰損佛告大衆善男子汝等
應當精勤修習此妙經典是則正法久住於世

金光明最勝王經卷第四

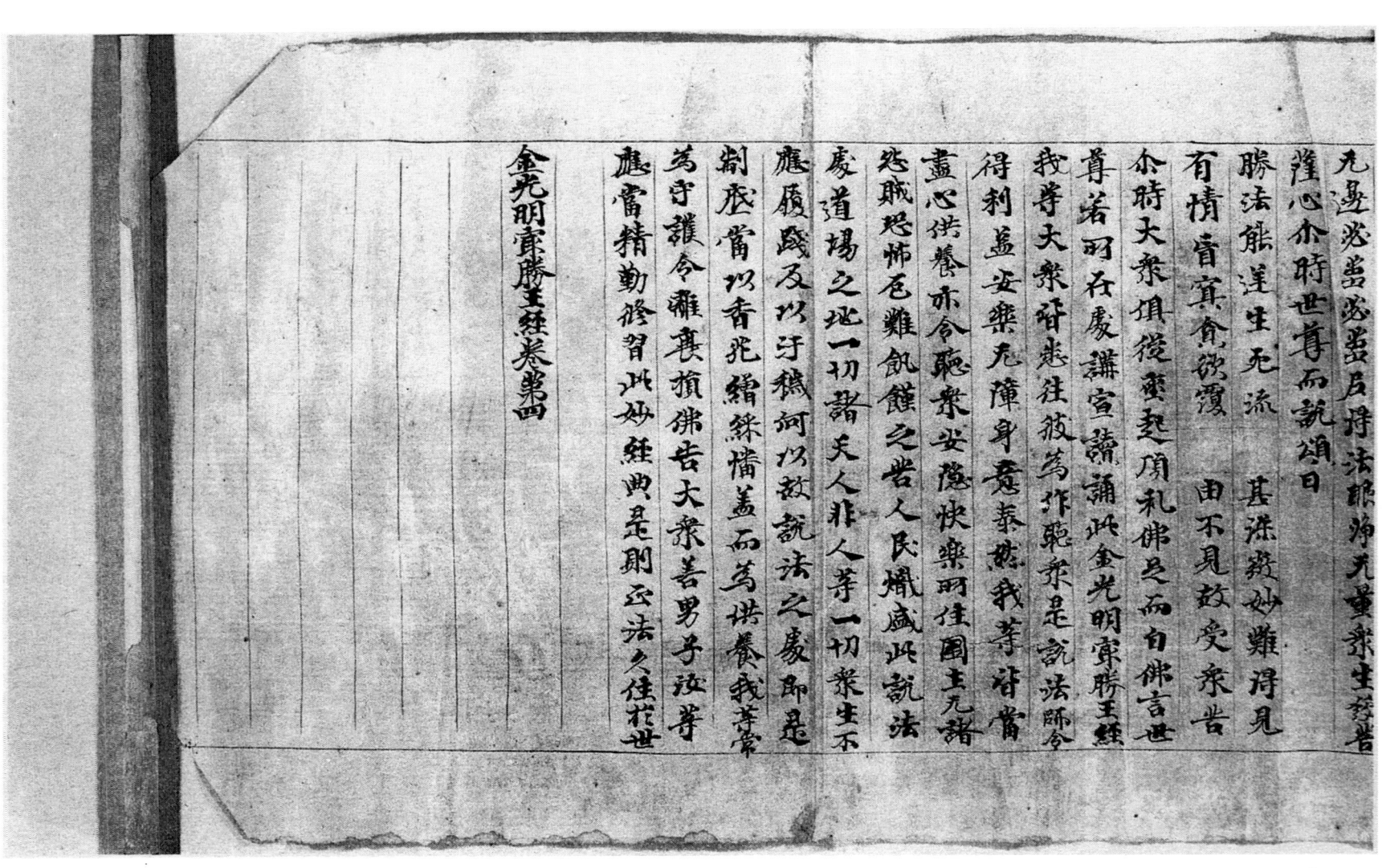

BD01819號　金光明最勝王經卷四　（16–16）

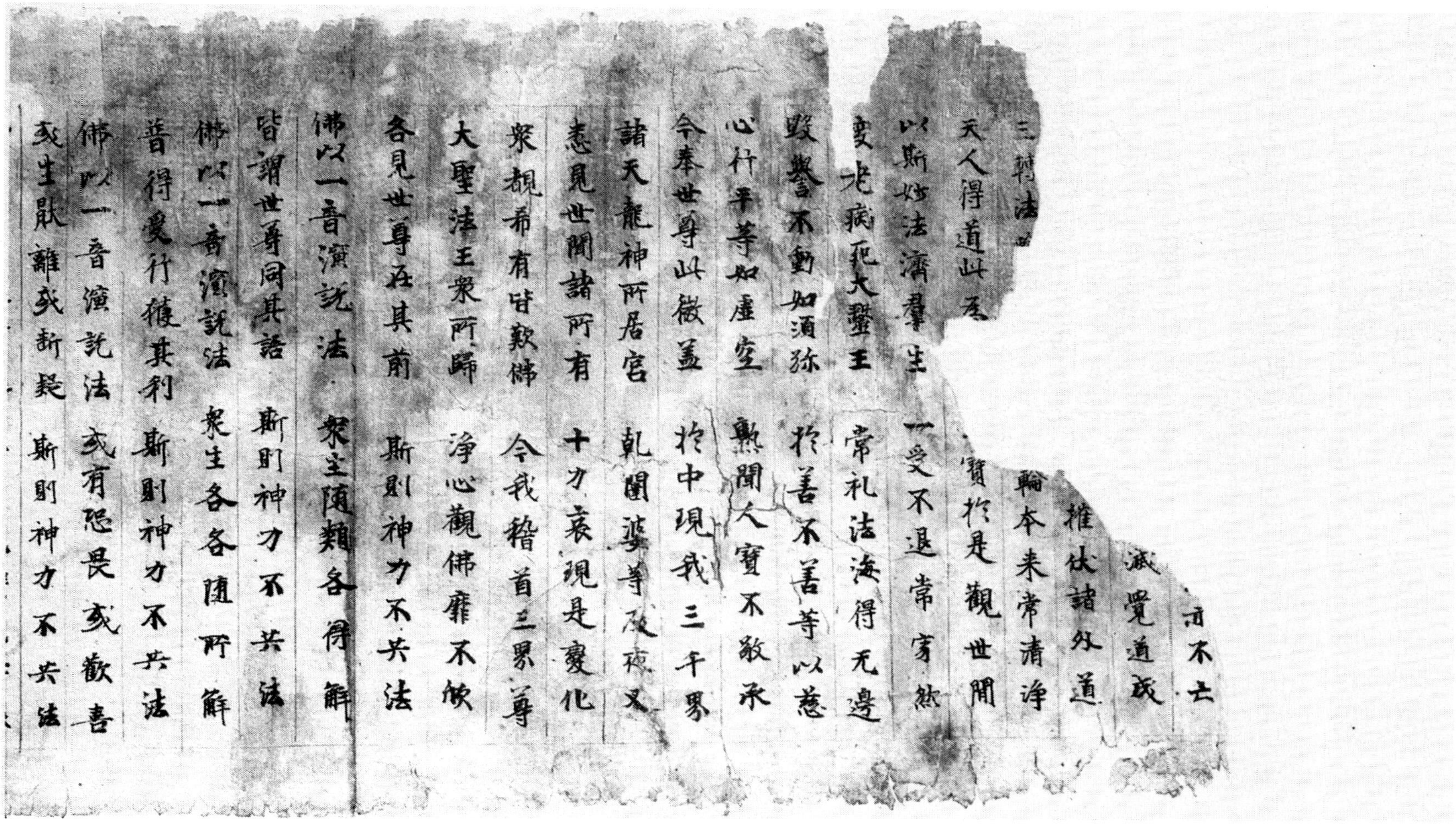
而不亡
滅覺道成
摧伏諸外道
三轉法　輪本來常清淨
天人得道此爲　寶於是觀世間
以斯妙法濟羣生　一受不退常寂然
變老病死大醫王　常礼法海得无邊
毀譽不動如須弥　於善不善等以慈
心行平等如虛空　孰聞人寶不敬承
今奉世尊此微蓋　於中現我三千界
諸天龍神所居宮　乹闥婆等及夜叉
悉見世間諸所有　十力哀現是變化
衆覩希有皆歎佛　今我稽首三界尊
大聖法王衆所歸　淨心觀佛靡不欣
各見世尊在其前　斯則神力不共法
佛以一音演說法　衆生隨類各得解
皆謂世尊同其語　斯則神力不共法
佛以一音演說法　衆生各各隨所解
普得受行獲其利　斯則神力不共法
佛以一音演說法　或有恐畏或歡喜
或生猒離或斷疑　斯則神力不共法

BD01820 號　維摩詰所說經卷上　（25–1）

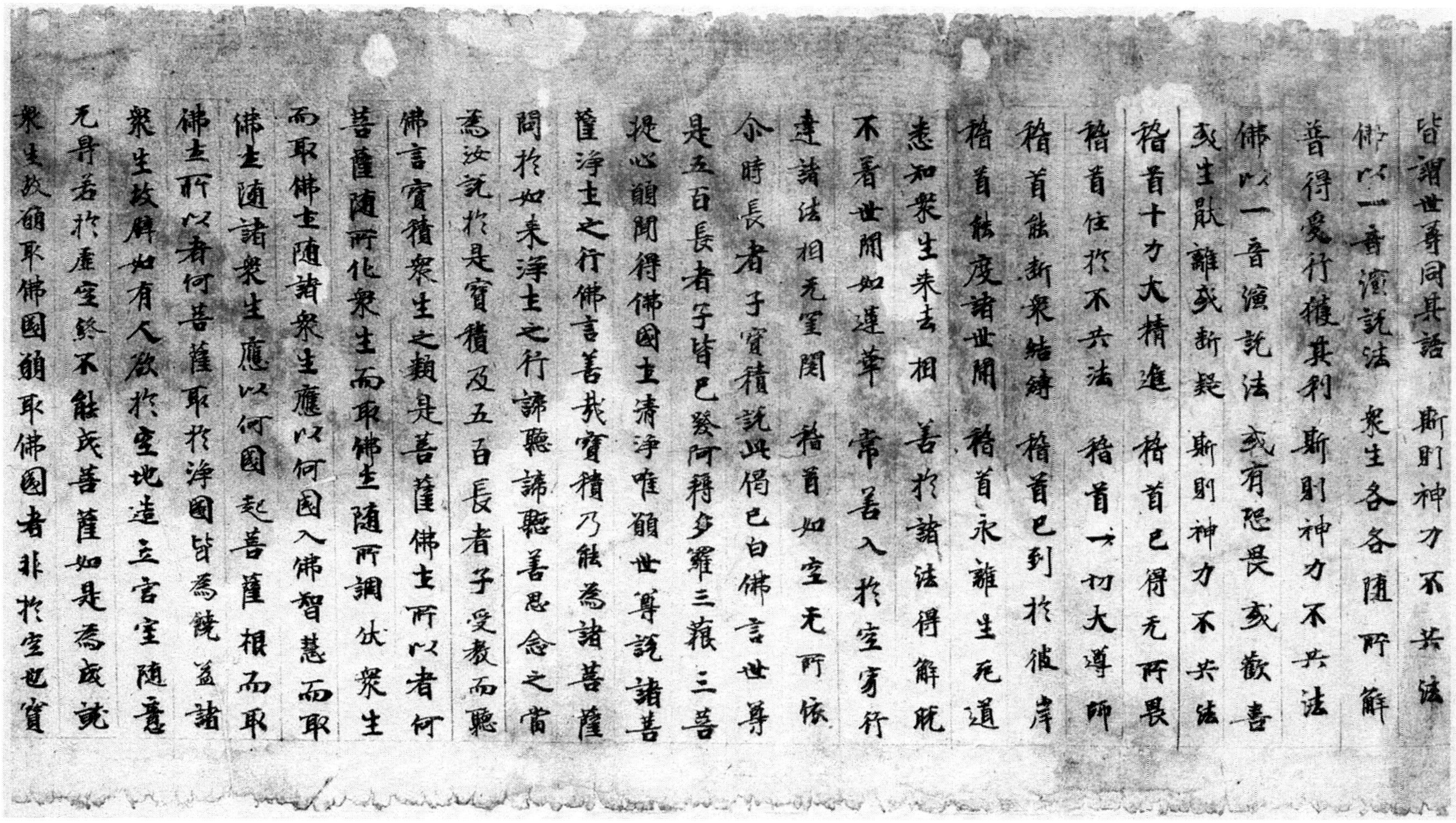
皆謂世尊同其語　斯則神力不共法
佛以一音演說法　衆生各各隨所解
普得受行獲其利　斯則神力不共法
佛以一音演說法　或有恐畏或歡喜
或生猒離或斷疑　斯則神力不共法
稽首十力大精進　稽首已得无所畏
稽首住於不共法　稽首一切大導師
稽首能斷衆結縛　稽首已到於彼岸
稽首能度諸世間　稽首永離生死道
悉知衆生來去相　善於諸法得解脫
不著世間如蓮華　常善入於空寂行
達諸法相无罣閡　稽首如空无所依
尒時長者子寶積說此偈已白佛言世尊
是五百長者子皆已發阿耨多羅三藐三菩
提心願聞得佛國土清淨唯願世尊說諸菩
薩淨土之行佛言善哉寶積乃能爲諸菩薩
問於如來淨土之行諦聽諦聽善思念之當
爲汝說於是寶積及五百長者子受教而聽
佛言寶積衆生之類是菩薩佛土所以者何
菩薩隨所化衆生而取佛土隨所調伏衆生
而取佛土隨諸衆生應以何國入佛智慧而取
佛土隨諸衆生應以何國起菩薩根而取
佛土所以者何菩薩取於淨國皆爲饒益諸
衆生故譬如有人欲於空地造立宮室隨意
无㝵若於虛空終不能成菩薩如是爲成就
衆生故願取佛國願取佛國者非於空也寶

BD01820 號　維摩詰所說經卷上　（25–2）

佛土所以者何菩薩取於淨國皆為饒益諸
衆生故譬如有人欲於空地造立宮室隨意
无㝵若於虛空終不能成菩薩如是為成就
衆生故願取佛國願取佛國者非於空也寶
積當直心是菩薩淨土菩薩成佛時不諂衆
生來生其國深心是菩薩淨土菩薩成佛時
具足功德衆生來生其國大乘心是菩薩淨
土菩薩成佛時大乘衆生來生其國布施是
菩薩淨土菩薩成佛時一切能捨衆生來生
其國持戒是菩薩淨土菩薩成佛時行十善
道滿願衆生來生其國忍辱是菩薩淨土菩
薩成佛時三十二相莊嚴衆生來生其國精
進是菩薩淨土菩薩成佛時勤脩一切功德
衆生來生其國禪定是菩薩淨土菩薩成佛
時攝心不亂衆生來生其國智慧是菩薩淨
土菩薩成佛時正定衆生來生其國四无量
心是菩薩淨土菩薩成佛時成就慈悲喜捨
衆生來生其國四攝法是菩薩淨土菩薩成
佛時解脫所攝衆生來生其國方便是菩薩
淨土菩薩成佛時於一切法方便无㝵衆生
來生其國三十七道品是菩薩淨土菩薩成佛
時念處正勤神足根力覺道衆生來生其國
迴向心是菩薩淨土菩薩成佛時得一切具
足功德國土說除八難是菩薩淨土菩薩成
佛時國土无有三惡八難自守戒行不譏彼
闕是菩薩淨土菩薩成佛時國土无有犯禁之

BD01820 號　維摩詰所說經卷上　（25–3）

時念處正勤神足根力覺道衆生來生其國
迴向心是菩薩淨土菩薩成佛時得一切具
足功德國土說除八難是菩薩淨土菩薩成
佛時國土无有三惡八難自守戒行不譏彼
闕是菩薩淨土菩薩成佛時國土无有犯禁之
名十善是菩薩淨土菩薩成佛時命不中夭
大富梵行所言誠諦常以軟語眷屬不離善
和諍訟言必饒益不嫉不恚正見衆生來生
其國如是寶積菩薩隨其直心則能發行隨
其發行則得深心隨其深心則意調伏隨意
調伏則如說行隨如說行則能迴向隨其迴
向則有方便隨其方便則成就衆生隨成就
衆生則佛土淨隨佛土淨則說法淨隨說法
淨則智慧淨隨智慧淨則其心淨隨其心淨
則一切功德淨是故寶積若菩薩欲得淨土
當淨其心隨其心淨則佛土淨
尒時舍利弗承佛威神作是念若菩薩心淨
則佛土淨者我世尊本為菩薩時意豈不
淨而是佛土不淨若此佛知其念即告之言於
意云何日月豈不淨耶而盲者不見對日不
也世尊是盲者過非日月咎舍利弗衆生罪
故不見如來佛國嚴淨非如來咎舍利弗我見
此土清淨而汝不見尒時螺髻梵王語舍利弗
勿作是意謂此佛土以為不淨所以者何我
見釋迦牟尼佛土清淨譬如自在天宮舍利

BD01820 號　維摩詰所說經卷上　（25–4）

故不見如來佛國嚴淨非如來咎舍利弗我見
此土清淨而汝不見尒時螺髻梵王語舍利弗
勿作是意謂此佛土以為不淨所以者何我
見釋迦牟尼佛土清淨譬如自在天宮舍利
弗言我見此土丘陵坑坎荊棘沙礫土石諸
山穢惡充滿螺髻梵言仁者心有高下不依
佛慧故見此土為不淨耳舍利弗菩薩於一
切衆生悉皆平等深心清淨依佛智慧則
能見此佛土清淨於是佛以足指按地即時
三千大千世界若干百千珍寶嚴飾譬如寶
莊嚴佛无量功德寶莊嚴土一切大衆歎未
曾有而皆自現坐寶蓮華佛告舍利弗汝且
觀是佛土嚴淨舍利弗言唯然世尊本所不
見本所不聞今佛國土嚴淨悉現佛語舍利
弗我佛國土常淨若此為欲度斯下劣人故
示是衆惡不淨土耳譬如諸天共寶器食隨
其福德飯色有異如是舍利弗若人心淨便
見此土功德莊嚴當佛現此國土嚴淨之時
寶積所將五百長者子皆得无生法忍八万
四千人發阿耨多羅三藐三菩提心佛攝神
足於是世界還復如故求聲聞乘三万二千
天及人知有為法皆悉无常遠塵離垢得法
眼淨八千比丘不受諸法漏盡意解

維摩詰方便品第二

尒時毗耶離大城中有長者名維摩詰已曾
供養无量諸佛深殖善本得无生忍辯才无

BD01820號　維摩詰所說經卷上

（25–5）

維摩詰方便品第二

尒時毗耶離大城中有長者名維摩詰已曾
供養无量諸佛深殖善本得无生忍辯才无
閡遊戲神通逮諸總持獲无所畏降魔勞怨
入深法門善於智度通達方便大願成就明了
衆生心之所趣又能分別諸根利鈍久於佛
道心已純淑決定大乘諸有所作能善思
量住佛威儀心如大海諸佛咨嗟弟子釋梵
世主所敬欲度人故以善方便居毗耶離資
財无量攝諸貧人奉戒清淨攝諸毀禁以忍
調行攝諸恚怒以大精進攝諸懈怠一心禪
寂攝諸亂意以決定慧攝諸无智雖為白
衣奉持沙門清淨律行雖處居家不著三界
示有妻子常修梵行現有眷屬常樂遠離雖
服寶飾而以相好嚴身雖復飲食而以禪悅
為味若至博弈戲處輒以度人受諸以道不
毀正信雖明世典常樂佛法一切見敬為供養
中最執持正法攝諸長幼一切治生諧偶雖
獲俗利不以喜悅遊諸四衢饒益衆生入治
政法救護一切入講論處導以大乘入諸學
堂誘開童蒙入諸婬舍示欲之過入諸酒肆
能立其志若在長者長者中尊為說勝法若
在居士居士中尊斷其貪著若在剎利剎利
中尊教以忍辱若在婆羅門婆羅門中尊除
其我慢若在大臣大臣中尊教以正法若在

BD01820號　維摩詰所說經卷上

（25–6）

在居士居士中尊斷其貪著若在剎利剎利
中尊教以忍辱若在婆羅門婆羅門中尊除
其我慢若在大臣大臣中尊教以正法若在
王子王子中尊示以忠孝若在內官內官中
尊化正宮女若在庶民庶民中尊令興福力
若在梵天梵天中尊誨以勝慧若在帝釋
帝釋中尊示現无常若在護世護世中尊護
諸衆生長者維摩詰以如是等无量方便饒
益衆生其以方便現身有疾以其疾故國王
大臣長者居士婆羅門等及諸王子并餘官
屬无數千人皆往問疾其往者維摩詰因以
身疾廣為說法諸仁者是身无常无強无力
无堅速朽之法不可信也為苦為惱衆病所
集諸仁者如此身明智者所不怙是身如聚
沫不可撮摩是身如泡不得久立是身如炎
從渴愛生是身如芭蕉中无有堅是身如幻
從顛倒起是身如夢為虛妄見是身如影從
業緣現是身如響屬諸因緣是身如浮雲須
臾變滅是身如電念念不住是身如主為如
地是身无我為如火是身无壽為如風是身
无人為如水是身不實四大為家是身為空
離我我所是身无知如草木瓦礫是身无作
風力所轉是身不淨穢惡充滿是身為虛偽
雖假以澡浴衣食必歸磨滅是身為災百一

離我我所是身无知如草木瓦礫是身无作
風力所轉是身不淨穢惡充滿是身為虛偽
雖假以澡浴衣食必歸磨滅是身為災百一
病惱是身如丘井為老所逼是身无定為要
當死是身如毒蛇如怨賊如空聚陰界諸入
所共合成諸仁者此可患厭當樂佛身所以
者何佛身者即法身也從无量功德智慧生
從戒定慧解脫解脫知見生從慈悲喜捨生
從布施持戒忍辱柔和勤行精進禪定解脫
三昧多聞智慧諸波羅蜜生從方便生從六
通生從三明生從三十七道品生從止觀生
從十力四无所畏十八不共法生從斷一切
不善法集一切善法生從真實生從不放逸
生從如是无量清淨法生如來身諸仁者欲
得佛身斷一切衆生病者當發阿耨多羅三
藐三菩提心如是長者維摩結為諸問疾者
如應說法令无數千人皆發阿耨多羅三藐
三菩提心

維摩結經弟子品第三

尒時長者維摩詰自念寢疾于床世尊大慈
寧不垂愍佛知其意即告舍利弗汝行詣維
摩結問疾舍利弗白佛言世尊我不堪任詣
彼問疾所以者何憶念我昔曾於林中宴坐
樹下時維摩詰來謂我言唯舍利弗不必是
坐為宴坐也夫宴坐者不於三界現身意是

摩詰問疾舍利弗白佛言世尊我不堪任詣
彼問疾所以者何憶念我昔曾於林中宴坐
樹下時維摩詰來謂我言唯舍利弗不必是
坐為宴坐也夫宴坐者不於三界現身意是
為宴坐不起滅定而現諸威儀是為宴坐不捨
道法而現凡夫事是宴坐心不住內亦不
在外是為宴坐於諸見不動而脩行三十
七品是為宴坐不斷煩惱而入涅槃是為宴
坐若能如是坐者佛所印可時我世尊聞是
語默然而止不能加報故我不任詣彼問疾
佛告大目揵連汝行詣維摩詰問疾目連白
佛言世尊我不堪任詣彼所以者何憶念
我昔入毗耶離大城於里巷中為諸居士說
說法時維摩詰來謂我言唯大目連為白
衣居士說法不當如仁者所說夫說法者當
如法說法无衆生離衆生垢故法无有我離
垢故法无壽命離生死故法无有人前後際
斷故法常寂然滅諸相故法離於相无所緣
故法无名字言語斷故法无有說離覺觀故
法无形相如虛空故法无戲論畢竟空故法
无我所離我所故法无分別離諸識故法无
有比无相待故法不屬因不在緣故法同法
性入諸法故法隨於如无所隨故法住實際
諸邊不動故法无動搖不依六塵故法无去
來常不住故法順空隨无相應无作法離好

有比无相待故法不屬因不在緣故法同法
性入諸法故法隨於如无所隨故法住實際
諸邊不動故法无動搖不依六塵故法无去
來常不住故法順空隨无相應无作法離好
醜法无增損法无生滅法无所歸法過眼耳
鼻舌身心法无高下法常住不動法離一切
觀行唯大目連法相如是豈可說乎夫說法
者无說无示其聽法者无聞无得譬如幻士
為幻人說法當建是意而為說法當了衆生
根有利鈍善於知見无所罣㝵以大悲心讚
于大乘念報佛恩不斷三寶然後說法維摩
說是法時八百居士發阿耨多羅三藐三菩
提心我无此辯是故不任詣彼問疾
佛告大迦葉汝行詣維摩詰問疾迦葉白佛
言世尊我不堪任詣彼問疾所以者何憶念
我昔於貧里而行乞食時維摩詰來謂我言
唯大迦葉有慈悲心而不能普捨豪富從貧乞
迦葉住平等法應次行乞為不食故應行乞
食為壞和合相故應取揣食為不受故應受
彼食以空聚相入於聚落所見色與盲等所
聞聲與響等所嗅香與風等所食味不分別
受諸觸如智證知諸法如幻相无自性无他
性本自不然今則无滅迦葉若能不捨八耶
入八解脫以耶相入正法以一食施一切供
養諸佛及衆賢聖然後可食如是食者非有

性本自不然今則无滅迦葉若能不捨八耶
入八解脫以耶相入正法以一食施一切供
養諸佛及衆賢聖然後可食如是食者非有
煩惱非離煩惱非入定意非起定意非住世
間非住涅槃其有施者无大福无小福不為
益不為損是為正入佛道不依聲聞迦葉若
如是食為不空食人之施也時我世尊聞說
是語得未曾有即於一切菩薩深起敬心復
作是念斯有家名辯才智慧乃能如是其
誰不發阿耨多羅三藐三菩提心我從是來
不復勸人以聲聞辟支佛行故我不任詣彼
問疾
佛告須菩提汝行詣維摩詰問疾須菩提白
佛言世尊我不堪任詣彼問疾所以者何憶
念我昔入其舍從乞食時維摩詰取我鉢盛
滿飯謂我言唯須菩提若能於食等者諸法
亦等諸法等者於食亦等如是行乞乃可取
食若須菩提不斷婬怒癡亦不與俱不壞於
身而隨一相不滅癡愛起於明脫以五逆相
而得解脫亦不解縛不見四諦非不見諦非
得果非不得果非凡夫非離凡夫法非聖人
非不聖人雖成就一切法而離諸法相乃可取
食若須菩提不見佛不聞法彼外道六師富蘭
那迦葉末伽梨拘賒梨子那闍耶毗羅胝子阿
耆多翅舍欽婆羅迦羅鳩馱迦旃延尼揵

食若須菩提不見佛不聞法彼外道六師富蘭
那迦葉末伽梨拘賒梨子那闍耶毗羅胝子阿
耆多翅舍欽婆羅迦羅鳩馱迦旃延尼揵
陀若提子等是汝之師因其出家彼師所墮
汝亦隨墮乃可取食若須菩提入諸邪見不到
彼岸住於八難不得无難同於煩惱離清淨
法汝得无諍三昧一切衆生亦得是定其施
汝者不名福田供養汝者墮三惡道為與衆
魔共一手作諸勞侶汝與衆魔及諸塵勞等
无有異於一切衆生而有怨心謗諸佛毀於
法不入衆數終不得滅度汝若如是乃可取
食時我世尊聞此茫然不識是何言不知以
何荅便置鉢欲出其舍維摩詰言唯須菩提
取鉢勿懼於意云何如來所作化人若以是
事詰寧有懼不我言不也維摩詰言一切諸
法如幻化相汝今不應有所懼也所以者何一
切言說不離是相至於智者不著文字故无所
懼何以故文字性離无有文字是則解脫解
脫相者則諸法也維摩詰說是法時二百天
子得法眼淨故我不任詣彼問疾
佛告富樓那彌多羅尼子汝行詣維摩詰問
疾富樓那白佛言世尊我不堪任詣彼問疾
所以者何憶念我昔於大林中在一樹下為
諸新學比丘說法時維摩詰來謂我言唯富
樓那先當入定觀此人心然後說法无以穢

疾富樓那白佛言世尊我不堪任詣彼問疾
所以者何憶念我昔於大林中在一樹下爲
諸新學比丘説法時維摩詰来謂我言唯富
樓那先當入定觀此人心然後説法无以穢
食置於寶器當知是比丘心之所念无以瑠
璃同彼水精汝不能知衆生根原无得發起
以小乘法彼自无創勿傷之也欲行大道莫
示小徑无以大海内於牛跡无以日光等彼螢
火富樓那此比丘久發大乘心中忘此意
如何以小乘法而教道之我觀小乘智慧微
淺猶如盲人不能分別一切衆生根之利鈍
時維摩詰即入三昧令此比丘自識宿命曾
於五百佛所殖衆徳本迴向阿耨多羅三藐
三菩提即時豁然還得本心於是諸比丘稽
首礼維摩詰足時維摩詰因爲説法於阿
耨多羅三藐三菩提不復退轉我念聲聞
不觀人根不應説法是故不任詣彼問疾佛
告摩訶迦旃延汝行詣維摩詰問疾迦旃延
白佛言世尊我不堪任詣彼問疾所以者
何憶念昔者佛爲諸比丘略説法要我即於
後敷演其義謂无常義苦義空義无我義
寂滅義時維摩詰来謂我言唯迦旃延无以
生滅心行説實相法迦旃延諸法畢竟不生
不滅是无常義五受陰洞達空无所起是苦
義諸法究竟无所有是空義於我无我而不
二是无我義法本不然今則无滅是寂滅義

生滅心行説實相法迦旃延諸法畢竟不生
不滅是无常義五受陰洞達空无所起是苦
義諸法究竟无所有是空義於我无我而不
二是无我義法本不然今則无滅是寂滅義
説是法時彼諸比丘心得解脱故我不任詣
彼問疾
佛告阿難律汝行詣維摩詰問疾阿那律白
佛言世尊我不堪任詣彼問疾所以者何憶
念我昔於一處經行時有梵王名曰嚴淨與
万梵俱放淨光明来詣我所稽首作礼問我
言幾何阿那律天眼所見我即答言仁者吾
見此釋迦牟尼佛土三千大千世界如觀掌
中菴摩勒菓時維摩詰来謂我言唯阿那律
天眼所見爲作相耶无作相耶假使作相則
與外道五通等若无作相即是无爲不應有見
世尊我時嘿然彼諸梵聞其言得未曾有即
爲作礼而問曰世孰有真天眼者維摩詰言
有佛世尊得真天眼常在三昧悉見諸佛國
不以二相於是嚴淨梵王及其眷屬五百梵
天皆發阿耨多羅三藐三菩提心礼維摩詰
足已忽然不現故我不任詣彼問疾
佛告優波離汝行詣維摩詰問疾優波離白
佛言世尊我不堪任詣彼問疾所以者何憶
念昔者有二比丘犯律行以爲恥不敢問佛
来問我言唯優波離我等犯律誠以爲恥不

佛告優波離汝行詣維摩詰問疾優波離白
佛言世尊我不堪任詣彼問疾所以者何憶
念昔者有二比丘犯律行以為耻不敢問佛
来問我言唯優波離我等犯律誠以為耻不
敢問佛願解疑悔得免斯咎我即其為如法
解說時維摩詰来謂我言唯優波離无重增
此二比丘罪當直除滅勿擾其心所以者何
彼罪性不在內不在外不在中間如佛所說心
垢故衆生垢心淨故衆生淨心亦不在內不在
外不在中間如其心然罪垢亦然諸法亦然
不出於如如優波離以心相得解脫時寧
有垢不我言不也維摩詰言一切衆生心相
无垢亦復如是唯優波離妄想是垢无妄想
是淨顛倒是垢无顛倒是淨取我是垢不取我
是淨優波離一切法生滅不住如幻如電
諸法不相待乃至一念不住諸法皆妄見如夢
如炎如水中月如鏡中像以妄想生其知此
者是名奉律其知此者是名善解於是二比
丘言上智哉是優波離所不能及持律之上而
不能說我答言自捨如来未有聲聞及菩薩
能制其樂說之辯其智慧明達為若此也時
二比丘疑悔即除發阿耨多羅三藐三菩提
心作是願言令一切衆生皆得是辯故我不
任詣彼問疾
佛告羅睺羅汝行詣維摩詰問疾羅睺羅
白佛言世尊我不堪任詣彼問疾所以者何

BD01820 號　維摩詰所說經卷上　(25–15)

二比丘疑悔即除發阿耨多羅三藐三菩提
心作是願言令一切衆生皆得是辯故我不
任詣彼問疾
佛告羅睺羅汝行詣維摩詰問疾羅睺羅
白佛言世尊我不堪任詣彼問疾所以者何
憶念昔時毗耶離諸長者子来詣我所稽首
作禮問我言唯羅睺羅汝佛之子捨轉輪王
位出家為道其出家者有何等利我即如法
為說出家功德之利時維摩詰来謂我言唯
羅睺羅不應說出家功德之利所以者何无
利无功德是為出家有為法者可說有利有
功德夫出家者為无為法无為法中无利无
功德羅睺羅夫出家者无彼无此亦无中間離
六十二見處於涅槃智者所受聖所行處降
伏衆魔度五道淨五眼得五力立五根不惱
於彼離衆雜惡摧諸外道超越假名出淤泥
无繫著无我所无所受无擾亂內懷喜護彼
意隨禪定離衆過若能如是是真出家於是
維摩詰語諸長者子汝等於正法中宜共出
家所以者何佛世難值諸長者子言居士我
聞佛言父母不聽不得出家維摩詰言然汝
等便發阿耨多羅三藐三菩提心即是出家
即是具足尒時三十二長者子皆發阿耨多
羅三藐三菩提心故我不任詣彼問疾
佛告阿難汝行詣維摩詰問疾阿難白佛言

BD01820 號　維摩詰所說經卷上　(25–16)

等便發阿耨多羅三藐三菩提心即是出家
即是具足尒時三十二長者子皆發阿耨多
羅三藐三菩提心故我不任詣彼問疾
佛告阿難汝行詣維摩詰問疾阿難白佛言
世尊我不堪任詣彼問疾所以者何憶念昔
時世尊身小有疾當用牛乳我即持鉢詣大
婆羅門家門下立時維摩詰來謂我言唯阿
難何為晨朝持鉢住此我言居士世尊身小
有疾當用牛乳故來至此維摩詰言止止阿
難莫作是語如來身者金剛之體諸惡已斷
衆善普會當有何疾當有何惱嘿往阿難勿
謗如來莫使異人聞此麁言无令大威德諸
天及他方淨土諸來菩薩得聞斯語阿難轉
輪聖王以少福故尚得无病豈況如來无量
福會普勝者哉行矣阿難勿使我等受斯
恥也外道梵志若聞此語當作是念何名為
師自疾不能救而能救諸疾人可密速去勿
使人聞當知阿難諸如來身即是法身非思欲
身佛為世尊過於三界佛身无漏諸漏已
盡佛身无為不墮諸數如此之身當有何疾
時我世尊實懷慚愧得无近佛而謬聽耶即
聞空中聲曰阿難如居士言但為佛出五濁惡
世現行斯法度脫衆生行矣阿難取乳勿慙
世尊維摩詰智慧辯才為若此也是故不任
詣彼問疾如是五百大弟子各各向佛說其

聞空中聲曰阿難如居士言但為佛出五濁惡
世現行斯法度脫衆生行矣阿難取乳勿慙
世尊維摩詰智慧辯才為若此也是故不任
詣彼問疾如是五百大弟子各各向佛說其
本緣稱述維摩詰所言皆曰不任詣彼問疾

菩薩品第四

於是佛告彌勒菩薩汝行詣維摩詰問疾
彌勒白佛言世尊我不堪任詣彼問疾所以
者何憶念我昔為兜率天王及其眷屬說不
退轉地之行時維摩詰來謂我言彌勒世尊
授仁者記一生當得阿耨多羅三藐三菩提
為用何生得受記乎過去耶未來耶現在耶
若過去生過去生已滅若未來生未來生未至
若現在生現在生无住如佛所說比丘汝今即
時亦生亦老亦滅若以无生得受記者无生
即是正位於正位中亦无受記亦无得阿耨
多羅三藐三菩提云何彌勒受一生記乎為
從如生得受記耶為從如滅得受記耶若以
如生得受記者如无有生若以如滅得受記
者如无有滅一切衆生皆如也一切法亦如
也衆賢聖亦如也至於彌勒亦如也若彌勒
得受記者一切衆生亦應受記所以者何夫
如者不二不異若彌勒得阿耨多羅三
藐三菩提者一切衆生皆亦應得所以者何一
切衆生即菩提相若彌勒滅度者一切衆生

如者不二不異若弥勒得阿耨多羅三
藐三菩提者一切衆生皆亦應得所以者何一
切衆生即菩提相若弥勒滅度者一切衆生
亦當滅度所以者何諸佛知一切衆生畢竟
寂滅即涅槃相不復更滅是故弥勒无以此
法誘諸天子實无發阿耨多羅三藐三菩提
心者亦无退者弥勒當令此諸天子捨於分
别菩提之見所以者何菩提者不可以身
得不可以心得寂滅是菩提滅諸相故不觀
是菩提離諸緣故不行是菩提无憶念故斷
是菩提捨諸見故離是菩提離諸妄想故鄣
是菩提鄣諸願故不入是菩提无貪著故順
是菩提順於如故住是菩提住法性故至是
菩提至實際故不二是菩提離意法故等是菩
提等虛空故无為是菩提无生住滅故智是
菩提了衆生心行故不會是菩提諸入不
會故不合是菩提離煩惱習故无處是菩
提无形色故假名是菩提名字空故如化是菩
提无取捨故无亂是菩提常自靜故善寂是
菩提性清淨故无取是菩提離攀緣故无異
是菩提諸法等故无比是菩提无可喻故微
妙是菩提諸法難知故世尊維摩詰說是
法時二百天子得无生法忍故我不任詣
彼問疾
佛告光嚴童子汝行詣維摩詰問疾光嚴
白佛言世尊我不堪任詣彼問疾所以者

BD01820 號　維摩詰所說經卷上　（25–19）

妙是菩提諸法難知故世尊維摩詰說是
法時二百天子得无生法忍故我不任詣
彼問疾
佛告光嚴童子汝行詣維摩詰問疾光嚴
白佛言世尊我不堪任詣彼問疾所以者
何憶念我昔出毗耶離大城時維摩詰方入
城我即為作礼而問言居士從何所來答我
言吾從道場來我問道場者何所是答曰直
心是道場无虛假故發行是道場能辦事故
深心是道場增益功德故菩提心是道場无
錯謬故布施是道場不望報故持戒是道場
得願具足故忍辱是道場於諸衆生心无
㝵故精進是道場不懈退故禪定是道場心
調柔故智慧是道場現見諸法故慈是道場
等衆生故悲是道場忍疲苦故喜是道場悅
樂法故捨是道場憎愛斷故神通是道場成
就六通故解脫是道場能背捨故方便是道場
教化衆生故四攝是道場攝衆生故多聞是
道場如聞行故伏心是道場正觀諸法故三十
七品是道場捨有為法故諦是道場不誑世間
故緣起是道場无明乃至老死皆无盡故諸煩
惱是道場知如實故衆生是道場知无我故
一切法是道場知諸法空故降魔是道場不
傾動故三界是道場无所趣故師子吼是道
場无所畏故力无畏不共法是道場无諸過
故三明是道場无餘㝵故一念知一切法是

BD01820 號　維摩詰所說經卷上　（25–20）

一切法是道場知諸法空故降魔是道場不
傾動故三界是道場无所趣故師子吼是道
場无所畏故力无畏不共法是道場无諸過
故三明是道場无餘㝵故一念知一切法是
道場成就一切智故如是善男子菩薩若應
諸波羅蜜教化衆生諸有所作舉足下足當
知皆從道場來住於佛法矣說是法時五百
天人皆發阿耨多羅三藐三菩提心故我不
任詣彼問疾
佛告持世菩薩汝行詣維摩詰問疾持世白
佛言世尊我不堪任詣彼問疾所以者何憶
念我昔住於靜室時魔波旬從万二千天女
狀如帝釋鼓樂絃歌来詣我所與其眷屬稽
首我足合掌恭敬於一面立我意謂是帝釋而
語之言善来憍尸迦雖福應有不當自恣當
觀五欲无常以求善本於身命財而脩堅法
即語我言正士受是万二千天女可備掃灑我
言憍尸迦无以此非法之物要我沙門釋子
此非我宜所言未訖時維摩詰来謂我言
非帝釋也是爲魔来嬈固汝耳即語魔言
是諸女等可以與我如我應受魔即驚懼
念維摩詰將无惱我欲隱形去而不能隱盡
其神力亦不得去即聞空中聲曰波旬以女
與之乃可得去魔以畏故俛仰而與尒時維
摩詰語諸女言魔以汝等與我今汝皆當發
阿耨多羅三藐三菩提心即隨所應而爲說

念維摩詰將无惱我欲隱形去而不能隱盡
其神力亦不得去即聞空中聲曰波旬以女
與之乃可得去魔以畏故俛仰而與尒時維
摩詰語諸女言魔以汝等與我今汝皆當發
阿耨多羅三藐三菩提心即隨所應而爲說
法令發道意復言汝等以發道意有法樂可
以自娛不應復樂五欲樂也天女即問何謂
法樂答言樂常信佛樂欲聽法樂供養衆樂
離五欲樂觀五陰如怨賊樂觀四大如毒蛇樂
觀內入如空聚樂隨護道意樂饒益衆生
樂敬養師長樂廣行施樂堅持戒樂忍辱柔和
樂勤集善根樂禪定不亂樂離垢明慧樂廣
菩提心樂降伏衆魔樂斷諸煩惱樂淨佛國
土樂成就相好故脩諸功德樂莊嚴道場樂聞
深法不畏樂三脫門不樂非時樂近同學樂
於非同學中心无恚㝵樂將護惡知識樂近
善知識樂心喜清淨樂脩无量道品之法是
爲菩薩法樂於是波旬告諸女言我欲與汝
俱還天宮諸女言以我等與此居士有法樂
我等甚樂不復樂五欲樂也魔言居士可捨
此女一切所有施於彼者是爲菩薩維摩詰
言我以捨矣汝便將去令一切衆生得法願
具足於是諸女問維摩詰我等云何止於魔
宮維摩詰言諸姊有法門名无盡燈汝等當
學无盡燈者譬如一燈燃百千燈冥者皆明

是於是諸女問維摩詰我等云何止於魔
宮維摩詰言諸姊有法門名无盡燈汝等當
學无盡燈者譬如一燈然百千燈冥者皆明
明終不盡如是諸姊夫一菩薩開導百千衆
生令發阿耨多羅三藐三菩提心於其道意
亦不滅盡隨所說法而自增益一切善法是名
无盡燈也汝等雖住魔宮以是无盡燈令无
數天子天女發阿耨多羅三藐三菩提心者
為報佛恩亦大饒益一切衆生尒時天女頭
面礼維摩詰足隨魔還宮忽然不現世尊維
摩詰有如是自在神力智慧辯才故我不
任詣彼問疾
佛告長者子善德汝行詣維摩詰問善德白
佛言世尊我不堪任詣彼問疾所以者何
憶念我昔自於父舍設大施會供養一切沙門
婆羅門及諸外道貧窮下賤孤獨乞人期滿
七日時維摩詰來入會中謂我言長者子夫
大施會不當如汝所設當為法施之會何用
是財施會為我言居士何謂法施之會法施
會者无前无後一時供養一切衆生是名法
施之會曰何謂也謂以菩提起於慈心以救
衆生起大悲心以持正法起於喜心以攝智
慧行於捨心以攝慳貪起檀波羅蜜以化犯
戒起尸波羅蜜以无我法起羼提波羅蜜
以離身心相起毗梨耶波羅蜜以菩提相起

BD01820 號　維摩詰所說經卷上　（25–23）

衆生起大悲心以持正法起於喜心以攝智
慧行於捨心以攝慳貪起檀波羅蜜以化犯
戒起尸波羅蜜以无我法起羼提波羅蜜
以離身心相起毗梨耶波羅蜜以菩提相起
禪波羅蜜以一切智起般若波羅蜜教化衆
生而起於空不捨有為法而起无相示現受
生而起无作護持正法起方便力以度衆生
起四攝法以敬事一切起除慢法於身命財
起三堅法於六念中起思念法於六和敬起
質直心正行善法起於淨命心淨歡喜起近
賢聖不憎惡人起調伏心以出家法起於深
心以如說行起於多聞以无諍法起空閑處
趣向佛慧起於宴坐解衆生縛起脩行地以
具相好及淨佛土起福德業知一切衆生心
念如應說法起於智業知一切法不取不捨
入一相門起於慧業斷一切煩惱一切鄣㝵
一切不善法起一切善業以得一切智慧一
切善法起於一切助佛道法如是善男子是
為法施之會若菩薩住是法施會者為大施
主亦為一切世間福田世尊維摩詰說是法
時婆羅門衆中二百人皆發阿耨多羅三藐
三菩提心我時心得清淨歎未曾有稽首
礼維摩詰足即解瓔珞價直百千以上之不
肯取我言居士願必納受隨意所與維摩
詰乃受瓔珞分作二分持一分施与此會中下乞

BD01820 號　維摩詰所說經卷上　（25–24）

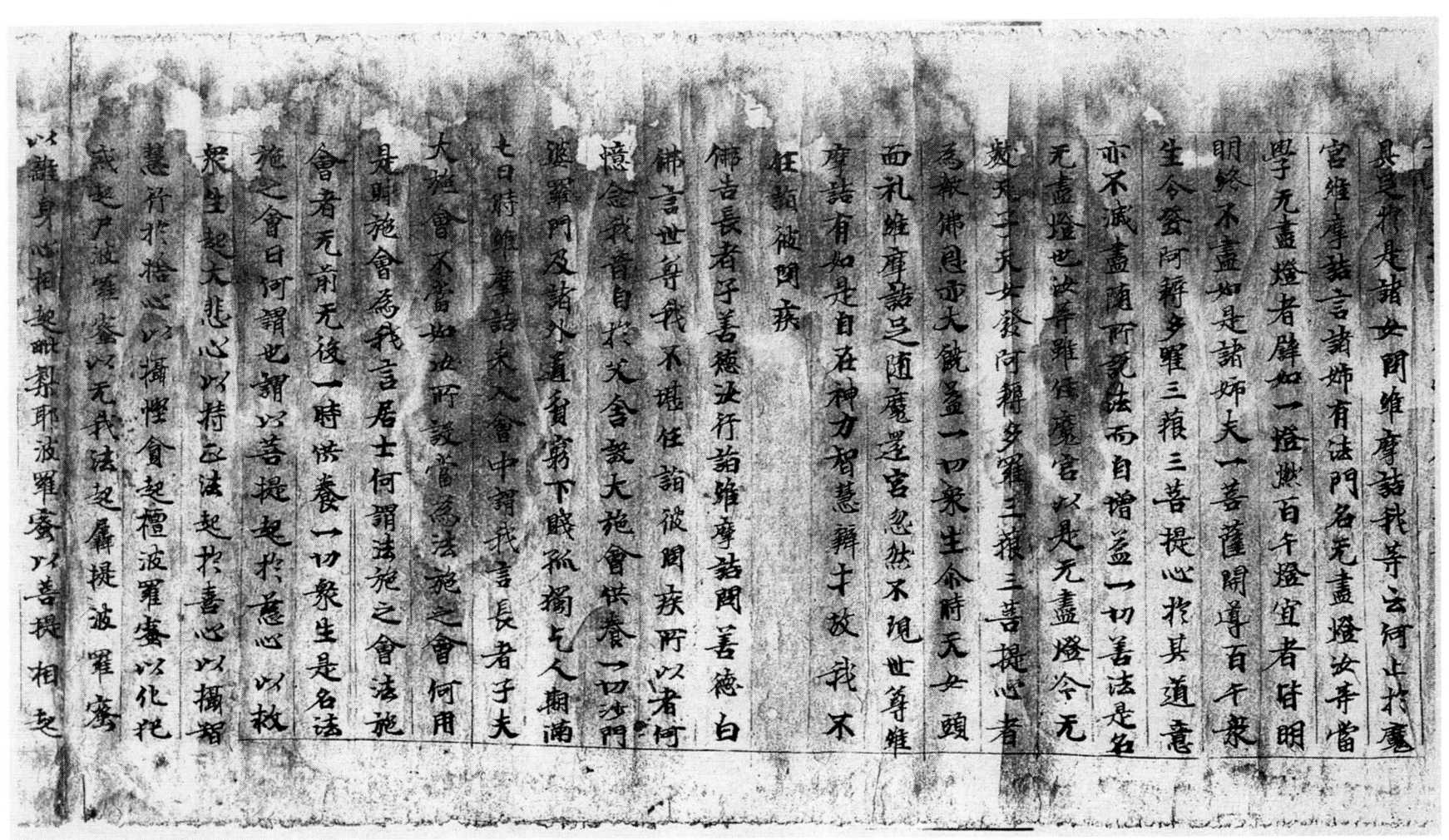

主可稱一……

時波羅門衆中二百人皆發阿耨多羅三藐
三菩提心我時心得清淨歎未曾有稽首
礼維摩詰足即解瓔珞價直百千以上之不
肯取我言居士願必納受隨意所與維摩
詰乃受瓔珞分作二分持一分施此會中下乞
人持一分奉彼難勝如來一切衆會皆見光明國
土難勝如來又見珠瓔在彼佛上變成四柱寶
臺四面嚴飾不相障蔽時維摩詰現神變已
作是言若施主等心施一最下乞人猶如如
來福田之相无所分別等于大悲不求果報
是則名曰具足法施城中一最下乞人見是
神力聞其所說皆發阿耨多羅三藐三菩提
心故我不任詣彼問疾如是諸菩薩各各向
佛說其本緣稱述維摩詰所言皆曰不任詣
彼問疾

維摩詰經卷上

道京寺維摩經一卷

BD01820號　維摩詰所說經卷上　（25–25）

大乘无量壽經
如是我聞一時佛在舍衛國祇樹給孤獨園與大苾蒭僧千二百五十人
大菩薩摩訶薩衆俱爾時世尊告曼殊室利童子曼殊
上方有世界名无量功德聚土彼有佛号无量智決定王如來阿耨多
羅三藐三菩提現為衆生開示說法曼殊師利聽南瞻浮提人皆短壽
大限百年於中夭枉横死者衆曼殊如是无量壽如來功德名稱法要
若有衆生得聞名号若自書或使人書能為經卷受持讀誦若於舍
宅所住之處以種種花鬘瓔珞塗香末香而為供養如其命盡復得延
年滿足百歲如是曼殊若有衆生得聞是无量壽智決定王如來一百八
名号者益其長壽若有衆生大命將盡憶念是如來名号更得增壽
如是曼殊若有善男子善女人欲求長壽於是无量壽如來一百八名
号有得聞者或自書若使人書受讀持誦得如是等果報福德具
足陁羅尼曰
南謨薄伽勃底一阿波唎蜜哆二阿喻紇硯那三須毗你悉指陁四囉佐
耶五怛他羯他耶六怛姪他唵七薩婆桒塞迦囉八波唎輸底九達磨底十
伽迦娜十一莎訶寀特伽底十二薩婆婆毗輸底十三摩訶娜耶十四波唎婆唎莎訶
世尊復告曼殊室利如是如來一百八名号若有自書寫或使人書為
經卷受持讀誦如壽命盡復滿百年壽終此身後得往生无量福智
世界無量壽淨土陁羅尼曰
南謨薄伽勃底一阿波唎蜜哆二阿喻紇硯那三須毗你悉指陁四囉佐耶五
怛他羯他耶六怛姪他唵七薩婆桒塞迦囉八波唎輸底九達磨底十伽迦娜十一
莎訶寀特伽底十二薩婆婆毗輸底十三摩訶娜耶十四波唎婆囉莎訶十五
爾時有九十九姟佛等一時同聲說是无量壽宗要經陁羅尼曰

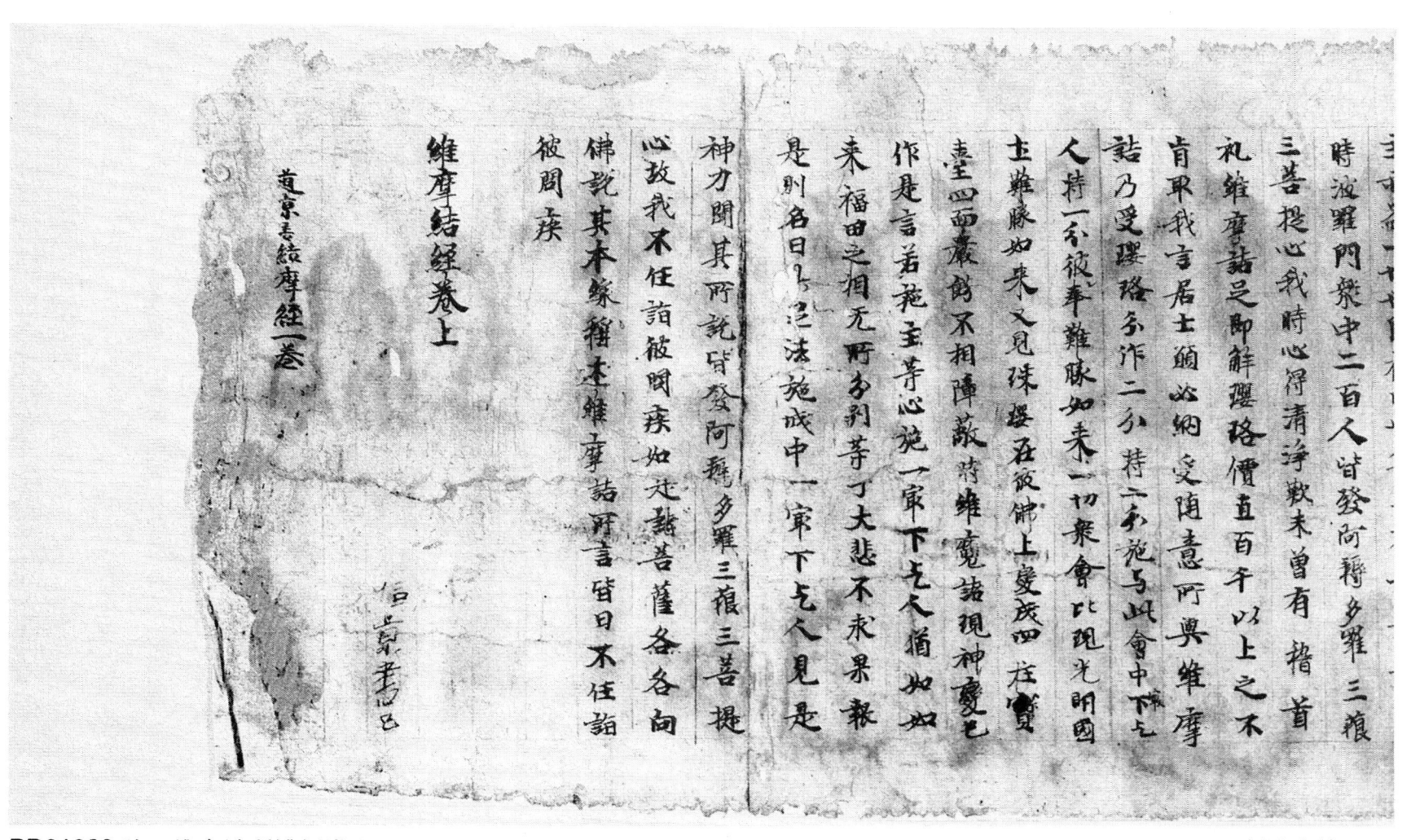

BD01821號　無量壽宗要經　（6–1）

經㫖受持讀誦如壽命盡復滿百年壽終此身後得往生无量福智
世界無壽量淨土陁羅尼曰
南謨薄伽勃底一阿波唎蜜多二阿喻紇硯娜三須毗你悉指陁四囉佐耶五
怛他羯他耶六怛姪他唵七薩婆桑悉迦囉八波唎輸底九達磨底十伽伽娜十一
莎訶某特迦底十二薩婆婆毗輸底十三摩訶那耶十四波唎婆囉莎訶十五
尒時有九十九姟佛等一時同聲說是无量壽宗要經陁羅尼曰
南謨薄伽勃底一阿波唎蜜多二阿喻紇硯娜三須毗你悉指陁四囉佐耶五怛他
羯他耶六怛姪他唵七薩婆桑悉迦囉八波唎輸底九達磨底伽達娜十一
莎訶某特迦底十二薩婆婆毗輸底十三摩訶娜耶十四波唎婆娑莎訶十五
尒時復有一百四姟佛一時同聲說是无量壽宗要經陁羅尼曰
南謨薄伽勃底一阿波唎蜜多二阿喻紇硯娜三須毗你悉指陁四囉佐耶五怛他羯他
耶六怛姪他唵七薩婆桑悉迦囉八波唎輸底九達磨底十伽伽娜十一莎訶某特迦底
薩婆毗輸底十三摩訶娜耶 波唎婆羅莎訶十五
尒時復有七姟佛一時同聲說是无量壽宗要經陁羅尼曰
南謨薄伽勃底一阿波唎蜜多二阿喻紇硯陁三須毗你悉指陁四囉佐耶五怛他羯他
耶六怛姪他唵七薩婆桑悉迦囉八波唎輸底九達磨底十伽伽娜十一莎訶某特迦底
薩婆婆毗輸底十三摩訶娜耶十四波唎婆娑莎訶十五
尒時復有六十五姟佛一時同聲說是无量壽宗要經陁羅尼曰
南謨薄伽勃底一阿波唎蜜多二阿喻紇硯娜三須毗你悉指陁四囉佐耶五怛他羯他
耶六怛姪他唵七薩婆桑悉迦囉八波唎輸底九達磨底十伽伽娜十一莎訶某特迦
底十二薩婆婆毗輸底十三摩訶娜耶十四波唎婆娑莎訶十五
尒時復有十五五姟佛一時同聲說是无量壽宗要經陁羅尼曰
南謨薄伽勃底一阿波唎蜜多二阿喻紇硯娜三須毗你悉指陁四囉佐耶五
怛他羯他耶六怛姪他唵七薩婆桑悉迦囉八波唎輸底九達磨底十伽伽娜十一莎
訶某特迦底十二薩婆婆毗輸底十三摩訶娜耶十四波唎婆娑莎訶十五
尒時復有卌五姟佛一時同聲說是无量壽宗要經陁羅尼曰 南謨薄伽
勃底一阿波唎蜜多二阿喻紇硯娜三須毗你悉指陁四阿佐底 怛他羯他耶六怛
姪他唵七薩婆桑悉迦囉八波唎輸底九達磨底十伽伽娜十一莎訶某特伽底
薩婆婆毗輸底十三摩訶娜耶十四波唎婆娑莎訶十五
尒時復有卌五姟佛一時同聲說是无量壽宗要經陁羅尼曰
南謨薄伽勃底一阿波唎蜜多二阿喻紇硯娜三須毗你悉指陁四囉佐耶五

BD01821 號　無量壽宗要經　（6–2）

尒時復有卌五姟佛一時同聲說是无量壽宗要經陁羅尼曰 南謨薄伽
勃底一阿波唎蜜多二阿喻紇硯娜三須毗你悉指陁四阿佐底 怛他羯他耶六怛
姪他唵七薩婆桑悉迦囉八波唎輸底九達磨底十伽伽娜十一莎訶某特伽底
薩婆婆毗輸底十三摩訶娜耶十四波唎婆娑莎訶十五
尒時復有廿五姟佛一時同聲說是无量壽宗要經陁羅尼曰
南謨薄伽勃底一阿波唎蜜多二阿喻紇硯娜三須毗你悉指陁四囉佐耶五
怛他羯他耶六怛姪他唵七薩婆桑悉迦囉八波唎輸底九達磨底十伽伽娜十一
莎訶某特迦底十二薩婆婆毗輸底十三摩訶娜耶十四波唎婆娑莎訶十五
尒時復有廿五姟佛一時同聲說是无量壽宗要經陁羅尼曰
南謨薄伽勃底一阿波唎蜜多二阿喻紇硯娜三須毗你悉指陁四囉佐耶五
怛他羯他耶六怛姪他唵七薩婆桑悉迦囉八波唎輸底九達磨底十伽伽娜
莎訶某特迦底十二薩婆婆毗輸底摩訶娜耶波唎婆娑莎訶十五
尒時復有恒河沙姟佛一時同聲說是无量壽宗要經陁羅尼曰
南謨薄伽勃底一阿波唎蜜多二阿喻紇硯娜三須毗你悉指陁四囉佐耶五怛他羯
他耶六怛姪他唵七薩婆桑悉迦囉八波唎輸底九達磨底十伽伽娜十一莎訶某特迦底
薩婆婆毗輸底十三摩訶娜耶十四波唎婆娑莎訶十五
善男子若有自書寫教人書寫是无量壽宗要經陁羅尼如其命盡復得
長壽而滿百年陁羅尼曰　南謨薄伽勃底一阿波唎蜜多二
阿喻紇硯娜三須毗你悉指陁四囉佐耶五怛他羯他耶六怛姪他唵七薩婆桑悉迦囉八
波唎輸底九達磨底十伽伽娜十一莎訶某特底十二薩婆婆毗輸底十三摩訶娜耶十四
波唎婆娑莎訶十五　若有自書寫教人書寫是无量壽宗要經讀誦受特
畢竟不墮地獄在在所生得宿命智陁羅尼曰　南謨薄伽勃底一阿波唎蜜多
阿喻紇硯娜三須毗你悉指陁四囉佐耶五怛他羯他耶六怛姪他唵七薩婆桑悉迦囉八波唎輸
底九達磨底十伽伽娜十一莎訶某特迦底十二薩婆婆毗輸底十三摩訶娜耶十四波唎婆娑莎
訶十五　若有自書寫教人書寫是无量壽宗要經受特讀誦如同書寫八万
四千一切經典陁羅尼曰　南謨薄伽勃底一阿波唎蜜多二阿喻紇硯陁三
須毗你悉指陁四囉佐耶五怛姪他唵六怛他羯他耶七薩婆桑悉迦囉八波唎輸底九達
磨底十伽伽娜十一莎訶某特迦底十二薩婆婆毗輸底十三摩訶娜耶十四波唎婆娑莎訶十五
若有自書寫教人書寫是无量壽宗要經即是書寫八万四千部建立塔廟陁
羅尼曰　南謨薄伽勃底一阿波唎蜜多二阿喻紇硯娜三須毗你悉指陁四囉
佐耶五怛他羯他耶六怛姪他唵七薩婆桑悉迦囉八波唎輸底九達磨底十伽伽娜十一莎訶某
特伽底十二薩婆婆毗輸底十三摩訶娜耶十四波唎婆娑莎訶十五

BD01821 號　無量壽宗要經　（6–3）

薩底十伽迦𠼐十一莎訶某特迦底十二薩婆毗輸底十三摩訶𠼐耶十四波唎婆𠺁莎訶十五
若有自書寫教人書寫是无量壽宗要經即是書寫八万四千部建立塔廟陀
羅尼曰　南謨薄伽勃底一阿波唎蜜哆二阿喻紇硯𠼐三湏毗你失指陀四囉
佐耶五怛他羯他耶六怛姪他唵七薩婆桑悉迦囉八波唎輸底九達磨底十伽迦𠼐十一莎訶某
特伽底十二薩婆〻毗輸底十三摩訶𠼐耶十四波唎婆𠺁莎訶十五
若有自書寫教人書寫是无量壽宗要經能消五无間等一切重罪陀羅尼曰
南謨薄伽勃底一阿波唎蜜哆二阿喻紇硯𠼐三湏毗你失指陀四囉佐耶五怛他羯他耶六
怛姪他唵七薩婆桑悉伽囉八波唎輸底九達磨底十伽迦𠼐十一莎訶某特迦底十二薩婆
毗輸底十三摩訶𠼐耶十四波唎婆𠺁莎訶十五　若有自書寫教人書寫是
无量壽宗要經受持讀誦設有重罪猶如湏弥盡能除滅陀羅尼曰
南謨薄伽勃底一阿波唎蜜哆二阿喻紇硯𠼐三湏毗你失指陀四囉佐耶五怛他羯他耶六
怛姪他唵七薩婆桑悉伽囉八波唎輸底九達磨底十伽迦𠼐十一莎訶某特伽底十二薩婆
〻毗輸底十三摩訶𠼐耶十四波唎波𠺁莎訶　若有自書寫教人書寫是无
量壽宗要經受持讀誦若魔之眷屬夜叉羅剎不得其便終无枉死陀羅尼曰
南謨薄伽勃底一阿波唎蜜哆二阿喻紇硯𠼐三湏毗你失指陀四囉佐耶五怛他羯他耶六
怛姪他唵七薩婆桑悉迦囉八波唎輸底九達磨底十伽迦𠼐十一莎訶某特底十二薩婆婆
毗輸底十三摩訶𠼐耶十四波唎婆𠺁莎訶十五
若有書寫教人書寫是无量壽宗要經受持讀誦當命終時有九十九俱
佛現其前授手飾道一切佛剎莫於此經生於疑惑陀羅尼曰
南謨薄伽勃底一阿波唎蜜哆二阿喻紇硯𠼐三湏毗你失指陀四囉佐耶五怛他羯
他耶六怛姪他唵七薩婆桑悉迦囉八波唎輸底九達磨底十伽迦𠼐十一莎訶某特迦底
薩婆〻毗輸底十三摩訶𠼐耶十四波唎婆𠺁莎訶十五
若有自書寫教人書寫是无量壽宗要經受持讀誦常得四天大王隨其衛護
陀羅尼曰　南謨薄伽勃底一阿波唎蜜哆二阿喻紇硯陀三湏毗你失指
陀四囉佐耶五怛他羯他耶六怛姪他唵七薩婆桑悉迦囉八波唎輸底九達磨底十
伽迦𠼐十一莎訶某特伽底十三薩婆〻毗輸底十三摩訶𠼐耶十四波唎婆𠺁莎訶十五
若有自書寫教人書寫是无量壽宗要經受持讀誦當得往生西方極樂世界
阿弥陀佛淨土陀羅尼曰　南謨薄伽勃底一阿波唎蜜哆二阿喻紇硯𠼐三湏毗
你失指陀四囉佐耶五怛他羯他耶六怛姪他唵七薩婆桑悉迦囉八波唎輸底九達磨底
伽迦𠼐十一莎訶某特迦底十二薩婆〻毗輸底十三摩訶𠼐耶十四波唎婆𠺁莎訶十五
若有方所自書寫使人書寫是无量壽經典之處則為是塔皆應恭敬作

BD01821 號　無量壽宗要經　（6–4）

若有自書寫教人書寫是无量壽宗要經受持讀誦當得往生西方極樂世界
阿弥陀佛淨土陀羅尼曰　南謨薄伽勃底一阿波唎蜜哆二阿喻紇硯𠼐三湏毗
你失指陀四囉佐耶五怛他羯他耶六怛姪他唵七薩婆桑悉迦囉八波唎輸底九達磨底
伽迦𠼐十一莎訶某特迦底十二薩婆〻毗輸底十三摩訶𠼐耶十四波唎婆𠺁莎訶十五
若有方所自書寫使人書寫是无量壽經典之處則為是塔皆應恭敬作
礼若是畜生或為鳥獸得聞是經如是等類皆當不久得成一切種智陀羅
尼曰　南謨薄伽勃底一阿波唎蜜哆二阿喻紇硯𠼐三湏毗你失指陀四囉
佐耶五怛他羯他耶六怛姪他唵七薩婆桑悉迦囉八波唎輸底九達磨底十伽迦𠼐十一
莎訶某特底十二薩婆〻毗輸底十三摩訶𠼐耶十四波唎婆𠺁莎訶十五
若有於是无量壽經自書寫若使人書畢竟不受女人之身陀羅尼曰
南謨薄伽勃底一阿波唎蜜哆二阿喻紇硯𠼐三湏毗你失指陀四囉佐耶五怛羯他
他耶六怛姪他唵七薩婆桑悉迦囉八波唎輸底九達磨底十伽迦𠼐十一莎訶某特伽
底十二薩婆〻毗輸底十三摩訶𠼐耶十四波唎婆唎莎訶十五
若有能於是經少分能惠施者等於三千大千世界滿中七寶布施陀羅尼曰
南謨薄伽勃底一阿波唎蜜哆二阿喻紇硯𠼐三湏毗你失指陀四囉佐耶五怛他羯他
耶六怛姪他唵七薩婆桑悉迦囉八波唎輸底九達磨底十伽迦𠼐十一莎訶某特底十二
薩婆〻毗輸底十三摩訶𠼐耶十四波唎婆唎莎訶十五
若有能於是經少分能惠施者等於三千大千世界滿中七寶布施陀羅
尼曰　南謨薄伽勃底一阿波唎蜜哆二阿喻紇硯𠼐三湏毗你失指陀
囉佐耶五怛他羯他耶六怛姪他唵七薩婆桑悉迦囉八波唎輸底九達磨底十伽迦
𠼐十一莎訶某特迦底十二莎婆〻毗輸底十三摩訶𠼐耶十四波唎婆唎莎訶十五
若有能供養此經者是則供養一切諸經等无有異陀羅尼曰　南謨薄伽
勃底一阿婆唎蜜哆二阿喻紇硯𠼐三湏毗你失指陀四囉佐耶五怛他羯他耶六怛姪
他唵七薩婆桑悉迦囉八波唎輸底九達磨底十伽迦𠼐十一莎訶某特底十二薩婆〻
毗輸底十三摩訶𠼐耶十四波唎婆唎莎訶十五　如是毗婆尸佛尸弃佛毗舍浮
佛俱留孫佛俱那含牟尼佛迦葉佛釋迦牟尼佛若有人以七寶供養如是
七佛其福有限書寫受持是无量壽宗要經典所有功德不可限量陀羅尼曰
南謨薄伽勃底一阿波唎蜜哆二阿喻紇硯𠼐三湏毗你失指陀四囉佐耶五怛他羯他耶六
怛姪他唵七薩婆桑悉迦囉八波唎輸底九達磨底十伽迦𠼐十一莎訶某特迦底十二薩婆〻
毗輸底十三摩訶𠼐耶十四波唎婆唎莎訶十五　若有七寶等於須弥以用布
施其福尚知其限量是无量壽經典福不可知數陀羅尼曰

BD01821 號　無量壽宗要經　（6–5）

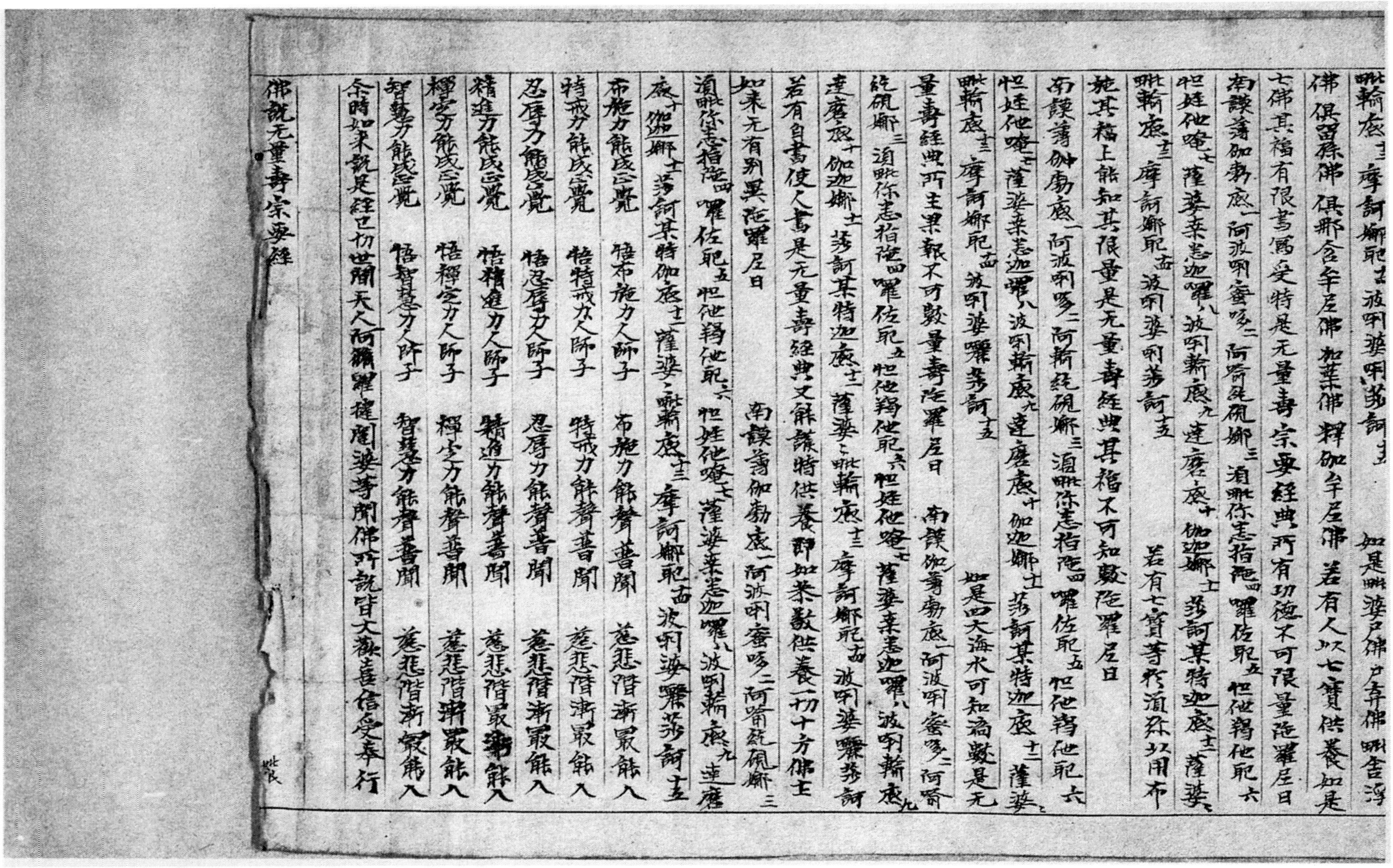

毗輸底十三 摩訶娜耶十四 波唎婆唎莎訶十五　如是毗婆尸佛 尸棄佛 毗舍浮
佛 俱留孫佛 俱那含牟尼佛 迦葉佛 釋迦牟尼佛 若有人以七寶供養如是
七佛 其福有限 書寫受持是无量壽宗要經典 所有功德不可限量 陀羅尼曰
南謨薄伽勃底一 阿波唎蜜哆二 阿喻紇硯娜三 須毗你悉指陀四 囉佐耶五 怛他羯他耶六
怛姪他唵七 薩婆桑悉迦囉八 波唎輸底九 達磨底十 伽迦娜十一 莎訶某特迦底十二 薩婆々
毗輸底十三 摩訶娜耶十四 波唎婆唎莎訶十五　若有七寶等於須彌以用布
施 其福上能知其限量 是无量壽經典 其福不可知數 陀羅尼曰
南謨薄伽勃底一 阿波唎蜜哆二 阿喻紇硯娜三 須毗你悉指陀四 囉佐耶五 怛他羯他耶六
怛姪他唵七 薩婆桑悉迦囉八 波唎輸底九 達磨底十 伽迦娜十一 莎訶某特迦底十二 薩婆々
毗輸底十三 摩訶娜耶十四 波唎婆囉莎訶十五　如是四大海水可知滴數 是无
量壽經典所生果報不可數量 壽陀羅尼曰　南謨薄伽勃底一 阿波唎蜜哆二 阿喻
紇硯娜三 須毗你悉指陀四 囉佐耶五 怛他羯他耶六 怛姪他唵七 薩婆桑悉迦囉八 波唎輸底九
達磨底十 伽迦娜十一 莎訶某特迦底十二 薩婆々毗輸底十三 摩訶娜耶十四 波唎婆囉莎訶
若有自書使人書是无量壽經典 又能讚特供養 即如來數供養一切十方佛土
如來无有別異 陀羅尼曰　南謨薄伽勃底一 阿波唎蜜哆二 阿喻紇硯娜三
須毗你悉指陀四 囉佐耶五 怛他羯他耶六 怛姪他唵七 薩婆桑悉迦囉八 波唎輸底九 達磨
底十 伽迦娜十一 莎訶某特伽底十二 薩婆々毗輸底十三 摩訶娜耶十四 波唎婆囉莎訶十五
布施力能成正覺 悟布施力人師子 布施力能聲普聞 慈悲階漸眾能入
持戒力能成正覺 悟持戒力人師子 持戒力能聲普聞 慈悲階漸眾能入
忍辱力能成正覺 悟忍辱力人師子 忍辱力能聲普聞 慈悲階漸眾能入
精進力能成正覺 悟精進力人師子 精進力能聲普聞 慈悲階漸眾能入
禪定力能成正覺 悟禪定力人師子 禪定力能聲普聞 慈悲階漸眾能入
智慧力能成正覺 悟智慧力人師子 智慧力能聲普聞 慈悲階漸眾能入
尒時如來說是經已 一切世間天人阿修羅揵闥婆等 聞佛所說 皆大歡喜 信受奉行
佛說无量壽宗要經

BD01821 號　無量壽宗要經　（6–6）

…佛
…光佛
華光佛
山王佛
南无放光佛
南无不虛見佛
南无蓮華生佛
南无香明王佛
南无香烏佛
南无香窟佛
南无光王佛
南无法自在佛
南无无邊法自在佛

…无六方同字光明佛
南无无量光佛
南无无量自在力佛
南无一蓋佛
南无蓋行佛
南无宿王佛
南无明輪佛
南无高廣德佛
南无自在王佛
南无无量音聲佛
南无網聚佛
南无蓮華自在佛
南无月衆增上佛
南无妙肩佛
南无須生王佛
南无普香光佛
南无香孫樓佛
南无香自在佛
南无明輪佛
南无蓮華生佛
南无可樂佛
南无愛德佛

BD01822 號 1　賢劫十方千五百佛名經卷上　（24–1）

南无香為佛　南无香自在佛
南无香窟佛　南无明輪佛
南无光王佛　南无蓮華生佛
南无法自在佛　南无可樂佛
南无无邊法自在佛　南无愛德佛
南无散華佛　南无華蓋行列佛
南无華窟佛　南无金華佛
南无香華佛　南无弥樓王佛
南无善導師佛　南无一切衆生最勝嚴佛
南无轉諸難佛　南无善行嚴佛
南无妙華佛　南无无邊香佛
南无普放光佛　南无善放香佛
南无普光明佛　南无散華生德佛
南无寶網手佛　南无極高王佛
南无普照一切佛土佛　南无宿王佛
南无妙見佛　南无安立王佛
南无香流佛　南无无邊智自在佛
南无不虛嚴佛　南无不虛見佛
南无无导眼佛　南无不動佛
南无初發意佛　南无无邊眼佛
南无燈上佛　南无普照明佛
南无光照佛　南无一切世界佛
南无一切衆生不斷辯才佛　南无无掂力佛
南无无迹行佛　南无習精進佛
南无一乘度佛　南无蓮華上佛
南无上精進佛
南无无量寶藏寶積快見金剛師子遊王佛

BD01822 號 1　賢劫十方千五百佛名經卷上

（24–2）

南无一切衆生不斷辯才佛　南无无掂力佛
南无无迹行佛　南无習精進佛
南无一乘度佛　南无蓮華上佛
南无上精進佛
南无无量寶藏寶積快見金剛師子遊王佛
南无法央佛　南无普光德上嚴王佛
南无堅住一切德住山嚴佛　南无定光佛
南无德央佛　南无法遊弥佛
南无仙天佛　南无諦央佛
南无習金剛佛　南无衆尊佛
南无雷緣佛　南无樂清淨佛
南无出家樂行佛　南无華央佛
南无勝放佛　南无善明佛
南无善曜佛　南无仙動佛
南无轉勝佛　南无欣樂佛
南无天華佛　南无轉吉祥佛
南无善首佛　南无善喜佛
南无住覺佛　南无住施佛
南无諦法普稱佛　南无是世善妙佛
南无普辯佛　南无寶稱佛
南无威疆佛　南无梵神佛
南无无畏善化佛　南无善音佛
南无目悅佛　南无積德佛
南无音雨佛　南无妙觀佛
南无受神佛　南无與人遊佛
南无美求佛　南无降怨眷屬佛
南无雖越佛　南无識佛

BD01822 號 1　賢劫十方千五百佛名經卷上

（24–3）

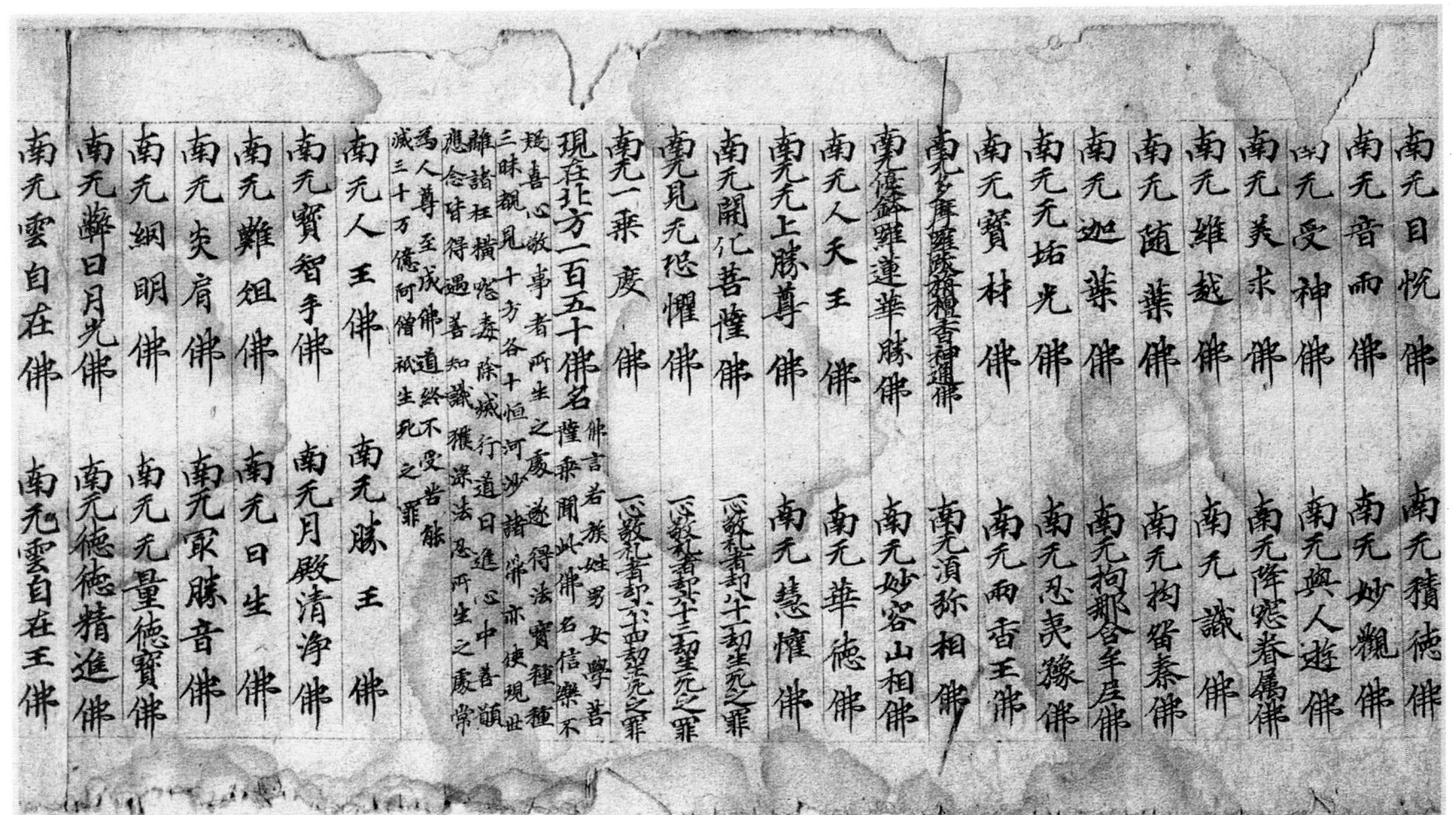

南无目悅佛　南无積德佛
南无音雨佛　南无妙觀佛
南无受神佛　南无與人遊佛
南无美求佛　南无降怨眷屬佛
南无雄越佛　南无識佛
南无隨葉佛　南无拘留秦佛
南无迦葉佛　南无拘那含牟尼佛
南无无垢光佛　南无忍衷豫佛
南无寶材佛　南无雨香王佛
南无多摩羅跋旃檀香神通佛　南无須弥相佛
南无優鉢羅蓮華勝佛　南无妙容山相佛
南无人天王佛　南无華德佛
南无无上勝尊佛　南无慧幢佛
南无開化菩薩佛　一心敬禮者却八十一劫生死之罪
南无見无恐懼佛　一心敬禮者却九十三劫生死之罪
南无一乘度佛　一心敬禮者却六十四劫生死之罪
現在北方一百五十佛名　佛言若族姓男女學菩薩乘聞此佛名信樂不
疑喜心敬事者所生之處逐得法寶種種
三昧觀見十方各十恒河沙諸佛亦使現世
離諸枉横啖毒除滅行道日進心中善願
應念皆得遇善知識獲深法忍所生之處常
為人尊至成佛道終不受苦能
滅三十万億阿僧祇生死之罪
南无人王佛　南无勝王佛
南无寶智手佛　南无月殿清淨佛
南无難俎佛　南无日生佛
南无英肩佛　南无衆勝音佛
南无網明佛　南无无量德寶佛
南无離日月光佛　南无德德精進佛
南无雲自在佛　南无雲自在王佛

BD01822 號 1　賢劫十方千五百佛名經卷上　（24–4）

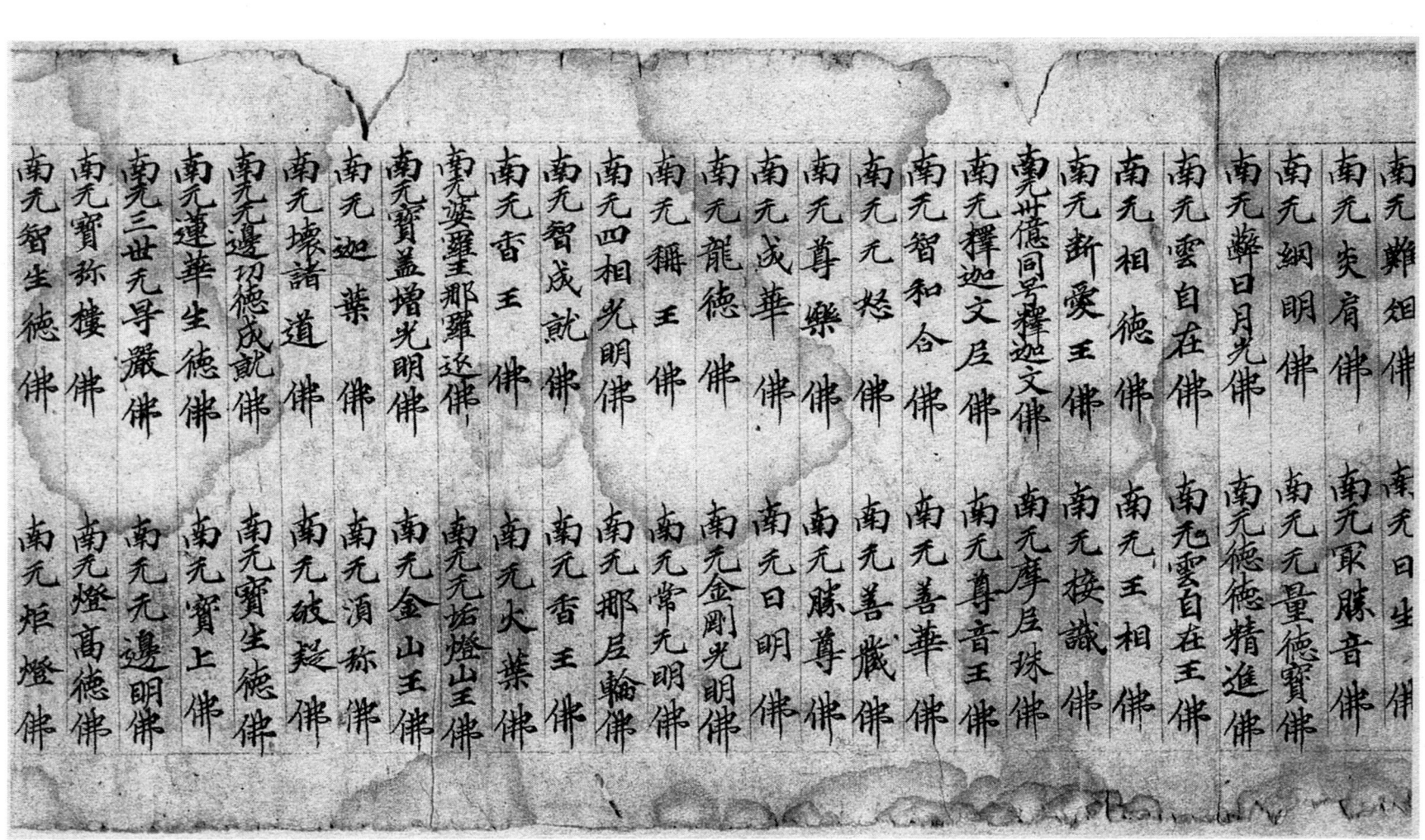

南无難俎佛　南无日生佛
南无英肩佛　南无衆勝音佛
南无網明佛　南无无量德寶佛
南无離日月光佛　南无德德精進佛
南无雲自在佛　南无雲自在王佛
南无相德佛　南无王相佛
南无斷憂王佛　南无接識佛
南无世德同号釋迦文佛　南无摩尼珠佛
南无釋迦文尼佛　南无尊音王佛
南无智和合佛　南无善華佛
南无无怒佛　南无善藏佛
南无尊樂佛　南无勝尊佛
南无成華佛　南无日明佛
南无龍德佛　南无金剛光明佛
南无稱王佛　南无常光明佛
南无四相光明佛　南无那尼輪佛
南无智成就佛　南无香王佛
南无香王佛　南无大葉佛
南无婆羅王那羅延佛　南无无垢燈山王佛
南无寶蓋增光明佛　南无金山王佛
南无迦葉佛　南无須弥佛
南无壞諸道佛　南无破疑佛
南无无邊功德成就佛　南无寶生德佛
南无蓮華生德佛　南无寶上佛
南无三世无㝵嚴佛　南无无邊明佛
南无寶弥樓佛　南无燈高德佛
南无智生德佛　南无炬燈佛

BD01822 號 1　賢劫十方千五百佛名經卷上　（24–5）

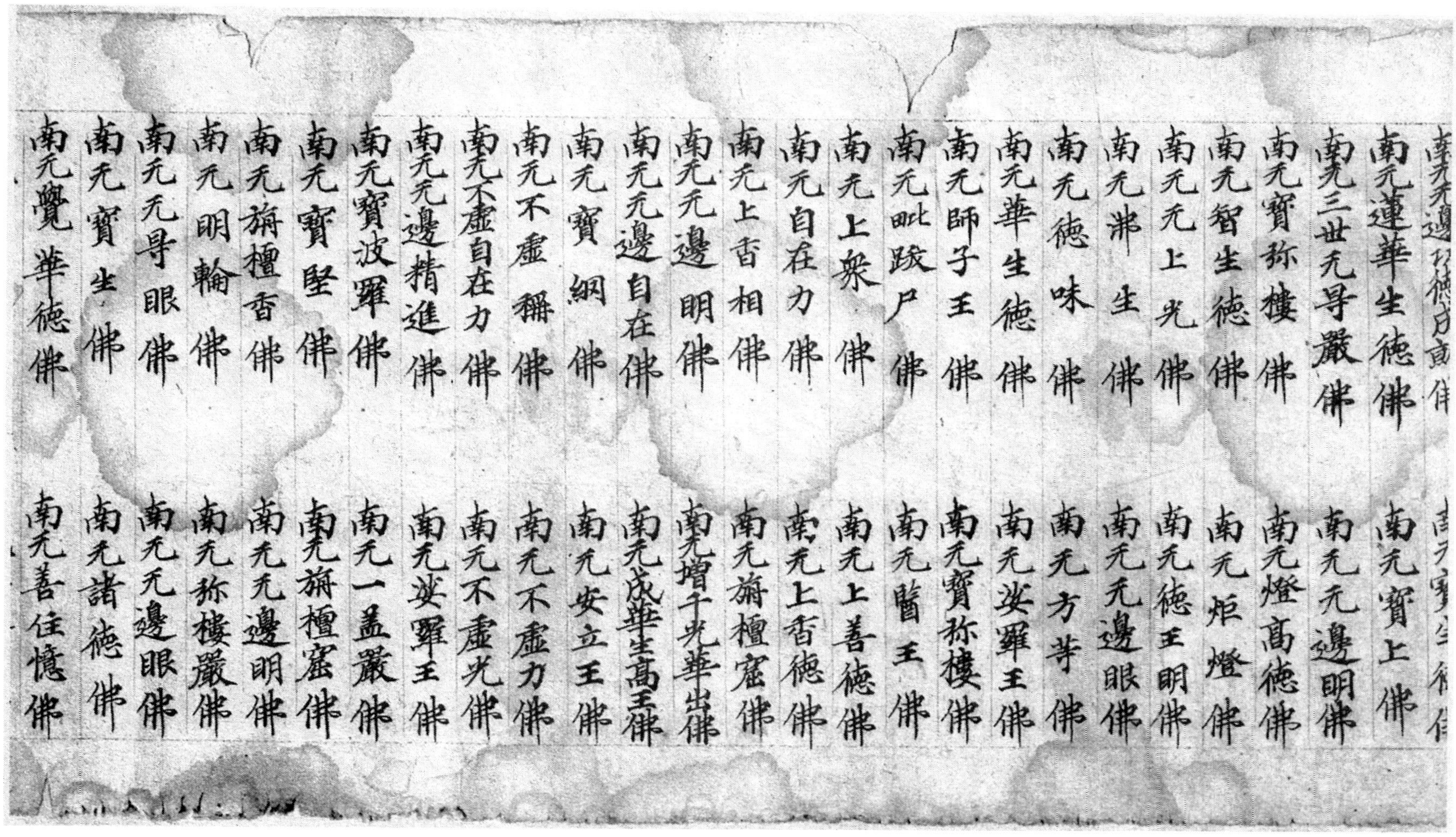

南无无邊□德□佛
南无寶□德佛
南无蓮華生德佛
南无寶上佛
南无三世无导嚴佛
南无无邊明佛
南无寶祢樓佛
南无燈高德佛
南无智生德佛
南无炬燈佛
南无无上光佛
南无德王明佛
南无沸生佛
南无无邊眼佛
南无德味佛
南无方等佛
南无華生德佛
南无娑羅王佛
南无師子王佛
南无寶祢樓佛
南无毗跋尸佛
南无皆王佛
南无上衆佛
南无上善德佛
南无自在力佛
南无上香德佛
南无上香相佛
南无旃檀窟佛
南无无邊明佛
南无增千光華出佛
南无无邊自在佛
南无戒華生高王佛
南无寶網佛
南无安立王佛
南无不虚稱佛
南无不虚力佛
南无不虚自在力佛
南无不虚光佛
南无无邊精進佛
南无娑羅王佛
南无寶波羅佛
南无一蓋嚴佛
南无寶堅佛
南无旃檀窟佛
南无旃檀香佛
南无无邊明佛
南无明輪佛
南无祢樓嚴佛
南无无导眼佛
南无无邊眼佛
南无寶生佛
南无諸德佛
南无覺華德佛
南无善住憶佛

BD01822 號 1 賢劫十方千五百佛名經卷上 （24–6）

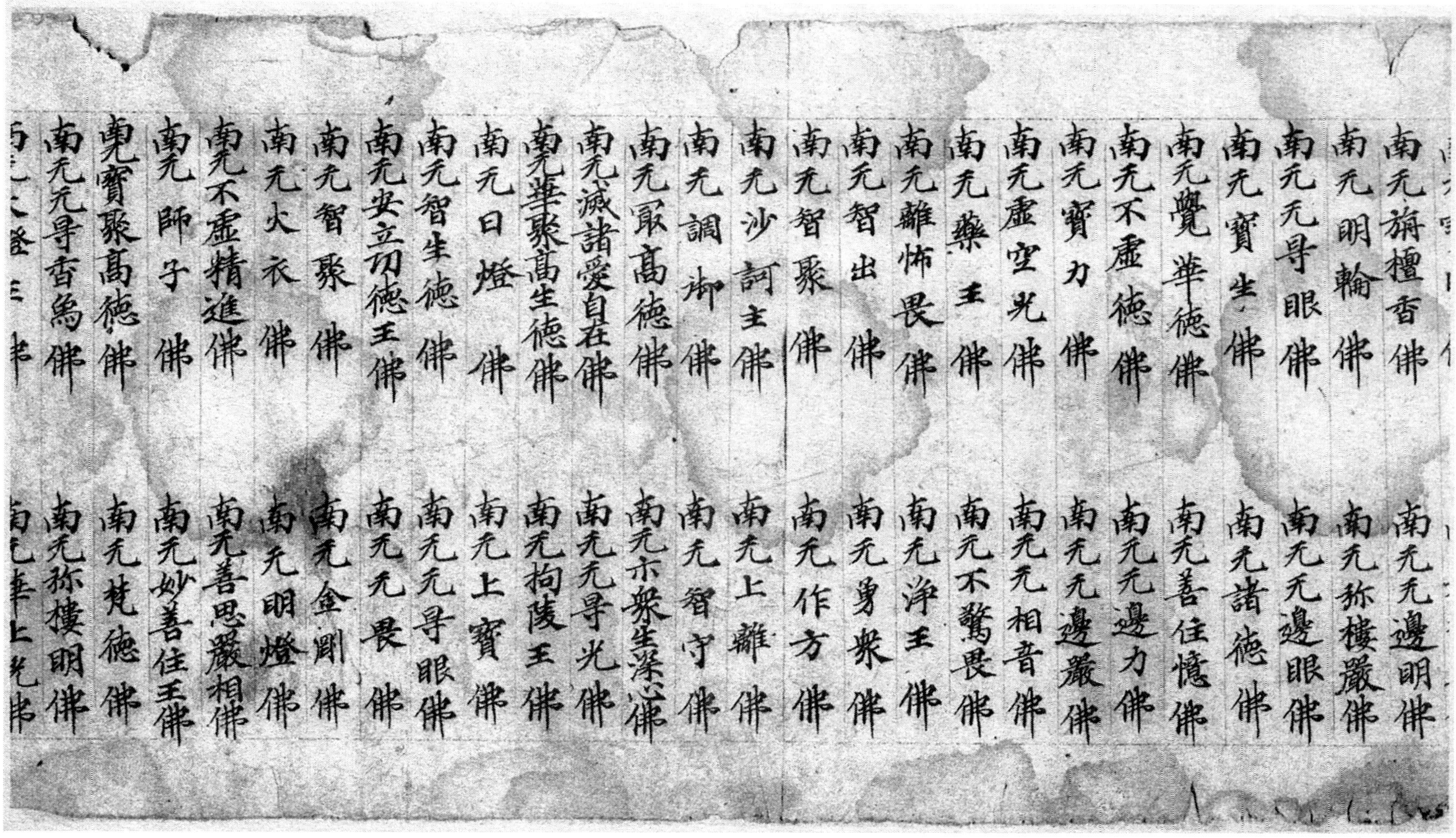

南无旃檀香佛
南无无邊明佛
南无明輪佛
南无祢樓嚴佛
南无无导眼佛
南无无邊眼佛
南无寶生佛
南无諸德佛
南无覺華德佛
南无善住憶佛
南无不虚德佛
南无无邊力佛
南无寶力佛
南无无邊嚴佛
南无虚空光佛
南无无相音佛
南无藥王佛
南无不驚畏佛
南无離怖畏佛
南无淨王佛
南无智出佛
南无勇衆佛
南无智聚佛
南无作方佛
南无沙訶主佛
南无上離佛
南无調御佛
南无智守佛
南无最高德佛
南无亦衆生深心佛
南无滅諸愛自在佛
南无无导光佛
南无華聚高生德佛
南无拘陵王佛
南无日燈佛
南无上寶佛
南无智生德佛
南无无导眼佛
南无安立功德王佛
南无无畏佛
南无智聚佛
南无金剛佛
南无火衣佛
南无明燈佛
南无不虚精進佛
南无善思嚴相佛
南无師子佛
南无妙善住王佛
南无寶聚高德佛
南无梵德佛
南无无导香烏佛
南无祢樓明佛
南无華上光佛

BD01822 號 1 賢劫十方千五百佛名經卷上 （24–7）

南无火[illegible]佛　南无日[illegible]佛
南无不虛精進佛　南无善思嚴相佛
南无師子佛　南无妙善住王佛
南无寶聚高德佛　南无梵德佛
南无无㝵香烏佛　南无弥樓明佛
南无火燈王佛　南无華上光佛
南无住名聞佛　南无名慈佛
南无娑羅王佛　南无觀華佛
南无无邊光佛　南无善華佛
南无无怒佛　南无日藏佛
南无尊樂佛
南无德内豐嚴王佛　聞名歡喜信樂誦念一心作礼得不退轉疾成正覺
却一劫生死後生得六神通得端政常尊貴
能降欲縛六情常无病生常值佛聞法見僧離
八難常具淨戒心
不惱乱乃至涅槃
南无金剛堅强消伏壞散佛　聞名歡喜信樂誦念得不退轉
却十方億那術劫生死之罪
南无寶火佛　聞名歡喜信樂誦念得不退轉疾成正覺
南无寶月光明佛　聞名信樂持諷誦念後生得不退
得中心定自見諸佛轉尊法輪
南无賢軍佛　聞名歡喜信樂持諷誦念
後生得那致自識宿命
南无寶蓮華步佛　聞名信樂誦念所生之處常為所敬言
教用心敬礼者[illegible]
南无蓮華莊嚴王佛　南无月殿清淨佛
南无相德佛
現在東北方一百五十佛名　佛告舍利弗若有族姓子族姓女
聞有此諸佛名号歡喜信樂執持諷誦礼敬之
者所得功德勝於一切布施諸餘功德十万
億倍諸佛國土随意往生不退轉成就正覺若
有誹謗懷疑不信者當墮盧鵰泥犁六万億
歲中受无量罪具有信樂稱歎礼拜現
世安隱滅五百千万億劫生死之罪
南无壞一切世間怖畏佛　南无蹈七寶華佛
南无離垢心佛　南无寶蓋起光佛

BD01822號1　賢劫十方千五百佛名經卷上　（24–8）

者所得功德勝於一切布施諸餘功德十万
億倍諸佛國土随意往生不退轉成就正覺若
有誹謗懷疑不信者當墮盧鵰泥犁六万億
歲中受无量罪具有信樂稱歎礼拜現
世安隱滅五百千万億劫生死之罪
南无壞一切世間怖畏佛　南无蹈七寶華佛
南无離垢心佛　南无寶蓋起光佛
南无悲精進佛　南无三乘行佛
南无无諍佛　南无緣一切辯佛
南无寶事佛　南无寶積佛
南无普行佛　南无增肩佛
南无弥樓軏那佛　南无一切功德光相佛
南无不虛行佛　南无无㝵眼佛
南无普守佛　南无德王明佛
南无醫王佛　南无月辯佛
南无善目佛　南无普世佛
南无寶首佛　南无普觀佛
南无尊自在王佛　南无光淨照耀佛
南无梵首天王佛　南无二万同号日月燈明佛
南无慧見佛　南无无垢淨无量德起所有佛
南无金華佛　南无龍自在尊音王佛
南无寶藏佛　南无无量淨王佛
南无寶山王佛　南无不可思議功德佛
南无寶光明佛　南无寶尊音佛
南无遍出一切光明功德山王佛　南无寶海佛
南无智華无垢堅佛　南无普賢佛
南无阿閦佛　南无无垢功德光明佛
南无樂自在音光明佛　南无日藏佛
南无智日佛　南无龍自在佛

BD01822號1　賢劫十方千五百佛名經卷上　（24–9）

南无智華无垢堅佛 南无普賢佛
南无阿閦佛 南无无垢切德光明佛
南无樂自在音光明佛 南无日藏佛
南无智日佛 南无龍自在佛
南无金剛稱佛 南无日藏佛
南无大切德藏佛 南无不可思議王佛
南无安和自在見山王佛 南无智豫佛
南无眼淨无垢佛 南无百切德佛
南无号勝佛 南无明慧佛
南无遍淨佛 南无善眼佛
南无九万十二那術同字无名佛 南无无垢超德佛
南无勇進佛 南无離百憂佛
南无喜生德佛 南无安王佛
南无上祢樓佛 南无妙香佛
南无憍陳如佛 南无勢德佛
南无赤蓮華德佛 南无白蓮華德佛
南无大音眼佛 南无上衆佛
南无无邊明德佛 南无月出光佛
南无名流十方佛 南无星宿王佛
南无无邊光明佛 南无上衆祢樓佛
南无離怖畏佛 南无安隱生德佛
南无无邊切德月佛 南无一切德嚴佛
南无日華王佛 南无不壞相佛
南无宗守光佛 南无无量生行佛
南无大威德蓮華生佛 南无一切上佛
南无虛空淨王佛 南无无相音聲佛
南无明德王佛 南无德王相佛

BD01822號1 賢劫十方千五百佛名經卷上

(24-10)

南无宗守光佛 南无无量生行佛
南无大威德蓮華生佛 南无一切上佛
南无虛空淨王佛 南无无相音聲佛
南无明德王佛 南无德王相佛
南无度切德邊佛 南无燃燈佛
南无无畏佛 南无明作佛
南无德味佛 南无无怖畏佛
南无華德佛 南无智華德佛
南无寶積佛 南无无邊願佛
南无无邊切德王安立佛 南无寶首佛
南无娑羅王佛 南无寶明佛
南无寶聚佛 南无上衆德佛
南无无邊德嚴佛 南无觀世音佛
南无須祢明佛 南无无邊自在力佛
南无極高行佛 南无寶華德佛
南无无量神通自在佛 南无隨衆生願嚴佛
南无高寶蓋佛 南无上衆佛
南无无量華佛 南无寶自在佛
南无月出德佛 南无諦釋幢王佛
南无發心即轉法輪佛 南无十方同字流布佛
南无普光淨德佛 南无勝戰鬪佛
南无无尋尊樹德佛 南无蓮華步佛
南无寶蓮華諦桂樹王佛 南无大光曜佛
南无慧燈明佛 南无大雄佛
南无白无垢塵佛 南无內寶佛
南无上像幢十蓋王佛 南无威神自在王佛
南无極受高影王佛 南无大海佛

BD01822號1 賢劫十方千五百佛名經卷上

(24-11)

[illegible]
南无慧燈明佛　南无大雄佛
南无白无垢塵佛　南无内寶佛
南无上像幢十蓋王佛　南无威神自在王佛
南无極受高影王佛　南无大海佛
南无十方見佛　南无世間尊佛
南无善得佛　南无須弥相佛
南无蓮華尊佛　南无日月尊佛
南无寶光月殿妙尊音王佛
南无壞魔羅網獨步佛　一心敬礼者却百劫生死之罪
南无師子吼力佛　一心敬礼者却億劫生死之罪
南无悲精進佛　一心敬礼者却百千劫生死之罪
南无三乘行佛　南无金剛堅强自在王佛
南无梵天佛
現在上方一百五十佛名　佛言若族姓子族姓女學菩薩乘聞
此佛名心无結網信吾道眼之所班宣者世
世所生未曾懈怠不習貪欲常以菩薩爲父
母妻子兄弟親族在在生處身未曾離卅二
相亦得往生諸佛國土少嬰惡瘦身无疾痛
一切功德皆得成就卅五
万恒河沙劫罪皆得消滅
南无華敷星佛　南无不可思議月光明王佛
南无勝月光佛　南无名稱佛
南无樂蓮華首佛　南无廣衆德佛
南无思樂成佛　南无善德佛
南无无數精進願首佛　南无世自在王佛
南无消滅等起王佛　南无无恨眼王佛
南无至精進佛　南无香積佛
南无方八千同字山王佛　南无无垢大聖佛
南无吉詳佛　南无師子奕如光尊佛

BD01822 號 1　賢劫十方千五百佛名經卷上　（24–12）

南无消滅等起王佛　南无无恨眼王佛
南无至精進佛　南无香積佛
南无方八千同字山王佛　南无无垢大聖佛
南无吉詳佛　南无師子奕如光尊佛
南无梵音佛　南无宿王佛
南无香上佛　南无香光佛
南无火炎肩佛　南无娑羅樹王佛
南无雜色寶華嚴身佛　南无寶華德佛
南无見一切義佛　南无如須弥山佛
南无无邊高力王佛　南无善野佛
南无月響佛　南无精進處高力王佛
南无破疑佛　南无善宿佛
南无燃燈佛　南无作明佛
南无明弥樓佛　南无明輪佛
南无淨明佛　南无白蓋佛
南无香蓋佛　南无寶蓋佛
南无旃檀窟佛　南无旃檀德佛
南无須弥肩佛　南无寶明佛
南无娑羅王佛　南无梵德佛
南无淨眼佛　南无鷲畏佛
南无離怖畏佛　南无妙肩佛
南无上寶佛　南无山王佛
南无轉女相嚴佛　南无无邊嚴佛
南无无上光佛　南无網明相佛
南无曰王佛　南无德勝佛
南无普明佛　南无勝敵佛
南无相王佛　南无藥王无等佛

BD01822 號 1　賢劫十方千五百佛名經卷上　（24–13）

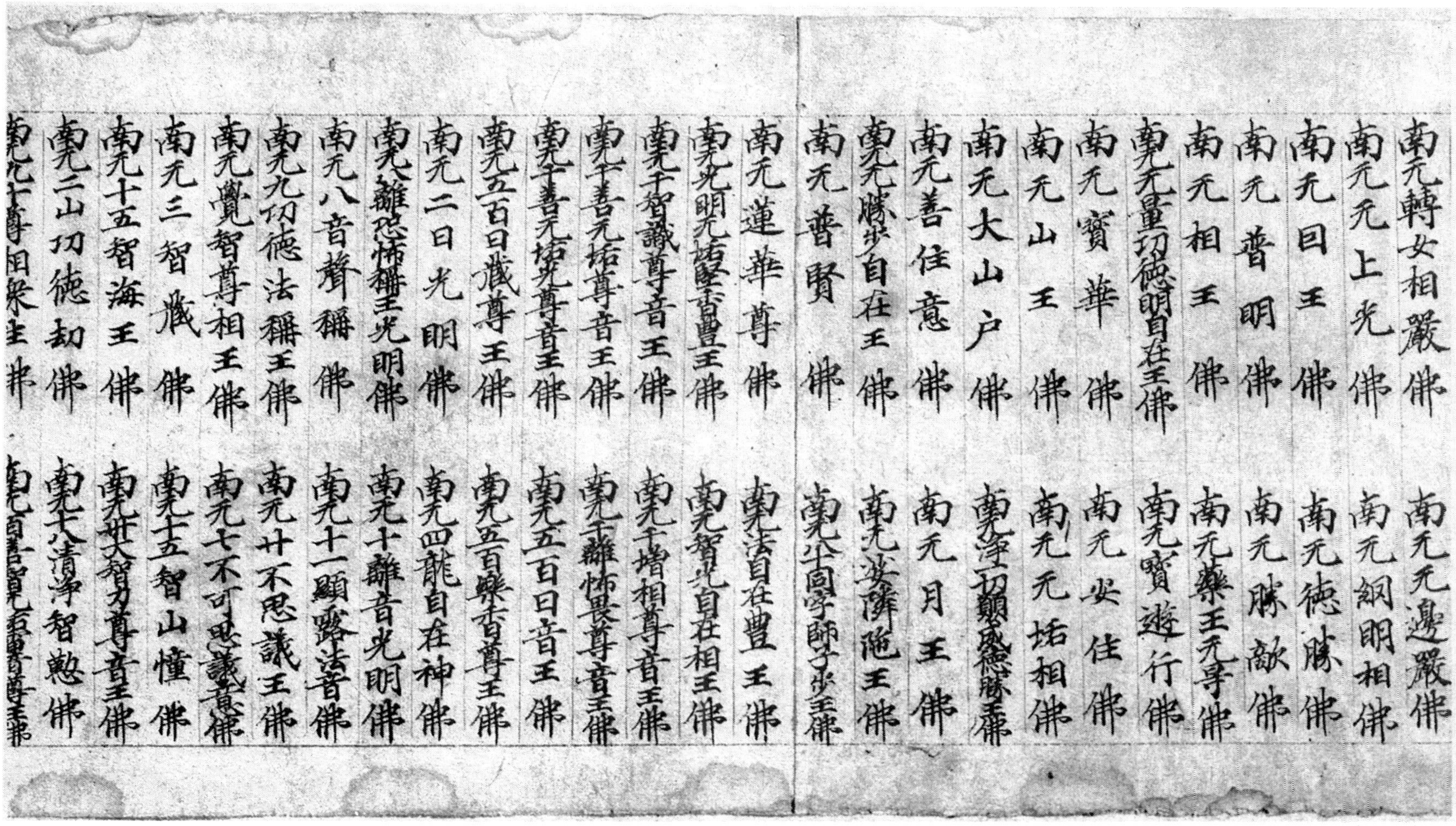

南无轉女相嚴佛　南无无邊嚴佛
南无无上光佛　南无綱明相佛
南无曰王佛　南无德勝佛
南无普明佛　南无勝敵佛
南无相王佛　南无藥王无等佛
南无无量切德明自在王佛　南无寶遊行佛
南无寶華佛　南无安住佛
南无山王佛　南无无垢相佛
南无大山户佛　南无淨一切願成德勝王佛
南无善住意佛　南无月王佛
南无勝步自在王佛　南无娑隣隨王佛
南无普賢佛　南无一固學師子步王佛
南无蓮華尊佛　南无法自在豊王佛
南无光明无垢堅香豊王佛　南无智光自在相王佛
南无千智識尊音王佛　南无千增相尊音王佛
南无千善无垢尊音王佛　南无千離怖畏尊音王佛
南无千善无垢光尊音王佛　南无五百日音王佛
南无五百日藏尊王佛　南无五百燥香尊王佛
南无二日光明佛　南无四龍自在神佛
南无八離恐怖稱王光明佛　南无十離音光明佛
南无八音贊稱佛　南无十一顯露法音佛
南无九切德法稱王佛　南无廿不思議王佛
南无覺智尊相王佛　南无七不可思議意佛
南无三智藏佛　南无十五智山幢佛
南无十五智海王佛　南无廿大智力尊音王佛
南无二山切德劫佛　南无十八清淨智勲佛
南无十尊相衆生佛　南无百善智光垢寶音尊王佛

BD01822 號 1　賢劫十方千五百佛名經卷上　（24–14）

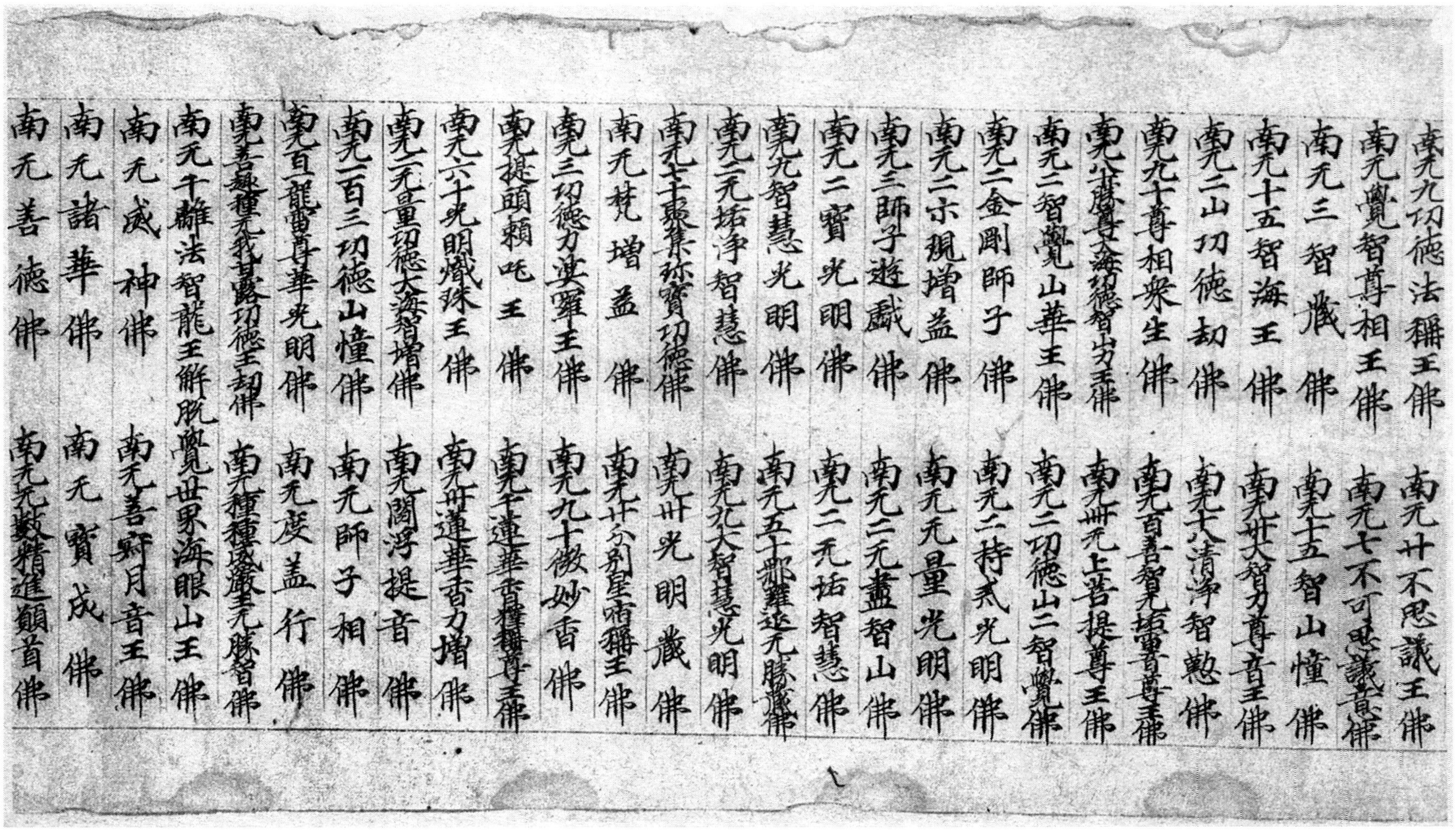

南无九切德法稱王佛　南无廿不思議王佛
南无覺智尊相王佛　南无七不可思議意佛
南无三智藏佛　南无十五智山幢佛
南无十五智海王佛　南无廿大智力尊音王佛
南无二山切德劫佛　南无十八清淨智勲佛
南无十尊相衆生佛　南无百善智光垢寶音尊王佛
南无八萬勝尊大海切德智山王佛　南无卌无上菩提尊王佛
南无二智覺山華王佛　南无二切德山二智覺佛
南无二金剛師子佛　南无二持戒光明佛
南无二示現增益佛　南无无量光明佛
南无三師子遊戲佛　南无二无盡智山佛
南无二寶光明佛　南无二无垢智慧佛
南无智慧光明佛　南无五十那羅延无勝藏佛
南无二无垢淨智慧佛　南无九大智慧光明佛
南无七十衆集珎寶切德佛　南无卌光明藏佛
南无梵增益佛　南无廿分別星宿稱王佛
南无三切德力娑羅王佛　南无九十微妙香佛
南无提頭賴吒王佛　南无千蓮華香積稱尊王佛
南无六十光明熾珠王佛　南无卌蓮華香力增佛
南无二无量切德大海智增佛　南无閻浮提音佛
南无一百三切德山幢佛　南无師子相佛
南无百龍雷尊華光明佛　南无度蓋行佛
南无善無種无我甘露切德王劫佛　南无種種成嚴王无勝智佛
南无千離法智龍王解脫覺世界海眼山王佛
南无威神佛　南无善射月音王佛
南无諸華佛　南无寶成佛
南无善德佛　南无无數精進顛首佛

BD01822 號 1　賢劫十方千五百佛名經卷上　（24–15）

南无千礙法智龍王解脫覺世界海眼山王佛
南无威神佛　南无善寂月音王佛
南无諸華佛　南无寶成佛
南无善德佛　南无无數精進顯首佛
南无廣衆德佛　南无殊勝月王佛
現在下方一百五十佛名　佛言若善男子善女人聞此佛名至心受持燒香敬礼者所生之處得普光三昧命欲終時自然得見億百千佉諸佛住前十方皆悉諸佛所說悉皆受持未曾忽忘神通感動无量衆生亦能滅除二百億佉生死之罪
南无明德佛　南无師子佛
南无名聞佛　南无普光佛
南无達摩佛　南无法幢佛
南无持法佛　南无一寶蓋佛
南无深清華佛　南无普賢佛
南无梵精進佛　南无寶藏佛
南无婆羅王佛　南无離恐怖圍遶音佛
南无月殿佛　南无清淨華光佛
南无遇神通王佛　南无建立精進佛
南无師子央佛　南无无量光明衆勝佛
南无虛空音佛　南无虛空嚴王佛
南无大目佛　南无拘留孫佛
南无上德佛　南无大德佛
南无蓮華德佛　南无有德佛
南无師子德佛　南无成利佛
南无師子頸佛　南无師子謙佛
南无安立王佛　南无梵祢樓佛
南无淨明佛　南无不虛步佛
南无香鳥佛　南无香德佛

BD01822 號 1　賢劫十方千五百佛名經卷上　（24–16）

南无蓮華德佛　南无有德佛
南无師子德佛　南无成利佛
南无師子頸佛　南无師子謙佛
南无安立王佛　南无梵祢樓佛
南无淨明佛　南无不虛步佛
南无香鳥佛　南无香德佛
南无香祢樓佛　南无无量眼佛
南无香聚佛　南无寶窟佛
南无寶祢樓佛　南无安住佛
南无善住王佛　南无梵祢樓佛
南无婆羅王佛　南无明輪佛
南无七十普淨光王佛　南无燃燈佛
南无威德佛　南无提沙佛
南无弗沙佛　南无光明佛
南无天王佛　南无密迹金剛步佛
南无淨王佛　南无息意佛
南无无量訓寶佛　南无錦淨王佛
南无師子步佛　南无妙央佛
南无光明王佛　南无供養佛
南无妙華佛　南无奉養佛
南无善目佛　南无快辟佛
南无炎光佛　南无炎味佛
南无无退沒佛　南无執功德佛
南无寶事佛　南无无欺世佛
南无无量德佛　南无寶稱佛
南无蓮華上佛　南无雷音王佛
南无虛空性佛　南无違離佛

BD01822 號 1　賢劫十方千五百佛名經卷上　（24–17）

南无无退没佛　南无執功德佛
南无寶事佛　南无无欺世佛
南无无量德佛　南无寶稱佛
南无蓮華上佛　南无雷音王佛
南无虛空性佛　南无違離佛
南无德明王佛　南无善思願茂佛
南无迦葉佛　南无香明佛
南无八千定光佛　南无无邊德寶佛
南无普光德淨威佛　南无不虛稱佛
南无五百華上佛　南无五威德佛
南无二千憍陳如佛　南无金剛上佛
南无普首佛　南无迦葉佛
南无十五日明佛　南无六十二善財佛
南无定光佛　南无大莊嚴佛
南无善明佛　南无无始佛
南无智光明佛　南无淨身佛
南无華光佛　南无燃燈佛
南无光明佛　南无名相佛
南无大通智勝佛　南无閻浮那提金光佛
南无多摩羅跋栴檀香佛　南无法明佛
南无千二百普明佛　南无光速佛
南无月教佛　南无栴檀香佛
南无善山剛佛　南无止念佛
南无世如王佛　南无无量壽佛
南无離垢辯佛　南无无著佛
南无龍天佛　南无音王佛
南无安明頂佛　南无金剛藏佛

BD01822 號 1　賢劫十方千五百佛名經卷上　（24–18）

南无善山剛佛　南无止念佛
南无世如王佛　南无无量壽佛
南无離垢辯佛　南无无著佛
南无龍天佛　南无音王佛
南无安明頂佛　南无金剛藏佛
南无燄光相佛　南无地種佛
南无上瑠璃佛　南无金色佛
南无月像佛　南无音華佛
南无觧脫華佛　南无具足光明佛
南无海意樂慧佛　南无大光佛
南无大香佛　南无離胎佛
南无捨獸意佛　南无寶行佛
南无勇音佛　南无首積佛
南无大衆法慧佛　南无蘚日月光佛
南无極取首佛　南无月光佛
南无日光佛　南无調意超諸華佛
南无除諸疑冥佛　南无宣龍雷音佛
南无出山海自在王佛
南无斷疑拔欲除冥佛　一心敬礼者却世億劫生死之罪
南无意无恐懼威毛不豎佛　一心敬礼者却八万劫生死之罪
南无師子佛　一心敬礼者却六十劫生死之罪
南无名稱遠聞佛　一心敬礼者却八万劫生死之罪
南无法名号佛　一心敬礼者却十二劫生死之罪
南无奉法佛　一心敬礼者却十二万三千劫生死之罪
南无法幢佛　一心敬礼者却十二万三千億劫生死之罪
南无善寂月音王佛　南无明德佛

BD01822 號 1　賢劫十方千五百佛名經卷上　（24–19）

南无名稱遠聞佛　一稱礼者却八万劫生死之罪
南无法名号佛　一稱礼者却十七劫生死之罪
南无奉法佛　一稱礼者却十二万三千劫生死之罪
南无法幢佛　一稱礼者却十二万三千百億劫生死之罪
南无善寂月音王佛　南无明德佛
南无日月光王佛

佛說賢劫十方千五百佛名經卷下

若有人至心受持讀誦佛名所犯生死重罪
晝夜獨處至心懺悔悉皆消滅
歸依佛　歸依法　歸依僧　礼訖作如是言
南无釋迦牟尼佛　南无金剛不壞佛
南无龍尊王佛　南无精進軍佛
南无精喜佛　南无寶月佛
南无无垢佛　南无寶光佛
南无寶火佛　南无寶月光佛
南无現无愚佛　南无寶月佛
南无无垢佛　南无離垢佛
南无勇施佛　南无清淨佛
南无清淨施佛　南无娑留那佛
南无水天佛　南无賢德佛
南无旃檀功德佛　南无无量掬光佛
南无光德佛　南无无憂德佛
南无那羅延佛　南无功德花佛
南无蓮華光遊戲神通佛　南无善遊步功德佛

BD01822 號 1　賢劫十方千五百佛名經卷上　（24–20）
BD01822 號 2　賢劫十方千五百佛名經卷下

南无旃檀功德佛　南无无量掬光佛
南无光德佛　南无无憂德佛
南无那羅延佛　南无功德花佛
南无蓮華光遊戲神通佛　南无善遊步功德佛
南无洪炎幢王佛　南无善遊步佛
南无戰鬪勝佛　南无寶蓮華遊步佛
南无周匝莊嚴功德佛　南无寶蓮華善住娑羅樹王佛
南无賢劫千佛　南无十六王子佛
南无過去七佛　南无東方无量諸佛
南无東南方无量諸佛　南无南方无量諸佛
南无西南方无量諸佛　南无西方无量諸佛
南无西北方无量諸佛　南无北方无量諸佛
南无東北方无量諸佛　南无上方无量諸佛
南无下方无量諸佛　南无十方世界形像舍利寶塔
南无十方世界諸藏經法　南无十方世界三乘聖衆
南无代釋梵四天王護佛道尊神敬礼諸佛
南无代皇帝陛下太皇太后敬礼諸佛　南无代公卿百官敬礼諸佛
南无代師長父母親族知識四事檀越敬礼諸佛
南无代三界廿五有微塵等衆生敬礼諸佛求哀懺悔
南无大德我大和上應正遍知大悲世尊釋迦
牟尼十方諸佛諸尊菩薩有大神力所不屠動
言不虛發讚歎懺悔千劫所作極重惡業若
能至心一懺悔者悉皆滅盡我等今日歸向
諸佛誠心懺悔
我弟子某甲等普爲法界衆生從无始已來
所作衆罪或煞害君親及真人羅漢兵戈征
討斧鉞殘戮…或曾作惡

BD01822 號 2　賢劫十方千五百佛名經卷下　（24–21）

諸佛誠心懺悔
我弟子某甲等曾爲法界衆生從无始已来
所作衆罪或煞害君親及真人羅漢兵戈征
討鋒刃煞戮遊獵禽獸網捕虫魚或曾作惡
王刑罰枉濫乃至含靈稟性蠢動凡諸生類
殘害煞傷及猛獸鷙鳥遞相噉食或盜佛物
法物僧物及他財寶居官因事納貨受財
或非己室家外行婬穢莫簡親踈不避僧尼
横起憂憎妄想妬忌或虛詐妄語誑惑君
親不知不見言知言見鼻説鬼神詭誑世俗
或讒諂兩舌鬪乱二邊將此惡言向彼陳説
持彼惡語復向此論阻隔君臣離閒骨宍
一切和合由其破壞或出言麁惡毀呰他
人訶叱任情罵詈在口或不正已言乃爲綺
語説善爲惡以見爲聞名長爲短説白爲
黑謟言詭語調弄於人或志在貪味求
取不節性多瞋毒恚怒自纏或不識正
理迷惑耶見謗佛法僧説无因果不信
脩善受人天樂不言爲惡受地獄苦或謂
此身无因而得或謂未来斷无因果
毀壞塔寺焚燒經典融刮佛像以取
金銅汙穢伽藍違越禁戒飲酒噉肉
及食五辛愚癡耶見无惡不造凡此所陳
十種惡業自作教他見作隨喜若不懺悔將
墮三塗唯願三世三寶受我懺悔從今已去改
往脩来更更不敢犯至心頂礼常住三寶
如是等一切世界諸佛世尊常住在世是諸

BD01822 號 2　賢劫十方千五百佛名經卷上　（24–22）

及食五辛愚癡耶見无惡不造凡此所陳
十種惡業自作教他見作隨喜若不懺悔將
墮三塗唯願三世三寶受我懺悔從今已去改
往脩来更更不敢犯至心頂礼常住三寶
如是等一切世界諸佛世尊常住在世是諸
世尊當慜念我若我此生若於餘生无始以
来所作衆罪若自作若教他作見作隨喜若
塔若僧四方僧物自取教他取見取隨喜或
作五逆无間重罪若十不善道自作教他見
作隨喜或曾出家違犯重禁久不懺悔然虛
受於信施或曾作姧臣逆吏无道之君現在
身上從生以来愚癡心故戲犯禁戒身口意
業造作過惡无量无邊所作罪鄣或有覆藏
或不覆藏應墮地獄餓鬼畜生及諸惡趣邊
地下賤及弥利車如是等處所作罪鄣今皆
懺悔今諸佛世尊當慈念我證知我聽我懺
悔如是等罪一切世界諸佛世尊常住在世
是諸世尊當慈念我若我此生若於餘生曾
行布施或守淨戒乃至施与畜生一揣之食
或脩淨行所有善根一切合集挍計籌量悉
皆迴向无上菩提如過去未来現在諸佛之
所迴向我亦如是迴向佛道
佛道長遠　其必獲得　衆生无邊　誓願度盡
生死可畏　樂處其中　佛道渕玄　盡其亙底
世界有盡　衆生有盡　諸佛有盡　我願无盡
我願廣大　信如法性　究竟如空　盡未来際

BD01822 號 2　賢劫十方千五百佛名經卷下　（24–23）

佛道長遠　其必獲得　衆生无邊　誓令度盡
生死可畏　樂處其中　佛道渕玄　盡其源底
世界有盡　衆生有盡　諸佛有盡　我願无盡
我願廣大　信如法性　究竟如空　盡未來際
无有窮盡
南无十方諸佛持此懺悔功德礼佛功德施與一切
衆生迴向无上菩提願使我現在身上從今以
去持戒堅强勇猛精進志如斷金剛斷諸煩
惱坐禪得定誦經不忘脩道成就學問聰明
所求如願百病除愈任遠自在无諸憂苦臨
命終時身不苦痛心意不乱面覩諸佛普為
師僧父母善知識法界衆生斷除三障同得
往生祢勒尊内所

佛名經卷下

BD01822 號 2　賢劫十方千五百佛名經卷上　（24–24）

金剛經啓請
若有人讀持金剛般若波羅蜜經先須至心念淨口業真言然
啓請八金剛四菩薩名号所在之處常當擁護
淨口業真言　脩利脩利　摩訶脩利　脩脩利娑婆訶
虛空藏菩薩普供養真言　唵誐誐曩　三婆嚩　襪羅斛
奉請八金剛　奉請青除災金剛　奉請辟毒金剛　奉請黃隨求金剛
奉請白淨水金剛　奉請赤聲火金剛　奉請定除災金剛　奉請紫賢金剛
奉請大神金剛　奉請四菩薩　奉請金剛眷菩薩　奉請金剛索菩薩
奉請金剛愛菩薩　奉請金剛語菩薩　云何梵音
云何得長受　金剛不壞身　復以何因緣　得大堅固力　云何於此經
究竟到彼岸　願佛開微密　廣為衆生說
若有人受持金剛般若波羅蜜經先須念此十佛名号聞此佛
名盡皆安樂　南无淨清法身毗盧遮那佛　南无圓滿報身盧舍那佛
南无千百化身釋迦牟尼佛　南无當來下生祢勒尊佛
南无十二上願藥師琉璃光佛　南无阿祢陁佛　南无寶勝如來佛
南无大悲長壽王佛　南无大悲尊勝王佛　南无大悲熾盛光佛
發願文　稽首三界尊　十方无量佛　我今發弘願　持此金剛經
上報四重恩　下濟三塗苦　若有見聞者　悉發菩提心
盡此一報身　同生極樂國
金剛般若波羅蜜　法會因由分第一
如是我聞一時佛在舍衛國祇樹給孤獨園與大比丘衆千二
百五十人俱介時世尊食時著衣持鉢入舍衛大城乞食於其

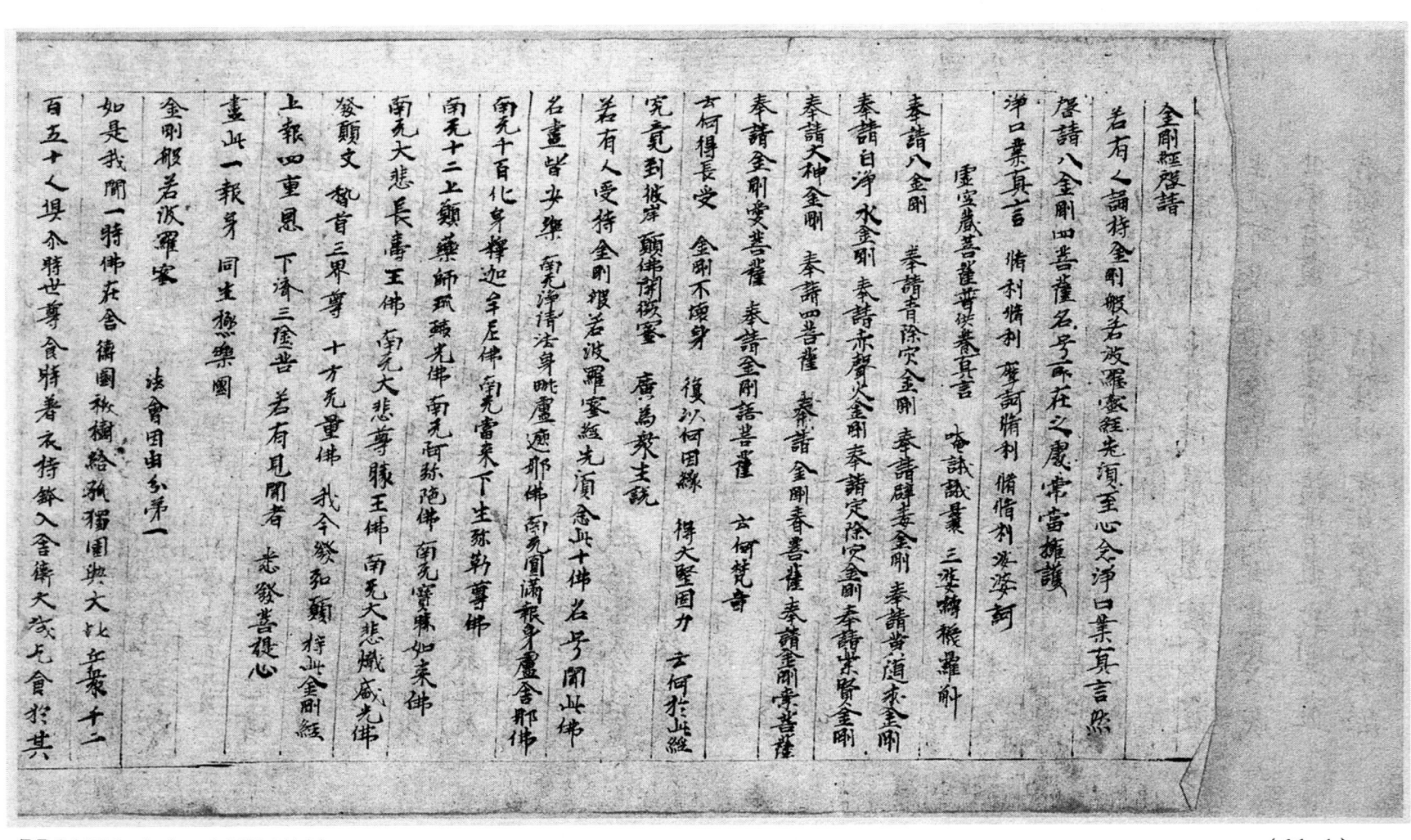

BD01823 號 1　金剛經啓請　（11–1）

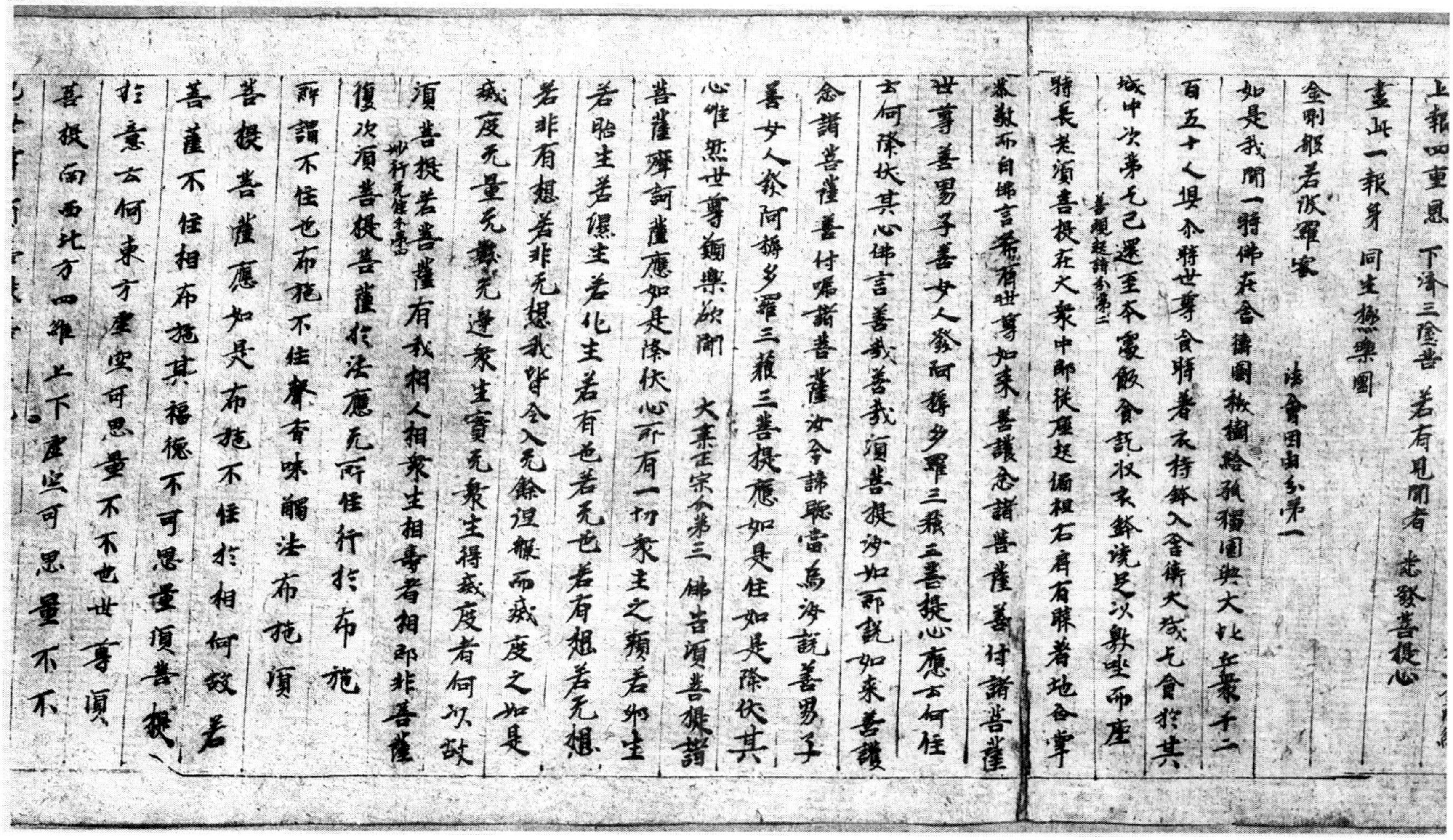

上報四重恩 下濟三塗苦 若有見聞者 悉發菩提心
盡此一報身 同生極樂國
金剛般若波羅蜜
法會因由分第一
如是我聞一時佛在舍衛國祇樹給孤獨園與大比丘衆千二
百五十人俱尒時世尊食時著衣持鉢入舍衛大城乞食於其
城中次第乞已還至本處飯食訖收衣鉢洗足已敷座而座
善現起請分第二
時長老須菩提在大衆中即從座起偏袒右肩右膝著地合掌
恭敬而白佛言希有世尊如來善護念諸菩薩善付囑諸菩薩
世尊善男子善女人發阿耨多羅三藐三菩提心應云何住
云何降伏其心佛言善哉善哉須菩提汝如所說如來善護
念諸菩薩善付囑諸菩薩汝今諦聽當為汝說善男子
善女人發阿耨多羅三藐三菩提心應如是住如是降伏其
心唯然世尊願樂欲聞 大乘正宗分第三 佛告須菩提諸
菩薩摩訶薩應如是降伏心所有一切衆生之類若卵生
若胎生若濕生若化生若有色若无色若有想若无想
若非有想若非无想我皆令入无餘涅槃而滅度之如是
滅度无量无數无邊衆生實无衆生得滅度者何以故
須菩提若菩薩有我相人相衆生相壽者相即非菩薩
妙行无住分第四
復次須菩提菩薩於法應无所住行於布施
所謂不住色布施不住聲香味觸法布施須
菩提菩薩應如是布施不住於相何以故若
菩薩不住相布施其福德不可思量須菩提
於意云何東方虛空可思量不不也世尊須
菩提南西北方四維上下虛空可思量不不

BD01823 號 2 金剛般若波羅蜜經（三十二分本） （11–2）

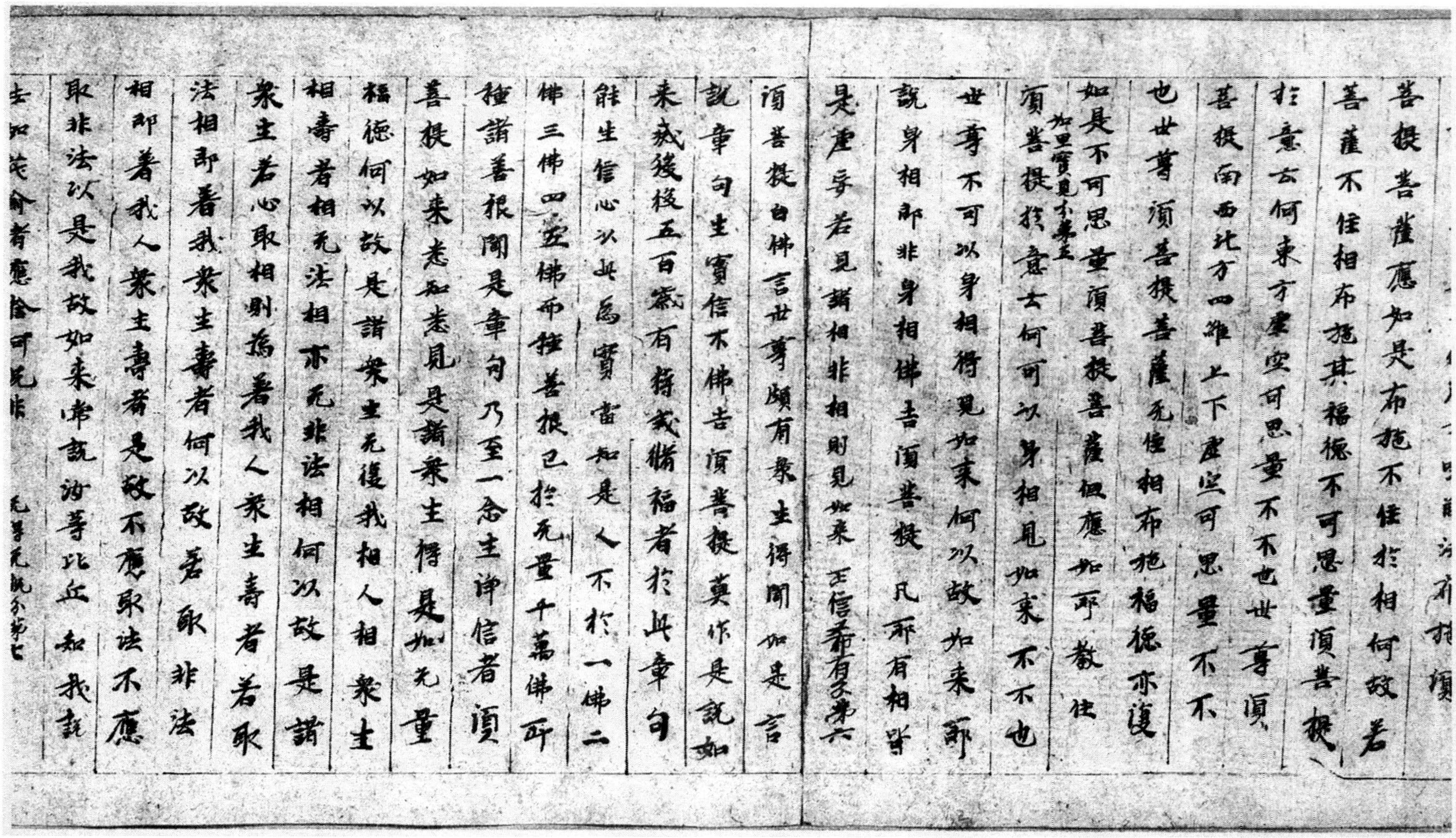

BD01823 號 2 金剛般若波羅蜜經（三十二分本） （11–3）

相即著我人衆生壽者是故不應取法不應
取非法以是義故如來常說汝等比丘知我說
法如筏喻者應捨何況非　无得无說分第七
須菩提於意云何如來得阿耨多羅三藐三
菩提耶如來有所說法耶須菩提言如我解
佛所義无有定法名阿耨多羅三藐三菩
提亦无有定法如來可說何以故如來所說
法皆不可取不可說非法非非法所以者何
一切賢聖皆以无為法而有差別　依法出生分第八
須菩提於意云何若人滿三千大千世界七
寶以用布施是人所得福德寧為多不須菩
提言甚多世尊何以故是福德即非福德性
是故如來說福德多若復有人於此經中受
持乃至四句偈等為他人說其福勝彼何以
故須菩提一切諸佛及諸佛阿耨多羅三藐
三菩提法皆從此經出須菩提所謂佛法者
即非佛法　一相无相分第九
須菩提於意云何須陀洹能作是念我得須
陀洹果不須菩提言不也世尊何以故須陀
洹名入流而无不入色聲香味觸法
是名須陀洹須菩提於意云何斯陀含能作
是念我得斯陀含果不須菩提言不也世尊
何以故斯陀含名一往來而實无往來是名
斯陀含須菩提於意云何阿那含能作是念
我得阿那含果不

BD01823號2　金剛般若波羅蜜經（三十二分本）　（11–4）

我得阿那含果不須菩提言不也世尊
何以故斯陀含名一往來而實无往來是名
斯陀含須菩提於意云何阿那含能作是念
我得阿那含果不須菩提言不也世尊何以
故阿那含名為不來而實无來是故名阿那
含須菩提於意云何阿羅漢能作是念我得
阿羅漢道不須菩提言不也世尊何以故實
无有法名阿羅漢世尊若阿羅漢作是念我
得阿羅漢道即為著我人衆生壽者世尊佛
說我得无諍三昧人中最為第一是第一離
欲阿羅漢我不作是念我是離欲阿羅漢世
尊我若作是念我得阿羅漢道世尊則不說
須菩提是樂阿蘭那行者以須菩提實无所
行而名須菩提是樂阿蘭那行
佛告須菩提於意云何如來昔在然燈佛所
於法有所得不世尊如來在然燈佛所於法
實无所得須菩提於意云何菩薩莊嚴佛土
不不也世尊何以故莊嚴佛土者則非莊嚴
是名莊嚴是故須菩提諸菩薩摩訶薩應如
是生清淨心不應住色生心不應住色聲香味
觸法生心應无所住而生其心須菩提譬如
有人身如須彌山王於意云何是身為大不
須菩提言甚大世尊何以故佛說非身是名
大身須菩提如恒河中所有沙數如是沙等
恒河於意云何是諸恒河沙寧為

BD01823號2　金剛般若波羅蜜經（三十二分本）　（11–5）

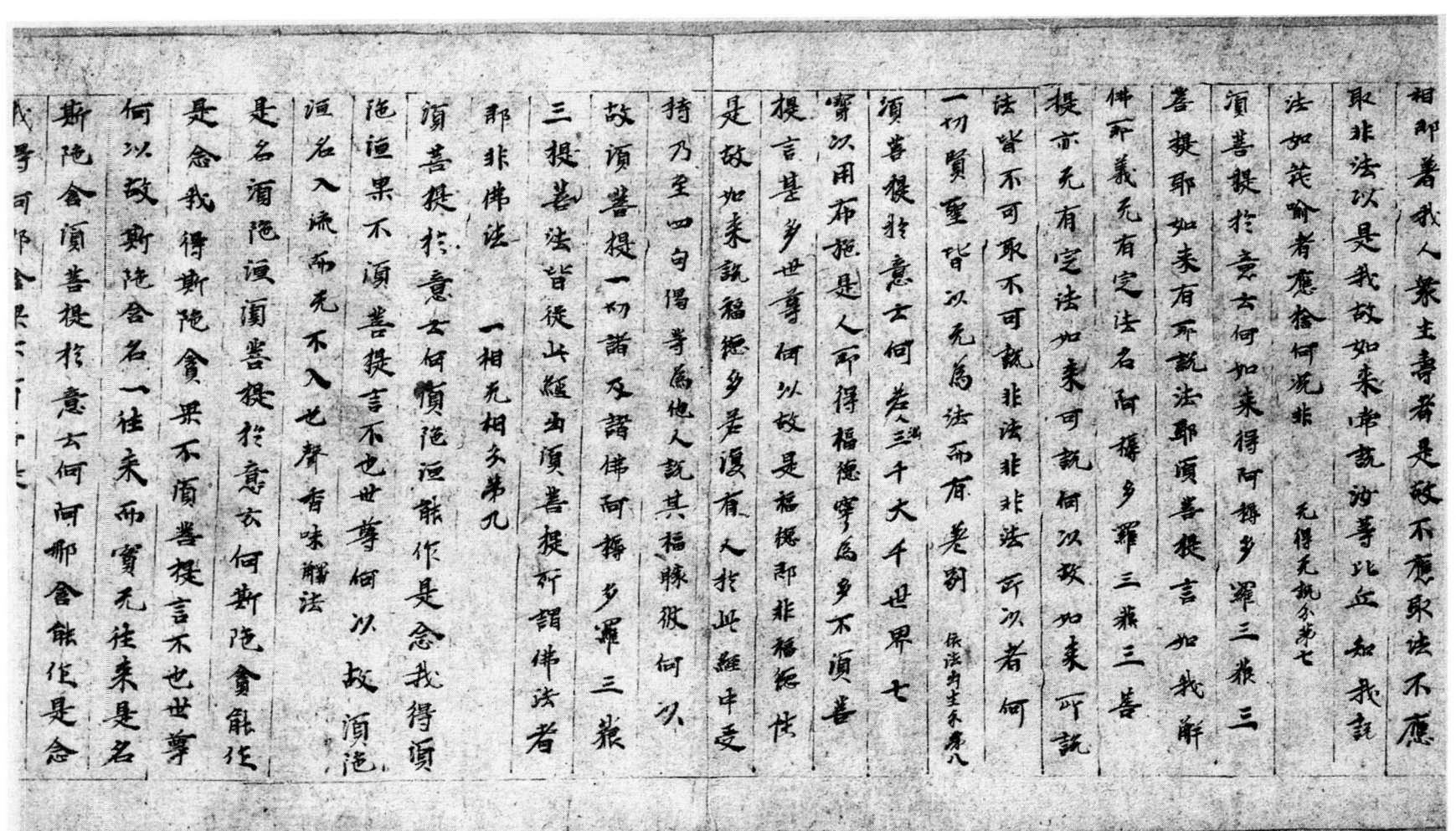

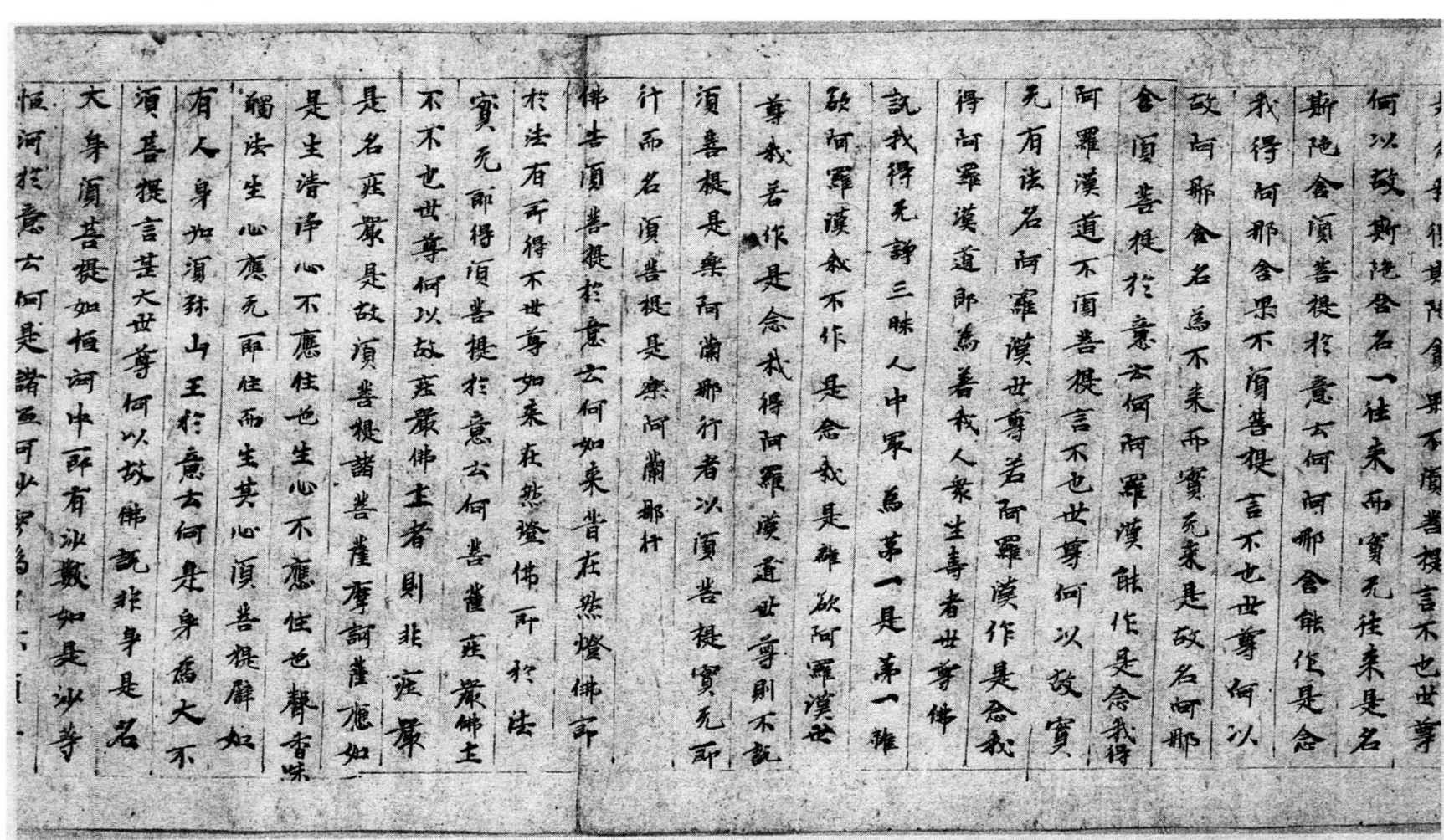

須菩提言甚大世尊何以故佛說非身是名
大身須菩提如恒河中所有沙數如是沙等
恒河於意云何是諸恒河沙寧為多不須菩
提言甚多世尊但諸恒河尚多无數何況其
沙須菩提我今實言告汝若有善男子善女
人以七寶滿尒所恒河沙數三千大千世界
以用布施得福多不須菩提言甚多世尊佛
告須菩提若善男子善女人於此經中乃至
受持四句偈等為他人說而此福德勝前福
德復次須菩提隨說是經乃至四句偈等當
知此處一切世間天人阿脩羅皆應供養如
佛塔廟何況有人盡能受持讀誦須菩提當
知是人成就最上第一希有之法若是經典
所在之處則為有佛若尊重弟子
尒時須菩提白佛言世尊當何名此經我等
云何奉持佛告須菩提是經名為金剛般若
波羅蜜以是名字汝當奉持所以者何須菩
提佛說般若波羅蜜則非般若波羅蜜須菩
提於意云何如來有所說法不須菩提白佛
言世尊如來无所說須菩提於意云何三千
大千世界所有微塵是為多不須菩提言甚
多世尊須菩提諸微塵如來說非微塵是名
微塵如來說世界非世界是名世界須菩提
於意云何可以三十二相見如來不不也世
尊不可以三十二相得見如來何以故如來
說三十二相即是非相是名三十二相須菩
提若有善男子善女人以恒河沙等身命布

BD01823 號 2　金剛般若波羅蜜經（三十二分本）　（11–6）

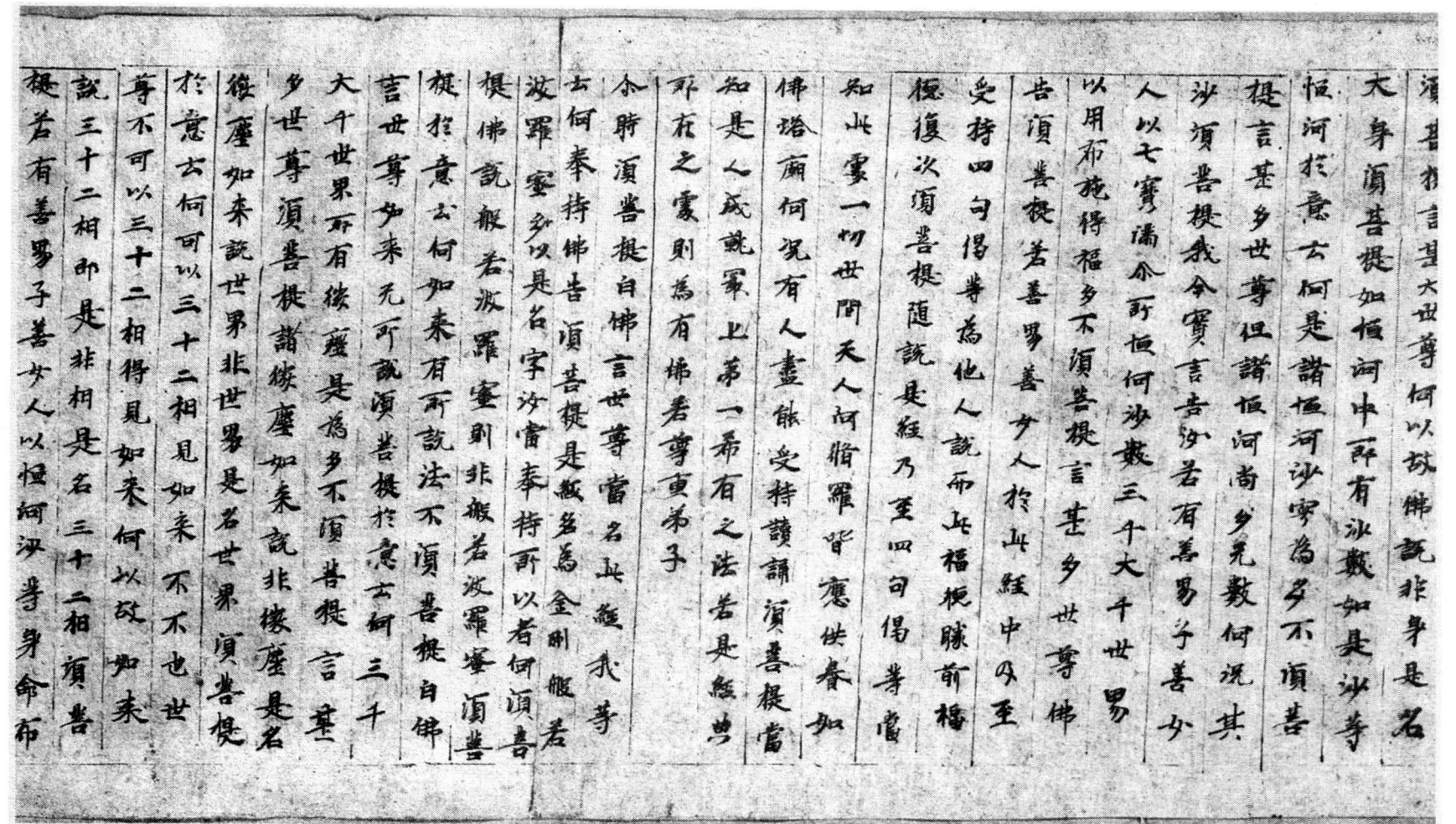

於意云何可以三十二相見如來不不也世
尊不可以三十二相得見如來何以故如來
說三十二相即是非相是名三十二相須菩
提若有善男子善女人以恒河沙等身命布
施若復有人於此經中乃至受持四句偈等
為他人說其福甚多
尒時須菩提聞說是經深解義趣涕淚悲泣
而白佛言希有世尊佛說如是甚深經典我
從昔來所得慧眼未曾得聞如是之經世尊
若復有人得聞是經信心清淨則生實相當
知是人成就第一希有功德世尊是實相者
則是非相是故如來說名實相世尊我今得
聞如是經典信解受持不足為難若當來世
後五百歲其有衆生得聞是經信解受持是
人則為第一希有何以故此人无我相人相
衆生相壽者相即是非相何以故離一切
諸相則名諸佛
佛告須菩提如是如是若復有人得聞是經
不驚不怖不畏當知是人甚為希有何以故
須菩提如來說第一波羅蜜非第一波羅蜜
是名第一波羅蜜
須菩提忍辱波羅蜜如來說非忍辱波羅蜜
何以故須菩提如我昔為歌利王割截身體
我於尒時无我相无人相无衆生相无壽者相
相何以故我於昔節節支解時若有我相
人相衆生相壽者相應生瞋恨須菩提又念
過去於五百世作忍辱仙人於尒所世无我
相无人相无衆生无壽者相是故須菩提
菩薩應離一切相發阿耨多羅三藐三菩提

BD01823 號 2　金剛般若波羅蜜經（三十二分本）　（11–7）

人相眾生相壽者相應生瞋恨須菩提又念
過去於五百世作忍辱仙人於尒所世无我
相无人相无眾生相无壽者相是故須菩提
菩薩應離一切相發阿耨多羅三藐三菩提
心不應住色生心不應住聲香味觸法生心
應生无所住心若心有住則為非住是故佛
說菩提心不應住色布施須菩提菩薩為利
益一切眾生應如是布施如來說一切諸相
即是非相又說一切眾生則非眾生須菩提
如來是真語者實語者如語者不誑語者不
異語者須菩提如來所得法此法无實无虛
須菩提若菩薩心住於法而行布施如人入
闇則无所見若菩薩心不住法而行布施如
人有目日光明照見種種色須菩提當來之
世若有善男子善女人能於此經受持讀誦
則為如來以佛智慧悉知是人悉見是人皆
得成就无量无邊功德
須菩提若有善男子善女人初日分以恒河
沙等身布施中日分復以恒河等身布施
後日分亦以恒河沙等身布施如是无量百
千萬億劫以身布施若復有人聞此經典信
心不逆其福勝彼何況書寫受持讀誦為人
解說須菩提以要言之是經有不可思議不
可稱量无邊功德如來為發大乘者說為發
最上乘者說若有人能受持讀誦廣為人說
如來悉知是人悉見是人皆得成就不可量
不可稱无有邊不可思議功德如是人等則
為荷擔如來阿耨多羅三藐三菩提何以故
須菩提若樂小法者著我見人見眾生見壽

BD01823號 2　金剛般若波羅蜜經（三十二分本）　（11–8）

最上乘者說若有人能受持讀誦廣為人說
如來悉知是人悉見是人皆得成就不可量
不可稱无有邊不可思議功德如是人等則
為荷擔如來阿耨多羅三藐三菩提何以故
須菩提若樂小法者著我見人見眾生見壽
者見則於此經不能聽受讀誦為人解說須
菩提在在處處若有此經一切世間天人阿
修羅所應供養當知此處則為是塔皆應恭
敬作禮圍繞以諸華香而散其處
復次須菩提善男子善女人受持讀誦此經
若為輕賤是人先世罪業則為消滅當得阿耨
多羅三藐三菩提須菩提我念過去无量阿
僧祇劫於然燈佛前得值八百四千萬億那
由他諸佛悉皆供養承事无空過者若復有
人於後末世能受持讀誦此經所得功德於
我所供養諸佛功德百分不及一千萬億分
乃至算數譬喻所不能及須菩提若善男子
善女人於末後世有受持讀誦此經所得功
德我若具說者或有人聞心則狂亂狐疑不
信須菩提當知是經義不可思議果報亦不
可思議
尒時須菩提白佛言世尊善男子善女人發
阿耨多羅三藐三菩提心云何應住云何降
伏其心佛告須菩提善男子善女人發阿耨
多羅三藐三菩提者當生如是心我應滅度
一切眾生滅度一切眾生已而无有一眾生
實滅度者何以故若菩薩有我相人相眾生
相壽者相則非菩薩所以者何須菩提實无
有法發阿耨多羅三藐三菩提者須菩提於

BD01823號 2　金剛般若波羅蜜經（三十二分本）　（11–9）

伏其心佛告[illegible]
多羅三藐三菩提者當生如是心我應滅度
一切衆生滅度一切衆生已而无有一切衆生
實滅度者何以故若菩薩有我相人相衆生
相壽者相則非菩薩所以者何須菩提實无
有法發阿耨多羅三藐三菩提者須菩提於
意云何如來於然燈佛所有法得阿耨多羅
三藐三菩提不不也世尊如我解佛所說義
佛於然燈佛所无有法得阿耨多羅三藐三
菩提佛言如是如是須菩提實无有法如來
得阿耨多羅三藐三菩提須菩提若有法如
來得阿耨多羅三藐三菩提者然燈佛則不
與我受記汝於來世當得作佛號釋迦牟尼
以實无有法得阿耨多羅三藐三菩提是故
然燈佛與我受記作是言汝於來世當得作
佛號釋迦牟尼何以故如來者即諸法如義
若有人言如來得阿耨多羅三藐三菩提須
菩提實无有法佛得阿耨多羅三藐三菩提於
是中无實无虛是故如來說一切法皆是佛
法須菩提所言一切法者即非一切法是故
名一切法須菩提譬如人身長大須菩提言
世尊如來說人身長大則為非大身是名大
身須菩提菩薩亦如是若作是言我當滅度
无量衆生則不名菩薩何以故須菩提實无
有法名為菩薩是故佛說一切法无我无人
无衆生无壽者須菩提若菩薩作是言我當
莊嚴佛土是不名菩薩何以故如來說莊嚴
佛土者即非莊嚴是名莊嚴須菩提若菩薩
通達无我法者如來說名真是菩薩

BD01823 號 2　金剛般若波羅蜜經（三十二分本）

（11–10）

无量衆生則不名[illegible]
有法名為菩薩是故佛說一切法无我无人
无衆生无壽者須菩提若菩薩作是言我當
莊嚴佛土是不名菩薩何以故如來說莊嚴
佛土者即非莊嚴是名莊嚴須菩提若菩薩
通達无我法者如來說名真是菩薩
須菩提於意云何如來有肉眼不如是世尊
如來有肉眼須菩提於意云何如來有天眼

BD01823 號 2　金剛般若波羅蜜經（三十二分本）

（11–11）

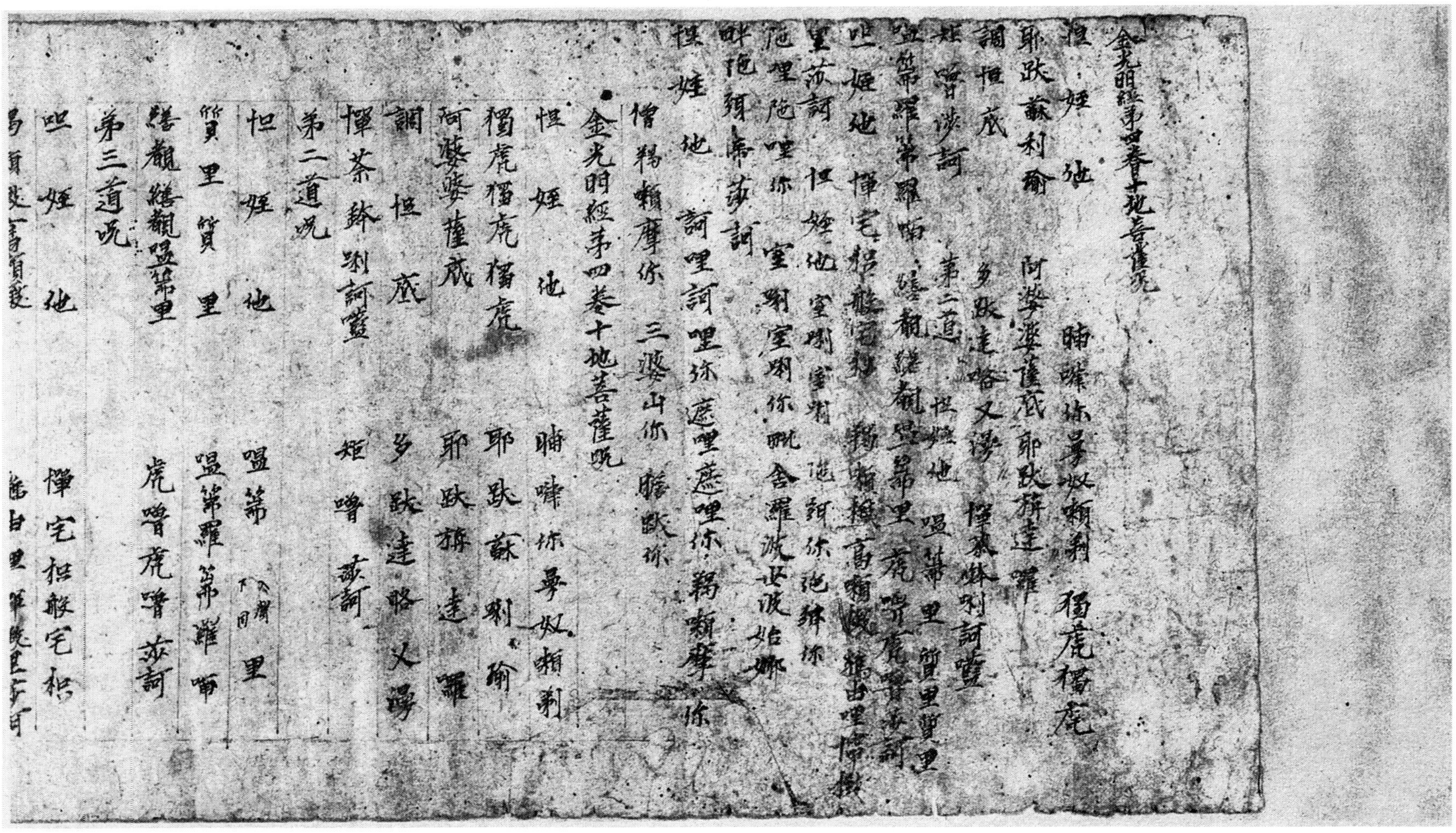

BD01823 號背　金光明最勝王經陀羅尼鈔（擬）　（6–1）

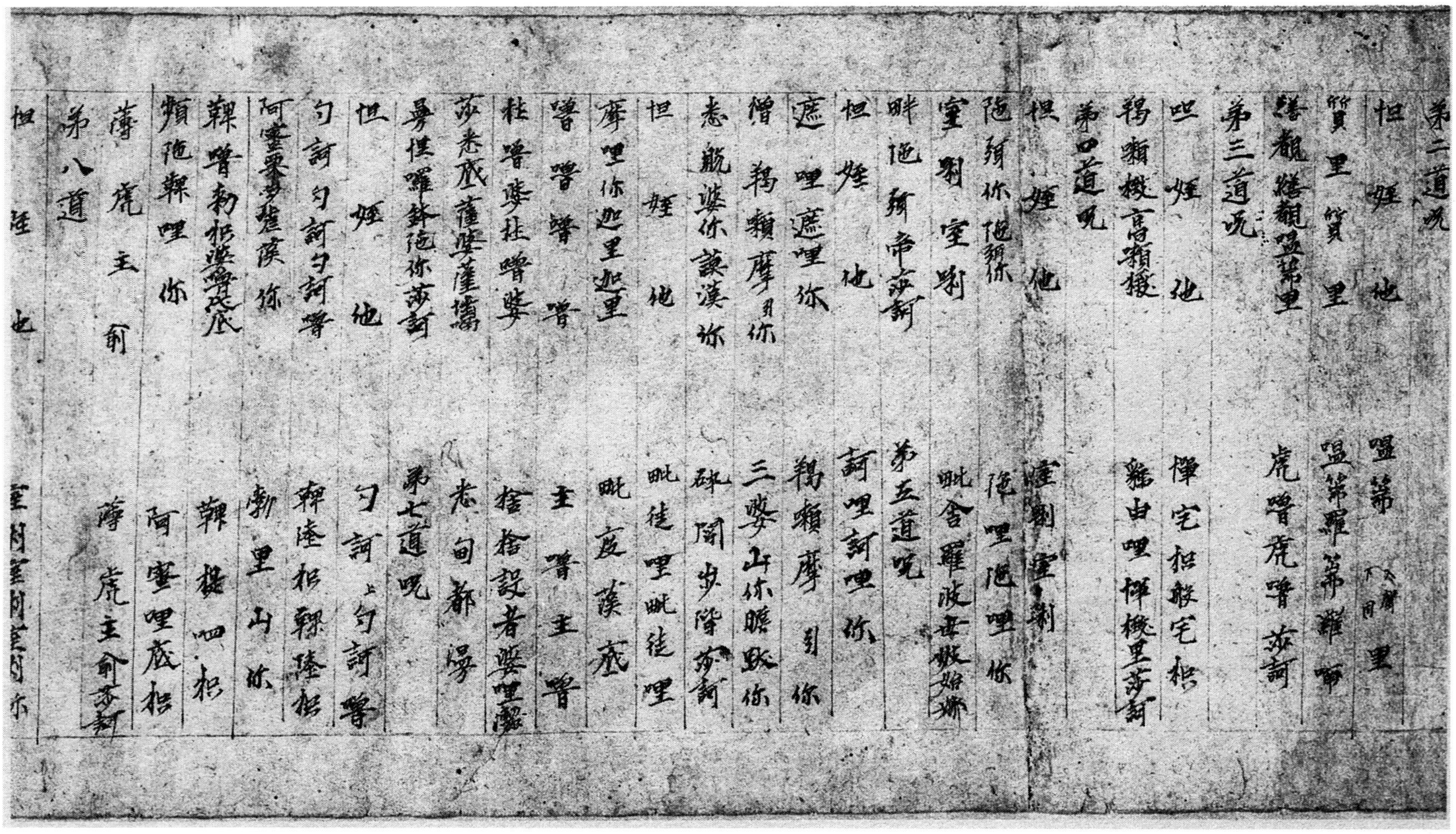

BD01823 號背　金光明最勝王經陀羅尼鈔（擬）　（6–2）

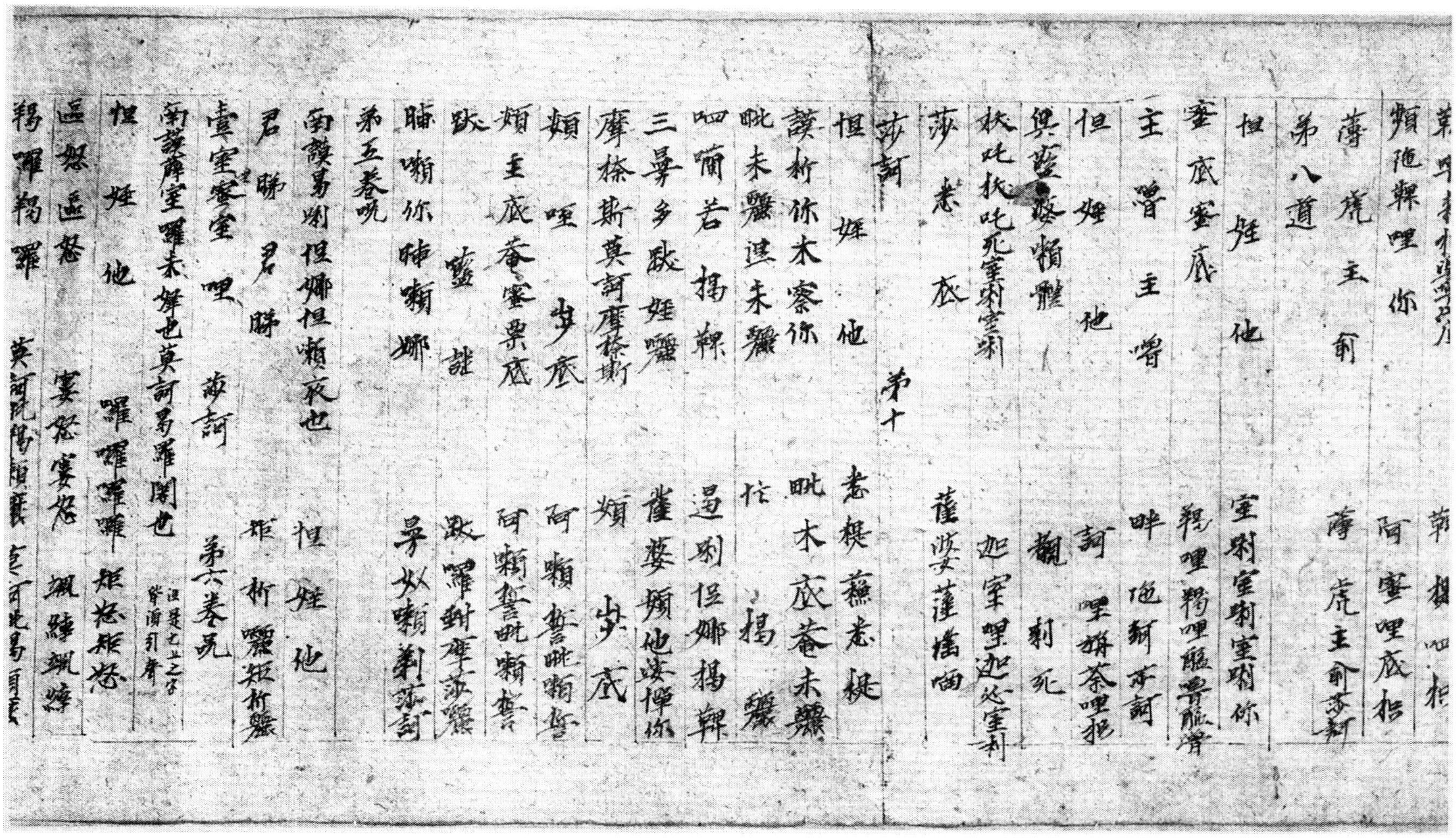

頞陁鞞哩你　阿蜜哩底柁
薄虎主俞　薄虎主俞莎訶
弟八道
怛姪他　室唎室唎你
蜜底蜜底　羯哩羯哩醯哩醯哩
主嚕主嚕　畔陁畔陁莎訶
怛姪他　訶哩旃荼哩枳
俱藍婆悉雞　覩刹死
杖叱杖叱死室唎室唎　迦室哩迦必室利
莎悉底　薩婆薩埵喃
莎訶　第十
怛姪他　悉提蘇悉提
謨折你木察你　毗木底奄末攞
毗末攞涅末攞　忙揭攞
呬爛若揭鞞　曷喇怛娜揭鞞
三曼多跋姪囇　薩婆頞他娑憚你
摩捺斯莫訶摩捺斯　頞步底
頞喱步底　阿喇誓毗喇誓
頞主底奄蜜栗底　阿喇誓毗喇誓
跋藍謎　跋羅弭摩莎攞
晡喇你晡喇娜　曼奴喇剃莎訶
弟五卷呪
南謨曷喇怛娜怛喇夜也　怛姪他
君睹君睹　矩折囇矩折囇
壹室蜜室哩　莎訶　弟六卷呪
南謨薛室囉末拏也莫訶曷囉闍也　但是乞丑之字皆兩引聲
怛姪他　囉囉囉　矩怒矩怒
區怒區怒　窶怒窶怒　颯縛颯縛
羯囉羯羅　莫訶毗羯喇麼　莫訶毗羯囉麼

BD01823 號背　金光明最勝王經陀羅尼鈔（擬）　（6–3）

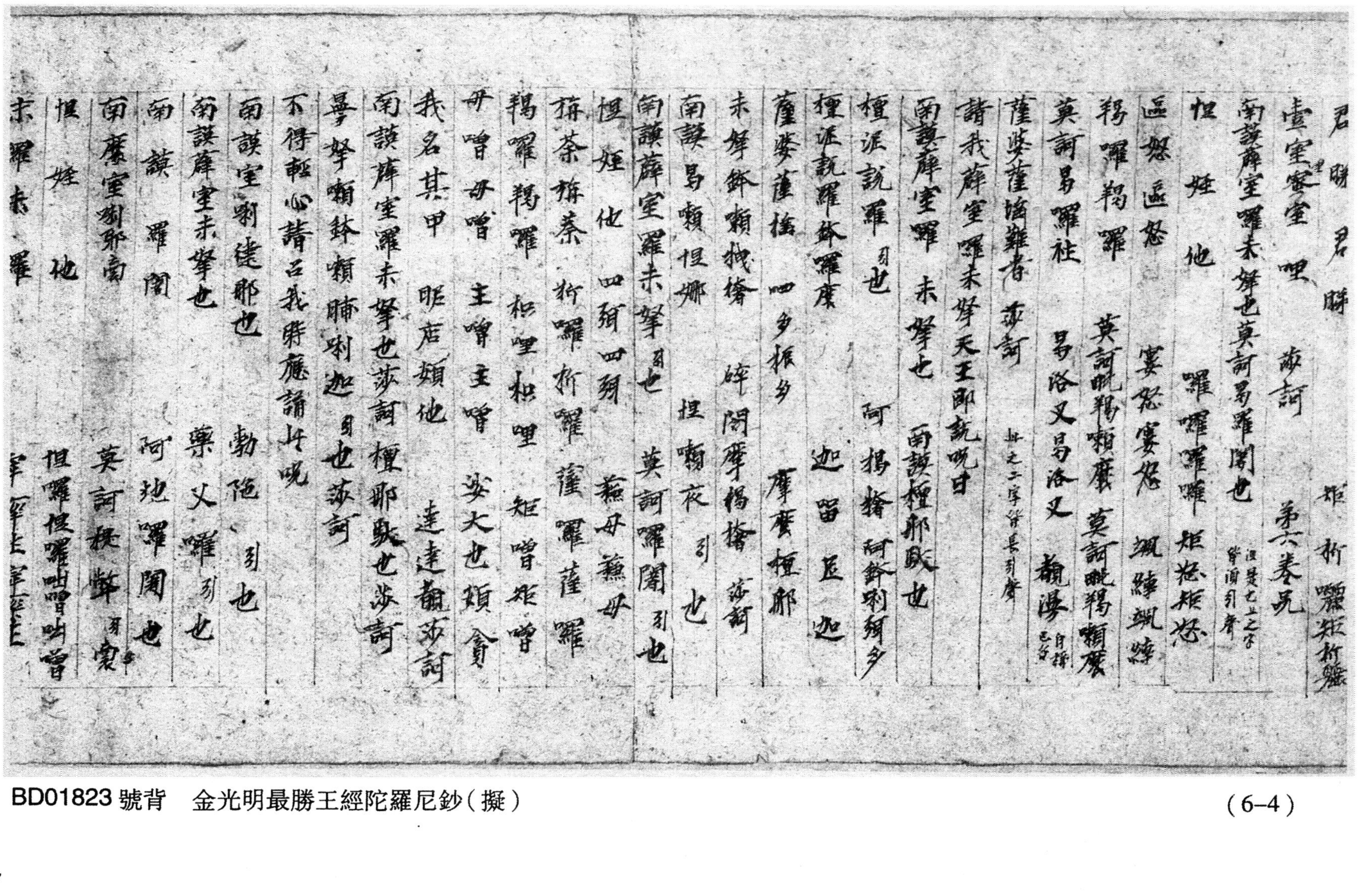

君睹君睹　矩折囇矩折囇
壹室蜜室哩　莎訶　弟六卷呪
南謨薛室囉末拏也莫訶曷囉闍也　但是乞丑之字皆兩引聲
怛姪他　囉囉囉　矩怒矩怒
區怒區怒　窶怒窶怒　颯縛颯縛
羯囉羯羅　莫訶毗羯喇麼　莫訶毗羯喇麼
莫訶曷囉社　曷洛叉曷洛叉　覩漫　自稱名字
薩婆薩埵難者　莎訶
請我薛室囉末拏天王所說呪曰　但是二字皆長引聲
南謨薛室囉末拏也　南謨檀那馱也
檀泥說囉也　阿揭撘　阿鉢唎弭多
檀泥說羅鉢囉麼　迦留尼迦也
薩婆薩埵　呬多振多　摩賓檀那
末拏鉢喇拽撘　莎訶
南謨曷喇怛娜　怛喇夜也　莫訶羅闍也　引也
南謨薛室羅末拏也　莫訶囉闍也
怛姪他　四弭四弭　蘇母蘇母
旃荼旃荼　折囇折囇　薩囉薩羅
羯囉羯羅　杞哩杞哩　矩嚕矩嚕
母嚕母嚕　主嚕主嚕　娑大也頞貪
我名某甲　昵店頞他　達達覩莎訶
南謨薛室羅末拏也莎訶　檀那馱也莎訶
曼奴喇他鉢喇脯喇迦也　引也莎訶
下得輒心請召我時應誦此呪
南謨室唎徒那也　勒陁　引也
南謨薛室末拏也　藥叉囉　引也
南謨羅闍　阿地囉闍也
南摩室唎耶南　莫訶提鞞　引也
怛姪他　怛囉怛囉咄嚕咄嚕

BD01823 號背　金光明最勝王經陀羅尼鈔（擬）　（6–4）

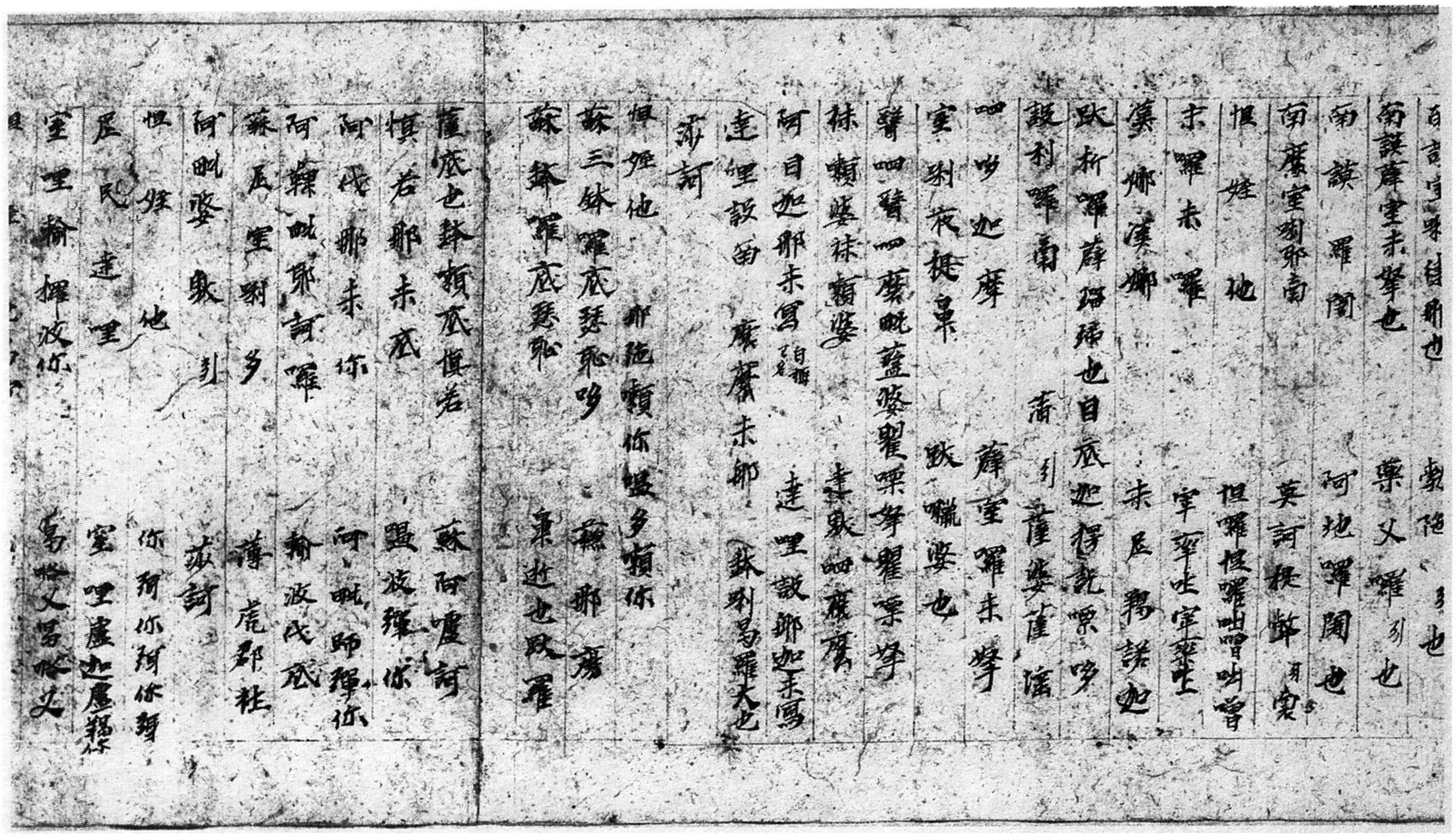

BD01823 號背　金光明最勝王經陀羅尼鈔（擬）　（6–5）

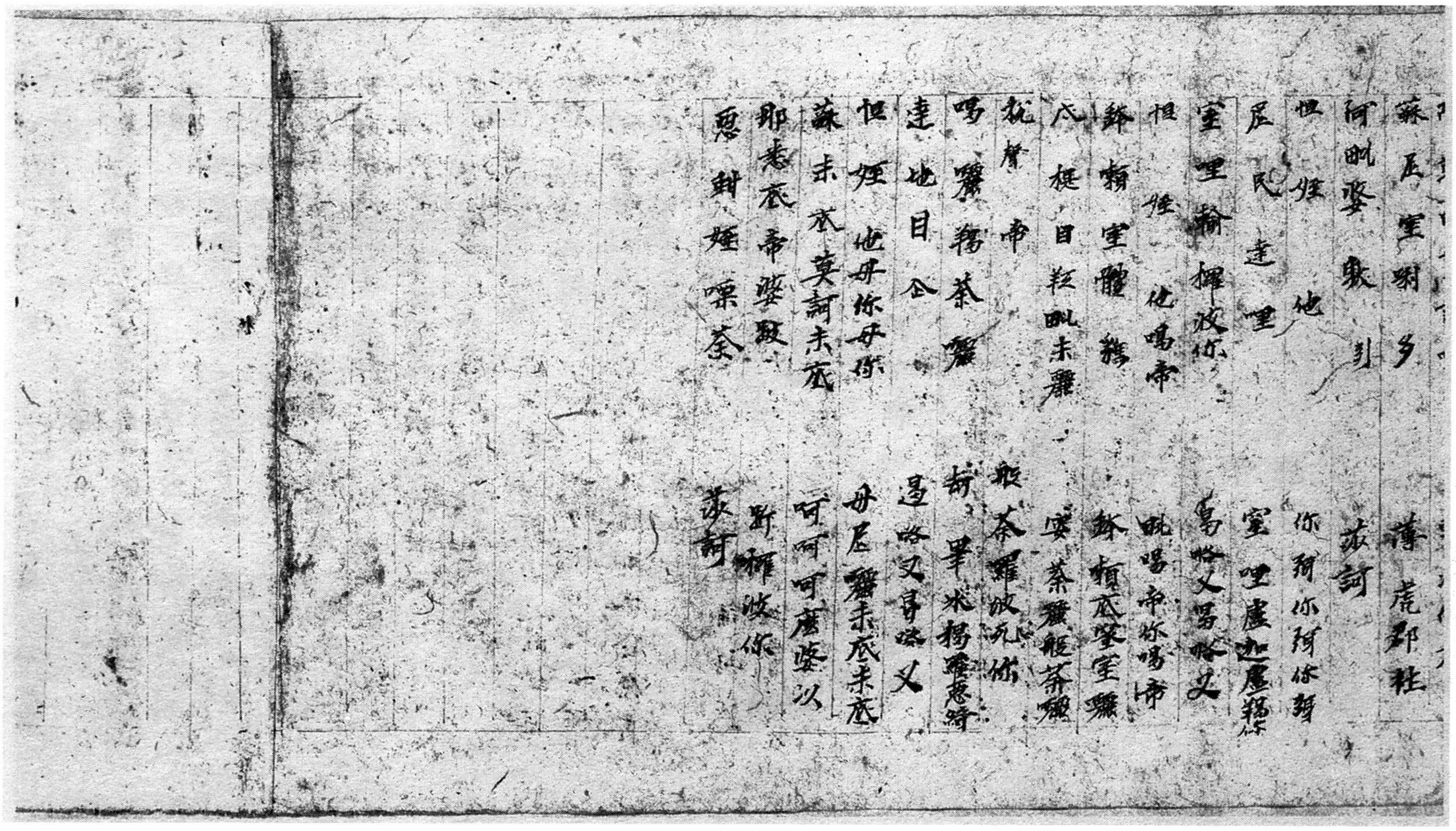

BD01823 號背　金光明最勝王經陀羅尼鈔（擬）　（6–6）

如是次第有二万億佛皆同一
王如来既已滅度正法滅後於像法中增上
慢比丘有大勢力尒時有一菩薩比丘名常
不輕得大勢以何因緣名常不輕是比丘凡
有所見若比丘比丘尼優婆塞優婆夷皆悉
礼拜讃嘆而作是言我深敬汝等不敢輕慢
所以者何汝等皆行菩薩道當得作佛而是
比丘不專讀誦經典但行礼拜乃至遠見四
衆亦復故往礼拜讃嘆而作是言我不敢慢
於汝等汝等皆當作佛故四衆之中有生瞋
恚心不淨者惡口罵詈言是无智比丘從何
所来自言我不輕汝而與我等受記當得作
佛我等不用如是虛妄受記如此經歷多年
常被罵詈不生瞋恚常作是言汝當作佛說
是語時衆人或以杖木瓦石而打擲之避走
遠住猶高聲唱言我不敢輕慢汝等汝等皆
當作佛以其常作是語故增上慢比丘比丘
尼優婆塞優婆夷号之為常不輕是比丘臨
欲終時於虛空中具聞威音王佛先所說法
華經廿千万億偈志能受持即得如上眼根
清淨耳鼻舌身意根清淨得是六根清淨已
更增壽命二百万億那由他歲廣為人說是
法華經於時增上慢四衆比丘比丘尼優婆

BD01824號　妙法蓮華經（八卷本）卷七　（21–1）

欲終時於虛空中具聞威音王佛先所說法
華經廿千万億偈志能受持即得如上眼根
清淨耳鼻舌身意根清淨得是六根清淨已
更增壽命二百万億那由他歲廣為人說是
法華經於時增上慢四衆比丘比丘尼優婆
塞優婆夷輕賤是人為作不輕名者見其得
大神通力樂說辯力大善寂力聞其所說
皆信伏隨從是菩薩復化千万億衆住阿耨
多羅三藐三菩提命終之後得值二千億
佛皆号日月燈明於其法中說是法華經以
是因緣復值二千億佛同号雲自在燈王於
此諸佛法中受持讀誦為諸四衆說此經典
故得是常眼清淨耳鼻舌身意諸根清淨於
四衆中說法心无所畏得大勢是常不輕菩
薩摩訶薩供養如是若干諸佛恭敬尊重讃
嘆種諸善根於後復值千万億佛亦於諸佛
法中說是經典功德成就當得作佛得大勢
於意云何尒時常不輕菩薩豈異人乎則我
身是若我於宿世不受持讀誦此經為他人
說者不能疾得阿耨多羅三藐三菩提我於
先佛所受持讀誦此經為人說故疾得阿耨
多羅三藐三菩提得大勢彼時四衆比丘比丘
尼優婆塞優婆夷以瞋恚意輕賤我故二
百億劫常不值佛不聞法不見僧千劫於阿
鼻地獄受大苦惱畢是罪已復遇常不輕菩
薩教化阿耨多羅三藐三菩提得大勢於汝
意云何尒時四衆常輕是菩薩者豈異人乎

BD01824號　妙法蓮華經（八卷本）卷七　（21–2）

尼優婆塞優婆夷以瞋恚意輕賤我故二
百億劫常不值佛不聞法不見僧千劫於阿
鼻地獄受大苦惱畢是罪已復遇常不輕菩
薩教化阿耨多羅三藐三菩提得大勢於汝
意云何尒時四衆常輕是菩薩者豈異人乎
今此會中䟦陀婆羅等五百菩薩師子月等
五百比丘尼思佛等五百優婆塞皆於阿耨
多羅三藐三菩提不退轉者是得大勢當知
是法華經大饒益諸菩薩摩訶薩能令至於
阿耨多羅三藐三菩提是故諸菩薩摩訶薩
於如來滅後常應受持讀誦解說書寫是經
尒時世尊欲重宣此義而說偈言
過去有佛 号威音王 神智无量 將導一切
天人龍神 所共供養
是佛滅後 法欲盡時 有一菩薩 名常不輕
時諸四衆 計着於法 不輕菩薩 往至其所
而語之言 我不輕汝 汝等行道 皆當作佛
諸人聞已 輕毀罵詈 不輕菩薩 能忍受之
其罪畢已 臨命終時 得聞此經 六根清淨
神通力故 增益壽命 復為諸人 廣說是經
諸着法衆 皆蒙菩薩 教化成就 令住佛道
不輕命終 值无數佛 說是經故 得无量福
漸具功德 疾成佛道 彼時不輕 則我身是
時四部衆 著法之者 聞不輕言 汝當作佛
以是因緣 值无數佛 此會菩薩 五百之衆
并及四部 清信士女 今於我前 聽法者是
我於前世 勸是諸人 聽受斯經 第一之法

BD01824號　妙法蓮華經（八卷本）卷七　（21–3）

時四部衆 著法之者 聞不輕言 汝當作佛
以是因緣 值无數佛 此會菩薩 五百之衆
并及四部 清信士女 今於我前 聽法者是
我於前世 勸是諸人 聽受斯經 第一之法
開示教人 令住涅槃 世世受持 如是經典
億億万劫 至不可議 時乃得聞 是法華經
億億万劫 至不可議 諸佛世尊 時說是經
是故行者 於佛滅後 聞如是經 勿生疑惑
應當一心 廣說此經 世世值佛 疾成佛道
妙法蓮華經如來神力品第廿一
尒時千世界微塵等菩薩摩訶薩從地踊出
者皆於佛前一心合掌瞻仰尊顏而白佛言
世尊我等於佛滅後世尊分身所在國土滅
度之處當廣說此經所以者何我等亦自欲
得是真淨大法受持讀誦解說書寫而供養
之尒時世尊於文殊師利等无量百千万億
舊住娑婆世界菩薩摩訶薩及諸比丘比丘尼
優婆塞優婆夷天龍夜叉乾闥婆阿脩羅
迦樓羅緊那羅摩睺羅伽人非人等一切衆
前現大神力出廣長舌上至梵世一切毛孔
放於无量无數色光皆悉遍照十方世界衆
寶樹下師子坐上諸佛亦復如是出廣長舌
放无量光釋迦牟尼佛及寶樹下諸佛現神
力時滿百千歲然後還攝舌相一時謦欬俱
共彈指是二音聲遍至十方諸佛世界地皆
六種震動其中衆生天龍夜叉乾闥婆阿脩
羅迦樓羅緊那羅摩睺羅伽人非人等以佛
神力故皆見此娑婆世界无量无邊百千万

BD01824號　妙法蓮華經（八卷本）卷七　（21–4）

力時滿百千歲然後還攝舌相一時謦欬俱
共彈指是二音聲遍至十方諸佛世界地皆
六種震動其中衆生天龍夜叉乾闥婆阿脩
羅迦樓羅緊那羅摩睺羅伽人非人等以佛
神力故皆見此娑婆世界无量无邊百千万
億衆寶樹下師子坐上諸佛及見釋迦牟尼
佛共多寶如来在寶塔中坐師子坐又見无
量无邊百千万億菩薩摩訶薩及諸四衆恭
敬圍遶釋迦牟尼佛既見是已皆大歡喜得
未曾有即時諸天於虛空中唱言過此无量
无邊百千万億阿僧祇世界有國名娑婆是
中有佛名釋迦牟尼今為諸菩薩摩訶薩說
大乘經名妙法蓮華教菩薩法佛所護念汝
等當深心隨喜亦當礼拜供養釋迦牟尼佛
彼諸衆生聞虛空中聲已合掌向娑婆世界
作如是言南无釋迦牟尼佛南无釋迦牟尼
佛以種種華香瓔珞幡蓋及諸嚴身之具珎
寶妙物皆共遙散娑婆世界所散諸物從十
方来譬如雲集變成寶帳遍覆此間諸佛之
上于時十方世界通達无㝵如一佛土尒
時佛告上行等菩薩大衆諸佛神力如是无
量无邊不可思議若我以是神力於无量
无邊百千万億阿僧祇劫為囑累故說此經
功德猶不能盡以要言之如来一切所有之
法如来一切自在神力如来一切祕要之藏
如来一切甚深之事皆於此經宣示顯說是
故汝等於如来滅後應一心受持讀誦解說
書寫如說脩行所在國土若有受持讀誦解

无邊百千万億阿僧祇劫為囑累故說此經
功德猶不能盡以要言之如来一切所有之
法如来一切自在神力如来一切祕要之藏
如来一切甚深之事皆於此經宣示顯說是
故汝等於如来滅後應一心受持讀誦解說
書寫如說脩行所在國土若有受持讀誦解
說書寫如說脩行若經卷所住之處若於園
中若於林中若於樹下若於僧坊若白衣舍
若在殿堂若山谷曠野是中皆應起塔供養
所以者何當知是處即是道場諸佛於此得阿
耨多羅三藐三菩提諸佛於此轉于法輪諸
佛於此而般涅槃尒時世尊欲重宣此義
而說偈言
諸佛救世者　住於大神通　為悅衆生故　現无量神力
舌相至梵天　身放无數光　為求佛道者　現此希有事
諸佛謦欬聲　及彈指之聲　周聞十方國　地皆六種動
以佛滅度後　能持是經故　諸佛皆歡喜　現无量神力
囑累是經故　讚美受持者　於无量劫中　猶故不能盡
是人之功德　无量无有窮　如十方虛空　不可得邊際
能持是經者　則為已見我　亦見多寶佛　及諸分身者
又見我今日　教化諸菩薩
能持是經者　令我及分身　滅度多寶佛　一切皆歡喜
十方現在佛　并過去未来　亦見亦供養　亦令得歡喜
諸佛坐道場　所得秘要法　能持是經者　不久亦當得
能持是經者　於諸法之義　名字及言辭　樂說无窮盡
如風於空中　一切无障㝵
於如来滅後　知佛所說經　因緣及次第　隨義如實說
如日月光明　能除諸幽冥　斯人行世間　能滅衆生闇

諸佛坐道場　所得秘要法　能持是經者　不久亦當得
能持是經者　於諸法之義　名字及言辞　樂說无窮盡
如風於空中　一切无鄣㝵
於如來滅後　知佛所說經　因緣及次第　隨義如實說
如日月光明　能除諸幽冥　斯人行世間　能滅眾生闇
教无量菩薩　畢竟住一乘
是故有智者　聞此功德利　於我滅度後　應受持斯經
是人於佛道　决定无有疑

妙法蓮華經囑累品第廿二

尒時釋迦牟尼佛從法座起現大神力以右
手摩无量菩薩摩訶薩頂而作是言我於无
量百千万億阿僧祇劫脩集是難得阿耨多
羅三藐三菩提法今以付囑汝等汝等應當
一心流布此法廣令增益如是三摩諸菩薩
摩訶薩頂而作是言我於无量百千万億阿
僧祇劫脩集是難得阿耨多羅三藐三菩提
法今以付屬汝等汝等當受持讀誦廣宣此
法令一切眾生普得聞知所以者何如來有
大慈悲无諸慳悋亦无所畏能與眾生佛之
智慧如來智慧自然智慧如來是一切眾生
之大施主汝等亦應隨學如來之法勿生慳
悋於未來世若有善男子善女人信如來智
慧者當為演說此法華經使得聞知為令其
人得佛慧故若有眾生不信受者當於如來
餘深法中示教利喜汝等若能如是則為已
報諸佛之恩時諸菩薩摩訶薩聞佛作是說
已皆大歡喜遍滿其身益加恭敬曲躬低頭

BD01824號　妙法蓮華經（八卷本）卷七　（21–7）

慧者當為演說此法華經使得聞知為令其
人得佛慧故若有眾生不信受者當於如來
餘深法中示教利喜汝等若能如是則為已
報諸佛之恩時諸菩薩摩訶薩聞佛作是說
已皆大歡喜遍滿其身益加恭敬曲躬低頭
合掌向佛俱發聲言如世尊勑當具奉行唯
然世尊願不有慮諸菩薩摩訶薩眾如是三
反俱發聲言如世尊勑當具奉行唯然世尊
願不有慮尒時釋迦牟尼佛令十方來諸分
身佛各還本土而作是言諸佛各隨所安多
寶佛塔還可如故說是語時十方无量分身
諸佛坐寶樹下師子座上者及多寶佛并上
行等无邊阿僧祇菩薩大眾舍利弗等聲聞
四眾及一切世間天人阿脩羅等聞佛所說
皆大歡喜

妙法蓮華經藥王菩薩本事品第廿三

尒時宿王華菩薩白佛言世尊藥王菩薩云
何遊於娑婆世界世尊是藥王菩薩有若干
百千万億那由他難行苦行善哉世尊願少
解說諸天龍神夜叉乾闥婆阿脩羅迦樓羅
緊那羅摩睺羅伽人非人等又他國土諸來
菩薩及此聲聞眾聞皆歡喜尒時佛告宿王
華菩薩乃往過去无量恒河沙劫有佛号日
月淨明德如來應供正遍知明行足善逝世
間解无上士調御丈夫天人師佛世尊其佛
有八十億大菩薩摩訶薩七十二恒河沙大
聲聞眾佛壽四万二千劫菩薩壽命亦等彼

BD01824號　妙法蓮華經（八卷本）卷七　（21–8）

月淨明德如來應供正遍知明行足善逝世
間解无上士調御丈夫天人師佛世尊其佛
有八十億大菩薩摩訶薩七十二恒河沙大
聲聞眾佛壽四万二千劫菩薩壽命亦等彼
國无有女人地獄餓鬼畜生阿脩羅等及以
諸難地平如掌琉璃所成寶樹莊嚴寶帳覆
上垂寶華幡寶瓶香爐周遍國界七寶為臺
一樹一臺其樹去臺盡一箭道此諸寶樹皆
有菩薩聲聞而坐其下諸寶臺上各有百億
諸天作天伎樂歌嘆於佛以為供養尒時彼
佛為一切眾生喜見菩薩及眾菩薩諸聲聞
眾說法華經是一切眾生喜見菩薩樂集若
行於日月淨明德佛法中精進經行一心求
佛滿万二千歲已得現一切色身三昧得此
三昧已心大歡喜即作念言我得現一切色
身三昧皆是得聞法華經力我今當供養日
月淨明德佛及法華經即時入是三昧於虛空
中雨曼陁羅華摩訶曼陁羅華細末堅黑栴
檀滿虛空中如雨而下又雨海此圻栴檀之
香此香六銖價直娑婆世界以供養佛作是
供養已從三昧起而自念言我雖以神力供
養於佛不如以身供養即服諸香栴檀薰陸
兜樓婆畢力迦沉水膠香又飲瞻蔔諸華香
油滿千二百歲已香油塗身於日月淨明德佛
前以天寶衣而自纏身灌諸香油以神通力
願而自然身光明遍照八十億恒河沙世界
其中諸佛同時讚言善哉善哉善男子是真

BD01824號　妙法蓮華經（八卷本）卷七　（21–9）

兜樓婆畢力迦沉水膠香又飲瞻蔔諸華香
油滿千二百歲已香油塗身於日月淨明德佛
前以天寶衣而自纏身灌諸香油以神通力
願而自然身光明遍照八十億恒河沙世界
其中諸佛同時讚言善哉善哉善男子是真
精進是名真法供養如來若以華香瓔珞燒
香末香塗香天繒幡蓋及海此圻栴檀之香
如是等種種諸物供養所不能及假使國城
妻子布施亦所不及善男子是名第一之施
於諸施中最尊最上以法供養諸如來故作
是語已而各嘿然其身火燃千二百歲過是
已後其身乃盡一切眾生憙見菩薩作如是
法供養已命終之後復生日月淨明德佛國
中於淨德王家結加趺坐忽然化生即為其
父而說偈言
大王今當知　我經行彼處　即時得一切　現諸身三昧
懃行大精進　捨所愛之身
說是偈已而白父言日月淨明德佛今故現
在我先供養佛已得解一切眾生語言陁羅
尼復聞是法華經八百千万億那由他甄迦
羅頻婆羅阿閦婆等偈大王我今當還供養
此佛白已即坐七寶之臺上昇虛空高七多
羅樹往到佛所頭面礼足合十指爪以偈讚
佛
容顏甚奇妙　光明照十方　我適曾供養　今復還親覲
尒時一切眾生喜見菩薩說是偈已而白佛
言世尊世尊猶故在世尒時日月淨明德佛

BD01824號　妙法蓮華經（八卷本）卷七　（21–10）

容顏甚奇妙　光明炤十方　我適曾供養　今復還親覲
尒時一切衆生喜見菩薩說是偈已而白佛
言世尊世尊猶故在世尒時日月淨明德佛
告一切衆生喜見菩薩善男子我涅槃時到
滅盡時至汝可安施牀座我於今夜當般涅
槃又勑一切衆生憙見菩薩善男子我以佛
法囑累於汝及諸菩薩大弟子并阿耨多羅
三藐三菩提法亦以三千大千七寶世界諸
寶樹寶臺及給侍諸天悉付於汝我滅度後
所有舍利亦付囑汝當令流布廣設供養應
起若干千塔如是日月淨明德佛勑一切衆
生喜見菩薩已於夜後分入於涅槃尒時一
切衆生喜見菩薩見佛滅度悲感懊惱戀慕
於佛即以海此岸栴檀為積供養佛身而以
燒之火盡已後收取舍利作八万四千寶瓶
以起八万四千塔高三世界表剎莊嚴垂諸
幡蓋懸衆寶鈴尒時一切衆生喜見菩薩復自
念言我雖作是供養心猶未足我今當更供
養舍利便語諸菩薩大弟子及天龍夜叉等
一切大衆汝等當一心念我今供養日月淨
明德佛舍利作是語已即於八万四千塔前
燃百福莊嚴臂七万二千歲而以供養令无
數求聲聞衆无量阿僧祇人發阿耨多羅三
藐三菩提心皆使得住現一切色身三昧尒時
諸菩薩天人阿脩羅等見其无臂憂惱悲哀
而作是言此一切衆生喜見菩薩是我等師
教化我者而今燒臂身不具足于時一切衆

數求聲聞衆无量阿僧祇人發阿耨多羅三
藐三菩提心皆使得住現一切色身三昧尒時
諸菩薩天人阿脩羅等見其无臂憂惱悲哀
而作是言此一切衆生喜見菩薩是我等師
教化我者而今燒臂身不具足于時一切衆
生喜見菩薩於大衆中立此誓言我捨兩臂
必當得佛金色之身若實不虛令我兩臂還
復如故作是誓已自然還復由斯菩薩福德
智慧淳厚所致當尒之時三千大千世界六
種震動天雨寶華一切人天得未曾有佛告
宿王華菩薩於汝意云何一切衆生喜見菩
薩豈異人乎今藥王菩薩是也其所捨身布
施如是无量百千万億那由他數宿王華若
有發心欲得阿耨多羅三藐三菩提者能燃
手指乃至足一指供養佛塔勝以國城妻子及
三千大千國土山林河池諸珍寶物而供養
者若復有人以七寶滿三千大千世界供養
於佛及大菩薩辟支佛阿羅漢是人所得功
德不如受持此法華經乃至一四句偈其福
最多宿王華譬如一切川流江河諸水之中
海為第一此法華經亦復如是於諸如來所
說經中最為深大又如土山黑山小鐵圍山
大鐵圍山及十寶山衆山之中須彌山為第
一此法華經亦復如是於諸經中最為其上
又如衆星之中月天子最為第一此法華經
亦復如是於千万億種諸經法中最為照明
又如日天子能除諸闇此經亦復如是能破一
切不善之闇又如諸小王中轉輪聖王最為

又如衆星之中月天子最為第一此法華經
亦復如是於千万億種諸經法中最為照明
又如日天子能除諸闇此經亦復如是能破一
切不善之闇又如諸小王中轉輪聖王最為
第一此經亦復如是於衆經中最為其尊又
如帝釋於三十三天中王此經亦復如是諸
經中王又如大梵天王一切衆生之父此經
亦復如是一切賢聖學无學及發菩薩心者
之父又如一切凡夫人中須陁洹斯陁含阿
那含阿羅漢辟支佛為第一此經亦復如是一
切如來所說若菩薩所說若聲聞所說諸經
法中最為第一有能受持是經典者亦復如
是於一切衆生中亦為第一一切聲聞辟支
佛中菩薩為第一此經亦復如是於一切諸
經法中最為第一如佛為諸法王此經亦復
如是諸經中王宿王華此經能救一切衆生
者此經能令一切衆生離諸苦惱此經能大
饒益一切衆生充滿其願如清凉池能滿一
切諸渴乏之者如寒者得火如裸者得衣如商
人得主如子得母如度得船如病得醫如闇
得燈如貧得寶如民得王如賈客得海如
炬除闇此法華經亦復如是能令衆生離一切
苦一切病痛能解一切生死之縛若人得聞
此法華經若自書若使人書所得功得以佛
智慧籌量多少不得其邊若書是經卷華香
瓔珞燒香末香塗香幡蓋衣服種種之燈蘇
燈油燈諸香油燈瞻蔔油燈須曼油燈波羅

BD01824號　妙法蓮華經（八卷本）卷七　（21-13）

苦一切病痛能解一切生死之縛若人得聞
此法華經若自書若使人書所得功得以佛
智慧籌量多少不得其邊若書是經卷華香
瓔珞燒香末香塗香幡蓋衣服種種之燈蘇
燈油燈諸香油燈瞻蔔油燈須曼油燈波羅
羅油燈婆利師迦油燈那婆摩利油燈供養
所得功德亦復无量宿王華若有人聞是藥
王菩薩本事品者亦得无量无邊功德若有
女人聞是藥王菩薩本事品能受持者盡是
女身後不復受若如來滅後後五百歲中若
有女人聞是經典如說修行於此命終即往
安樂世界阿弥陁佛大菩薩衆圍遶住處生
蓮華中寶坐之上不復為貪欲所惱亦復不
為瞋恚愚癡所惱亦復不為憍慢嫉妬諸垢
所惱得菩薩神通无生法忍得是忍已眼根
清淨以是清淨眼根見七百万二千億那由
他恒河沙等諸佛如來是時諸佛遥共讚言
善哉善哉善男子汝能於釋迦牟尼佛法中
受持讀誦思惟是經為他人說所得福德无
量无邊火不能燒水不能漂汝之功德千佛
共說不能令盡汝今已能破諸魔賊壞生死
軍諸餘怨敵皆悉摧滅善男子百千諸佛以
神通力共擁護汝於一切世間天人之中无
如汝者唯除如來其諸聲聞辟支佛乃至菩
薩智慧禪定无有與汝等者宿王華此菩薩
成就如是功德智慧之力若有人聞是藥王
菩薩本事品能隨喜讚善者是人現世口中

BD01824號　妙法蓮華經（八卷本）卷七　（21-14）

神通力共擁護汝於一切世間天人之中无
如汝者唯除如来其諸聲聞辟支佛乃至菩
薩智慧禪定无有與汝等者宿王華此菩薩
成就如是功德智慧之力若有人聞是藥王
菩薩本事品能隨喜讚善者是人現世口中
常出青蓮華香身毛孔中常出牛頭栴檀香
所得功德如上所說是故宿王華以此藥王
菩薩本事品囑累於汝我滅度後後五百歲
中廣宣流布於閻浮提无令斷絕惡魔魔民
諸天龍夜叉鳩槃荼等得其便也宿王華汝
當以神通之力守護是經以所者何此經則
為閻浮提人病之良藥若人有病得聞是經
病即消滅不老不死宿王華汝若見有受持
是經者應以青蓮華盛滿末香供散其上散
已作是念言此人不久必當取草坐於道場
破諸魔軍當吹大法螺擊大法鼓度脫一切
衆生老病死海是故求佛道者見有受持是
經典人應當如是生恭敬心說是藥王菩薩
本事品時八万四千菩薩得解一切衆生語言
陀羅尼多寶如来於寶塔中讚宿王華菩
薩言善哉善哉宿王華汝成就不可思議功
德乃能問釋迦牟尼佛如此之事利益无量
一切衆生
妙法蓮華經妙音菩薩品第廿四
尒時釋迦牟尼佛放大人相肉結光明及放
眉間白豪相光遍照東方百八万億那由他
恒河沙等諸佛世界過是數已有世界名淨

一切衆生
妙法蓮華經妙音菩薩品第廿四
尒時釋迦牟尼佛放大人相肉結光明及放
眉間白豪相光遍照東方百八万億那由他
恒河沙等諸佛世界過是數已有世界名淨
光莊嚴其國有佛号淨華宿王智如来應供
正遍知明行足善逝世間解无上士調御丈
夫天人師佛世尊為无量无邊菩薩大衆
恭敬圍遶而演說法釋迦牟尼佛白豪光明遍
照其國尒時一切淨光莊嚴國中有一菩薩
名曰妙音久已殖衆德本供養親近无量百
千万億諸佛而悉成就甚深智慧得妙幢相
三昧法華三昧淨德三昧宿王戲三昧无緣
三昧智印三昧解一切衆生語言三昧集一
切功德三昧清淨三昧神通遊戲三昧慧炬
三昧莊嚴王三昧淨光明三昧淨藏三昧不
共三昧日旋三昧得如是百千万億恒河沙
等諸大三昧釋迦牟尼佛光照其身即白淨
華宿王智佛言世尊我當往詣娑婆世界礼
拜親近供養釋迦牟尼佛及見文殊師利法
王子菩薩藥王菩薩勇施菩薩宿王華菩薩
上行意菩薩莊嚴王菩薩藥上菩薩尒時淨
華宿王智佛告妙音菩薩汝莫輕彼國生下
劣想善男子彼娑婆世界高下不平土石諸
山穢惡充滿佛身卑小諸菩薩衆其形亦小
而汝身四万二千由旬我身六百八十万由
旬汝身第一端政百千万福光明殊妙是故

劣想善男子彼娑婆世界高下不平土石諸
山穢悪充滿佛身卑小諸菩薩衆其形亦小
而汝身四万二千由旬我身六百八十万由
旬汝身第一端政百千万福光明殊妙是故
汝往莫輕彼國若佛菩薩及國土生下劣想
妙音菩薩白其佛言世尊我今詣娑婆世
界皆是如来之力如来神通遊戲如来功德智
慧莊嚴於是妙音菩薩不起于坐身不動搖而
入三昧以三昧力於耆闍崛山去法坐不
遠化作八万四千衆寶蓮華閻浮檀金為莖
白銀為葉金剛為鬚甄叔迦寶以為其臺尒
時文殊師利法王子見是蓮華而白佛言世
尊是何因緣先現此瑞有若干千万蓮華閻
浮檀金為莖白銀為葉金剛為鬚甄叔迦寶
以為其臺尒時釋迦牟尼佛告文殊師利是
妙音菩薩摩訶薩欲從淨華宿王智佛國與
八万四千菩薩圍遶而来至此娑婆世界供
養親近礼拜於我亦欲供養聽法華經文殊
師利白佛言世尊是菩薩種何善本脩何功
德而能有是大神通力行何三昧願為我等
說是三昧名字我等亦欲懃脩行之行此三
昧乃能見是菩薩色相大小威儀進止唯願
世尊以神通力彼菩薩来令我得見尒時釋
迦牟尼佛告文殊師利此久滅度多寶如来
當為汝等而現其相時多寶佛告彼菩薩善
男子来文殊師利法王子欲見汝身于時妙
音菩薩於彼國沒與八万四千菩薩俱共發

世尊以神通力彼菩薩来令我得見尒時釋
迦牟尼佛告文殊師利此久滅度多寶如来
當為汝等而現其相時多寶佛告彼菩薩善
男子来文殊師利法王子欲見汝身于時妙
音菩薩於彼國沒與八万四千菩薩俱共發
来所經諸國六種震動皆悉雨於七寶蓮華
百千天樂不鼓自鳴是菩薩目如廣大青蓮
華葉正使和合百千万月其面貌端政復過
於此身真金色无量百千功德莊嚴威德熾
盛光明照曜諸相具足如那羅延堅固之身
入七寶臺上昇虛空去地七多羅樹諸菩薩
衆恭敬圍遶而来詣此娑婆世界耆闍崛山
到已下七寶臺以價直百千瓔珞持至釋迦
牟尼佛所頭面礼足奉上瓔珞而白佛言世
尊淨華宿王智佛問訊世尊少病少惱起居
輕利安樂行不四大調和不世事可忍不衆
生易度不无多貪欲瞋恚愚癡嫉妬慳慢不
无不孝父母不敬沙門邪見不善心不攝五
情不世尊衆生能降伏諸魔怨不久滅度多
寶如来在七寶塔中来聽法不又問訊多寶
如来安隱少惱堪忍久住不世尊我今欲見
多寶佛唯願世尊示我令見尒時釋迦牟尼
佛語多寶佛是妙音菩薩欲得相見時多寶
佛告妙音言善哉善哉汝能為供養釋迦
牟尼佛及聽法華經并見文殊師利等故来至
此尒時華德菩薩白佛言世尊是妙音菩薩
種何善根脩何功德有是神力佛告華德菩

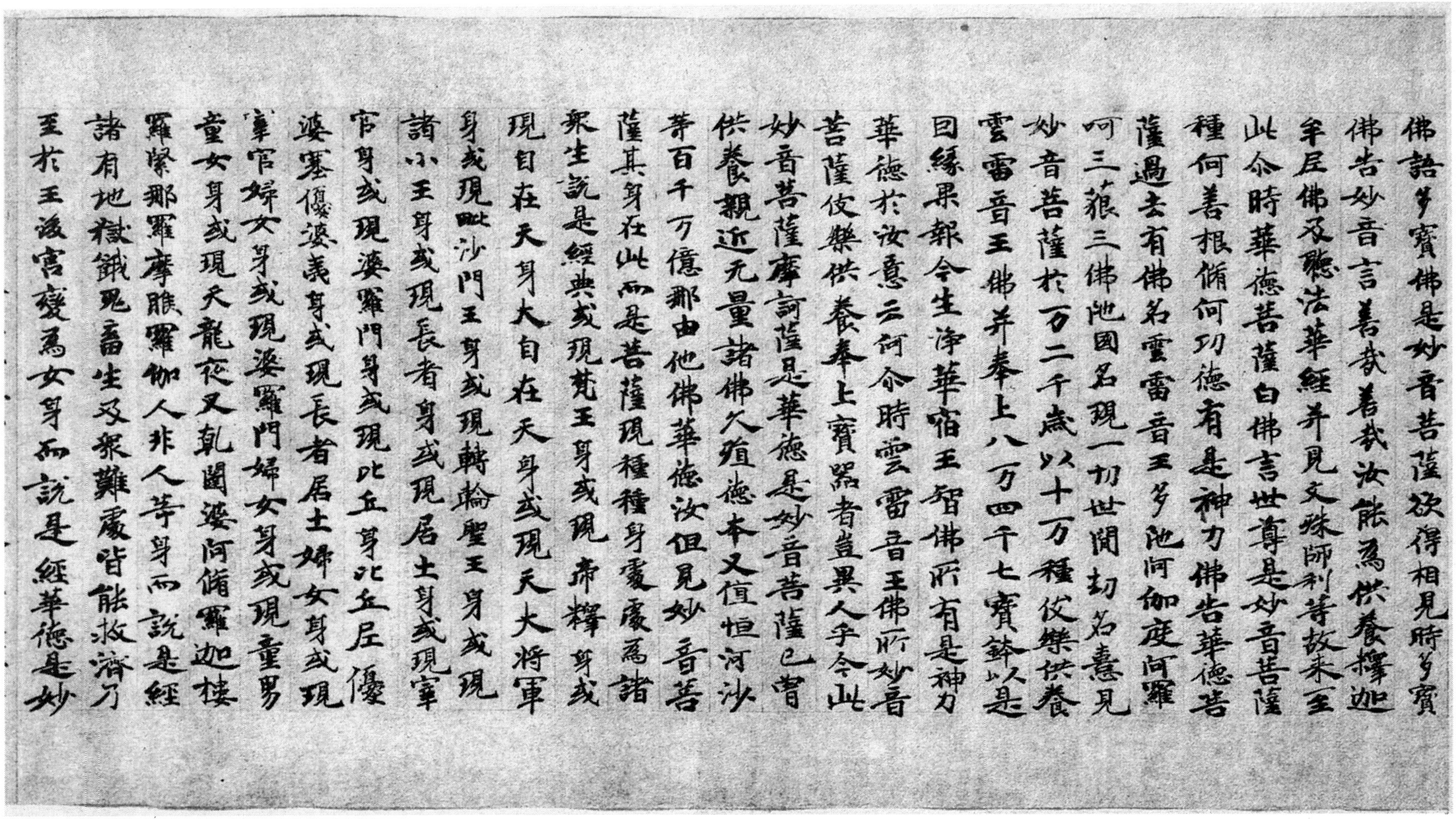
佛語多寶佛是妙音菩薩欲得相見時多寶
佛告妙音言善哉善哉汝能為供養釋迦
牟尼佛及聽法華經并見文殊師利等故來至
此尒時華德菩薩白佛言世尊是妙音菩薩
種何善根脩何功德有是神力佛告華德菩
薩過去有佛名雲雷音王多陁阿伽度阿羅
呵三藐三佛陁國名現一切世間劫名憙見
妙音菩薩於万二千歲以十万種伎樂供養
雲雷音王佛并奉上八万四千七寶鉢以是
因緣果報今生淨華宿王智佛所有是神力
華德於汝意云何尒時雲雷音王佛所妙音
菩薩伎樂供養奉上寶器者豈異人乎今此
妙音菩薩摩訶薩是華德是妙音菩薩已曾
供養親近无量諸佛久殖德本又值恒河沙
等百千万億那由他佛華德汝但見妙音菩
薩其身在此而是菩薩現種種身處處為諸
衆生說是經典或現梵王身或現帝釋身或
現自在天身或現大自在天身或現天大將軍
身或現毗沙門王身或現轉輪聖王身或現
諸小王身或現長者身或現居士身或現宰
官身或現婆羅門身或現比丘身比丘尼優
婆塞優婆夷身或現長者居士婦女身或現
宰官婦女身或現婆羅門婦女身或現童男
童女身或現天龍夜叉乾闥婆阿脩羅迦樓
羅緊那羅摩睺羅伽人非人等身而說是經
諸有地獄餓鬼畜生及衆難處皆能救濟乃
至於王後宮變為女身而說是經華德是妙

BD01824號　妙法蓮華經（八卷本）卷七　（21–19）

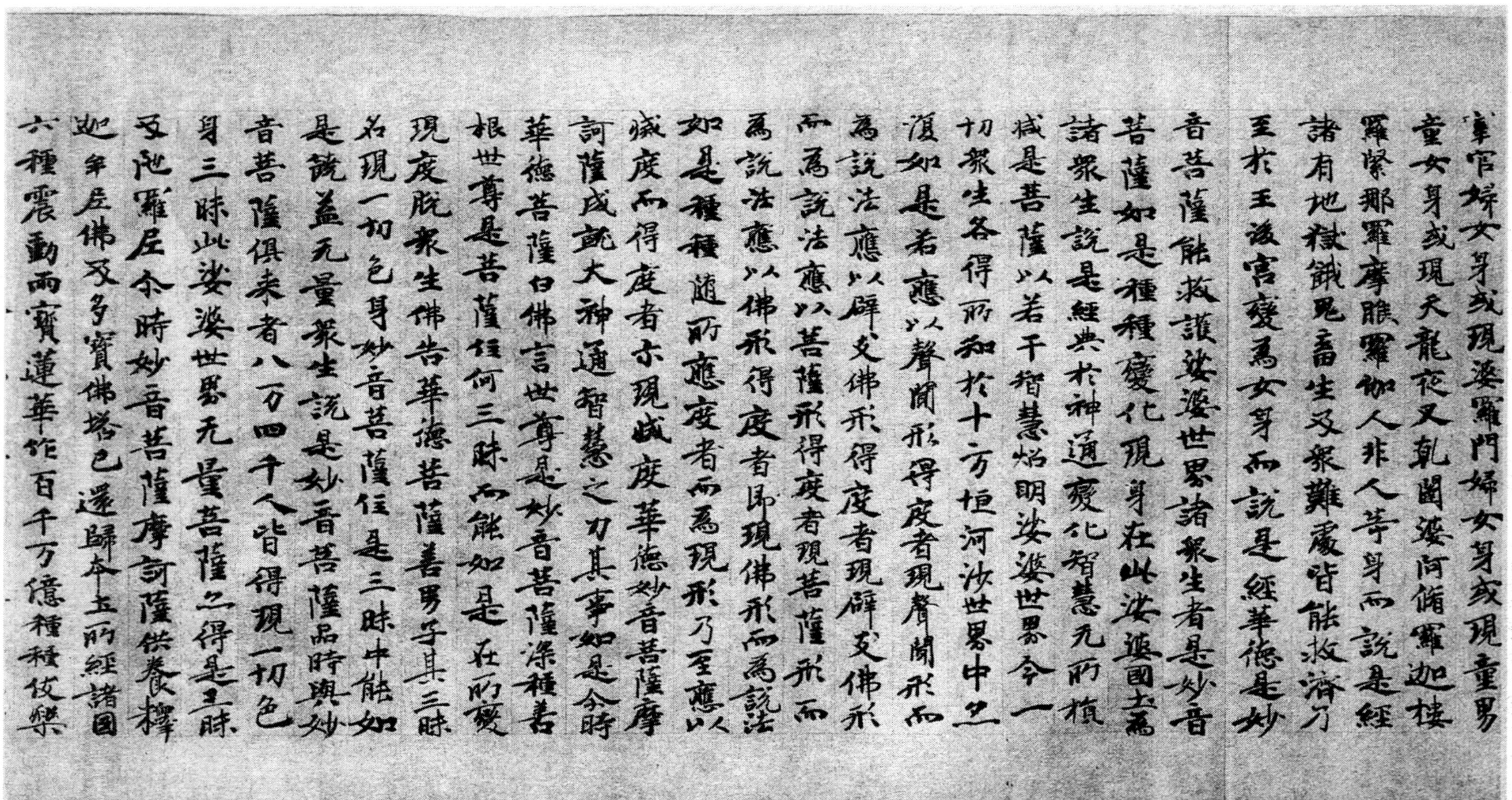
宰官婦女身或現婆羅門婦女身或現童男
童女身或現天龍夜叉乾闥婆阿脩羅迦樓
羅緊那羅摩睺羅伽人非人等身而說是經
諸有地獄餓鬼畜生及衆難處皆能救濟乃
至於王後宮變為女身而說是經華德是妙
音菩薩能救護娑婆世界諸衆生者是妙音
菩薩如是種種變化現身在此娑婆國土為
諸衆生說是經典於神通變化智慧无所損
減是菩薩以若干智慧明照娑婆世界令一
切衆生各得所知於十方恒河沙世界中亦
復如是若應以聲聞形得度者現聲聞形而
為說法應以辟支佛形得度者現辟支佛形
而為說法應以菩薩形得度者現菩薩形而
為說法應以佛形得度者即現佛形而為說法
如是種種隨所應度而為現形乃至應以
滅度而得度者示現滅度華德妙音菩薩摩
訶薩成就大神通智慧之力其事如是尒時
華德菩薩白佛言世尊是妙音菩薩深種善
根世尊是菩薩住何三昧而能如是在所變
現度脫衆生佛告華德菩薩善男子其三昧
名現一切色身妙音菩薩住是三昧中能如
是饒益无量衆生說是妙音菩薩品時與妙
音菩薩俱來者八万四千人皆得現一切色
身三昧此娑婆世界无量菩薩亦得是三昧
及陁羅尼尒時妙音菩薩摩訶薩供養釋
迦牟尼佛及多寶佛塔已還歸本土所經諸國
六種震動雨寶蓮華作百千万億種種伎樂

BD01824號　妙法蓮華經（八卷本）卷七　（21–20）

音菩薩俱來者八万四千人皆得現一切色
身三昧此娑婆世界无量菩薩亦得是三昧
及陀羅尼尒時妙音菩薩摩訶薩供養釋
迦牟尼佛及多寶佛塔已還歸本土所經諸國
六種震動雨寶蓮華作百千万億種種伎樂
既到本國與八万四千菩薩圍遶至淨華宿
王智佛所白佛言世尊我到娑婆世界饒益
衆生見釋迦牟尼佛及見多寶佛塔禮拜供
養又見文殊師利法王子及見藥王菩薩得
勤精進力菩薩勇施菩薩等亦令是八万四
千菩薩得現一切色身三昧說是妙音菩薩
來往品時四万二千天子得无生法忍華德
菩薩得法華三昧

妙法蓮華經卷第七

BD01824號　妙法蓮華經（八卷本）卷七　（21–21）

所說
有相皆是
如來
尊頗有衆生得聞如是言
實信不佛告須菩提莫作是說如
後後五百歲有持戒脩福者於此章句
生信心以此為實當知是人不於一佛二
佛三四五佛而種善根已於无量千万佛所
種諸善根聞是章句乃至一念生淨信者須
菩提如來悉知悉見是諸衆生得如是无量
福德何以故是諸衆生无復我相人相衆生
相壽者相无法相亦无非法相何以故是諸
衆生若心取相則為著我人衆生壽者若取
法相即著我人衆生壽者何以故若取非法
相即著我人衆生壽者是故不應取法不應
取非法以是義故如來常說汝等比丘知我
說法如筏喻者法尚應捨何況非法
須菩提於意云何如來得阿耨多羅三藐三
菩提耶如來有所說法耶須菩提言如我解
佛所說義无有定法名阿耨多羅三藐三菩
提亦无有定法如來可說何以故如來所說
法皆不可取不可說非法非非法所以者何
一切賢聖皆以无為法而有差別
須菩提於意云何若人滿三千大千世界七
寶以用布施是人所得福德寧為多不須菩

BD01825號　金剛般若波羅蜜經　（12–1）

菩提耶如來有所說法耶……
佛所說義无有定法名阿耨多羅三藐三菩
提亦无有定法如來可說何以故如來所說
法皆不可取不可說非法非非法所以者何
一切賢聖皆以无為法而有差別
須菩提於意云何若人滿三千大千世界七
寶以用布施是人所得福德寧為多不須菩
提言甚多世尊何以故是福德即非福德性
是故如來說福德多若復有人於此經中受
持乃至四句偈等為他人說其福勝彼何以
故須菩提一切諸佛及諸佛阿耨多羅三藐
三菩提法皆從此經出須菩提所謂佛法者
即非佛法
須菩提於意云何須陁洹能作是念我得須
陁洹果不須菩提言不也世尊何以故須陁
洹名為入流而无所入不入色聲香味觸法
是名須陁洹須菩提於意云何斯陁含能作
是念我得斯陁含果不須菩提言不也世尊
何以故斯陁含名一往來而實无往來是名
斯陁含須菩提於意云何阿那含能作是念
我得阿那含果不須菩提言不也世尊何以
故阿那含名為不來而實无來是故名阿那
含須菩提於意云何阿羅漢能作是念我得
阿羅漢道不須菩提言不也世尊何以故實
无有法名阿羅漢世尊若阿羅漢作是念我
得阿羅漢道即為著我人衆生壽者世尊佛
說我得无諍三昧人中最為第一是第一離
欲阿羅漢我不作是念我是離欲阿羅漢世
尊我若作是念我得阿羅漢道世尊則不說
須菩提是樂阿蘭那行者以須菩提實无所
行而名須菩提是樂阿蘭那行
佛告須菩提於意云何如來昔在然燈佛所

BD01825號　金剛般若波羅蜜經　（12–2）

說我得无諍三昧人中最為第一是第一離
欲阿羅漢我不作是念我是離欲阿羅漢世
尊我若作是念我得阿羅漢道世尊則不說
須菩提是樂阿蘭那行者以須菩提實无所
行而名須菩提是樂阿蘭那行
佛告須菩提於意云何如來昔在然燈佛所
於法有所得不世尊如來昔在然燈佛所於
法實无所得
須菩提於意云何菩薩荘嚴佛土不不也世
尊何以故荘嚴佛土者則非荘嚴是名荘嚴
是故須菩提諸菩薩摩訶薩應如是生清淨
心不應住色生心不應住聲香味觸法生心
應无所住而生其心須菩提譬如有人身如
須弥山王於意云何是身為大不須菩提言
甚大世尊何以故佛說非身是名大身
須菩提如恒河中所有沙數如是沙等恒河
於意云何是諸恒河沙寧為多不須菩提言
甚多世尊但諸恒河尚多无數何況其沙須
菩提我今實言告汝若有善男子善女人以
七寶滿尒所恒河沙數三千大千世界以用
布施得福多不須菩提言甚多世尊佛告須
菩提若善男子善女人於此經中乃至受持
四句偈等為他人說而此福德勝前福德
復次須菩提隨說是經乃至四句偈等當知
此處一切世間天人阿脩羅皆應供養如佛
塔廟何況有人盡能受持讀誦須菩提當知
是人成就最上第一希有之法若是經典所
在之處則為有佛若尊重弟子
尒時須菩提白佛言世尊當何名此經我等
云何奉持佛告須菩提是經名為金剛般若
波羅蜜以是名字汝當奉持所以者何須菩

BD01825號　金剛般若波羅蜜經　（12–3）

塔廟何况有人盡能受持讀誦須菩提當知
是人成就冣上第一希有之法若是經典所
在之處則爲有佛若尊重弟子
尒時須菩提白佛言世尊當何名此經我等
云何奉持佛告須菩提是經名爲金剛般若
波羅蜜以是名字汝當奉持所以者何須菩
提佛說般若波羅蜜則非般若波羅蜜須菩
提於意云何如來有所說法不須菩提白佛
言世尊如來无所說須菩提於意云何三千
大千世界所有微塵是爲多不須菩提言甚
多世尊須菩提諸微塵如來說非微塵是名
微塵如來說世界非世界是名世界須菩提
於意云何可以三十二相見如來不不也世
尊不可以三十二相得見如來何以故如來
說三十二相即是非相是名三十二相
須菩提若有善男子善女人以恒河沙等身
命布施若復有人於此經中乃至受持四句
偈等爲他人說其福甚多
尒時須菩提聞說是經深解義趣涕淚悲泣
而白佛言希有世尊佛說如是甚深經典我
從昔來所得慧眼未曾得聞如是之經世尊
若復有人得聞是經信心清淨則生實相當
知是人成就第一希有功德世尊是實相者
則是非相是故如來說名實相世尊我今得
聞如是經典信解受持不足爲難若當來世
後五百歲其有衆生得聞是經信解受持是
人則爲第一希有何以故此人无我相人相
衆生相壽者相所以者何我相即是非相人
相衆生相壽者相即是非相何以故離一切
諸相則名諸佛
佛告須菩提如是如是若復有人得聞此經

人則爲第一希有何以故此人无我相人相
衆生相壽者相所以者何我相即是非相人
相衆生相壽者相即是非相何以故離一切
諸相則名諸佛
佛告須菩提如是如是若復有人得聞此經
不驚不怖不畏當知是人甚爲希有何以故
須菩提如來說第一波羅蜜非第一波羅蜜
是名第一波羅蜜
須菩提忍辱波羅蜜如來說非忍辱波羅蜜
何以故須菩提如我昔爲歌利王割截身體
我於尒時无我相无人相无衆生相无壽者
相何以故我於往昔節節支解時若有我相
人相衆生相壽者相應生瞋恨須菩提又念
過去於五百世作忍辱仙人於尒所世无我
相无人相无衆生相无壽者相是故須菩提
菩薩應離一切諸相發阿耨多羅三藐三菩提
心不應住色生心不應住聲香味觸法生心
應生无所住心若心有住則爲非住是故佛
說菩薩心不應住色布施須菩提菩薩爲利
益一切衆生應如是布施如來說一切諸相
即是非相又說一切衆生則非衆生
須菩提如來是真語者實語者如語者不誑
語者不異語者須菩提如來所得法此法无
實无虛
須菩提若菩薩心住於法而行布施如人入
暗則无所見若菩薩心不住法而行布施如
人有目日光明照見種種色
須菩提當來之世若有善男子善女人能於
此經受持讀誦則爲如來以佛智慧悉知是
人悉見是人皆得成就无量无邊功德
須菩提若有善男子善女人初日分以恒河

人有目日光明照見種種色
須菩提當來之世若有善男子善女人能於
此經受持讀誦則為如來以佛智慧悉知是
人悉見是人皆得成就无量无邊功德
須菩提若有善男子善女人初日分以恒河
沙等身布施中日分復以恒河沙等身布施
後日分亦以恒河沙等身布施如是无量百
千万億劫以身布施若復有人聞此經典信
心不逆其福勝彼何況書寫受持讀誦為人
解說
須菩提以要言之是經有不可思議不可稱
量无邊功德如來為發大乘者說為發最上
乘者說若有人能受持讀誦廣為人說如來
悉知是人悉見是人皆得成就不可量不可
稱无有邊不可思議功德如是人等則為荷
擔如來阿耨多羅三藐三菩提何以故須菩
提若樂小法者著我見人見眾生見壽者見
則於此經不能聽受讀誦為人解說須菩提
在在處處若有此經一切世間天人阿脩羅
所應供養當知此處則為是塔皆應恭敬作
礼圍遶以諸華香而散其處
復次須菩提善男子善女人受持讀誦此經
若為人輕賤是人先世罪業應墮惡道以今
世人輕賤故先世罪業則為消滅當得阿耨
多羅三藐三菩提須菩提我念過去无量阿
僧祇劫於然燈佛前得值八百四千万億那
由他諸佛悉皆供養承事无空過者若復有
人於後末世能受持讀誦此經所得功德於
我所供養諸佛功德百分不及一千万億分
乃至筭數譬喻所不能及須菩提若善男子
善女人於後末世有受持讀誦此經所得功

BD01825號　金剛般若波羅蜜經　（12–6）

由他諸佛悉皆供養承事无空過者若復有
人於後末世能受持讀誦此經所得功德於
我所供養諸佛功德百分不及一千万億分
乃至筭數譬喻所不能及須菩提若善男子
善女人於後末世有受持讀誦此經所得功
德我若具說者或有人聞心則狂亂狐疑不
信須菩提當知是經義不可思議果報亦不
可思議
尒時須菩提白佛言世尊善男子善女人發
阿耨多羅三藐三菩提心云何應住云何降
伏其心佛告須菩提善男子善女人發阿耨
多羅三藐三菩提者當生如是心我應滅度一
切眾生滅度一切眾生已而无有一眾生實
滅度者何以故若菩薩有我相人相眾生相
壽者相則非菩薩所以者何須菩提實无有
法發阿耨多羅三藐三菩提者
須菩提於意云何如來於然燈佛所有法得
阿耨多羅三藐三菩提不不也世尊如我解
佛所說義佛於然燈佛所无有法得阿耨多
羅三藐三菩提佛言如是如是須菩提實无
有法如來得阿耨多羅三藐三菩提須菩提
若有法如來得阿耨多羅三藐三菩提者然
燈佛則不與我受記汝於來世當得作佛号釋
迦牟尼以實无有法得阿耨多羅三藐三菩提
是故然燈佛與我受記作如是言汝於來世
當得作佛号釋迦牟尼何以故如來者即諸
法如義若有人言如來得阿耨多羅三藐三
菩提須菩提實无有法佛得阿耨多羅三藐
三菩提須菩提如來所得阿耨多羅三藐三
菩提於是中无實无虛是故如來說一切法
皆是佛法須菩提所言一切法者即非一切

BD01825號　金剛般若波羅蜜經　（12–7）

法如義若有人言如來得阿耨多羅三藐三
菩提須菩提實无有法佛得阿耨多羅三藐
三菩提須菩提如來所得阿耨多羅三藐三
菩提於是中无實无虛是故如來說一切法
皆是佛法須菩提所言一切法者即非一切
法是故名一切法
須菩提譬如人身長大須菩提言世尊如來
說人身長大則為非大身是名大身
須菩提菩薩亦如是若作是言我當滅度无
量衆生則不名菩薩何以故須菩提實无有
法名為菩薩是故佛說一切法无我无人无
衆生无壽者須菩提若菩薩作是言我當莊
嚴佛土是不名菩薩何以故如來說莊嚴佛
土者即非莊嚴是名莊嚴須菩提若菩薩通
達无我法者如來說名真是菩薩
須菩提於意云何如來有肉眼不如是世尊
如來有肉眼須菩提於意云何如來有天眼
不如是世尊如來有天眼須菩提於意云何
如來有慧眼不如是世尊如來有慧眼須菩
提於意云何如來有法眼不如是世尊如來
有法眼須菩提於意云何如來有佛眼不如
是世尊如來有佛眼須菩提於意云何如恒河
中所有沙佛說是沙不如是世尊如來說是
沙須菩提於意云何如一恒河中所有沙有
如是等恒河是諸恒河所有沙數佛世界如
是寧為多不甚多世尊佛告須菩提尒所國
土中所有衆生若干種心如來悉知何以故
如來說諸心皆為非心是名為心所以者何
須菩提過去心不可得現在心不可得未來
心不可得須菩提於意云何若有人滿三千
大千世界七寶以用布施是人以是因緣得

BD01825號　金剛般若波羅蜜經　（12–8）

是寧為多不甚多世尊佛告須菩提尒所國
土中所有衆生若干種心如來悉知何以故
如來說諸心皆為非心是名為心所以者何
須菩提過去心不可得現在心不可得未來
心不可得須菩提於意云何若有人滿三千
大千世界七寶以用布施是人以是因緣得
福多不如是世尊此人以是因緣得福甚多
須菩提若福德有實如來不說得福德多以
福德无故如來說得福德多
須菩提於意云何佛可以具足色身見不不
也世尊如來不應以具足色身見何以故如
來說具足色身即非具足色身是名具足色
身須菩提於意云何如來可以具足諸相見
不不也世尊如來不應以具足諸相見何以
故如來說諸相具足即非具足是名諸相具
足須菩提汝勿謂如來作是念我當有所說
法莫作是念何以故若人言如來有所說法
即為謗佛不能解我所說故須菩提說法者
无法可說是名說法
須菩提白佛言世尊佛得阿耨多羅三藐三
菩提為无所得耶如是如是須菩提我於阿
耨多羅三藐三菩提乃至无有少法可得是
名阿耨多羅三藐三菩提復次須菩提是法
平等无有高下是名阿耨多羅三藐三菩提
以无我无人无衆生无壽者脩一切善法則
得阿耨多羅三藐三菩提須菩提所言善法
者如來說非善法是名善法
須菩提若三千大千世界中所有諸須弥山
王如是等七寶聚有人持用布施若人以此
般若波羅蜜經乃至四句偈等受持讀誦為
他人說於前福德百分不及一百千万億分

BD01825號　金剛般若波羅蜜經　（12–9）

者如來說非善法是名善法
須菩提若三千大千世界中所有諸須彌山
王如是等七寶聚有人持用布施若人以此
般若波羅蜜經乃至四句偈等受持讀誦為
他人說於前福德百分不及一百千万億分
乃至筭數譬喻所不能及
須菩提於意云何汝等勿謂如來作是念我
當度衆生須菩提莫作是念何以故實无有
衆生如來度者若有衆生如來度者如來則
有我人衆生壽者須菩提如來說有我者則
非有我而凡夫之人以為有我須菩提凡夫
者如來說則非凡夫
須菩提於意云何可以卅二相觀如來不須
菩提言如是如是以卅二相觀如來佛言須
菩提若以卅二相觀如來者轉輪聖王則是
如來須菩提白佛言世尊如我解佛所說義
不應以卅二相觀如來尒時世尊而說偈言
若以色見我　以音聲求我　是人行邪道　不能見如來
須菩提汝若作是念如來不以具足相故得
阿耨多羅三藐三菩提須菩提莫作是念如
來不以具足相故得阿耨多羅三藐三菩提
須菩提汝若作是念發阿耨多羅三藐三菩
提者說諸法斷滅莫作是念何以故發阿耨
多羅三藐三菩提者於法不說斷滅相須菩
提若菩薩以滿恒河沙等世界七寶布施若
復有人知一切法无我得成於忍此菩薩勝
前菩薩所得功德須菩提以諸菩薩不受福
德故須菩提白佛言世尊云何菩薩不受福
德須菩提菩薩所作福德不應貪著是故說
不受福德
須菩提若有人言如來若來若去若坐若卧

BD01825號　金剛般若波羅蜜經　（12–10）

提若菩薩以滿恒河沙等世界七寶布施若
復有人知一切法无我得成於忍此菩薩勝
前菩薩所得功德須菩提以諸菩薩不受福
德故須菩提白佛言世尊云何菩薩不受福
德須菩提菩薩所作福德不應貪著是故說
不受福德
須菩提若有人言如來若來若去若坐若卧
是人不解我所說義何以故如來者无所從
來亦无所去故名如來
須菩提若善男子善女人以三千大千世界
碎為微塵於意云何是微塵衆寧為多不甚
多世尊何以故若是微塵衆實有者佛則不
說是微塵衆所以者何佛說微塵衆則非微
塵衆是名微塵衆世尊如來所說三千大千
世界則非世界是名世界何以故若世界實
有者則是一合相如來說一合相則非一合相
是名一合相須菩提一合相者則是不可說
但凡夫之人貪著其事須菩提若人言佛說
我見人見衆生見壽者見須菩提於意云何
是人解我所說義不不也世尊是人不解如
來所說義何以故世尊說我見人見衆生見
壽者見即非我見人見衆生見壽者見是名我
見人見衆生見壽者見須菩提發阿耨多羅
三藐三菩提心者於一切法應如是知如是見
如是信解不生法相須菩提所言法相者如
來說即非法相是名法相須菩提若有人以
滿无量阿僧祇世界七寶持用布施若有善
男子善女人發菩薩心者持於此經乃至四
句偈等受持讀誦為人演說其福勝彼云何
為人演說不取於相如如不動何以故
一切有為法　如夢幻泡影　如露亦如電　應作如是觀

BD01825號　金剛般若波羅蜜經　（12–11）

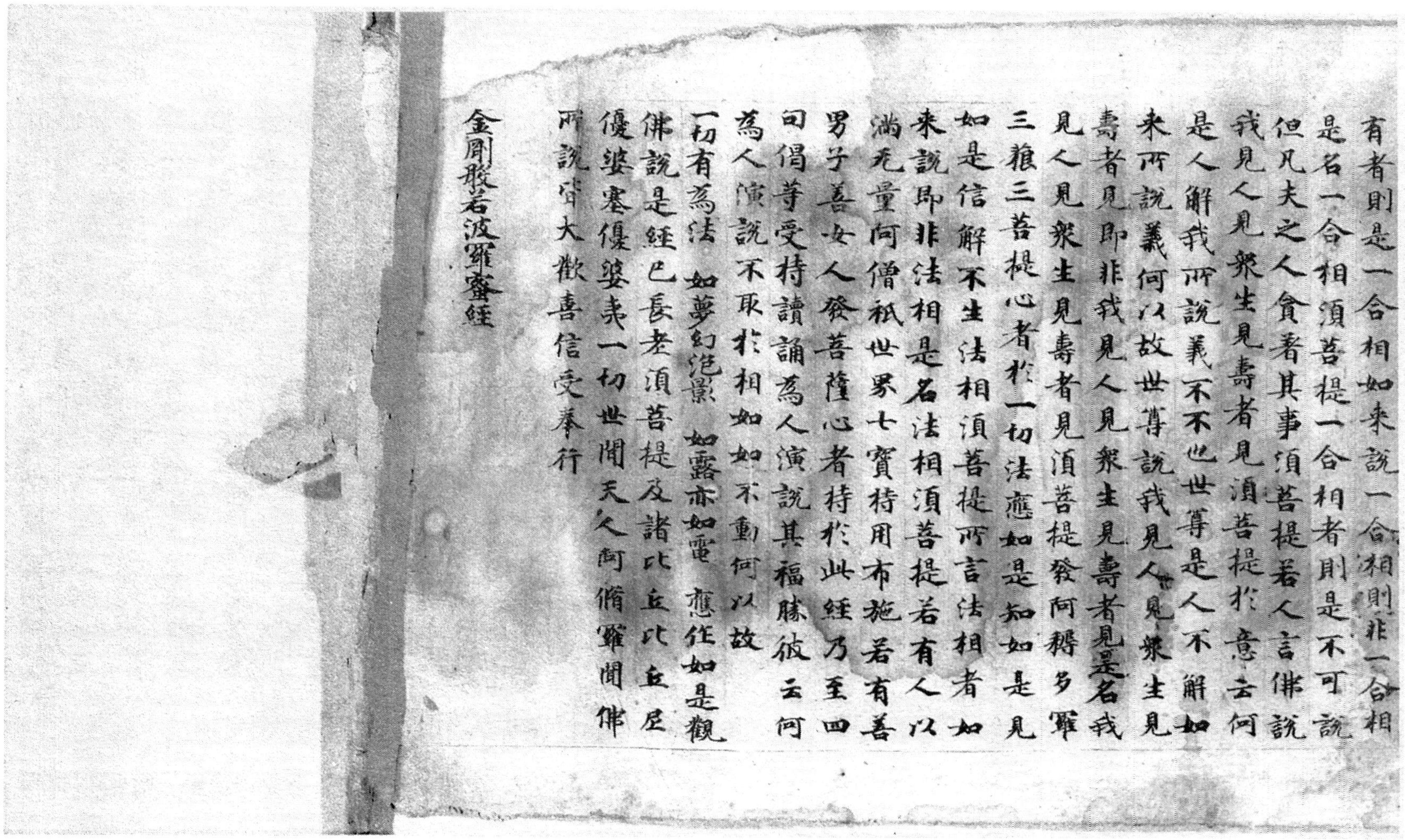

有者則是一合相如來說一合相則非一合相
是名一合相須菩提一合相者則是不可說
但凡夫之人貪著其事須菩提若人言佛說
我見人見衆生見壽者見須菩提於意云何
是人解我所說義不不也世尊是人不解如
來所說義何以故世尊說我見人見衆生見
壽者見即非我見人見衆生見壽者見是名我
見人見衆生見壽者見須菩提發阿耨多羅
三藐三菩提心者於一切法應如是知如是見
如是信解不生法相須菩提所言法相者如
來說即非法相是名法相須菩提若有人以
滿无量阿僧祇世界七寶持用布施若有善
男子善女人發菩薩心者持於此經乃至四
句偈等受持讀誦為人演說其福勝彼云何
為人演說不取於相如如不動何以故
一切有為法 如夢幻泡影 如露亦如電 應作如是觀
佛說是經已長老須菩提及諸比丘比丘尼
優婆塞優婆夷一切世間天人阿脩羅聞佛
所說皆大歡喜信受奉行
金剛般若波羅蜜經

BD01825號　金剛般若波羅蜜經　（12–12）

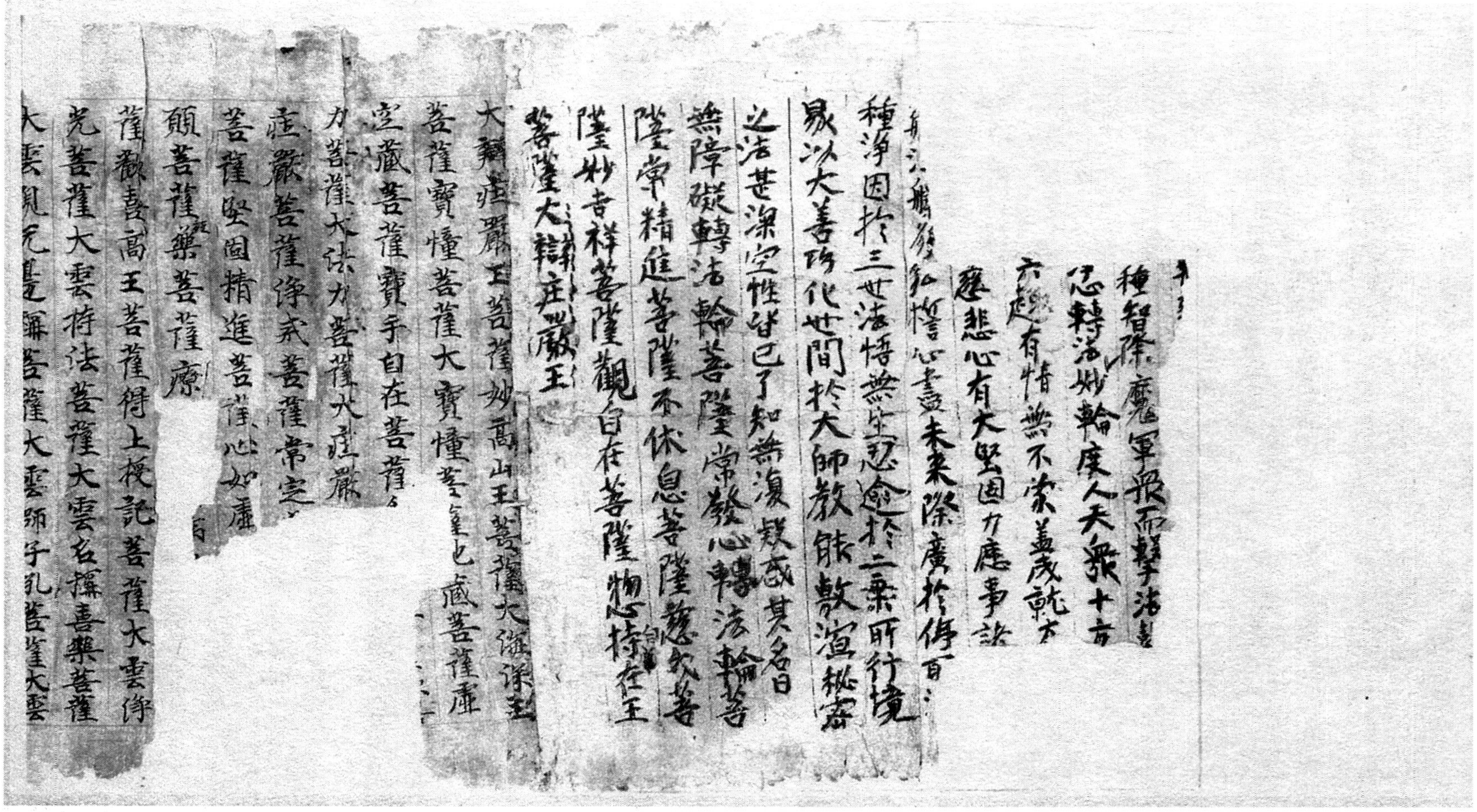

種智降魔軍衆而擊法鼓
忍轉法妙輪度人天衆十方
六趣有情無不蒙益成就大
慈悲心有大堅固力應事說
□以□發弘誓心盡未來際廣於修百
種淨因於三世法悟無生忍超於二乘所行境
最以大善巧化世間於大師教能敷演秘密
之法甚深空性皆已了知無復疑惑其名曰
無障礙轉法輪菩薩常發心轉法輪菩
薩常精進菩薩不休息菩薩慈氏菩
薩妙吉祥菩薩觀自在菩薩總持自在王
菩薩大辯莊嚴王
大辯莊嚴王菩薩妙高山王菩薩大海深王
菩薩寶幢菩薩大寶幢菩薩地藏菩薩虛
空藏菩薩寶手自在菩薩
力菩薩大法力菩薩大莊嚴
莊嚴菩薩淨戒菩薩常定
菩薩堅固精進菩薩心如虛
願菩薩施藥菩薩療
薩歡喜高王菩薩得上授記菩薩大雲淨
光菩薩大雲持法菩薩大雲名稱喜樂菩薩
大雲現無邊稱菩薩大雲師子吼菩薩大雲

BD01826號　金光明最勝王經卷一　（11–1）

[illegible]
力菩薩大法力菩薩大莊嚴
莊嚴菩薩淨戒菩薩常定
菩薩堅固精進菩薩心如虛
願菩薩藥菩薩療
薩歡喜高王菩薩得上授記菩薩大雲淨
光菩薩大雲持法菩薩大雲名稱喜樂菩薩
大雲現无邊稱菩薩大雲師子吼菩薩大雲
牛王吼菩薩大雲吉[illegible]寶德菩薩
大雲日藏菩薩大雲[illegible]菩薩大雲星光菩
薩大雲火光菩薩大雲電光菩薩大雲雷
音菩薩大雲慧雨充遍菩薩大雲清淨雨王
菩薩大雲華樹王菩薩大雲青蓮華香菩薩
大雲寶旃檀香清涼身菩薩大雲除闇菩
薩大雲破翳菩薩如是等无量大菩薩衆
各於晡時從定而起往詣佛所頂礼佛足右
繞三迊退坐一面
復有梨車毘童子五億八千其名曰師子光
童子師子慧童子法授童子因陀羅授童
子大光童子大猛童子佛護童子法護童
子僧護童子金剛護童子虛空護童子虛空
吼童子寶藏童子吉祥妙藏童子如是等人
而爲上首悉皆安住无上菩提於大乘中深信
歡喜各於晡時往詣佛所頂礼佛足右繞
三迊退坐一面
復有四万二千天子其名曰喜見天子喜悅天
子日光天子月髻天子明慧天子虛空淨慧
天子除煩惱天子吉祥天子如是等天而爲

BD01826號　金光明最勝王經卷一　(11–2)

歡喜各於晡時往詣佛所頂礼佛足右繞
三迊退坐一面
復有四万二千天子其名曰喜見天子喜悅天
子日光天子月髻天子明慧天子虛空淨慧
天子除煩惱天子吉祥天子如是等天而爲
上首皆發弘願護持大乘紹隆正法能使不
絕各於晡時往詣佛所頂礼佛足右繞三迊
退坐一面
復有二万八千龍王蓮華龍王瑿羅葉龍王
大力龍王大吼龍王小波龍王持駃水龍王
金面龍王如意龍王是等龍王而爲上首
於大乘法常樂受持發深信心稱揚擁護
各於晡時往詣佛所頂礼佛足右繞三迊退
坐一面
復有三万六千諸藥叉衆毘沙門天王而爲上
首其名曰菴婆藥叉持菴婆藥叉蓮華光
藏藥叉蓮華面藥叉顰眉藥叉現大怖藥
叉動地藥叉吞食藥叉是等藥叉悉皆愛樂
如來正法深心護持不生疲懈各於晡時往詣
佛所頂礼佛足右繞三迊退坐一面
復有四万九千揭路荼王香象勢力王而爲
上首及餘揵闥婆阿蘇羅緊那羅莫呼洛
伽等山林河海一切神仙并諸大國所有王衆
中宮后妃淨信男女人天大衆悉皆雲集咸
願擁護无上大乘讀誦受持書寫流布各
於晡時往詣佛所頂礼佛足右繞三迊退坐
一面

BD01826號　金光明最勝王經卷一　(11–3)

伽等山林河海一切神仙并諸大國所有王衆
中宮后妃淨信男女人天大衆悲皆雲集咸
願擁護无上大乘讀誦受持書寫流布各
於晡時往詣佛所頂礼佛足右繞三匝退坐
一面
如是等聲聞菩薩人天大衆龍神八部既
雲集已各各至心合掌恭敬瞻仰尊容目未
曾捨願樂欲聞殊勝妙法尒時薄伽梵於
日晡時從定而起觀察大衆而說頌曰
金光明妙法 最勝諸經王 甚深難得聞 諸佛之境界
我當為大衆 宣說如是經 并四方四佛 威神共加護
東方阿閦佛 南方寶相佛 西方无量壽 北方天鼓音
我復演妙法 吉祥懺中勝 能滅一切罪 淨除諸惡業
及消衆苦患 常與无量樂 一切智根本 諸功德莊嚴
衆生身不具 壽命將損減 諸惡相現前 天神皆捨離
親友懷瞋恨 眷屬悉分離 彼此共乖違 珍財皆散失
惡星為變怪 或被邪蠱侵 若復多憂愁 衆苦之所逼
睡眠見惡夢 因此生煩惱 是人當澡浴 應著鮮潔衣
於此妙經王 甚深佛所讚 專注心无亂 讀誦聽受持
由此經威力 能離諸災横 及餘衆苦難 无不皆除滅
護世四王衆 及大臣眷屬 无量諸藥叉 一心皆擁衛
大辯才天女 尼連河水神 訶利底母神 堅牢地神衆
梵王帝釋主 龍王緊那羅 及金翅鳥王 阿蘇羅天衆
如是天神等 并將其眷屬 皆來護是人 晝夜常不離
我當說是經 甚深佛行處 諸佛秘密教 千万劫難逢
若有聞是經 能為他演說 若心生隨喜 或設於供養
如是諸人等 當於无量劫 當為諸天人 龍神所恭敬
[illegible] 讀誦是經者 當獲斯功德

BD01826號　金光明最勝王經卷一　（11–4）

如是天神等 并將其眷屬 皆來護是人 晝夜常不離
我當說是經 甚深佛行處 諸佛秘密教 千万劫難逢
若有聞是經 能為他演說 若心生隨喜 或設於供養
如是諸人等 當於无量劫 當為諸天人 龍神所恭敬
此福聚无量 數過於恒沙 讀誦是經者 當獲斯功德
亦為十方尊 深行諸菩薩 擁護持經者 令離諸苦難
供養是經者 如前澡浴身 飲食及香華 恒起慈悲意
若欲聽是經 令心淨无垢 常生歡喜念 能長諸功德
若以尊重心 聽聞是經者 善生於人趣 遠離諸苦難
彼人善根熟 諸佛之所讚 方得聞是經 及以懺悔法
金光明最勝王經如來壽量品第二
尒時王舍大城有一菩薩摩訶薩名曰妙幢已
於過去无量俱胝那庾多百千佛所承事供養
殖諸善根是時妙幢菩薩獨於靜處作是
思惟以何因緣釋迦牟尼如來壽命短促唯
八十年復作是念如佛所說有二因緣得壽
命長云何為二一者不害生命二者施他飲食
然釋迦牟尼如來曾於无量百千万億无數大
劫不害生命行十善道常以飲食惠施一切飢餓
衆生乃至已身血肉骨髓亦持施與令得飽
滿況餘飲食時彼菩薩於世尊所作是念
時以佛威力其室忽然廣博嚴淨帝青琉璃
種種衆寶雜彩間飾如佛淨土有妙香氣
過諸天香芬馥充滿於其四面各有上妙師
子之座四寶所成以天寶衣而敷其上復於
此座有妙蓮華種種珍寶以為嚴飾量等
如來自然顯現於蓮華上有四如來東方不

BD01826號　金光明最勝王經卷一　（11–5）

過諸天香芬馥充滿於其四面各有上妙師
子之座四寶所成以天寶衣而敷其上復於
此座有妙蓮華種種珍寶以為嚴飾量等
如來自然顯現於蓮華上有四如來東方不
動南方寶相西方無量壽北方天鼓音是四如來
各於其座跏趺而坐放大光明周遍照耀王
舍大城及此三千大千世界乃至十方恒河沙
等諸佛國土雨諸天華奏諸天樂尒時於
此贍部洲中及三千大千世界所有眾生以
佛威力受勝妙樂無有乏少若身不具皆
蒙具足盲者能視聾者得聞瘂者能言愚
者得智若心亂者得本心若無衣者得衣服
被惡賤者人所敬有垢穢者身清潔於此
世間所有利益未曾有事悉皆顯現
尒時妙幢菩薩見四如來及希有事歡喜踊
躍合掌一心瞻仰諸佛殊勝之相亦復思惟釋
迦牟尼如來無量功德唯於壽命生疑惑心
云何如來功德無量壽命短促唯八十年
尒時四佛告妙幢菩薩言善男子汝今不應
思忖如來壽命長短何以故善男子我等不
見諸天世間梵魔沙門婆羅門等人及非人
有能筭知佛之壽量知其齊限唯除無上正
遍知者時四如來欲說釋迦牟尼佛所有壽
量以佛威力欲色界天諸龍鬼神揵闥婆阿
蘇羅揭路荼緊那羅莫呼洛伽及無量百千
億那庾多菩薩摩訶薩悉來集會入妙幢
菩薩淨妙室中尒時四佛於大眾中欲顯釋

BD01826號　金光明最勝王經卷一　（11–6）

量以佛威力欲色界天諸龍鬼神揵闥婆阿
蘇羅揭路荼緊那羅莫呼洛伽及無量百千
億那庾多菩薩摩訶薩悉來集會入妙幢
菩薩淨妙室中尒時四佛於大眾中欲顯釋
迦牟尼如來所有壽量而說頌曰
一切諸海水　可知其渧數　無有能數知　釋迦之壽量
析諸妙高山　如芥可知數　無有能數知　釋迦之壽量
一切大地土　可知其塵數　無有能筭知　釋迦之壽量
假使量虛空　可得盡邊際　無有能度知　釋迦之壽量
若人住億劫　盡力常筭數　亦復不能知　世尊之壽量
不害眾生命　及施於飲食　由斯二種因　得壽命長遠
是故大覺尊　壽命難知數　如劫無邊際　壽量亦如是
妙幢汝當知　不應起疑惑　最勝壽無量　莫能知數者
尒時妙幢菩薩聞四如來說釋迦牟尼佛壽
量無限白言世尊云何如來示現如是短促壽量
時四世尊告妙幢菩薩言善男子彼釋迦牟
尼佛於五濁世出現之時人壽百年稟性下
劣善根微薄復無信解此諸眾生多有我
見人見眾生壽者養育邪見我我所見斷常
見等為欲利益此諸異生及眾外道如是
等類令生正解速得成就無上菩提是故釋
迦牟尼如來亦現如是短促壽命善男子然彼
如來欲令眾生見涅槃已生難遭想憂苦等
想於佛世尊所說經教速當受持讀誦通利
為人解說不生謗毀是故如來現斯短壽何
以故彼諸眾生若見如來不般涅槃不生恭
敬難遭之想如來所說甚深經典亦不受持讀

BD01826號　金光明最勝王經卷一　（11–7）

迦牟尼如來亦現如是短促壽命善男子雖彼
如來欲令衆生見涅槃已生難遭想憂苦等
想於佛世尊所說經教速當受持讀誦通利
爲人解說不生謗毀是故如來現斯短壽何
以故彼諸衆生若見如來不般涅槃不生恭
敬難遭之想如來所說甚深經典亦不受持讀
誦通利爲人宣說所以者何以常見佛　不
尊重故善男子譬如有人見其父母多有財
產珍寶豐盈便於財物不生希有難遭之
想所以者何於父財物生常想故善男子彼諸
衆生亦復如是若見如來不入涅槃不生希有
難遭之想所以者何由常見故善男子譬如
有人父母貧窮資財乏少然彼貧人或詣王家
或大臣舍見其倉庫種種珍財悉皆盈滿生
希有心難遭之想時彼貧人爲欲求財廣
設方便策勤无怠所以者何爲捨貧窮受安
樂故善男子彼諸衆生亦復如是若見如來
入於涅槃生難遭想乃至憂苦等想復作是
念於无量劫諸佛如來出現於世如烏曇
跋華時乃一現彼諸衆生發希有心起難遭
想若遇如來心生敬信聞說正法生實語想
所有經典悉皆受持不生毀謗善男子以是
因緣彼佛世尊不久住世速入涅槃善男子是
諸如來以如是等善巧方便成就衆生　尒
時四佛說是語已忽然不現
尒時妙幢菩薩摩訶薩與无量百千菩薩及
无量億那庾多百千衆生俱共往詣鷲峯山

BD01826號　金光明最勝王經卷一　（11-8）

諸如來以如是等善巧方便成就衆生　尒
時四佛說是語已忽然不現
尒時妙幢菩薩摩訶薩與无量百千菩薩及
无量億那庾多百千衆生俱共往詣鷲峯山
中釋迦牟尼如來正遍知所頂禮佛足在一面
立時妙幢菩薩以如上事具白世尊時四如來
亦詣鷲峯至釋迦牟尼佛所各隨本方就
座而坐告侍者菩薩言善男子汝今可詣釋
迦牟尼佛所爲我致問少病少惱起居輕利
安樂行不復作是言善哉善哉釋迦牟尼
如來今可演說金光明經甚深法要爲欲饒
益一切衆生除去飢饉令得安樂我當隨喜
時彼侍者各詣釋迦牟尼佛所頂禮雙足却
住一面俱白佛言彼天人師致問无量少病少
惱起居輕利安樂行不復作是言善哉善
哉釋迦牟尼如來今可演說金光明經甚深
法要爲欲利益一切衆生除去飢饉令得安樂
尒時釋迦牟尼如來應正等覺告彼侍者諸
菩薩言善哉善哉彼四如來乃能爲諸衆生
饒益安樂勸請於我宣揚正法尒時世尊而
說頌曰
我常在鷲山　宣說此經寶　成就衆生故　示現般涅槃
凡夫起邪見　不信我所說　爲成就彼故　示現般涅槃
時大會中有婆羅門姓憍陳如名曰法師授記
與无量百千婆羅門衆供養佛已聞世尊
說入般涅槃涕淚交流前礼佛足白言世尊若
實如來於諸衆生有大慈悲憐愍利益令得

BD01826號　金光明最勝王經卷一　（11-9）

時大會中有婆羅門姓憍陳如名曰法師授記
與无量百千婆羅門衆供養佛已聞世尊
說入般涅槃淚流交流前礼佛足白言世尊若
實如來於諸衆生有大慈悲憐愍利益令得
安樂猶如父母餘无等者能與世間作歸依
處如淨滿月以大智惠能爲照明如日初出
普觀衆生愛无偏黨如羅怙羅唯願世尊施
我一願尒時世尊黙然而止佛威力故於此衆
中有梨車毗童子名一切衆生喜見語婆羅
門憍陳如言大婆羅門汝今從佛欲乞何願
我能與汝婆羅門言童子我欲供養无上世
尊今從如來求請舍利如芥子許何以故我
曾聞說若善男子善女人得佛舍利如芥
子許恭敬供養是人當生三十三天而爲
帝釋是時童子語婆羅門曰若欲願生三
十三天受勝報者應當至心聽是金光明最
勝王經於諸經中最爲殊勝難解難入聲聞
獨覺所不能知此經能生无量无邊福德果
報乃至成辦无上菩提我今爲汝略說其事
婆羅門言善哉童子此金光明甚深最上難
解難入聲聞獨覺尚不能知何况我等邊
鄙之人智惠微淺而能解了是故我今求佛
舍利如芥子許持還本處置寶函中恭敬供
養命終之後得爲帝釋常受安樂云何汝
今不能爲我從明行足求斯一願作是語已尒
時·童子即爲婆羅門而說頌曰
恒河駃流水　可生白蓮華　黃鳥作白形　里烏變爲赤

BD01826號　金光明最勝王經卷一　（11-10）

勝王經於諸經中最爲殊勝難解難入聲聞
獨覺所不能知此經能生无量无邊福德果
報乃至成辦无上菩提我今爲汝略說其事
婆羅門言善哉童子此金光明甚深最上難
解難入聲聞獨覺尚不能知何况我等邊
鄙之人智惠微淺而能解了是故我今求佛
舍利如芥子許持還本處置寶函中恭敬供
養命終之後得爲帝釋常受安樂云何汝
今不能爲我從明行足求斯一願作是語已尒
時·童子即爲婆羅門而說頌曰
恒河駃流水　可生白蓮華　黃鳥作白形　里烏變爲赤
假使賸部樹　可生多羅果　揭樹羅枝中　能出菴羅葉
斯等希有物　或容可轉變　世尊之舍利　畢竟不可得
假使用龜毛　織成上妙服　寒時可被著　方求佛舍利
假使蚊脚足　可使成樓觀　堅固不搖動　方求佛舍利
假使水蛭虫　口中生白齒　長大利如鋒　方求佛舍利
假使持兔角　用成於梯橙　可昇上天宮　方求佛舍利
鼠緣此梯上　除去阿蘇羅　能障空中月　方求佛舍利
若蠅飲酒醉　周行村邑中　廣造於舍宅　方求佛舍利
若使驢脣色　赤如頻婆果　善作於歌舞　方求佛舍利
烏與鵂鶹鳥　同共一處遊　彼此相順從　方求佛舍利

BD01826號　金光明最勝王經卷一　（11-11）

BD01826 號背　諸雜難字　（1–1）

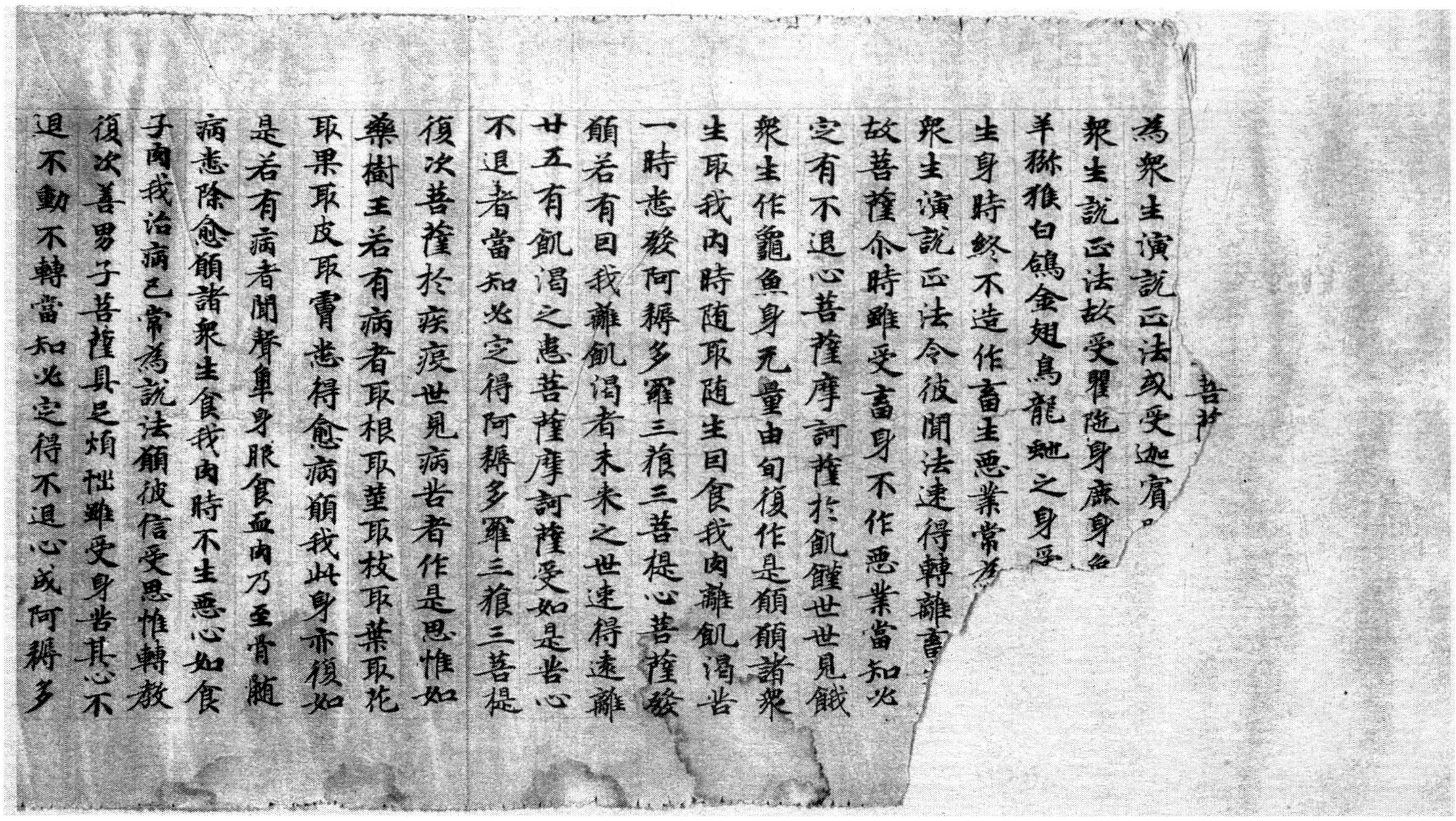

為衆生演說正法或受迦
衆生說正法故受瞿陁身麞身
羊獼猴白鴿金翅鳥龍蛇之身
生身時終不造作畜生惡業常
衆生演說正法令彼聞法速得轉離畜　菩
故菩薩尒時雖受畜身不作惡業當知必
定有不退心菩薩摩訶薩於飢饉世世見餓
衆生作龜魚身无量由旬復作是願願諸衆
生取我肉時隨取隨生因食我肉離飢渴苦
一時悉發阿耨多羅三藐三菩提心菩薩發
願若有因我離飢渴者未來之世速得遠離
廿五有飢渴之患菩薩摩訶薩受如是苦心
不退者當知必定得阿耨多羅三藐三菩提
復次菩薩於疾疫世見病苦者作是思惟如
藥樹王若有病者取根取莖取枝取葉取花
取果取皮取膚悉得愈病願我此身亦復如
是若有病者聞聲觸身服食血肉乃至骨髓
病悉除愈願諸衆生食我肉時不生惡心如食
子肉我治病已常為說法願彼信受思惟轉教
復次善男子菩薩具是煩惱雖受身苦其心不
退不動不轉當知必定得不退心成阿耨多

BD01827 號　大般涅槃經（北本　異卷）卷三三　（23–1）

取果取皮取實悉得愈病願我此身亦復如
是若有病者聞聲觸身服食血肉乃至骨髓
病悉除愈願諸衆生食我肉時不生惡心如食
子肉我治病已常為說法願彼信受思惟轉教
復次善男子菩薩具足煩惱雖受身苦其心不
退不動不轉當知必定得不退心成阿耨多
羅三藐三菩提復次善男子若有衆生為鬼
所病菩薩見已即作是言願作鬼身大身健
身多眷屬身使彼聞見病得除愈菩薩摩訶
薩為衆生故懃脩苦行雖有煩惱不汙其心
復次善男子菩薩摩訶薩雖復脩行六波羅
蜜亦不求於六波羅蜜果脩行无上六波羅
蜜時作是願言我今以此六波羅蜜施一一衆
生一一衆生受我施已悉令得成阿耨多羅三
藐三菩提我亦自為六波羅蜜懃脩苦行受
諸苦惱當受苦時願我不退菩提之心善男
子菩薩摩訶薩作是相時是名不退菩提之
相復次善男子菩薩摩訶薩不可思議何以
故菩薩摩訶薩深知生死多諸罪過觀大
涅槃有大功德為諸衆生處在生死受種種
苦心无退轉是名菩薩不可思議復次善男
子菩薩摩訶薩无有因緣而生憐愍實不受
恩而常施恩雖施於恩而不求報是故復名
不可思議復次善男子或有衆生為自利益
脩諸苦行菩薩摩訶薩為利他故脩行苦
行是名自利是故復名不可思議復次菩薩

BD01827號　大般涅槃經（北本　異卷）卷三三　　（23–2）

子菩薩摩訶薩无有因緣而生憐愍實不受
恩而常施恩雖施於恩而不求報是故復名
不可思議復次善男子或有衆生為自利益
脩諸苦行菩薩摩訶薩為利他故脩行苦
行是名自利是故復名不可思議復次菩薩
具足煩惱為壞怨親所受諸苦脩平等心
是故復名不可思議復次菩薩若見諸惡不
善衆生若呵責若濡語若驅儐若縱捨有惡
性者現為濡語有憍慢者現為憍慢而其內
心實无憍慢是名菩薩方便不可思議復次
菩薩具足煩惱少財物時而求者多心不迮
小是名菩薩不可思議復次菩薩於佛出時
知佛功德為衆生故於无佛處受邊地身如
盲如聾如跛如躄是名菩薩不可思議復次
菩薩深知衆生所有罪過為度脫故常與共
行雖隨其意罪垢不汙是故復名不可思議
復次菩薩了了知見无衆生相无煩惱相亦无
脩集道離煩惱者雖為菩提无菩提行亦
无成就菩提行者无有受苦及破苦者而亦
能為衆生壞苦行菩提行是故復名不可思
議復次菩薩受後邊身處兜率天是亦名為
不可思議何以故兜率陀天欲界中勝在下
天者其心放逸在上天者諸根闇鈍是故名勝
脩施脩戒得上下身脩施脩戒定得兜率身
一切菩薩毀呰諸有破壞諸有終不造作兜
率天業受彼天身何以故菩薩若處其餘諸

BD01827號　大般涅槃經（北本　異卷）卷三三　　（23–3）

不可思議何以故兜率陀天欲界中勝在下
天者其心放逸在上天者諸根闇鈍是故名勝
脩施脩戒得上下身脩施脩戒脩定得兜率身
一切菩薩毀呰諸有破壞諸有終不造作兜
率天業受彼天身何以故菩薩若處其餘諸
有亦能教化成就衆生實无欲心而生欲界
是故復名不可思議菩薩生兜率天有三事
勝一命二色三名菩薩摩訶薩實不求於命
色名稱雖无求心而所得勝菩薩摩訶薩深
樂涅槃然有因亦勝是故復名不可思議菩
薩摩訶薩如是三事雖勝諸天而諸天等於
菩薩所終不生於瞋心垢心憍慢之心常生喜
心菩薩於天亦不憍慢是故復名不可思議
菩薩摩訶薩不造命業而於彼天畢竟壽命
是名命勝亦无色業而妙色身光明遍滿是名
色勝菩薩摩訶薩處彼天宮不樂五欲唯為
法事是故名稱充滿十方是名名勝是故復
名不可思議菩薩摩訶薩下兜率天是時大
地六種振動是故復名不可思議何以故菩
薩下時欲色諸天悉來侍送發大音聲讃嘆
菩薩以口風氣故令地動復有菩薩人中為王
人中為王名為龍王龍王初入胎時有諸龍
王在此地下或怖或喜是故大地六種振動
是故復名不可思議菩薩摩訶薩知入胎時
住時出時知父知母不淨不汙如帝釋髻青
色寶珠是故復名不可思議善男子大涅槃

人中為王名為龍王龍王初入胎時有諸龍
王在此地下或怖或喜是故大地六種振動
是故復名不可思議菩薩摩訶薩知入胎時
住時出時知父知母不淨不汙如帝釋髻青
色寶珠是故復名不可思議善男子大涅槃
經亦復如是不可思議善男子譬如大海有
八不可思議何等為八一漸漸轉深二深難得
底三同一鹹味四潮不過限五有種種寶藏
六大身衆生在中居住七不宿死屍八一切
万流大雨投之不增不減善男子漸漸轉深
有三事何等為三一衆生福力二順風而行
三河水入故乃至不增不減亦各有三是大
涅槃微妙經典亦復如是有八不可思議一漸
漸深五戒十戒二百五十戒菩薩戒須陀洹
果斯陀含果阿那含果阿羅漢果辟支佛果
菩薩果阿耨多羅三藐三菩提果是涅槃經
說如是等法是名漸漸深是故此經名漸漸
深二深難得底如來世尊不生不滅不得阿
耨多羅三藐三菩提不轉法輪不食不受不
行惠施是故名為常樂我淨一切衆生悉有
佛性佛性非色不離於色非受想行識不離
於識是常可見了因非作因須陀洹乃至辟
支佛當得阿耨多羅三藐三菩提亦无煩惱
亦无住處雖无煩惱不名為常是故名深復
有甚深於是經中或時說我或說无我或時
說常或說无常或時說淨或說不淨或時說

丈佛當得阿耨多羅三藐三菩提亦无煩惱
亦无住處雖无煩惱不名為常是故名深復
有甚深於是經中或時說我或說无我或時
說常或說无常或時說淨或說不淨或時說
樂或時說苦或時說空或說不空或說一切
有或說一切无或說三乘或說一乘或說五
陰即是佛性金剛三昧及以中道首楞嚴三
昧十二因緣第一義空慈悲平等於諸衆生
頂智信心知諸根力一切法中无罣㝵智雖
有佛性不說決定是故名深三一味一切衆生
同有佛性皆同一乘同一解脫一因一果同一
甘露一切當得常樂我淨是名一味四潮不
過限如是經中制諸比丘不得受畜八不淨
物若我弟子有能受持讀誦書寫解說分別
是大涅槃微妙經典寧失身命終不犯也是
名潮不過限五有種種寶藏是經即是无量
寶藏所言寶者謂四念處四正懃四如意分
五根五力七覺分八聖道分嬰兒行聖行梵
行天行諸善方便衆生佛性菩薩功德如來
功德聲聞功德緣覺功德六波羅蜜无量
三昧无量智慧是名寶藏六大身衆生所
居住處大身衆生者謂佛菩薩大智慧故
名大衆生大身故大心故大莊嚴故大調伏
故大方便故說法故大勢力故大徒衆故大
神通故大慈悲故常不變故一切衆生无罣
㝵故容受一切諸衆生故是名大衆生所居

BD01827號　大般涅槃經（北本　異卷）卷三三　（23–6）

名大衆生大身故大心故大莊嚴故大調伏
故大方便故說法故大勢力故大徒衆故大
神通故大慈悲故常不變故一切衆生无罣
㝵故容受一切諸衆生故是名大衆生所居
之處七不宿死屍死屍者謂一闡提犯四重
禁五无間罪誹謗方等非法說法法說非法
受畜八種不淨之物佛物僧物隨意而用或
於比丘比丘尼所犯非法事是名死屍是涅
槃經離如是等是故名為不宿死屍八不增
不減无邊際故无始終故非非色故非作故
常住故不生滅故一切衆生悉平等故一切佛
性同一性故是名无增无減是故此經如彼大
海有八不思議師子吼言世尊若言如來不
生不滅名為深者一切衆生有四種生卵生
胎生濕生化生是四種生人中具有如施婆
羅比丘優婆施婆羅比丘弥迦羅長者母尼
拘陁長者母半闍羅長者母各五百子同於
卵生當知人中則有卵生濕生者如佛所說
我於往昔作菩薩時作頂生王及手生王如
今所說菴羅樹女迦不多樹女當知人中則
有濕生劫初之時一切衆生皆悉化生如來
世尊得八自在何因緣故不化生耶佛言善
男子一切衆生四生所生得聖法已不得如
本卵生濕生善男子劫初衆生皆悉化生當
佘之時佛不生世善男子若有衆生遇病苦
時須醫須藥劫初之時衆生化生雖有須[illegible]

BD01827號　大般涅槃經（北本　異卷）卷三三　（23–7）

□二一切衆生四生所生得聖法已不得如
本卵生濕生善男子劫初衆生皆悉化生當
尒之時佛不生世善男子若有衆生遇病苦
時須醫須藥劫初之時衆生化生雖有煩惱
其病未發是故如来不出於世劫初衆生身
心非器是故如来不出於世善男子如来世
尊所有事業勝諸衆生所謂種姓眷屬父母
以殊勝故凡所說法人皆信受是故如来不
受化生善男子一切衆生父作子業子作父
業如来世尊若受化身則无父母若无父母
云何能令一切衆生作諸善業是故如来不
受化身善男子佛正法中有二種護一内二
外内護者所謂禁戒外護者族親眷屬若佛
如来受化身者則无外護是故如来不受化
身善男子有人恃姓而生憍慢如来為破如
是憍慢故生在貴姓不受化身善男子如来
世尊有真父母父名淨飯母名摩耶而諸衆
生猶言是幻云何當受化生身也若受化身
云何得有碎身舍利如来為益衆生故碎其
身而令供養是故如来不受化身一切諸佛
悉无化生云何獨令我受化生身也尒時師
子吼菩薩合掌長跪右膝着地以偈讃佛
如来无量功德聚　我今不能廣宣說
令為衆生演一分　唯願哀愍聽我說
衆生无明闇中行　具受无邊百種苦
世尊能令遠離之　是故世稱為大悲

BD01827號　大般涅槃經（北本　異卷）卷三三　（23-8）

如来无量功德聚　我今不能廣宣說
令為衆生演一分　唯願哀愍聽我說
衆生无明闇中行　具受无邊百種苦
世尊能令遠離之　是故世稱為大悲
衆生往返生死繩　放逸迷荒无安樂
如来能施衆安樂　是故永斷生死繩
佛能施衆安樂故　自於己樂不貪樂
為諸衆生脩苦行　是故世間興供養
見他受苦身戰動　處在地獄不覺痛
為諸衆生受大苦　是故无勝无有量
如来為衆脩苦行　成就具足滿六度
心處耶風不傾動　是故能勝世大士
衆生常欲得安樂　而不知脩安樂因
如来能教令脩集　猶如慈父愛一子
佛見衆生煩惱患　心苦如母念病子
常思離病諸方便　是故此身繫屬他
一切衆生行諸苦　其心顛倒以為樂
如来演說真苦樂　是故稱㳛為大悲
世間皆處无明鷇　无有智嘴能破之
如来智嘴能徂壞　是故名為最大子
不為三世所攝持　无有名字及假號
覺知涅槃甚深義　是故稱佛為大覺
有河迴濩沒衆生　无明所盲不知出
如来自度能度彼　是故稱佛大船師
能知一切諸因果　亦復通達盡滅道
常施衆生病苦藥　是故世稱大醫王

BD01827號　大般涅槃經（北本　異卷）卷三三　（23-9）

有河迴覆没衆生　无明所盲不知出
如来自度能度彼　是故稱佛大船師
能知一切諸因果　亦湏通達盡滅道
常施衆生病苦藥　是故世稱大醫王
外道耶見說苦行　因是能得无上道
如来演說真樂行　能令衆生受快樂
如来世尊破耶道　開示衆生正真路
行是道者得安樂　是故稱佛為導師
非自非他之所作　亦非共作无因作
如来所說苦受事　勝於一切諸外道
成就具是戒定慧　亦以此法教衆生
以法施時无始怯　是故稱佛无緣悲
无所造作无因緣　獲得无因无果報
是故一切諸智者　稱說如来不求報
常共世間放逸行　而身不為放逸汙
是故名為不思議　世間八法不能汙
如来世尊无怨親　是故其心常平等
我師子吼讚大悲　能吼无量師子吼

大般涅槃經迦葉菩薩品第十二

迦葉菩薩白佛言世尊如来憐愍一切衆生
不調能調不淨能淨无歸依者能作歸依未
解脫者能令解脫得八自在為大醫師作大
藥王善星比丘是佛菩薩時子出家之後受
持讀誦分別解說十二部經壞欲界結獲得
四禪云何如来記說善星是一闡提斯下之
人地獄劫住不可治人如来何故不先為其演

解脫者能令解脫得八自在為大醫師作大
藥王善星比丘是佛菩薩時子出家之後受
持讀誦分別解說十二部經壞欲界結獲得
四禪云何如来記說善星是一闡提斯下之
人地獄劫住不可治人如来何故不先為其演
說正法後為菩薩如来世尊若不能救善星
比丘云何得名有大慈愍有大方便佛言善
男子辟如父母唯有三子其一子者有信順
心恭敬父母利根智慧於世間事能悉了知
其第二子不敬父母无信順心利根智慧於
世間事能悉了知其第三子不敬父母无有
信心鈍根无智父母若欲教告之時應先教
誰先親愛誰當先教誰知世間事迦葉菩薩白
佛言世尊應先教授有信心者恭敬父母利
根智慧知世事者其次第二乃及第三而彼二
子雖无信順恭敬之心為愍念故次復教之善男
子如来亦尒其三子者初喻菩薩中喻聲聞後
喻一闡提如十二部經脩多羅中微細之義我
先已為諸菩薩說淺近之義為聲聞說世間之
義為一闡提五逆罪說現在世中雖无利益以
憐愍故為生後世諸善種子善男子如三種
田一者渠流便易无諸沙鹵凡石蕀刺種一得
百二者雖无沙鹵凡石蕀刺渠流險難收實
減半三者渠流險難多諸沙鹵凡石蕀刺種
一得一為藁草故善男子農夫春月先種何
田世尊先種初田次第二田後及第三初喻

百二者雖无沙鹵凡石蕀刺渠流難嶮怓實
滅半三者渠流嶮難多諸沙鹵凡石蕀刺種
一得一為稾草故善男子農夫春月先種何
田世尊先種初田次苐二田後及苐三初喻
菩薩次喻聲聞後喻一闡提善男子辟如三
器一者完二者漏三者破若欲盛置乳酪水
蘇先用何者世尊應用完者次用漏者後及
破者其完淨者喻菩薩僧漏喻聲聞破喻一
闡提善男子如三病人俱至醫所一易治二
難治三不可治善男子醫若治者當先治誰
世尊應先治易次及苐二後及苐三何以故
為親屬故其易治者喻菩薩僧其難治者喻
聲聞僧不可治者喻一闡提現在世中雖无
善果以憐愍故為種後世諸善種子故善男
子辟如大王有三種馬一調𤸪大力二不調
齒壯大力三不調羸老无力王若乘者當先
乘何者世尊應先乘用調𤸪大力次乘苐二
後及苐三善男子調壯大力喻菩薩僧其苐
二者喻聲聞僧其苐三者喻一闡提現在世
中雖无利益以憐愍故為種後世諸善種子
善男子如大施時有三人來一貴族聡明持
戒二中姓鈍根持戒三下姓鈍根毀戒善男
子是大施主應先施誰世尊應先施於貴姓
利根持戒次及苐二後及苐三苐一喻菩薩僧
苐二喻聲聞僧苐三喻一闡提善男子如大
師子煞香象時皆盡其力煞菟亦尒不生輕

BD01827號　大般涅槃經（北本　異卷）卷三三　（23-12）

羲二中姓鈍根持羲三下姓鈍根毀羲善男
子是大施主應先施誰世尊應先施於貴姓
利根持戒次及苐二後及苐三苐一喻菩薩僧
苐二喻聲聞僧苐三喻一闡提善男子如大
師子煞香象時皆盡其力煞菟亦尒不生輕
想諸佛如來亦復如是為諸菩薩及一闡提
演說法時功用无二善男子我於一時住王
舍城善星比丘為我給使我於初夜為天帝
釋演說法要弟子法應後師眠卧尒時善星
比丘以我久坐心生惡念時王舍城小男小
女若啼不止父母則語汝若不止當將汝付
薄俱羅鬼尒時善星反被拘執而語我言速
入禪室薄俱羅來我言癡人汝常不聞如來
世尊无所畏耶尒時帝釋即語我言世尊如
是人等亦復得入佛法中耶我即語言憍尸
迦如是人者得入佛法亦有佛性當得阿耨
多羅三藐三菩提我雖為是善星說法而彼
都无信受之心善男子我於一時在迦尸國
尸婆富羅城善星比丘為我給使我時欲入
彼城乞食无量衆生虛心渴仰欲見我跡善
星比丘尋隨我後而毀滅之既不能滅而令
衆生生不善心我入城已於酒家舍見一尼
乾檖脊蹲地飡食酒糟善星比丘見已而言
世尊世間若有阿羅漢者是人最勝何以故
是人所說无因无果我言癡人汝常不聞阿
羅漢者不飲酒不害人不欺誑不偷盜不淫

BD01827號　大般涅槃經（北本　異卷）卷三三　（23-13）

乾栳脊蹲地飡食酒糟善星比丘見已而言
世尊世間若有阿羅漢者是人最勝何以故
是人所說无因无果我言癡人汝常不聞阿
羅漢者不飲酒不害人不欺誑不偷盜不淫
泆是人煞害父母食噉酒糟云何而言是阿
羅漢是人捨身必定當墮阿鼻地獄阿羅漢
者永斷三惡云何而言是阿羅漢善星即言
四大之性猶可轉易欲令是人必墮阿鼻无
有是處我言癡人汝常不聞諸佛如来誠言
无二我雖為是善星說法而彼絕无信受之
心善男子我於一時與善星比丘住王舍城尒
時城中有一尼乾名曰苦得常作是言衆生
煩惱无因无緣衆生解脫亦无因緣善星比
丘復作是言世尊世間若有阿羅漢者苦得
為上我言癡人苦得尼乾實非羅漢不能解
了阿羅漢道善星復言何故羅漢於阿羅漢
而生嫉妬我言癡人我於羅漢不生嫉妬而
汝自生惡耶見耳若言苦得是羅漢者却後
七日當患宿食腹痛而死死已生於食吐鬼
中其同學輩當舉其屍置寒林中尒時善星
即往苦得尼乾子所語言長老汝今知不沙
門瞿曇記汝七日當患宿食腹痛而死死已
生於食吐鬼中同學同師當舉汝屍置寒林
中長老好善思惟作諸方便當令瞿曇墮妄
語中尒時苦得聞是語已即便斷食從初一
日乃至六日滿七日已便食黑蜜食黑蜜已

生於食吐鬼中同學同師當舉汝屍置寒林
中長老好善思惟作諸方便當令瞿曇墮妄
語中尒時苦得聞是語已即便斷食從初一
日乃至六日滿七日已便食黑蜜食黑蜜已
復飲冷水飲冷水已腹痛而終終已同學舉
其屍喪置寒林中即受食吐餓鬼之形在其
屍邊善星比丘聞是事已至寒林中見苦得
身受食吐鬼形在其屍邊栳脊蹲地善星語
言大德死耶苦得荅言我已死矣云何死耶荅
言因腹痛死誰出汝屍荅言同學出置何處
荅言癡人汝今不識是寒林耶得何等身荅
言我得食吐鬼身善星諦聽如来善語真語
時語義語法語善星如来口出如是實語汝於
尒時云何不信若有衆生不信如来真實言
者彼亦當受如我此身尒時善星即還我所作
如是言世尊苦得尼乾命終之後生三十三
天我言癡人阿羅漢者无有生處云何而言
苦得生於三十三天世尊實如所言苦得尼
乾實不生於三十三天今受食吐餓鬼之身
我言癡人諸佛如来誠言无二若言如来有
二言者无有是處善星即言如来尒時雖作
是說我於是事都不生信善男子我亦常為
善星比丘說真實法而彼絕无信受之心善
男子善星比丘雖復讀誦十二部經獲得四
禪乃至不解一偈一句一字之義親近惡友
退失四禪退禪定已生惡耶見作如是說无

是說我於是事都不生信善男子我亦常為
善星比丘說真實法而彼絕无信受之心善
男子善星比丘雖復讀誦十二部經獲得四
禪乃至不解一偈一句一字之義親近惡友
退失四禪退禪定已生惡邪見作如是說无
佛无法无有涅槃沙門瞿曇善知相法是故
能得知他人心我於尒時告善星言我所說
法初中後善其言巧妙字義真正所說无雜
具足成就清淨梵行善星比丘復作是言如
來雖復為我說法而我真實謂无因果善男
子汝若不信如是事者善星比丘今者近在
尼連禪河可共往問尒時如來即與迦葉往
善星所善星比丘遥見我來見已即生惡邪
之心以惡心故生身陷入墮阿鼻獄善男子
善星比丘雖入佛法无量寶聚空无所獲乃
至不得一法之利以放逸故惡知識故辟如有
人雖入大海多見衆寶而无所得以放逸故又
如入海雖見寶聚自刎而死或為羅刹惡鬼
所煞善星比丘亦復如是入佛法已為惡知
識羅刹大鬼之所煞害善男子是故如來以
憐愍故常說善星多諸放逸善男子若本貧
窮於是人所雖生憐愍其心則薄若本巨富
後失財物於是人所生於憐愍其心則厚善
星比丘亦復如是受持讀誦十二部經獲得
四禪然後退失甚可憐愍是故我說善星比
丘多諸放逸多放逸故斷諸善根我諸弟子

後失財物於是人所生於憐愍其心則厚善
星比丘亦復如是受持讀誦十二部經獲得
四禪然後退失甚可憐愍是故我說善星比
丘多諸放逸多放逸故斷諸善根我諸弟子
有見聞者於是人所无不生於重憐愍心如
初巨富後失財者我於多年常與善星共
相隨逐而彼自生惡邪之心以惡邪故不捨
惡見善男子我從昔來見是善星少有善根
如毛髮許終不記彼斷絕善根是一闡提斯
下之人地獄劫住以其宣說无因无果无有
作業尒乃記彼永斷善根是一闡提斯下之人
地獄劫住善男子辟如有人沒清廁中有善
知識以手托之若得首髮便欲拔出久求不
得尒乃息意我亦如是求覓善星微少善根
便欲拔濟終日求之乃至不得如毛髮許是
故不得拔其地獄迦葉菩薩言世尊如來何
故記彼當墮阿鼻地獄善男子善星比丘多
有眷屬皆謂善星是阿羅漢是得道果我欲
壞惡耶心故記彼善星以放逸故墮於地獄
善男子汝今當知如來所說真實无二何以
故若佛所記當墮地獄若不到者无有是處
聲聞緣覺所記莂者則有二種或虛或實如
目揵連在摩伽陁國遍告諸人却後七日天
當降雨時竟不雨後記㹀牛當生白犢及其
產時乃產駁犢記生男者後乃生女善男子
善星比丘常為无量諸衆生等宣說一切无
[illegible]

目揵連在摩伽陁國遍告諸人却後七日天
當降雨時竟不雨後記㸃牛當生白犢及其
産時乃産駮犢記生男者後乃生女善男子
善星比丘常為无量諸衆生等宣說一切无
善惡果尒時永斷一切善根乃至无有如毛
髮許善男子我久知是善星比丘當斷善根
猶故共住滿廿年畜養共行我若遠棄不
近左右是人當教无量衆生造作惡業是名
如來第五解力世尊一闡提以何因緣无
有善法善男子一闡提斷善根故衆生
悉有信等五根而一闡提永斷滅故以是
義故煞害蟻子猶得煞罪煞一闡提无有煞
罪世尊一闡提者終无善法是故名為一闡
提耶佛言如是如是世尊一切衆生有三種
善所謂過去未來現在一闡提亦不能斷未
來善法云何說言斷諸善法名一闡提耶善男
子斷有二種一現在滅二現在鄣於未來世一
闡提輩具是二斷是故我言斷諸善根善男
子辟如有人没圊廁中唯有一髮毛頭未没
雖復一髮毛頭未没而一髮頭不能勝身一
闡提輩亦復如是雖未來世當有善根而不
能救地獄之苦未來之世雖可救拔現在之
世无如之何是故名為不可救濟以佛性因緣
則可得救佛性者非過去非未來非現在是
故佛性不可得斷如朽敗子不能生牙一闡
提輩亦復如是世尊一闡提輩不斷佛性佛

世无如之何是故名為不可救濟以佛性因緣
則可得救佛性者非過去非未來非現在是
故佛性不可得斷如朽敗子不能生牙一闡
提輩亦復如是世尊一闡提輩不斷佛性佛
性亦善云何說言斷一切善善男子若諸衆
生現在世中有佛性者則不得名一闡提也
如世間中衆生我性佛性是常三世不攝三
世若攝名為无常佛性未來以當見故言
衆生悉有佛性以是義故十住菩薩具足莊
嚴乃得少見迦葉菩薩言世尊佛性者常猶
如虛空何故如來說言未來如來若言一闡
提輩无善法者一闡提輩於其同學同師父
母親族妻女豈當不生愛念心耶如其生者
非是善乎佛言善哉善哉善男子快發斯問
佛性者猶如虛空非過去非未來非現在一
切衆生有三種身所謂過去未來現在衆生未
來具足莊嚴清淨之身得見佛性是故我言
佛性未來善男子我為衆生或時說因為果
或時說果為因是故經中說命為食見色名
觸未來身淨故說佛性世尊如佛所說義如
是者何故說言一切衆生悉有佛性善男子
衆生佛性雖現在无不可言无如虛空性雖
无現在不得言无一切衆生雖復无常而是
佛性常住无變是故我於此經中說衆生佛
性非内非外猶如虛空非内非外如其虛空

无現在不得言无一切衆生雖復无常而是
佛性常住无變是故我於此經中說衆生佛
性非內非外猶如虛空非內非外如其虛空
有內外者虛空不名爲一爲常亦不得言一
切處有虛空雖復非內非外而諸衆生悉皆
有之衆生佛性亦復如是如汝所言一闡提
輩有善法者是義不然何以故一闡提輩若
有身業口業意業取業求業施業解業如是
等業悉是邪業何以故不求因果故善男子
如呵梨勒藥根莖枝葉華實悉苦一闡提業
亦復如是善男子如來具足知諸根力是故
善能分別分別衆生上中下根能知是人轉
下作中能知是人轉中作上能知是人轉上
作中能知是人轉中作下是故當知衆生根性
无有決定以无定故或斷善根斷已還生若
諸衆生根性定者終不先斷斷已復生亦不
應說一闡提輩墮於地獄壽命一劫善男子
是故如來說一切法无有定相迦葉菩薩白
佛言世尊如來具足知諸根力定知善星當
斷善根以何因緣聽其出家佛言善男子我
於往昔初出家時吾弟難陀從弟阿難調婆
達多子羅睺羅如是等輩皆悉隨我出家
脩道我若不聽善星出家其人次當得紹
王位其力自在當壞佛法以是因緣我便聽
其出家脩道善男子善星比丘若不出家亦

BD01827號　大般涅槃經（北本　異卷）卷三三 　(23–20)

達多子羅睺羅如是等輩皆悉隨我出家
脩道我若不聽善星出家其人次當得紹
王位其力自在當壞佛法以是因緣我便聽
其出家脩道善男子善星比丘若不出家亦
斷善根於无量世都无利益今出家已雖斷
善根能受持戒供養恭敬耆舊長宿有德之
人脩集初禪乃至四禪是名善因如是善因
能生善法善法既生能脩集道既脩集道當
得阿耨多羅三藐三菩提是故我聽善星出
家善男子若我不聽善星比丘出家受戒則
不得稱我爲如來具足十力善男子佛觀衆
生具足善法及不善法是人雖具如是二法
不久能斷一切善根不具善根何以故如是
衆生不親善友不聽正法不善思惟不如法
行以是因緣能斷善根具不善根善男子如
來復知是人現世若未來世少壯老時當近
善友聽受正法苦集滅道尒時則能還生善
根善男子譬如有泉去村不遠其水甘美具
八功德有人熱渴欲往泉所邊有智者觀是渴
人必定无疑當至水所何以故无異路故如
來世尊觀諸衆生亦復如是是故如來名爲
具足知諸根力尒時世尊取地少土置之抓
上告迦葉言是土多耶十方世界地土多乎
迦葉菩薩白佛言世尊抓上土者不比十方
所有土也善男子有人捨身還得人身捨三
惡身得受人身諸根完具生於中國具足正

BD01827號　大般涅槃經（北本　異卷）卷三三 　(23–21)

来世尊觀諸衆生亦復如是是故如来名爲
具足知諸根力尒時世尊取地少土置之抓
上告迦葉言是土多耶十方世界地土多乎
迦葉菩薩白佛言世尊抓上土者不比十方
所有土也善男子有人捨身還得人身捨三
悪身得受人身諸根完具生於中國具足正
信能脩集道脩集道已能脩正道脩正道已
能得解脫得解脫已能入涅槃如抓上土捨
人身已得三悪身捨三悪身得三悪身身根
不具生於邊地信耶倒見脩集耶道不得解
脫常樂涅槃如十方界所有地土善男子護
持禁戒精懃不懈不犯四重不作五逆不用
僧鬘物不作一闡提不斷善根信如是等涅
槃經典如抓上土毀戒懈怠犯四重禁作五
逆罪用僧鬘物作一闡提斷諸善根不信是
經如十方界所有地土善男子如来善知衆生
如是上中下根是故稱佛具知根力

大般涅槃經卷第卅三

BD01827 號　大般涅槃經（北本　異卷）卷三三　（23–22）

脫常樂涅槃如十方界所有地土善男子護
持禁戒精懃不懈不犯四重不作五逆不用
僧鬘物不作一闡提不斷善根信如是等涅
槃經典如抓上土毀戒懈怠犯四重禁作五
逆罪用僧鬘物作一闡提斷諸善根不信是
經如十方界所有地土善男子如来善知衆生
如是上中下根是故稱佛具知根力

大般涅槃經卷第卅三

BD01827 號　大般涅槃經（北本　異卷）卷三三　（23–23）

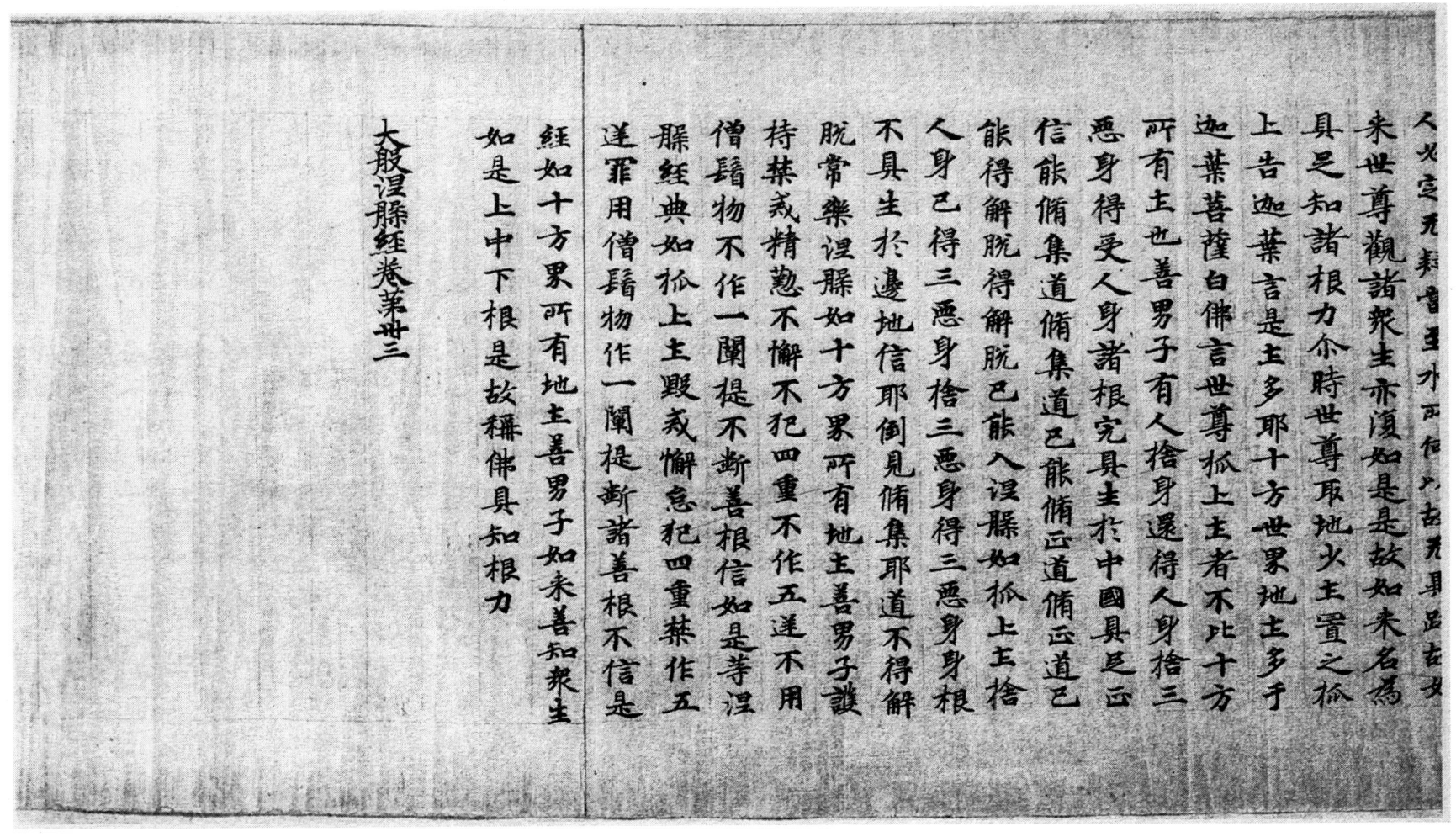

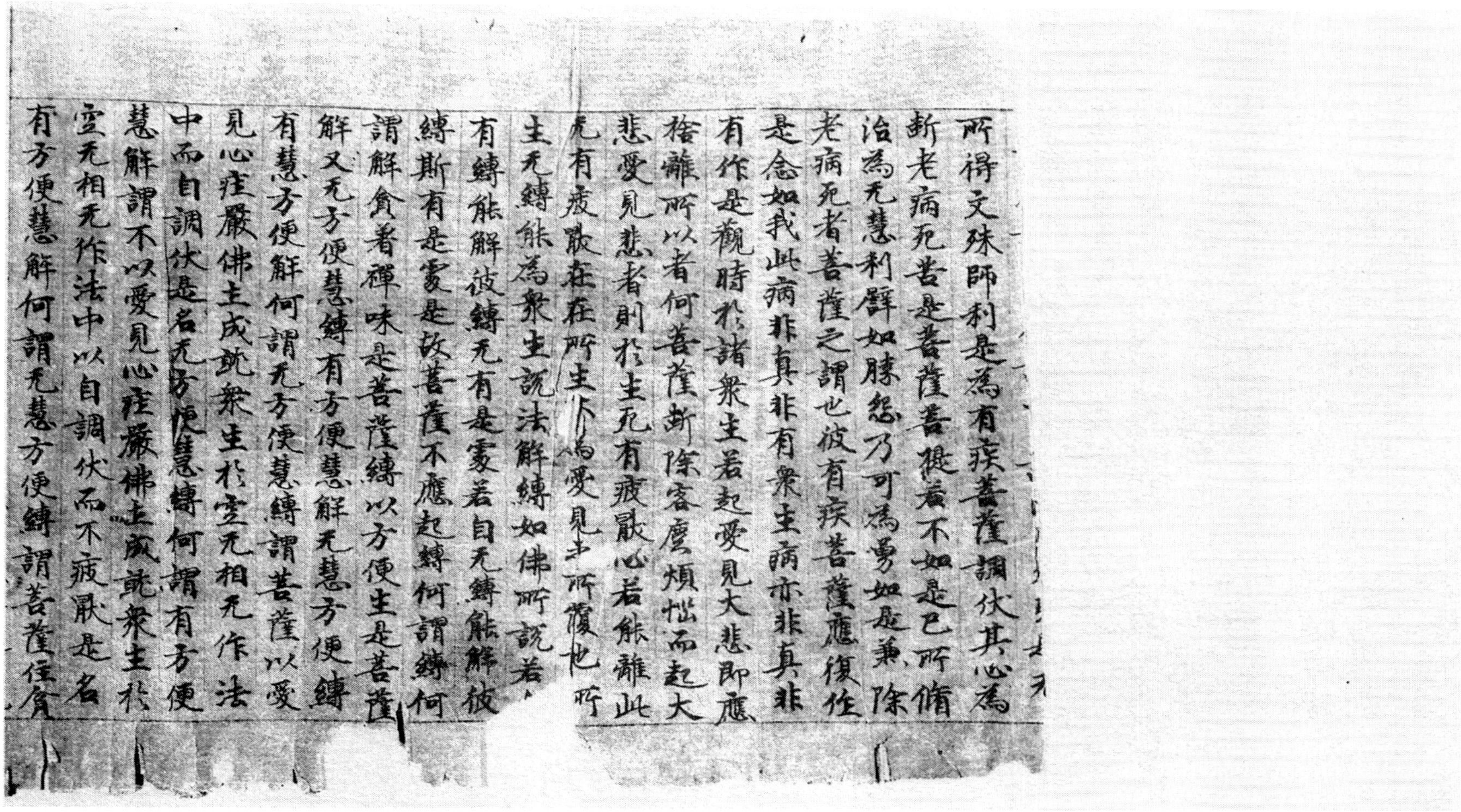

所得文殊師利是為有疾菩薩調伏其心為
斷老病死苦是菩薩菩提若不如是已所脩
治為无慧利辟如勝怨乃可為勇如是兼除
老病死者菩薩之謂也彼有疾菩薩應復作
是念如我此病非真非有衆生病亦非真非
有作是觀時於諸衆生若起愛見大悲即應
捨離所以者何菩薩斷除客塵煩惱而起大
悲愛見悲者則於生死有疲厭心若能離此
无有疲厭在在所生不為愛見之所覆也所
生无縛能為衆生說法解縛如佛所說若
有縛能解彼縛无有是處若自无縛能解彼
縛斯有是處是故菩薩不應起縛何謂縛何
謂解貪著禪味是菩薩縛以方便生是菩薩
解又无方便慧縛有方便慧解无慧方便縛
有慧方便解何謂无方便慧縛謂菩薩以愛
見心莊嚴佛土成就衆生於空无相无作法
中而自調伏是名无方便慧縛何謂有方便
慧解謂不以愛見心莊嚴佛土成就衆生於
空无相无作法中以自調伏而不疲厭是名
有方便慧解何謂无慧方便縛謂菩薩住貪

BD01828 號　維摩詰所說經卷中　（5–1）

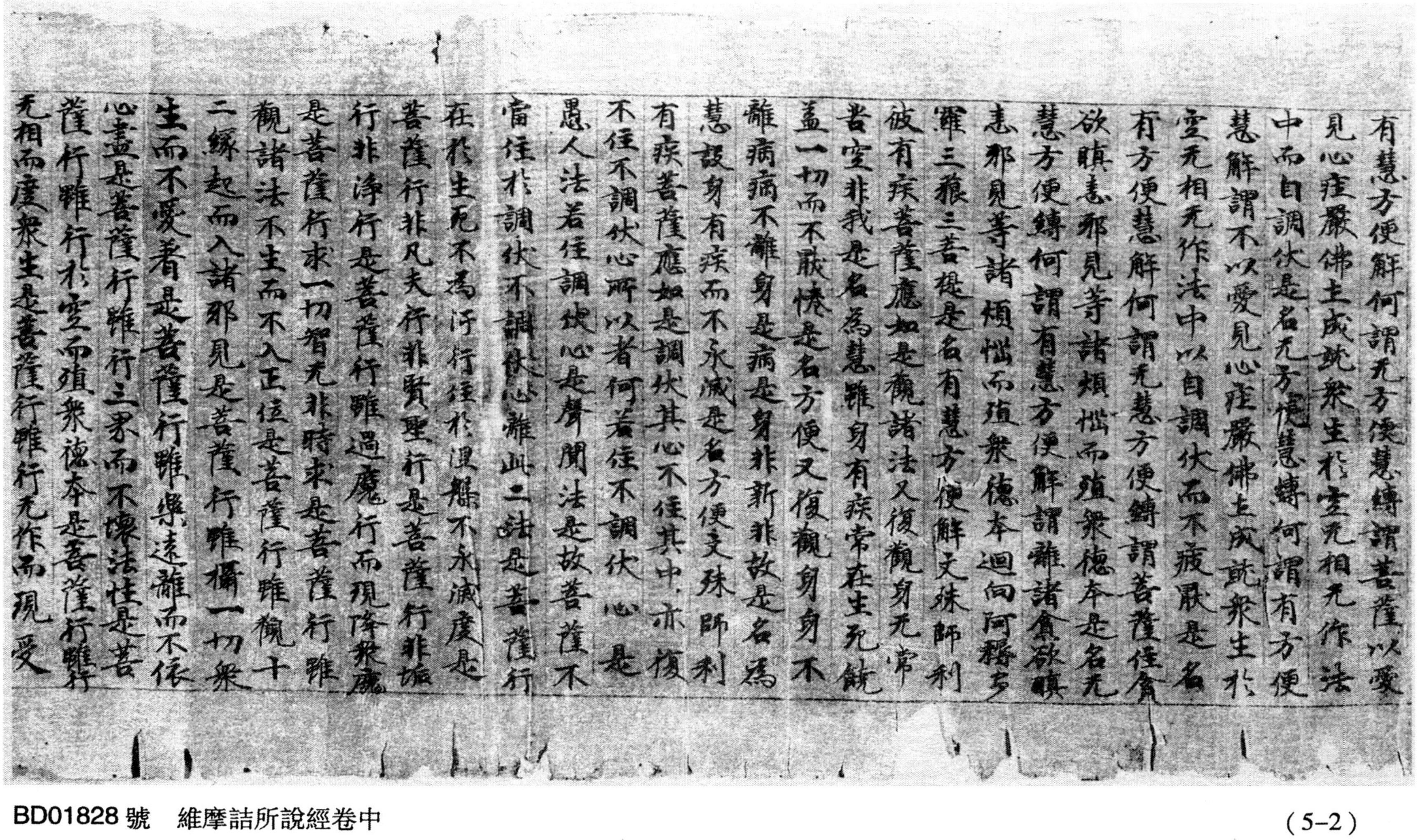

有慧方便解何謂无方便慧縛謂菩薩以愛
見心莊嚴佛土成就衆生於空无相无作法
中而自調伏是名无方便慧縛何謂有方便
慧解謂不以愛見心莊嚴佛土成就衆生於
空无相无作法中以自調伏而不疲厭是名
有方便慧解何謂无慧方便縛謂菩薩住貪
欲瞋恚邪見等諸煩惱而殖衆德本是名无
慧方便縛何謂有慧方便解謂離諸貪欲瞋
恚邪見等諸煩惱而殖衆德本迴向阿耨多
羅三藐三菩提是名有慧方便解文殊師利
彼有疾菩薩應如是觀諸法又復觀身无常
苦空非我是名為慧雖身有疾常在生死饒
益一切而不厭惓是名方便又復觀身身不
離病病不離身是病是身非新非故是名為
慧設身有疾而不永滅是名方便文殊師利
有疾菩薩應如是調伏其心不住其中亦復
不住不調伏心所以者何若住不調伏心是
愚人法若住調伏心是聲聞法是故菩薩不
當住於調伏不調伏心離此二法是菩薩行
在於生死不為污行住於涅槃不永滅度是
菩薩行非凡夫行非賢聖行是菩薩行非垢
行非淨行是菩薩行雖過魔行而現降衆魔
是菩薩行求一切智无非時求是菩薩行雖
觀諸法不生而不入正位是菩薩行雖觀十
二緣起而入諸邪見是菩薩行雖攝一切衆
生而不愛著是菩薩行雖樂遠離而不依
心盡是菩薩行雖行三界而不壞法性是菩
薩行雖行於空而殖衆德本是菩薩行雖行
无相而度衆生是菩薩行雖行无作而現受

BD01828 號　維摩詰所說經卷中　（5–2）

是菩薩行求一切智无非時求是菩薩行雖
觀諸法不生而不入正位是菩薩行雖觀十
二緣起而入諸邪見是菩薩行雖攝一切衆
生而不愛著是菩薩行雖樂遠離而不依
心盡是菩薩行雖行三界而不壞法性是菩
薩行雖行於空而殖衆德本是菩薩行雖行
无相而度衆生是菩薩行雖行无作而現受
身是菩薩行雖行无起而起諸善法是菩薩
行雖行六波羅蜜而遍知衆生心心數法是
菩薩行雖行六通而不盡漏是菩薩行雖行
四无量心而不貪著生於梵世是菩薩行雖
行禪定解脫三昧而不隨禪生是菩薩行雖
行四念處而不永離身受心法是菩薩行雖
行四正勤而不捨身心精進是菩薩行雖行
四如意足而得自在神通是菩薩行雖行五
根而分別衆生諸根利鈍是菩薩行雖行五
力而樂求佛十力是菩薩行雖行七覺分而
分別佛之智慧是菩薩行雖行八正道而樂
行无量佛道是菩薩行雖行止觀助道之法
而不畢竟墮於寂滅是菩薩行雖行諸法不
生不滅而以相好莊嚴其身是菩薩行雖現
聲聞辟支佛威儀而不捨佛法是菩薩行雖
隨諸法究竟淨相而隨所應爲現其身是菩
薩行雖觀諸佛國土永寂如空而現種種清
淨佛土是菩薩行雖得佛道轉于法輪入於
涅槃而不捨於菩薩之道是菩薩行說是語
時文殊師利所將大衆其中八千天子皆發
阿耨多羅三藐三菩提心
不思議品第六

BD01828 號　維摩詰所說經卷中　（5–3）

聲聞辟支佛威儀而不捨佛法是菩薩行雖
隨諸法究竟淨相而隨所應爲現其身是菩
薩行雖觀諸佛國土永寂如空而現種種清
淨佛土是菩薩行雖得佛道轉于法輪入於
涅槃而不捨於菩薩之道是菩薩行說是語
時文殊師利所將大衆其中八千天子皆發
阿耨多羅三藐三菩提心
不思議品第六
尒時舍利弗見此室中无有林坐作是念斯
諸菩薩大弟子衆當於何坐長者維摩詰知
其意語舍利弗言云何仁者爲法來耶求林
坐耶舍利弗言我爲法來非爲林坐維摩詰
言唯舍利弗夫求法者不貪軀命何况林坐
夫求法者非有色受想行識之求非有界入
之求非有欲色无色之求唯舍利弗夫求法
者不著佛求不著法求不著衆求夫求法者
无見苦求无斷集求无造盡證修道之求所
以者何法无戲論若言我當見苦斷集證滅
修道是則戲論非求法也唯舍利弗法名寂
滅若行生滅是求生滅非求法也法名无染
若染於法乃至涅槃是則染著非求法也法
无行處若行於法是則行處非求法也法无
取捨若取捨法是則取捨非求法也法无處
所若著處所是則著處非求法也法无相
若隨相識是則求相非求法也法不可住若
住於法是則住法非求法也法不可見聞覺
知若行見聞覺知是則見聞覺知非求法也
法名无爲若行有爲是求有爲非求法也是
故舍利弗若求法者於一切法應无所求說

BD01828 號　維摩詰所說經卷中　（5–4）

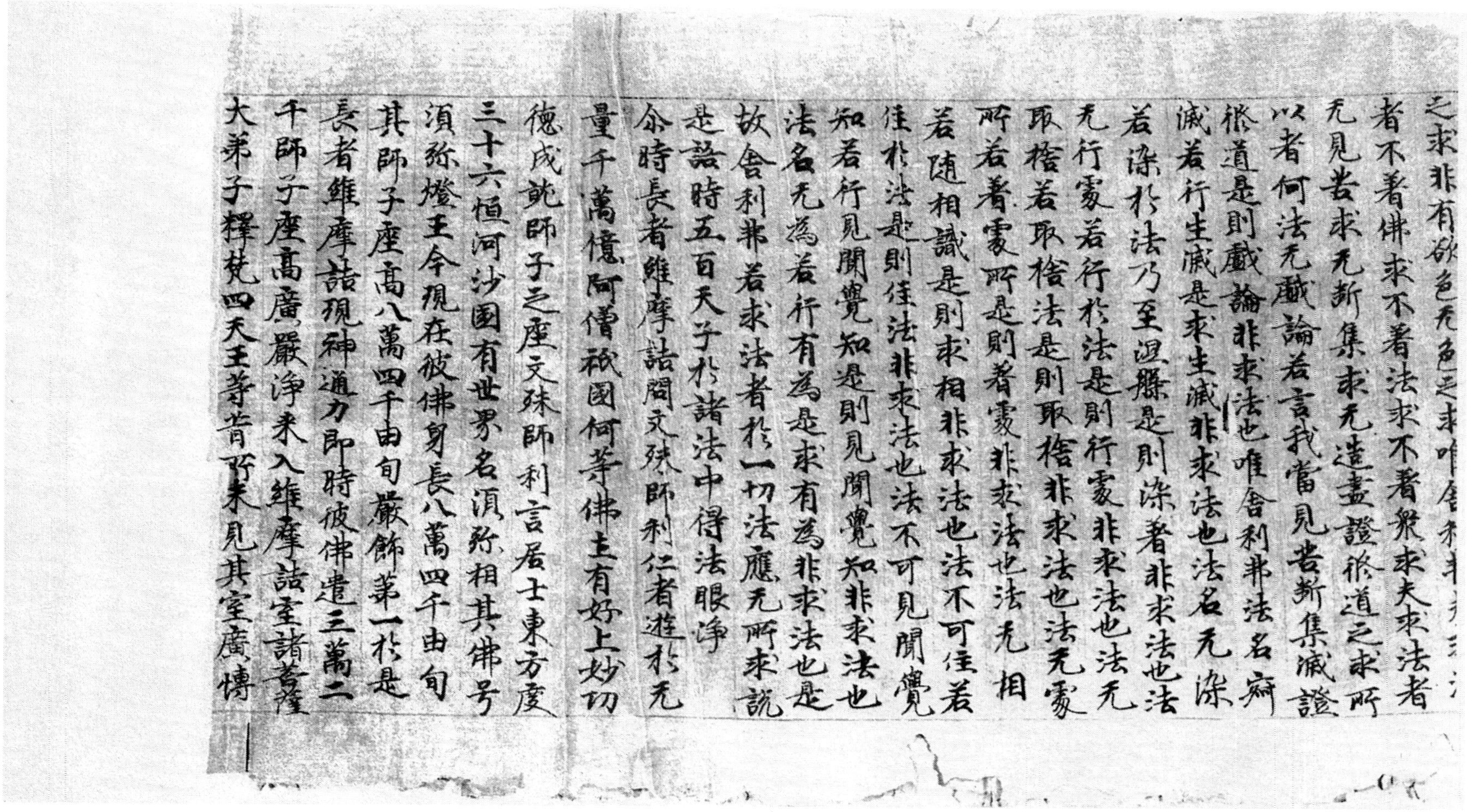

之求非有欲色无色之求唯舍利弗夫求法
者不著佛求不著法求不著衆求夫求法者
无見苦求无斷集求无造盡證脩道之求所
以者何法无戲論若言我當見苦斷集滅證
脩道是則戲論非求法也唯舍利弗法名寂
滅若行生滅是求生滅非求法也法名无染
若染於法乃至涅槃是則染著非求法也法
无行處若行於法是則行處非求法也法无
取捨若取捨法是則取捨非求法也法无處
所若著處所是則著處非求法也法无相
若隨相識是則求相非求法也法不可住若
住於法是則住法非求法也法不可見聞覺
知若行見聞覺知是則見聞覺知非求法也
法名无為若行有為是求有為非求法也是
故舍利弗若求法者於一切法應无所求說
是語時五百天子於諸法中得法眼淨
尒時長者維摩詰問文殊師利仁者遊於无
量千萬億阿僧祇國何等佛土有好上妙功
德成就師子之座文殊師利言居士東方度
三十六恒河沙國有世界名須弥相其佛号
須弥燈王今現在彼佛身長八萬四千由旬
其師子座高八萬四千由旬嚴飾第一於是
長者維摩詰現神通力即時彼佛遣三萬二
千師子座高廣嚴淨來入維摩詰室諸菩薩
大弟子釋梵四天王等昔所未見其室廣博

BD01828號　維摩詰所說經卷中　（5–5）

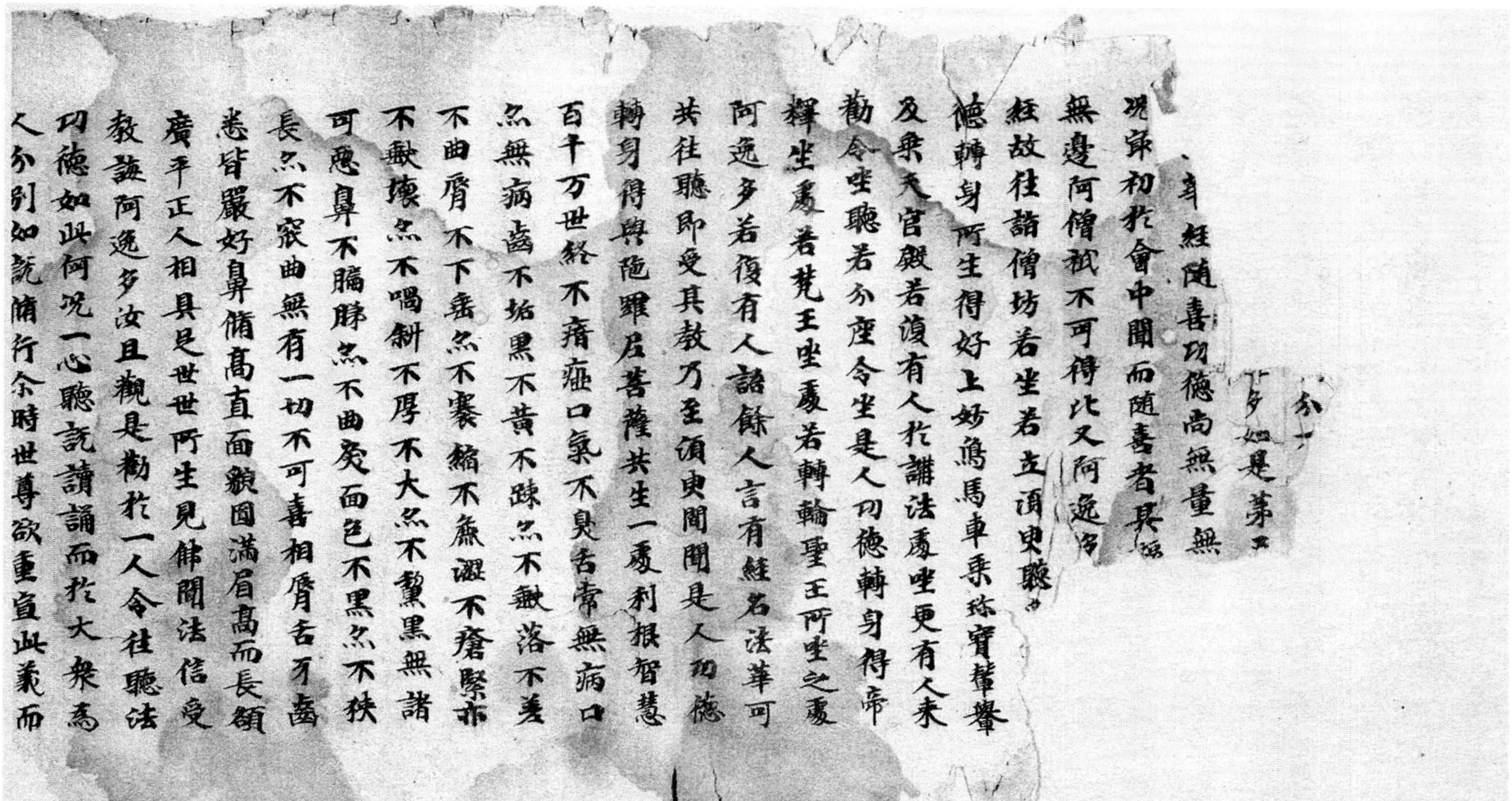

分一
多如是第五
經隨喜功德尚無量無
況最初於會中聞而隨喜者其福
無邊阿僧祇不可得比又阿逸多
經故往詣僧坊若坐若立須臾聽受
德轉身所生得好上妙象馬車乘珎寶輦輿
及乘天宮殿若復有人於講法處坐更有人來
勸令坐聽若分座令坐是人功德轉身得帝
釋坐處若梵王坐處若轉輪聖王所坐之處
阿逸多若復有人語餘人言有經名法華可
共往聽即受其教乃至須臾間聞是人功德
轉身得與陀羅尼菩薩共生一處利根智慧
百千万世終不瘖瘂口氣不臭舌常無病口
亦無病齒不垢黑不黃不踈亦不缺落不差
不曲脣不下垂亦不褰縮不麁澀不瘡緊亦
不缺壞亦不喎斜不厚不大亦不黧黑無諸
可惡鼻不匾𠿒亦不曲戾面色不黑亦不狹
長亦不窊曲無有一切不可喜相脣舌牙齒
悉皆嚴好鼻脩高直面貌圓滿眉高而長額
廣平正人相具足世世所生見佛聞法信受
教誨阿逸多汝且觀是勸於一人令往聽法
功德如此何況一心聽說讀誦而於大衆為
人分別如說脩行尒時世尊欲重宣此義而

BD01829號　妙法蓮華經卷六　（27–1）

可惡鼻不匾㔸亦不曲戾面色不黑亦不狹
長亦不窊曲無有一切不可喜相脣舌牙齒
悉皆嚴好鼻脩高直面貌圓滿眉高而長額
廣平正人相具足世世所生見佛聞法信受
教誨阿逸多汝且觀是勸於一人令往聽法
功德如此何況一心聽說讀誦而於大眾為
人分別如說脩行尒時世尊欲重宣此義而
說偈言
若人於法會　得聞是經典　乃至於一偈　隨喜為他說
如是展轉教　至于第五十　最後人獲福　今當分別之
如有大施主　供給無量眾　具滿八十歲　隨意之所欲
見彼衰老相　髮白而面皺　齒疏形枯竭　念其死不久
我今應當教　令得於道果　即為方便說　涅槃真實法
世皆不牢固　如水沫泡焰　汝等咸應當　疾生厭離心
諸人聞是法　皆得阿羅漢　具足六神通　三明八解脫
最後第五十　聞一偈隨喜　是人福勝彼　不可為譬喻
如是展轉聞　其福尚無量　何況於法會　初聞隨喜者
若有勸一人　將引聽法華　言此經深妙　千万劫難遇
即受教往聽　乃至須臾聞　斯人之福報　今當分別說
世世無口患　齒不疏黃黑　脣不厚褰缺　無有可惡相
舌不乾黑短　鼻高脩且直　額廣而平正　面目悉端嚴
為人所喜見　口氣無臭穢　優鉢華之香　常從其口出
若故詣僧坊　欲聽法華經　須臾聞歡喜　今當說其福
後生天人中　得妙象馬車　珎寶之輦轝　及乘天宮殿
若於講法處　勸人坐聽經　是福因緣得　釋梵轉輪座
何況一心聽　解說其義趣　如說而脩行　其福不可量
妙法蓮華經法師功德品第十九

BD01829 號　妙法蓮華經卷六　（27–2）

若故詣僧坊　欲聽法華經　須臾聞歡喜　今當說其福
後生天人中　得妙象馬車　珎寶之輦轝　及乘天宮殿
若於講法處　勸人坐聽經　是福因緣得　釋梵轉輪座
何況一心聽　解說其義趣　如說而脩行　其福不可量
妙法蓮華經法師功德品第十九
尒時佛告常精進菩薩摩訶薩若善男子善
女人受持是法華經若讀若誦若解說若書
寫是人當得八百眼功德千二百耳功德八
百鼻功德千二百舌功德八百身功德千二
百意功德以是功德莊嚴六根皆令清淨是
善男子善女人父母所生清淨肉眼見於三
千大千世界內外所有山林河海下至阿鼻
地獄上至有頂亦見其中一切眾生及業因
緣果報生處悉見悉知尒時世尊欲重宣
此義而說偈言
若於大眾中　以無所畏心　說是法華經　汝聽其功德
是人得八百　功德殊勝眼　以是莊嚴故　其目甚清淨
父母所生眼　悉見三千界　內外彌樓山　須彌及鐵圍
并諸餘山林　大海江河水　下至阿鼻獄　上至有頂處
其中諸眾生　一切皆悉見　雖未得天眼　肉眼力如是
復次常精進若善男子善女人受持此經若
讀若誦若解說若書寫得千二百耳功德以
是清淨耳聞三千大千世界下至阿鼻地獄
上至有頂其中內外種種語言音聲象聲馬
聲牛聲車聲啼哭聲愁歎聲螺聲鼓聲鍾
聲鈴聲笑聲語聲男聲女聲童子聲童女聲

BD01829 號　妙法蓮華經卷六　（27–3）

是清淨耳聞三千大千世界下至阿鼻地獄
上至有頂其中內外種種語言音聲象聲馬
聲牛聲車聲啼哭聲愁歎聲螺聲鼓聲鍾
聲鈴聲咲聲語聲男聲女聲童子聲童女聲
法聲非法聲苦聲樂聲凡夫聲聖人聲喜聲不
喜聲天聲龍聲夜叉聲乾闥婆聲阿脩羅聲
迦樓羅聲緊那羅聲摩睺羅伽聲火聲水聲
風聲地獄聲畜生聲餓鬼聲比丘聲比丘尼
聲聲聞聲辟支佛聲菩薩聲佛聲以要言之
三千大千世界中一切內外所有諸聲雖未得
天耳以父母所生清淨常耳皆悉聞知如是分
別種種音聲而不壞耳根尒時世尊欲重宣
此義而說偈言
父母所生耳　清淨無濁穢　以此常耳聞　三千世界聲
象馬車牛聲　鍾鈴螺鼓聲　琴瑟箜篌聲　簫笛之音聲
清淨好歌聲　聽之而不著　無數種人聲　聞悉能解了
又聞諸天聲　微妙之歌音　及聞男女聲　童子童女聲
山川嶮谷中　迦陵頻伽聲　命命等諸鳥　悉聞其音聲
地獄衆苦痛　種種楚毒聲　餓鬼飢渴逼　求索飲食聲
諸阿脩羅等　居在大海邊　自共言語時　出于大音聲
如是說法者　安住於此間　遙聞是衆聲　而不壞耳根
十方世界中　禽獸鳴相呼　其說法之人　於此悉聞之
其諸梵天上　光音及遍淨　乃至有頂天　言語之音聲
法師住於此　悉皆得聞之　一切比丘衆　及諸比丘尼
若讀誦經典　若為他人說　法師住於此　悉皆得聞之
復有諸菩薩　讀誦於經法　若為他人說　撰集解其義
如是諸音聲　悉皆得聞之　諸佛大聖尊　教化衆生者

其諸梵天上　光音及遍淨　乃至有頂天　言語之音聲
法師住於此　悉皆得聞之　一切比丘衆　及諸比丘尼
若讀誦經典　若為他人說　法師住於此　悉皆得聞之
復有諸菩薩　讀誦於經法　若為他人說　撰集解其義
如是諸音聲　悉皆得聞之　諸佛大聖尊　教化衆生者
於諸大會中　演說微妙法　持此法華者　悉皆得聞之
三千大千界　內外諸音聲　下至阿鼻獄　上至有頂天
皆聞其音聲　而不壞耳根　其耳聰利故　悉能分別知
持是法華者　雖未得天耳　但用所生耳　功德已如是
復次常精進若善男子善女人受持是經若
讀若誦若解說若書寫成就八百鼻功德以
是清淨鼻根聞於三千大千世界上下內外
種種諸香須曼那華香闍提華香末利華香
瞻蔔華香波羅羅華香赤蓮華香青蓮華
香白蓮華香華樹香菓樹香栴檀香沉水香
多摩羅跋香多伽羅香及千万種和香若末若
丸若塗香持是經者於此間住悉能分別又
復別知衆生之香象香馬香牛羊等香男香
女香童子香童女香及草木叢林香若近若
遠所有諸香悉皆得聞分別不錯持是經者
雖住於此亦聞天上諸天之香波利質多羅
拘鞞陀羅樹香及曼陀羅華香摩訶曼陀羅
華香曼殊沙華香摩訶曼殊沙華香栴檀
沉水種種末香諸雜華香如是等天香和合
所出之香無不聞知又聞諸天身香釋提桓因
在勝殿上五欲娛樂嬉戲時香若在妙法堂

華香曼殊沙華香摩訶曼殊沙華香栴檀
沈水種種末香諸雜華香如是等天香和合
所出之香無不聞知又聞諸天身香釋提桓因
在勝殿上五欲娛樂嬉戲時香若在妙法堂
上為忉利諸天說法時香若於諸園遊戲時
香及餘天等男女身香皆悉遙聞如是展轉
乃至梵世上至有頂諸天身香亦皆聞之并
聞諸天所燒之香及聲聞香辟支佛香菩薩
香諸佛身香亦皆遙聞知其所在雖聞此香
然於鼻根不壞不錯若欲分別為他人說憶
念不謬爾時世尊欲重宣此義而說偈言
是人鼻清淨　於此世界中　若香若臭物　種種悉聞知
須曼那闍提　多摩羅栴檀　沈水及桂香　種種華菓香
及知眾生香　男子女人香　說法者遠住　聞香知所在
大勢轉輪王　小轉輪及子　群臣諸宮人　聞香知所在
身所著珎寶　及地中寶藏　轉輪王寶女　聞香知所在
諸人嚴身具　衣服及瓔珞　種種所塗香　聞香知其身
諸天若行坐　遊戲及神變　持是法華經　聞香悉能知
諸樹華菓實　及蘇油香氣　持經者住此　悉知其所在
諸山深嶮處　栴檀樹華敷　眾生在中者　聞香皆能知
鐵圍山大海　地中諸眾生　持經者聞香　悉知其所在
阿脩羅男女　及其諸眷屬　鬪諍遊戲時　聞香皆能知
曠野嶮隘處　師子象虎狼　野牛水牛等　聞香知所在
若有懷妊者　未辯其男女　無根及非人　聞香悉能知
以聞香力故　知其初懷妊　成就不成就　安樂產福子
以聞香力故　知男女所念　染欲癡恚心　亦知脩善者

曠野嶮隘處　師子象虎狼　野牛水牛等　聞香知所在
若有懷妊者　未辯其男女　無根及非人　聞香悉能知
以聞香力故　知其初懷妊　成就不成就　安樂產福子
以聞香力故　知男女所念　染欲癡恚心　亦知脩善者
地中眾伏藏　金銀諸珎寶　銅器之所盛　聞香悉能知
種種諸瓔珞　無能識其價　聞香知貴賤　出處及所在
天上諸華等　曼陀曼殊沙　波利質多樹　聞香悉能知
天上諸宮殿　上中下差別　眾寶華莊嚴　聞香悉能知
天園林勝殿　諸觀妙法堂　在中而娛樂　聞香悉能知
諸天若聽法　或受五欲時　來往行坐臥　聞香悉能知
天女所著衣　好華香莊嚴　周旋遊戲時　聞香悉能知
如是展轉上　乃至於梵世　入禪出禪者　聞香悉能知
光音遍淨天　乃至于有頂　初生及退沒　聞香悉能知
諸比丘眾等　於法常精進　若坐若經行　及讀誦經法
或在林樹下　專精而坐禪　持經者聞香　悉知其所在
菩薩志堅固　坐禪若讀誦　或為人說法　聞香悉能知
在在方世尊　一切所恭敬　愍眾而說法　聞香悉能知
眾生在佛前　聞經皆歡喜　如法而脩行　聞香悉能知
雖未得菩薩　無漏法生鼻　而是持經者　先得此鼻相
復次常精進若善男子善女人受持是經若
讀若誦若解說若書寫得千二百舌功德若
好若醜若美不美及諸苦澀物在其舌根皆
變成上味如天甘露無不美者若以舌根於
大眾中有所演說出深妙聲能入其心皆令
歡喜快樂又諸天子天女釋梵諸天聞是深
妙音聲有所演說言論次第皆悉來聽及諸

變成上味如天甘露無不美者若以舌根於
大衆中有所演說出深妙聲能入其心皆令
歡喜快樂又諸天子天女釋梵諸天聞是深
妙音聲有所演說言論次第皆悉來聽及諸
龍龍女夜叉夜叉女乾闥婆乾闥婆女阿脩
羅阿脩羅女迦樓羅迦樓羅女緊那羅緊那
羅女摩睺羅伽摩睺羅伽女為聽法故皆來
親近恭敬供養及比丘比丘尼優婆塞優婆
夷國王王子群臣眷屬小轉輪王大轉輪王
七寶千子內外眷屬乘其宮殿俱來聽法以
是菩薩善說法故婆羅門居士國內人民盡
其形壽隨侍供養又諸聲聞辟支佛菩薩
諸佛常樂見之是人所在方面諸佛皆向其處
說法悉能受持一切佛法又能出於深妙法
音爾時世尊欲重宣此義而說偈言
是人舌根淨　終不受惡味　其有所食噉　悉皆成甘露
以深淨妙聲　於大衆說法　以諸因緣喻　引導衆生心
聞者皆歡喜　設諸上供養　諸天龍夜叉　及阿脩羅等
皆以恭敬心　而共來聽法　是說法之人　若欲以妙音
遍滿三千界　隨意即能至　大小轉輪王　及千子眷屬
合掌恭敬心　常來聽受法　諸天龍夜叉　羅剎毗舍闍
亦以歡喜心　常樂來供養　梵天王魔王　自在大自在
如是諸天衆　常來至其所　諸佛及弟子　聞其說法音
常念而守護　或時為現身
復次常精進若善男子善女人受持是經若
讀若誦若解說若書寫得八百身功德得清

BD01829號　妙法蓮華經卷六

(27–8)

亦以歡喜心　常樂來供養　梵天王魔王　自在大自在
如是諸天衆　常來至其所　諸佛及弟子　聞其說法音
常念而守護　或時為現身
復次常精進若善男子善女人受持是經若
讀若誦若解說若書寫得八百身功德得清
淨身如淨琉璃衆生憙見其身淨故三千大
千世界衆生生時死時上下好醜生善處惡
處悉於中現及鐵圍山大鐵圍山彌樓山摩訶
彌樓山等諸山及其中衆生悉於中現下至
阿鼻地獄上至有頂所有及衆生悉於中現若
聲聞辟支佛菩薩諸佛說法皆於身中現其
色像爾時世尊欲重宣此義而說偈言
若持法華者　其身甚清淨　如彼淨琉璃　衆生皆憙見
又如淨明鏡　悉見諸色像　菩薩於淨身　皆見世所有
唯獨自明了　餘人所不見　三千世界中　一切諸群萌
天人阿脩羅　地獄鬼畜生　如是諸色像　皆於身中現
諸天等宮殿　乃至於有頂　鐵圍及彌樓　摩訶彌樓山
諸大海水等　皆於身中現　諸佛及聲聞　佛子菩薩等
若獨若在衆　說法悉皆現　雖未得無漏　法性之妙身
以清淨常體　一切於中現
復次常精進若善男子善女人如來滅後受
持是經若讀若誦若解說若書寫得千二百
意功德以是清淨意根乃至聞一偈一句通
達無量無邊之義解是義已能演說一句一
偈至於一月四月乃至一歲諸所說法隨其
義趣皆與實相不相違背若說俗間經書治
世語言資生業等皆順正法三千大千世界

BD01829號　妙法蓮華經卷六

(27–9)

意功德以是清淨意根乃至聞一偈一句通
達無量無邊之義解是義已能演說一句一
偈至於一月四月乃至一歲諸所說法隨其
義趣皆與實相不相違背若說俗間經書治
世語言資生業等皆順正法三千大千世界
六趣眾生心之所行心所動作心所戲論皆悉
知之雖未得無漏智慧而其意根清淨如
此是人有所思惟籌量言說皆是佛法無不
真實亦是先佛經中所說尒時世尊欲重宣
此義而說偈言
是人意清淨　明利無穢濁　以此妙意根　知上中下法
乃至聞一偈　通達無量義　次第如法說　月四月至歲
是世界內外　一切諸眾生　若天龍及人　夜叉鬼神等
其在六趣中　所念若干種　持法華之報　一時皆悉知
十方無數佛　百福莊嚴相　為眾生說法　悉聞能受持
思惟無量義　說法亦無量　終始不忘錯　以持法華故
悉知諸法相　隨義識次第　達名字語言　如所知演說
此人有所說　皆是先佛法　以演此法故　於眾無所畏
持法華經者　意根淨若斯　雖未得無漏　先有如是相
是人持此經　安住希有地　為一切眾生　歡喜而愛敬
能以千万種　善巧之語言　分別而說法　持法華經者
妙法蓮華經常不輕菩薩品第二十
尒時佛告得大勢菩薩摩訶薩汝今當知若
比丘比丘尼優婆塞優婆夷持法華經者若
有惡口罵詈誹謗獲大罪報如前所說其所
得功德如向所說眼耳鼻舌身意清淨得大

BD01829號　妙法蓮華經卷六　（27–10）

妙法蓮華經常不輕菩薩品第二十
尒時佛告得大勢菩薩摩訶薩汝今當知若
比丘比丘尼優婆塞優婆夷持法華經者若
有惡口罵詈誹謗獲大罪報如前所說其所
得功德如向所說眼耳鼻舌身意清淨得大
勢乃往古昔過無量無邊不可思議阿僧祇
劫有佛名威音王如來應供正遍知明行足
善逝世間解無上士調御丈夫天人師佛世
尊劫名離衰國名大成其威音王佛於彼世
中為天人阿脩羅說法為求聲聞者說應四
諦法度生老病死究竟涅槃為求辟支佛者
說應十二因緣法為諸菩薩因阿耨多羅三
藐三菩提說應六波羅蜜法究竟佛慧得大
勢是威音王佛壽四十万億那由他恒河沙
劫正法住世劫數如一閻浮提微塵像法住
世劫數如四天下微塵其佛饒益眾生已然
後滅度正法像法滅盡之後於此國土復有
佛出亦號威音王如來應供正遍知明行足
善逝世間解無上士調御丈夫天人師佛世
尊如是次第有二万億佛皆同一號最初威
音王如來既已滅度正法滅後於像法中增
上慢比丘有大勢力尒時有一菩薩比丘名
常不輕得大勢以何因緣名常不輕是比丘
凡有所見若比丘比丘尼優婆塞優婆夷皆
悉礼拜讚歎而作是言我深敬汝等不敢輕
慢所以者何汝等皆行菩薩道當得作佛而

BD01829號　妙法蓮華經卷六　（27–11）

常不輕得大勢以何因緣名常不輕是比丘
凡有所見若比丘比丘尼優婆塞優婆夷皆
悉礼拜讚歎而作是言我深敬汝等不敢輕
慢所以者何汝等皆行菩薩道當得作佛而
是比丘不專讀誦經典但行礼拜乃至遠見
四衆亦復故往礼拜讚歎而作是言我不敢
輕於汝等汝等皆當作佛四衆之中有生瞋
恚心不淨者惡口罵詈言是無智比丘從何
所來自言我不輕汝而與我等授記當得作
佛我等不用如是虛妄受記如此逕歷多年
常被罵詈不生瞋恚常作是言汝當作佛說
是語時衆人或以杖木瓦石而打擲之避走遠
住猶高聲唱言我不敢輕於汝等汝等皆
當作佛以其常作是語故增上慢比丘比丘尼
優婆塞優婆夷號之為常不輕是比丘臨欲
終時於虛空中具聞威音王佛先所說法華
經二十千万億偈悉能受持即得如上眼根
清淨耳鼻舌身意根清淨得是六根清淨已
更增壽命二百万億那由他歲廣為人說是法
華經於時增上慢四衆比丘比丘尼優婆塞
優婆夷輕賤是人為作不輕名者見其得大
神通力樂說辯力大善寂力聞其所說皆信
伏隨從是菩薩復化千万億衆令住阿耨多羅
三藐三菩提命終之後得值二千億佛皆號
日月燈明於其法中說是法華經以是因緣
復值二千億佛同號雲自在燈王於此諸佛

BD01829 號　妙法蓮華經卷六　（27–12）

神通力樂說辯力大善寂力聞其所說皆信
伏隨從是菩薩復化千万億衆令住阿耨多羅
三藐三菩提命終之後得值二千億佛皆號
日月燈明於其法中說是法華經以是因緣
復值二千億佛同號雲自在燈王於此諸佛
法中受持讀誦為諸四衆說此經典故得是
常眼清淨耳鼻舌身意諸根清淨於四衆中
說法心無所畏得大勢是常不輕菩薩摩訶
薩供養如是若干諸佛恭敬尊重讚歎種諸
善根於後復值千万億佛亦於諸佛法中說
是經典功德成就當得作佛得大勢於意云
何尒時常不輕菩薩豈異人乎則我身是也
若我於宿世不受持讀誦此經為他人說者
不能疾得阿耨多羅三藐三菩提我於先佛
所受持讀誦此經為人說故疾得阿耨多羅三
藐三菩提得大勢彼時四衆比丘比丘尼優
婆塞優婆夷以瞋恚意輕賤我故二百億劫
常不值佛不聞法不見僧千劫於阿鼻地獄
受大苦惱畢是罪已復遇常不輕菩薩教化
阿耨多羅三藐三菩提得大勢於汝意云何
尒時四衆常不輕菩薩者豈異人乎今此會
中跋陁婆羅等五百菩薩師子月等五百比
丘尼思佛等五百優婆塞皆於阿耨多羅三
藐三菩提不退轉者是得大勢當知是法華
經大饒益諸菩薩摩訶薩能令至於阿耨多
羅三藐三菩提是故諸菩薩摩訶薩於如來

BD01829 號　妙法蓮華經卷六　（27–13）

丘尼思佛等五百優婆塞皆於阿耨多羅三
藐三菩提不退轉者是得大勢當知是法華
經大饒益諸菩薩摩訶薩能令至於阿耨多
羅三藐三菩提是故諸菩薩摩訶薩於如來
滅後常應受持讀誦解說書寫是經尒時
世尊欲重宣此義而說偈言
過去有佛　号威音王　神智無量　將導一切
天人龍神　所共供養
是佛滅後　法欲盡時　有一菩薩　名常不輕
時諸四衆　計着於法　不輕菩薩　往到其所
而語之言　我不輕汝　汝等行道　皆當作佛
諸人聞已　輕毀罵詈　不輕菩薩　能忍受之
其罪畢已　臨命終時　得聞此經　六根清淨
神通力故　增益壽命　復為諸人　廣說是經
諸着法衆　皆蒙菩薩　教化成就　令住佛道
不輕命終　值無數佛　說是經故　得無量福
漸具功德　疾成佛道　彼時不輕　則我身是
時四部衆　着法之者　聞不輕言　汝當作佛
以是因緣　值無數佛　此會菩薩　五百之衆
并及四部　清信士女　今於我前　聽法者是
我於前世　勸是諸人　聽受斯經　第一之法
開示教人　令住涅槃　世世受持　如是經典
億億万劫　至不可議　時乃得聞　是法華經
億億万劫　至不可議　諸佛世尊　時說是經
是故行者　於佛滅後　聞如是經　勿生疑惑
應當一心　廣說此經　世世值佛　疾成佛道
妙法蓮華經如來神力品第二十一

BD01829號　妙法蓮華經卷六　（27–14）

億億万劫　至不可議　時乃得聞　是法華經
億億万劫　至不可議　諸佛世尊　時說是經
是故行者　於佛滅後　聞如是經　勿生疑惑
應當一心　廣說此經　世世值佛　疾成佛道
妙法蓮華經如來神力品第二十一
尒時千世界微塵等菩薩摩訶薩從地踊出
者皆於佛前一心合掌瞻仰尊顏而白佛言
世尊我等於佛滅後世尊分身所在國土滅
度之處當廣說此經所以者何我等亦自欲
得是真淨大法受持讀誦解說書寫而供養
之尒時世尊於文殊師利等無量百千万億
舊住娑婆世界菩薩摩訶薩及諸比丘比丘
尼優婆塞優婆夷天龍夜叉乾闥婆阿脩羅
迦樓羅緊那羅摩睺羅伽人非人等一切衆
前現大神力出廣長舌上至梵世一切毛孔
放於無量無數色光皆悉遍照十方世界衆
寶樹下師子座上諸佛亦復如是出廣長舌
放無量光釋迦牟尼佛及寶樹下諸佛現神
力時滿百千歲然後還攝舌相一時謦欬俱
共彈指是二音聲遍至十方諸佛世界地皆
六種震動其中衆生天龍夜叉乾闥婆阿脩
羅迦樓羅緊那羅摩睺羅伽人非人等以佛
神力故皆見此娑婆世界無量無邊百千万
億衆寶樹下師子座上諸佛及見釋迦牟尼
佛共多寶如來在寶塔中坐師子座又見無
量無邊百千万億菩薩摩訶薩及諸四衆恭

BD01829號　妙法蓮華經卷六　（27–15）

神力故皆見此娑婆世界無量無邊百千万
億衆寶樹下師子座上諸佛及見釋迦牟尼
佛共多寶如来在寶塔中坐師子座又見無
量無邊百千万億菩薩摩訶薩及諸四衆恭
敬圍遶釋迦牟尼佛既見是已皆大歡喜得
未曾有即時諸天於虚空中高聲唱言過此
無量無邊百千万億阿僧祇世界有國名娑
婆是中有佛名釋迦牟尼今為諸菩薩摩訶
薩說大乘經名妙法蓮華教菩薩法佛所護
念汝等當深心隨喜亦當礼拜供養釋迦牟
尼佛彼諸衆生聞虚空中聲已合掌向娑婆
世界作如是言南無釋迦牟尼佛南無釋迦
牟尼佛以種種華香瓔珞幡蓋及諸嚴身之
具珎寶妙物皆共遥散娑婆世界所散諸物
從十方来譬如雲集變成寶帳遍覆此間諸
佛之上于時十方世界通達無㝵如一佛土
尒時佛告上行等菩薩大衆諸佛神力如是
無量無邊不可思議若我以是神力於無量
無邊百千万億阿僧祇劫為囑累故說此經
功德猶不能盡以要言之如来一切所有之
法如来一切自在神力如来一切秘要之藏
如来一切甚深之事皆於此經宣示顯說是
故汝等於如来滅後應一心受持讀誦解說
書寫如說脩行所在國土若有受持讀誦解
說書寫如說脩行若經卷所住之處若於薗
中若於林中若於樹下若於僧坊若白衣舍

BD01829號　妙法蓮華經卷六　（27–16）

故汝等於如来滅後應一心受持讀誦解說
書寫如說脩行所在國土若有受持讀誦解
說書寫如說脩行若經卷所住之處若於薗
中若於林中若於樹下若於僧坊若白衣舍
若在殿堂若山谷曠野是中皆應起塔供養
所以者何當知是處即是道場諸佛於此得
阿耨多羅三藐三菩提諸佛於此轉于法輪
諸佛於此而般涅槃尒時世尊欲重宣此義
而說偈言
諸佛救世者　住於大神通　為悅衆生故　現無量神力
舌相至梵天　身放無數光　為求佛道者　現此希有事
諸佛謦欬聲　及彈指之聲　周聞十方國　地皆六種動
以佛滅度後　能持是經故　諸佛皆歡喜　現無量神力
囑累是經故　讚美受持者　於無量劫中　猶故不能盡
是人之功德　無邊無有窮　如十方虚空　不可得邊際
能持是經者　則為已見我　亦見多寶佛　及諸分身者
又見我今日　教化諸菩薩
能持是經者　令我及分身　滅度多寶佛　一切皆歡喜
十方現在佛　并過去未来　亦見亦供養　亦令得歡喜
諸佛坐道場　所得秘要法　能持是經者　不久亦當得
能持是經者　於諸法之義　名字及言辭　樂說無窮盡
如風於空中　一切無障㝵
於如来滅後　知佛所說經　因緣及次第　隨義如實說
如日月光明　能除諸幽冥　斯人行世間　能滅衆生闇
教無量菩薩　畢竟住一乘
是故有智者　聞此功德利　於我滅度後　應受持斯經

BD01829號　妙法蓮華經卷六　（27–17）

於如来滅後　知佛所說經　因緣及次第　隨義如實說
如日月光明　能除諸幽冥　斯人行世間　能滅衆生闇
教無量菩薩　畢竟住一乘
是故有智者　聞此功德利　於我滅度後　應受持斯經
是人於佛道　決定無有疑

妙法蓮華經囑累品第二十二

尒時釋迦牟尼佛從法座起現大神力以右
手摩無量菩薩摩訶薩頂而作是言我於無
量百千万億阿僧祇劫修集是難得阿耨多
羅三藐三菩提法今以付囑汝等汝等當應
一心流布此法廣令增益如是三摩諸菩薩
摩訶薩頂而作是言我於無量百千万億阿
僧祇劫修集是難得阿耨多羅三藐三菩提
法今以付囑汝等汝等當受持讀誦廣宣此
法令一切衆生普得聞知所以者何如来有
大慈悲無諸慳悋亦無所畏能與衆生佛之
智慧如来智慧自然智慧如来是一切衆生
之大施主汝等亦應隨學如来之法勿生慳
悋於未来世若有善男子善女人信如来智
慧者當為演說此法華經使得聞知為令其
人得佛慧故若有衆生不信受者當於如来
餘深法中示教利喜汝等若能如是則為已
報諸佛之恩時諸菩薩摩訶薩聞佛作是說
已皆大歡喜遍滿其身益加恭敬曲躬低頭
合掌向佛俱發聲言如世尊勅當具奉行唯
然世尊願不有慮諸菩薩摩訶薩衆如是三

BD01829號　妙法蓮華經卷六　（27–18）

報諸佛之恩時諸菩薩摩訶薩聞佛作是說
已皆大歡喜遍滿其身益加恭敬曲躬低頭
合掌向佛俱發聲言如世尊勅當具奉行唯
然世尊願不有慮諸菩薩摩訶薩衆如是三
反俱發聲言如世尊勅當具奉行唯然世尊
願不有慮尒時釋迦牟尼佛令十方来諸分
身佛各還本土而作是言諸佛各隨所安多
寶佛塔還可如故說是語時十方無量分身
諸佛坐寶樹下師子座上者及多寶佛并上
行等無邊阿僧祇菩薩大衆舍利弗等聲
聞四衆及一切世間天人阿脩羅等聞佛所說
皆大歡喜

妙法蓮華經藥王菩薩本事品第二十三

尒時宿王華菩薩白佛言世尊藥王菩薩云
何遊於娑婆世界世尊是藥王菩薩有若干
百千万億那由他難行苦行善哉世尊願少
解說諸天龍神夜叉乾闥婆阿脩羅迦樓羅
緊那羅摩睺羅伽人非人等又他國土諸来
菩薩及此聲聞衆聞皆歡喜尒時佛告宿王
華菩薩乃往過去無量恒河沙劫有佛号曰
日月淨明德如来應供正遍知明行足善逝世
間解無上士調御丈夫天人師佛世尊其佛有
八十億大菩薩摩訶薩七十二恒河沙大聲
聞衆佛壽四万二千劫菩薩壽命亦等彼國
無有女人地獄餓鬼畜生阿脩羅等及以
諸難地平如掌琉璃所成寶樹莊嚴寶帳覆

BD01829號　妙法蓮華經卷六　（27–19）

八十億大菩薩摩訶薩七十二恒河沙大聲
聞衆佛壽四万二千劫菩薩壽命亦等彼國
無有女人地獄餓鬼畜生阿脩羅等及以
諸難地平如掌琉璃所成寶樹莊嚴寶帳覆
上垂寶華幡寶瓶香爐周遍國界七寶為臺
一樹一臺其樹去臺盡一箭道此諸寶樹皆
有菩薩聲聞而坐其下諸寶臺上各有百億
諸天作天伎樂歌歎於佛以為供養尒時彼
佛為一切衆生喜見菩薩及衆菩薩諸聲聞
衆說法華經是一切衆生喜見菩薩樂習苦
行於日月淨明德法中精進經行一心求佛
滿万二千歲已得現一切色身三昧得此
三昧已心大歡喜即作念言我得現一切色
身三昧皆是得聞法華經力我今當供養日
月淨明德佛及法華經即時入是三昧於虛
空中雨曼陁羅華摩訶曼陁羅華細末堅黑
栴檀滿虛空中如雲而下又雨海此岸栴檀
之香此香六銖價直娑婆世界以供養佛作
是供養已從三昧起而自念言我雖以神力
供養於佛不如以身供養即服諸香栴檀薰
陸兜樓婆畢力迦沈水膠香又飲瞻蔔諸華
香油滿千二百歲已香油塗身於日月淨明
德佛前以天寶衣而自纏身灌諸香油以神
通力願而自燃身光明遍照八十億恒河沙
世界其中諸佛同時讚言善哉善哉善男子
是真精進是名真法供養如來若以華香瓔

BD01829號　妙法蓮華經卷六

（27–20）

德佛前以天寶衣而自纏身灌諸香油以神
通力願而自燃身光明遍照八十億恒河沙
世界其中諸佛同時讚言善哉善哉善男子
是真精進是名真法供養如來若以華香瓔
珞燒香末香塗香天繒幡蓋及海此岸栴檀
之香如是等種種諸物供養所不能及假使
國城妻子布施亦所不及善男子是名第一
之施於諸施中最尊最上以法供養諸如來
故作是語已而各嘿然其身火然千二百歲
過是已後其身乃盡一切衆生喜見菩薩作
如是法供養已命終之後復生日月淨明德
佛國中於淨德王家結加趺坐忽然化生即
為其父而說偈言
大王今當知　我經行彼處　即時得一切　現諸身三昧
懃行大精進　捨所愛之身
說是偈已而白父言日月淨明德佛今故現
在我先供養佛已得解一切衆生語言陁羅
尼復聞是法華經八百千万億那由他甄迦羅
頻婆羅阿閦婆等偈大王我今當還供養
此佛白已即坐七寶之臺上昇虛空高七多
羅樹往到佛所頭面礼足合十指爪以偈讚曰
容顏甚奇妙　光明照十方　我適曾供養　今復還親覲
尒時一切衆生喜見菩薩說是偈已而白佛
言世尊世尊猶故在世尒時日月淨明德佛
告一切衆生喜見菩薩善男子我涅槃時到
滅盡時至汝可安施牀座我於今夜當般涅

BD01829號　妙法蓮華經卷六

（27–21）

尒時一切衆生喜見菩薩說是偈已而白佛
言世尊世尊猶故在世尒時日月淨明德佛
告一切衆生喜見菩薩善男子我涅槃時到
滅盡時至汝可安施牀座我於今夜當般涅
槃又勑一切衆生喜見菩薩善男子我以佛
法囑累於汝及諸菩薩大弟子并阿耨多羅
三藐三菩提法亦以三千大千七寶世界諸
寶樹寶臺及給侍諸天悉付於汝我滅度後
所有舍利亦付囑汝當令流布廣設供養應
起若干千塔如是日月淨明德佛勑一切衆
生喜見菩薩已於夜後分入於涅槃尒時一
切衆生喜見菩薩見佛滅度悲感懊惱戀
慕於佛即以海此岸栴檀為𧂐供養佛身而
以燒之大滅已後收取舍利作八万四千寶瓶
以起八万四千塔高三世界表剎莊嚴垂諸
幡蓋懸衆寶鈴尒時一切衆生喜見菩薩
復自念言我雖作是供養心猶未足我今當
更供養舍利便語諸菩薩大弟子及天龍夜
叉等一切大衆汝等當一心念我今供養日月
淨明德佛舍利作是語已即於八万四千塔
前然百福莊嚴臂七万二千歲而以供養令
無數求聲聞衆無量阿僧祇人發阿耨多羅
三藐三菩提心皆使得住現一切色身三昧
尒時諸菩薩天人阿脩羅等見其無臂憂惱
悲哀而作是言此一切衆生喜見菩薩是我
等師教化我者而今燒臂身不具足于時一

BD01829號　妙法蓮華經卷六　（27–22）

無數求聲聞衆無量阿僧祇人發阿耨多羅
三藐三菩提心皆使得住現一切色身三昧
尒時諸菩薩天人阿脩羅等見其無臂憂惱
悲哀而作是言此一切衆生喜見菩薩是我
等師教化我者而今燒臂身不具足于時一
切衆生喜見菩薩於大衆中立此誓言我
捨兩臂必當得佛金色之身若實不虛令我
兩臂還復如故作是誓已自然還復由斯菩
薩福德智慧淳厚所致當尒之時三千大千
世界六種震動天雨寶華一切人天得未曾有
佛告宿王華菩薩於汝意云何一切衆生喜
見菩薩豈異人乎今藥王菩薩是也其所捨
身布施如是無量百千万億那由他數宿王
華若有發心欲得阿耨多羅三藐三菩提者
能燃手指乃至足一指供養佛塔勝以國城
妻子及三千大千國土山林河池諸珍寶物
而供養者若復有人以七寶滿三千大千世
界供養於佛及大菩薩辟支佛阿羅漢是人
所得功德不如受持此法華經乃至一四句
偈其福最多宿王華譬如一切川流江河諸
水之中海為第一此法華經亦復如是於諸
如來所說經中最為深大又如土山黑山小
鐵圍山大鐵圍山及十寶山衆山之中須弥
山為第一此法華經亦復如是於諸經中最
為其上又如衆星之中月天子最為第一此
法華經亦復如是於千万億種諸經法中最
為照明又如日天子能除諸闇此經亦復如

BD01829號　妙法蓮華經卷六　（27–23）

鐵圍山大鐵圍山及十寶山衆山之中須彌
山為第一此法華經亦復如是於諸經中最
為其上又如衆星之中月天子最為第一此
法華經亦復如是於千万億種諸經法中最
為照明又如日天子能除諸闇此經亦復如
是能破一切不善之闇又如諸小王中轉輪聖
王最為第一此經亦復如是於衆經中最
為其尊又如帝釋於三十三天中王此經亦
復如是諸經中王又如大梵天王一切衆生
之父此經亦復如是一切賢聖學無學及發
菩薩心者之父又如一切凡夫人中須陁洹斯
陁含阿那含阿羅漢辟支佛為第一此經
亦復如是一切如來所說若菩薩所說若聲
聞所說諸經法中最為第一有能受持是經
典者亦復如是於一切衆生中亦為第一一
切聲聞辟支佛中菩薩為第一此經亦復如
是於一切諸經法中最為第一如佛為諸法
王此經亦復如是諸經中王宿王華此經能
救一切衆生者此經能令一切衆生離諸苦惱
此經能大饒益一切衆生充滿其願如清涼
池能滿一切諸渴乏者如寒者得火如裸者得
衣如商人得主如子得母如渡得船如病
得醫如闇得燈如貧得寶如民得王如賈
客得海如炬除闇此法華經亦復如是能令
衆生離一切苦一切病痛能解一切生死之
縛若人得聞此法華經若自書若使人書所
得功德以佛智慧籌量多少不得其邊若

衣如商人得主如子得母如渡得船如病
得醫如闇得燈如貧得寶如民得王如賈
客得海如炬除闇此法華經亦復如是能令
衆生離一切苦一切病痛能解一切生死之
縛若人得聞此法華經若自書若使人書所
得功德以佛智慧籌量多少不得其邊若
書是經卷華香瓔珞燒香末香塗香幡蓋衣服
種種之燈蘇燈油燈諸香油燈瞻蔔油燈須
曼那油燈波羅羅油燈婆利師迦油燈那婆摩
利油燈供養所得功德亦復無量宿王華若
有人聞是藥王菩薩本事品者亦得無量無
邊功德若有女人聞是藥王菩薩本事品能
受持者盡是女身後不復受若如來滅後後
五百歲中若有女人聞是經典如說修行於
此命終即往安樂世界阿弥陁佛大菩薩衆
圍遶住處生蓮華中寶坐之上不復為貪欲
所惱亦復不為瞋恚愚癡所惱亦復不為憍
慢嫉妬諸垢所惱得菩薩神通無生法忍得
是忍已眼根清淨以是清淨眼根見七百万二
千億那由他恒河沙等諸佛如來是時諸佛
遥共讃言善哉善哉善男子汝能於釋迦牟
尼佛法中受持讀誦思惟是經為他人說所
得福德無量無邊火不能燒水不能漂汝之
功德千佛共說不能令盡汝今已能破諸魔
賊壞生死軍諸餘怨敵皆悉摧滅善男子百
千諸佛以神通力共守護汝於一切世間天人
之中無如汝者唯除如來其諸聲聞辟支佛乃

尼佛法中受持讀[illegible]
得福德無量無邊火不能燒水不能漂汝之
功德千佛共說不能令盡汝今已能破諸魔
賊壞生死軍諸餘怨敵皆悉摧滅善男子百
千諸佛以神通力共守護汝於一切世間天人
之中無如汝者唯除如來其諸聲聞辟支佛乃
至菩薩智慧禪定無有與汝等者宿王華此
菩薩成就如是功德智慧之力若有人聞是
藥王菩薩本事品能隨喜讚善者是人現
世口中常出青蓮華香身毛孔中常出牛
頭栴檀之香所得功德如上所說是故宿王
華以此藥王菩薩本事品囑累於汝我滅
度後五百歲中廣宣流布於閻浮提無令
斷絕惡魔魔民諸天龍夜叉鳩槃荼等得
其便也宿王華汝當以神通之力守護是經所
以者何此經則為閻浮提人病之良藥若人有
病得聞是經病即消滅不老不死宿王華汝
若見有受持是經者應以青蓮華盛滿末香
供散其上散已作是念言此人不久必當取草
坐於道場破諸魔軍當吹法螺擊大法鼓度
脫一切眾生老病死海是故求佛道者見有受
持是經典人應當如是生恭敬心說是藥王
菩薩本事品時八万四千菩薩得解一切眾
生語言陀羅尼多寶如來於寶塔中讚宿王
華菩薩言善哉善哉宿王華汝成就不可
思議功德乃能問釋迦牟尼佛如此之事利
益無量一切眾生

BD01829 號　妙法蓮華經卷六　（27–26）

[illegible]
其便也宿王華汝當以神通之力守護是經所
以者何此經則為閻浮提人病之良藥若人有
病得聞是經病即消滅不老不死宿王華汝
若見有受持是經者應以青蓮華盛滿末香
供散其上散已作是念言此人不久必當取草
坐於道場破諸魔軍當吹法螺擊大法鼓度
脫一切眾生老病死海是故求佛道者見有受
持是經典人應當如是生恭敬心說是藥王
菩薩本事品時八万四千菩薩得解一切眾
生語言陀羅尼多寶如來於寶塔中讚宿王
華菩薩言善哉善哉宿王華汝成就不可
思議功德乃能問釋迦牟尼佛如此之事利
益無量一切眾生

妙法蓮華經卷第六

BD01829 號　妙法蓮華經卷六　（27–27）

BD01829 號背　裱補紙及經文　　（1–1）

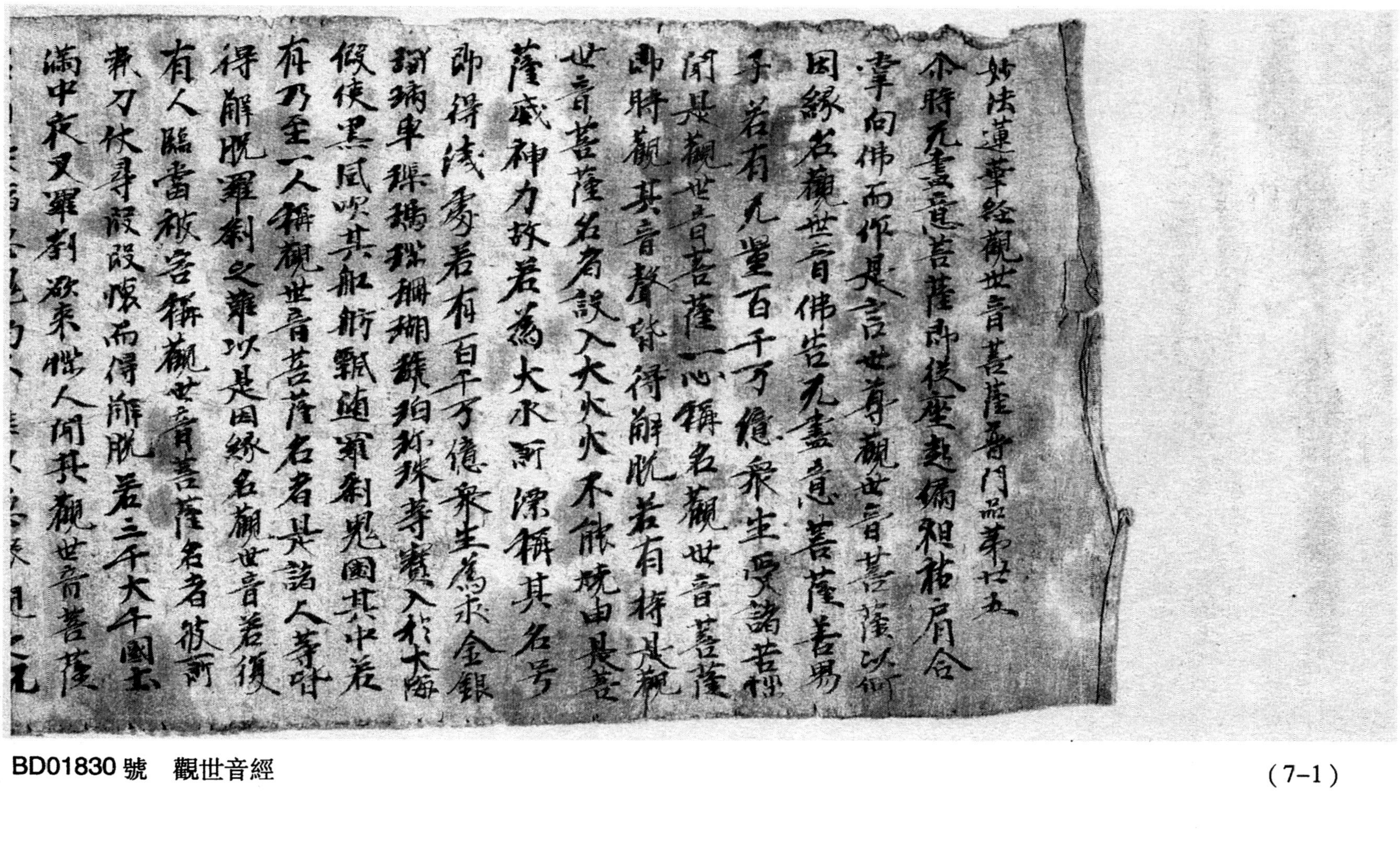

妙法蓮華經觀世音菩薩普門品第廿五
尒時无盡意菩薩即從座起偏袒右肩合
掌向佛而作是言世尊觀世音菩薩以何
因緣名觀世音佛告无盡意菩薩善男
子若有无量百千万億衆生受諸苦惱
聞是觀世音菩薩一心稱名觀世音菩薩
即時觀其音聲皆得解脫若有持是觀
世音菩薩名者設入大火火不能燒由是菩
薩威神力故若為大水所漂稱其名号
即得淺處若有百千万億衆生為求金銀
琉璃車𤦲馬瑙珊瑚琥珀真珠等寶入於大海
假使黑風吹其船舫飄墮羅剎鬼國其中若
有乃至一人稱觀世音菩薩名者是諸人等皆
得解脫羅剎之難以是因緣名觀世音若復
有人臨當被害稱觀世音菩薩名者彼所
執刀杖尋段段壞而得解脫若三千大千國土
滿中夜叉羅剎欲來惱人聞其稱觀世音菩薩

BD01830 號　觀世音經　　（7–1）

有乃至一人稱觀世音菩薩名者是諸人等皆
得解脫羅剎之難以是因緣名觀世音若復
有人臨當被害稱觀世音菩薩名者彼所
執刀杖尋段段壞而得解脫若三千大千國土
滿中夜叉羅剎欲來惱人聞其稱觀世音菩薩
名者是諸惡鬼尚不能以惡眼視之況
復加害
況復加害
設復有人若有罪若无罪杻械枷鎖檢繫其
身稱觀世音菩薩名者皆悉斷壞即得解脫
若三千大千國土滿中怨賊有一商主將諸
商人齎持重寶經過嶮路其中一人作是唱
言諸善男子勿得恐怖汝等應當一心稱觀
世音菩薩名号是菩薩能以无畏施於眾生
汝等若稱名者於此怨賊當得解脫眾商人
聞俱發聲言南无觀世音菩薩稱其名故即
得解脫无盡意觀世音菩薩摩訶薩威神
之力巍巍如是
若有眾生多於婬欲常念恭敬觀世音菩薩
便得離欲若多瞋恚常念恭敬觀世音菩薩
便得離瞋若多愚癡常念恭敬觀世音菩薩
便得離癡无盡意觀世音菩薩有如是等大
威神力多所饒益是故眾生常應心念
若有女人設欲求男礼拜供養觀世音菩薩
便生福德智慧之男設欲求女便生端政有
相之女宿殖德本眾人愛敬无盡意觀世音

BD01830號　觀世音經　（7–2）

便得離欲若多瞋恚常念恭敬觀世音菩薩
便得離瞋若多愚癡常念恭敬觀世音菩薩
便得離癡无盡意觀世音菩薩有如是等大
威神力多所饒益是故眾生常應心念
若有女人設欲求男礼拜供養觀世音菩薩
便生福德智慧之男設欲求女便生端政有
相之女宿殖德本眾人愛敬无盡意觀世音
菩薩有如是力若有眾生恭敬礼拜觀世音
菩薩福不唐捐是故眾生皆應受持觀世
音菩薩名号无盡意若有人受持六十二億恒
河沙菩薩名字復盡形供養飲食衣服臥具
醫藥於汝意云何是善男子善女人功德多
不无盡意言甚多世尊佛言若復有人受持
觀世音菩薩名号乃至一時礼拜供養是二人
福正等无異於百千万億劫不可窮盡无
盡意受持觀世音菩薩名号得如是无量
无邊福德之利
无盡意菩薩白佛言世尊觀世音菩薩云何
遊此娑婆世界云何而為眾生說法方便之
力其事云何佛告无盡意菩薩善男子若
有國土眾生應以佛身得度者觀世音菩
薩即現佛身而為說法應以辟支佛身得度
者即現辟支佛身而為說法應以聲聞身得
度者即現聲聞身而為說法應以梵王身得
度者即現梵王身而為說法應以帝釋身得
度者即現帝釋身而為說法應以自在天身得

BD01830號　觀世音經　（7–3）

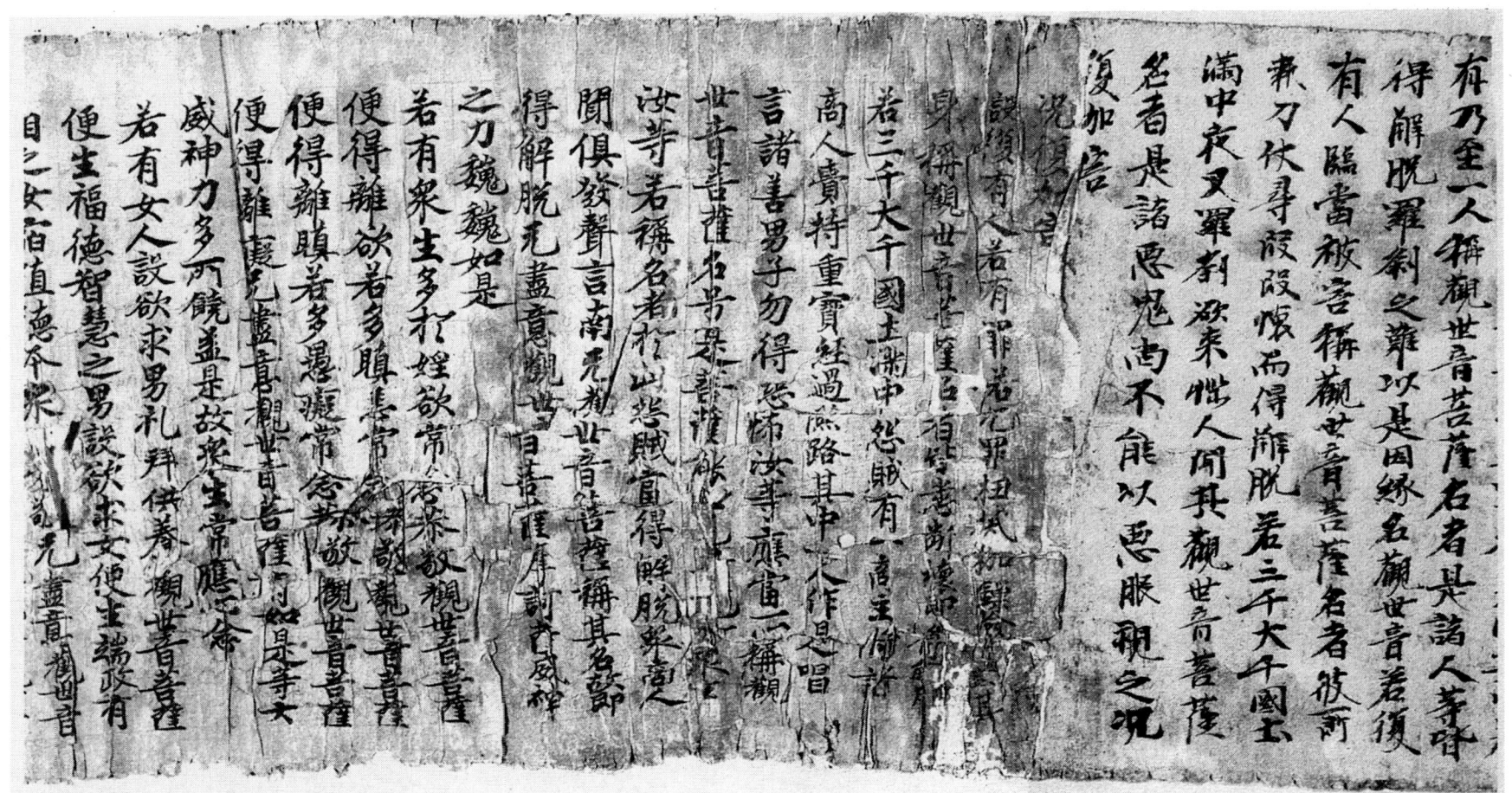

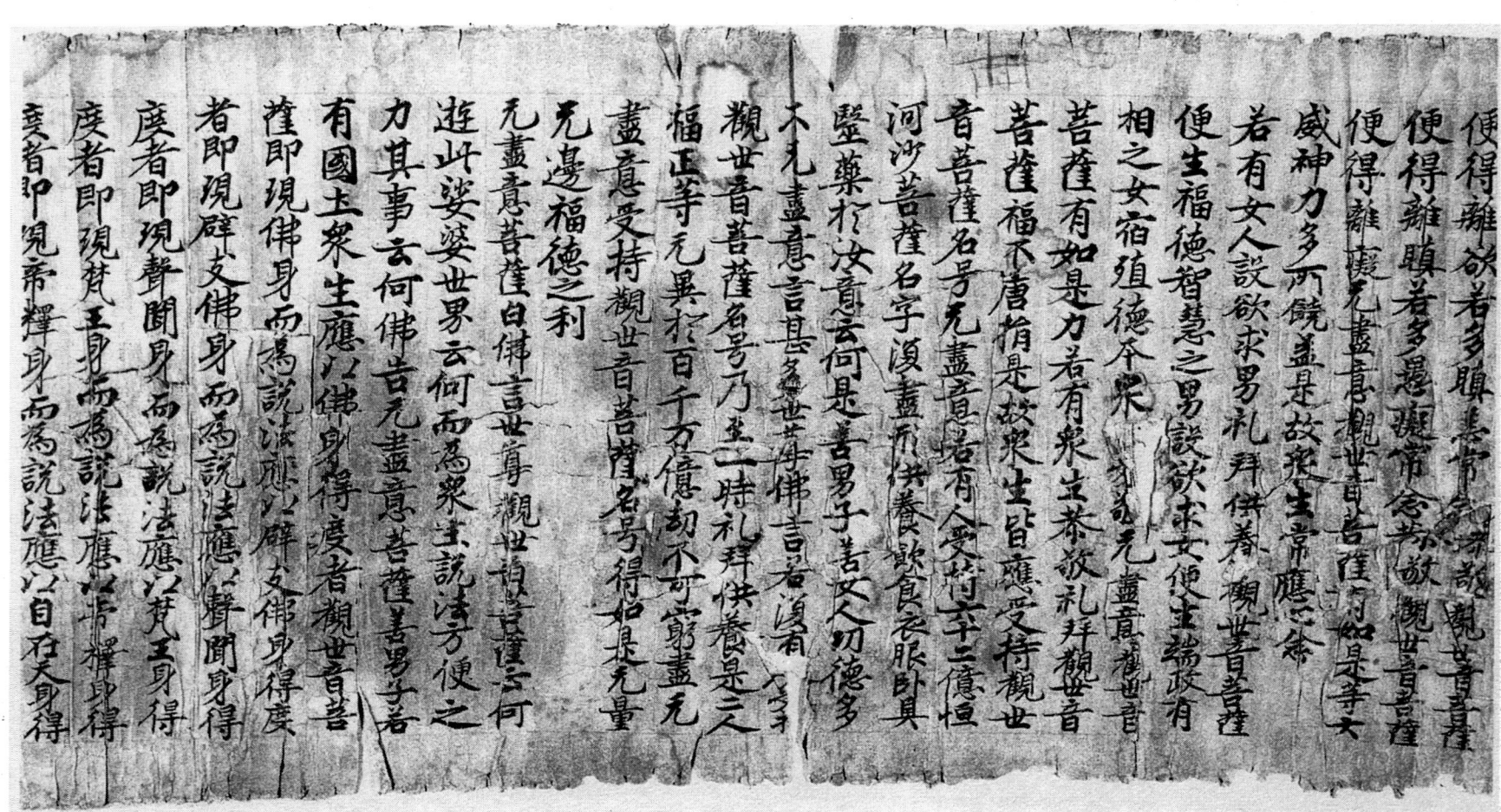

薩即現佛身而為說法應以辟支佛身得度
者即現辟支佛身而為說法應以聲聞身得
度者即現聲聞身而為說法應以梵王身得
度者即現梵王身而為說法應以帝釋身得
度者即現帝釋身而為說法應以自在天身得
度者即現自在天身而為說法應以大自在天
身得度者即現大自在天身而為說法應以
天大將軍身得度者即現天大將軍身而
為說法應以毗沙門身得度者即現毗沙門身
而為說法應以小王身得度者即現小王身
而為說法應以長者身得度者即現長者身
而為說法應以居士身得度者即現居士身
而為說法應以宰官身得度者即現宰官身
而為說法應以婆羅門身得度者即現婆羅
門身而為說法應以比丘比丘尼優婆塞優
婆夷身得度者即現比丘比丘尼優婆塞優
婆夷身而為說法應以長者居士宰官婆羅
門婦女身得度者即現婦女身而為說法應
以童男童女身得度者即現童男童女身而
為說法應以天龍夜叉乾闥婆阿脩羅迦樓
羅緊那羅摩睺羅伽人非人等身得度者
即皆現之而為說法應以執金剛神得度者
即現執金剛神而為說法无盡意是觀世音
菩薩成就如是功德以種種形遊諸國土度脫
衆生是故汝等應當一心供養觀世音菩薩

BD01830 號　觀世音經　　（7–4）

為說法應以天龍夜叉乾闥婆阿脩羅迦樓
羅緊那羅摩睺羅伽人非人等身得度者
即皆現之而為說法應以執金剛神得度者
即現執金剛神而為說法无盡意是觀世音
菩薩成就如是功德以種種形遊諸國土度脫
衆生是故汝等應當一心供養觀世音菩薩
是觀世音菩薩摩訶薩於怖畏急難之中
施能无畏是故此娑婆世界皆号之為施无畏
者
尒時无盡意菩薩白佛言世尊我今當供
養觀世音菩薩即解頸衆寶珠瓔珞價直
百千兩金而以與之作是言仁者受此法施珎
寶瓔珞時觀世音菩薩不肯受之无盡意復
白觀世音菩薩言仁者愍我等故受此瓔珞
尒時佛告觀世音菩薩當愍此无盡意菩
薩及四衆天龍夜叉乾闥婆阿脩羅迦樓羅
緊那羅摩睺羅伽人非人等故受是瓔珞即
時觀世音菩薩愍諸四衆及於天龍人非人等
受其瓔珞分作二分一分奉釋迦牟尼佛一
分奉多寶佛塔无盡意觀世音菩薩有如是
自在神力遊於娑婆世界尒時无盡意菩薩
以偈問曰
世尊妙相具　我今重問彼　佛子何因緣　名為觀世音
具足妙相尊　偈答无盡意　汝聽觀音行　善應諸方所
弘誓深如海　歷劫不思議　侍多千億佛　發大清淨願
我為汝略說　聞名及見身　心念不空過　能滅諸有苦

BD01830 號　觀世音經　　（7–5）

以偈問曰
世尊妙相具 我今重問彼 佛子何因緣 名為觀世音
具足妙相尊 偈答无盡意 汝聽觀音行 善應諸方所
弘誓深如海 歷劫不思議 侍多千億佛 發大清淨願
我為汝略說 聞名及見身 心念不空過 能滅諸有苦
假使興害意 推落大火坑 念彼觀音力 火坑變成池
或漂流巨海 龍魚諸鬼難 念彼觀音力 波浪不能沒
或在須彌峯 為人所推墮 念彼觀音力 如日虛空住
或被惡人逐 墮落金剛山 念彼觀音力 不能損一毛
或值怨賊繞 各執刀加害 念彼觀音力 咸即起慈心
或遭王難苦 臨刑欲壽終 念彼觀音力 刀尋段段壞
或囚禁枷鎖 手足被杻械 念彼觀音力 釋然得解脫
呪詛諸毒藥 所欲害身者 念彼觀音力 還著於本人
或遇惡羅剎 毒龍諸鬼等 念彼觀音力 時悉不敢害
若惡獸圍遶 利牙爪可怖 念彼觀音力 疾走无邊方
蚖蛇及蝮蝎 氣毒煙火燃 念彼觀音力 尋聲自迴去
雲雷鼓掣電 降雹澍大雨 念彼觀音力 應時得消散
眾生被困厄 无量苦逼身 觀音妙智力 能救世間苦
具足神通力 廣修智方便 十方諸國土 无剎不現身
種種諸惡趣 地獄鬼畜生 生老病死苦 以漸悉令滅
真觀清淨觀 廣大智慧觀 悲觀及慈觀 常願常瞻仰
无垢清淨光 慧日破諸闇 能伏災風火 普明照世間
悲體戒雷震 慈意妙大雲 澍甘露法雨 滅除煩惱炎
諍訟經官處 怖畏軍陣中 念彼觀音力 眾怨悉退散
妙音觀世音 梵音海潮音 勝彼世間音 是故須常念

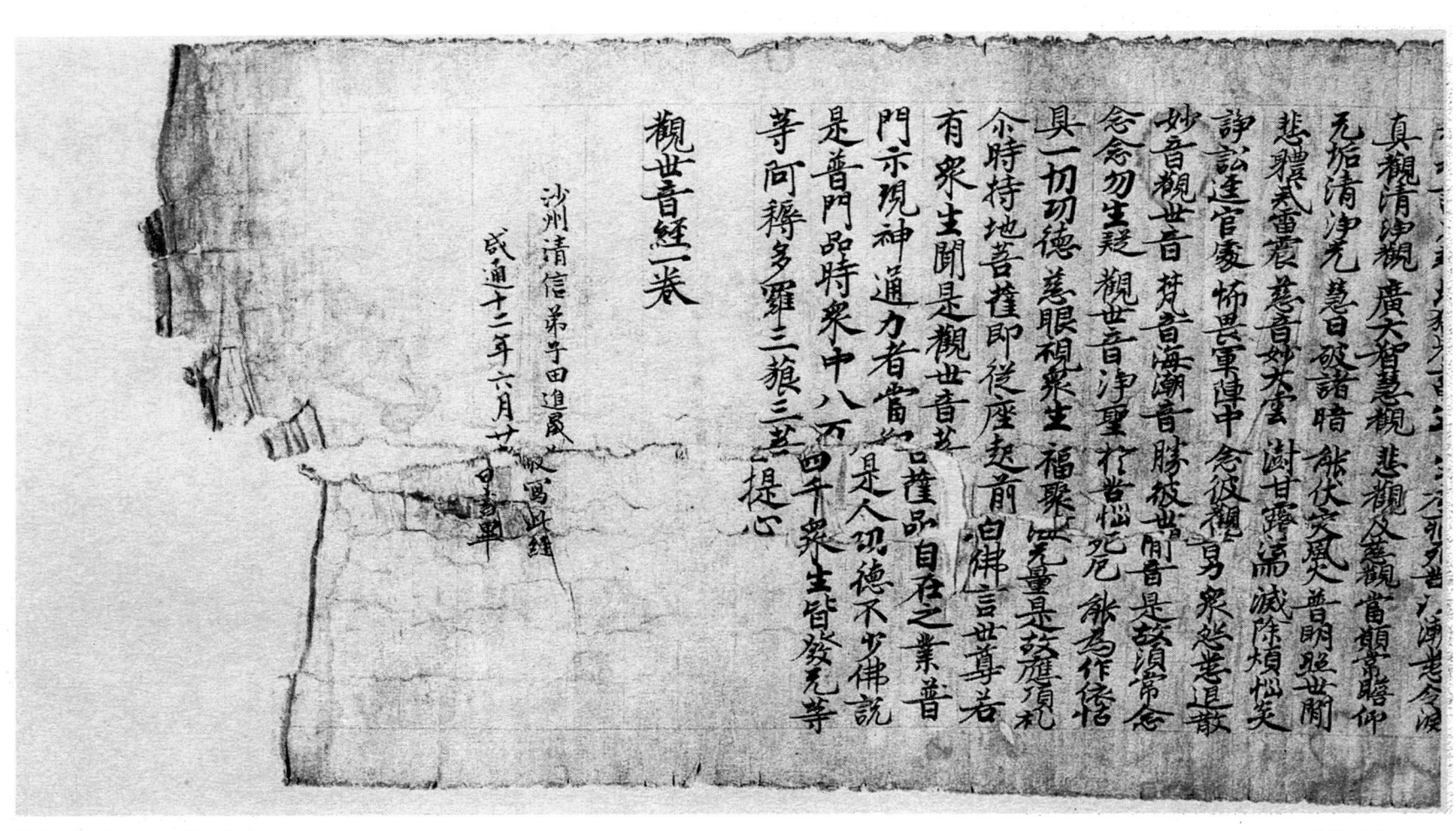

BD01830 號　觀世音經　　（7–6）

真觀清淨觀 廣大智慧觀 悲觀及慈觀 常願常瞻仰
无垢清淨光 慧日破諸闇 能伏災風火 普明照世間
悲體戒雷震 慈意妙大雲 澍甘露法雨 滅除煩惱炎
諍訟經官處 怖畏軍陣中 念彼觀音力 眾怨悉退散
妙音觀世音 梵音海潮音 勝彼世間音 是故須常念
念念勿生疑 觀世音淨聖 於苦惱死厄 能為作依怙
具一切功德 慈眼視眾生 福聚海无量 是故應頂禮
爾時持地菩薩即從座起前白佛言世尊若
有眾生聞是觀世音菩薩品自在之業普
門示現神通力者當知是人功德不少佛說
是普門品時眾中八万四千眾生皆發无等
等阿耨多羅三藐三菩提心

觀世音經一卷

沙州清信弟子田進晟敬寫此經
咸通十二年六月廿日書畢

BD01830 號　觀世音經　　（7–7）

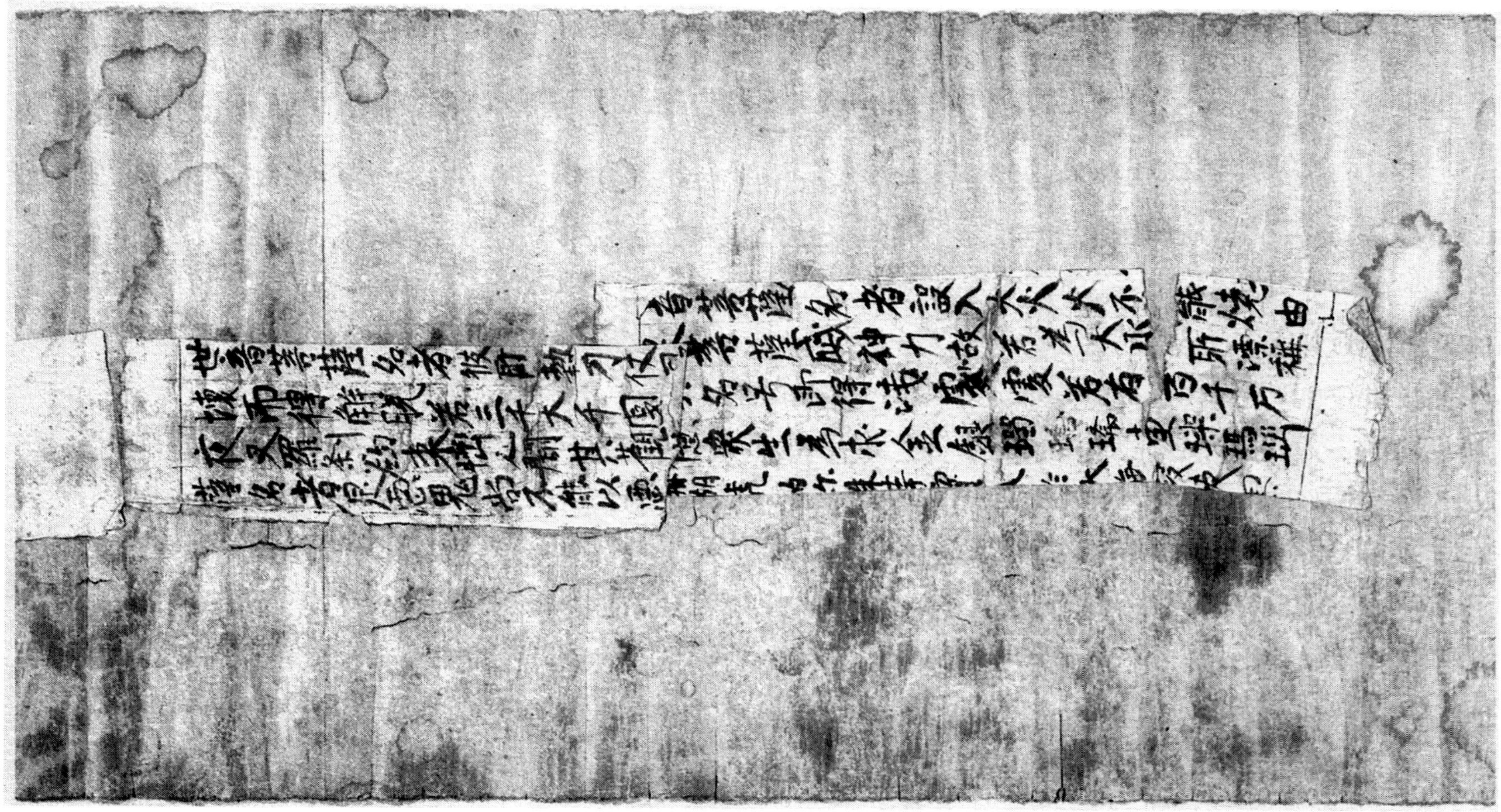

BD01830 號背 1　觀世音經　（1–1）

BD01830 號背 2　觀世音經

BD01830 號背 3　觀世音經　（1–1）

人皆欲
弟子衆
城
尒時長者維摩詰心念今文殊師利
俱来即以神力空其室内除去所有
侍者唯置一牀以疾而卧文殊師利既入其
其室空无諸所有獨寢一牀時維摩詰言
善来文殊師利不来相而来不見相而見文殊
師利言如是居士若来已更不来若去已
更不去所以者何来者无所從来去者无所
至所可見者更不可見且置是事居士是
疾寧可忍不療治有損不至增乎世尊慇懃
致問无量居士是疾何所因起其生久如當
云何滅維摩詰言從癡有愛則我病生以一切
衆生病是故我病若一切衆生得離病者則
我病滅所以者何菩薩為衆生故入生死有
生死則有病若衆生得離病者則菩薩无復
病譬如長者唯有一子其子得病父母亦病
若子病愈父母亦愈菩薩如是於諸衆生愛
之若子衆生病則菩薩病衆病生愈菩薩
亦愈又言是疾何所因起菩薩疾者以大悲

病譬如長者唯有一子其子得病父母亦病
若子病愈父母亦愈菩薩如是於諸衆生愛
之若子衆生病則菩薩病衆病生愈菩薩
亦愈又言是疾何所因起菩薩疾者以大悲
起文殊師利言居士此室何以空无侍者維
摩詰言諸佛國土亦復皆空又問以何為空
荅曰以空空又問空何用空荅曰以无分别
空故空又問空可分别耶荅曰分别亦空又
問空當於何求荅曰當於六十二見中求又
六十二見當於何求荅曰當於諸佛解脫中
解脫當於何求荅曰當於一切衆生心行中
求又仁者所問何无侍者維摩詰言一切衆
魔及諸外道皆吾侍也所以者何衆魔者
樂生死菩薩於生死而不捨外道者樂
諸見菩薩於諸見而不動文殊師利言居
士所疾為何等相維摩詰言我病无形不可
見又問此病身合耶心合耶荅曰非身合身
相離故亦非心合心如幻故又問地大水大
火大風大於此四大何大之病荅曰是病非
地大亦不離地大水火風大亦復如是而衆
生病從四大起以其有病是故我病
尒時文殊師利問維摩詰言菩薩應云何慰
喻有疾菩薩維摩詰言說身无常不說猒
離於身說身有苦不說樂於涅槃說身无我而
說教導衆生說身空寂不說畢竟寂滅說

生病從四大起以其有病是故我病
尒時文殊師利問維摩詰言菩薩應云何慰
喻有疾菩薩維摩詰言說身无常不說猒
離於身說身有苦不說樂於涅槃說身无我而
說教導衆生說身空寂不說畢竟寂滅說
悔先罪而不說入於過去以已之疾愍於
彼疾當識宿世无數劫苦當念饒益一切衆
生憶所脩福念於淨命勿生憂惱常起精
進當作醫王療治衆病菩薩應如是慰喻
有疾菩薩令其歡喜
文殊師利言居士有疾菩薩云何調伏其心
維摩詰言有疾菩薩應作是念今我此病皆
從前世妄想顛倒諸煩惱生无有實法誰受
病者所以者何四大合故假名為身四大无主
身亦无我又此病起皆由著我是故於我不
應生著既知病本即除我想及衆生想當
起法想應作是念但以衆法合成此身起唯
法起滅唯法滅又此法者各不相知起時不
言我起滅時不言我滅彼有疾菩薩為滅法
想當作是念此法想者亦是顛倒顛者即
是大患我應離之云何為離離我我所云何
離我我所謂離二法云何離二法謂不念內
外諸法行於平等云何平等謂我等涅槃等
所以者何我及涅槃此二皆空以何為空但
以名字故空如此二法无決定性得是平等

BD01831 號　維摩詰所說經卷中　（9–3）

離我我所謂離二法云何離二法謂不念內
外諸法行於平等云何平等謂我等涅槃等
所以者何我及涅槃此二皆空以何為空但
以名字故空如此二法无決定性得是平等
无有餘病唯有空病空病亦空是有疾菩
薩以无所受而受諸受未具佛法亦不滅受
而取證也設身有苦念惡趣衆生起大悲心
我既調伏亦當調伏一切衆生但除其病而不
除法為斷病本而教導之何謂病本謂有攀
緣從有攀緣則為病本何所攀緣謂之三界
云何斷攀緣以无所得若无所得則无攀緣
何謂无所得謂二見何謂二見謂內見外見是
无所得文殊師利是為有疾菩薩調伏
其心為斷老病死苦是菩薩菩提若不如
是已所脩治為无慧利譬如勝怨乃可為勇
如是斷除老病死者菩薩之謂也彼有疾
菩薩應復作是念如我此病非真非有衆
生病亦非真非有作是觀時於諸衆生若起
愛見大悲即應捨離所以者何菩薩斷除
客塵煩惱而起大悲愛見悲者則於生死有
疲猒心若能離此无有疲猒在在所生不
為愛見之所覆也所生无縛能為衆生說
法解縛如佛所說若自有縛能解彼縛无
有是處若自无縛能解彼縛斯有是處
是故菩薩不應起縛何謂縛何謂解貪著

BD01831 號　維摩詰所說經卷中　（9–4）

[illegible]在在所生不
為愛見之所覆也所生无縛能為衆生說
法解縛如佛所說若自有縛能解彼縛无
有是處若自无縛能解彼縛斯有是處
是故菩薩不應起縛何謂縛何謂解貪著
禪味是菩薩縛以方便生是菩薩解又无方
便慧縛有方便慧解无慧方便縛有慧方
便解何謂无方便慧縛謂菩薩以愛見心莊
嚴佛土成就衆生於空无相无作法中而自
調伏是名无方便慧縛何謂有方便慧解
謂不以愛見心莊嚴佛土成就衆生於空
无相无作法中以自調伏而不疲厭是名有
方便慧解何謂无慧方便縛謂菩薩住貪
欲瞋恚耶見等諸煩惱而殖衆德本是名
无慧方便縛何謂有慧方便解謂離諸
貪欲瞋恚邪見等諸煩惱而殖衆德本
迴向阿耨多羅三藐三菩提是名有慧方
便解
文殊師利彼有疾菩薩應如是觀諸法又復
觀身无常苦空非我是名為慧雖身有疾常
在生死饒益一切而不厭惓是名方便又復
觀身身不離病病不離身是病是身非新
非故是名為慧設身有疾而不永滅是名方便
文殊師利有疾菩薩應如是調伏其心不住其
中亦復不住不調伏心所以者何若住不調伏
心是愚人法若住調伏心是聲聞法是故菩

觀身身不離病病不離身是身非新
非故是名為慧設身有疾而不永滅是名方便
文殊師利有疾菩薩應如是調伏其心不住其
中亦復不住不調伏心所以者何若住不調伏
心是愚人法若住調伏心是聲聞法是故菩
薩不當住於調伏不調伏心離此二法是菩
薩行在於生死不為汙行住於涅槃不永滅
度是菩薩行非凡夫行非賢聖行是菩薩
行非垢行非淨行是菩薩行雖過魔行而現
降衆魔是菩薩行求一切智无非時求是菩
薩行雖觀諸法不生而不入正位是菩薩行
雖觀十二緣起而入諸耶見是菩薩行雖攝
一切衆生而不愛著是菩薩行雖樂遠離而
不身心盡是菩薩行雖行三界而不壞法性
是菩薩行雖行空而殖衆德本是菩薩
行雖行无相而度衆生是菩薩行雖行无
作而現受身是菩薩行雖行无起而起一切善
法是菩薩行雖行六波羅蜜而遍知衆生
心心數法是菩薩行雖行六通而不盡漏是
菩薩行雖行四无量而不貪著生於梵世是
菩薩行雖行禪定解脫三昧而不隨禪生是
菩薩行雖行四念處而不永離身受心法
是菩薩雖行四正勤而不捨身精進是菩薩
行雖行四如意足而得自在神通是菩薩
行雖行五根而分別衆生諸根利鈍是菩
薩行雖行五力而樂求佛十力是菩薩行

XEROX

Hot Folder User

Document Name:	ç¬¬25å _ç¼©æ˜¾-0002.pdf
Printing Time:	10/26/21 02:51:35
Copies Requested:	10
Account:	
Virtual Printer:	XRX00000000/YA-YA--11
Printed For:	

Hot Folder User

73.B0.84C.86

Job # 4044

菩薩行雖行四念處而不永離身受心法
是菩薩雖行四正勤而不捨身精進是菩薩
行雖行四如意足而得自在神通是菩薩
行雖行五根而分別眾生諸根利鈍是菩
薩行雖行五力而樂求佛十力是菩薩行
雖行七覺分而分別佛之智慧是菩薩行雖
行八正道而樂行无量佛法是菩薩行雖行
止觀助道之法而不畢竟墮於寂滅是菩薩
行雖行諸法不生不滅而以相好莊嚴其身是
菩薩行雖現聲聞辟支佛威儀而不捨佛法
是菩薩行雖隨諸法究竟淨相而隨所應為
現其身是菩薩行雖觀諸佛國土永寂如空
而現種種清淨佛土是菩薩行雖得佛道轉
于法輪入於涅槃而不捨於菩薩之道是菩
薩行說是語時文殊師利所將大眾其中八
千天子皆發阿耨多羅三藐三菩提心

不思議品第六

尒時舍利弗見此室中无有牀座作是念斯諸
菩薩大弟子眾當於何坐長者維摩詰知其
意語舍利弗言云何仁者為法來耶求牀座
耶舍利弗言我為法來非為牀座唯摩詰言
唯舍利弗夫求法者不貪軀命何況牀座夫
求法者非有色受想行識之求非有界入之
求非有欲色无色之求唯舍利弗夫求法者
不著佛求不著法求不著眾求夫求法者

唯舍利弗夫求法者不貪軀命何況牀座夫
求法者非有色受想行識之求非有界入之
求非有欲色无色之求唯舍利弗夫求法者
不著佛求不著法求不著眾求夫求法者
无見苦求无斷集求无造盡證修道之求
所以者何法无戲論若言我當見苦斷集證滅
修道是則戲論非求法也唯舍利弗法名寂
滅若行生滅是求生滅非求法也法名无染
若染於法乃至涅槃是則染著非求法也法无
行處若行於法是則行處非求法也法无取
捨若取捨法是則取捨非求法也法无處所
若著處所是則著處非求法也法名无相
若隨相識是則求相非求法也法不可住若
住於法是則住法非求法也法不可見聞覺
知若行見聞覺知是則見聞覺知非求法
也法名无為若行有為是求有為非求法
也是故舍利弗若求法者於一切法應无所
求說是語時五百天子於諸法中得法眼淨
尒時長者維摩詰問文殊師利仁者遊於无
量千万億阿僧祇國何等佛土有好上妙功
德成就師子之座文殊師利言居士東方度
卅六恒河沙國有世界名須弥相其佛號須弥
燈王今現在彼佛身長八万四千由旬其師子
座高八万四千由旬嚴飾第一於是長者
維摩詰現神通力即時彼佛遣三万二千師

燈王今現在彼佛身長八万四千由旬其師子
座高八万四千由旬嚴餝第一於是長者
維摩詰現神通力即時彼佛遣三万二千師
子之座高廣嚴淨來入維摩詰室諸菩
薩大弟子釋梵四天王等昔所未見其室
廣博悉苞容三万二千師子座无所妨礙於
毗耶離城及閻浮提四天下亦不迫迮悉見如
故尒時維摩詰語文殊師利就師子座與諸
菩薩上人俱坐當自立身如彼坐像其得神
通菩薩即自變形為四万二千由旬坐師子
坐諸新發意菩薩及大弟子皆不能昇尒
時維摩詰語舍利弗就師子座舍利弗言居
士此座高廣吾不能昇維摩詰言唯舍利弗
為須弥燈王如來作礼乃可得坐於是新發
意菩薩及大弟子即為須弥燈王如來作礼
便得坐師子座舍利弗言居士未曾有也如
是小室乃容受此高廣之座於毗耶離城无
所妨礙又於閻浮提聚落城邑及四天下諸
天龍王鬼神宮殿亦不迫迮維摩詰言唯舍
利弗諸佛菩薩有解脫名不可思議若菩
薩住是解脫者以須弥之高廣內芥子中无
所增減須弥山王本相如故而四天王忉利
諸天不覺不知己之所入唯應度

BD01831 號　維摩詰所說經卷中　（9–9）

四分律藏卷第廿六　第二分卷第八
尒時婆伽婆在舍衛國祇樹給孤獨園尒時六群比丘尼往觀王宮畫堂園林浴池諸居
士見皆共譏嫌此諸比丘尼不知慚愧犯梵行外自稱言我知正法如是有何正法乃往觀
王宮畫堂園林浴池如賊女婬女無異尒時諸比丘尼聞其中有少欲知足行頭陀學
戒知慚愧者嫌責六群比丘尼言汝云何乃往觀王宮畫堂園林浴池尒時比丘尼往
白比丘比丘往白佛佛尒時以此因緣集比丘僧呵責比丘尼言汝所為非非威儀非沙
門法非淨行非隨順行所不應為云何六群比丘尼乃往觀王宮畫堂園林浴池世
尊以無數方便呵責六群比丘尼已告諸比丘此六群比丘尼多種有漏處最初犯戒自
今已去與比丘尼結戒集十句義乃至正法久住欲說戒者當如是說若比丘尼往觀王宮
文飾畫堂園林浴池者波逸提比丘尼義如上若比丘尼往觀王宮文飾畫堂園林浴
池從道至道從道至非道從非道至道從高至下從下至高去而見者波逸提不見者
突吉羅方便欲去而不去若共期去而不去一切突吉羅比丘突吉羅式叉摩那沙弥沙弥尼

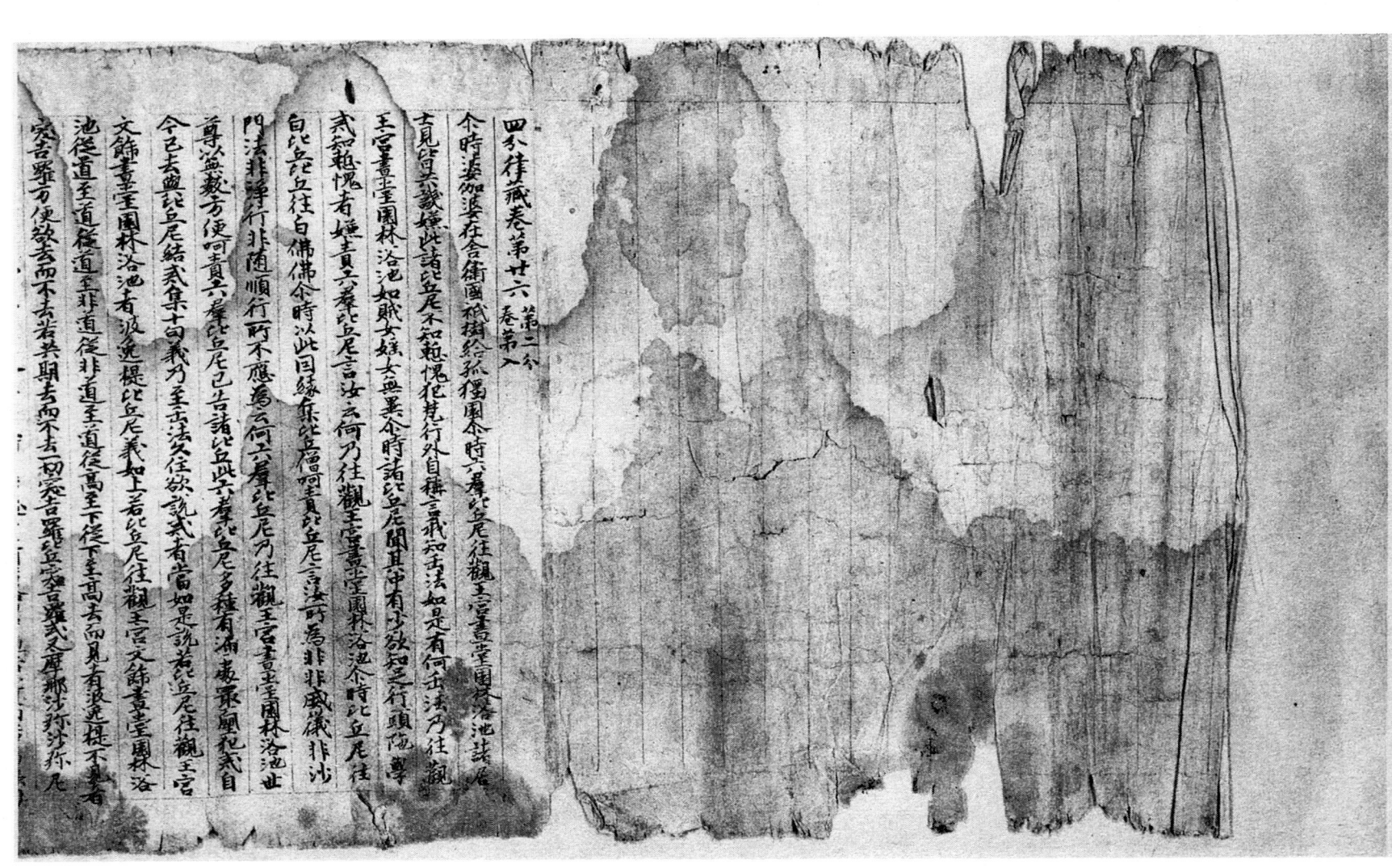

BD01832 號　四分律（異卷）卷二六　（13–1）

門法非淨行非隨順行所不應為云何六群比丘尼乃往觀王宮畫堂園林浴池世
尊以無數方便呵責六群比丘尼已告諸比丘與六群比丘尼多種有漏處最初犯戒自
今已去與比丘尼結戒集十句義乃至正法久住欲說戒者當如是說若比丘尼往觀王宮
文飾畫堂園林浴池者波逸提比丘尼義如上若比丘尼往觀王宮文飾畫堂園林浴
池從道至道從道至非道從非道至道從高至下從下至高去而見者波逸提不見者
突吉羅方便欲去而不去若共期去而不去一切突吉羅比丘突吉羅式叉摩那沙弥沙弥尼
突吉羅是謂為犯不犯者若入王宮有所白若喚若請若路由中過若寄宿若為強力
者所執或被縛將去或命難梵行難若復為僧事塔事而往觀看畫堂樓法若
道由中過若寄宿若為強力者所執或復被縛將去或命難梵行難若為僧伽藍中受教授聽
法或被請道由中過若寄宿或為強力者所執或被縛將去或為僧事塔事往觀園林浴池欲取
樓法道由中過若寄宿者不犯不犯者最初未制戒癡狂心亂痛惱所纏　一百竟
尒時婆伽婆在舍衛國祇樹給孤獨園尒時六群比丘尼露身在河水泉水池水渠水中浴時
有賊女婬女往比丘尼所語言汝等年少掖下未生毛云何便出家學道脩梵行耶
如今年少可於愛欲中共相娛樂老時可脩梵行如是二事俱得其中有年少者聞便
生不樂心時諸居士見皆共譏嫌言此諸比丘尼不知慚愧外自稱言我知正法如是有
何正法而露身形在河泉池渠水中浴如婬女賊女無異尒時諸比丘尼聞其中有少欲知
足行頭陁樂學戒知慚愧者嫌責六群比丘尼言云何汝等露形在河泉池渠水中浴耶
時諸比丘尼往白諸比丘諸比丘往白佛佛尒時以此因緣集比丘僧呵責六群比丘尼言汝
所為非非威儀非沙門法非淨行非隨順行所不應為云何比丘尼露形在河池泉
渠水中浴耶時世尊以無數方便呵責六群比丘尼已告諸比丘與六群比丘尼多種
有漏處最初犯戒自今已去與比丘尼結戒集十句義乃至正法久住欲說戒者當
如是說若比丘尼露身形在河水泉水池水渠水中浴者波逸提比丘尼義如上彼比丘
尼應以四事覆形洗浴若在流水岸側曲迴處若復有樹陰覆處若復水覆隱處若以
衣障身上三事得相取與器物以衣障者一切如法事得作彼比丘尼若露形在河泉池渠
水中洗浴身盡漬者波逸提不盡漬者突吉羅方便欲洗而不洗共期去而不去一切
突吉羅比丘突吉羅式叉摩那沙弥沙弥尼突吉羅是謂為犯不犯者水岸曲迴處樹
陰覆處水覆隱處若以衣障形若為強力者所執無犯無犯者最初未制戒癡
狂心亂痛惱所纏　一百一竟
尒時婆伽婆在舍衛國祇樹給孤獨園尒時世尊聽比丘尼作浴衣時六群比丘尼聞世
尊聽比丘尼作浴衣便多作廣大浴衣時諸比丘尼見已問言佛聽諸比丘尼畜五
衣此是何衣報言此是我等浴衣諸比丘尼聞其中有少欲知足行頭陁樂學戒知慚愧
者嫌責六群比丘尼言世尊聽畜浴衣云何便多作廣大浴衣時諸比丘尼往白諸

狂心亂痛惱所纏　一百一竟
尒時婆伽婆在舍衛國祇樹給孤獨園尒時世尊聽比丘尼作浴衣時六群比丘尼聞世
尊聽比丘尼作浴衣便多作廣大浴衣時諸比丘尼見已問言佛聽諸比丘尼畜五
衣此是何衣報言此是我等浴衣諸比丘尼聞其中有少欲知足行頭陁樂學戒知慚愧
者嫌責六群比丘尼言世尊聽畜浴衣云何便多作廣大浴衣時諸比丘尼往白諸
比丘諸比丘往白世尊世尊尒時以此因緣集比丘僧呵責六群比丘尼言汝所為非非
威儀非沙門法非淨行非隨順行所不應為云何比丘尼多作廣大浴衣時世尊
方便呵責六群比丘尼已告諸比丘言此六群比丘尼多種有漏處最初犯戒
自今已去與比丘尼結戒集十句義乃至正法久住欲說戒者當如是說若比丘尼作浴
衣應量作應量作者長佛六磔手廣二磔手半若過者波逸提比丘尼義如
上浴衣者障身浴也彼比丘尼作浴衣長中過量廣中是長中是廣中過量若
二俱過量自割截作成者波逸提不成者突吉羅若語他作割截成者波逸提不成者突
吉羅若為他作成不成一切突吉羅比丘波逸提式叉摩那沙弥沙弥尼突吉羅是謂為犯
不犯者如量作減量作若得已成者當截令如法若重疊無犯無犯者最初未制戒
癡狂心亂痛惱所纏　一百二竟
尒時婆伽婆在舍衛國祇樹給孤獨園尒時有一比丘尼欲裁縫僧伽梨時偷蘭難陁比丘尼
言妹持來我與汝裁縫彼即與衣時彼比丘尼聰明多知識善能教化偷蘭難陁比丘
尼作是意欲使彼比丘尼久作供養故便為裁縫衣不即為縫成時偷蘭難陁比丘尼所
住精舍失火衣財為火所燒又為風吹零落時居士見已皆譏嫌言此比丘尼不知慚愧
外自稱言我脩正法如是有何正法云何比丘尼裁他衣而不即縫成為火所燒風吹零落時
諸比丘尼聞其中有少欲知足行頭陁樂學戒知慚愧者嫌責偷蘭難陁比丘尼言
云何為他作衣不即縫成為火所燒風吹零落時諸比丘尼往白諸比丘諸比丘往白世
尊世尊以此因緣集比丘僧呵責偷蘭難陁比丘尼汝所為非非威儀非沙門法非
淨行非隨順行所不應為云何比丘尼裁衣不即縫成為火所燒風吹零落時世尊以
無數方便呵責已告諸比丘此比丘尼多種有漏處最初犯戒自今已去與比丘尼
結戒集十句義乃至正法久住欲說戒者當如是說若比丘尼縫僧伽梨過五日者
波逸提比丘尼義如上如是世尊與比丘尼結戒彼求僧伽梨出迦絺那衣六難事起
疑佛言若有如是事無犯自今已去應如是結戒若比丘尼縫僧伽梨過五日除求索僧
伽梨出迦絺那衣六難事起者波逸提比丘突吉羅式叉摩那沙弥沙弥尼突吉
羅是謂為犯不犯者求索僧伽梨出功德衣五日六難事起若縫若斷理時
若無刀無針若無綫若少不足若衣主破戒破見破威儀若被舉若滅擯若

結戒集十句義乃至正法久住欲說戒者當如是說若比丘尼縫僧伽梨過五日者
波逸提比丘尼義如上如是世尊與比丘尼結戒彼求僧伽梨出迦絺那衣六難事起
疑佛言若有如是事無犯自今已去應如是結戒若比丘尼縫僧伽梨過五日除求索僧
伽梨出迦絺那衣六難事起者波逸提比丘尼突吉羅式叉摩那沙彌沙彌尼突吉
羅是謂為犯不犯者求索僧伽梨出功德衣五日六難事起若縫若析理時
若無刀無針若無綫若少不足若衣主破戒破見破威儀若被舉若滅擯若
應滅擯若由此事故有命難梵行難不縫衣過五日者不犯不犯者最初未制
戒癡狂心亂痛惱所纏 一百三竟
爾時婆伽婆在毗舍離獼猴江側高閣講堂上時眾僧多有供養時有比丘尼置僧伽梨
在房不看曬治虫爛色壞後時眾僧供養斷此比丘尼不看僧伽梨至村邊者欲入
村方見僧伽梨虫爛色壞時諸比丘尼聞其中有少欲知足行頭陀樂學戒知慙
愧者嫌責此比丘尼云何置僧伽梨在房不看曬治使虫爛色壞時諸比丘尼往
白諸比丘諸比丘往白世尊以此因緣集比丘僧呵責此比丘尼言汝所為非非威儀非
沙門法非淨行非隨順行所不應為云何置僧伽梨在房不看曬治虫爛色壞時世尊
以無數方便呵責已告諸比丘此比丘尼多種有漏處最初犯戒自今已去與比丘尼結
戒集十句義乃至正法久住欲說戒者當如是說若比丘尼過五日不看僧伽梨者波逸
提比丘尼義如上彼比丘尼置僧伽梨在房中五日五日中應往看不者波逸提除僧伽
梨餘衣不五日五日看者突吉羅除餘衣若不五日五日看者餘所須之物零失者
虫爛色壞者突吉羅比丘突吉羅式叉摩那沙彌沙彌尼突吉羅是謂為犯不犯
者若置僧伽梨在房五日五日看若舉處堅牢若寄至彼受寄至言但安意
我當為汝看彼若看恐失不五日五日看不犯不犯者最初未制戒癡狂心亂
痛惱所纏 一百四竟
爾時婆伽婆在舍衛國祇樹給孤獨園爾時偷蘭難陀比丘尼有親舊檀越欲為
僧設食并施衣偷蘭難陀聞即往問言我聞汝欲設食并施僧衣審爾以不檀越
報言爾偷蘭難陀言眾僧大功德大威神多檀越布施汝經給處多今但可設食不須施
衣檀越即言可爾不復作衣即其夜辦具飲食明日清旦往白時到時諸比丘尼著衣持
鉢往詣其家就坐而坐時檀越觀諸比丘尼僧威儀庠序法服齊整見已自悔不與發
言如是好眾云何使我留難不作衣供養時諸比丘尼即問言以何因緣乃發是言時檀越
即具白因緣時比丘尼聞其中有少欲知足行頭陀樂學戒知慙愧者嫌責偷蘭難陀言云何
與眾僧衣作留難時諸比丘尼往白諸比丘諸比丘往白佛佛以此因緣集比丘僧呵責偷蘭難陀汝所
為非非威儀非沙門法非淨行非隨順行所不應為云何與僧衣作留難以無數方便呵責
已告諸比丘此偷蘭難陀比丘尼多種有漏處最初犯戒自今已去與比丘尼結戒集十句
義乃至正法久住欲說戒者當如是說若比丘尼與眾僧衣作留難者波逸提比丘尼義如

BD01832 號　四分律（異卷）卷二六　（13–4）

言如是好眾云何使我留難不作衣供養時諸比丘尼即問言以何因緣乃發是言時檀越
即具白因緣時比丘尼聞其中有少欲知足行頭陀樂學戒知慙愧者嫌責偷蘭難陀言云何
與眾僧衣作留難時諸比丘尼往白諸比丘諸比丘往白佛佛以此因緣集比丘僧呵責偷蘭難陀汝所
為非非威儀非沙門法非淨行非隨順行所不應為云何與僧衣作留難以無數方便呵責
已告諸比丘此偷蘭難陀比丘尼多種有漏處最初犯戒自今已去與比丘尼結戒集十句
義乃至正法久住欲說戒者當如是說若比丘尼與眾僧衣作留難者波逸提比丘尼義如
上眾者如上衣者十種如上衣比丘尼與眾僧衣作留難者波逸提除眾僧與餘主
作留難者突吉羅除衣餘物作留難者突吉羅比丘突吉羅式叉摩那沙彌沙彌尼突吉羅
是謂為犯不犯者欲施少者勸使多與欲施少至勸與多至欲施麁勸令與細者或
戲笑語或疾疾語或獨處語或夢中語或欲說此錯說彼無犯無犯者最初未制戒
癡狂心亂痛惱所纏 一百五竟
爾時婆伽婆在舍衛國祇樹給孤獨園時有比丘尼著他僧伽
梨不語主入村乞食時衣主不知作失衣意於後求覓乃
見彼比丘尼著行即語汝犯偷彼言我不偷汝衣以親厚意故
取汝衣著時諸比丘尼聞其中有少欲知足行頭陀樂學戒
知慙愧者嫌責此比丘尼言汝云何不語主盜著他衣使他
作失衣意求覓耶即往白諸比丘諸比丘往白佛佛以此因緣集
比丘僧呵責此比丘尼言汝所為非非威儀非沙門法非淨行非隨順
行所不應為云何比丘尼不語主盜著他衣使衣主作失衣意求覓
耶時世尊以無數方便呵責已告諸比丘此比丘尼多種有漏處最初
犯戒自今已去與比丘尼結戒集十句義乃至正法久住欲說戒者當如是說若比
丘尼不問主便著他衣者波逸提比丘尼義如上彼比丘尼取他衣著不語主入村乞食
者波逸提比丘尼突吉羅式叉摩那沙彌沙彌尼突吉羅是謂為犯不犯者若問主若是親
厚若親厚語言汝但著我當為汝語主不犯不犯者最初未制戒癡狂心亂痛惱
所纏 一百六竟
爾時婆伽婆在舍衛國祇樹給孤獨園時跋難陀釋子有二沙彌一名耳二名堅一罷
休道一至著袈裟入外道眾中時六群比丘尼以沙門衣施與休道者及與彼入外道者爾
時諸比丘尼聞其中有少欲知足行頭陀樂學戒知慙愧者嫌責六群比丘尼汝云何持
沙門衣施與休道者及與彼入外道者諸比丘尼往白諸比丘往白佛佛以此因緣集
比丘僧呵責六群比丘尼言汝所為非非威儀非沙門法非淨行非隨順行所不
應為云何汝等以沙門衣與彼休道及入外道者爾時世尊以無數方便呵責六群
比丘尼已告諸比丘此諸比丘尼多種有漏處最初犯戒自今已去與比丘尼結戒集十句

BD01832 號　四分律（異卷）卷二六　（13–5）

[illegible]
時諸比丘尼聞其中有少欲知足行頭陀樂學戒知慚愧者嫌責六羣比丘尼云何持
沙門衣施與外道者及與彼人外道者諸比丘尼往白佛佛以此因緣集
比丘僧呵責六羣比丘尼言汝所為非非威儀非沙門法非淨行非隨順行所不
應為云何汝等以沙門衣與彼外道及人外道者尒時世尊以無數方便呵責六羣
比丘尼已告諸比丘此諸比丘尼多種有漏處最初犯戒自今已去與比丘尼結戒集十句
義乃至正法久住欲說戒者當如是說若比丘尼持沙門衣施與外道白衣者波逸提比
丘尼義如上白衣者在家外道者在佛法外出家沙門衣者染色衣若比丘尼以沙
門衣施與彼受者波逸提此與彼不受突吉羅方便欲與而不與期要當與而不與一切
突吉羅比丘突吉羅式叉摩那沙彌沙彌尼突吉羅是謂為犯不犯者若與父母若與塔作人與
講堂屋舍作人計校食直與或為賊力勢所奪不犯無犯者最初未制戒癡狂心
亂痛惱所纏 一百七竟
尒時婆伽婆在舍衛國祇樹給孤獨園時比丘尼衆得如法施衣欲分時偷蘭難陀為諸
弟子分散衣行不在時偷蘭難陀作是意遮衆僧如法分衣恐弟子不得時諸比
丘尼知如是意諸比丘尼聞其中有少欲知足行頭陀樂學戒知慚愧者嫌責偷
蘭難陀云何作是意遮衆僧如法分衣恐弟子不得時諸比丘尼往白諸
比丘往白世尊世尊以此因緣集比丘僧呵責偷蘭難陀汝所為非非威儀非
沙門法非淨行非隨順行所不應為云何作是意遮衆僧如法分衣恐弟子不得時
世尊以無數方便呵責偷蘭難陀已告諸比丘此比丘尼多種有漏處最初犯戒自
今已去與比丘尼結戒集十句義乃至正法久住欲說戒者當如是說若比丘尼作如是
意衆僧如法分衣遮令不分恐弟子不得者波逸提比丘尼義如上衆者如上法者如法
如律如佛所教衣者有十種如上彼比丘尼作如是意衆僧如法分衣遮令弟子不得
者波逸提比丘尼突吉羅式叉摩那沙彌沙彌尼突吉羅是謂為犯不犯者或非時
分非法別衆非法和合衆法別衆似法別衆似法和合衆非法非律非佛所教若
欲分時恐失若壞遮令不分無犯無犯者最初未制戒癡狂心亂痛惱所纏 一百八竟
尒時婆伽婆在舍衛國祇樹給孤獨園時諸比丘尼衆僧如法出迦絺那衣六
羣比丘尼衆僧如法出迦絺那衣
羣比丘尼作是念令衆僧令不出迦絺那衣後當出令五事久得
放捨時諸比丘尼知六羣比丘尼作如是意令衆僧令不出迦絺那
衣六羣比丘尼作是念令衆僧令不出迦絺
衣欲令五事久得放捨時諸比丘尼聞其中有少欲知足行頭陀樂學戒知慚
愧者嫌責六羣比丘尼言汝云何作是意令衆僧令不出迦絺那衣欲令五事久
得放捨諸比丘尼往白諸比丘往白世尊世尊以此因緣集諸比丘僧呵責六羣

[illegible]
放捨時諸比丘尼知六羣比丘尼作如是意令衆僧令不出迦絺那
衣六羣比丘尼作是念令衆僧令不出迦絺
衣欲令五事久得放捨時諸比丘尼聞其中有少欲知足行頭陀樂學戒知慚
愧者嫌責六羣比丘尼言汝云何作是意令衆僧令不出迦絺那衣欲令五事久
得放捨諸比丘尼往白諸比丘往白世尊世尊以此因緣集諸比丘僧呵責六羣
比丘尼言汝所為非非威儀非沙門法非淨行非隨順行所不應為云何作如是
意令衆僧令不出迦絺那衣欲令五事久得放捨以無數方便呵責已告諸比丘此六羣
比丘尼多種有漏處最初犯戒自今已去與比丘尼結戒集十句義乃至正法久住
欲說戒者當如是說若比丘尼作如是意令衆僧令不得出迦絺那衣後當出欲令五
事久得放捨者波逸提比丘尼義如上僧者如上法者如法如律如佛所教彼比丘尼作如
是意令衆僧出迦絺那衣欲令五事久得放捨者波逸提比丘突吉羅式叉摩那沙彌沙
彌尼突吉羅是謂為犯不犯者若非時出非法別衆非法和合衆法別衆似法別
衆似法和合衆非法非律非佛所教若出時恐失遮令不出無犯無犯者最初未
制戒癡狂心亂痛惱所纏 一百九竟
尒時婆伽婆在舍衛國祇樹給孤獨園時比丘尼僧欲出迦絺那衣時六羣比丘尼作是
意令比丘尼僧如法出迦絺那衣遮使不出欲令久得五事放捨諸比丘尼知六羣比丘尼
意令比丘尼僧如法出迦絺那衣遮使不出欲令五事久得放捨諸比丘尼聞其中有少
欲知足行頭陀樂學戒知慚愧者嫌責六羣比丘尼言云何作是意遮比丘尼僧如法
出迦絺那衣欲令五事久得放捨往白諸比丘諸比丘往白佛佛以此因緣集比丘僧呵責
六羣比丘尼言汝所為非非威儀非沙門法非淨行非隨順行所不應為比丘尼衆
欲如法出迦絺那衣云何遮令不出欲令久得五事放捨以無數方便呵責已告諸比丘
此比丘尼多種有漏處最初犯戒自今已去與比丘尼結戒集十句義乃至正法久
住欲說戒者當如是說若比丘尼作如是意遮比丘尼僧不出迦絺那衣欲令久得五
事放捨者波逸提比丘尼義如上僧者如上法者如法如律如佛所教彼比丘尼作
是意遮比丘尼僧如法出迦絺那衣欲令久得五事放捨說而了了者波逸提不
了了者突吉羅比丘突吉羅式叉摩那沙彌沙彌尼突吉羅是謂為犯不犯者
若非時出非法別衆非法和合衆法別衆似法別衆似法和合衆非法非律非
佛所教若出恐失壞如是遮者無犯無犯者最初未制戒癡狂心亂痛惱所纏 一百十竟
尒時佛在舍衛國祇樹給孤獨園時有比丘尼共諍鬪至偷蘭難陀比丘尼所語言
與我止此鬪諍偷蘭難陀比丘尼聰明智慧諍事起能滅竟不為方便滅此諍
事時彼比丘尼以鬪諍事不得和合愁憂遂便休道時諸比丘尼衆聞其中有少欲知
足行頭陀樂學戒知慚愧者嫌責偷蘭難陀比丘尼言云何比丘尼語[illegible]

佛所教若出怨失壞如是速者犯棄無犯者最初未制戒癡狂心亂痛惱所纏一百十竟
尒時佛在舍衛國祇樹給孤獨園時有比丘尼共諍鬪至偷蘭難陁比丘尼所語言
與我止此鬪諍偷蘭難陁比丘尼聰明智慧諍事起能滅竟不為方便滅此諍
事時彼比丘尼欲鬪諍事不得和合愁憂遂便休道時諸比丘尼衆聞其中有少欲知
足行頭陁樂學戒知慙愧者嫌責偷蘭難陁言云何比丘尼語言為我滅諍事
而竟不為方便滅此諍事令彼比丘尼以此諍事不和解遂便休道即白諸比
丘往白世尊世尊以此因緣集比丘僧呵責偷蘭難陁汝所為非非威儀非沙
門法非淨行非隨順行所不應為云何意不與彼和合解鬪諍事使彼休
道時世尊以無數方便呵責已告諸比丘此偷蘭難陁比丘尼多種有漏處最
初犯戒自今已去與比丘尼結戒集十句義乃至正法久住欲說戒者當如是說
若比丘尼餘比丘尼語言為我滅此諍事而不作方便令滅者波逸提比丘尼義如
上鬪諍有四種如上彼比丘尼語餘比丘尼言為我滅此諍事而不與方便滅此諍事
者波逸提除鬪諍已若更有餘小小諍事不方便滅者突吉羅若已身鬪事不方便
滅者突吉羅除比丘比丘尼餘至有鬪諍不方便滅者突吉羅比丘突吉羅式
叉摩那沙彌沙彌尼突吉羅是謂為犯不犯者若為滅若與作方便若病若言不
行若彼破戒破見破威儀若被舉若滅擯若應滅擯若以此事有命難梵行難
不方便滅者無犯無犯者最初未制戒癡狂心亂痛所纏一百一十一竟
尒時婆伽婆在舍衛國祇樹給孤獨園時跋難陁釋子有二沙彌一名蹇一名摩竭道一生者
袈裟入外道衆時六羣比丘尼持食與白衣入外道者比丘尼聞其中有少欲知足行頭陁樂
學戒知慙愧者嫌責六羣比丘尼言汝云何持食與白衣入外道者時諸比丘尼白諸比丘
諸比丘往白世尊世尊以此因緣集比丘僧呵責六羣比丘尼言汝所為非非威儀非沙
門法非淨行非隨順行所不應為云何汝等持食與白衣入外道者以無數方便呵
責已告諸比丘此比丘尼多種有漏處最初犯戒自今已去與比丘尼結戒集十句義乃至
正法久住欲說戒者當如是說若比丘尼與白衣入外道者可噉食者波逸提如是世尊
與比丘尼結戒彼疑不敢置地與不敢使至與若置地與自今已去當如是
說戒若比丘尼自手持食與白衣入外道食者波逸提比丘尼義如上白衣者未出家
至外道者在佛法外出家者是可食噉者如上彼比丘尼自手持食與白衣入外道此
與彼受者波逸提不受者突吉羅方便欲而與不與若期當與悔不與一切突吉羅
比丘波逸提式叉摩那沙彌沙彌尼突吉羅是謂為犯不犯者或置地與或使
至與若與父母若與塔作至若為强力者所執無犯無犯者最初未制戒癡狂
心亂痛惱所纏一百一十二竟
尒時世尊在舍衛國祇樹給孤獨園時六羣比丘尼營理家事舂磨炊飯或炒麦或煮食或敷

BD01832 號　四分律（異卷）卷二六　（13–8）

比丘波逸提式叉摩那沙彌沙彌尼突吉羅是謂為犯不犯者或置地與或使
至與若與父母若與塔作至若為强力者所執無犯無犯者最初未制戒癡狂
心亂痛惱所纏一百一十二竟
尒時世尊在舍衛國祇樹給孤獨園時六羣比丘尼營理家事舂磨炊飯或炒麦或煮食或敷
床坐臥具或掃地或取水或受人使令諸居士見已皆共譏嫌言如我婦營理家業舂磨炊飯
乃至受人使令此六羣比丘尼亦復如是時諸居士見已生慢心不復恭敬尒時諸比丘尼聞其中有
少欲知足行頭陁樂學戒知慙愧者嫌責六羣比丘尼言云何營理家業舂磨乃至受人
使令如俗人無異往白諸比丘諸比丘往白佛佛以此因緣集比丘僧呵責六羣比丘尼言汝所
為非非威儀非沙門法非淨行非隨順行所不應為云何營理家業舂磨乃至受使如
俗人無異以無數方便呵責已告諸比丘此比丘尼多種有漏處最初犯戒自今已去與比丘尼結
戒集十句義乃至正法久住欲說戒者當如是說若比丘尼為白衣作使者波逸提比丘尼義如
上為白衣作使者即上舂磨乃至受使者是彼比丘尼營理家業舂磨乃至受使令
者一切波逸提比丘尼隨所犯式叉摩那沙彌沙彌尼突吉羅是謂為犯不犯者若父母病若被
繫閉為敷床臥具掃地取水供給所須受使若有信心優婆塞病若被繫閉為敷床臥
具掃地取水受使若為强力者所執如是一切無犯無犯者最初未制戒癡狂心亂痛惱所纏
一百一十三竟　尒時婆伽婆在舍衛國祇樹給孤獨園時六羣比丘尼手自紡績諸居士見已皆共譏嫌
言如我婦紡績此比丘尼亦如是時諸居士即生慢心無有恭敬心時諸比丘
尼聞其中有少欲知足行頭陁樂學戒知慙愧者嫌責六羣比丘尼汝云何手
自紡績往白諸比丘諸比丘白佛佛以此因緣集比丘僧呵責六羣比丘尼言汝所為非非
淨行非隨順行所不應為云何手自紡績與俗人無異以無數方便呵責已告諸
比丘此比丘尼多種有漏處最初犯戒自今已去與比丘尼結戒集十句義乃至
正法久住欲說戒者當如是說若比丘尼自手紡績者波逸提比丘尼義如上縷
者有十種如上若比丘尼手自紡縷一一引一波逸提比丘尼突吉羅式叉摩那沙彌
沙彌尼突吉羅是謂為犯不犯者若自索綫合或强力所執者無犯無犯者若
最初未制戒癡狂心亂痛惱所纏一百一十四竟　尒時婆伽婆在舍衛國祇樹給孤獨時偷蘭
難陁比丘尼到時著衣持鉢詣一居士家敷坐而坐時彼居士婦脫身瓔珞衣服入
後園洗浴時偷蘭難陁比丘尼輙著他瓔珞衣服在居士床上臥時彼居士先出行
不在後行還至家內卒見偷蘭難陁意謂是己婦即便就臥手捉捫摸時覺其
頭秃方問言汝是何人報言我是偷蘭難陁比丘尼居士語言汝何故著我
婦瓔珞衣服在我床上臥令我見已謂是我婦汝可速去自今已去莫復
更來入我家時諸比丘尼聞其中有少欲知足行頭陁樂學戒知慙愧者嫌
責偷蘭難陁言汝云何著他婦瓔珞衣服在床上臥即白諸比丘往白世尊

BD01832 號　四分律（異卷）卷二六　（13–9）

後園洗浴時偷蘭難陀比丘尼輒著他纓絡衣服在居士床上眠時彼居士從外來
不在後行還至家內卒見偷蘭難陀意謂是己婦即便就卧手捉捫摸時覺其
頭禿方問言汝是何𤯔報言我是偷蘭難陀比丘尼居士語言汝何故著我
婦纓絡衣服在我床上卧令我見已謂是我婦汝可速去自今已去莫復
更來入我家時諸比丘尼聞其中有少欲知足行頭陀樂學戒知慚愧者嫌
責偷蘭難陀言汝云何著他婦纓絡衣服在床上卧即白諸比丘往白世尊
以此因緣集比丘僧呵責偷蘭難陀言汝所為非非威儀非沙門法非淨行
非隨順行所不應為云何入居士家著他婦纓絡衣在服床上卧使居士嫌
恠耶以無數方便呵責已告諸比丘此比丘尼多種有漏處最初犯戒自今已去與比
丘尼結戒集十句義乃至正法久住欲說戒者當如是說若比丘尼入白衣舍
內在小床大床上若坐卧波逸提比丘尼義如上白衣舍者林小床者坐床大床
者卧床彼比丘尼入白衣舍內在小床上大床上若坐若卧波逸提比丘尼義如上白
衣舍者村小床者坐床大床者卧床彼比丘尼入白衣舍內在小床上大床上若坐若
卧隨脇著二波逸提比丘突吉羅式叉摩那沙弥沙弥尼突吉羅是謂為
犯不犯者或時有如是病若坐獨坐床若為比丘尼僧敷衆多座若病倒地
若為强力者所執若被繫閉若命難梵行難無犯無犯者最初未制戒
癡狂心亂痛惱所纏 百十五竟
尒時婆伽婆在舍衛國祇樹給孤獨園時有
衆多比丘尼向拘薩羅國在道行至一無住處村語其舍主於舍內敷卧具
而宿至明日清旦不辭主𤯔而去後村舍失火燒舍時彼居士謂舍內有𤯔便
不往救火火燒舍盡即問比丘尼在何處答言已去諸居士皆共譏嫌此比
丘尼等不知慚愧外自稱言我脩正法如是有何正法云何語主𤯔在舍內止
宿明日不辭主𤯔而去我等謂舍內有𤯔而不救火使燒舍盡時諸比丘尼
聞其中有少欲知足行頭陀樂學戒知慚愧者嫌責諸比丘尼言汝云
何語主𤯔在他舍內宿去時不語其主令火燒他舍盡即白諸比丘諸比丘
往白佛佛以此因緣集比丘僧呵責諸比丘尼言汝云何語主𤯔在他舍內
宿去時不語使火燒他舍盡以無數方便呵責已告諸比丘此比丘尼多種有
漏處最初犯戒自今已去與比丘尼結戒集十句義乃至正法久住欲說
戒諸者當如是說若比丘尼至白衣舍語主𤯔數敷上宿明日不辭主
𤯔而去者波逸提比丘尼義如上白衣舍者村宿者在中止宿處是敷者
或草敷葉敷下至自敷卧氊彼比丘尼至白衣舍內語主𤯔敷坐止宿明日
不辭而去出門者波逸提一脚在內一脚在外方便欲去而不去共期去而
不去一切突吉羅比丘突吉羅式叉摩那沙弥沙弥尼突吉羅是謂為犯不犯

BD01832號　四分律（異卷）卷二六　（13–10）

戒諸者當如是說若比丘尼至白衣舍語主𤯔數敷上宿明日不辭主
𤯔而去者波逸提比丘尼義如上白衣舍者村宿者在中止宿處是敷者
或草敷葉敷下至自敷卧氊彼比丘尼至白衣舍內語主𤯔敷坐止宿明日
不辭而去出門者波逸提一脚在內一脚在外方便欲去而不去共期去而
不去一切突吉羅比丘突吉羅式叉摩那沙弥沙弥尼突吉羅是謂為犯不犯
者辭主𤯔而去若先有主𤯔在舍內住若舍先空若先為福舍若是親厚
親厚親厚者語言汝但去當為汝語主𤯔若舍崩壞為火燒若中毒蛇
惡獸若有賊入或為强力者所執若被繫閉或命難梵行難不犯不
犯者最初未制戒癡狂心亂痛惱所纏 一百一十六竟 尒時婆伽婆在舍衛國祇
樹給孤獨園時有六羣比丘尼誦種種雜呪術或支節呪或剎利呪鬼呪吉凶
呪或習轉鹿輪卜或習解知音聲時諸比丘尼聞其中有少欲知足行頭陀
樂學戒知慚愧者嫌責六羣比丘尼言汝云何習誦如是種種支節呪
乃至解諸音聲嫌責已往白諸比丘諸比丘往白佛佛以此因緣集比丘僧
呵責六羣比丘尼汝所為非非威儀非沙門法非淨行非隨順行所不應為
云何誦習種種呪術乃至解知音聲呵責已告諸比丘此比丘尼多種有
漏處最初犯戒自今已去與比丘尼結戒集十句義乃至正法久住欲說戒
者當如是說若比丘尼誦習世俗呪術者波逸提比丘義如上世俗呪術
者支節乃至解知音聲彼比丘尼誦習世俗呪術乃至音聲若口受若
執文誦說而了了者波逸提不了了者突吉羅比丘突吉羅式叉摩那
沙弥沙弥尼突吉羅是謂為犯不犯者若誦治腹內重病呪若誦治宿
食不消呪若學書若誦世俗降伏外道呪若誦治毒呪以護身故無
犯無犯者最初未制戒癡狂心亂痛惱所纏 一百一十七竟
若比丘尼教𤯔誦習呪術者波逸提此與上無異以教𤯔為義 一百一十八竟
尒時佛在舍衛國祇樹給孤獨園時有一比丘尼名婆羅度他任身妄
𤯔受具足戒已後便生一男兒自抱入村乞食時諸居士見已皆譏嫌言
此比丘尼不知慚愧犯不淨行外自稱言我脩正法如是何有正法看此出
家𤯔新生兒時諸比丘尼聞其中有少欲知足行頭陀樂學戒知慚愧
者嫌責婆羅比丘尼言汝云何度他任身女𤯔往白諸比丘諸比丘白佛
佛以此因緣集比丘僧呵責婆羅比丘尼言汝所為非非威儀非沙門
法非淨行非隨順行所不應為云何度他任身女𤯔以無數方便呵責
已告諸比丘此比丘尼多種有漏處最初犯戒自今已去與比丘尼結戒
集十句義乃至正法久住欲說戒者當如是說若比丘尼度女𤯔任身與受

BD01832號　四分律（異卷）卷二六　（13–11）

者嫌責婆羅比丘尼言汝云何度他妊身女至住白諸比丘諸比丘白佛
佛以此因緣集比丘僧呵責婆羅比丘尼言汝所為非非威儀非沙門
法非淨行非隨順行所不應為云何度他妊身女至以無數方便呵責
已告諸比丘此比丘尼多種有漏處最初犯戒自今已去與比丘尼結戒
集十句義乃至正法久住欲說戒者當如是說若比丘尼度女至妊身與受
具足戒者波逸提比丘尼義如上彼比丘尼知女至妊身度與受具足戒作三羯
磨竟和上尼波逸提白二羯磨竟三突吉羅白一羯磨竟二突吉羅白已一突吉羅
未白前與剃著衣與受戒若集眾滿一切突吉羅比丘突吉羅是謂為犯不犯
者若不知若信彼至語若信可至語或信父母語與受具足戒後生男兒不
若生已疑不敢捉抱佛言若未能離母自活聽一切如母法乳哺長養後有疑
不敢與此男兒同室宿佛言若未能離母宿聽共一處宿無犯無犯者最
初未制戒癡狂心亂痛惱所纏 一百一 十九竟
尒時佛在衛國祇樹給孤獨園
時有比丘尼度他乳兒婦女留兒在家後家中送兒還之此比丘尼抱兒
入村乞食時諸居士見已皆共譏嫌言此比丘尼不知慚愧犯不淨行外自稱
言我脩正法如是有何正法看此出家至生兒抱行乞食時諸比丘尼聞
其中有少欲知足行頭陀樂學戒知慚愧者嫌責彼比丘尼言汝云何乃
度他乳兒婦女令諸居士譏嫌往白諸比丘諸比丘往白佛佛以此因緣集比
丘僧呵責彼比丘尼言汝所為非非威儀非沙門法非淨行非隨順行所
不應為云何度他乳兒婦女以無數方便呵責已告諸比丘此比丘尼多種有
漏處最初犯戒自今已去與比丘尼結戒集十句義乃至正法久住欲說
戒者當如是說若比丘尼度他乳兒婦女受具足者波逸提如是世
尊與比丘尼結戒時諸比丘尼不知產乳不產乳後乃知產乳不知有無
自今已去當如是說戒若比丘尼知婦女乳兒與受具足戒波逸提比
丘尼義如上彼比丘尼知他婦女有乳兒度受具足戒作三羯磨竟上
尼波逸提白二羯磨三突吉羅白一羯磨二突吉羅白一突吉羅白未
竟突吉羅未白前與剃髮與出家與著衣與受戒若集眾眾滿
一切突吉羅比丘突吉羅是謂為犯不犯者若不知信彼至語信可信
至語或信父母語而度與受具足戒已後送兒來不犯其母疑不敢抱

BD01832號　四分律（異卷）卷二六　（13–12）

言我脩正法如是有何正法看此出家至生兒抱行乞食時諸比丘尼聞
其中有少欲知足行頭陀樂學戒知慚愧者嫌責彼比丘尼言汝云何乃
度他乳兒婦女令諸居士譏嫌往白諸比丘諸比丘往白佛佛以此因緣集比
丘僧呵責彼比丘尼言汝所為非非威儀非沙門法非淨行非隨順行所
不應為云何度他乳兒婦女以無數方便呵責已告諸比丘此比丘尼多種有
漏處最初犯戒自今已去與比丘尼結戒集十句義乃至正法久住欲說
戒者當如是說若比丘尼度他乳兒婦女受具足者波逸提如是世
尊與比丘尼結戒時諸比丘尼不知產乳不產乳後乃知產乳不知有無
自今已去當如是說戒若比丘尼知婦女乳兒與受具足戒波逸提比
丘尼義如上彼比丘尼知他婦女有乳兒度受具足戒作三羯磨竟上
尼波逸提白二羯磨三突吉羅白一羯磨二突吉羅白一突吉羅白未
竟突吉羅未白前與剃髮與出家與著衣與受戒若集眾眾滿
一切突吉羅比丘突吉羅是謂為犯不犯者若不知信彼至語信可信
至語或信父母語而度與受具足戒已後送兒來不犯其母疑不敢抱
養佛言若未能自活聽如母法乳養至斷乳止後母與此兒同處宿
有疑佛言自今已去聽未斷乳者無犯無犯者最初未制戒癡
狂心亂痛惱所纏 一百 廿竟

四分律藏卷第廿六 第二分 卷第六

BD01832號　四分律（異卷）卷二六　（13–13）

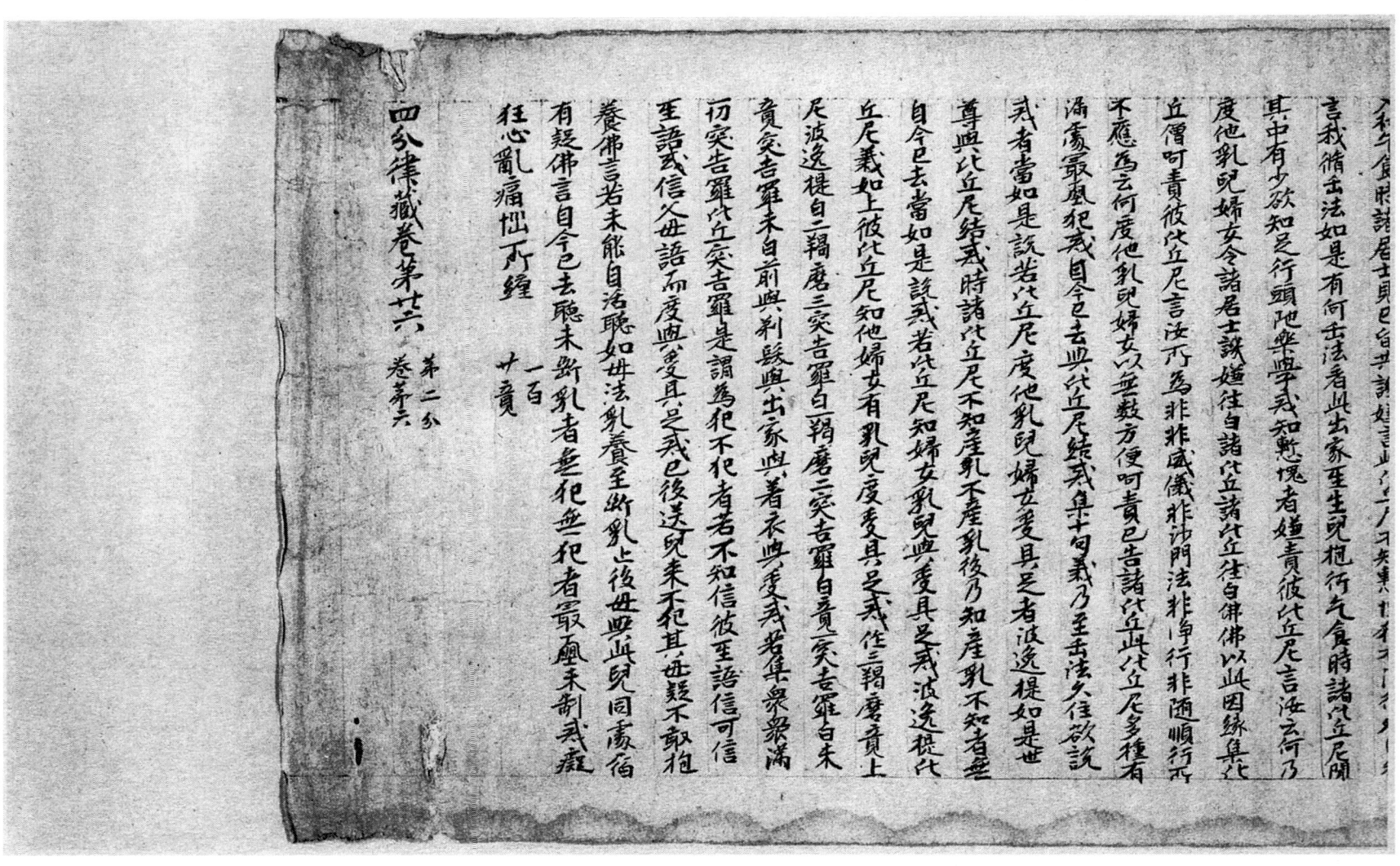

婆言汝
母王聞此言
母勑語內宮閉
時韋提希被幽閉已愁憂憔
山為佛作礼而作是言如來世
恒遣阿難來慰問我我今愁憂世尊
由得見願遣目連尊者阿難與我相見作是
語已悲泣雨淚遙向佛礼未舉頭須尒時世
尊在耆闍崛山知韋提希心之所念勑大目
揵連及以阿難從空而來佛從耆闍崛山
沒於王宮出
時韋提希礼已舉頭見世尊釋迦牟尼佛身
紫金色坐百寶蓮華目連侍左阿難侍右釋
梵護世諸天在虛空中普雨天華持用供養
時韋提希見佛世尊自絕瓔珞舉身投地號
泣向佛白言世尊我宿何罪生此惡子世尊
復有何等因緣與提婆達多共為眷屬唯願
世尊為我廣說无憂惱處我當往生不樂閻
浮提濁惡世也濁惡處地獄餓鬼畜生盈滿
多不善聚願我未來不聞惡聲不見惡人今
向世尊五體投地求哀懺悔唯願佛日教我

BD01833 號　觀無量壽佛經　（20–1）

復有何等因緣與提婆達多共為眷屬唯願
世尊為我廣說无憂惱處我當往生不樂閻
浮提濁惡世也濁惡處地獄餓鬼畜生盈滿
多不善聚願我未來不聞惡聲不見惡人今
向世尊五體投地求哀懺悔唯願佛日教我
觀於清淨業處
尒時世尊放眉間光其光金色遍照十方无
量世界還住佛頂化為金臺如須弥山十方
諸佛淨妙國土皆於中現或有國土七寶合
成復有國土純是蓮華復有國土如自在天
宮復有國土如頗梨鏡十方國土皆於中現
有如是等无量諸佛國土嚴顯可觀令韋提
希見
時韋提希白佛言世尊是諸佛土雖復清淨
皆有光明我今樂生極樂世界阿弥陁佛所
唯願世尊教我思惟教我正受
尒時世尊即便微笑有五色光從佛口出一
一光照頻婆娑羅頂尒時大王雖在幽閉心
眼无鄣遙見世尊頭面作礼自然增進成阿
那含
尒時世尊告韋提希汝今知不阿弥陁佛去
此不遠汝當繫念諦觀彼國淨業成者我今
為汝廣說衆譬亦令未來世一切凡夫欲脩
淨業者得生西方極樂國土欲生彼國者當
脩三福一者孝養父母奉事師長慈心不殺
脩十善業二者受持三歸具足衆戒不犯威
信因果讀誦大乘勸進

BD01833 號　觀無量壽佛經　（20–2）

淨業者得生西方極樂國土欲生彼國者當
脩三福一者孝養父母奉事師長慈心不殺
脩十善業二者受持三歸具足衆戒不犯威
儀三者發菩提心深信因果讀誦大乘勸進
行者如此三事名為淨業
佛告韋提希汝今知不此三種業過去未來
現在三世諸佛淨業正因
佛告阿難及韋提希諦聽諦聽善思念之如
來今者為未來世一切衆生為煩惱賊之所
害者說清淨業善哉韋提希快問此事阿難
汝當受持廣為多衆宣說佛語如來今者教
韋提希及未來世一切衆生觀於西方極樂
世界以佛力故當得見彼清淨國土如執明
鏡自見面像見彼國土極樂妙事心歡喜故
應時即得无生法忍佛告韋提希汝是凡夫
心想羸劣未得天眼不能遠觀諸佛如來有
異方便令汝得見
時韋提希白佛言世尊如我今以佛力故見
彼國土若佛滅後諸衆生等濁惡不善五苦
所逼云何當見阿彌陁佛極樂世界
佛告韋提希汝及衆生應當專心繫念一處
想於西方云何作想凡作想者一切衆生自
非生盲有目之徒皆見日沒當起想念正坐
西向諦觀於日令心堅住專想不移見日欲
沒狀如懸鼓既見日已閉目開目皆令明了
是為日想名曰初觀

BD01833號　觀無量壽佛經　　（20–3）

非生盲有目之徒皆見日沒當起想念正坐
西向諦觀於日令心堅住專想不移見日欲
沒狀如懸鼓既見日已閉目開目皆令明了
是為日想名曰初觀
次作水想見水澄清亦令明了无分散意既
見水已當起氷想見氷映徹作琉璃想此想
成已見琉璃地內外映徹下有金剛七寶金
幢擎琉璃地其幢八方八楞具足一一方面
百寶所成一一寶珠有千光明一一光明八
万四千色映琉璃地如億千日不可具見琉
璃地上以黃金繩雜廁間錯以七寶界分齊
分明一一寶中有五百色光其光如華又似
星月懸處虛空成光明臺樓閣千万百寶合
成於臺兩邊各有百億華幢无量樂器以為
莊嚴八種清風從光明出鼓此樂器演說苦
空无常无我之音是為水想名第二觀
此想成時一一觀之極令了了閉目開目不
令散失唯除食時恒憶此事如此想者名為
粗見極樂國地若得三昧見彼國地了了分
明不可具說是為地想名第三觀
佛告阿難汝持佛語為未來世一切大衆欲
脫苦者說是觀地法若觀是地者除八十億
劫生死之罪捨身他世必生淨國心得无疑作
是觀者名為正觀若他觀者名為耶觀
佛告阿難及韋提希地想成已次觀寶樹觀
寶樹者一一觀之作七重行樹想一一樹高

BD01833號　觀無量壽佛經　　（20–4）

[illegible]
劫生死之罪捨身他世必生淨國心得无疑作
是觀者名為正觀若他觀者名為耶觀
佛告阿難及韋提希地想成已次觀寶樹觀
寶樹者一一觀之作七重行樹想一一樹高
八千由旬其諸寶樹七寶華葉无不具足一
一華葉作異寶色琉璃色中出金色光頗梨
色中出紅色光馬瑙色中出車璖光車璖色
中出綠真珠光珊瑚虎珀一切衆寶以為映
飾妙真珠網弥覆樹上一一樹上有七重網
一一網間有五百億妙華宮殿如梵王宮諸
天童子自然在中一一童子五百億釋迦毗
楞伽摩尼珠以為瓔珞其摩尼光照百由旬
如和合百億日月不可具名衆寶間錯色中
上者此諸寶樹行行相當葉葉相次於衆葉
間生諸妙華華上自然有七寶菓一一樹葉
縱廣正等卄五由旬其葉千色有百種畫
如天瓔珞有衆妙華作閻浮檀金色如旋火
輪婉轉葉間踊生諸菓如帝釋瓶有大光明
化成幢幡无量寶蓋是寶蓋中映現三千大
千世界一切佛事十方佛國亦於中現見此
樹已亦當次第一一觀之觀見樹莖枝葉
華菓皆令分明是樹想名第四觀
次當想水想水者極樂國土有八池水一一
池水七寶所成其寶柔濡從如意珠王生分
為十四枝一一枝作七寶色黃金為渠渠下
皆以雜色金剛以為底沙一一水中有六十

BD01833號　觀無量壽佛經　(20–5)

[illegible]
次當想水想水者極樂國土有八池水一一
池水七寶所成其寶柔濡從如意珠王生分
為十四枝一一枝作七寶色黃金為渠渠下
皆以雜色金剛以為底沙一一水中有六十
億七寶蓮華一一蓮華團圓正等十二由旬
其摩尼水流注華間尋樹上下其聲微妙演
說苦空无常无我諸波羅蜜復有讚歎諸佛
相好者如意珠王踊出金色微妙光明其
光化為百寶色鳥和鳴哀雅常讚念佛念
法念僧是為八功德水想名第五觀
衆寶國土一一界上有五百億寶樓其樓閣
中有无量諸天作天伎樂又有樂器懸處虛
空如天寶幢不鼓自鳴此衆音中皆說念佛
念法念比丘僧此想成已名為粗見極樂世
界寶樹寶地寶池是為捴觀想名第六觀
若見此者除无量億劫極重惡業命終之後
必生彼國作是觀者名為正觀若他觀者名
為耶觀
佛告阿難及韋提希諦聽諦聽善思念之
佛當為汝分別解說除苦惱法汝等憶持廣為
大衆分別解說說是語時无量壽佛住立空
中觀世音大勢至是二大士侍立左右光明
熾盛不可具見百千閻浮檀金色不得為比
時韋提希見无量壽佛已接足作礼白佛言
世尊我今因佛力故得見无量壽佛及二菩
[illegible]

BD01833號　觀無量壽佛經　(20–6)

熾盛不可具見百千閻浮檀金色不得為比
時韋提希見无量壽佛已接足作礼白佛言
世尊我今因佛力故得見无量壽佛及二菩
薩未來衆生當云何觀无量壽佛及二菩薩
佛告韋提希欲觀彼佛者當起想念於七寶
地上作蓮華想令其蓮華一一葉作百寶色
有八万四千脉猶如天畫脉有八万四千光了
了分明皆令得見華葉小者縱廣二百五十
由旬如是華有八万四千葉一一葉間有百億
摩尼珠王以為映飾一一摩尼放千光明其
光如蓋七寶合成遍覆地上釋迦毗楞伽
寶以為其臺此蓮華臺八万金剛甄叔迦寶
梵摩尼寶妙真珠網以為交飾於其臺上自
然而有四柱寶幢一一寶幢如百千万億須
弥山幢上寶幔如夜摩天宮有五百億微妙
寶珠以為映飾一一寶珠八万四千光一一
光作八万四千異種金色一一金光遍其寶
土處處變化各作異相或為金剛臺或作真
珠網或作雜華雲於十方面隨意變現如此
妙華是本法藏比丘願力所成若欲念彼佛
者當先作此華坐想作此想時不得雜觀
應一一觀之一一葉一一珠一一光一一臺
一一幢皆令分明如於鏡中自見面像此
想者滅除五万億劫生死之罪必定當生
極樂世界作此觀者名為正觀若他觀者
名為邪觀

BD01833號　觀無量壽佛經　（20–7）

一一幢皆令分明如於鏡中自見面像此
想者滅除五万億劫生死之罪必定當生
極樂世界作此觀者名為正觀若他觀者
名為邪觀
佛告阿難及韋提希見此事已次當想佛所
以者何諸佛如來是法界身入一切衆生心
想中是故汝等心想佛時是心即是卅二相
八十隨形好是心作佛是心是佛諸佛正遍
知海從心想生是故應當一心繫念諦觀彼
佛多陁阿伽度阿羅呵三藐三佛陁想彼佛
者先當想像閉目開目見一寶像如閻浮檀
金色坐彼華上既見坐已心眼得開了了分
明見極樂國七寶莊嚴寶地寶池寶樹行列
諸天寶縵弥覆其上衆寶羅網滿虛空中見
如此事極令明了如觀掌中見此事已復當
更作一大蓮華在佛左邊如前蓮華等无有
異復作一大蓮華在佛右邊想一觀世音菩
薩像坐左華坐亦放金光如前无異想一大
勢至菩薩像坐右華坐此想成時佛菩薩像
皆放金光其光金色照諸寶樹一一樹下亦
有三蓮華諸蓮華上各有一佛二菩薩像遍
滿彼國此想成時行者當聞水流光明及諸
寶樹鳧鴈鴛鴦皆說妙法出定入定恒聞妙
法行者所聞出定之時憶持不捨令與脩多
羅合若不合者名為妄想若與合者名為麁
想見極樂世界是為像想名第八觀作是觀

BD01833號　觀無量壽佛經　（20–8）

法行者所聞出定之時憶持不捨令與脩多
羅合若不合者名為妄想若與合者名為麁
想見極樂世界是為像想名第八觀作是觀
者除无量億劫生死之罪於現身中得念佛
三昧
佛告阿難此想成已次當更觀无量壽佛身
想光明阿難當知无量壽佛身如百千万億夜
魔天閻浮檀金色佛身高六十万億那由他
恒河沙由旬眉間白毫右旋婉轉如五須弥
山佛眼如四大海水清白分明身諸毛孔演
出光明如須弥山彼佛圓光如百億三千大
千世界於圓光中有百万億那由他恒河沙
化佛一一化佛有衆多无數化菩薩以為侍
者无量壽佛有八万四千相一一相各有八
万四千隨形好一一好復有八万四千光明
一一光明遍照十方世界念佛衆生攝取不
捨其光相好及與化佛不可具說但當憶想
令心眼見見此事者即見十方一切諸佛以
見諸佛故名念佛三昧作是觀者名觀一切
佛身以觀佛身故亦見佛心佛心者大慈悲
是以无緣慈攝諸衆生作此觀者捨身他世
生諸佛前得无生忍是故智者應當繫心諦
觀无量壽佛觀无量壽佛者從一相好入但觀
眉間白毫極令明了見眉間白毫者八万四
千相好自然當見見无量壽佛者即見十方
无量諸佛得是无量諸佛故諸佛現前授

觀无量壽佛觀无量壽佛者從一相好入但觀
眉間白毫極令明了見眉間白毫者八万四
千相好自然當見見无量壽佛者即見十方
无量諸佛得是无量諸佛故諸佛現前授
記是為遍觀一切色想名第九觀作此觀者
名為正觀若他觀者名為邪觀
佛告阿難及韋提希見无量壽佛了了分明
已次應觀觀世音菩薩此菩薩身長八十億
那由他恒河沙由旬身紫金色頂肉髻項有
圓光面各百千由旬其圓光中有五百化佛
如釋迦牟尼佛一一化佛有五百菩薩无量
諸天以為侍者舉身光中五道衆生一切色
相皆於中現頂上毗楞伽摩尼寶以為天冠
其天冠中有一立化佛高廿五由旬觀世音
菩薩面如閻浮檀金色眉間毫相備七寶色
流出八万四千種光明一一光明有无量无數
數百千化佛一一化佛无數菩薩以為侍者
變現自在滿十方世界譬如紅蓮華色有八
十億光明以為瓔珞其瓔珞中普現一切諸
嚴事手掌作五百億雜蓮華色手十指端一
一指端有八万四千畫猶如印文一一畫有
八万四千色一一色有八万四千光其光柔
濡普照一切以此寶手接引衆生舉足時足
下有千輻輪相自然化成五百億光明臺下
足時有金剛摩尼華布散一切莫不弥滿其
餘身相衆好具足如佛无異唯頂上肉髻及

遍普照一切以此寶手接引衆生舉足時足
下有千輻輪相自然化成五百億光明臺下
足時有金剛摩尼華布散一切莫不彌滿其
餘身相衆好具足如佛无異唯頂上肉髻及
无見頂相不及世尊是為觀觀世音菩薩
真實色身想名第十觀
佛告阿難若欲觀觀世音菩薩當作是觀作
是觀者不遇諸禍淨除業鄣除却无數劫生
死之罪如此菩薩但聞其名獲无量福何况
諦觀若有欲觀觀世音菩薩者應先觀頂上
肉髻次觀天冠其餘衆相亦次第觀之亦令
明了如觀掌中作是觀者名為正觀若他觀
者名為耶觀
次觀大勢至菩薩此菩薩身量大小亦如觀
世音光面各百廿五由旬照二百五十由旬
舉身光明十方國作紫金色有緣衆生皆
悉得見但見此菩薩一毛孔光即見十方无
量諸佛淨妙光明是故号此菩薩名无邊光
以智慧光普照一切令離三塗得无上力是
故号此菩薩名大勢至此菩薩天冠有五百
寶華一一華有五百寶臺一一臺中十方諸
佛國土廣長之相皆於中現頂上肉髻如鉢
頭摩華於肉髻上有一寶瓶盛諸光明普現
佛事餘諸身相如觀世音等无有異此菩薩
行時十方世界一切震動當地動處有五百
億寶華一一寶華莊嚴高顯如極樂世界此

BD01833號　觀無量壽佛經　（20–11）

佛事餘諸身相如觀世音等无有異此菩薩
行時十方世界一切震動當地動處有五百
億寶華一一寶華莊嚴高顯如極樂世界此
菩薩坐時七寶國土一時動搖從下方金光
佛刹乃至上方光明王佛刹於其中間无量
塵數分身无量壽佛分身觀世音大勢至皆
悉雲集極樂國土側塞空中坐蓮華坐演說
妙法度苦衆生作此觀者名為正觀若他觀
者名為耶觀見大勢至菩薩是為觀大勢至
色身想此菩薩者名第十一觀除无量阿僧
祇生死之罪作是觀者不處胞胎常遊諸佛
淨妙國土此觀成已名為具足觀觀世音大
勢至
見此事時當起自心生於西方極樂世界於
蓮華中結跏趺坐作蓮華合想作蓮華開想
蓮華開時有五百色光來照身想眼目開想
見佛菩薩滿虛空中水鳥樹林及與諸佛所
出音聲皆演妙法與十二部經合出定時憶
持不失見此事已名見无量壽佛極樂世界
是為普觀想名第十二觀无量壽佛化身无
數與觀世音大勢至常來至此行人之所
佛告阿難及韋提希若欲至心生西方者先
當觀於一丈六像在池水上如先所說无量
壽佛身量无邊非是凡夫心力所及然彼如
來宿願力故有憶想者必得成就但想佛像
得无量福况復觀佛具足身相阿弥陁佛神

BD01833號　觀無量壽佛經　（20–12）

當觀於一丈六像在池水上如先所說无量
壽佛身量无邊非是凡夫心力所及然彼如
来宿願力故有憶想者必得成就但想佛像
得无量福況復觀佛具足身相阿弥陁佛神
通如意於十方國變現自在或現大身滿
虛空中或現小身丈六八尺所現之形皆真金
色圓光化佛及寶蓮華如上所說觀世音菩
薩及大勢至於一切處身同衆生但觀首相
知是觀世音知是大勢至此二菩薩助阿弥陁
佛普化一切是為雜想觀名第十三觀佛告
阿難及韋提希上品上生者若有衆生願生
彼國者發三種心即便往生何等為三一者
至誠心二者深心三者迴向發願心具三心
者必生彼國復有三種衆生當得往生何
等為三一者慈心不殺具諸戒行二者讀誦
大乘方等經典三者脩行六念迴向發願
生彼國具此功德一日乃至七日即得往生
生彼國時此人精進勇猛故阿弥陁如来與
觀世音大勢至无數化佛百千比丘聲聞大
衆无量諸天七寶宮殿觀世音菩薩執金剛
臺與大勢至菩薩至行者前阿弥陁佛放大
光明照行者身與諸菩薩授手迎接觀世音
大勢至與无數菩薩讚嘆行者勸進其心行
者見已歡喜踊躍自見其身乘金剛臺隨從
佛後如彈指頃往生彼國生彼國已見佛色
身衆相具足見諸菩薩色相具足光明寶林
演說妙法聞已即悟无生法忍逕須臾間歷

BD01833號　觀無量壽佛經

(20–13)

大勢至與无數菩薩讚嘆行者勸進其心行
者見已歡喜踊躍自見其身乘金剛臺隨從
佛後如彈指頃往生彼國生彼國已見佛色
身衆相具足見諸菩薩色相具足光明寶林
演說妙法聞已即悟无生法忍逕須臾間歷
事諸佛遍十方界於諸佛前次第受記還至
本國得无量百千陁羅尼門是名上品上生
者
上品中生者不必受持讀誦方等經典善解
義趣於第一義心不驚動深信因果不謗大
乘以此功德迴向願求生極樂國行此行者
命欲終時阿弥陁佛與觀世音大勢至无量
大衆眷屬圍遶持紫金臺至行者前讚言法
子汝行大乘解第一義是故我今来迎接汝
與千化佛一時授手行者自見坐紫金臺合
掌叉手讚歎諸佛如一念頃即生彼國七寶
池中此紫金臺如大寶華經宿則開行者身
作紫磨金色足下亦有七寶蓮華佛及菩薩
俱時放光照行者身目即開明因前宿習普
聞衆聲純說甚深第一義諦即下金臺礼佛
合掌讚嘆世尊逕於七日應時即於阿耨多
羅三藐三菩提得不退轉應時即能飛至十
方歷事諸佛於諸佛所脩諸三昧經一小劫
得无生忍現前受記是名上品中生者
上品下生者亦信因果不謗大乘但發无上道
心以此功德迴向願求生極樂國行者命欲
終時阿弥陁佛及觀世音大勢至與諸眷屬

BD01833號　觀無量壽佛經

(20–14)

方應事諸佛於諸佛所脩諸三昧經一小劫
得无生忍現前受記是名上品中生者
上品下生者亦信因果不謗大乘但發无上道
心以此功德迴向願求生極樂國行者命欲
終時阿弥陁佛及觀世音大勢至與諸眷屬
持金蓮華化作五百化佛來迎此人五百化佛
一時授手讚言法子汝今清淨發无上道心
我來迎汝見此事時即自見身坐金蓮華
坐已華合隨世尊後即得往生七寶池中
一日一夜蓮華乃開七日之中乃得見佛雖
見佛身於衆相好心不明了於三七日後乃了
了見聞衆音聲皆演妙法遊歷十方供養諸
佛於諸佛前聞甚深法經三小劫得百法明
門住歡喜地是名上品下生者是名上輩
生想名第十四觀
復次阿難及韋提希中品上生者若有衆生
受持五戒持八戒齋脩行諸戒不造五逆无
諸過惡以此善根迴向願求生於西方極樂
世界臨命終時阿弥陁佛與諸比丘眷屬圍
遶放金色光至其人所演說苦空无常无我
讚嘆出家得離衆苦行者見已心大歡喜自
見已身坐蓮華臺長跪合掌為佛作礼未舉
頭頃即得往生極樂世界蓮華尋開當華敷
時聞衆音聲讚歎四諦應時即得阿羅漢道
三明六通具八解脫是名中品上生者
中品中生者若有衆生若一日一夜受持八戒

BD01833號　觀無量壽佛經　（20–15）

見已身坐蓮華臺長跪合掌為佛作礼未舉
頭頃即得往生極樂世界蓮華尋開當華敷
時聞衆音聲讚歎四諦應時即得阿羅漢道
三明六通具八解脫是名中品上生者
中品中生者若有衆生若一日一夜受持八戒
齋若一日一夜持沙弥戒若一日一夜持具
足戒威儀无缺以此功德迴向願求生極樂
國戒香薰脩如此行者命欲終時見阿弥陁
佛與諸眷屬放金色光持七寶蓮華至行
者前行者自見空中有聲讚言善男子如
汝善人隨順三世諸佛教故我來迎汝行者
自見坐蓮華上蓮華即合生於西方極樂世
界在寶池中經於七日蓮華開敷華既敷已
開目合掌讚歎世尊聞法歡喜得須陁洹經
半劫已成阿羅漢是名中品中生者
中品下生者若有善男子善女人孝養父母
行世仁慈此人命欲終時遇善知識為其廣
說阿弥陁佛國土樂事亦說法藏比丘卌八大
願聞此事已尋即命終譬如壯士屈申臂頃
即生西方極樂世界生經七日遇觀世音及
大勢至聞法歡喜過一小劫成阿羅漢是名
中品下生者是名中輩生想名第十五觀
復次阿難及韋提希下品上生者或有衆生
作衆惡業雖不誹謗方等經典如此愚人多
造衆惡无有慙愧命欲終時遇善知識為讚
大乘十二部經首題名字以聞如是諸經名

BD01833號　觀無量壽佛經　（20–16）

復次阿難及韋提希下品上生者或有衆生
作衆惡業雖不誹謗方等經典如此愚人多
造衆惡无有慙愧命欲終時遇善知識爲讚
大乘十二部經首題名字以聞如是諸經名
故除卻千劫極重惡業智者復教合掌叉
手稱南无阿弥陁佛稱佛名故除五十億劫
生死之罪尒時彼佛即遣化佛化觀世音化
大勢至至行者前讚言善男子以汝稱佛名
諸罪消滅我來迎汝作是語已行者即見化
佛光明遍滿其室見已歡喜即便命終乘寶
蓮華隨化佛後生寶池中經七七日蓮華乃
敷當華敷時大悲觀世音菩薩放大光明住
其人前爲說甚深十二部經聞已信解發无
上道心經十小劫具百法明門得入初地是
名下品上生者得聞佛名法名及聞僧名聞
三寶名即得往生
復次阿難及韋提希下品中生者或有衆生
毀犯五戒八戒及具足戒如此愚人偷僧祇
物盜現前僧物不淨說法无有慙愧以諸惡
業而自莊嚴如此罪人以惡業故應墮地獄
命欲終時地獄衆火一時俱至遇善知識以
大慈悲爲說阿弥陁佛十力威德廣說彼
佛光明神力亦讚戒定慧解脫解脫知見此
人聞已除八十億劫生死之罪地獄猛火化爲
清涼風吹諸天華華上皆有化佛菩薩迎接
此人如一念頃即得往生七寶池中蓮華之

BD01833號　觀無量壽佛經　（20–17）

佛光明神力亦讚戒定慧解脫解脫知見此
人聞已除八十億劫生死之罪地獄猛火化爲
清涼風吹諸天華華上皆有化佛菩薩迎接
此人如一念頃即得往生七寶池中蓮華之
內經於六劫蓮華乃敷觀世音大勢至以梵
音聲安慰彼人爲說大乘甚深經典聞此法
已應時即發无上道心是名下品中生者
佛告阿難及韋提希下品下生者或有衆生
作不善業五逆十惡具諸不善如此愚人以
惡業故應墮惡道經歷多劫受苦无窮如此
愚人臨命終時遇善知識種種安慰爲說妙
法教令念佛彼人苦逼不遑念佛善友告言
汝若不能念彼佛者應稱无量壽佛如是至心
令聲不絕具足十念稱南无阿弥陁佛稱佛
名故於念念中除八十億劫生死之罪命終
之時見金蓮華猶如日輪住其人前如一念
頃即得往生極樂世界於蓮華中滿十二大
劫蓮華方開觀世音大勢至以大悲音聲爲
其廣說諸法實相除滅罪法聞已歡喜應
時發菩提心是名下品下生者是名下輩生
想名第十六觀
說是語時韋提希與五百侍女聞佛所說應
時即見極樂世界廣長之相得見佛身及二
菩薩心生歡喜歎未曾有廓然大悟逮无生
忍五百侍女發阿耨多羅三藐三菩提心願
生彼國世尊悉記皆當往生彼國已得諸佛

BD01833號　觀無量壽佛經　（20–18）

時發菩提心之是名下品下生者是名下輩生
想名第十六觀
説是語時韋提希與五百侍女聞佛所説應
時即見極樂世界廣長之相得見佛身及二
菩薩心生歡喜嘆未曾有廓然大悟逮无生
忍五百侍女發阿耨多羅三藐三菩提心願
生彼國世尊悉記皆當往生彼國已得諸佛
現前三昧无量諸天發无上道心
尒時阿難即從座起前白佛言世尊當何
名此經此法之要當云何受持佛告阿難此
經名觀極樂國土无量壽佛觀觀世音菩薩
大勢至菩薩亦名淨業鄣生諸佛前汝當受
持无令忘失行此三昧者現身得見无量壽佛
及二大士若善男子善女人但聞佛名二菩
薩名除无量劫生死之罪何況憶念若念佛
者當知此人是人中分陁利華觀世音菩
薩大勢至菩薩為其勝友當坐道場生諸
佛家佛告阿難汝好持是語持是語者即是
持无量壽佛名佛説此語時尊者目揵連阿
難及韋提希等聞佛所説皆大歡喜尒時世
尊足步虛空還耆闍崛山尒時阿難廣為大
衆説如上事无量諸天龍夜叉聞佛所説皆
大歡喜礼佛而退

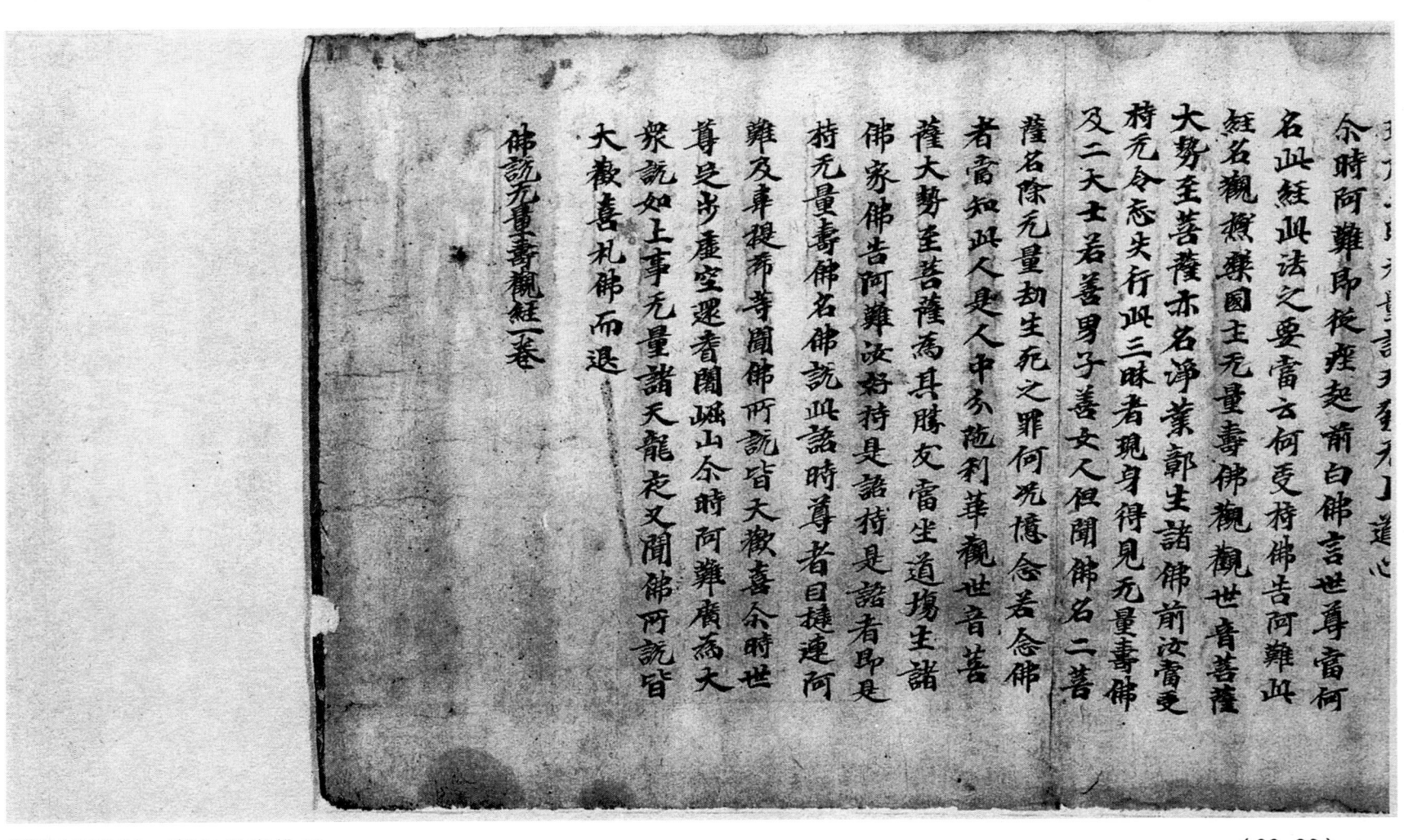

佛説无量壽觀經一卷

BD01833號　觀無量壽佛經　（20–19）

現前三昧无量諸天發无上道心
尒時阿難即從座起前白佛言世尊當何
名此經此法之要當云何受持佛告阿難此
經名觀極樂國土无量壽佛觀觀世音菩薩
大勢至菩薩亦名淨業鄣生諸佛前汝當受
持无令忘失行此三昧者現身得見无量壽佛
及二大士若善男子善女人但聞佛名二菩
薩名除无量劫生死之罪何況憶念若念佛
者當知此人是人中分陁利華觀世音菩
薩大勢至菩薩為其勝友當坐道場生諸
佛家佛告阿難汝好持是語持是語者即是
持无量壽佛名佛説此語時尊者目揵連阿
難及韋提希等聞佛所説皆大歡喜尒時世
尊足步虛空還耆闍崛山尒時阿難廣為大
衆説如上事无量諸天龍夜叉聞佛所説皆
大歡喜礼佛而退

佛説无量壽觀經一卷

BD01833號　觀無量壽佛經　（20–20）

所相耶為說耶為所說耶
如是等辞句為異為不
供等正覺於如是等辞句
何俱有過故大慧若如来是
常无常故一切事應應是如
所不欲若非所作者无所得故方便則空同
於兎角般大之子以无所得故大慧若无事
无因者則非有非无若非有非无則出於四句
四句者是世間言說若出四句者則不隨四
句不隨故智者所取一切如来句義亦如是
慧者當知如我所說一切法无我當知此義
无我性是无我一切法有自性无他性如牛
馬大慧辟如非牛馬性馬牛性其實非有非
无彼非无自相如是大慧一切諸法非无自
相有自相但非无我愚夫之所能知以妄想
故如是一切法空无生无自性當如是知如
是如来與陰非異非不異若不異陰者應是
无常若異者方便則空若二者應有異如牛
角相似故不異長短差別故有異一切法亦
如是大慧如牛右角異左角左角異右角如
是長短種種色各各異大慧如来於陰界入
非異非不異如是如来解脫非異非不異如

BD01834號　楞伽阿跋多羅寶經卷四　（31–1）

无常若異者方便則空若二者應有異如牛
角相似故不異長短差別故有異一切法亦
如是大慧如牛右角異左角左角異右角如
是長短種種色各各異大慧如来於陰界入
非異非不異如是如来解脫非異非不異如
是如来以解脫名說若如来異解脫者應色
相成色相成故應无常若不異者脩行者得
相應无分別而脩行者見分別是故非異非
不異如是智及尒炎非異非不異大慧智及
尒炎非異非不異者非常非无常非作非所
作非有為非无為非覺非所覺非想非所想
非陰非異陰非說非所說非一非異非俱非
不俱非一非異非俱非不俱故悉離一切量
見聞覺識名為量也離一切量則无言說无言說則无生
无生則无滅无滅則寂滅寂滅則自性涅槃
自性涅槃則无事无因无事无因則无攀緣
无攀緣則出過一切虛偽出過一切虛偽則
是如来如来則是三藐三佛陁大慧是名三
藐三佛陁佛陁大慧三藐三佛陁佛陁者離
一切量根尒時世尊欲重宣此義而說偈
言
悉離諸根量　无事亦无因　已離覺所覺　亦離相所相
陰緣等正覺　一異莫能見　若无有見者　云何而分別
非作非不作　非事亦非因　非陰不在陰　亦非有餘雜
亦非有諸性　如彼妄想見　當知亦非无　此法法自尒
以有故有无　以无故有有　若无不應受　若有不應想
或於我非我　言說量留連　沉溺於二邊　自壞壞世間

BD01834號　楞伽阿跋多羅寶經卷四　（31–2）

[illegible]
陰緣等正覺　一異莫能見　若无有見者　云何而分別
非作非不作　非事亦非因　非陰不在陰　亦非有餘雜
亦非有諸性　如彼妄想見　當知亦非无　此法法自尒
以有故有无　以无故有有　若无不應受　若有不應想
或於我非我　言說量留連　沉溺於二邊　自壞壞世間
解脫一切過　正觀察我通　是名爲正觀　不毀大導師
尒時大慧菩薩復白佛言世尊如世尊說脩
多羅攝受不生不滅又世尊說不生不滅是
如來異名云何世尊爲无性故說不生不滅
爲是如來名佛告大慧我說一切法不生不
滅有无品不現大慧白佛言世尊若一切法
不生者則攝受法不可得一切法不生故若
名字中有法者唯願爲說佛告大慧善哉善
哉諦聽諦聽善思念之吾當爲汝分別解說
大慧白佛言唯然受教佛告大慧我說如來
非无性亦非不生不滅攝一切法亦不待緣
故不生不滅亦非无義大慧我說意生法身
如來名號彼不生者一切外道聲聞緣覺七
住菩薩非其境界大慧彼不生即如來異
名大慧譬如因陀羅釋迦不蘭陀羅如是等
諸物一一各有多名亦非多名而有多性亦非
无自性如是大慧我於此娑呵世界（娑呵譯言能忍）有
三阿僧祇百千名號愚夫悉聞各說我名而
不解我如來異名大慧或有衆生知我如來
者有知一切智者有知佛者有知救世者有
知自覺者有知導師者有知廣導者有知

三阿僧祇百千名號愚夫悉聞各說我名而
不解我如來異名大慧或有衆生知我如來
者有知一切智者有知佛者有知救世者有
知自覺者有知導師者有知廣導者有知
一切導者有知仙人者有知梵者有知毗紐者
有知自在者有知勝者有知迦毗羅者有知
真實邊者有知月者有知日者有知主者
有知无生者有知无滅者有知空者有知如如
者有知諦者有知實際者有知法性者有知
涅槃者有知常者有知平等者有知不二者
有知无相者有知解脫者有知道者有知意
生者大慧如是等三阿僧祇百千名號不增
不減此及餘世界皆悉知我如水中月不出
不入彼諸愚夫不能知我墮二邊故然悉恭
敬供養於我而不善解知辭句義趣不分別
名不解自通計著種種言說章句於不生不
滅作无性想不知如來名號差別如因陀羅
釋迦不蘭陀羅不解自通會歸終極於一切
法隨說計著大慧彼諸癡人作如是言義如
言說義說无異所以者何謂義无身故言說
之外更无餘義唯止言說大慧彼惡燒智不
知言說自性不知言說生滅義不生滅大慧
一切言說墮於文字義則不墮離性非性故
无受生亦无身大慧如來不說墮文字法文
字有无不可得故除不墮文字大慧若有說
言如來說墮文字法者此則妄說法離文字
[illegible]

一切言說墮於文字義則不墮離性非性故
无受生亦无身大慧如來不說墮文字法文
字有无不可得故除不墮文字大慧若有說
言如來說墮文字法者此則妄說法離文字
故是故大慧我等諸佛及諸菩薩不說一字
不荅一字所以者何法離文字故非不饒益
義說言說者衆生妄想故大慧若不說一切
法者教法則壞教法壞者則无諸佛菩薩緣
覺聲聞若无者誰說為誰是故大慧菩薩摩
訶薩莫著言說隨宜方便廣說經法以衆生
悕望煩惱不一故我及諸佛為彼種種異解
衆生而說諸法令離心意意識故不為得自
覺聖智處大慧於一切法无所有覺自心現
量離二妄想諸菩薩摩訶薩依於義不依
文字若善男子善女人依文字者自壞第一
義亦不能覺他墮惡見相續而為衆說不善了
知一切法一切地一切相亦不知章句若善
一切法一切地一切相通達章句具足性義
彼則能以正无相樂而自娛樂平等大乘建
立衆生大慧攝受大乘者則攝受諸佛菩薩
緣覺聲聞攝受諸佛菩薩緣覺聲聞者則攝
受一切衆生攝受一切衆生者則攝受正法
攝受正法者則佛種不斷佛種不斷者則能
了知得殊勝入處知得殊勝入處菩薩摩訶
薩常得化生建立大乘十自在力現衆色
象通達衆生形類悕望煩惱諸相如實說法
如實者不異如實者不來不去相一切虛偽息

BD01834號　楞伽阿跋多羅寶經卷四　(31–5)

攝受正法者則佛種不斷佛種不斷者則能
了知得殊勝入處知得殊勝入處菩薩摩訶
薩常得化生建立大乘十自在力現衆色
象通達衆生形類悕望煩惱諸相如實說法
如實者不異如實者不來不去相一切虛偽息
是名如實大慧善男子善女人不應攝受隨
說計著真實者離名字故大慧如為愚夫以
指指物愚夫觀指不得實義如是愚夫隨言
說指攝受計著至死不捨終不能得離言說
指第一實義大慧譬如嬰兒應食熟食不
應食生若食生者則令發狂不知次第方便熟
故大慧如是不生不滅不方便脩則為不善
是故應當善脩方便莫隨言說如視指端是
故大慧於真實義當方便脩真實義者微妙
寂靜是涅槃因言說者妄想合妄想者集生
死大慧（集）實義者從多聞者得大慧多聞者謂
善於義非善言說善義者不隨一切外道經
論身自不隨亦不令他隨是則名曰大德多
聞是故欲求義者當親近多聞所謂善義與
此相違計著言說應當遠離
尒時大慧菩薩復承佛威神而白佛言世尊
世尊顯示不生不滅无有奇特所以者何一
切外道因亦不生不滅世尊亦說虛空非數
緣滅及涅槃界不生不滅世尊外道說因生
諸世間世尊亦說无明愛業妄想為緣生諸
世間彼因此緣名差別耳外物因緣亦如是
如是世尊與外道論无有差別微塵勝妙自

BD01834號　楞伽阿跋多羅寶經卷四　(31–6)

緣滅及涅槃果不生不滅世尊外道說因生
諸世間世尊亦說无明愛業妄想爲緣生諸
世間彼因此緣名差別見外物因緣亦如是
如是世尊與外道論无有差別微塵勝妙自
在衆生主等如是九物不生不滅世尊亦說
一切性不生不滅无有不可得外道亦說四
大不壞自性不生不滅四大常是四大乃至
周流諸趣不捨自性世尊所說亦復如是是故
我言无有奇特唯願世尊爲說差別所以奇
特勝諸外道若无差別者一切外道皆亦是
佛以不生不滅故而世尊說一世界中多
佛出世者无有是處如向所說一切世界中
應有多佛无差別故佛告大慧我說不生不
滅不同外道不生不滅所以者何彼諸外道
有性自性得不生不變相我不如是墮有无
品大慧我者離有无品離生滅非性非无性
如種種幻夢現故非无性云何无性謂色无
自性相攝受現不現故攝不攝故以是故一切
性无性非无性但覺自心現量妄想不生安
隱快樂世事永息愚癡凡夫妄想作事非諸
賢聖不實妄想如揵闥婆城及幻化人大慧
如揵闥婆城及幻化人種種衆生商賈出入
愚夫妄想謂真出入而實无有出者入者但
彼妄想故如是大慧愚癡凡夫起不生或彼
亦无有爲无爲如幻人生其實无有若生
若滅性无性无所有故一切法亦如是離於

彼妄想故如是大慧愚癡凡夫起不生或彼
亦无有爲无爲如幻人生其實无有若生
若滅性无性无所有故一切法亦如是離於
生滅愚癡凡夫墮不如實起生滅妄想非諸
賢聖不如實者不尒如性自性妄想亦不異
若異妄想者計著一切性自性不見寂靜不
見寂靜者終不離妄想是故大慧无相見勝
非相見相者受生因故不勝大慧无相者妄
想不生不起不滅我說涅槃大慧涅槃者如
真實義見離先妄想心心數法逮得如來自
覺聖智我說是涅槃尒時世尊欲重宣此義
而說偈言

滅除彼生論　建立不生義　我說如是法　愚夫不能知
一切法不生　无性无所有　揵闥婆幻夢　有性者无因
不生无自性　何因空當說　以離於和合　覺知性不現
是故空不生　我說无自性　謂一一和合　性現而非有
分折无和合　非如外道見　夢幻及垂髮　野馬揵闥婆
世間種種事　无因而相現　折伏有因論　申暢无生義
申暢无生者　法流永不斷　熾然无因論　恐怖諸外道
云何何所因　彼以何故生　於何處和合　而作无因論
觀察有爲法　非无因有因　彼生滅論者　所見從是滅
云何爲无生　爲是无性耶　爲顧視諸緣　有法名无生
名不應无義　唯爲分別說
非无性无生　亦非顧諸緣　非有性而名　名亦非无義
一切諸外道　聲聞及緣覺　七住非境界　是名无生相
遠離諸因緣　亦離一切事　唯有微心住　想所想俱離

名不應无義　唯為分別說
非无性无生　亦非顧諸緣　非有性而名　名亦非无義
一切諸外道　聲聞及緣覺　七住非境界　是名无生相
遠離諸因緣　亦離一切事　唯有微心住　想所想俱離
其身隨轉變　我說是无生
无外性无性　亦无心攝受　斷除一切見　我說是无生
如是无自性　空等應分別　非空故說空　无生故說空
因緣數和合　則有生有滅　離諸因緣數　无別有生滅
捨離因緣數　更无有異性　若言一異者　是外道妄想
有无性不生　非有亦非无　除其數轉變　是悉不可得
但有諸俗數　展轉為鉤鏁　離彼因緣鏁　生義不可得
生无性不起　離諸外道過　但說緣鉤鏁　凡愚不能了
若離緣鉤鏁　別有生性者　是則无因論　破壞鉤鏁義
如燈顯眾象　鉤鏁現若然　是則離鉤鏁　別更有諸性
无性无有生　如虛空自性　若離於鉤鏁　慧无所分別
復有餘无生　賢聖所得法　彼生无生者　彼生是四相生
是則无生忍　若使諸世間　觀察鉤鏁者　一切離鉤鏁
從是得三昧　癡愛諸業等　是則內鉤鏁　鑽燧泥團輪
種子等名外　若使有他性　而從因緣生　彼非鉤鏁義
是則不成說　若生无自性　彼為誰鉤鏁　展轉相生故
當知因緣義　堅濕煖動法　凡愚生妄想　離數无異法
是則說无性　如醫療眾病　无有若干輪　以病差別故
為說種種法　我為彼眾生　破壞諸煩惱　知其根優劣
為彼說度門　非煩惱根異　而有種種法　唯說一乘法
是則為大乘
尒時大慧菩薩摩訶薩復白佛言世尊一切
外道皆起无常妄想世尊亦說一切行无常

為說種種法　我為彼眾生　破壞諸煩惱　知其根優劣
為彼說度門　非煩惱根異　而有種種法　唯說一乘法
是則為大乘
尒時大慧菩薩摩訶薩復白佛言世尊一切
外道皆起无常妄想世尊亦說一切行无常
是生滅法此義云何為耶為正為有幾種无
常佛告大慧一切外道有七種无常非我法
也何等為七彼有說言作已而捨是名无常
有說形處壞是名无常有說即色是名无常有說
色轉變中間是名无常无間自之散壞如乳
酪等轉變中間不可見无常毀壞一切轉性
有說性无常有說性无性无常有說一切法
不生无常入一切法大慧性无性无常謂四
大及所造自相壞四大自性不可得不生彼
不生无常者非常无常一切法有无不生分
析乃至微塵不可見是不生義非生是名不
生无常相若不覺此者墮一切外道生无常
義大慧性无常者是自心妄想非常无常性
所以者何謂无常自性不壞大慧此是一切
性无性无常事除无常无有能令一切法性
无性者如杖瓦石破壞諸物現見各各不異
是性无常事非作所作有差別此是无常此是
事作所作无異者一切性常无因性大慧一
切性无性有因非凡愚所知非因不相似事
生若生者一切性悉皆无常是不相似事
作所作无有別異而悉見有異若性无常者

事作所作无異者一切性常无因性大慧一
切性无性有因非凡愚所知非因不相似事
生若生者一切性悉皆无常是不相似事
作所作无有别異而悉見有異若性无常者
墮作因性相若墮者一切性不究竟一切性作
因相墮者自无常應无常无常无常故一切
性不无常應是常若无常入一切性者應墮
三世彼過去色與壞俱未來不生色不生故
現在色與壞相俱色者四大積集差别四大
及造色自性不壞離異不異故一切外道一
切四大不壞一切三有四大及造色在所知
有生滅離四大造色一切外道於何所思惟无性
常四大不生自性相不壞故離始造无常
者非四大復有異四大各亦異相自相故非差
别可得彼无差别斯等不更造二方便不
作當知是无常彼形處壞无常者謂四大及
造色不壞至竟不壞大慧竟者分析乃至微
塵觀察壞四大及造色形處異見長短不可
得非四大四大不壞形處壞現墮在數論
即无常者謂色即是无常彼則形處无常非
四大若四大无常者非俗數言説世俗言説
非性者則墮世論見一切性但有言説不見
自相生轉變无常者謂色異性現非四大如
金作莊嚴具轉變現非金性壞但莊嚴具處
所壞如是餘性轉變等亦如是如是等種種
外道无常見妄想火燒四大時自相不燒各
各自相相壞者四大造色應斷大慧我法起非

自相生轉變无常者謂色異性現非四大如
金作莊嚴具轉變現非金性壞但莊嚴具處
所壞如是餘性轉變等亦如是如是等種種
外道无常見妄想火燒四大時自相不燒各
各自相相壞者四大造色應斷大慧我法起非
常非无常所以者何謂外性不決定故唯説
三有微心説不種種相有生有滅四大合會
差别四大及造色故妄想二種事攝所攝知
二種妄想離外性无性二種見覺自心量妄
想者思想作行生非不作行離心性无性
妄想世間出世間上上一切法非常非无常
不覺自心現量墮二邊惡見相續一切外道
不覺自妄想此凡夫无有根本謂世間出世
間上上從説妄想生非凡愚所覺尒時世尊
欲重宣此義而説偈言
遠離於始造　及與形處異　性與色无常　外道愚妄想
諸性无有壞　大大自性住　外道无常想　没在種種見
彼諸外道等　无若生若滅　大大性自常　何謂无常想
一切唯心量　二種心流轉　攝受及所攝　无有我我所
梵天為樹根　枝條普周遍　如是我所説　唯是彼心量
尒時大慧菩薩復白佛言世尊唯願為説一
切菩薩聲聞緣覺滅正受次第相續若善於
滅正受次第相續相者我及餘菩薩終不妄
捨滅正受樂門不墮一切聲聞緣覺外道愚
癡佛告大慧諦聽諦聽善思念之當為汝説
大慧白佛言世尊唯願為説告大慧六地起

滅正受次第相續相者我及餘菩薩終不妄
捨滅正受樂門不墮一切聲聞緣覺外道愚
癡佛告大慧諦聽諦聽善思念之當為汝說
大慧白佛言世尊唯願為說告大慧六地起
菩薩摩訶薩及聲聞緣覺入滅正受第七
地菩薩摩訶薩念念正受離一切性自性相
正受非聲聞緣覺諸聲聞緣覺墮有行攝
行攝相滅正受是故七地非念正受得一切法
无差別相非分得種種相性覺一切法善不
善性相正受是故七地无善念正受大慧八
地菩薩及聲聞緣覺心意意識妄想想滅初
地乃至七地菩薩摩訶薩觀三界心意意識
量離我我所自妄想脩墮外性種種相愚夫
二種自心攝所攝向无知不覺无始過惡虛
偽習氣所薰大慧八地菩薩摩訶薩聲聞緣
覺涅槃菩薩者三昧覺所持是故三昧門樂
不般涅槃若不持者如來地不滿足棄捨一
切為眾生事佛種則應斷諸佛世尊為說如
來不可思議无量功德聲聞緣覺三昧門得
樂所牽故作涅槃想大慧我分部善脩七地
心意意識相善脩我我所攝受人法无我生
滅自共相善四无閡決定力三昧門地次第相
續入道品法不令菩薩摩訶薩不覺自共相
不善七地墮外道耶徑故立地次第大慧彼
實无有若生若滅除自心現量所謂地次第
相續及三界種種行愚夫所不覺愚夫所不
覺者謂我及諸佛說地次第相續及說三界

BD01834 號　楞伽阿跋多羅寶經卷四　（31–13）

續入道品法不令菩薩摩訶薩不覺自共相
不善七地墮外道耶徑故立地次第大慧彼
實无有若生若滅除自心現量所謂地次第
相續及三界種種行愚夫所不覺愚夫所不
覺者謂我及諸佛說地次第相續及說三界
種種行
復次大慧聲聞緣覺第八菩薩地滅三昧樂
門醉所醉不善自心現量自共相習氣所鄣
墮人法无我法攝受見妄想涅槃想非寂滅
智慧覺大慧菩薩者見滅三昧門樂本願
哀愍大悲成就知分別十无盡句不妄想涅
槃想彼已涅槃妄想不生故離攝所攝妄想
覺了自心現量一切諸法妄想不生不墮心意
意識外性自性相計著妄想非佛法因不生
隨智慧生得如來自覺地如人夢中方便度
水未度而覺覺已思惟為正為耶非正非耶
餘无始見聞覺識因想種種習氣種種形處
墮有无想心意意識夢現大慧如是菩薩摩
訶薩於第八菩薩地見妄想生從初地轉進
至第七地見一切法如幻等方便度攝所攝
心妄想行已作佛法方便未得者令得大慧
此是菩薩涅槃方便不壞離心意意識得无
生法忍大慧於第一義无次第相續說无所
有妄想寂滅法尒時世尊欲重宣此義而說
偈言
心量无所有　此住及佛地　去來及現在　三世諸佛說
心量地第七　无所有第八　二地名為住　佛地名最勝

BD01834 號　楞伽阿跋多羅寶經卷四　（31–14）

生法忍大慧於第一義无次第相續說无所
有妄想寂滅法尒時世尊欲重宣此義而說
偈言
心量无所有　此住及佛地　去来及現在　三世諸佛說
心量地第七　无所有第八　二地名為住　佛地名最勝
自覺智及淨　此則是我地　自在最勝處　清淨妙莊嚴
照曜如盛火　光明悉遍至　熾炎不壞目　周輪化三有
化現在三有　或有先時化　於彼演說乘　皆是如来地
十地則為初　初則為八地　第九則為七　七亦復為八
第二為第三　第四為第五　第三為第六　无所有何次
尒時大慧菩薩復白佛言世尊如来應供等
正覺為常无常佛告大慧如来應供等正覺
非常非无常謂二俱有過常者有作主過常
者一切外道說作者无所作是故如来常非
常非作常故有過若如来无常者有作无常
過陰所相相无性陰壞則應斷而如来不斷
大慧一切所作皆无常如瓶衣等一切皆无
常過一切智衆具方便應无義以所作故一
切所作皆應是如来无差別因性故是故
大慧如来非常非无常復次大慧如来非如
虛空常如虛空常者自覺聖智衆具无義過
大慧譬如虛空非常非无常離常无常一異俱
不俱常无常過故不可說是故如来非常復次
大慧若如来无生常者如兔馬等角以无生常
故方便无義以无生常過故如来非常復次大
慧更有餘事知如来常所以者何謂无間所得
智常故如来常大慧若如来出世若不出世

BD01834 號　楞伽阿跋多羅寶經卷四　（31–15）

不俱常无常過故不可說是故如来非常復次
大慧若如来无生常者如兔馬等角以无生常
故方便无義以无生常過故如来非常復次大
慧更有餘事知如来常所以者何謂无間所得
智常故如来常大慧若如来出世若不出世
法畢定住聲聞緣覺諸佛如来无間住不住
虛空亦非愚夫之所覺知大慧如来所得智
是般若所薰大慧如来非心意識彼諸陰界
入處所薰大慧一切三有皆是不實妄想所
生如来不從不實虛妄想生大慧以二法故
有常无常非不二不二者寂靜一切法无二生
相故是故如来應供等正覺非常非无常大
慧乃至言說分別生則有常无常過分別覺
滅者則離愚夫常无常見寂靜慧者永離常
无常非常无常薰尒時世尊欲重宣此義而
說偈言
衆具无義者　生常无常過　若无分別覺　永離常无常
從其所立宗　則有衆雜義　等觀自心量　言說不可得
尒時大慧菩薩復白佛言世尊唯願世尊更
為我說陰界入生滅彼无有我誰生誰滅愚
夫者依於生滅不覺苦盡不識涅槃佛言善
哉諦聽當為汝說大慧白佛言唯然受教佛
告大慧如来之藏是善不善因能遍興造一
切趣生譬如伎兒變現諸趣離我我所不覺
彼故三緣和合方便而生外道不覺計著作
者為无始虛偽惡習所薰名為識藏生无明
住地與七識俱如海浪身常生不斷離无常過

BD01834 號　楞伽阿跋多羅寶經卷四　（31–16）

切趣生辟如伎兒變現諸趣離我我所不覺
彼故三緣和合方便而生外道不覺計著作
者為无始虛偽惡習所薰名為識藏生无明
住地與七識俱如海浪身常生不斷離无常過
離於我論自性无垢畢竟清淨其餘諸識有
生有滅意意識等念念有七因不實妄想
取諸境界種種形處計著名相不覺自心所
現色相不覺苦樂不至解脫名相諸纏貪生
生貪若因若攀緣彼諸受根滅次第不生餘
自心妄想不知苦樂入滅受想正受第四禪
善真諦解脫修行者作解脫想不離不轉名
如來藏識藏七識流轉不滅所以者何彼因
攀緣諸識生故非聲聞緣覺修行境界不覺无
我自共相攝受生陰界入見如來藏五法自
性人法无我則滅地次第相續轉進餘外道
見不能傾動是名住菩薩不動地得十三昧
道門樂三昧覺所持觀察不思議佛法自願
不受三昧門樂及實際向自覺聖趣不共一
切聲聞緣覺及諸外道所修行者得十賢
聖種性道及身智意生離三昧行是故大慧
菩薩摩訶薩欲求勝進者當淨如來藏及藏
識名大慧若无識藏名如來藏者則无生滅
大慧然諸凡聖悉有生滅修行者自覺聖趣
現法樂住不捨方便大慧此如來藏識藏一
切聲聞緣覺心想所見雖自性淨客塵所覆
故猶見不淨非諸如來大慧如來者現前境

現法樂住不捨方便大慧此如來藏識藏一
切聲聞緣覺心想所見雖自性淨客塵所覆
故猶見不淨非諸如來大慧如來者現前境
界猶如掌中視阿摩勒菓大慧我於此義已
神力建立令勝鬘夫人及利智滿足諸菩薩等
宣暢演說如來藏及識藏名七識俱生聲聞
計著見人法无我故勝鬘夫人承佛威神說
如來境界非聲聞緣覺及外道境界如來藏
識藏唯佛及餘利智依義菩薩智慧境界
是故汝及餘菩薩摩訶薩於如來藏識藏當
懃修學莫但聞覺作知足想尒時世尊欲重
宣此義而說偈言
甚深如來藏　而與七識俱　二種攝受生　知者則遠離
如鏡像現心　无始習所薰　如實觀察者　諸事悉无事
如愚見指月　觀指不觀月　計著名字者　不見我真實
心為工伎兒　意如和伎者　五識為伴侶　妄想觀伎衆
尒時大慧菩薩白佛言世尊唯願為說五法
自性識二種无我究竟分別相我及餘菩薩
摩訶薩於一切地次第相續分別此法入一
切佛法入一切佛法者乃至如來自覺地佛
告大慧諦聽諦聽善思念之大慧白佛唯然
受教佛告大慧五法自性識二无我分別趣
相者謂名相妄想正智如如若修行者修行
入如來自覺聖趣離於斷常有无等見現法
樂正受住現在前大慧不覺彼五法自性識
二无我自心現外性凡夫妄想非諸賢聖大

受教佛告大慧五法自性諸二无我分別趣
相者謂名相妄想正智如如若脩行者脩行
入如来自覺聖趣離於斷常有无等見現法
槃正受住現在前大慧不覺彼五法自性識
二无我自心現外性凡夫妄想非諸賢聖大
慧白佛言世尊云何愚夫妄想生非諸賢聖
佛告大慧愚夫計著俗數名相隨心流散流
散已種種相象狼墮我我見怖望計著妙色
計著已无知覆鄣染著染已貪恚所生業種
集積集已妄想自纏如蚕作繭墮生死海諸
趣曠野如汲井輪以愚癡不能知如幻野馬
水月自性離我我所起於一切不實妄想離
想所相及生住滅從自心妄想生非自在時
節微塵勝妙生愚癡凡夫隨名相流大慧彼
相者眼識所照名為色耳鼻身意意識所照
名為聲香味觸法是名為相大慧彼妄想者
施設眾名顯示諸相如此不異象馬車步男
女等名是名妄想大慧正智者彼名相不可
得猶如過容諸識不生不斷不常不墮一切
外道聲聞緣覺之地復次大慧菩薩摩訶薩
以此正智不立名相非不立名相捨離二見
建立及誹謗知名相不生是名如如大慧菩薩
摩訶薩住如如者得无所有境界故得菩薩
歡喜地得菩薩歡喜地已永離一切外道惡
趣正住出世間趣法相成熟分別幻等一切
法自覺法趣相離諸妄見怪異相次第乃至
法雲地於其中間三昧力自在神通開敷得

摩訶薩住如如者得无所有境界故得菩薩
歡喜地得菩薩歡喜地已永離一切外道惡
趣正住出世間趣法相成熟分別幻等一切
法自覺法趣相離諸妄見怪異相次第乃至
法雲地於其中間三昧力自在神通開敷得
如来地已種種變化圓照示現成熟眾生如
水中月善究竟滿足十无盡句為種種意解
眾生分別說法法身離意所作是名菩薩入
如如所得
尒時大慧菩薩白佛言世尊云何世尊為三
種自性入於五法為各有自相宗佛告大慧
三種自性及八識二種无我悉入五法大慧
彼名及相是妄想自性大慧若依彼妄想生
心心法名俱時生如日光俱種種相各別分
別持是名緣起自性大慧正知如如者不可
壞故名成自性復次大慧自心現妄想八種
分別謂識藏意意識及五識身相者不實相
妄想故我我所二攝受滅二无我生是故大
慧此五法者聲聞緣覺菩薩如来自覺聖智
諸地相續次第一切佛法悉入其中復次大
慧五法者相名妄想如如正智大慧相者若
處所形相色象等現是名為相若彼有如是
相名為瓶等即此非餘是說為名施設眾名
顯示諸相瓶等心心法是名妄想彼名彼想
畢竟不可得始終无覺於諸法无展轉不實
妄想是名如如真實決定究竟自性不可得

相名爲瓶等即此非餘是說爲名施設衆名
顯示諸相瓶等心心法是名妄想彼名彼想
畢竟不可得始終无覺於諸法无展轉不實
妄想是名如如真實決定究竟自性不可得
彼是如相我及諸佛隨順入處普爲衆生如
實演說施設顯示於彼隨入正覺不斷不常
妄想不起隨順自覺聖趣一切外道聲聞緣
覺所不得相是名正智大慧是名五法三種
自性八識二種无我一切佛法悉入其中是
故大慧當自方便學亦教化人勿隨於他尒
時世尊欲重宣此義而說偈言
五法三自性　及與八種識　二種无有我　悉攝摩訶衍
名相虛妄想　自性二種相　正智及如如　是則爲成相
尒時大慧菩薩復白佛言世尊如世尊所說
句過去諸佛如恒河沙未來現在亦復如是
云何世尊爲如說而受爲更有餘義唯願如
來哀愍解說佛告大慧莫如說受三世諸佛
量非如恒河沙所以者何過世間望非譬所
譬以凡愚計常外道妄想長養惡見生死无
窮欲令猒離生死趣輪精勤勝進故爲彼說
言諸佛易見非如優曇鉢華難得見故息
方便求有時復觀諸受化者作是說言佛難
值遇如優曇鉢華優曇鉢華无已見今見當
見如來者世間悉見不以建立自通故說言
如來出世如優曇鉢華大慧自建立自通者
過世間望彼諸凡愚所不能信自覺聖智境
界无以爲譬真實如來過心意意識所見之

BD01834號　楞伽阿跋多羅寶經卷四

（31–21）

見如來者世間悉見不以建立自通故說言
如來出世如優曇鉢華大慧自建立自通者
過世間望彼諸凡愚所不能信自覺聖智境
界无以爲譬真實如來過心意意識所見之
相不可爲譬大慧然我說譬佛如恒沙无有
過咎
大慧譬如恒沙一切魚鼈輸收魔羅師子象
馬人獸踐踏沙不念言彼惱亂我而生妄想
自性清淨无諸垢汙如來應供等正覺自覺
聖智恒沙大力神通自在等沙一切外道諸
人獸等一切惱亂如來不念而生妄想如來
寂然无有念想如來本願以三昧樂安衆生
故无有惱亂猶如恒沙等无有異又斷貪恚
故譬如恒沙是地自性劫盡燒時燒一切地
而彼地大不捨自性與火大俱生故其餘愚
夫作地燒想而地不燒以火因故如是大慧
如來法身如恒沙不壞大慧譬如恒沙无有
限量如來光明亦復如是无有限量爲成熟
衆生故普炤一切諸佛大衆大慧譬如恒沙
別求異沙永不可得如是大慧如來應供等正
覺无生死生滅有因緣斷故大慧譬如恒沙
增減不可得知如如是大慧如來智慧成熟
衆生不增不減非身法故身法者有懷如來
法身非是身法如押恒沙油不可得如是一
切極苦衆生逼迫如來乃至衆生未得涅槃
不捨法界自味願樂以大悲故大慧譬如恒

BD01834號　楞伽阿跋多羅寶經卷四

（31–22）

增減不可得知如如是大慧如來智慧成熟
衆生不增不減非身法故身法者有懷如來
法身非是身法如押恒沙油不可得如是一
切極苦衆生逼迫如來乃至衆生未得涅槃
不捨法界自味顧樂以大悲故大慧辟如恒
沙隨水而流非无水也如是大慧如來所說
一切諸法隨涅槃流是故說言如恒河沙如
來不隨諸去流轉去是壞義故大慧生死本
際不可知不知故云何說去大慧去者斷義
而愚夫不知大慧白佛言世尊若衆生生死
際不可知者云何解脫可知佛告大慧无始
虛僞過惡妄想習氣因滅自心現知外義妄
想身轉解脫不滅是故无邊非都无所有為
彼妄想作无邊等異名觀察內外離於妄想
无異衆生智及尒炎一切諸法悉皆寂靜不
識自心現妄想故妄想生若識則滅尒時世
尊欲重宣此義而說偈言

觀察諸導師　猶如恒河沙　不壞亦不去　亦復不究竟
是則為平等　觀察諸如來　猶如恒沙等　悉離一切過
隨流而性常　是則佛正覺

尒時大慧菩薩復白佛言唯願為說一切諸
法刹那壞相世尊云何一切法刹那佛告大
慧諦聽諦聽善思念之當為汝說佛告大慧
一切法者謂善不善无記有為无為世間出
世間有罪无罪有漏无漏受不受大慧略說
心意意識及習氣是五受陰因是心意意識

慧諦聽諦聽善思念之當為汝說佛告大慧
一切法者謂善不善无記有為无為世間出
世間有罪无罪有漏无漏受不受大慧略說
心意意識及習氣是五受陰因是心意意識
習氣長養凡愚善不善妄想大慧脩三昧樂
三昧正受現法樂住名為賢聖善无漏大慧善
不善者謂八識何等為八謂如來藏名識
藏心意意識及五識身非外道所說大慧五
識身者心意意識俱善不善相展轉變壞相
續流注不壞身生亦生亦滅不覺自心現次
苐滅餘識生形相差別攝受意識五識俱相
應生刹那時不住名為刹那大慧刹那者名
識藏如來藏意俱生識習氣刹那无漏習氣
非刹那非凡愚所覺計著刹那論故不覺一切
法刹那非刹那以斷見壞无為法大慧七識
不流轉不受苦樂非涅槃因大慧如來藏者
受苦樂與因俱若生若滅四住无明住地所
醉凡愚不覺刹那見妄想勳心復次大慧金
金剛佛之舍利得奇特性終不損壞大慧若得
无間有刹那者聖應非聖而聖未曾不聖如
金金剛雖經劫數稱量不減云何凡愚不善
於我隱覆之說於內外一切法作刹那想大
慧菩薩復白佛言世尊如世尊說六波羅蜜滿
足得成正覺何等為六佛告大慧波羅蜜有
三種分別謂世間出世間出世間上上大慧
世間波羅蜜者我我所攝受計著攝受二邊

慧菩薩復白佛言世尊如世尊説六波羅蜜滿
足得成正覺何等為六佛告大慧波羅蜜有
三種分別謂世間出世間出世間上上大慧
世間波羅蜜者我我所攝受計著攝受二邊
為種種受生處樂色聲香味觸故滿足檀波
羅蜜戒忍精進禪定智慧亦如是凡夫神通
及生梵天大慧出世間波羅蜜聲聞緣覺墮
攝受涅槃故行六波羅蜜樂自己涅槃樂出
世間上上波羅蜜者覺自心現妄想量攝受
及自心二故不生妄想於諸取攝受非分自
心色相不計著為安樂一切衆生故生檀波
羅蜜起上方便即於彼緣妄想不生戒是尸波
羅蜜即彼妄想不生忍知攝所攝是羼提波
羅蜜初中後夜精懃方便隨順脩行方便妄想
不生是毗梨耶波羅蜜妄想悉滅不墮聲聞
涅槃攝受是禪波羅蜜自心妄想非性智慧
觀察不墮二邊先身轉勝不可壞得自覺聖趣
是般若波羅蜜介時世尊欲重宣此義而説
偈言
空无常刹那　愚夫妄想作　如何燈種子　而作刹那想
刹那息煩乱　寂靜離所作　一切法不生　我説刹那義
物生則有滅　不為愚者説　无間相續性　妄想之所熏
无明為其因　心則從彼生　乃至色未生　中間有何分
相續次第滅　餘心隨彼生　不住於色時　何所緣而生
以從彼生故　不如實因生　云何无所成　而知刹那壞
脩行者正受　金剛佛舍利　光音天宮殿　世間不壞事

BD01834號　楞伽阿跋多羅寶經卷四　（31–25）

无明為其因　心則從彼生　乃至色未生　中間有何分
相續次第滅　餘心隨彼生　不住於色時　何所緣而生
以從彼生故　不如實因生　云何无所成　而知刹那壞
脩行者正受　金剛佛舍利　光音天宮殿　世間不壞事
住於正法得　如來智具足　比丘得平等　云何見刹那
揵闥婆幻等　色无有刹那　於不實色等　視之若真實
介時大慧菩薩復白佛言世尊世尊記阿羅
漢得成阿耨多羅三藐三菩提与諸菩薩等
无差別一切衆生法不涅槃誰至佛道從初
得佛至般涅槃於其中間不説一字亦无所
荅如來常定故亦无慮亦无察化佛化作佛
事何故説識刹那展轉壞相金剛力士常隨
侍衛不施設本際現魔魔業惡業果報旃遮
摩納孫陀利女空鉢而出惡業鄣現云何如
來得一切種智而不離諸過佛告大慧諦聽
諦聽善思念之當為汝説大慧白佛言善哉
世尊唯然受教佛告大慧為无餘涅槃故説
誘進行菩薩行者故此及餘世界脩菩薩行
者樂聲聞乘涅槃為令轉聲聞乘進向大乘
化佛授聲聞記非是法佛法大慧因是故説諸
聲聞與菩薩不異大慧不異者聲聞緣覺諸
佛如來煩惱鄣斷解脱一味非智鄣斷大慧
智鄣者見法无我殊勝清淨煩惱鄣者先習
見人无我斷七識滅法鄣解脱識藏習滅究
竟清淨因本住法故前後非性无盡本願故
如來无慮无察而演説法正智所化故念不

BD01834號　楞伽阿跋多羅寶經卷四　（31–26）

佛如来煩惱鄣斷解脫一味非智鄣斷大慧
智鄣者見法无我殊勝清淨煩惱鄣者先習
見人无我斷七識滅法鄣解脫識藏習滅究
竟清淨因本住法故前後非性无盡本願故
如来无慮无察而演說法正智所化故念不
妄故无慮无察四住地无明住地習氣斷故
二煩惱斷離二死覺人法无我及二鄣斷
大慧心意意識眼識等七剎那習氣因善无
漏品離不復輪轉大慧如来藏者輪轉涅槃
苦樂因空亂意慧愚癡凡夫所不能覺大慧金
剛力士所隨護者是化佛耳非真如来大慧
真如来者離一切根量一切凡夫聲聞緣覺
及外道根量悉滅得現法樂住无間法智忍
故非金剛力士所護一切化佛不從業生化
化佛者非佛不離佛因陶家輪等衆生所作
相而說法非自通處說自覺境界
復次大慧愚夫依七識身滅起斷見不覺識
藏故起常見自妄想故不知本際自妄想慧
滅故解脫四住地无明住地習氣斷故一切
過斷尒時世尊欲重宣此義而說偈言
三乘亦非乘　如来不摩滅　一切佛所說　說離諸過惡
為諸无間智　及无餘涅槃　誘進諸下劣　是故隱覆說
諸佛所起智　即分別說道　諸乘非為乘　彼則非涅槃
欲色有及見　說是四住地　意識之所起　識宅意所住
意及眼識等　斷滅說无常　或作涅槃見　而說為常住
尒時大慧菩薩以偈問言
彼諸菩薩等　志求佛道者　酒肉及與葱　餘食為云何

BD01834號　楞伽阿跋多羅寶經卷四　（31–27）

諸佛所起智　即分別說道　諸乘非為乘　彼則非涅槃
欲色有及見　說是四住地　意識之所起　識宅意所住
意及眼識等　斷滅說无常　或作涅槃見　而說為常住
尒時大慧菩薩以偈問言
彼諸菩薩等　志求佛道者　酒肉及與葱　餘食為云何
唯願无上尊　哀愍為演說　愚夫所貪著　臭穢无名稱
虎狼所甘嗜　云何而可食　食者生諸過　不食為福善
唯願為我說　食不食罪福
大慧菩薩說偈問已復白佛言唯願世尊為
我等說食不食肉功德過惡我及諸菩薩於
現在未来當為種種悕望肉食衆生分別說
法令彼衆生慈心相向得慈心已各於住地
清淨明了疾得究竟无上菩提聲聞緣覺自
地止息已亦得逮成无上菩提惡耶論法諸
外道輩耶見斷常顛倒計著尚有遮法不聽
食肉況復如来世間救護正法成就而食肉
耶佛告大慧善哉善哉諦聽諦聽善思念之
當為汝說大慧白佛言唯然受教佛告大慧
有无量因緣不應食肉然我今當為汝略說
謂一切衆生從本已来展轉因緣常為六親
以親想故不應食肉驢騾駱駝狐狗牛馬人
獸等肉屠者雜賣故不應食肉不淨氣分所
生長故不應食肉衆生聞氣悉生恐怖如旃
陀羅及禪婆等狗見憎惡驚怖群吠故不應
食肉又令脩行者慈心不生故不應食肉凡愚
所嗜臭穢不淨无善名稱故不應食肉令諸

BD01834號　楞伽阿跋多羅寶經卷四　（31–28）

生長故不應食肉衆生聞氣悉生恐怖如旃
陀羅及譚婆等狗見憎惡驚怖羣吠故不應
食肉又令諸行者慈心不生故不應食肉凡愚
所嗜臭穢不淨无善名稱故不應食肉令諸
呪術不成就故不應食肉以殺生者見形起
識深味著故不應食肉彼食肉者諸天所棄
故不應食肉令口氣臭故不應食肉多惡夢
故不應食肉空閑林中虎狼聞香故不應食
肉令飲食无節故不應食肉令脩行者不生
厭離故不應食肉我常說言凡所飲食作食
子肉想作服藥想故不應食肉聽食肉者无
有是處復次大慧過去有王名師子蘇陀娑
食種種肉遂至食人臣民不堪即便謀反斷
其奉祿以食肉者有如是過故不應食肉
復次大慧凡諸殺者為財利故殺生屠販彼
諸愚癡食肉衆生以錢為網而捕諸肉彼殺
生者若以財物若以鉤網取彼空行水陸衆
生種種殺害屠販求利大慧亦无不教不求
生想而有魚宍以是義故不應食肉大慧我
有時說遮五種宍或制十種今於此經一切種
一切時開除方便一切悉斷大慧如來應供
等正覺尚无所食況食魚肉亦不教人以大
悲前行故視一切衆生猶如一子是故不聽
令食子肉尒時世尊欲重宣此義而說偈言
曾悉為親屬　鄙穢不淨雜　不淨所生長　聞氣悉恐怖
一切肉與悲　及諸韮蒜等　種種放逸酒　脩行常遠離
亦常離麻油　及諸穿孔林　以彼諸細蟲　於中極恐怖

BD01834號　楞伽阿跋多羅寶經卷四　（31–29）

悲前行故視一切衆生猶如一子是故不聽
令食子肉尒時世尊欲重宣此義而說偈言
曾悉為親屬　鄙穢不淨雜　不淨所生長　聞氣悉恐怖
一切肉與悲　及諸韮蒜等　種種放逸酒　脩行常遠離
亦常離麻油　及諸穿孔林　以彼諸細蟲　於中極恐怖
飲食生放逸　放逸生諸覺　從覺生貪欲　是故不應食
由食生貪欲　貪令心迷醉　迷醉長愛欲　生死不解脫
為利殺衆生　以財網諸肉　二俱是惡業　死墮叫呼獄
若无教想求　則无三淨肉　彼非无因有　是故不應食
彼諸脩行者　由是悉遠離　十方佛世尊　一切咸呵嘖
展轉更相食　死墮虎狼類　臭穢可厭惡　所生常愚癡
多生旃陀羅　獵師譚婆種　或生陀夷尼　及諸肉食性
羅剎貓狸等　遍於是中生　縛象與大雲　央掘利魔羅
及此楞伽經　我悉制斷肉　諸佛及菩薩　聲聞所呵嘖
食已无慚愧　生生常癡冥　先說見聞疑　已斷一切肉
妄想不覺知　故生食肉處　如彼貪欲過　障閡聖解脫
酒肉蔥韮蒜　悉為障道鄣　未來世衆生　於肉愚癡說
言此淨无罪　佛聽我等食　食如服藥想　亦如食子肉
知足生厭離　脩行行乞食　安住慈心者　我說常厭離
虎狼諸惡獸　恒可同遊止　若食諸血肉　衆生悉恐怖
是故脩行者　慈心不食肉　食肉无慈慧　永背正解脫
及違聖表相　是故不應食　得生梵志種　及諸脩行處
智慧富貴家　斯由不食肉
楞伽阿跋多羅寶經一切佛語心品卷第四

BD01834號　楞伽阿跋多羅寶經卷四　（31–30）

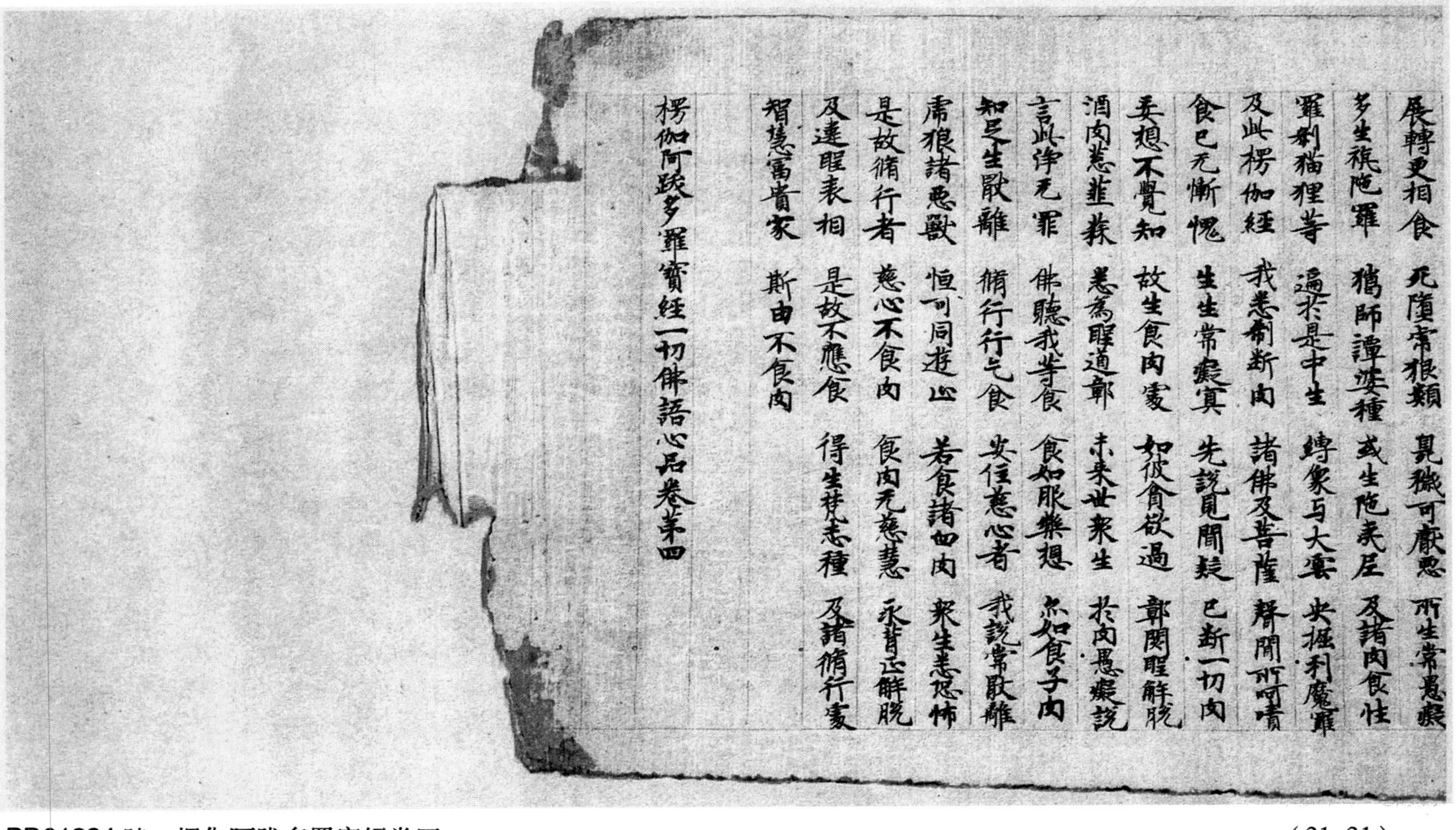

展轉更相食　死墮虎狼類　臭穢可厭惡　所生常愚癡
多生旃陀羅　獵師譚婆種　或生陀夷尼　及諸肉食性
羅剎猫狸等　遍於是中生　縛象與大雲　央掘利魔羅
及此楞伽經　我悉制斷肉　諸佛及菩薩　聲聞所呵責
食已無慚愧　生生常癡冥　先說見聞疑　已斷一切肉
妄想不覺知　故生食肉處　如彼貪欲過　障礙聖解脫
酒肉葱韮蒜　悉為聖道障　未來世衆生　於肉愚癡說
言此淨無罪　佛聽我等食　食如服藥想　亦如食子肉
知足生厭離　脩行行乞食　安住慈心者　我說常厭離
虎狼諸惡獸　恒可同遊止　若食諸血肉　衆生悉恐怖
是故脩行者　慈心不食肉　食肉無慈慧　永背正解脫
及違聖表相　是故不應食　得生梵志種　及諸脩行處
智慧富貴家　斯由不食肉
楞伽阿跋多羅寶經一切佛語心品卷第四

BD01834 號　楞伽阿跋多羅寶經卷四　（31–31）

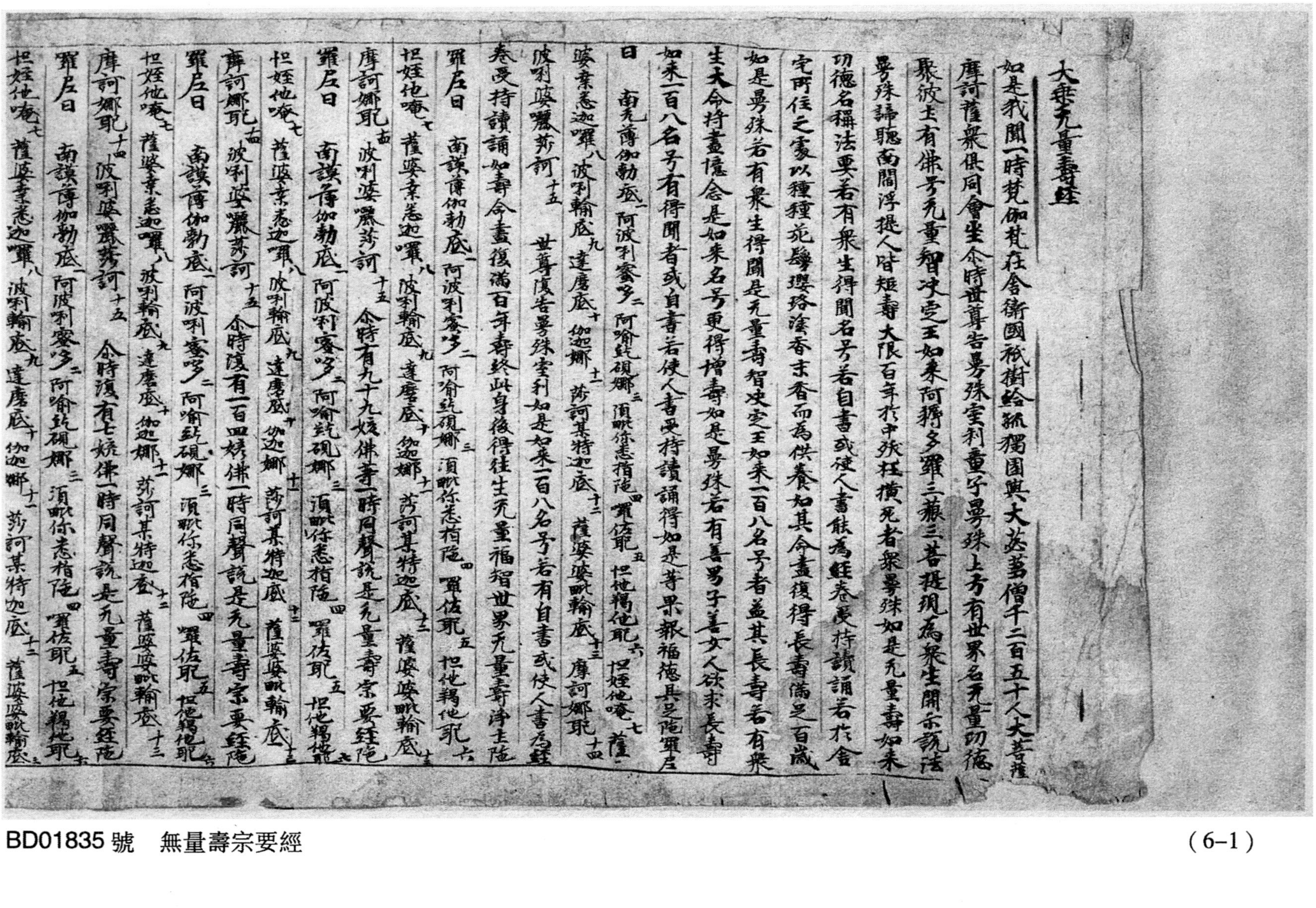

大乘無量壽經
如是我聞一時薄伽梵在舍衛國祇樹給孤獨園與大苾芻僧千二百五十人大菩薩
摩訶薩衆俱同會坐尒時世尊告曼殊室利童子曼殊上方有世界名無量功德
聚彼土有佛號無量智決定王如來阿羅訶三藐三菩提現為衆生開示說法
曼殊師利聽南閻浮提人皆短壽大限百年於中夭枉横死者衆曼殊如是無量壽如來
功德名稱法要若有衆生得聞名號若自書或使人書能為經卷受持讀誦若於舍
宅所住之處以種種花鬘瓔珞塗香末香而為供養如其命盡復得長壽滿足百歲
如是曼殊若有衆生得聞是無量壽智決定王如來一百八名號者益其長壽若有衆
生大命將盡憶念是如來名號更得增壽如是曼殊若有善男子善女人欲求長壽
如來一百八名號有得聞者或自書若使人書受持讀誦得如是等果報福德具足陀羅尼
曰
南無薄伽勃底一　阿波唎蜜多二　阿喻紇硯那三　須毗你悉指陀四　囉佐耶五　怛他羯他耶六　怛姪他唵七　薩
婆桑悉迦囉八　波唎輸底九　達磨底十　伽迦娜十一　莎訶某特迦底十二　薩婆婆毗輸底十三　摩訶娜耶十四
波唎婆囉莎訶十五　世尊復告曼殊室利如是如來一百八名號若有自書或使人書為經
卷受持讀誦如壽命盡復滿百年壽終此身後得往生無量福智世界無量壽淨土陀
羅尼曰　南謨薄伽勃底一　阿波唎蜜多二　阿喻紇硯那三　須毗你悉指陀四　囉佐耶五　怛他羯他耶六
怛姪他唵七　薩婆桑悉迦囉八　波唎輸底九　達磨底十　伽迦娜十一　莎訶某特迦底十二　薩婆婆毗輸底十三
摩訶娜耶十四　波唎婆囉莎訶十五　尒時有九十九姟佛一時同聲說是無量壽宗要經陀
羅尼曰　南謨薄伽勃底一　阿波唎蜜多二　阿喻紇硯那三　須毗你悉指陀四　囉佐耶五　怛他羯他
怛姪他唵七　薩婆桑悉迦囉八　波唎輸底九　達磨底十　伽迦娜十一　莎訶某特迦底十二　薩婆婆毗輸底十三
摩訶娜耶十四　波唎婆囉莎訶十五　尒時復有一百四姟佛一時同聲說是無量壽宗要經陀
羅尼曰　南謨薄伽勃底一　阿波唎蜜多二　阿喻紇硯那三　須毗你悉指陀四　囉佐耶五　怛他羯他耶六
怛姪他唵七　薩婆桑悉迦囉八　波唎輸底九　達磨底十　伽迦娜十一　莎訶某特迦底十二　薩婆婆毗輸底十三
摩訶娜耶十四　波唎婆囉莎訶十五　尒時復有七姟佛一時同聲說是無量壽宗要經陀
羅尼曰　南謨薄伽勃底一　阿波唎蜜多二　阿喻紇硯那三　須毗你悉指陀四　囉佐耶五　怛他羯他耶六
怛姪他唵七　薩婆桑悉迦囉八　波唎輸底九　達磨底十　伽迦娜十一　莎訶某特迦底十二　薩婆婆毗輸底十三

BD01835 號　無量壽宗要經　（6–1）

摩訶娜耶十四 波唎婆嚩莎訶十五 佘時有九十九姟佛一時同聲說是无量壽宗要經陁
羅尼曰 南謨薄伽勃底一 阿波唎蜜哆二 阿喩紇硯娜三 須毗你志指陁四 囉佐耶五 怛他羯他耶六
怛姪他唵七 薩婆桑悉迦囉八 波唎輸底九 達磨底十 伽迦娜十一 莎訶某特迦底十二 薩婆婆毗輸底十三
摩訶娜耶十四 波唎婆嚩莎訶十五 佘時復有一百四姟佛一時同聲說是无量壽宗要經陁
羅尼曰 南謨薄伽勃底一 阿波唎蜜哆二 阿喩紇硯娜三 須毗你志指陁四 囉佐耶五 怛他羯他耶六
怛姪他唵七 薩婆桑悉迦囉八 波唎輸底九 達磨底十 伽迦娜十一 莎訶某特迦底十二 薩婆婆毗輸底十三
摩訶娜耶十四 波唎婆嚩莎訶十五 佘時復有七姟佛一時同聲說是无量壽宗要經陁
羅尼曰 南謨薄伽勃底一 阿波唎蜜哆二 阿喩紇硯娜三 須毗你志指陁四 囉佐耶五 怛他羯他耶六
怛姪他唵七 薩婆桑悉迦囉八 波唎輸底九 達磨底十 伽迦娜十一 莎訶某特迦底十二 薩婆婆毗輸底十三
摩訶娜耶十四 波唎婆嚩莎訶十五 佘時復有六十五姟佛一時同聲說是无量壽宗要
經陁羅尼曰 南謨薄伽勃底一 阿波唎蜜哆二 阿喩紇硯娜三 須毗你志指陁四 囉佐耶五 怛他羯
他耶六 怛姪他唵七 薩婆桑悉迦囉八 波唎輸底九 達磨底十 伽迦娜十一 莎訶某特迦底十二 薩婆婆毗輸
底十三 摩訶娜耶十四 波唎婆嚩莎訶十五
佘時復有五十五姟佛一時同聲說是无量壽宗要經陁羅尼曰 南謨薄伽勃底
阿波唎蜜哆二 阿喩紇硯娜三 須毗你志指陁四 囉佐耶五 怛他羯他耶六 怛姪他唵七 薩婆桑悉迦囉
波唎輸底九 達磨底十 伽迦娜十一 莎訶某特迦底十二 薩婆婆毗輸底十三 摩訶娜耶十四 波唎婆嚩莎訶
佘時復有四十五姟佛一時同聲說是无量壽宗要經陁羅尼曰 南謨薄伽勃底
阿波唎蜜哆二 阿喩紇硯娜三 須毗你志指陁四 囉佐耶五 怛他羯他耶六 怛姪他唵七 薩婆桑悉迦囉
波唎輸底九 達磨底十 伽迦娜十一 莎訶某特迦底十二 薩婆婆毗輸底十三 摩訶娜耶十四 波唎婆嚩莎
訶十五 佘時復有三十六姟佛一時同聲說是无量壽宗要經陁羅尼曰
南謨薄伽勃底一 阿波唎蜜哆二 阿喩紇硯娜三 須毗你志指陁四 囉佐耶五 怛他羯他耶六 怛姪他唵
薩婆桑悉迦囉九 波唎輸底九 達磨底十 伽迦娜十一 莎訶某特迦底十二 薩婆婆毗輸底十三
摩訶娜耶十四 波唎婆嚩莎訶十五 佘時復有二十五姟佛一時同聲說是无量壽宗要
經陁羅尼曰 南謨薄伽勃底一 阿波唎蜜哆二 阿喩紇硯娜三 須毗你志指陁四 囉佐耶五
怛他羯他耶六 怛姪他唵七 薩婆桑悉迦囉八 波唎輸底九 達磨底十 伽迦娜十一 莎訶某特迦底十二 薩
婆婆毗輸底十三 摩訶娜耶十四 波唎婆嚩莎訶十五 佘時復有恒河沙姟佛一時同聲
說是无量壽宗要經陁羅尼曰 南謨薄伽勃底一 阿波唎蜜哆二 阿喩紇硯娜三
須毗你志指陁四 囉佐耶五 怛他羯他耶六 怛姪他唵七 薩婆桑悉迦囉八 波唎輸底九 達磨底十
伽迦娜十一 莎訶某特迦底十二 薩婆婆毗輸底十三 摩訶娜耶十四 波唎婆嚩莎訶十五
善男子若有自書寫教人書寫是无量壽宗要經如其命盡復得長壽而滿年

BD01835號　無量壽宗要經

（6–2）

怛他羯他耶六 怛姪他唵七 薩婆桑悉迦囉八 波唎輸底九 達磨底十 伽迦娜十一 莎訶某特迦底十二 薩
婆婆毗輸底十三 摩訶娜耶十四 波唎婆嚩莎訶十五 佘時復有恒河沙姟佛一時同聲
說是无量壽宗要經陁羅尼曰 南謨薄伽勃底一 阿波唎蜜哆二 阿喩紇硯娜三
須毗你志指陁四 囉佐耶五 怛他羯他耶六 怛姪他唵七 薩婆桑悉迦囉八 波唎輸底九 達磨底十
伽迦娜十一 莎訶某特迦底十二 薩婆婆毗輸底十三 摩訶娜耶十四 波唎婆嚩莎訶十五
善男子若有自書寫教人書寫是无量壽宗要經如其命盡復得長壽而滿年
陁羅尼曰 南謨薄伽勃底一 阿波唎蜜哆二 阿喩紇硯娜三 須毗你志指陁四 囉佐耶五 怛他羯
他耶六 怛姪他唵七 薩婆桑悉迦囉八 波唎輸底九 達磨底十 伽迦娜十一 莎訶某特迦底十二 薩婆
婆毗輸底十三 摩訶娜耶十四 波唎婆嚩莎訶十五 若有自書寫教人書寫是无量壽
宗要經讀誦受持畢竟不墮地獄在在所生得宿命智陁羅尼曰 南謨薄伽勃底一
阿波唎蜜哆二 阿喩紇硯娜三 須毗你志指陁四 囉佐耶五 怛他羯他耶六 怛姪他唵七 薩婆桑悉
迦囉八 波唎輸底九 達磨底十 伽迦娜十一 莎訶某特迦底十二 薩婆婆毗輸底十三 摩訶娜耶十四
波唎婆嚩莎訶十五 若有自書寫教人書寫是无量壽宗要經受持讀誦如同
書寫八万四千一切經典陁羅尼曰 南謨薄伽勃底一 阿波唎蜜哆二 阿喩紇硯娜三
須毗你志指陁四 囉佐耶五 怛他羯他耶六 怛姪他唵七 薩婆桑悉迦囉八 波唎輸底九 達磨底十
伽迦娜十一 莎訶某特迦底十二 薩婆婆毗輸底十三 摩訶娜耶十四 波唎婆嚩莎訶十五
若有自書寫教人書寫是无量壽宗要經即是書寫八万四千部建立塔廟陁羅
尼曰 南謨薄伽勃底一 阿波唎蜜哆二 阿喩紇硯娜三 須毗你志指陁四 囉佐耶五 怛他羯他耶六
怛姪他唵七 薩婆桑悉迦囉八 波唎輸底九 達磨底十 伽迦娜十一 莎訶某特迦底十二 薩婆婆
毗輸底十三 摩訶娜耶十四 波唎婆嚩莎訶十五 若有自書寫教人書寫是无量壽宗
要經能消五无間等一切重罪陁羅尼曰 南謨薄伽勃底一 阿波唎蜜哆二 阿喩紇硯娜
須毗你志指陁四 囉佐耶五 怛他羯他耶六 怛姪他唵七 薩婆桑悉迦囉八 波唎輸底九 達磨底十
伽迦娜十一 莎訶某特迦底十二 薩婆婆毗輸底十三 摩訶娜耶十四 波唎婆嚩莎訶十五
若有自書寫教人書寫是无量壽宗要經受持讀誦設有重罪猶如須弥盡能
除滅陁羅尼曰 南謨薄伽勃底一 阿波唎蜜哆二 阿喩紇硯娜三 須毗你志指陁四 囉佐耶五
怛他羯他耶六 怛姪他唵七 薩婆桑悉迦囉八 波唎輸底九 達磨底十 伽迦娜十一 莎訶某特迦底十二
薩婆婆毗輸底十三 摩訶娜耶十四 波唎婆嚩莎訶十五 若有自書寫教人書寫是无
量壽宗要經受持讀誦若魔魔之眷屬夜叉羅剎不得其便終无枉死陁羅尼曰
南謨薄伽勃底一 阿波唎蜜哆二 阿喩紇硯娜三 須毗你志指陁四 囉佐耶五 怛他羯他耶六
怛姪他唵七 薩婆桑悉迦囉八 波唎輸底九 達磨底十 伽迦娜十一 莎訶某特迦底十二 薩婆婆

BD01835號　無量壽宗要經

（6–3）

若有自書寫教人書寫是无量壽宗要經受持讀誦設有重罪猶如須弥盡能
除滅陁羅尼曰　南謨薄伽勒底一阿波唎蜜多二阿喻紇硯娜三須毗你悉指陁四囉佐耶五
怛他羯他耶六怛姪他唵七薩婆桒悉迦囉八波唎輸底九達磨底十伽迦娜十一莎訶某特迦底十二
薩婆婆毗輸底十三摩訶娜耶十四波唎婆囉莎訶十五　若有自書寫教人書寫是无
量壽宗要經受持讀誦者魔魔之眷屬夜叉羅剎不得其便終无狂死陁羅尼曰
南謨薄伽勒底一阿波唎蜜多二阿喻紇硯娜三須毗你悉指陁四囉佐耶五怛他羯他耶六
怛姪他唵七薩婆桒悉迦囉八波唎輸底九達磨底十伽迦娜十一莎訶某特迦底十二薩婆婆
毗輸底十三摩訶娜耶十四波唎婆囉莎訶十五　若有自書寫教人書寫是无量壽
宗要經受持讀誦當命終時有九十九姟佛現其人前象千佛授手能遊一切佛
剎莫於此經於疑惑陁羅尼曰　南謨薄伽勒底一阿波唎蜜多二阿喻紇硯娜三須毗你
悉指陁四囉佐耶五怛他羯他耶六怛姪他唵七薩婆桒悉迦囉八波唎輸底九達磨底十
伽迦娜十一莎訶某特迦底十二薩婆婆毗輸底十三摩訶娜耶十四波唎婆囉莎訶十五　若有
自書寫教人書寫是无量壽宗要經受持讀誦常得四天大王隨其衛護陁羅尼
曰　南謨薄伽勒底一阿波唎蜜多二阿喻紇硯娜三須毗你悉指陁四囉佐耶五怛他羯他耶六
怛姪他唵七薩婆桒悉迦囉八波唎輸底九達磨底十伽迦娜十一莎訶某特迦底十二薩婆婆
毗輸底十三摩訶娜耶十四波唎婆囉莎訶十五　若有自書寫教人書寫是无量壽
宗要經受持讀誦當得往生西方極樂世界阿弥陁淨土陁羅尼曰　南謨薄伽勒底
阿波唎蜜多二阿喻紇硯娜三須毗你悉指陁四囉佐耶五怛他羯他耶六怛姪他唵七薩婆桒悉
囉八波唎輸底九達磨底十伽迦娜十一莎訶某特迦底十二薩婆婆毗輸底十三摩訶娜耶十四
波唎婆囉莎訶十五　若有方所自書寫使人書寫是无量壽經典之處則為是諸
皆應恭敬作礼若是畜生或為鳥獸得聞是經如是等類皆當不久得成一切種智
陁羅尼曰　南謨薄伽勒底一阿波唎蜜多二阿喻紇硯娜三須毗你悉指陁四囉佐耶五
怛他羯他耶六怛姪他唵七薩婆桒悉迦囉八波唎輸底九達磨底十伽迦娜十一莎訶某特迦底
薩婆婆毗輸底十三摩訶娜耶十四波唎婆囉莎訶十五　若有於是无量壽經自書
寫若使人書寫畢竟不受女人之身陁羅尼曰　南謨薄伽勒底一阿波唎蜜多二
阿喻紇硯娜三須毗你悉指陁四囉佐耶五怛他羯他耶六怛姪他唵七薩婆桒悉迦囉八
波唎輸底九達磨底十伽迦娜十一莎訶某特迦底十二薩婆婆毗輸底十三摩訶娜耶十四
波唎婆囉莎訶十五　若有能於是經少分能惠施者等於三千大千世界滿中七
寶布施陁羅尼曰　南謨薄伽勒底一阿波唎蜜多二阿喻紇硯娜三須毗你悉指陁四囉

BD01835號　無量壽宗要經　（6–4）

怛他羯他耶六怛姪他唵七薩婆桒悉迦囉八波唎輸底九達磨底十伽迦娜十一莎訶某特迦底
薩婆婆毗輸底十三摩訶娜耶十四波唎婆囉莎訶十五　若有於是无量壽經自書
寫若使人書寫畢竟不受女人之身陁羅尼曰　南謨薄伽勒底一阿波唎蜜多二
阿喻紇硯娜三須毗你悉指陁四囉佐耶五怛他羯他耶六怛姪他唵七薩婆桒悉迦囉八
波唎輸底九達磨底十伽迦娜十一莎訶某特迦底十二薩婆婆毗輸底十三摩訶娜耶十四
波唎婆囉莎訶十五　若有能於是經少分能惠施者等於三千大千世界滿中七
寶布施陁羅尼曰　南謨薄伽勒底一阿波唎蜜多二阿喻紇硯娜三須毗你悉指陁四囉
佐耶五怛他羯他耶六怛姪他唵七薩婆桒悉迦囉八波唎輸底九達磨底十伽迦娜十一莎訶某
特迦底十二薩婆婆毗輸底十三摩訶娜耶十四波唎婆囉莎訶十五　若有能供養是經者
則是供養一切諸經等无有別異陁羅尼曰　南謨薄伽勒底一阿波唎蜜多二阿喻
紇硯娜三須毗你悉指陁四囉佐耶五怛他羯他耶六怛姪他唵七薩婆桒迦囉八波唎輸底九
達磨底十伽迦娜十一莎訶某特迦底十二薩婆婆毗輸底十三摩訶娜耶十四波唎婆囉莎訶十五
如是毗婆尸佛尸棄佛毗舍浮佛俱留孫佛俱那含牟尼佛迦葉佛釋迦牟尼佛　若有
人以七寶供養如是七佛其福有限書寫受持是无量壽經典所有功德不可限
量陁羅尼曰　南謨薄伽勒底一阿波唎蜜多二阿喻紇硯娜三須毗你悉指陁四囉佐耶五
怛他羯他耶六怛姪他唵七薩婆桒悉迦囉八波唎輸底九達磨底十伽迦娜十一莎訶某特迦底十二
薩婆婆毗輸底十三摩訶娜耶十四波唎婆囉莎訶十五　若有七寶等於須弥以用布
施其福上能知其限量是无量壽經典其福不可知數陁羅尼曰　南謨薄伽勒底
阿波唎蜜多二阿喻紇硯娜三須毗你悉指陁四囉佐耶五怛他羯他耶六怛姪他唵七薩婆桒悉
迦囉八波唎輸底九達磨底十伽迦娜十一莎訶某特迦底十二薩婆婆毗輸底十三摩訶娜耶十四
波唎婆囉莎訶十五　如是四大海水可知滴數是无量壽經典所生果報不可數量陁
羅尼曰　南謨薄伽勒底一阿波唎蜜多二阿喻紇硯娜三須毗你悉指陁四囉佐耶五怛他羯他
耶六怛姪他唵七薩婆桒悉迦囉八波唎輸底九達磨底十伽迦娜十一莎訶某特迦底十二
薩婆婆毗輸底十三摩訶娜耶十四波唎婆囉莎訶十五　若有人自書寫使人書寫
是无量壽經典又能讚持供養即如恭敬供養一切十方佛土如來无有別異
陁羅尼曰　南謨薄伽勒底一阿波唎蜜多二阿喻紇硯娜三須毗你悉指陁四囉佐耶五
怛他羯他耶六怛姪他唵七薩婆桒悉迦囉八波唎輸底九達磨底十伽迦娜十一莎訶某特迦底
薩婆婆毗輸底十三摩訶娜耶十四波唎婆囉莎訶十五
布施力能成正覺　悟布施力人師子　布施力能聲普聞　慈悲階漸衆能入
持戒力能成正覺　悟持戒力人師子　持戒力能聲普聞　[illegible]

BD01835號　無量壽宗要經　（6–5）

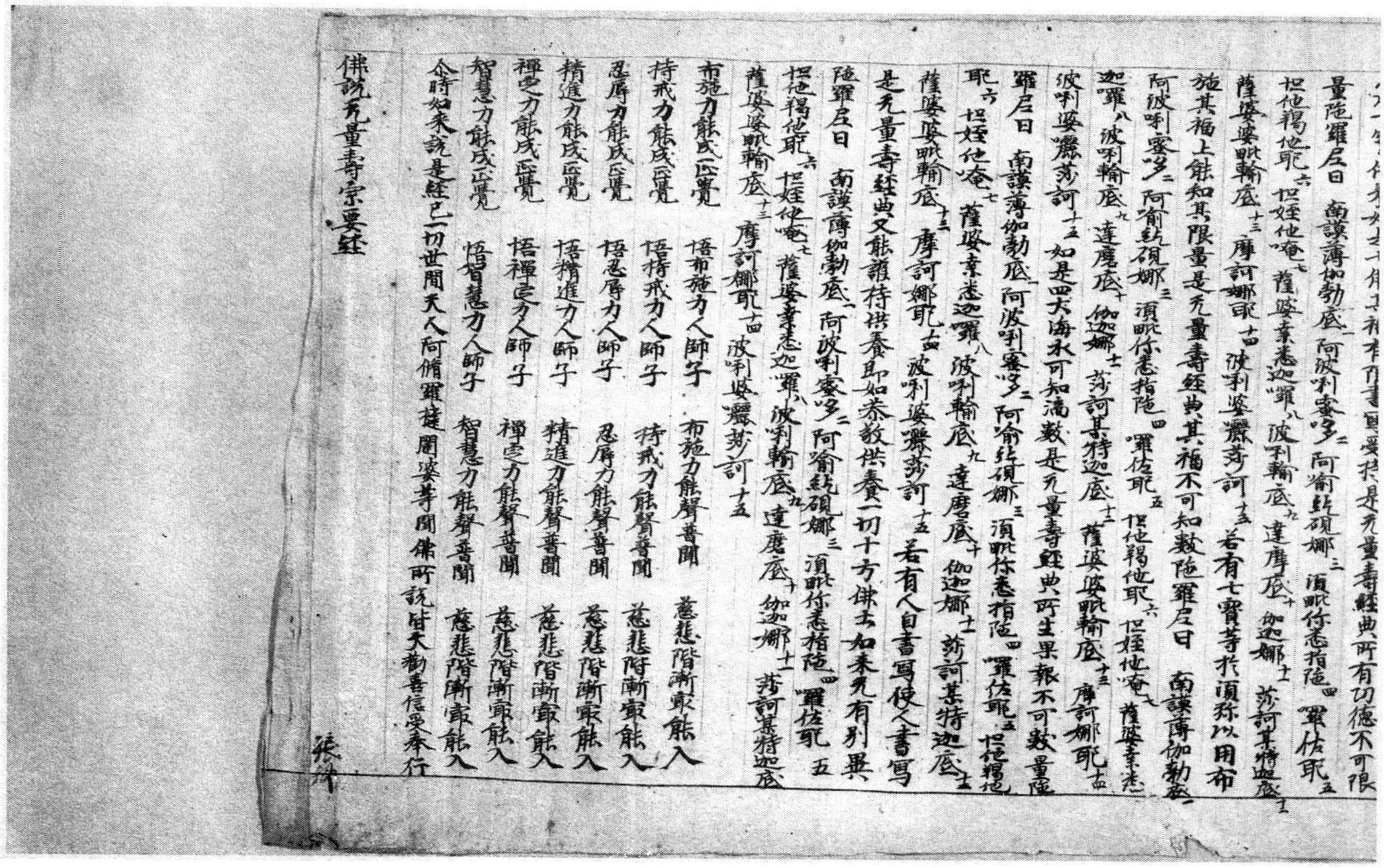

……是无量壽經典所有功德不可限
量陁羅尼曰　南謨薄伽勒底一　阿波唎蜜哆二　阿喻紇硯娜三　須毗你悉指陁四　囉佐耶五
怛他羯他耶六　怛姪他唵七　薩婆桑悉迦囉八　波唎輸底九　達摩底十　伽迦娜十一　莎訶莫特迦底十二
薩婆婆毗輸底十三　摩訶娜耶十四　波唎婆嚩莎訶十五　若有七寶等於須弥以用布
施其福上能知其限量是无量壽經典其福不可知數陁羅尼曰　南謨薄伽勒底一
阿波唎蜜哆二　阿喻紇硯娜三　須毗你悉指陁四　囉佐耶五　怛他羯他耶六　怛姪他唵七　薩婆桑悉
迦囉八　波唎輸底九　達磨底十　伽迦娜十一　莎訶莫特迦底十二　薩婆婆毗輸底十三　摩訶娜耶十四
波唎婆嚩莎訶十五　如是四大海水可知滴數是无量壽經典所生果報不可數量陁
羅尼曰　南謨薄伽勒底一　阿波唎蜜哆二　阿喻紇硯娜三　須毗你悉指陁四　囉佐耶五　怛他羯陁
耶六　怛姪他唵七　薩婆桑悉迦囉八　波唎輸底九　達磨底十　伽迦娜十一　莎訶莫特迦底十二
薩婆婆毗輸底十三　摩訶娜耶十四　波唎婆嚩莎訶十五　若有人自書寫使人書寫
是无量壽經典又能護持供養即如恭敬供養一切十方佛土如來无有別異
陁羅尼曰　南謨薄伽勒底一　阿波唎蜜哆二　阿喻紇硯娜三　須毗你悉指陁四　囉佐耶五
怛他羯他耶六　怛姪他唵七　薩婆桑悉迦囉八　波唎輸底九　達磨底十　伽迦娜十一　莎訶莫特迦底
薩婆婆毗輸底十三　摩訶娜耶十四　波唎婆嚩莎訶十五
布施力能成正覺　悟布施力人師子　布施力能聲普聞　慈悲階漸寂能入
持戒力能成正覺　悟持戒力人師子　持戒力能聲普聞　慈悲階漸寂能入
忍辱力能成正覺　悟忍辱力人師子　忍辱力能聲普聞　慈悲階漸寂能入
精進力能成正覺　悟精進力人師子　精進力能聲普聞　慈悲階漸寂能入
禪定力能成正覺　悟禪定力人師子　禪定力能聲普聞　慈悲階漸寂能入
智慧力能成正覺　悟智慧力人師子　智慧力能聲普聞　慈悲階漸寂能入
尒時如來說是經已一切世間天人阿脩羅揵闥婆等聞佛所說皆大歡喜信受奉行
佛說无量壽宗要經
張

BD01835 號　無量壽宗要經　（6–6）

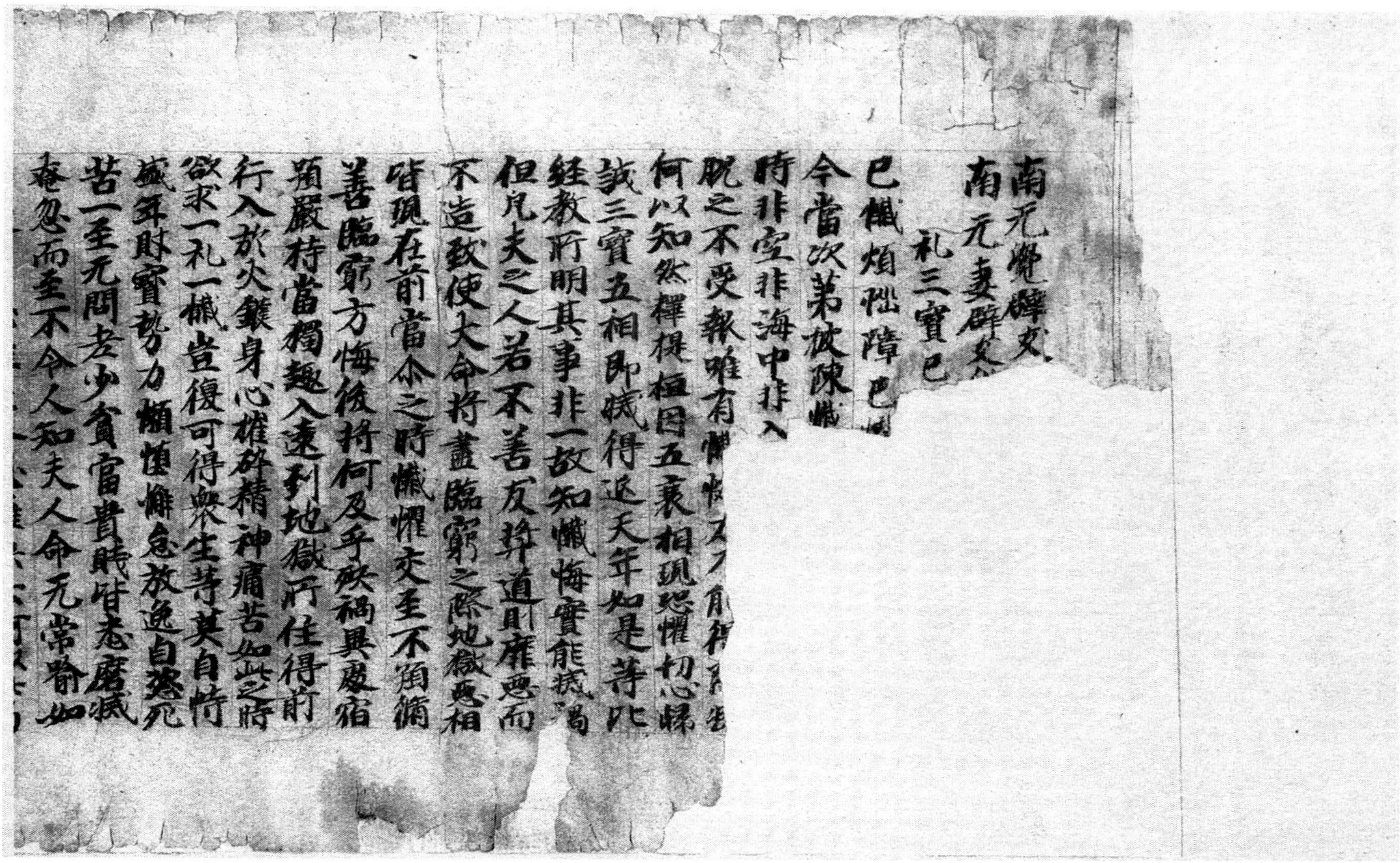

南无覺辟支[illegible]
南无妻辟支[illegible]
禮三寶已
已懺煩惱障已[illegible]
今當次第披陳懺
時非空非海中非入
脫之不受報唯有懺悔[illegible]生
何以知然釋提桓因五衰相現恐懼切心歸
誠三寶五相即滅得返天年如是等比
經教所明其事非一故知懺悔實能滅罪
但凡夫之人若不善友將導則靡惡而
不造致使大命將盡臨窮之際地獄惡相
皆現在前當尒之時懺懼交至不預脩
善臨窮方悔後將何及乎殃禍異處宿
預嚴持當獨趣入遠到地獄所往得前
行入於火鑊身心摧碎精神痛苦如此之時
欲求一禮一懺豈復可得衆生等莫自恃
盛年財寶勢力懶惰懈怠放逸自恣死
苦一至无問老少貧富貴賤皆悉磨滅
奄忽而至不令人知夫人命无常脊如

BD01836 號　佛名經（異卷）卷一　（24–1）

行入於火鑊身心摧碎精神痛苦如此之時
欲求一礼一懺豈復可得衆生等莫自恃
盛年財寶勢力懶惰懈怠放逸自恣死
苦一至无問老少貧富貴賤皆悉磨滅
奄忽而至不令人知夫人命无常喻如
朝露出息雖在入息難保云何以此而
不懺悔旦乎天使者既來无常殺鬼卒
至盛年壯色无得免者當今之時華堂
邃宇何關人事高車大馬豈得自隨
妻子眷屬非復我親七珎寶饒悉為他
玩以此而言世間果報皆為幻化上天雖
樂會歸敗壞壽盡魂逝隨三塗是故
佛語須跋陀言法師斷頭蓋罪利根
聰明能伏煩惱至於非非想處命終還
作畜生道中飛狸之身況復餘者故知未
登聖果已還皆應流轉備經惡趣如
不謹慎忽尒一朝親嬰斯事將不悔
惑如今被罪行詣公門已是小苦情地憚
惶眷屬怨懼求救百端地獄衆苦比於
此者百千万倍不得為喻衆等相與歷
劫以來罪若須弥云何關此晏然不畏
不驚不怨今此精神復嬰斯苦實為可
痛是故弟子等運此畢誠歸依佛
南无東方調御佛
南无南方金剛藏佛
南无西方登法界佛
南无北方无邊眼佛

BD01836號　佛名經（異卷）卷一　（24–2）

不驚不怨今此精神復嬰斯苦實為可
痛是故弟子等運此畢誠歸依佛
南无東方調御佛
南无南方金剛藏佛
南无西方登法界佛
南无北方无邊眼佛
南无東南方无憂德佛
南无西南方懷諸怖畏佛
南无西北方勇猛伏佛
南无東北方大力光明佛
南无下方歡喜路佛
南无上方香上王佛
弟子等從无始以來至於今日所有報
障然其重者第一唯有阿鼻地獄如經
所明今當略說其相此獄周匝有七重鐵
城復有七重鐵網羅覆其上下有七重
刀林无量猛火縱廣八万四千由旬罪人
之身遍滿其中罪業因緣不相妨导
上火徹下下火徹上東西南北通徹
交過如魚在鏊脂膏皆盡此中罪
苦亦復如是其城四門有四大銅狗其
身縱廣四千由旬牙抓鋒鋩眼如掣電
復有无量鐵觜諸鳥奮翼飛騰啄罪
人肉牛頭獄卒形如羅刹而有九尾尾如
鐵叉復有八頭頭上有十八角有六十四
眼一一眼中皆悉迸出諸鐵丸燒罪人肉

BD01836號　佛名經（異卷）卷一　（24–3）

身䠶廣四千由旬刃抓鋒釯眼如掣電
復有无量鐵觜諸鳥奮翼飛騰啄罪
人肉牛頭獄卒形如羅刹而有九尾尾如
鐵叉復有八頭頭上有十八角有六十四
眼二眼中皆悉迸出諸鐵丸燒罪人肉
然其一瞋一怒皆吼之時聲如霹靂復有
无量自然刀輪空中而下從罪人頂入
從足而出於是罪人痛徹骨髓苦切
肝心如是經无量歲求生不得求死
不得如是等報今日皆悉稽顙慙愧
懺悔其餘地獄刀山劒樹身首墮落
罪報懺悔鑊湯爐炭地獄燒煑罪
報懺悔鐵床銅柱地獄燋然罪報懺
悔刀輪火車地獄糞屎罪報懺悔丸烊
銅灌口地獄五内消爛罪報懺悔鐵
碓鐵磨地獄骨肉灰粉罪報懺悔黑
繩鐵鋸地獄支分離罪報懺悔灰河
沸屎地獄惱悶罪報懺悔醎水寒氷地
獄皮膚折裂裸凍罪報懺悔虎狼鷹
犬地獄更相殘害罪報懺悔刀兵地
獄更相摶撮斫刺罪報懺悔大坑地
獄炮炙罪報懺悔雨石相磕地獄形骸
破碎罪報懺悔衆黑耳地獄解剔罪
報懺悔闇冥肉山地獄斬剉罪報懺悔
鋸解釘地獄斬截罪報懺悔鐵棒倒

BD01836 號　佛名經（異卷）卷一　（24–4）

獄炮炙罪報懺悔雨石相磕地獄形骸
破碎罪報懺悔衆黑耳地獄解剔罪
報懺悔闇冥肉山地獄斬剉罪報懺悔
鋸解釘地獄斬截罪報懺悔鐵棒倒
懸地獄屠割罪報懺悔燋熱叫喚地獄
煩惋罪報懺悔大小鐵圍山間長夜冥
冥不識三无罪報懺悔阿羅羅地獄如
是八寒八熱一切諸地獄二獄中復有
八万四千鬲子地獄以為眷屬此中罪
苦炮煑楚痛剥皮㓟肉削骨打髓抽
腸拔肺无量諸苦不可聞不可說南
佛今日在此中者或是我等无始以來經
生父母一切眷屬我等相與命終之後或
當復墮如此獄中今日洗心單到叩頭稽
顙向十方大地菩薩求哀懺悔令此一
報切障畢竟消滅
願弟子等承是懺悔地獄等報所生功
德即時破壞阿鼻鐵城悉與淨土无惡
道名其餘地獄一切苦具轉為樂刀山劒
樹變成寶林鑊湯爐炭蓮華化生牛
頭獄卒除捨果虐皆起慈悲无有
惡念地獄衆生得離苦果更不造因等
受安樂如第三禪一時俱發无上道心 礼一拜
南无安隱思佛　南无道威德佛
南无清淨心佛　南无天供養佛

BD01836 號　佛名經（異卷）卷一　（24–5）

頭獄平除拾果虐皆起慈悲无有
惡念地獄衆生得離苦果更不造因等
受安樂如第三禪一時俱發无上道心 礼一拜
南无安隱恩佛　南无道威德佛
南无清淨心佛　南无天供養佛
南无度泥佛　南无離有佛
南无法華佛　南无大勝佛
南无可樂光明佛　南无大光佛
南无見愛佛　南无光明愛佛
南无善聲佛　南无大施德佛
南无寶步佛　南无无滯導智佛
南无得威德佛　南无月藏佛
南无淨光明佛　南无大莊嚴佛
南无得樂自在佛　南无妙光明佛
南无得樂自在佛　南无妙光明佛
南无癡光佛　南无離疑佛
南无无過智慧佛　南无成就行佛
南无清淨身佛　南无无畏愛佛
南无稱乳佛　南无大乳佛
南无善恩佛　南无大恩佛
南无清淨色佛　南无大蓋迎佛
南无集眼佛　南无命清淨佛
南无行清淨佛　南无離勢智佛
從此以上五千佛十二部經一切賢聖
南无應稱ノ佛　南无善集智佛
南无善言佛　南无設威德佛

BD01836號　佛名經（異卷）卷一　（24-6）

南无清淨色佛　南无大蓋迎佛
南无集眼佛　南无命清淨佛
南无行清淨佛　南无離勢智佛
從此以上五千佛十二部經一切賢聖
南无應稱ノ佛　南无善集智佛
南无善信佛　南无設尸威德佛
南无不死成佛　南无不護聲佛
南无化日佛　南无善住思惟佛
南无高信佛　南无須摩那光明佛
南无光明力佛　南无功德布佛
南无法俱蘇摩佛　南无淨威德佛
南无淨行佛　南无天色心佛
南无力佛　南无普觀佛
南无梵供養佛　南无聖華佛
南无虛空佛　南无降伏鬭弥佛
南无辟智佛　南无降伏利佛
南无降伏城佛　南无應愛佛
南无貳功德佛　南无平等勿思佛
南无不怯弱心佛　南无精進信佛
南无高光明佛　南无聞智佛
南无无導心聲佛　南无无畏光佛
南无甘露聲佛　南无種種日佛
南无勝點慧佛　南无可脩敬佛
南无德王佛　南无護根佛
南无禪解脫佛　南无大威德佛
南无旃檀香佛　南无見信佛
南无[illegible]佛　南无可觀佛

BD01836號　佛名經（異卷）卷一　（24-7）

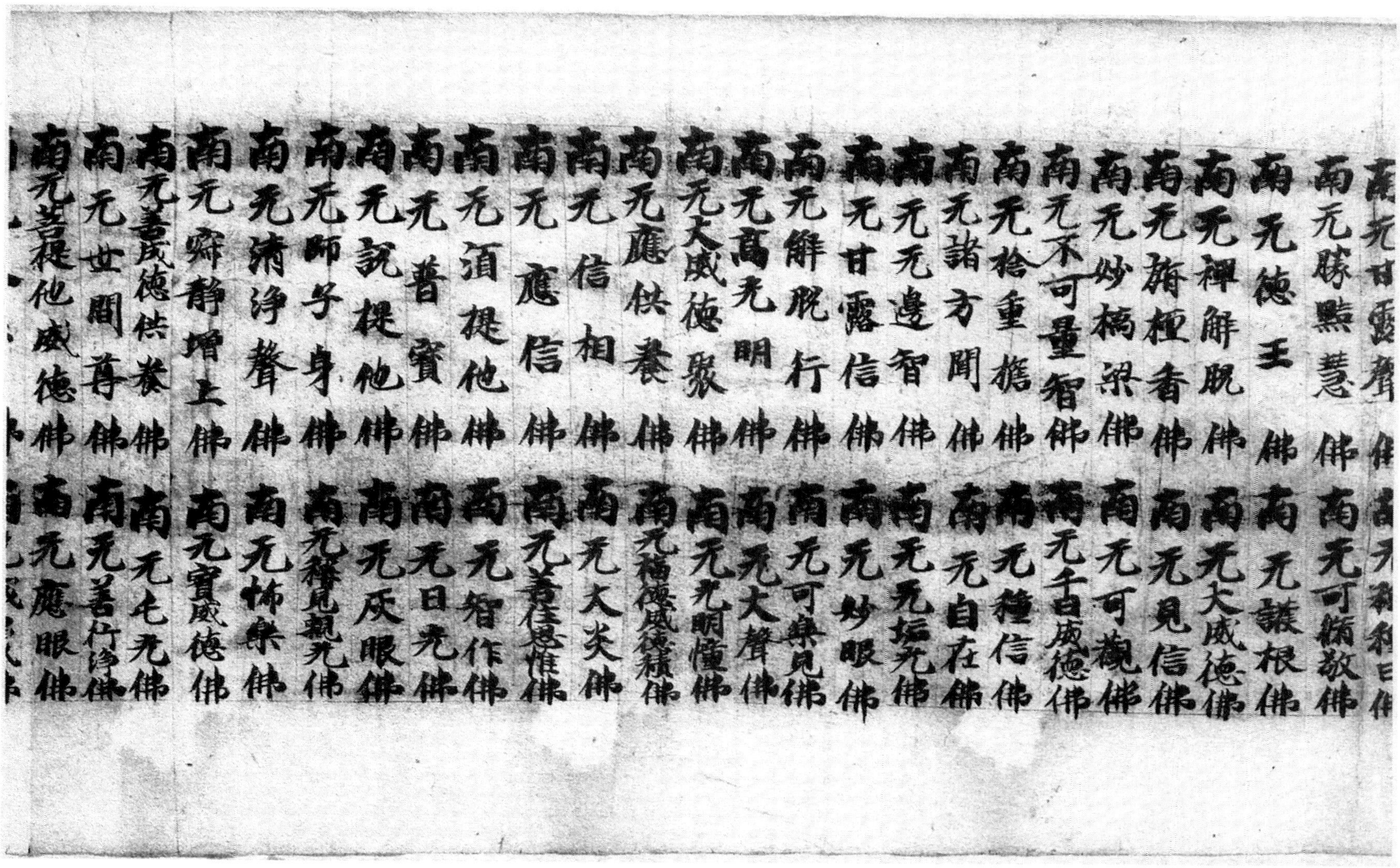
南无甘露聲佛
南无勝點慧佛　南无可衞敬佛
南无德王佛　南无讓根佛
南无禪解脫佛　南无大威德佛
南无旃檀香佛　南无見信佛
南无妙橋梁佛　南无可觀佛
南无不可量智佛　南无千日威德佛
南无捨重擔佛　南无種信佛
南无諸方聞佛　南无自在佛
南无无邊智佛　南无无垢光佛
南无甘露信佛　南无妙眼佛
南无解脫行佛　南无可樂見佛
南无高光明佛　南无大聲佛
南无大威德聚佛　南无光明幢佛
南无應供養佛　南无福德威德積佛
南无信相佛　南无大炎佛
南无應信佛　南无善信思惟佛
南无須提他佛　南无智作佛
南无普寶佛　南无日光佛
南无說提他佛　南无灰眼佛
南无師子身佛　南无稱見親光佛
南无清淨聲佛　南无怖樂佛
南无齊靜增上佛　南无寶威德佛
南无善威德供養佛　南无乇光佛
南无世間尊佛　南无善行淨佛
南无菩提他威德佛　南无應眼佛

BD01836號　佛名經（異卷）卷一　（24–8）

南无清淨聲佛　南无怖樂佛
南无齊靜增上佛　南无寶威德佛
南无善威德供養佛　南无乇光佛
南无世間尊佛　南无善行淨佛
南无菩提他威德佛　南无應眼佛
南无大步佛　南无成義佛
南无安隱愛佛　南无天摩拪多佛
南无捨灣流佛　南无捨寶佛
南无智滿佛　南无橋佛
南无解脫賢佛　南无眾步佛
南无无明威德佛　南无慈力佛
南无月勝佛　南无寂光佛
從此以上五千一百佛十二部經一切賢聖
南无愛眼佛　南无睺尸羅聲佛
南无不死色佛　南无樂法佛
南无大月佛　南无无障尋聲佛
南无功德奮迅佛　南无不死華佛
南无平等見　南无大月佛
南无功德味佛　南无十光佛
南无種種華佛　南无龍德佛
南无雲聲佛　南无功德步佛
南无恩功德佛　南无大聲佛
南无了聲佛　南无遠離惡處佛
南无天華佛　南无快眼佛
南无大燃燈佛　南无離癡行佛
南无堅固希佛　南无捨耶佛

BD01836號　佛名經（異卷）卷一　（24–9）

南无[illegible]佛　南无[illegible]佛
南无了聲佛　南无速離惡露佛
南无天華佛　南无快眼佛
南无大燃燈佛　南无離痴行佛
南无堅固希佛　南无梅耶佛
南无相華佛　南无不可思議光明佛
南无普賢佛　南无月妙佛
南无樂德佛　南无清淨聲佛
南无勝慧佛　南无賢光佛
南无堅固華佛　南无光明意佛
南无福德佛　南无意成就佛
南无樂解脫佛　南无離爾河佛
南无調惡佛　南无不去捨佛
南无甘露无明佛
南无樂聲佛　南无不可量眼佛
南无快脩行佛　南无妙高光佛
南无集功德佛　南无可樂佛
南无大心佛　南无天信佛
南无思惟甘露佛　南无黠慧佛
南无勝燈佛　南无堅意佛
南无力步佛　南无蓮華葉眼佛
南无菩提光明佛　南无妙孔聲佛
南无六通聲佛　南无威德力佛
南无人稱佛　南无勝華集佛
南无大髭佛　南无不隨他佛
南无畏行佛　南无不怯弱佛
南无離憂闇佛　南无過瀨佛

BD01836號　佛名經（異卷）卷一　（24-10）

南无六通聲佛　南无威德力佛
南无人稱佛　南无勝華集佛
南无大髭佛　南无不隨他佛
南无畏行佛　南无不怯弱佛
南无離憂闇佛　南无過瀨佛
南无月光佛　南无心勇猛佛
南无解脫慧佛　南无不取捨佛
南无膽葡燈佛　南无勝大佛
南无善思意佛　南无勝威德色佛
南无信世間佛　南无妙慧佛
南无善喜信佛　南无華光佛
南无人華佛　南无善香佛
南无勝功德佛　南无種種花佛
南无高勝佛　南无虛空勐佛
南无天信佛　南无可敬橋佛
南无月光佛　南无大聚佛
南无最力佛　南无智地佛
南无高意佛　南无山王智佛
南无決昇佛　南无妙身佛
南无勝觀佛　南无離疑佛
從此以上五千二百佛十二部經一切賢聖
南无應行佛　南无勝香佛
南无无諍行佛　南无脩行功德佛
南无大精進心佛　南无然光明佛
南无攝步佛　南无脩行深心佛

BD01836號　佛名經（異卷）卷一　（24-11）

南无應行佛　南无勝香佛
南无无諍行佛　南无脩行功德佛
南无大精進心佛　南无然光明佛
南无攝步佛　南无脩行深心佛
南无香希佛　南无香手佛
南无静智佛　南无妙心佛
南无功德荘嚴佛　南无增上行佛
南无智意佛　南无功德山清淨聲佛
南无攝集佛　南无妙信佛
南无月見佛　南无功德王光明佛
南无法不可力佛　南无離諸疑蓋迟佛
南无稱王佛　南无攝諸根佛
南无上去佛　南无甘露光佛
南无甘露心佛　南无諸衆上佛
南无髭佛　南无不可降伏色佛
南无普信佛　南无荘嚴王佛
南无甘露日佛　南无勝燈佛
南无波頭上佛　南无寶藏佛
南无普光佛　南无家勝王佛
南无普光明勝精王佛
南无普現佛　南无還華勝佛
南无自在轉法王佛　南无千世自在聲佛
南无千善无垢聲自在王佛
南无離千无畏自在王佛
南无千无垢威德自在王佛

BD01836號　佛名經（異卷）卷一　（24–12）

南无自在轉法王佛　南无千世自在聲佛
南无千善无垢聲自在王佛
南无離千无畏自在王佛
南无千无垢威德自在王佛
南无五百聲自在王佛
南无音樂自在聲佛　南无日龍歡書佛
南无離畏稱王佛　南无妙光幢佛
南无離光聲佛　南无稱自在聲佛
南无妙法稱聲佛　南无勝藏稱王佛
南无不可思意王佛　南无寶幢佛
南无火自在佛
南无聖智自在幢勇極王佛
南无不可思慧佛　南无智藏佛
南无智高幢佛　南无智海王佛
南无精進聲自在王佛
南无弥留勝劫佛
南无智頭脩自在稱子善无垢孔自在王佛
南无降伏功德海王佛　南无有成就力王佛
南无勝道自在佛　南无勝閣積自在佛
南无華勝積智佛　南无金剛師子佛
南无成勝佛　南无賢勝佛
南无无邊光佛　南无師子書佛
南无无盡智積佛　南无寶行佛
南无智波羅婆佛　南无師子稱佛

BD01836號　佛名經（異卷）卷一　（24–13）

[illegible]
南无成勝佛　南无醫勝佛
南无无邊光佛　南无師子善佛
南无无盡智積佛　南无寶行佛
南无智波羅婆佛　南无師子稱佛
南无智功德王佛　南无法華雨佛
南无能作无佛　南无高山佛
南无法妙王无垢佛
南无香自在无垢眼佛
南无集大尋佛　南无障尋力王佛
南无自福德力佛　南无智衣佛
南无自在佛　南无无量安隱佛
南无智集佛　南无大弥留佛
南无日藏佛　南无作功德莊嚴佛
南无華幢佛　南无功德光明佛
南无離功德闇王佛
從此以上五千三百佛十二部經一切賢聖
南无功德王佛　南无法幢佛
南无聲自在王佛　南无自護佛
南无寶自在佛　南无妙幢佛
南无上劫佛　南无稟雲佛
南无法作佛　南无莎羅王佛
南无普功德堅固王佛　南无旃檀佛
南无善住佛　南无善聖佛
南无幢勝燈佛　南无智步佛
南无堅幢佛　南无散法稱佛

BD01836號　佛名經（異卷）卷一　（24–14）

南无法作佛　南无莎羅王佛
南无普功德堅固王佛　南无旃檀佛
南无善住佛　南无善聖佛
南无幢勝燈佛　南无智步佛
南无堅幢佛　南无散法稱佛
南无除伏憍慢佛　南无功德炎佛
南无智光明佛　南无智然燈佛
南无无畏王佛　南无智聲幢稱佛
南无金剛燈佛　南无莊嚴王佛
南无勝數佛　南无善住意佛
南无月王佛　南无次弟降伏王佛
南无堅固自在王佛　南无師子步佛
南无那羅延勝藏佛　南无集寶藏佛
南无樹提藏佛　南无星宿差別稱佛
南无功德力堅固王佛　南无妙聲佛
南无梵聲佛　南无勝梵佛
南无堅固土佛　南无千香佛
南无波頭摩勝王佛　南无光輪光佛
南无大光明王佛　南无香波頭摩王佛
南无疾无邊功德海智上佛
南无閻浮影佛　南无功德山幢佛
南无師子幢佛　南无龍吼佛
南无華威德王佛　南无善香種子佛
南无无我甘露功德威德王劫佛
[illegible]

BD01836號　佛名經（異卷）卷一　（24–15）

南无閻浮影佛 南无功德山幢佛
南无師子幢佛 南无龍乳佛
南无華威德王佛 南无善香種子佛
南无无我甘露功德威德王劫佛
南无復有八千同名无我甘露功德威德王劫佛
南无法智佛 南无龍自在解脱佛
南无金華佛 南无龍乳自在聲佛
南无寶積佛 南无華照佛
南无大香佛 南无須摩那華佛
南无山王佛 南无世眼佛
南无淨土佛 南无閻浮影佛
南无根本上佛 南无寶山佛
南无海藏佛 南无堅力佛
南无上聖佛 南无自在聖佛
南无拘隣佛 南无師子步佛
南无智幢佛 南无佛聲聞佛
南无廣勝佛 南无安佛
南无智光佛 南无大自在佛
南无寂世佛 南无手喜佛
南无尼拘律王佛 南无金銀佛
南无供養佛 南无日喜佛
南无寶炎佛 南无善眼佛
南无高淨佛 南无淨聖佛
南无乳聲佛 南无見義佛
南无稱善佛 南无稱勝佛

BD01836號 佛名經（異卷）卷一 （24–16）

南无寶炎佛 南无善眼佛
南无高淨佛 南无淨聖佛
南无乳聲佛 南无見義佛
南无稱善佛 南无稱勝佛
次礼十二部尊經大藏法輪
南无八龍王大神咒經 南无和休經
南无羅什辟蓹經 南无稱芊經
從此巳上五千四百佛十二部一切賢聖
南无觀發諸王要偈經 南无鸚鵡王經
南无佛說陁隣尼經 南无方便心論經
南无佛說玉耶經 南无鉢記經
南无佛說四願經 南无佛說六字咒王經
南无佛迦葉經 南无佛說中心經
南无照明三昧經 南无五夢經
南无賢者威儀經 南无法鏡經
南无老母人經 南无未曾有經
南无未生怨經 南无弥勒慧經
南无大泥洹經 南无薩和普王經
南无人本欲生經 南无十二因緣經
南无野鷄經 南无我所經
次礼十方諸大菩薩
南无華庄嚴菩薩 南无陁羅尼自在王菩薩
南无須弥頂王菩薩
南无海德寶嚴淨意菩薩
南无大嚴淨菩薩 南无大相菩薩

BD01836號 佛名經（異卷）卷一 （24–17）

南无釋子莊嚴菩薩　南无陀羅尼自在王菩薩
南无須弥頂王菩薩
南无海德寶嚴淨意菩薩
南无大嚴淨菩薩　南无大相菩薩
南无光相菩薩　南无光德菩薩
南无淨意菩薩　南无喜王菩薩
南无堅勢菩薩　南无堅意菩薩
南无慧王法子菩薩　南无大目法王子菩薩
南无梵音法王子菩薩　南无妙色法王子菩薩
南无旃檀林法王子菩薩
南无師子吼音法王子菩薩
南无妙聲法王子菩薩
南无妙色形貌法王子菩薩
南无種種莊嚴法王子菩薩
南无釋幢法王子菩薩
南无頂生法王子菩薩
次礼聲聞緣覺一切賢聖
南无聞辟支佛　南无智身辟支佛
南无毗耶離辟支佛　南无俱薩羅辟支佛
南无波蘇陀羅辟支佛　南无无毒淨忍辟支佛
南无寶无垢辟支佛　南无福德辟支佛
南无黑辟支佛　南无难黑辟支佛
南　礼三寶已次復懺悔
已懺地獄竟今當復次懺悔三惡道

南无黑辟支佛　南无难黑辟支佛
南　礼三寶已次復懺悔
已懺地獄竟今當復次懺悔三惡道
報經中佛說多欲之人多求利故苦惱亦多
知足之人雖卧地上猶以為樂為樂不知足
者雖處天堂猶不稱意但世間人忽有急
難便能捨財不計多少而不如此身臨於三塗
緣搆之上一息不還便應墮落忽有知識
營功德福令脩未來善法資粮執此慳
心无肯作理夫如此者極為愚惑何以故
尒經中佛說生時不賫一文而來死亦不
持一文而去苦身積聚為之憂惱於已无
益徒為他有无善可恃无德可怙致使命
終墮於惡道是故弟子等今日稽顙歸依佛
南无東方大光曜佛　南无南方虛空住佛
南无西方金剛步佛　南无北方无邊力佛
南无東南方无邊王佛
南无西南方壞諸惡賊佛
南无西北方離垢光佛
南无東北方金色光音佛
南无下方師子遊戲佛
南无上方月幢王佛
如是十方盡虛空界一切三寶
弟子今日次復懺悔畜生道中无所識知罪
報懺悔畜生道中[illegible]

南无下方師子遊戲佛
南无上方月幢王佛
如是十方盡虛空界一切三寶
弟子今日次復懺悔畜生道中无所識知罪
報懺悔畜生道中負重牽犁償他宿債
罪報懺悔畜生道中不得自在為他斫刺
屠割罪報懺悔畜生无足二足四足多
足罪報懺悔畜生道中身諸毛羽鱗甲
之內為諸小虫之所唼食罪報如是畜
生道中有无量罪報之曰至誠皆悉懺悔
次復懺悔餓鬼道中長飢罪懺悔餓鬼百
千万歲初不曾聞漿水之名罪報懺悔
餓鬼食噉膿血糞穢罪報懺悔餓鬼動身
之時一切支節火然罪報懺悔餓鬼腹大
咽小罪報如是餓鬼道中无量苦報今日誓
願皆悉懺悔　次復一切鬼神脩羅道中諂
諂詐稱罪報懺悔鬼神道檐沙負石填河
塞海罪報懺悔鬼神羅刹鳩槃荼諸鬼神
生噉血肉受此醜陋罪報如是鬼神道中无
量无邊一切罪報今日誓願向十方佛大地
菩薩求哀懺悔悉令消滅　願弟子等
承是懺悔畜生等報所生功德生生世世滅
愚癡垢自識業緣智慧明照斷惡道身願
以懺悔餓鬼等所生功德生生世世永離
慳貪飢渴之苦常食甘露解脫之味願以
懺悔鬼神脩羅等報所生功德生生世世

BD01836號　佛名經（異卷）卷一　　（24-20）

承是懺悔畜生等報所生功德生生世世滅
愚癡垢自識業緣智慧明照斷惡道身願
以懺悔餓鬼等所生功德生生世世永離
慳貪飢渴之苦常食甘露解脫之味願以
懺悔鬼神脩羅等報所生功德生生世世
質直无諂離邪命因除醜陋果福利人天
願弟子等從今以去乃至道場決定不受
四惡道報唯除大悲為衆生故以誓願力處
之无厭　礼一拜
大乘蓮華寶達問荅報應沙門品第二十八
尒時摩竭道場菩提樹光明不現其華枯悴
墮落佛前一切大衆皆悉驚疑各相謂言今
此菩提道場樹華何故墮落大衆菩薩皆生
疑惑不自安隱尒時寶達菩薩前白佛言云
何菩提樹華皆悉墮落其華光色不如於
常一切大衆皆生疑惑唯願天尊有我解說
令此衆中諸坐大士疑惑悉除尒時世尊從三
昧起光顏巍巍舉身毛孔皆悉出光語
寶達菩薩言汝當善聽今為汝說所以
菩提樹華墮落失光者何如上所說沙門行惡
墮落苦處受罪无殃是故菩提樹華失光墮
落寶達前白佛言唯願為我說此惡行沙
門果報之處佛告寶達菩薩東方乃有鐵
圍大山其山中間幽冥之處日月光明及以火
光所不能照名曰地獄其獄之中有惡沙門
受如是罪汝可往詣問諸罪人云何因緣

BD01836號　佛名經（異卷）卷一　　（24-21）

落寶達前白佛言唯願爲我説此惡行沙
門果報之處佛告寶達菩薩東方乃有鐵
圍大山其山中間幽冥之處日月光明及以火
光所不能照名曰地獄其獄之中有惡沙門
受如是罪汝可往詣問諸罪人云何因緣
来生此處脩何等行受如是罪寶達
白佛言世尊我无威德見東方阿鼻地
獄佛言善哉善哉汝今但往命汝得見
寶達菩薩礼佛而去龍飛靈空徘徊自在
當尒之時大地震動於虚空中雨寶蓮華乘
流而下尒時寶達一念之頃往詣東方鐵圍山
間其山崦㠠幽冥高峻其山四方夕无草木
日月威光都不能照
寶達復前使道兩邊有卅六王典主地獄
其王名曰恒伽葉王波吉頭王廣曰都王婆頭
羅王虎目見王陽聲吉王大諍誦王叉血
鬼王安得羅王施達王達多羅王吉梨善
王安喉羅王寶道王金樹吉王大惡聲
王鳥頭王等虎烏刃王等震聲王等歸
首王衣首王見首王廣安王廣足王王頭王主
王五見王摩尼王羅王都曹王部見王惡
自王善目王龍口王鬼王南安王等卅六
遙見寶達菩薩悉皆叉手合掌前行作礼
白言大智尊王云何因緣此苦處云如旃

BD01836 號　佛名經（異卷）卷一　（24–22）

王五見王摩尼王羅王都曹王部見王惡
自王善目王龍口王鬼王南安王等卅六
遙見寶達菩薩悉皆叉手合掌前行作礼
白言大智尊王云何因緣此苦處云如旃
檀在伊蘭而生寶達荅言我聞如来
三界人尊説言東方有鐵圍山其山幽冥
日月之光所不能照我故聞之故来詣汝諸
王前入地獄行諸罪人汝等諸王誰能共我
往詣大王前見諸罪人受苦之者尒時恒
伽葉王即便与寶達菩薩往詣大王尒時
大鬼王遙見寶達菩薩從門而来无顏
躶躬即便下坐往前礼白言大王今此惡處
云何悕哉伊蘭林中忽生旃檀尒時寶達
便前就坐問鬼王曰今此東方地獄可有幾
獄鬼王荅言此之中有无量地獄今此一方有
卅二沙門地獄寶達問曰卅二地獄其名云
何鬼王荅曰鐵車鐵馬鐵牛鐵驢地獄鐵
衣地獄鐵珠洋銅灌口地獄流火地獄鐵牀
地獄鑊田地獄斫首地獄燒脚地獄鐵鋸地
獄飲鐵銖地獄飛刀地獄火箭地獄䰕肉
地獄身然地獄火丸卸口地獄諍論地獄雨火地
地獄流火地獄蠶屎地獄鉤鎞地獄火烏地獄
咩聲吱叫地獄鐵鑚鐵錐地獄剜埋地獄然手脚
地獄銅齒鐵牙地獄剝皮飲血地獄解身地
獄鐵屋地獄鐵山地獄飛火吱叫爪鬚地獄尒時
鬼王荅寶達曰地獄受罪其名如是

BD01836 號　佛名經（異卷）卷一　（24–23）

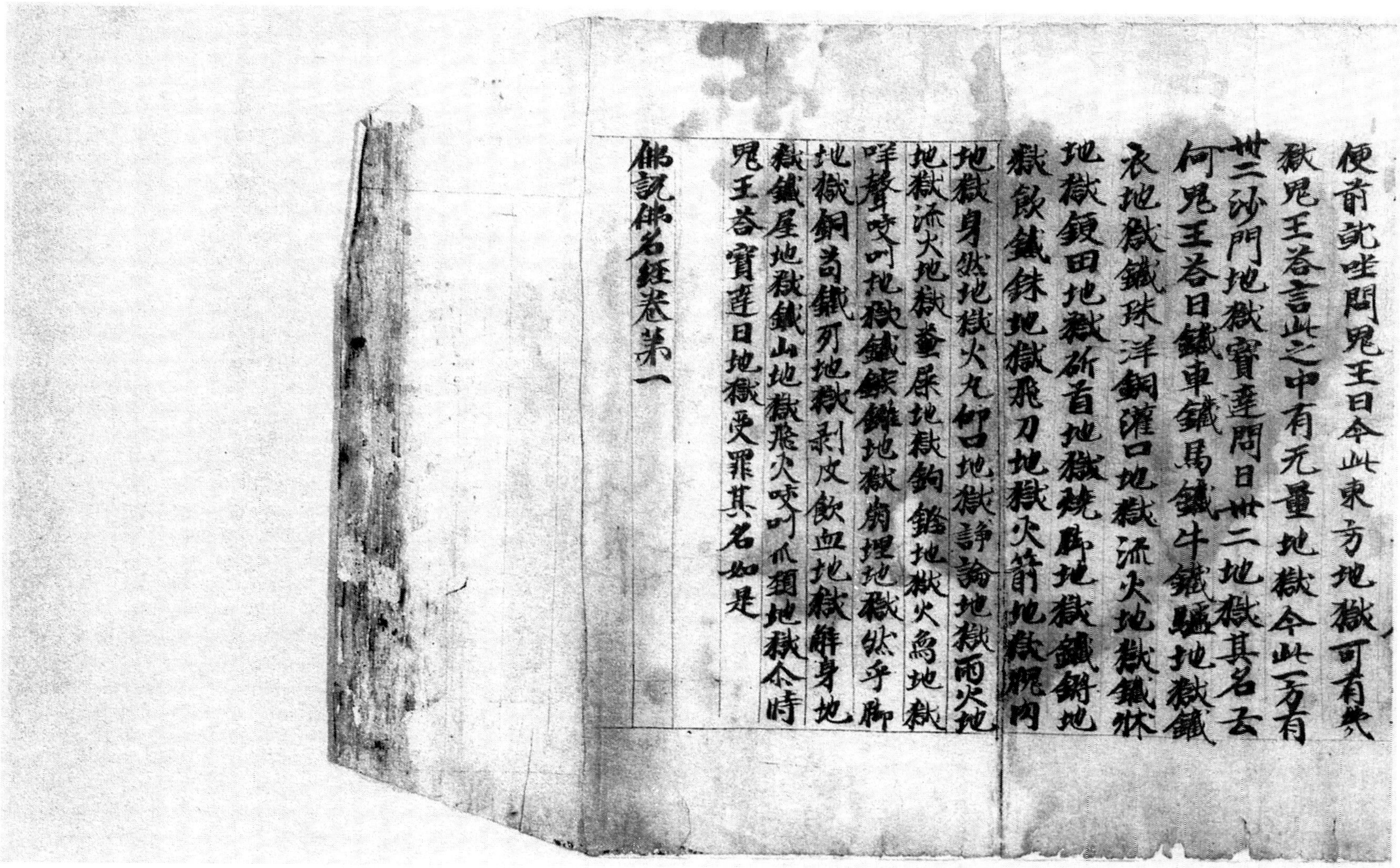
便前詣坐問鬼王曰今此東方地獄可有幾
獄鬼王荅言此之中有无量地獄今此一方有
卌二沙門地獄寶達問曰卌二地獄其名云
何鬼王荅曰鐵車鐵馬鐵牛鐵驢地獄鐵
衣地獄鐵珠洋銅灌口地獄流火地獄鐵床
地獄鏝田地獄斫首地獄燒腳地獄鐵銷地
獄飲鐵銖地獄飛刀地獄火箭地獄脫肉
地獄身然地獄火丸叩口地獄諍論地獄雨火地
地獄流火地獄蚕屎地獄鉤鎖地獄火烏地獄
咩聲吱叫地獄鐵鋸鐵鏵地獄朔埋地獄然手腳
地獄銅菌鐵刃地獄剝皮飲血地獄解身地
獄鐵屋地獄鐵山地獄飛火吱叫爪頸地獄尒時
鬼王荅寶達曰地獄受罪其名如是
佛說佛名經卷第一

BD01836號　佛名經（異卷）卷一

（24–24）

BD01836號背　雜寫

（2–1）

BD01836 號背　雜寫　　　　（2–2）

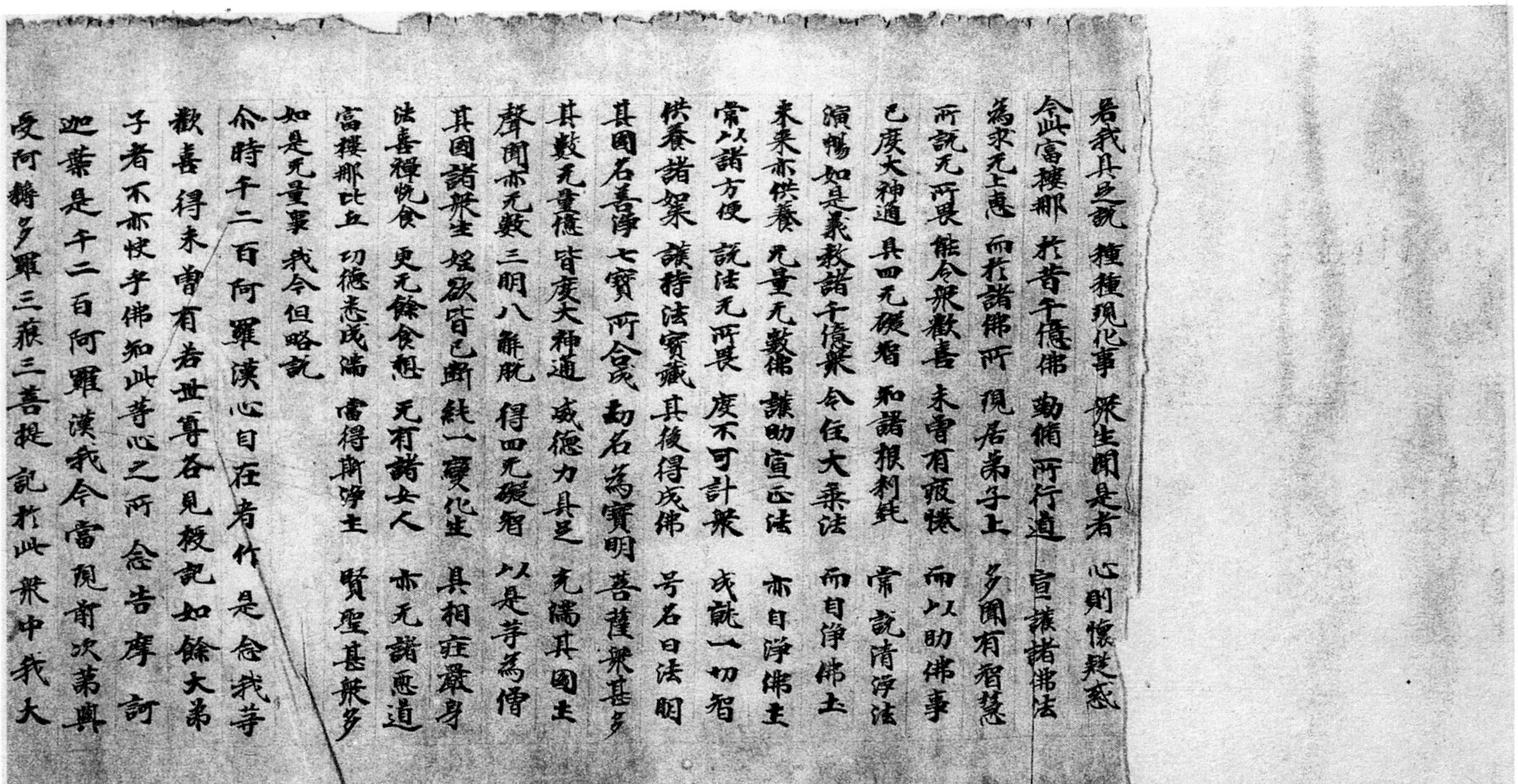

若我具足說　種種現化事　衆生聞是者　心則懷疑惑
今此富樓那　於昔千億佛　勤修所行道　宣護諸佛法
為求无上慧　而於諸佛所　現居弟子上　多聞有智慧
所說无所畏　能令衆歡喜　未曾有疲惓　而以助佛事
已度大神通　具四无礙智　知諸根利鈍　常說清淨法
演暢如是義　教諸千億衆　令住大乘法　而自淨佛土
未來亦供養　无量无數佛　護助宣正法　亦自淨佛土
常以諸方便　說法无所畏　度不可計衆　成就一切智
供養諸如來　護持法寶藏　其後得成佛　号名曰法明
其國名善淨　七寶所合成　劫名為寶明　菩薩衆甚多
其數无量億　皆度大神通　威德力具足　充滿其國土
聲聞亦无數　三明八解脫　得四无礙智　以是等為僧
其國諸衆生　婬欲皆已斷　純一變化生　具相莊嚴身
法喜禪悅食　更无餘食想　无有諸女人　亦无諸惡道
富樓那比丘　功德悉成滿　當得斯淨土　賢聖衆甚多
如是无量事　我今但略說
尒時千二百阿羅漢心自在者作是念我等
歡喜得未曾有若世尊各見授記如餘大弟
子者不亦快乎佛知此等心之所念告摩訶
迦葉是千二百阿羅漢我今當現前次第與
受阿耨多羅三藐三菩提記於此衆中我大

BD01837 號　妙法蓮華經卷四　　　　（28–1）

如是无量事　我今但略說
尒時千二百阿羅漢心自在者作是念我等
歡喜得未曾有若世尊各見授記如餘大弟
子者不亦快乎佛知此等心之所念告摩訶
迦葉是千二百阿羅漢我今當現前次第與
授阿耨多羅三藐三菩提記於此衆中我大
弟子憍陳如比丘當供養六万二千億佛然
後得成為佛号曰普明如來應供正遍知明
行足善逝世間解无上士調御丈夫天人師
佛世尊其五百阿羅漢優樓頻螺迦葉伽耶
迦葉那提迦葉迦留陁夷優陁夷阿㝹樓馱
離波多劫賓那薄拘羅周陁莎伽陁等皆當得
阿耨多羅三藐三菩提盡同一号名曰普明
尒時世尊欲重宣此義而說偈言
憍陳如比丘　當見无量佛　過阿僧祇劫　乃成等正覺
常放大光明　具足諸神通　名聞遍十方　一切之所敬
常說无上道　故号為普明　其國土清淨　菩薩皆勇猛
咸昇妙樓閣　遊諸十方國　以无上供具　奉獻於諸佛
作是供養已　心懷大歡喜　須臾還本國　有如是神力
佛壽六万劫　正法住倍壽　像法復倍是　法滅天人憂
其五百比丘　次第當作佛　同号曰普明　轉次而授記
我滅度之後　某甲當作佛　其所化世間　亦如我今日
國土之嚴淨　及諸神通力　菩薩聲聞衆　正法及像法
壽命劫多少　皆如上所說　迦葉汝已知　五百自在者
餘諸聲聞衆　亦當復如是　其不在此會　汝當為宣說
尒時五百阿羅漢於佛前得受記已歡喜踊躍
即從座起到於佛前頭面礼足悔過自責
世尊我等常作是念自謂已得究竟滅度今

BD01837號　妙法蓮華經卷四

（28–2）

國土之嚴淨　及諸神通力　菩薩聲聞衆　正法及像法
壽命劫多少　皆如上所說　迦葉汝已知　五百自在者
餘諸聲聞衆　亦當復如是　其不在此會　汝當為宣說
尒時五百阿羅漢於佛前得受記已歡喜踊躍
即從座起到於佛前頭面礼足悔過自責
世尊我等常作是念自謂已得究竟滅度今
乃知之如无智者所以者何我等應得如來
智慧而便自以小智為足世尊譬如有人至
親友家醉酒而臥是時親友官事當行以无
價寶珠繫其衣裏與之而去其人醉臥都不
覺知起已遊行到於他國為衣食故勤力求
索甚大艱難若少有所得便以為足於後親
友會遇見之而作是言咄哉丈夫何為衣食
乃至如是我昔欲令汝得安樂五欲自恣於
某年日月以无價寶珠繫汝衣裏今故現在
而汝不知勤苦憂惱以求自活甚為癡也汝
今可以此寶貿易所須常可如意无所乏短
佛亦如是為菩薩時教化我等令發一切智
心而尋廢忘不知不覺既得阿羅漢道自謂
滅度資生艱難得少為足一切智願猶在不失
今者世尊覺悟我等作如是言諸比丘汝等
所得非究竟滅我久令汝等種佛善根以方
便故示涅槃相而汝謂為實得滅度世尊
我今乃知實是菩薩得受阿耨多羅三藐三
菩提記以是因緣甚大歡喜得未曾有尒時
阿若憍陳如等欲重宣此義而說偈言
我等聞无上　安隱授記聲　歡喜未曾有　礼无量智佛
今於世尊前　自悔諸過咎　於无量佛寶　得少涅槃分

BD01837號　妙法蓮華經卷四

（28–3）

便故亦涅槃相而汝謂為實得滅度世尊
我今乃知實是菩薩得受阿耨多羅三藐三
菩提記以是因緣甚大歡喜得未曾有尒時
阿若憍陳如等欲重宣此義而說偈言
我等聞无上　安隱授記聲　歡喜未曾有　礼无量智佛
今於世尊前　自悔諸過咎　於无量佛寶　得少涅槃分
如无知愚人　便自以為足
譬如貧窮人　往至親友家　其家甚大富　具設諸餚饍
以无價寶珠　繫著內衣裏　嘿與而捨去　時卧不覺知
是人既已起　遊行詣他國　求衣食自濟　資生甚艱難
得少便為足　更不願好者　不覺內衣裏　有无價寶珠
與珠之親友　後見此貧人　苦切責之已　示以所繫珠
貧人見此珠　其心大歡喜　富有諸財物　五欲而自恣
我等亦如是　世尊於長夜　常愍見教化　令種无上願
我等无智故　不覺亦不知　得少涅槃分　自足不求餘
今佛覺悟我　言非實滅度　得佛无上慧　尒乃為真滅
我今從佛聞　受記莊嚴事　及轉次受決　身心遍歡喜

妙法蓮華經授學无學人記品第九

尒時阿難羅睺羅而作是念我等每自思惟
設得受記不亦快乎即從坐起到於佛前頭
面礼足俱白佛言世尊我等於此亦應有分
唯有如來我等所歸又我等為一切世間天
人阿脩羅所見知識阿難常為侍者護持法
藏羅睺羅是佛之子若佛見授阿耨多羅
三藐三菩提記者我願既滿衆望亦足尒時
學无學聲聞弟子二千人皆從坐起偏袒右
肩到於佛前一心合掌瞻仰世尊如阿難羅睺
羅所願住立一面尒時佛告阿難汝於来世

BD01837號　妙法蓮華經卷四　（28–4）

藏羅睺羅是佛之子若佛見授阿耨多羅
三藐三菩提記者我願既滿衆望亦足尒時
學无學聲聞弟子二千人皆從坐起偏袒右
肩到於佛前一心合掌瞻仰世尊如阿難羅睺
羅所願住立一面尒時佛告阿難汝於来世
當得作佛号山海慧自在通王如来應供正
遍知明行足善逝世間解无上士調御丈夫
天人師佛世尊當供養六十二億諸佛護持
法藏然後得阿耨多羅三藐三菩提教化二
十千万億恒河沙諸菩薩等令成阿耨多羅
三藐三菩提國名常立勝幡其土清淨瑠璃
為地劫名妙音遍滿其佛壽命无量千万億
阿僧祇劫若人於千万億无量阿僧祇劫中筭
數校計不能得知正法住世倍於壽命像法
住世復倍正法阿難是山海慧自在通王佛
為十方无量千万億恒河沙等諸佛如来所
共讚歎稱其功德尒時世尊欲重宣此義而
說偈言
我今僧中說　阿難持法者　當供養諸佛　然後成正覺
号曰山海慧　自在通王佛　其國土清淨　名常立勝幡
教化諸菩薩　其數如恒沙　佛有大威德　名聞滿十方
壽命无有量　以愍衆生故　正法倍壽命　像法復倍是
如恒河沙等　无數諸衆生　於此佛法中　種佛道因緣
尒時會中新發意菩薩八千人咸作是念我
等尚不聞諸大菩薩得如是記有何因緣而
諸聲聞得如是決尒時世尊知諸菩薩心之
所念而告之曰諸善男子我與阿難等於空

BD01837號　妙法蓮華經卷四　（28–5）

如恒河沙等　无數諸衆生　於此佛法中　種佛道因緣
尒時會中新發意菩薩八千人咸作是念我
等尚不聞諸大菩薩得如是記有何因緣而
諸聲聞得如是決尒時世尊知諸菩薩心之
所念而告之曰諸善男子我與阿難等於空
王佛所同時發阿耨多羅三藐三菩提心阿
難常樂多聞我常勤精進是故我已得成阿
耨多羅三藐三菩提而阿難護持我法亦護
將來諸佛法藏教化成就諸菩薩衆其本
願如是故獲斯記阿難面於佛前自聞受
記及國土莊嚴所願具足心大歡喜得未曾
有即時憶念過去无量千万億諸佛法藏通
達无閡如今所聞亦識本願尒時阿難而說
偈言
世尊甚希有　令我念過去　无量諸佛法　如今日所聞
我今无復疑　安住於佛道　方便為侍者　護持諸佛法
尒時佛告羅睺羅汝於來世當得作佛号蹈
七寶華如來應供正遍知明行足善逝世間
解无上士調御丈夫天人師佛世尊當供養
十世界微塵等數諸佛如來常為諸佛而作
長子猶如今也是蹈七寶華佛國土莊嚴壽
命劫數所化弟子正法像法亦如山海慧自在
通王如來无異亦為此佛而作長子過是已
後當得阿耨多羅三藐三菩提尒時世尊欲
重宣此義而說偈言
我為太子時　羅睺為長子　我今成佛道　受法為法子
於未來世中　見无量億佛　皆為其長子　一心求佛道
羅睺羅密行　唯我能知之　現為我長子　以示諸衆生

BD01837 號　妙法蓮華經卷四　（28–6）

後當得阿耨多羅三藐三菩提尒時世尊欲
重宣此義而說偈言
我為太子時　羅睺為長子　我今成佛道　受法為法子
於未來世中　見无量億佛　皆為其長子　一心求佛道
羅睺羅密行　唯我能知之　現為我長子　以示諸衆生
无量億千万　功德不可數　安住於佛法　以求无上道
尒時世尊見學无學二千人其意柔濡寂然
清淨一心觀佛佛告阿難汝見是學无學二千
人不唯然已見阿難是諸人等當供養五十
世界微塵數諸佛如來恭敬尊重護持法藏
末後同時於十方國各得成佛皆同一号名曰
寶相如來應供正遍知明行足善逝世間解
无上士調御丈夫天人師佛世尊壽命一劫
國土莊嚴聲聞菩薩正法像法皆悉同等
尒時世尊欲重宣此義而說偈言
是二千聲聞　今於我前住　悉皆與受記　未來當成佛
所供養諸佛　如上說塵數　護持其法藏　後當成正覺
各於十方國　悉同一名号　俱時坐道場　以證无上慧
皆名為寶相　國土及弟子　正法與像法　悉等无有異
咸以諸神通　度十方衆生　名聞普周遍　漸入於涅槃
尒時學无學二千人聞佛授記歡喜踊躍而
說偈言
世尊慧燈明　我聞授記音　心歡喜充滿　如甘露見灌
妙法蓮華經法師品第十
尒時世尊因藥王菩薩告八万大士藥王汝
見是大衆中无量諸天龍王夜叉乾闥婆阿
脩羅迦樓羅緊那羅摩睺羅伽人與非人及
比丘比丘尼優婆塞優婆夷求聲聞者求辟

BD01837 號　妙法蓮華經卷四　（28–7）

尒時世尊因藥王菩薩告八万大士藥王汝
見是大衆中无量諸天龍王夜叉乾闥婆阿
脩羅迦樓羅緊那羅摩睺羅伽人與非人及
比丘比丘尼優婆塞優婆夷求聲聞者求辟
支佛者求佛道者如是等類咸於佛前聞妙
法華經一偈一句乃至一念隨喜者我皆與
授記當得阿耨多羅三藐三菩提佛告藥王
又如來滅度之後若有人聞妙法華經乃至
一偈一句一念隨喜者我亦與授阿耨多羅
三藐三菩提記若復有人受持讀誦解說
書寫妙法華經乃至一偈於此經卷敬視如
佛種種供養華香瓔珞末香塗香燒香繒蓋
幢幡衣服伎樂乃至合掌恭敬藥王當知是
諸人等已曾供養十万億佛於諸佛所成就
大願愍衆生故生此人間藥王若有人問何
等衆生於未來世當得作佛應示是諸人等
於未來世必得作佛何以故若善男子善女
人於法華經乃至一句受持讀誦解說書寫
種種供養經卷華香瓔珞末香塗香燒香
繒蓋幢幡衣服伎樂合掌恭敬是人一切世間所
應瞻奉應以如來供養而供養之當知此人
是大菩薩成就阿耨多羅三藐三菩提哀愍
衆生願生此間廣演分別妙法華經何況盡
能受持種種供養者藥王當知是人自捨清
淨業報於我滅度後愍衆生故生於惡世廣演
此經若是善男子善女人我滅度後能竊為一
人說法華經乃至一句當知是人則如來使
如來所遣行如來事何況於大衆中廣為人

BD01837號　妙法蓮華經卷四　（28–8）

能受持種種供養者藥王當知是人自捨清
淨業報於我滅度後愍衆生故生於惡世廣演
此經若是善男子善女人我滅度後能竊為一
人說法華經乃至一句當知是人則如來使
如來所遣行如來事何況於大衆中廣為人
說藥王若有惡人以不善心於一劫中現於佛
前常毀罵佛其罪尚輕若人以一惡言毀訾
在家出家讀誦法華經者其罪甚重藥王
其有讀誦法華經者當知是人以佛莊嚴
而自莊嚴則為如來肩所荷擔其所至方
應隨向礼一心合掌恭敬供養尊重讚歎
華香瓔珞末香塗香燒香繒蓋幢幡衣服
餚饍作諸伎樂人中上供而供養之應持天
寶而以散之天上寶聚應以奉獻所以者何
是人歡喜說法須臾聞之即得究竟阿耨多
羅三藐三菩提故尒時世尊欲重宣此義而
說偈言
若欲住佛道　成就自然智　常當勤供養　受持法華者
其有欲疾得　一切種智慧　當受持是經　并供持經者
若有能受持　妙法華經者　當知佛所使　愍念諸衆生
諸有能受持　妙法華經者　捨於清淨土　愍衆故生此
當知如是人　自在所欲生　能於此惡世　廣說无上法
應以天華香　及天寶衣服　天上妙寶聚　供養說法者
吾滅後惡世　能持是經者　當合掌礼敬　如供養世尊
上饌衆甘美　及種種衣服　供養是佛子　兾得須臾聞
若能於後世　受持是經者　我遣在人中　行於如來事
若於一劫中　常懷不善心　作色而罵佛　獲无量重罪
其有讀誦持　是法華經者　須臾加惡言　其罪復過彼

BD01837號　妙法蓮華經卷四　（28–9）

應以天華香　及天寶衣服　天上妙寶聚　供養說法者
吾滅後惡世　能持是經者　當合掌敬礼　如供養世尊
上饌衆甘美　及種種衣服　供養是佛子　兾得須臾聞
若能於後世　受持是經者　我遣在人中　行於如來事
若於一劫中　常懷不善心　作色而罵佛　獲无量重罪
其有讀誦持　是法華經者　須臾加惡言　其罪復過彼
有人求佛道　而於一劫中　合掌在我前　以无數偈讚
由是讚佛故　得无量功德　嘆美持經者　其福復過彼
於八十億劫　以最妙色聲　及與香味觸　供養持經者
如是供養已　若得須臾聞　則應自欣慶　我今獲大利
藥王今告汝　我所說諸經　而於此經中　法華最第一
尒時佛復告藥王菩薩摩訶薩我所說經典
无量千万億已說今說當說而於其中此法
華經最為難信難解藥王此經是諸佛秘
要之藏不可分布妄授與人諸佛世尊之所
守護從昔已來未曾顯說而此經者如來現
在猶多怨嫉況滅度後藥王當知如來滅後
其能書持讀誦供養為他人說者如來則為以
衣覆之又為他方現在諸佛之所護念是人
有大信力及志願力諸善根力當知是人與如
來共宿則為如來手摩其頭藥王在在處處
若說若讀若誦若書若經卷所住之處皆應
起七寶塔極令高廣嚴飾不須復安舍利所
以者何此中已有如來全身此塔應以一切華香
瓔珞繒蓋幢幡伎樂歌頌供養恭敬尊重讚
嘆若有人得見此塔礼拜供養當知是等皆
近阿耨多羅三藐三菩提藥王多有人在家
出家行菩薩道若不能得見聞讀誦書持

BD01837號　妙法蓮華經卷四　（28–10）

瓔珞繒蓋幢幡伎樂歌頌供養恭敬尊重讚
嘆若有人得見此塔礼拜供養當知是等皆
近阿耨多羅三藐三菩提藥王多有人在家
出家行菩薩道若不能得見聞讀誦書持
供養是法華經者當知是人未善行菩薩道
若有得聞是經典者乃能善行菩薩之道其
有衆生求佛道者若見若聞是法華經聞已
信解受持者當知是人得近阿耨多羅三藐
三菩提藥王譬如有人渴乏須水於彼高原
穿鑿求之猶見乾土知水尚遠施功不已轉見
濕土遂漸至泥其心決定知水必近菩薩亦
復如是若未聞未解未能修習是法華經當
知是人去阿耨多羅三藐三菩提尚遠若得聞
解思惟修習必知得近阿耨多羅三藐三菩提
所以者何一切菩薩阿耨多羅三藐三菩提皆
屬此經此經開方便門示真實相是法華經
藏深固幽遠无人能到今佛教化成就菩薩
而為開示藥王若有菩薩聞是法華經驚
疑怖畏當知是為新發意菩薩若聲聞人
聞是經驚疑怖畏當知是為增上慢者藥
王若有善男子善女人如來滅後欲為四衆
說是法華經者云何應說是善男子善
女人入如來室著如來衣坐如來座尒乃應
為四衆廣說斯經如來室者一切衆生中大
慈悲心是如來衣者柔和忍辱心是如來座
者一切法空是安住是中然後以不懈怠心
為諸菩薩及四衆廣說是法華經藥王

BD01837號　妙法蓮華經卷四　（28–11）

女人入如來室著如來衣坐如來座尒乃應
為四眾廣說斯經如來室者一切眾生中大
慈悲心是如來衣者柔和忍辱心是如來座
者一切法空是安住是中然後以不懈怠心
為諸菩薩及四眾廣說是法華經藥王
我於餘國遣化人為其集聽法眾亦遣化比
丘比丘尼優婆塞優婆夷聽其說法是諸化
人聞法信受隨順不逆若說法者在空閑處
我時廣遣天龍鬼神乾闥婆阿脩羅等聽其
說法我雖在異國時時令說法者得見我身
若於此經忘失句逗我還為說令得具足尒
時世尊欲重宣此義而說偈言
欲捨諸懈怠　應當聽此經　是經難得聞　信受者亦難
如人渴須水　穿鑿於高原　猶見乾燥土　知去水尚遠
漸見濕土泥　決定知水近　藥王汝當知　如是諸人等
不聞法華經　去佛智甚遠　若聞是深經　決了聲聞法
是諸經之王　聞已諦思惟　當知此人等　近於佛智慧
若人說此經　應入如來室　著於如來衣　而坐如來座
處眾無所畏　廣為分別說　大慈悲為室　柔和忍辱衣
諸法空為座　處此為說法　若說此經時　有人惡口罵
加刀杖瓦石　念佛故應忍　我千万億土　現淨堅固身
於无量億劫　為眾生說法　若我滅度後　能說此經者
我遣化四眾　比丘比丘尼　及清信士女　供養於法師
引導諸眾生　集之令聽法　若人欲加惡　刀杖及瓦石
則遣變化人　為之作衛護　若說法之人　獨在空閑處
寂寞无人聲　讀誦此經典　我尒時為現　清淨光明身
若忘失章句　為說令通利　若人具是德　或為四眾說
空處讀誦經　皆得見我身　若人在空閑　我遣天龍王

BD01837 號　妙法蓮華經卷四　（28-12）

則遣變化人　為之作衛護　若說法之人　獨在空閑處
寂寞无人聲　讀誦此經典　我尒時為現　清淨光明身
若忘失章句　為說令通利　若人具是德　或為四眾說
空處讀誦經　皆得見我身　若人在空閑　我遣天龍王
夜叉鬼神等　為作聽法眾　是人樂說法　分別无罣礙
諸佛護念故　能令大眾喜　若親近法師　速得菩薩道
隨順是師學　得見恒沙佛

妙法蓮華經見寶塔品第十一

尒時佛前有七寶塔高五百由旬縱廣二百五
十由旬從地踊出住在空中種種寶物而莊校
之五千欄楯龕室千万无數幢幡以為嚴飾
垂寶瓔珞寶鈴万億而懸其上四面皆出多
摩羅跋栴檀之香充遍世界其諸幡蓋以金
銀琉璃車𤦲馬瑙真珠玫瑰七寶合成高至
四天王宮三十三天雨天曼陀羅華供養寶塔
餘諸天龍夜叉乾闥婆阿脩羅迦樓羅緊那
羅摩睺羅伽人非人等千万億眾以一切華
香瓔珞幡蓋伎樂供養寶塔恭敬尊重讚歎
尒時寶塔中出大音聲歎言善哉善哉釋迦
牟尼世尊能以平等大慧教菩薩法佛所護念
妙法華經為大眾說如是如是釋迦牟尼
世尊如所說者皆是真實
尒時四眾見大寶塔住在空中又聞塔中所
出音聲皆得法喜怪未曾有從座而起恭敬
合掌却住一面尒時有菩薩摩訶薩名大樂
說知一切世間天人阿脩羅等心之所疑而白佛
言世尊以何因緣有此寶塔從地踊出又於
其中發是音聲尒時佛告大樂說菩薩此寶

BD01837 號　妙法蓮華經卷四　（28-13）

出音聲皆得法喜怪未曾有從座而起恭敬
合掌却住一面尒時菩薩摩訶薩名大樂
説知一切世間天人阿脩羅等心之所疑而白佛
言世尊以何因緣有此寶塔從地踊出又於
其中發是音聲尒時佛告大樂説菩薩此寶
塔中有如來全身乃往過去東方无量千万億
阿僧祇世界國名寶淨彼中有佛号曰多
寶其佛行菩薩道時作大誓願若我成佛滅
度之後於十方國土有説法華經處我之塔
廟為聽是經故踊現其前為作證明讚言
善哉彼佛成道已臨滅度時於天人大衆中告
諸比丘我滅度後欲供養我全身者應起一
大塔其佛以神通願力十方世界在在處處
若有説法華經者彼之寶塔皆踊出其前
全身在於塔中讚言善哉善哉大樂説今多
寶如來塔聞説法華經故從地踊出讚言善
哉善哉是時大樂説菩薩以如來神力故白
佛言世尊我等願欲見此佛身佛告大樂説
菩薩摩訶薩是多寶佛有深重願若我寶塔
為聽法華經故出於諸佛前時其有欲以我
身示四衆者彼佛分身諸佛在於十方世界
説法盡還集一處然後我身乃出現耳大樂
説我分身諸佛在於十方世界説法者今應
當集大樂説白佛言世尊我等亦願欲見世
尊分身諸佛礼拜供養
尒時佛放白毫一光即見東方五百万億那
由他恒河沙等國土諸佛彼諸國土皆以頗
梨為地寶樹寶衣以為莊嚴无數千万億菩

BD01837號　妙法蓮華經卷四

當集大樂説白佛言世尊我等亦願欲見世
尊分身諸佛礼拜供養
尒時佛放白毫一光即見東方五百万億那
由他恒河沙等國土諸佛彼諸國土皆以頗
梨為地寶樹寶衣以為莊嚴无數千万億菩
薩充滿其中遍張寶幔寶網羅上彼國諸
佛以大妙音而説諸法及見无量千万億菩薩
遍滿諸國為衆説法南西北方四維上下白
毫相光所照之處亦復如是尒時十方諸佛各告
衆菩薩言善男子我今應往娑婆世界釋迦
牟尼佛所并供養多寶如來寶塔時娑婆
世界即變清淨琉璃為地寶樹莊嚴黃金為
繩以界八道无諸聚落村營城邑大海江河
山川林藪燒大寶香曼陁羅華遍布其地以
寶網幔羅覆其上懸諸寶鈴唯留此會衆移
諸天人置於他土是時諸佛各將一大菩薩
以為侍者至娑婆世界各到寶樹下一一寶
樹高五百由旬枝葉華菓次苐莊嚴諸寶
樹下皆有師子之座高五由旬亦以大寶而
校飾之
尒時諸佛各於此座結加趺坐如是展轉遍
滿三千大千世界而於釋迦牟尼佛一方所分
之身猶故未盡時釋迦牟尼佛欲容受所分
身諸佛故八方各更變二百万億那由他
國皆令清淨无有地獄餓鬼畜生及阿脩
羅又移諸天人置於他土所化之國亦以琉璃
為地寶樹莊嚴樹高五百由旬枝葉華菓次
苐嚴飾樹下皆有寶師子座高五由旬種

BD01837號　妙法蓮華經卷四

身諸佛故八方各更變二百万億那由他
國皆令清淨无有地獄餓鬼畜生及阿脩
羅又移諸天人置於他土所化之國亦以琉璃
為地寶樹莊嚴樹高五百由旬枝葉華菓次
第嚴飾樹下皆有寶師子座高五由旬種
種諸寶以為莊校亦无大海江河及目真隣
陁山摩訶目真隣陁山鐵圍山大鐵圍山須
弥山等諸山王通為一佛國土寶地平正寶交
露幔遍覆其上懸諸幡蓋燒大寶香諸天
寶華遍布其地釋迦牟尼佛為諸佛當來
坐故復於八方各變二百万億那由他國皆
令清淨无有地獄餓鬼畜生及阿脩羅又移
諸天人置於他土所化之國亦以琉璃為地寶
樹莊嚴樹高五百由旬枝葉華菓次第莊嚴
樹下皆有寶師子座高五由旬亦以大寶而校
飾之亦无大海江河及目真隣陁山摩訶目
真隣陁山鐵圍山大鐵圍山須弥山等諸山
王通為一佛國土寶地平正寶交露幔遍覆
其上懸諸幡蓋燒大寶香諸天寶華遍布
其地尒時東方釋迦牟尼所分之身百千万億
那由他恒河沙等國土中諸佛各各說法來
集於此如是次第十方諸佛皆悉來集坐
於八方
尒時一一方四百万億那由他國土諸佛如來
遍滿其中是時諸佛各在寶樹下坐師子
座皆遣侍者問訊釋迦牟尼佛各賷寶華
滿掬而告之曰善男子汝往詣耆闍崛山釋

BD01837號　妙法蓮華經卷四　（28–16）

尒時一一方四百万億那由他國土諸佛如來
遍滿其中是時諸佛各在寶樹下坐師子
座皆遣侍者問訊釋迦牟尼佛各賷寶華
滿掬而告之曰善男子汝往詣耆闍崛山釋
迦牟尼佛所如我辭曰少病少惱氣力安樂
及菩薩聲聞衆悉安隱不以此寶華散佛
供養而作是言彼某甲佛與欲開此寶塔諸
佛遣使亦復如是尒時釋迦牟尼佛見所分
身佛悉已來集各各坐於師子之座皆聞諸
佛與欲同開寶塔即從座起住虛空中一切四
衆起立合掌一心觀佛於是釋迦牟尼佛以
右指開七寶塔戶出大音聲如却關鑰開大
城門即時一切衆會皆見多寶如來於寶塔
中坐師子座全身不散如入禪定又聞其言
善哉善哉釋迦牟尼佛快說是法華經我
為聽是經故而來至此尒時四衆等見過去
无量千万億劫滅度佛說如是言歎未曾有
以天寶華聚散多寶佛及釋迦牟尼佛上
尒時多寶佛於寶塔中分半座與釋迦牟
尼佛而作是言釋迦牟尼佛可就此坐即時
釋迦牟尼佛入其塔中坐其半座結跏趺坐尒
時大衆見二如來在七寶塔中師子座上結跏
趺坐各作是念佛坐高遠唯願如來以神通
力令我等輩俱處虛空即時釋迦牟尼佛
以神通力接諸大衆皆在虛空以大音聲普
告四衆誰能於此娑婆國土廣說妙法華經
今正是時如來不久當入涅槃佛欲以此妙法
華經付囑有在尒時世尊欲重宣此義而

BD01837號　妙法蓮華經卷四　（28–17）

力令我等俱處虛空 即時釋迦牟尼佛
以神通力接 諸大衆皆在虛空 以大音聲普
告四衆 誰能於此娑婆國土廣說妙法華經
今正是時 如來不久當入涅槃 佛欲以此妙法
華經付囑有在 尒時世尊欲重宣此義而
說偈言
聖主世尊 雖久滅度 在寶塔中 尚為法來
諸人云何 不勤為法 此佛滅度 无央數劫
處處聽法 以難遇故 彼佛本願 我滅度後
在在所往 常為聽法 又我分身 无量諸佛
如恒沙等 來欲聽法 及見滅度 多寶如來
各捨妙土 及弟子衆 天人龍神 諸供養事
令法久住 故來至此 為坐諸佛 以神通力
移无量衆 令國清淨 諸佛各各 詣寶樹下
如清淨池 蓮華莊嚴 其寶樹下 諸師子座
佛坐其上 光明嚴飾 如夜闇中 然大炬火
身出妙香 遍十方國 衆生蒙薰 喜不自勝
譬如大風 吹小樹枝 以是方便 令法久住
告諸大衆 我滅度後 誰能護持 讀誦斯經
今於佛前 自說誓言 其多寶佛 雖久滅度
以大誓願 而師子吼 多寶如來 及與我身
所集化佛 當知此意 諸佛子等 誰能護法
當發大願 令得久住 其有能護 此經法者
則為供養 我及多寶 此多寶佛 處於寶塔
常遊十方 為是經故 亦復供養 諸來化佛
莊嚴光飾 諸世界者 若說此經 則為見我
多寶如來 及諸化佛 諸善男子 各諦思惟
此為難事 宜發大願 諸餘經典 數如恒沙

BD01837號 妙法蓮華經卷四

(28–18)

則為供養 我及多寶 此多寶佛 處於寶塔
常遊十方 為是經故 亦復供養 諸來化佛
莊嚴光飾 諸世界者 若說此經 則為見我
多寶如來 及諸化佛 諸善男子 各諦思惟
此為難事 宜發大願 諸餘經典 數如恒沙
雖說此等 未足為難 若接須弥 擲置他方
无數佛土 亦未為難 若以足指 動大千界
遠擲他國 亦未為難 若立有頂 為衆演說
无量餘經 亦未為難 若佛滅後 於惡世中
能說此經 是則為難 假使有人 手把虛空
而以遊行 亦未為難 於我滅後 若自書持
若使人書 是則為難 若以大地 置爪甲上
昇於梵天 亦未為難 佛滅度後 於惡世中
暫讀此經 是則為難 假使劫燒 擔負乾草
入中不燒 亦未為難 我滅度後 若持此經
為一人說 是則為難 若持八万 四千法藏
十二部經 為人演說 令諸聽者 得六神通
雖能如是 亦未為難 於我滅後 聽受此經
問其義趣 是則為難 若人說法 令千万億
无量无數 恒沙衆生 得阿羅漢 具六神通
雖有是益 亦未為難 於我滅後 若能奉持
如斯經典 是則為難 我為佛道 於无量土
從始至今 廣說諸經 而於其中 此經第一
若有能持 則持佛身 諸善男子 於我滅後
誰能受持 讀誦此經 今於佛前 自說誓言
此經難持 若暫持者 我則歡喜 諸佛亦然
如是之人 諸佛所歎 是則勇猛 是則精進

BD01837號 妙法蓮華經卷四

(28–19)

若有能持　則持佛身　諸善男子　於我滅後
誰能受持　讀誦此經　今於佛前　自說誓言
此經難持　若暫持者　我則歡喜　諸佛亦然
如是之人　諸佛所歎　是則勇猛　是則精進
是名持戒　行頭陀者　則為疾得　无上佛道
能於來世　讀持此經　是真佛子　住純善地
佛滅度後　能解其義　是諸天人　世間之眼
於恐畏世　能須臾說　一切天人　皆應供養

妙法蓮華經提婆達多品第十二

尒時佛告諸菩薩及天人四衆吾於過去无
量劫中求法華經无有懈惓於多劫中常作
國王發願求於无上菩提心不退轉為欲滿
足六波羅蜜勤行布施心无悋惜象馬七珍
國城妻子奴婢僕從頭目髓腦身肉手足不
惜軀命時世人民壽命无量為於法故捐捨
國位委政太子擊鼓宣令四方求法誰能為
我說大乘者吾當終身供給走使時有仙人
來白王言我有大乘名妙法華經若不違我
當為宣說王聞仙言歡喜踊躍即隨仙人供
給所須採菓汲水拾薪設食乃至以身而為
床座身心无惓于時奉事經於千歲為於法
故精勤給侍令无所乏尒時世尊欲重宣此
義而說偈言
我念過去劫　為求大法故　雖作世國王　不貪五欲樂
椎鍾告四方　誰有大法故　若為我解說　身當為奴僕
時有阿私仙　來白於大王　我有微妙法　世間所希有
若能脩行者　吾當為汝說　時王聞仙言　心生大喜悅
即便隨仙人　供給於所須　採薪及菓蓏　隨時恭敬與

我念過去劫　為求大法故　雖作世國王　不貪五欲樂
椎鍾告四方　誰有大法故　若為我解說　身當為奴僕
時有阿私仙　來白於大王　我有微妙法　世間所希有
若能脩行者　吾當為汝說　時王聞仙言　心生大喜悅
即便隨仙人　供給於所須　採薪及菓蓏　隨時恭敬與
情存妙法故　身心无懈惓　普為諸衆生　勤求於大法
亦不為己身　及以五欲樂　故為大國王　勤求獲此法
遂致得成佛　今故為汝說
佛告諸比丘尒時王者則我身是時仙人者
今提婆達多是由提婆達多善知識故令我
具足六波羅蜜慈悲喜捨三十二相八十種
好紫磨金色十力四无所畏四攝法十八不共
神通道力成等正覺廣度衆生皆因提婆
達多善知識故告諸四衆提婆達多却後
過无量劫當得成佛号曰天王如來應供正
遍知明行足善逝世間解无上士調御丈夫
天人師佛世尊世界名天道時天王佛住世二
十中劫廣為衆生說於妙法恒河沙衆生得
阿羅漢果无量衆生發緣覺心恒河沙衆生
發无上道心得无生忍至不退轉時天王佛般
涅槃後正法住世二十中劫全身舍利起七
寶塔高六十由旬縱廣四十由旬諸天人民
悉以雜華末香燒香塗香衣服瓔珞幢幡
寶蓋伎樂歌頌礼拜供養七寶妙塔无量衆
生得阿羅漢果无量衆生悟辟支佛不可思
議衆生發菩提心至不退轉佛告諸比丘未
來世中若有善男子善女人聞妙法華經提
婆達多品淨心信敬不生疑惑者不墮地獄

寶蓋伎樂歌頌礼拜供養七寶妙塔无量衆
生得阿羅漢果无量衆生悟辟支佛不可思
議衆生發菩提心至不退轉佛告諸比丘未
來世中若有善男子善女人聞妙法華經提
婆達多品淨心信敬不生疑惑者不墮地獄
餓鬼畜生生十方佛前所生之處常聞此經
若生人天中受勝妙樂若在佛前蓮華化生於
時下方多寶世尊所從菩薩名曰智積白多
寶佛當還本土釋迦牟尼佛告智積曰善男
子且待須臾此有菩薩名文殊師利可與相
見論說妙法可還本土尒時文殊師利坐千
葉蓮華大如車輪俱來菩薩亦坐寶蓮華從
於大海娑竭羅龍宮自然踊出住虛空中詣
靈鷲山從蓮華下至於佛所頭面敬礼二世尊
足脩敬已畢往智積所共相慰問却坐一面智
積菩薩問文殊師利仁往龍宮所化衆生其
數幾何文殊師利言其數无量不可稱計非
口所宣非心所測且待須臾自當有證所言
未竟无數菩薩坐寶蓮華從海踊出詣靈
鷲山住在虛空此諸菩薩皆是文殊師利之
所化度具菩薩行皆共論說六波羅蜜本聲聞
人在虛空中說聲聞行今皆脩行大乘空義
文殊師利謂智積曰於海教化其事如是尒
時智積菩薩以偈讚曰
大智德勇健 化度无量衆 今此諸大會 及我皆已見
演暢實相義 開闡一乘法 廣度諸群生 令速成菩提
文殊師利言我於海中唯常宣說妙法華經
智積問文殊師利言此經甚深微妙諸經中

BD01837號　妙法蓮華經卷四　(28–22)

時智積菩薩以偈讚曰
大智德勇健 化度无量衆 今此諸大會 及我皆已見
演暢實相義 開闡一乘法 廣度諸群生 令速成菩提
文殊師利言我於海中唯常宣說妙法華經
智積問文殊師利言此經甚深微妙諸經中
寶世所希有頗有衆生勤加精進脩行此經
速得佛不文殊師利言有娑竭羅龍王女年
始八歲智慧利根善知衆生諸根行業得陀
羅尼諸佛所說甚深秘藏悉能受持深入禪
定了達諸法於剎那頃發菩提心得不退轉
辯才无礙慈念衆生猶如赤子功德具足心
念口演微妙廣大慈悲仁讓志意和雅能至
菩提智積菩薩言我見釋迦如來於无量劫
難行苦行積功累德求菩提道未曾止息
觀三千大千世界乃至无有如芥子許非是菩
薩捨身命處為衆生故然後乃得成菩提
道不信此女於須臾頃便成正覺言論未訖
時龍王女忽現於前頭面礼敬却住一面以
偈讚曰
深達罪福相 遍照於十方 微妙淨法身 具相三十二
以八十種好 用莊嚴法身 天人所戴仰 龍神咸恭敬
一切衆生類 无不宗奉者 又聞成菩提 唯佛當證知
我闡大乘教 度脫苦衆生
時舍利弗語龍女言汝謂不久得无上道是事
難信所以者何女身垢穢非是法器云何
能得无上菩提佛道懸曠經无量劫勤苦積
行具脩諸度然後乃成又女人身猶有五障
一者不得作梵天王二者帝釋三者魔王四

BD01837號　妙法蓮華經卷四　(28–23)

時舍利弗語龍女言汝謂不久得无上道是事
難信所以者何女身垢穢非是法器云何
能得无上菩提佛道懸曠經无量劫懃苦積
行具脩諸度然後乃成又女人身猶有五障
一者不得作梵天王二者帝釋三者魔王四
者轉輪聖王五者佛身云何女身速得成佛
尒時龍女有一寶珠價直三千大千世界持
以上佛佛即受之龍女謂智積菩薩尊者舍
利弗言我獻寶珠世尊納受是事疾不答言
甚疾女言以汝神力觀我成佛復速於此當
時衆會皆見龍女忽然之間變成男子具
菩薩行即往南方无垢世界坐寶蓮華成
等正覺三十二相八十種好普為十方一切衆生
演說妙法尒時娑婆世界菩薩聲聞天龍八
部人與非人皆遥見彼龍女成佛普為時會
人天說法心大歡喜悉遥敬礼无量衆生聞法
解悟得不退轉无量衆生得受道記无垢世界
六反震動娑婆世界三千衆生住不退地三
千衆生發菩提心而得受記智積菩薩及
舍利弗一切衆會嘿然信受

妙法蓮華經持品第十三

尒時藥王菩薩摩訶薩及大樂說菩薩摩訶
薩與二万菩薩眷屬俱皆於佛前作是誓言
唯願世尊不以為慮我等於佛滅後當奉持
讀誦說此經典後惡世衆生善根轉少多增
上慢貪利供養增不善根遠離解脫雖難
可教化我等當起大忍力讀誦此經持說書寫
種種供養不惜身命尒時衆中五百阿羅漢

BD01837號　妙法蓮華經卷四

（28–24）

唯願世尊不以為慮我等於佛滅後當奉持
讀誦說此經典後惡世衆生善根轉少多增
上慢貪利供養增不善根遠離解脫雖難
可教化我等當起大忍力讀誦此經持說書寫
種種供養不惜身命尒時衆中五百阿羅漢
得受記者白佛言世尊我等亦自誓願於異
國土廣說此經復有學无學八千人得受
記者從座而起合掌向佛作是誓言世尊我等
亦當於他國土廣說此經所以者何是娑婆
國中人多弊惡懷增上慢功德淺薄瞋濁諂
曲心不實故尒時佛姨母摩訶波闍波提
比丘尼與學无學比丘尼六千人俱從座而起
一心合掌瞻仰尊顏目不暫捨於時世尊告
憍曇弥何故憂色而視如来汝心將无謂我
不說汝名授阿耨多羅三藐三菩提記耶憍
曇弥我先惣說一切聲聞皆已授記今汝欲
知記者將来之世當於六万八千億諸佛法
中為大法師及六千學无學比丘尼俱為法
師汝如是漸漸具菩薩道當得作佛号一切
衆生憙見如来應供正遍知明行足善逝
世間解无上士調御丈夫天人師佛世尊憍曇
弥是一切衆生憙見佛及六千菩薩轉次授
記得阿耨多羅三藐三菩提尒時羅睺羅
母耶輸陁羅比丘尼作是念世尊於授記中
獨不說我名佛告耶輸陁羅汝於来世百千
万億諸佛法中脩菩薩行為大法師漸具佛
道於善國中當得作佛号具足千万光相如
来應供正遍知明行足善逝世間解无上士

BD01837號　妙法蓮華經卷四

（28–25）

記得阿耨多羅三藐三菩提今時羅睺羅
母耶輸陁羅比丘尼作是念世尊於授記中
獨不說我名佛告耶輸陁羅汝於來世百千
万億諸佛法中修菩薩行為大法師漸具佛
道於善國中當得作佛号具足千万光相如
來應供正遍知明行足善逝世間解无上士
調御丈夫天人師佛世尊佛壽无量阿僧祇
劫今時摩訶波闍波提比丘尼及耶輸陁羅
比丘尼并其眷屬皆大歡喜得未曾有即
於佛前而說偈言
世尊導師　安隱天人　我等聞記　心安具足
諸比丘尼說是偈已白佛言世尊我等亦能
於他方國土廣宣此經今時世尊視八十万
億那由他諸菩薩摩訶薩是諸菩薩皆是
阿惟越致轉不退法輪得諸陁羅尼即從座
起至於佛前一心合掌而作是念若世尊告
勅我等持說此經者當如佛教廣宣斯法復
作是念佛今嘿然不見告勅我當云何時諸
菩薩敬順佛意并欲自滿本願便於佛前作
師子吼而發誓言世尊我等於如來滅後周
旋往反十方世界能令衆生書寫此經受持
讀誦解說其義如法修行正憶念皆是佛之
威力唯願世尊在於他方遥見守護即時
諸菩薩俱同發聲而說偈言
唯願不為慮　於佛滅度後　恐怖惡世中　我等當廣說
有諸无智人　惡口罵詈等　及加刀杖者　我等皆當忍
惡世中比丘　耶智心諂曲　未得謂為得　我慢心充滿
或有阿練若　納衣在空閑　自謂行真道　輕賤人間者

BD01837 號　妙法蓮華經卷四　（28–26）

威力唯願世尊在於他方遥見守護即時
諸菩薩俱同發聲而說偈言
唯願不為慮　於佛滅度後　恐怖惡世中　我等當廣說
有諸无智人　惡口罵詈等　及加刀杖者　我等皆當忍
惡世中比丘　耶智心諂曲　未得謂為得　我慢心充滿
或有阿練若　納衣在空閑　自謂行真道　輕賤人間者
貪著利養故　與白衣說法　為世所恭敬　如六通羅漢
是人懷惡心　常念世俗事　假名阿練若　好出我等過
而作如是言　此諸比丘等　為貪利養故　說外道論義
自作此經典　誑惑世間人　為求名聞故　分別於是經
常在大衆中　欲毀我等故　向國王大臣　婆羅門居士
及餘比丘衆　誹謗說我惡　謂是耶見人　說外道論議
我等敬佛故　悉忍是諸惡　為斯所輕言　汝等皆是佛
如此輕慢言　皆當忍受之　濁劫惡世中　多有諸恐怖
惡鬼入其身　罵詈毀辱我　我等敬信佛　當著忍辱鎧
為說是經故　忍此諸難事　我不愛身命　但惜无上道
我等於來世　護持佛所囑　世尊自當知　濁世惡比丘
不知佛方便　隨宜所說法　惡口而顰蹙　數數見擯出
遠離於塔寺　如是等衆惡　念佛告勅故　皆當忍是事
諸聚落城邑　其有求法者　我皆到其所　說佛所囑法
我是世尊使　處衆无所畏　我當善說法　願佛安隱住
我於世尊前　諸來十方佛　發如是誓言　佛自知我心

妙法蓮華經卷第四

BD01837 號　妙法蓮華經卷四　（28–27）

自作此經典　誑惑世間人　為求名聞故　分别於是經
常在大衆中　欲毀我等故　向國王大臣　婆羅門居士
及餘比丘衆　誹謗說我惡　謂是邪見人　說外道論議
我等敬佛故　悉忍是諸惡　為斯所輕言　汝等皆是佛
如此輕慢言　皆當忍受之　濁劫惡世中　多有諸恐怖
惡鬼入其身　罵詈毀辱我　我等敬信佛　當著忍辱鎧
為說是經故　忍此諸難事　我不愛身命　但惜无上道
我等於來世　護持佛所囑　世尊自當知　濁世惡比丘
不知佛方便　隨宜所說法　惡口而顰蹙　數數見擯出
遠離於塔寺　如是等衆惡　念佛告勅故　皆當忍是事
諸聚落城邑　其有求法者　我皆到其所　說佛所囑法
我是世尊使　處衆无所畏　我當善說法　願佛安隱住
我於世尊前　諸來十方佛　發如是誓言　佛自知我心
妙法蓮華經卷第四

BD01837 號　妙法蓮華經卷四　（28–28）

戒等諦聽諦聽
應當尊重恭敬
木叉即是於此
如貧得寶如囚繫出
得歸當知此則
无此也善心難生
以為无殃水渧雖微
造罪殃墮无間一失人身万
得停猶如奔馬人命无常過
明亦難保令心是時衆等
脩精進慎勿懈怠嬾墮
夜應攝心存念三寶无以空過
疲勞後大深悔終无所得衆等一一
戒如法脩行
梵網經盧舍那佛說菩薩心地法門戒品
我今盧舍那　方坐蓮華臺　周匝千華上　復現千釋迦
一華百億國　一國一釋迦　各坐菩提樹
一時成佛道　如是千百億　盧舍那本身　千百億釋迦

BD01838 號 1　梵網經盧舍那佛說菩薩心地戒品第十序　（24–1）

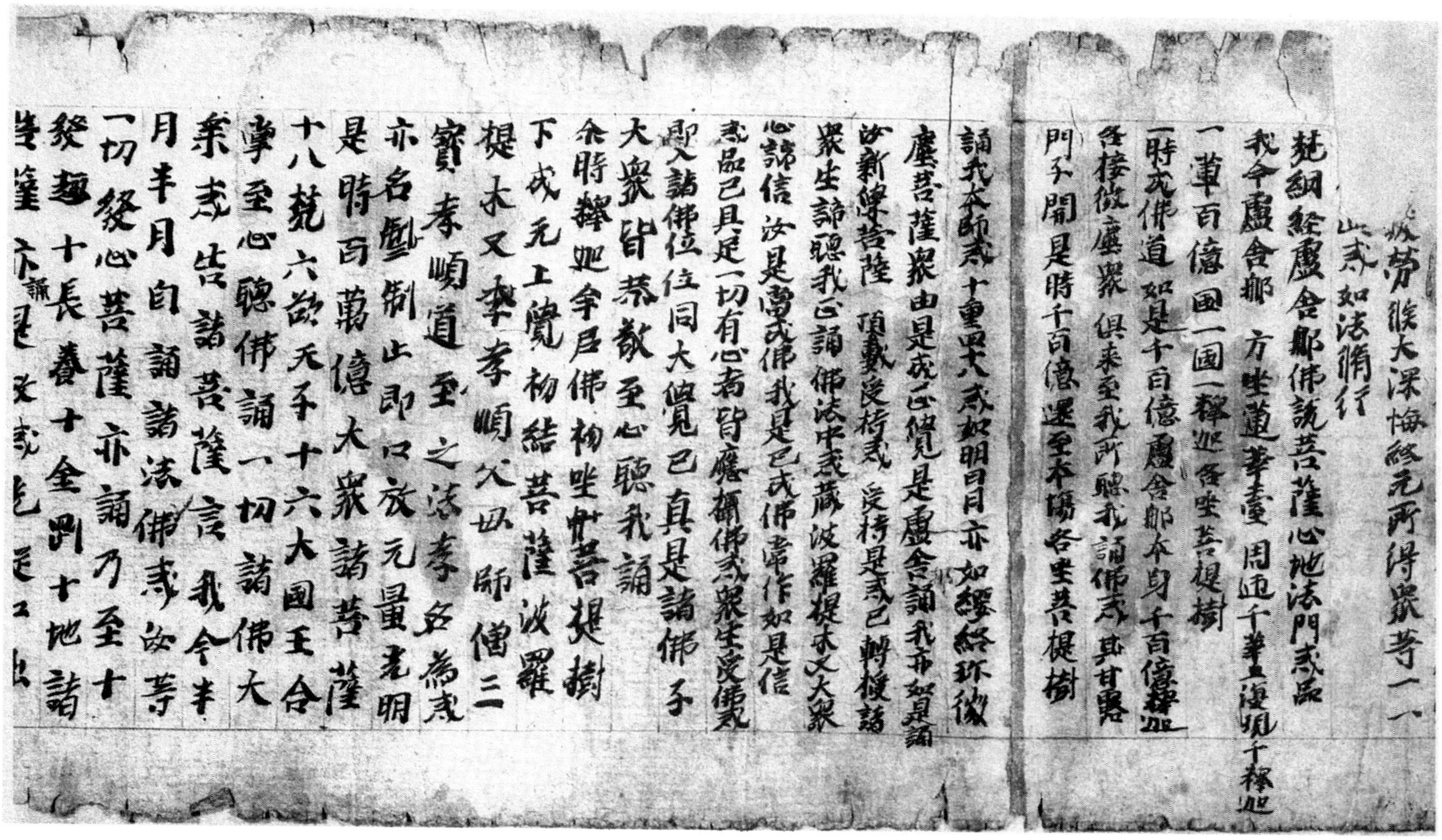

故勞勝大深悔終无所得衆等一一
此戒如法脩行
梵網經盧舍那佛說菩薩心地法門戒品
我今盧舍那　方坐蓮華臺　周匝千華上　復現千釋迦
一華百億國　一國一釋迦　各坐菩提樹
一時成佛道　如是千百億　盧舍那本身　千百億釋迦
各接微塵衆　俱來至我所　聽我誦佛戒　甘露
門乃開　是時千百億　還至本道場　各坐菩提樹
誦我本師戒　十重四十八　戒如明日月　亦如瓔珞珠　微
塵菩薩衆　由是成正覺　是盧舍那誦　我亦如是誦
汝新學菩薩　頂戴受持戒　受持是戒已　轉授諸
衆生　諦聽我正誦　佛法中戒藏　波羅提木叉　大衆
心諦信　汝是當成佛　我是已成佛　常作如是信
戒品已具足　一切有心者　皆應攝佛戒　衆生受佛戒
即入諸佛位　位同大覺已　真是諸佛子
大衆皆恭敬　至心聽我誦
爾時釋迦牟尼佛初坐菩提樹
下成无上覺初結菩薩波羅
提木叉孝順父母師僧三
寶孝順至道之法孝名為戒
亦名制止即口放无量光明
是時百萬億大衆諸菩薩
十八梵六欲天子十六大國王合
掌至心聽佛誦一切諸佛大
乘戒告諸菩薩言我今半
月半月自誦諸法佛戒汝等
一切發心菩薩亦誦乃至十
發趣十長養十金剛十地諸
菩薩亦誦是故戒光從口出

BD01838 號 2　梵網經盧舍那佛說菩薩心地戒品第十卷下　（24–2）

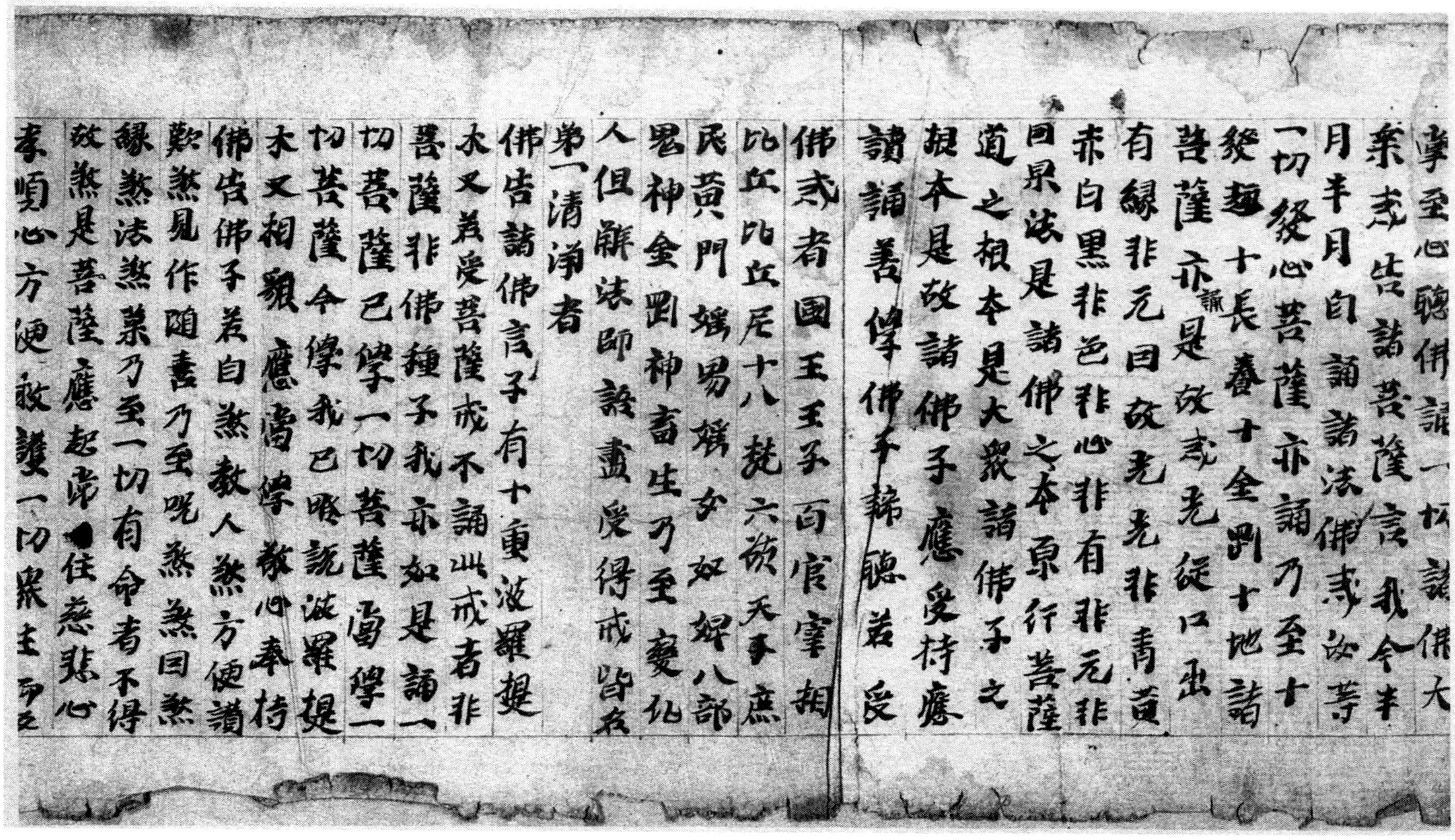

掌至心聽佛誦一切諸佛大
乘戒告諸菩薩言我今半
月半月自誦諸法佛戒汝等
一切發心菩薩亦誦乃至十
發趣十長養十金剛十地諸
菩薩亦誦是故戒光從口出
有緣非无因故光光非青黃
赤白黑非色非心非有非无非
因果法是諸佛之本原行菩薩
道之根本是大衆諸佛子之
根本是故諸佛子應受持應
讀誦善學佛子諦聽若受
佛戒者國王王子百官宰相
比丘比丘尼十八梵六欲天子庶
民黃門婬男婬女奴婢八部
鬼神金剛神畜生乃至變化
人但解法師語盡受得戒皆名
第一清淨者
佛告諸佛子言有十重波羅提
木叉若受菩薩戒不誦此戒者非
菩薩非佛種子我亦如是誦一
切菩薩已學一切菩薩當學一
切菩薩今學我已略說波羅提
木叉相貌應當學敬心奉持
佛告佛子若自殺教人殺方便讚
歎殺見作隨喜乃至咒殺殺因殺
緣殺法殺業乃至一切有命者不得
故殺是菩薩應起常住慈悲心
孝順心方便救護一切衆生而反

BD01838 號 2　梵網經盧舍那佛說菩薩心地戒品第十卷下　（24–3）

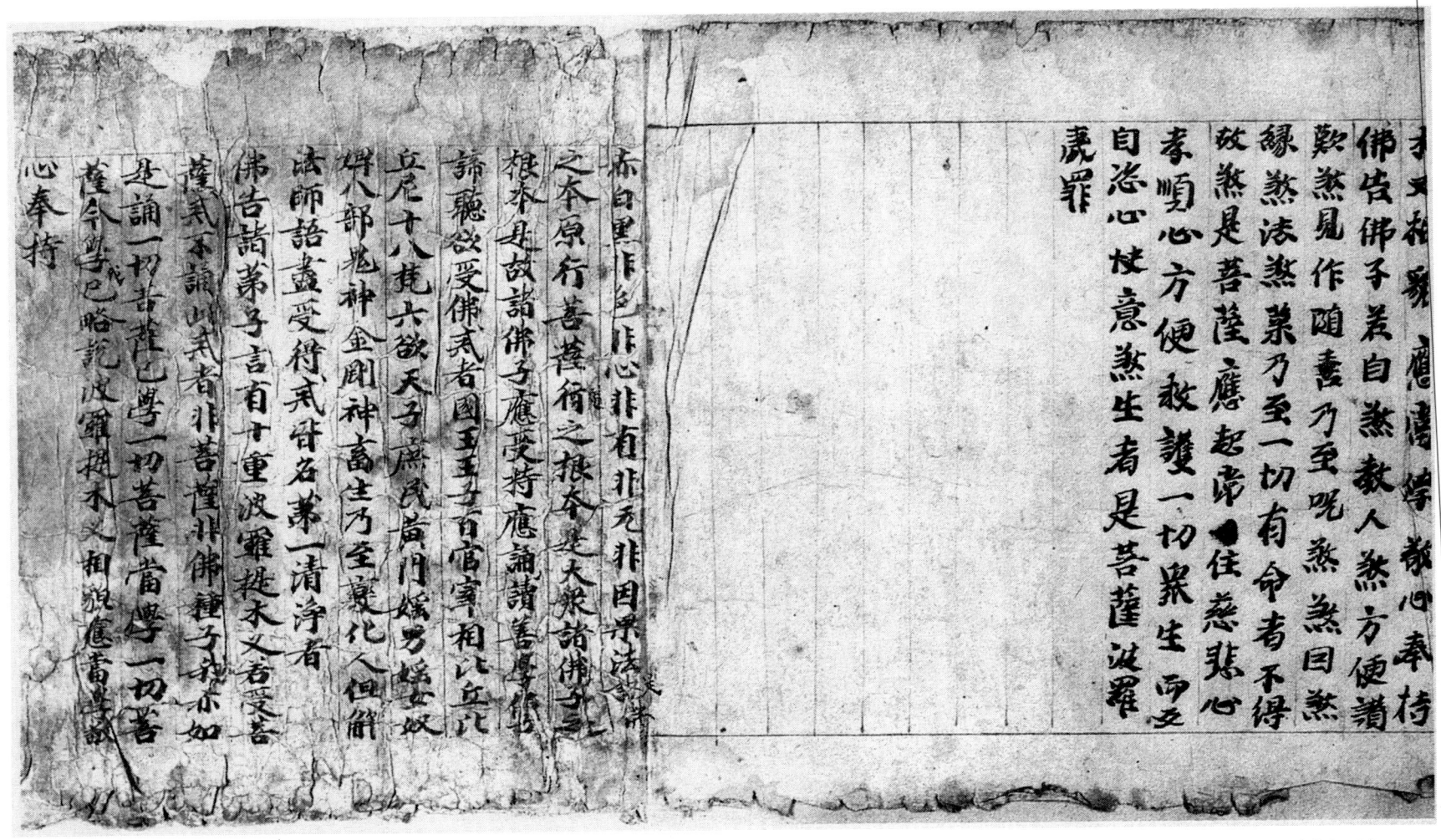

提木叉相貌應當學敬心奉持
佛告佛子若自煞教人煞方便讚
歎煞見作隨喜乃至呪煞煞因煞
緣煞法煞業乃至一切有命者不得
故煞是菩薩應起常住慈悲心
孝順心方便救護一切衆生而反
自恣心快意煞生者是菩薩波羅
夷罪

赤白黑非色非心非有非无非因果法
之本原行菩薩道之根本是大衆諸佛子之
根本是故諸佛子應受持應誦讀善學佛
諦聽欲受佛戒者國王王子百官宰相比丘比
丘尼十八梵六欲天子庶民黃門婬男婬女奴
婢八部鬼神金剛神畜生乃至變化人但解
法師語盡受得戒皆名第一清淨者
佛告諸弟子言有十重波羅提木叉若受菩
薩戒不誦此戒者非菩薩非佛種子我亦如
是誦一切菩薩已學一切菩薩當學一切菩
薩今學已略說波羅提木叉相貌應當學敬
心奉持

BD01838 號 2　梵網經盧舍那佛說菩薩心地戒品第十卷下　（24–4）

法師語盡受得戒皆名第一清淨者
佛告諸弟子言有十重波羅提木叉若受菩
薩戒不誦此戒者非菩薩非佛種子我亦如
是誦一切菩薩已學一切菩薩當學一切菩
薩今學已略說波羅提木叉相貌應當學敬
心奉持
佛告佛子若自煞教人煞方便讚歎煞見作
隨喜乃至呪煞煞因煞緣煞法煞業乃至一切
有命者不得故煞是菩薩應起常住慈悲心
孝順心方便救護一切衆生而自恣心快意煞生是菩
薩波羅夷罪
若佛子自盜教人盜方便盜盜因盜緣盜法
盜業呪盜乃至鬼神有主劫賊物一切財物
一針一草不得故盜而菩薩應生佛性孝順心
慈悲心常助一切人生福生樂而反更盜人
物者是菩薩波羅夷罪
若佛子自婬教人婬乃至一切女人不得故
婬婬因婬緣婬法婬業乃至畜生女諸天鬼
神女及非道行婬而菩薩應生孝順心救度
一切衆生淨法與人而反更起一切人婬不
擇畜生乃至母女姊妹六親行婬无慈悲心
者是菩薩波羅夷罪
若佛子自妄語教人妄語方便妄語妄語因
妄語緣妄語法妄語業乃至不見言見見言
不見身心妄語而菩薩常生正語正見亦生
一切衆生正語正見而反更起一切衆生邪語邪
見邪業者是菩薩波羅夷罪

BD01838 號 2　梵網經盧舍那佛說菩薩心地戒品第十卷下　（24–5）

若佛子自妄語教人妄語方便妄語妄語因
妄語緣妄語法妄語業乃至不見言見見言
不見身心妄語而菩薩常生正語正見亦生
一切衆生正語正見而反更起一切衆生邪語邪
見邪業者是菩薩波羅夷罪
若佛子自酤酒教人酤酒酤酒因酤酒緣酤
酒法酤酒業一切酒不得酤是酒起罪因緣
而菩薩應生一切衆生明達之慧而反更生衆
生顛倒之心者是菩薩波羅夷罪
若佛子口自說出家在家菩薩比丘比丘尼
罪過教人說罪過罪過因罪過緣罪過法
罪過業而菩薩聞外道惡人及二乘惡人說佛
法中非法非律常生悲心教化是惡人輩令
生大乘善信而菩薩反更自說佛法中罪過
者是菩薩波羅夷罪
若佛子自讃毀他亦教人自讃毀他毀他因
毀他緣毀他法毀他業而菩薩應代一切衆
生受加毀辱惡事自向己好事與他人若自
揚己德隱他人好事令他人受毀者是菩薩
波羅夷罪
若佛子自慳教人慳慳因慳緣慳法慳業而
菩薩見一切貧窮人來乞者隨前人所須一
切給與而菩薩以惡心瞋心乃至不施一錢
一針一草有求法者不為說一句一偈一
微塵許法而反更罵辱者是菩薩波羅夷罪
若佛子自瞋教人瞋瞋因瞋緣瞋法瞋業而
菩薩應生一切衆生中善根無諍之事常生

BD01838 號 2　梵網經盧舍那佛說菩薩心地戒品第十卷下　（24–6）

切給與而菩薩以惡心瞋心乃至不施一錢
一針一草有求法者不為說一句一偈一
微塵許法而反更罵辱者是菩薩波羅夷罪
若佛子自瞋教人瞋瞋因瞋緣瞋法瞋業而
菩薩應生一切衆生中善根無諍之事常生
悲心而反更於一切衆生中乃至於非衆生
中以惡口罵辱加以手打及以刀杖意猶不
息前人求悔善言懺謝猶瞋不解者是菩
薩波羅夷罪
若佛子自謗三寶教人謗三寶謗因謗緣謗
法謗業而菩薩見外道及以惡人一言謗佛
音聲如三百鉾刺心況口自謗不生信心孝
順心而反更助惡人邪見人謗者是菩薩波
羅夷罪
善學諸人者是菩薩十波羅提木叉應當於
中不應一一犯如微塵許何況具足犯十戒
若有犯者不得現身發菩提心亦失國王位
轉輪王位亦失比丘比丘尼位失十發趣十
長養十金剛十地佛性常住妙果一切皆失
墮三惡道中二劫三劫不聞父母三寶名字
以是不應一一犯汝等一切諸菩薩今學當
學已學是十戒應當學敬心奉持八萬威
儀品中當廣明
佛告諸菩薩言已說十波羅提木叉竟四十
八輕今當說若佛子欲受國王位時受轉輪
王位時百官受位時應先受菩薩戒一切鬼
神救護王身百官之身諸佛歡喜既得戒已

BD01838 號 2　梵網經盧舍那佛說菩薩心地戒品第十卷下　（24–7）

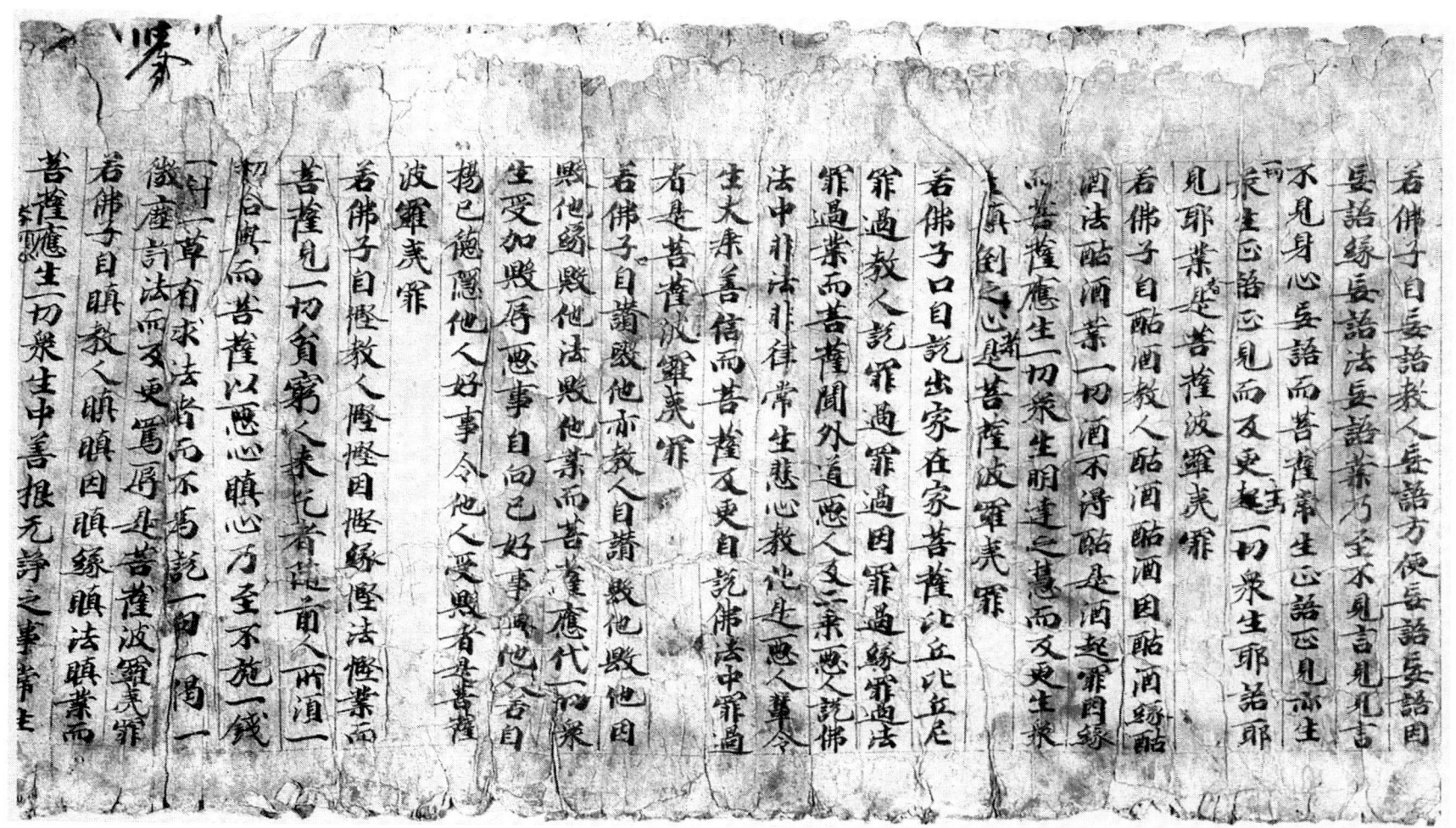

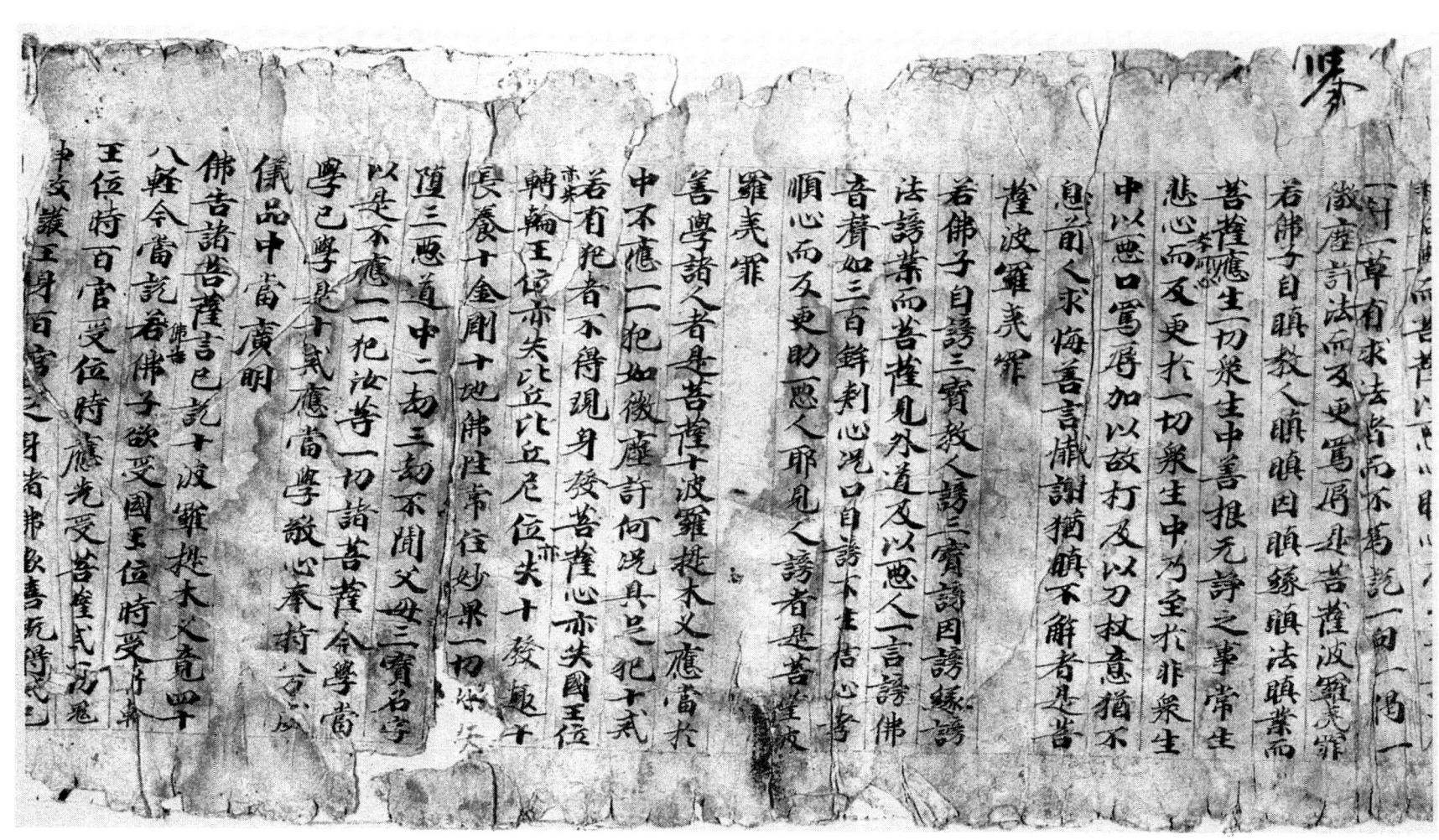

佛告諸菩薩言已説十波羅提木叉竟四十
八輕今當説若佛子欲受國王位時受轉
王位時百官受位時應先受菩薩戒一切鬼
神救護王身百官之身諸佛歡喜既得戒已
生孝順心恭敬心見上座和上阿闍梨大同
學同見同行者應起承迎禮拜問訊而菩薩
反生憍心慢心癡心不起承迎禮拜一一不如
法供養以自賣身國城男女七寶百物而供
給之若不尒者犯輕垢罪
若佛子故飲酒而生酒過失无量若自身手
過酒器與人飲酒者五百世无手何況自飲
不得教一切人飲及一切衆生飲酒況自飲
酒若故自飲教人飲者犯輕垢罪
若佛子故食肉一切肉不得食斷大慈悲性
種子一切衆生見而捨去是故一切菩薩不
得食一切衆生肉食肉得无量罪若故食者
犯輕垢罪
若佛子不得食五辛大蒜革葱慈葱蘭葱
興渠是五種一切食中不得食若故食者犯
輕垢罪
若佛子一切衆生犯八戒五戒十戒毀禁七
逆八難一切犯戒罪應教懺悔而菩薩不教
懺悔共住同僧利養而共布薩一衆説戒而
不舉其罪教悔過者犯輕垢罪
若佛子見大乘法師大乘同學同見同行者

BD01838 號 2　梵網經盧舍那佛說菩薩心地戒品第十卷下　（24–8）

輕垢罪
若佛子一切衆生犯八戒五戒十戒毀禁七
逆八難一切犯戒罪應教懺悔而菩薩不教
懺悔共住同僧利養而共布薩一衆説戒而
不舉其罪教悔過者犯輕垢罪
若佛子見大乘法師大乘同學同見同行者
來入僧房舍宅城邑若百里千里來者即起
迎來送去禮拜供養日日三時供養日食三
兩金百味飲食牀座供事法師一切所須盡
給與之常請法師三時説法日日三時禮拜
不生瞋心患惱之心為法滅身諸法若不尒
者犯輕垢罪
若佛子一切處有講毗尼經律大宅舍中有
講法處是新學菩薩應持經律卷至法師所
諮受聽問若山林樹下僧地房中一切説法
處悉至聽受若不至彼聽受者犯輕垢罪
若佛子心背大乘常住經律言非佛説而受
持二乘聲聞外道惡見一切禁戒邪見經律
者犯輕垢罪
若佛子一切疾病人供養如佛无異八福田
中看病福田第一福田若父母師僧弟子病
諸根不具百種病苦皆養令差而菩薩以瞋
恨心不至僧房中城邑曠野山林道路中見
病不救濟者犯輕垢罪
若佛子不得畜一切刀杖弓箭鉾斧鬪戰之

BD01838 號 2　梵網經盧舍那佛說菩薩心地戒品第十卷下　（24–9）

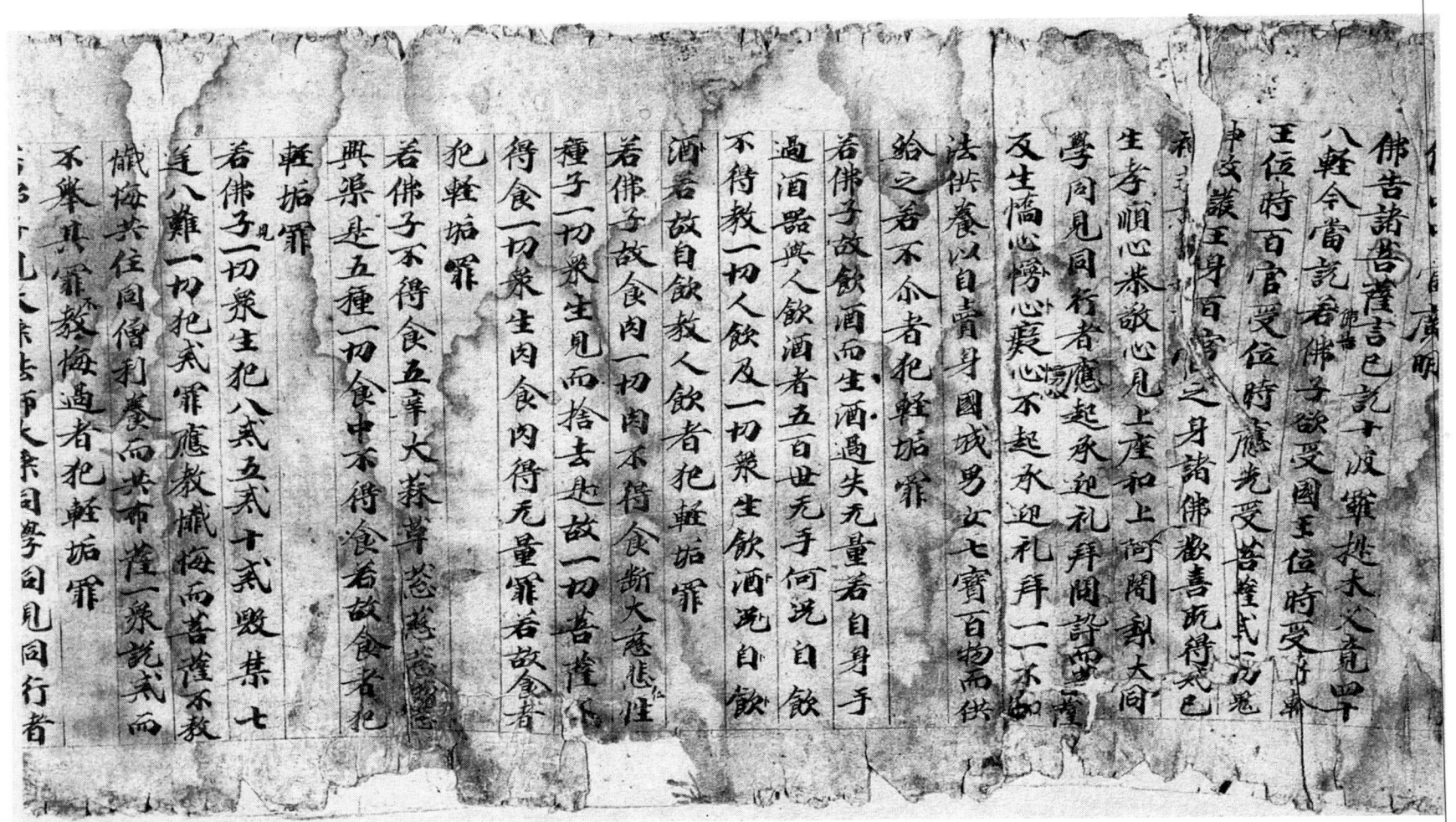

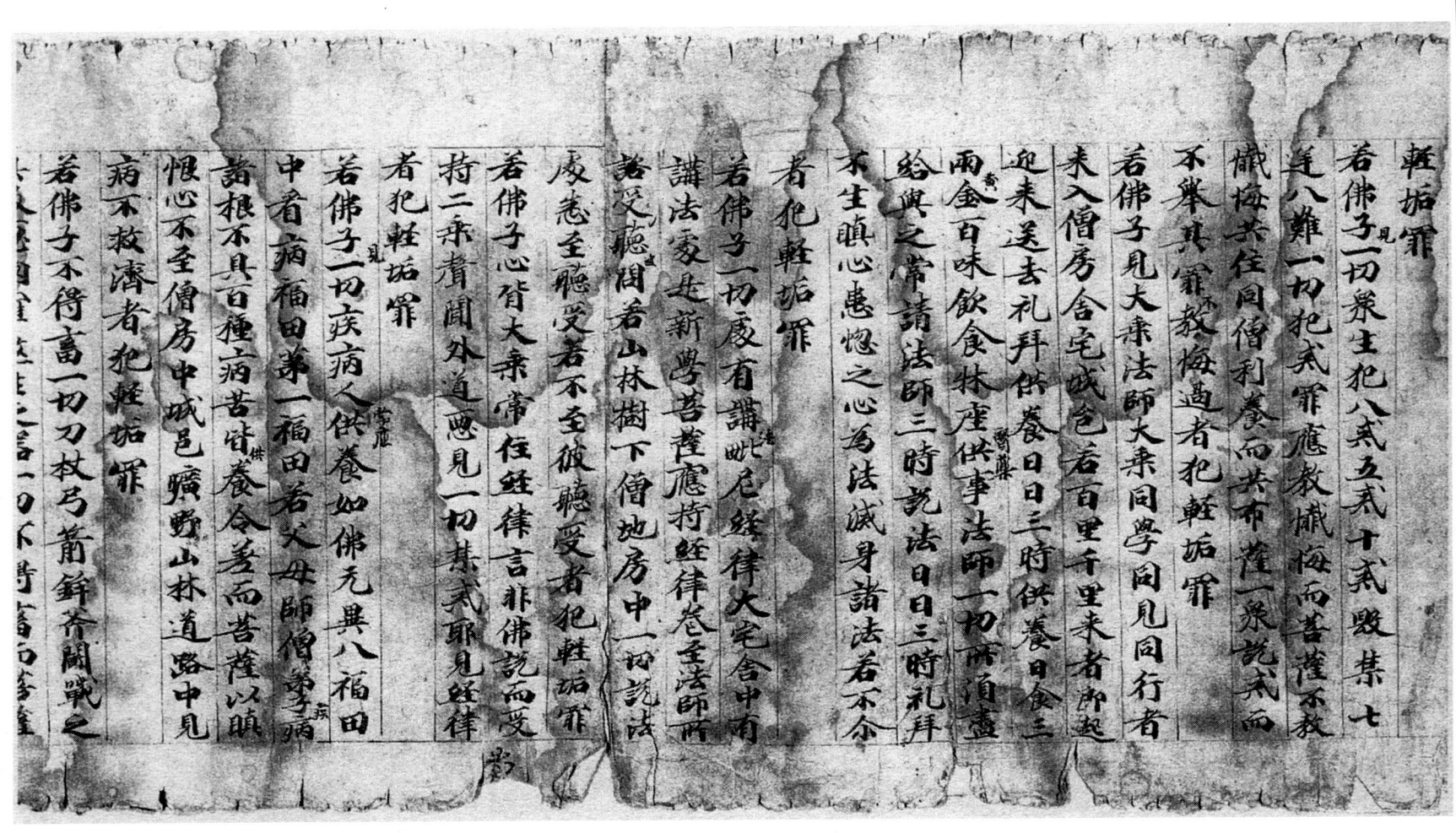

諸根不具百種病苦皆供養令差而菩薩以瞋
恨心不至僧房中城邑曠野山林道路中見
病不救濟者犯輕垢罪
若佛子不得畜一切刀杖弓箭鉾斧鬪戰之
具及惡網羅殺生之器一切不得畜而菩薩
乃至殺父母尚不加報況殺一切衆生若故
畜刀杖犯輕垢罪如是十戒應當學敬心奉
持下六品中當廣開
佛言佛子為利養惡心故通國使命軍陣合
會興師相殺無量衆生而菩薩不得入軍中
往來況故作國賊若故作者犯輕垢罪
若佛子故販賣良人奴婢六畜市易棺材板
木盛死之具尚不應自作況教人作若故作
者犯輕垢罪
若佛子以惡心故無事謗他良人善人法師
衆僧國王貴人言犯七逆十重父母兄弟六
親中應生孝順心慈悲心而反更加於逆害
墮不如意處者犯輕垢罪
若佛子以惡心故放大火燒山林曠野田
四月乃至九月放火若燒他人居家屋宅城
邑僧房田木及鬼神官物一切有主物不得
故燒若故燒者犯輕垢罪
若佛子自佛弟子及外道惡人六親一切善知
識應一一教受持大乘經律教解義理使發
菩提心十發趣心十長養心十金剛心一一
解其次第法用而菩薩以惡心瞋心橫教他

BD01838 號 2　梵網經盧舍那佛說菩薩心地戒品第十卷下　（24–10）

故燒若故燒者犯輕垢罪
若佛子自佛弟子及外道惡人六親一切善知
識應一一教受持大乘經律教解義理使發
菩提心十發趣心十長養心十金剛心一一
解其次第法用而菩薩以惡心瞋心橫教他
二乘聲聞戒經律外道邪見論等者犯輕垢罪
若佛子應以好心先學大乘威儀經律廣開
解義味見後新學菩薩有百里千里來求大
乘經律應如法為說一切苦行若燒身燒臂
燒指若不燒身臂指供養諸佛非出家菩薩
乃至餓虎狼師子一切餓鬼悉應捨身肉手
足而供養之然後一一次第為說正法使心
開意解而菩薩為利養故應答不答倒說經
律文字無前無後謗三寶說者犯輕垢罪
若佛子自為飲食錢物利養名譽故親近國
王王子大臣百官恃作形勢乞索打拍牽挽
橫取錢物一切求利名為惡求多求教他人
求都無慈心無孝順心者犯輕垢罪
若佛子學誦戒者日日六時持菩薩戒解其
義理佛性之性而菩薩不解一句一偈戒律
因緣詐言能解即為自欺誑亦欺他人一一不
解一切法不知而為他人作師受戒者犯輕垢罪
若佛子以惡心故見持戒比丘手捉香爐行
菩薩行而鬪過兩頭謗欺賢人無惡不造若
故作者犯輕垢罪
若佛子以慈心故行放生業一切男子是我

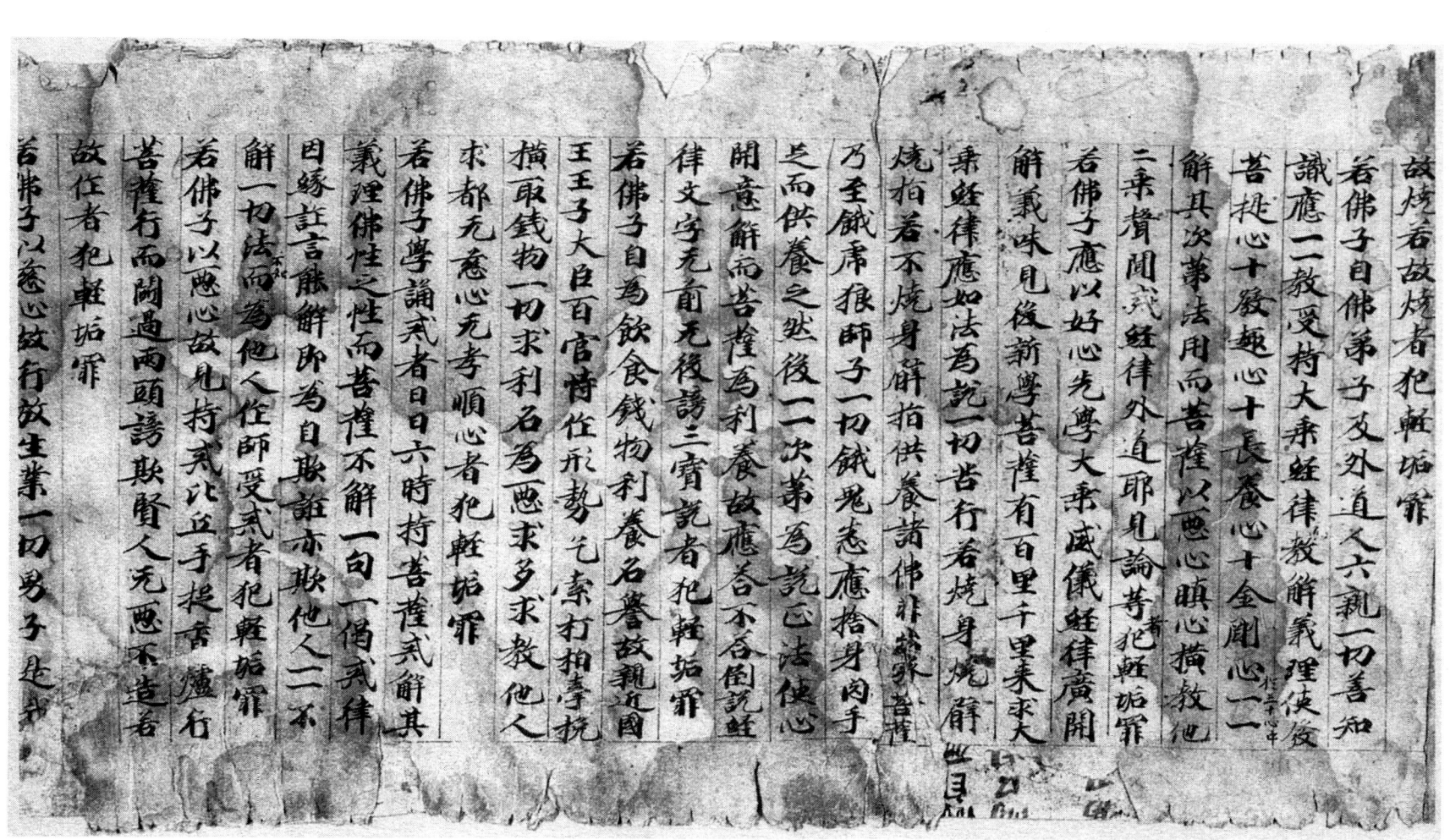

BD01838 號 2　梵網經盧舍那佛說菩薩心地戒品第十卷下　（24–11）

若佛子以惡心故見持戒比丘手捉香鑪行
菩薩行而鬬過兩頭謗欺賢人无惡不造若
故作者犯輕垢罪
若佛子以慈心故行放生業一切男子是我
父一切女人是我母我生生无不從之受生
故六道衆生皆是我父母而煞而食者即煞
我父母亦煞我故身一切地水是我先身一
切火風是我本體故常行放生業生生受生
若見世人煞畜生時應方便救護解其苦難
常教化講說菩薩戒救度衆生若父母兄弟
死亡之日應請法師講菩薩戒經律福資亡
亡者得見諸佛生人天上若不尒者犯輕垢
罪如是十戒應當學敬心奉持如滅罪品中
廣明一一戒相
佛言佛子以瞋報瞋以打報打若煞父母兄
弟六親不得加報若國主為他人煞者亦不
得加報煞生報生不順孝道尚不畜奴婢打
拍罵辱日日起三業罪无量況故作七逆之
罪而出家菩薩无慈報讎乃至六親若故作
者犯輕垢罪
若佛子始[初]出家未有所解而自恃聰明有智
或高貴年宿或恃大姓高門大解大富饒財
七寶以此憍慢而不諮受先學法師經律其
法師者或小姓年少卑門貧窮諸根不具而
實有德一切經律盡解而新學菩薩不得觀
法師種性而不來諮受法師第一義諦者犯

BD01838號2　梵網經盧舍那佛說菩薩心地戒品第十卷下　（24–12）

或高貴年宿或恃大姓高門大解大富饒財
七寶以此憍慢而不諮受先學法師經律其
法師者或小姓年少卑門貧窮諸根不具而
實有德一切經律盡解而新學菩薩不得觀
法師種性而不來諮受法師第一義諦者犯
輕垢罪
若佛子佛滅度後欲以好心受菩薩戒時於佛
菩薩形像前自誓受戒當七日佛前懺悔得
見好相便得受戒若不得好相應二七三七
日乃至一年要得好相得好相已便得佛菩
薩形像前受戒若不得好相雖佛菩薩形
像前受戒不名得戒若先受菩薩戒法師前受
戒時不須要見好相何以故是法師師師相受
故不須好相是以法師前受戒即得戒以生重
心故便得戒若千里內无能授戒師得佛菩
薩形像前受得戒而要見好相若法師自倚解
經律大乘學戒與國王太子百官以為善友而
新學菩薩來問若經義律義輕心惡心慢心
不一一好荅問者犯輕垢罪
若佛子有佛經律大乘正法正見正性正法
身而不能勤學脩習而捨七寶反學邪見二
乘外道俗典阿毗曇雜論書記是斷佛性鄣
道因緣非行菩薩道者故作者犯輕垢罪
若佛子佛滅度後為說法主為僧房主教化
主坐禪主行來主應生慈心善和鬬訟善守護
三寶物莫无度用如己自有而反亂衆鬬諍

BD01838號2　梵網經盧舍那佛說菩薩心地戒品第十卷下　（24–13）

道因緣非行菩薩道者故作者犯輕垢罪
若佛子佛滅度後為說法主為僧房主教化
主坐禪主行來主應生慈心善和鬪訟善守
三寶物莫无度用如己自有而反亂衆鬪諍
恣心用三寶物者犯輕垢罪
若佛子先住僧房中後見客菩薩比丘來入
僧房舍宅城邑國王宅舍中乃至夏坐安居
處所及大會中先住僧應迎來送去飲食供
養房舍卧具繩牀事事給與若无有物應自
賣身及男女身供給所須悉以與之若有檀
越來請衆僧客僧有利養分僧房主應次
第差客僧受請而先住僧獨受請而不差客僧
房主得无量罪畜生无異非沙門非釋種子
若故作者犯輕垢罪
若佛子一切不得受別請利養入己而此利
養屬十方僧而別受請即取十方僧物入己
及八福田諸佛聖人一一師僧父母病人物
自己用故犯輕垢罪
若佛子有出家菩薩在家菩薩及一切檀越
請僧福田求願之時應入僧中問知事人今
欲次第請者即得十方賢聖僧而世人別請
五百羅漢菩薩僧不如僧次一凡夫僧若別
請僧者是外道法七佛无別請法不順孝道
若故別請僧者犯輕垢罪
若佛子以惡心故為利養販賣男女色自手

BD01838號2　梵網經盧舍那佛說菩薩心地戒品第十卷下　（24–14）

欲次第請者即得十方賢聖僧而世人別請
五百羅漢菩薩僧不如僧次一凡夫僧若別
請僧者是外道法七佛无別請法不順孝道
若故別請僧者犯輕垢罪
若佛子以惡心故為利養販賣男女色自手
作食自磨自舂占相男女解夢吉凶是男是
女呪術工巧調鷹方法和合百種毒藥千種毒
藥蛇毒生金銀蠱毒都无慈心若故作者犯
輕垢罪
若佛子以惡心故自身謗三寶詐現親附口
便說空行在有中為白衣通致男女交會婬
色作諸縛著於六齋日年三長齋月作殺生
劫盜破齋犯戒者犯輕垢罪如是十戒應當
學敬心奉持制戒品中廣解
佛言佛子佛滅度後於惡世中若見外道一
切惡人劫賊賣佛菩薩父母形像販賣經律
販賣比丘比丘尼亦賣發心菩薩道人或為
官使與一切人作奴婢者而菩薩見是事已
應生慈心方便救護處處教化取物贖佛菩
薩形像及比丘比丘尼一切經律若不贖者
犯輕垢罪
若佛子不得畜刀杖弓箭販賣輕秤小斗因
官形勢取人財物害心繫縛破壞成功長養
貓狸猪狗若故養者犯輕垢罪
若佛子以惡心故觀一切男女等鬪軍陣兵
將劫賊等鬪亦不得聽吹貝鼓角琴瑟箏笛

BD01838號2　梵網經盧舍那佛說菩薩心地戒品第十卷下　（24–15）

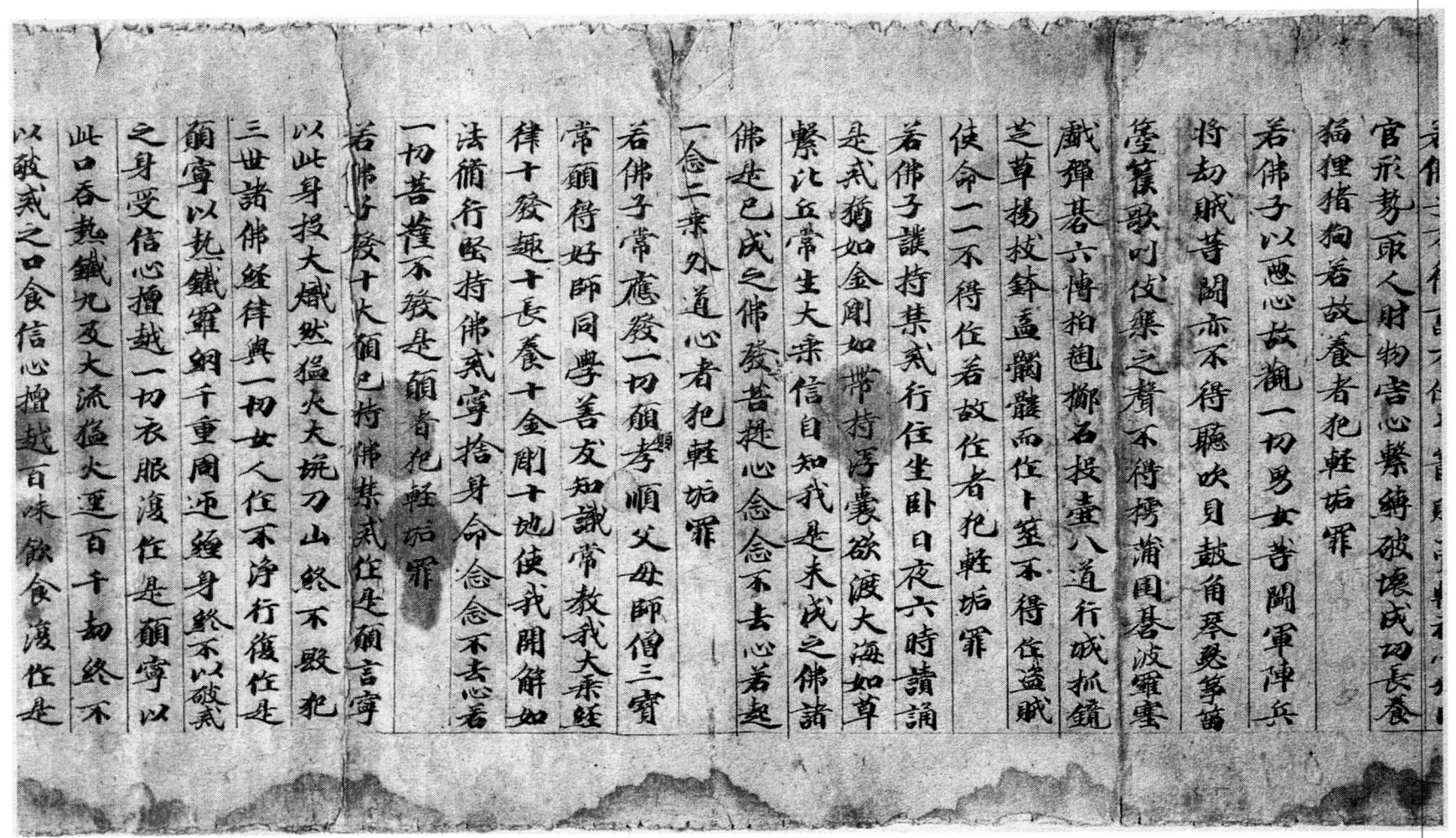

官形勢取人財物害心繫縛破壞成功長養
猫狸猪狗者故養者犯輕垢罪
若佛子以惡心故觀一切男女等鬪軍陣兵
將劫賊等鬪亦不得聽吹貝鼓角琴瑟箏笛
箜篌歌叫伎樂之聲不得摴蒱圍碁波羅塞
戲彈碁六博拍毱擲石投壺八道行城爪鏡
芝草楊枝鉢盂髑髏而作卜筮不得作盜賊
使命一一不得作若故作者犯輕垢罪
若佛子護持禁戒行住坐卧日夜六時讀誦
是戒猶如金剛如帶持浮囊欲渡大海如草
繫比丘常生大乘信自知我是未成之佛諸
佛是已成之佛發菩提心念念不去心若起
一念二乘外道心者犯輕垢罪
若佛子常應發一切願孝順父母師僧三寶
常願得好師同學善友知識常教我大乘經
律十發趣十長養十金剛十地使我開解如
法脩行堅持佛戒寧捨身命念念不去心若
一切菩薩不發是願者犯輕垢罪
若佛子發十大願已持佛禁戒作是願言寧
以此身投大熾然猛火大坑刀山終不毀犯
三世諸佛經律與一切女人作不淨行復作是
願寧以熱鐵羅網千重周匝纏身終不以破戒
之身受信心檀越一切衣服復作是願寧以
此口吞熱鐵丸及大流猛火經百千劫終不
以破戒之口食信心檀越百味飲食復作是

BD01838號2　梵網經盧舍那佛說菩薩心地戒品第十卷下　（24-16）

三世諸佛經律與一切女人作不淨行復作是
願寧以熱鐵羅網千重周匝纏身終不以破戒
之身受信心檀越一切衣服復作是願寧以
此口吞熱鐵丸及大流猛火經百千劫終不
以破戒之口食信心檀越百味飲食復作是
願寧以此身卧大猛火羅網熱鐵地上終不
以破戒之身受信心檀越百種牀坐復作是
願寧以此身受三百鉾刺身經一劫二劫終不以
破戒之身受信心檀越百味醫藥復作是願
寧以此身投熱鐵鑊經百千劫終不以破戒之身
受信心檀越千種房舍屋宅園林田宅地復作是
願寧以鐵鎚打碎此身從頭至足令如微塵終不
以此破戒之身受信心檀越恭敬礼拜復作是
願寧以百千熱鐵刀鉾挑其兩目終不以此破
戒之心視他好色復作是願寧以百千鐵
錐遍身攙刺耳根經一劫二劫終不以破
戒之心聽好音聲復作是願寧以百千刃刀
割去其鼻終不以破戒之心貪嗅諸香復作
是願寧以百千刃刀割斷其舌終不以破戒
之心食人百味淨食復作是願寧以利斧斬
斫其身終不以破戒之心貪著好服復作是
願願一切衆生悉得成佛而菩薩若不發是
願者犯輕垢罪
若佛子常應二時頭陁冬夏坐禪結夏安居
常用楊枝澡豆三衣瓶鉢坐具錫杖香爐漉

BD01838號2　梵網經盧舍那佛說菩薩心地戒品第十卷下　（24-17）

所其身終不以破戒之心貪著好飯後住是
願願一切衆生悉得成佛而菩薩若不發是
願者犯輕垢罪
若佛子常應二時頭陀冬夏坐禪結夏安居
常用楊枝澡豆三衣瓶鉢坐具錫杖香爐漉
水囊手巾刀子火燧鑷子繩床經律佛像菩
薩形像而菩薩行頭陀時及遊方時行來時
百里千里此十八種物常隨其身頭陀者從
正月十五日至三月十五日八月十五日至
十月十五日是二時中此十八種物常隨其身
如鳥二翼若布薩日新學菩薩半月半月
布薩誦十重四十八輕戒時於諸佛菩薩形
像前一人布薩即一人誦若二若三乃至百
千人亦一人誦誦者高座聽者下坐各各被
九條七條五條袈裟結夏安居一一如法若頭
陀時莫入難處若國難惡王土地高下草木
深邃師子虎狼水火惡風難及以劫賊道路
毒蛇一切難處悉不得入若頭陀行道乃至
夏坐安居是諸難處皆不得入若故入者犯
輕垢罪
若佛子應如法次第坐先受戒者在前坐後
受戒者在後坐不問老少比丘比丘尼貴人
國王王子乃至黃門奴婢皆應先受戒者在
前坐後受戒者隨次第坐莫如外道癡人若
老若少無前無後坐無次第兵奴之法我佛
法中先者先坐後者後坐而菩薩不次第坐

BD01838 號 2　梵網經盧舍那佛說菩薩心地戒品第十卷下　（24–18）

受戒者在後坐不問老少比丘比丘尼貴人
國王王子乃至黃門奴婢皆應先受戒者在
前坐後受戒者隨次第坐莫如外道癡人若
老若少無前無後坐無次第兵奴之法我佛
法中先者先坐後者後坐而菩薩不次第坐
者犯輕垢罪
若佛子常應教化一切衆生建立僧房山林
園田立作佛塔冬夏安居坐禪處所一切行
道處皆應立之而菩薩應為一切衆生講說
大乘經律若疾病國難賊難父母兄弟和上
阿闍梨亡滅之日及三七日四五七日乃至七
七日亦應講說大乘經律齋會求福行來治
生大火所燒大水所漂黑風所吹船舫江河
大海羅剎之難亦讀誦講說此經律乃至一
切罪報三惡七逆八難杻械枷鎖繫縛其身
多婬多瞋多愚癡多疾病皆應讀誦講說大
乘經律而新學菩薩若不爾者犯輕垢罪如
是九戒應當學敬心奉持如梵壇品中廣說
佛言佛子與人受戒時不得簡擇一切國王
王子大臣百官比丘比丘尼信男信女淫男
淫女十八梵六欲天無根二根黃門奴婢一
切鬼神盡得受戒應教身所著袈裟皆使壞
色與道相應皆染使青黃赤黑紫色一切染
衣乃至臥具盡以壞色身所著衣一切染色
若一切國土中人所著服比丘皆應與其俗
服有異若欲受戒時師應問言汝現身不作

BD01838 號 2　梵網經盧舍那佛說菩薩心地戒品第十卷下　（24–19）

淫女十八梵六欲天无根二根黃門奴婢一
切鬼神盡得受戒應教身所著袈裟皆使壞
色與道相應皆染使青黃赤黑紫色一切染
衣乃至卧具盡以壞色身所著衣一切染色
若一切國土中人所著服比丘皆應與其俗
服有異若欲受戒時師應問言汝現身不作
七逆罪不而菩薩法師不得與七逆人現身
受戒七逆者出佛身血煞父母和上向闍梨
破羯磨轉法輪僧煞聖人若具七遮即身不
得戒餘一切人得受戒出家人法不向國王
礼拜不向父母礼拜六親不敬鬼神不礼
但解法師語有百里千里來求戒者而菩薩
法師以惡心瞋心而不即與授一切衆生戒
者犯輕垢罪
若佛子教化人起信心時菩薩與他人作教
戒法師者見欲受戒人應教請二師和上阿
闍梨二師應問言汝有七遮罪不若現身有
七遮師不應與受戒无七遮者得受若有犯十
戒者應教懺悔在佛菩薩形像前日日六時
誦十重四十八輕戒苦到礼三世千佛須見
好相若一七日二三七日乃至一年要見好
相好相者佛來摩頂若見光花種種異相便
得罪滅若无好相雖懺无益是現身亦不得
戒而得增受戒若犯四十八輕戒者對手懺
罪滅不同七遮而教戒師於是法中一一好
解若不解大乘經律若輕若重是非之相不

BD01838號2　梵網經盧舍那佛說菩薩心地戒品第十卷下　（24–20）

好相若一七日二三七日乃至一年要見好
相好相者佛來摩頂若見光花種種異相便
得罪滅若无好相雖懺无益是現身亦不得
戒而得增受戒若犯四十八輕戒者對手懺
罪滅不同七遮而教戒師於是法中一一好
解若不解大乘經律若輕若重是非之相不
解第一義諦習種性長養性不可壞性道性
正性其中多少觀行出入十禪支於一切行
法一一不得此法中意而菩薩為利養故為
名聞故惡求貪利弟子而詐現解一切經律
為供養故是自欺詐亦欺詐他人故與人受戒
者犯輕垢罪
若佛子不得為利養於未受菩薩戒者前外
道惡人前說此千佛大戒邪見人前亦不得
說除國王餘一切人不得說是惡人輩不受
佛戒名為畜生生生不見三寶如木石无心
名為外道邪見人輩木頭无異而菩薩於是
惡人前說七佛教戒者犯輕垢罪
若佛子信心出家受佛正戒故起心毀犯聖
戒者不得受一切檀越供養亦不得國王地
上行不得飲國王水五千大鬼常遮其前鬼
言大賊入房舍城邑宅中鬼復常掃其腳跡
一切世人罵言佛法中賊一切衆生眼不欲
見犯戒之人畜生无異木頭无異若毀正戒
者犯輕垢罪
若佛子常應一心受持讀誦大乘經律剝皮為紙刺血

BD01838號2　梵網經盧舍那佛說菩薩心地戒品第十卷下　（24–21）

言大賊入房舍城邑宅中鬼復常掃其脚跡
一切世人罵[redacted]中賊一切衆生眼不欲
見犯戒之人畜生无異木頭无異若毀正戒
者犯輕垢罪
若佛子常應一心受持讀誦剥皮為紙刺血
為墨以髓為水折骨為筆書寫佛戒木皮穀
紙絹素竹帛亦應悉書持常以七寶无價香花一切
雜寶為箱盛經律卷若不如法供養者犯輕
垢罪
若佛子常起大悲心若入一切城邑舍宅見
一切衆生唱言汝等衆生盡應受三歸十戒
若見牛馬猪羊一切畜生應心念口言汝是
畜生發菩提心而菩薩入一切處山林川野
皆使一切衆生發菩提心是菩薩若不教化
衆生者犯輕垢罪
若佛子常行教化起大悲心入擅越貴人家
一切衆中不得立為白衣說法應白衣衆前
高座上坐法師比丘不得地立為四衆
說法若說法時法師高坐香花供養四衆
聽者下坐如孝順父母敬順師教如事火婆羅
門其說法者若不如法說者犯輕垢罪
若佛子皆以信心受戒者若國王太子百官
四部弟子自恃高貴破滅佛法戒律明作制
法制我四部子不聽出家行道亦復不聽造
立形像佛塔經律破三寶之罪而故作破法

BD01838號2　梵網經盧舍那佛說菩薩心地戒品第十卷下　（24–22）

若佛子皆以信心受戒者若國王太子百官
四部弟子自恃高貴破滅佛法戒律明作制
法制我四部子不聽出家行道亦復不聽造
立形像佛塔經律破三寶之罪而故作破法
者犯輕垢罪
若佛子以好心出家而為名聞利養於國王
百官前說七佛戒横與比丘比丘尼菩薩弟
子繫縛如師子身中虫自食師子非外道天
魔能破佛戒若受佛戒者應護佛戒如念一
子如事父母而聞外道惡人以惡言謗佛戒
時如三百鉾刺心千刀万杖打拍其身等无有
異寧自入地獄百劫而不用聞一惡言破佛
戒之聲而況自破佛戒教人破法因緣无孝
順心若故作者犯輕垢罪是九戒應當學敬
心奉持
諸佛子是四十八輕戒汝等受持過去諸佛
菩薩已誦現在諸佛菩薩今誦未來諸佛菩
薩當誦佛子聽十重四十八輕戒三世諸佛
已誦當誦今誦我今亦如是誦汝等一切大
衆若國王王子百官比丘比丘尼信男信女
受持菩薩戒者應受持讀誦解說書寫佛性
常住戒卷流通三世一切衆生化化不絶得
見千佛佛佛授手世世不墮惡道八難常生
人道天中我今在此菩提樹下略開七佛法
戒汝等當一心學波羅提木叉歡喜奉行

BD01838號2　梵網經盧舍那佛說菩薩心地戒品第十卷下　（24–23）

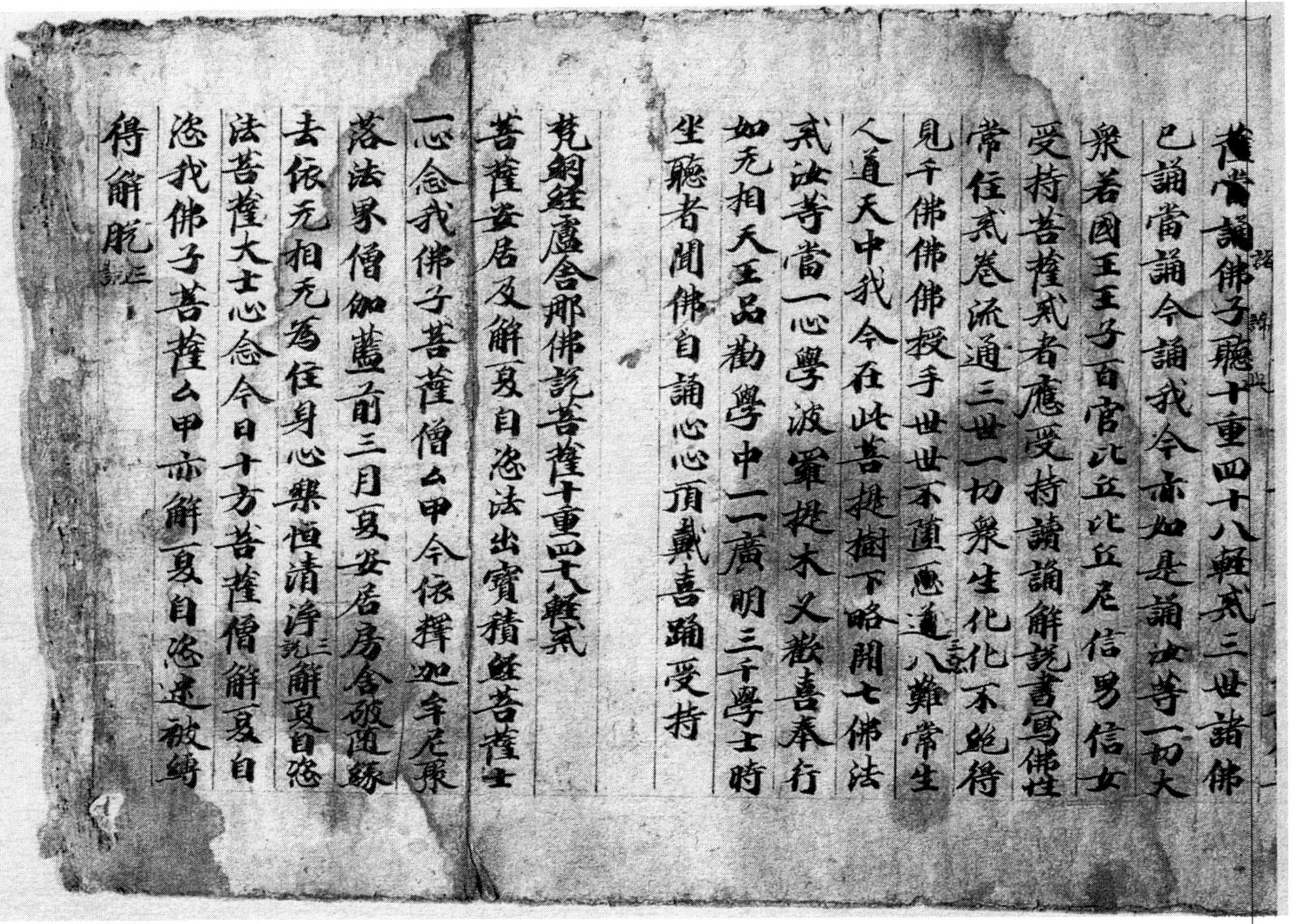
薩當誦佛子聽十重四十八輕戒三世諸佛
已誦當誦今誦我今亦如是誦汝等一切大
衆若國王王子百官比丘比丘尼信男信女
受持菩薩戒者應受持讀誦解說書寫佛性
常住戒卷流通三世一切衆生化化不絕得
見千佛佛佛授手世世不墮惡道八難常生
人道天中我今在此菩提樹下略開七佛法
戒汝等當一心學波羅提木叉歡喜奉行
如无相天王品勸學中一一廣明三千學士時
坐聽者聞佛自誦心心頂戴喜踊受持
梵網經盧舍那佛說菩薩十重四十八輕戒
菩薩安居及解夏自恣法出寶積經菩薩士
一心念我佛子菩薩僧厶甲今依釋迦牟尼衆
落法界僧伽藍前三月夏安居房舍破隨緣
去依无相无為住身心樂恒清淨三說解夏自恣
法菩薩大士心念今日十方菩薩僧解夏自
恣我佛子菩薩厶甲亦解夏自恣迷被縛
得解脫三說

BD01838 號 2　梵網經盧舍那佛說菩薩心地戒品第十卷下　（24–24）

BD01838 號 3　菩薩安居及解夏自恣法

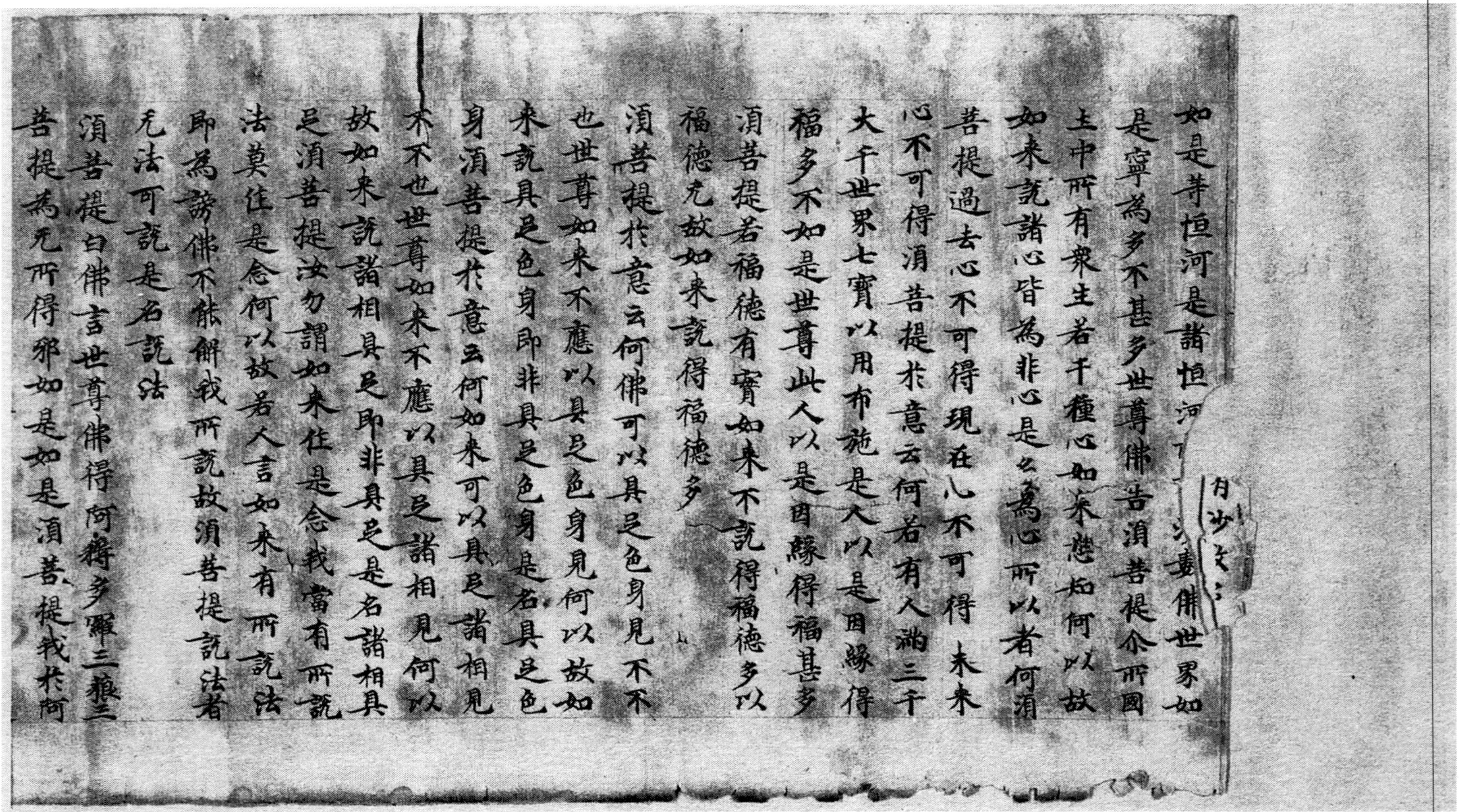
如是等恒河是諸恒河[illegible]有沙數佛世界如
是寧為多不甚多世尊佛告須菩提尒所國
土中所有衆生若干種心如來悉知何以故
如來說諸心皆為非心是名為心所以者何須
菩提過去心不可得現在心不可得未來
心不可得須菩提於意云何若有人滿三千
大千世界七寶以用布施是人以是因緣得
福多不如是世尊此人以是因緣得福甚多
須菩提若福德有實如來不說得福德多以
福德无故如來說得福德多
須菩提於意云何佛可以具足色身見不不
也世尊如來不應以具足色身見何以故如
來說具足色身即非具足色身是名具足色
身須菩提於意云何如來可以具足諸相見
不不也世尊如來不應以具足諸相見何以
故如來說諸相具足即非具足是名諸相具
足須菩提汝勿謂如來作是念我當有所說
法莫作是念何以故若人言如來有所說法
即為謗佛不能解我所說故須菩提說法者
无法可說是名說法
須菩提白佛言世尊佛得阿耨多羅三藐三
菩提為无所得耶如是如是須菩提我於阿

BD01839 號　金剛般若波羅蜜經　（3–1）

是須菩提汝勿謂如來作是念我當有所說
法莫作是念何以故若人言如來有所說法
即為謗佛不能解我所說故須菩提說法者
无法可說是名說法
須菩提白佛言世尊佛得阿耨多羅三藐三
菩提為无所得耶如是如是須菩提我於阿
耨多羅三藐三菩提乃至无有少法可得是
名阿耨多羅三藐三菩提復次須菩提是法
平等无有高下是名阿耨多羅三藐三菩提
以无我无人无衆生无壽者修一切善法則
得阿耨多羅三藐三菩提須菩提所言善法
者如來說非善法是名善法
須菩提若三千大千世界中所有諸須弥山
王如是等七寶聚有人持用布施若人以此
般若波羅蜜經乃至四句偈等受持讀誦為
他人說於前福德百分不及一百千万億分
乃至筭數譬喻所不能及
須菩提於意云何汝等勿謂如來作是念我
當度衆生須菩提莫作是念何以故實无有
衆生如來度者若有衆生如來度者如來則
有我人衆生壽者須菩提如來說有我者則
非有我而凡夫之人以為有我須菩提凡夫
者如來說則非凡夫
須菩提於意云何可以卅二相觀如來不須
菩提言如是如是以卅二相觀如來佛言須
菩提若以卅二相觀如來者轉輪聖王則是

BD01839號　金剛般若波羅蜜經　（3-2）

般若波羅蜜經乃至四句偈等受持讀誦為
他人說於前福德百分不及一百千万億分
乃至筭數譬喻所不能及
須菩提於意云何汝等勿謂如來作是念我
當度衆生須菩提莫作是念何以故實无有
衆生如來度者若有衆生如來度者如來則
有我人衆生壽者須菩提如來說有我者則
非有我而凡夫之人以為有我須菩提凡夫
者如來說則非凡夫
須菩提於意云何可以卅二相觀如來不須
菩提言如是如是以卅二相觀如來佛言須
菩提若以卅二相觀如來者轉輪聖王則是
如來須菩提白佛言世尊如我解佛所說義
不應以卅二相觀如來尒時世尊而說偈言
若以色見我　以音聲求我　是人行邪道　不能見如來
須菩提汝若作是念如來不以具足相故得
阿耨多羅三藐三菩提須菩提莫作是念如
來不以具足相故得阿耨多羅三藐三菩提
須菩提汝若作是念發阿耨多羅三藐三菩

BD01839號　金剛般若波羅蜜經　（3-3）

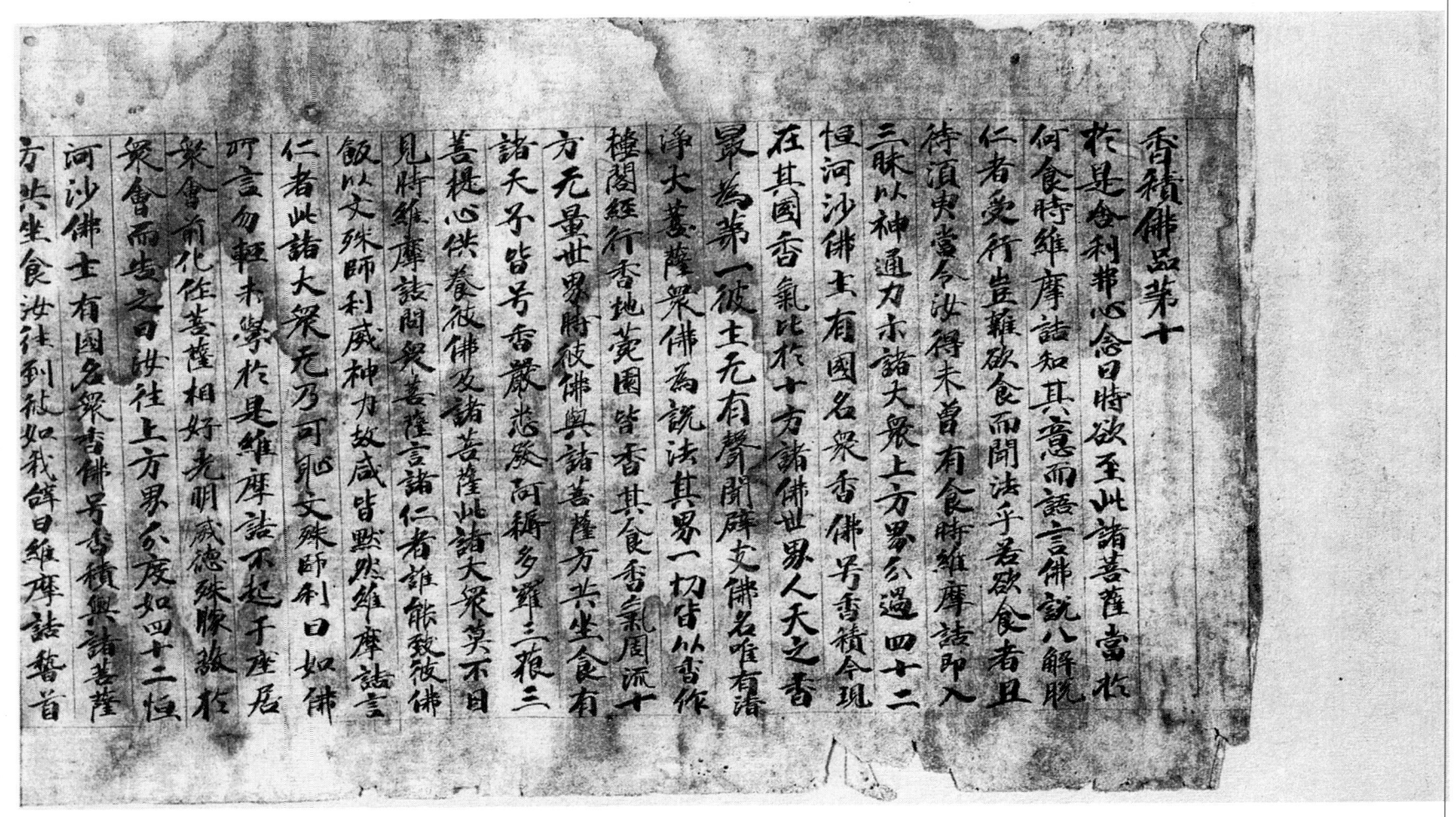

香積佛品第十
於是舍利弗心念日時欲至此諸菩薩當於
何食時維摩詰知其意而語言佛說八解脫
仁者受行豈雜欲食而聞法乎若欲食者且
待須臾當令汝得未曾有食時維摩詰即入
三昧以神通力示諸大衆上方界分過四十二
恒河沙佛土有國名衆香佛号香積今現
在其國香氣比於十方諸佛世界人天之香
最為第一彼土无有聲聞辟支佛名唯有清
淨大菩薩衆佛為說法其界一切皆以香作
樓閣經行香地苑園皆香其食香氣周流十
方无量世界時彼佛與諸菩薩方共坐食有
諸天子皆号香嚴悉發阿耨多羅三藐三
菩提心供養彼佛及諸菩薩此諸大衆莫不目
見時維摩詰問衆菩薩言諸仁者誰能致彼佛
飯以文殊師利威神力故咸皆默然維摩詰言
仁者此諸大衆无乃可耻文殊師利曰如佛
所言勿輕未學於是維摩詰不起于座居
衆會前化作菩薩相好光明威德殊勝蔽於
衆會而告之曰汝往上方界分度如四十二恒
河沙佛土有國名衆香佛号香積與諸菩薩
方共坐食汝往到彼如我辭曰維摩詰稽首

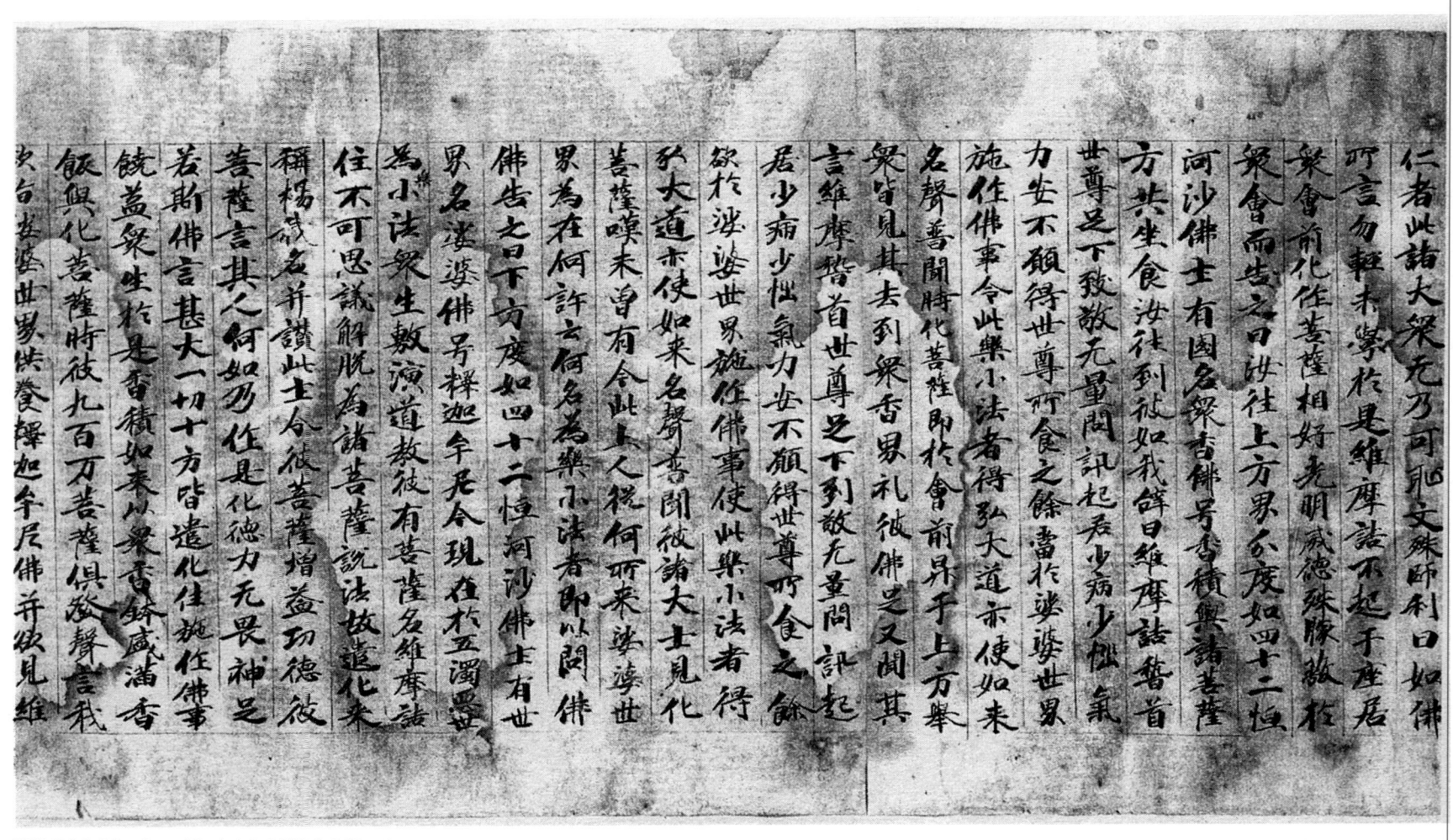

BD01840號　維摩詰所說經卷下　（15–1）

仁者此諸大衆无乃可耻文殊師利曰如佛
所言勿輕未學於是維摩詰不起于座居
衆會前化作菩薩相好光明威德殊勝蔽於
衆會而告之曰汝往上方界分度如四十二恒
河沙佛土有國名衆香佛号香積與諸菩薩
方共坐食汝往到彼如我辭曰維摩詰稽首
世尊足下致敬无量問訊起居少病少惱氣
力安不願得世尊所食之餘當於娑婆世界
施作佛事令此樂小法者得弘大道亦使如来
名聲普聞時化菩薩即於會前昇于上方舉
衆皆見其去到衆香界礼彼佛足又聞其
言維摩詰稽首世尊足下致敬无量問訊起
居少病少惱氣力安不願得世尊所食之餘
欲於娑婆世界施作佛事使此樂小法者得
弘大道亦使如来名聲普聞彼諸大士見化
菩薩歎未曾有今此上人從何所来娑婆世
界為在何許云何名為樂小法者即以問佛
佛告之曰下方度如四十二恒河沙佛土有世
界名娑婆佛号釋迦牟尼今現在於五濁惡世
為小法衆生敷演道教彼有菩薩名維摩詰
住不可思議解脫為諸菩薩說法故遣化来
稱揚我名并讚此土令彼菩薩增益功德彼
菩薩言其人何如乃作是化德力无畏神足
若斯佛言甚大一切十方皆遣化往施作佛事
饒益衆生於是香積如来以衆香鉢盛滿香
飯與化菩薩時彼九百万菩薩俱發聲言我
欲詣娑婆世界供養釋迦牟尼佛并欲見維

BD01840號　維摩詰所說經卷下　（15–2）

菩薩言其人何如乃作是化德力无畏神足
若斯佛言甚大一切十方皆遣化往施作佛事
饒益衆生於是香積如來以衆香鉢盛滿香
飯與化菩薩時彼九百万菩薩俱發聲言我
欲詣沙婆世界供養釋迦牟尼佛并欲見維
摩詰等諸菩薩衆佛言可往攝汝身香无令
彼諸衆生起惑著又當捨汝本形勿使彼國
求菩薩者而自鄙恥又汝於彼莫懷輕賤
而作礙想所以者何十方國土皆如虛空又諸
佛為欲化諸樂小法者不盡現其清淨土
耳時化菩薩既受鉢飯與彼九百万菩薩俱
承佛威神及維摩詰力於彼世界忽然不現
須臾之間至維摩詰舍維摩詰即化作九百
万師子之座嚴好如前諸菩薩皆坐其上化菩
薩以滿鉢香飯與維摩詰飯香普熏毗耶離
城及三千大千世界時毗耶離婆羅門居士
等聞是香氣身意快然歎未曾有於是長
者主月蓋從八万四千人來入維摩詰舍見其
室中菩薩甚多諸師子座高廣嚴好皆大歡
喜礼衆菩薩及大弟子却住一面諸地神虛
空神及欲色界諸天聞此香氣亦皆來入維
摩詰舍時維摩詰語舍利弗等諸大聲聞仁
者可食如來甘露味飯大悲所熏无以限意食
之使不消也有異聲聞念是飯少而此大衆
人人當食化菩薩曰勿以聲聞小德小智稱
量如來无量福慧四海有竭此飯无盡使

摩詰舍時維摩詰語舍利弗等諸大聲聞仁
者可食如來甘露味飯大悲所熏无以限意食
之使不消也有異聲聞念是飯少而此大衆
人人當食化菩薩曰勿以聲聞小德小智稱
量如來无量福慧四海有竭此飯无盡使
一切人食揣若須彌乃至一劫猶不能盡所以
者何无盡戒定智慧解脫解脫知見功德
具足者所食之餘終不可盡於是鉢飯悉飽
衆會猶故不賜其諸菩薩聲聞天人食此飯
者身安快樂譬如一切樂莊嚴國諸菩薩也又
諸毛孔皆出妙香亦如衆香國土諸樹之
香尒時維摩詰問衆香菩薩香積如來以何
說法彼菩薩曰我土如來无文字說但以衆
香令諸天人得入律行菩薩各各坐香樹下
聞斯妙香即獲一切德藏三昧得是三昧者
菩薩所有功德皆悉具足彼諸菩薩問維摩
詰今世尊釋迦牟尼以何說法維摩詰言此
土衆生剛強難化故佛為說剛強之語以調伏
之言是地獄是畜生是餓鬼是諸難處是
愚人生處是身邪行是身邪行報是口邪行
是口邪行報是意邪行是意邪行報是殺生
是殺生報是不與取是不與取報是邪婬是邪
婬報是妄語是妄語報是兩舌是兩舌報
是惡口是惡口報是无義語是无義語報是
貪嫉是貪嫉報是瞋惱是瞋惱報是邪見是
邪見報是慳悋是慳悋報是毀戒是毀戒報
是瞋恚是瞋恚報是懈怠是懈怠報是亂意

婬報是妄語是妄語報是兩舌是兩舌報
是惡口是惡口報是无義語是无義語報是
貪嫉是貪嫉報是瞋惱是瞋惱報是耶見是
耶見報是慳悋是慳悋報是毀戒是毀戒報
是瞋恚是瞋恚報是懈怠是懈怠報是亂意
是亂意報是愚癡是愚癡報是結戒是持戒
是犯戒是應作是不應作是鄣礙是不鄣礙是
得罪是離罪是淨是垢是有漏是无漏是耶
道是正道是有為是无為是世間是涅槃以
難化之人心如猨猴故以若干種法制御其
心乃可調伏譬如象馬㦽悷不調加諸楚
毒乃至徹骨然後調伏如是剛強難化衆生
故以一切苦切之言乃可入律彼諸菩薩聞
說是已皆曰未曾有也如世尊釋迦牟尼佛
隱其无量自在之力乃以貧所樂法度脫衆
生斯諸菩薩亦能勞謙以无量大悲生是
佛土維摩詰言此土菩薩於諸衆生大悲堅
固誠如所言然其一世饒益衆生多於彼國
百千劫行所以者何此娑婆世界有十事善
法諸餘淨土之所无有何等為十以布施攝
貧窮以淨戒攝毀禁以忍辱攝瞋恚以精進
攝懈怠以禪定攝亂意以智慧攝愚癡說
除難法度八難者以大乘法度樂小乘者以諸
善根濟无德者常以四攝成就衆生是為十
彼菩薩曰菩薩成就幾法於此世界行无瘡
疣生于淨土維摩詰言菩薩成就八法於此
世界行无瘡疣生于淨土何等為八饒益衆

攝懈[illegible]
除難法度八難者以大乘法度樂小乘者以諸
善根濟无德者常以四攝成就衆生是為十
彼菩薩曰菩薩成就幾法於此世界行无瘡
疣生于淨土維摩詰言菩薩成就八法於此
世界行无瘡疣生于淨土何等為八饒益衆
生而不望報代一切衆生受諸苦惱所作功
德盡以施之等心衆生謙下无礙於諸菩薩
視之如佛所未聞經聞之不疑不與聲聞而相
違背不嫉彼供不高己利而於其中調伏
其心常省己過不訟彼短恒以一心求諸功德
是為八維摩詰文殊師利於大衆中說是
法時百千天人皆發阿耨多羅三藐三菩提
心十千菩薩得无生法忍

菩薩行品第十一

是時佛說法於菴羅樹園其地忽然廣博嚴
事一切衆會皆作金色阿難白佛言世尊以
何因緣有此瑞應是處忽然廣博嚴事一切
衆會皆作金色佛告阿難是維摩詰文殊師
利與諸大衆恭敬圍遶發意欲來故先為此
瑞應於是維摩詰語文殊師利可共見佛與
諸菩薩礼事供養文殊師利言善哉行矣今
正是時維摩詰即以神力持諸大衆并師子
座置於右掌往詣佛所到已著地稽首佛足
右繞七匝一心合掌在一面立其諸菩薩即
皆避座稽首佛足亦繞七匝於一面立諸大弟
子釋梵四天王等亦皆避座稽首佛足在一

正是時維摩詰即以神力持諸大衆并師子
座置於右掌往詣佛所到已著地稽首佛足
右繞七匝一心合掌在一面立其諸菩薩即
皆避座稽首佛足亦繞七匝於一面立諸大弟
子釋梵四天王等亦皆避座稽首佛足在一
面立於是世尊如法慰問諸菩薩已各令復
座即皆受教衆坐已定佛語舍利弗汝見
菩薩大士自在神力之所為乎唯然已見汝
意云何世尊我覩其為不可思議非意所圖
非度所測介時阿難白佛言世尊今所聞香
自昔未有是為何香佛告阿難是彼菩薩毛
孔之香於是舍利弗語阿難言我等毛孔亦
出是香阿難言此所從來曰是長者維摩詰
從衆香國取佛餘飯於舍食者一切毛孔皆
香若此阿難問維摩詰是香氣住當久如維
摩詰言至此飯消曰此飯久當如消曰此飯
勢力至于七日然後乃消又阿難若聲聞人
未入正位食此飯者得入正位然後乃消已入
正位食此飯者得心解脫然後乃消若未發
大乘意食此飯者至發意乃消已發意食此
飯者得无生忍然後乃消已得无生忍食此
飯者至一生補處然後乃消譬如有藥名曰
上味其有服者身諸毒滅然後乃消此飯
如是滅除一切諸煩惱毒然後乃消阿難白
佛言未曾有也世尊如此香飯能作佛事佛
言如是如是阿難或有佛土以佛光明而作
佛事有以諸菩薩而作佛事有以佛所化人

BD01840號　維摩詰所說經卷下　（15–7）

飯者至一生補處然後乃消譬如有藥名曰
上味其有服者身諸毒滅然後乃消此飯
如是滅除一切諸煩惱毒然後乃消阿難白
佛言未曾有也世尊如此香飯能作佛事佛
言如是如是阿難或有佛土以佛光明而作
佛事有以諸菩薩而作佛事有以佛所化人
而作佛事有以菩提樹而作佛事有以佛衣
服卧具而作佛事有以飯食而作佛事有以
園林臺觀而作佛事有以三十二相八十隨
形好而作佛事有以佛身而作佛事有以虛
空而作佛事衆生應以此緣得入律行有以
夢幻影響鏡中像水中月熱時焰如是等喻
而作佛事又以音聲語言文字而作佛事或
有清淨佛土寂漠无言无說无示无識无作
无為而作佛事如是阿難諸佛威儀進止諸所
施為无非佛事阿難有此四魔八万四千諸煩
惱門而諸衆生為之疲勞諸佛即以此法而
作佛事是名入一切諸佛法門菩薩入此門
者若見一切淨妙佛土不以為喜不貪不
高若見一切不淨佛土不以為憂不礙不沒
但於諸佛生清淨心歡喜恭敬未曾有也諸
佛如來功德平等為教化衆生故而現佛土
不同阿難汝見諸佛國土地有若干而虛空
无若干也如是見諸佛色身有若干耳其无
礙慧无若干也阿難諸佛色身威德種姓戒
定智慧解脫解脫知見力无所畏不共之法
大慈大悲威儀所行及其壽命說法教化成

BD01840號　維摩詰所說經卷下　（15–8）

无若干也如是見諸佛色身有若干耳其无
閡慧无若干也阿難諸佛色身威德種姓戒
定智慧解脫解脫知見力无所畏不共之法
大慈大悲威儀所行及其壽命說法教化成
就衆生淨佛國土具諸佛法悉皆同等是故
名為三藐三佛陁名為多陁阿伽度名為佛
陁阿難若我廣說此三句義汝以劫壽不能
盡受正使三千大千世界滿中衆生皆如阿
難多聞第一得念揔持此諸人等以劫之壽
亦不能受如是阿難諸佛阿耨多羅三藐三
菩提无有限量智慧辯才不可思議阿難白
佛言我從今已往不敢自謂以為多聞佛告
阿難勿起退意所以者何我說汝於聲聞中
為最多聞非謂菩薩且止阿難其有智者不
應限度諸菩薩也一切海淵尚可測量菩薩
禪定智慧揔持辯才一切功德不可量也阿
難汝等捨置菩薩所行是維摩詰一時所現
神通之力一切聲聞辟支佛於百千劫盡力
變化所不能作
尒時衆香世界菩薩來者合掌白佛言世尊
我等初見此土生下劣相今自悔責捨離是
心所以者何諸佛方便不可思議為度衆生
故隨其所應現佛國異唯然世尊願賜少法
還於彼土當念如来佛告諸菩薩有盡无盡
解脫法門汝等當學何謂為盡謂有為法何
謂无盡謂无為法如菩薩者不盡有為不住
无為何謂不盡有為謂不離大慈不捨大悲

BD01840號　維摩詰所說經卷下　（15–9）

故隨其所應現佛國異唯然世尊願賜少法
還於彼土當念如来佛告諸菩薩有盡无盡
解脫法門汝等當學何謂為盡謂有為法何
謂无盡謂无為法如菩薩者不盡有為不住
无為何謂不盡有為謂不離大慈不捨大悲
深發一切智心而不忽忘教化衆生終不猒
惓於四攝法常念順行護持正法不惜軀命
種諸善根无有疲猒志常安住方便迴向求
法不懈說法无悋勤供諸佛故入生死而无
所畏於諸榮辱心无憂喜不輕未學敬學如
佛墮煩惱者令發正念於遠離樂不以為貴
不著己樂慶於彼樂在諸禪定如地獄想於
生死中如園觀想見來求者為善師想捨諸
所有具一切智想見毀戒人起救護想諸波
羅蜜為父母想道品之法為眷屬想發行善
根无有齊限以諸淨國嚴飾之事成己佛土
行不限施具足相好除一切惡身口意淨生
死无數劫意而有勇聞佛无量德志而不倦
以智慧劒破煩惱賊出陰界入荷負衆生永
使解脫以大精進摧伏魔軍常求无念實相
智慧行少欲知足而不捨世間法不壞威儀
而能隨俗起神通慧引導衆生得念揔持所
聞不忘善別諸根斷衆生疑以樂說辯演法
无礙淨十善道受天人福脩四无量開梵天
道勸請說法隨喜讚善得佛音聲身口意善
得佛威儀深脩善法所行轉勝以大乘教成
菩薩僧心无放逸不失衆善行如此法是名

BD01840號　維摩詰所說經卷下　（15–10）

而能依起神通慧引導衆生得念持持所
聞不忘善別諸根斷衆生疑以樂說辯演法
无礙淨十善道受天人福修四无量開梵天
道勸請說法隨喜讚善得佛音聲身口意善
得佛威儀深修善法所行轉勝以大乘教成
菩薩僧心无放逸不失衆善行如此法是名
菩薩不盡有為何謂菩薩不住无為謂修學
空不以空為證修學无相无作不以无相无
作為證修學无起不以无起為證觀於无常
而不猒善本觀世間苦而不惡生死觀於无
我而誨人不倦觀於寂滅而不永寂滅觀於
遠離而身心修善觀无所歸而歸趣善法觀於
无生而以生法荷負一切觀於无漏而不斷
諸漏觀无所行而以法行教化衆生觀於空
无而不捨大悲觀正法位而不隨小乘觀諸
法虛妄无牢无人无主无相本願未滿而不
虛福德禪定智慧修如此法是名菩薩不住
无為又具福德故不住无為具智慧故不盡
有為大慈悲故不住无為滿本願故不盡有
為集法藥故不住无為隨授藥故不盡有為
知衆生病故不住无為滅衆生病故不盡有
為諸正士菩薩已修此法不盡有為不住无
為是名盡无盡解脫法門汝等當學尒時彼
諸菩薩聞說是法皆大歡喜以衆妙華若干
種色若干種香遍散三千大千世界供養於
佛及此經法并諸菩薩已稽首佛足歎未曾
有言釋迦牟尼佛乃能於此善行方便言已

BD01840號　維摩詰所說經卷下　（15–11）

為是名盡无盡解脫法門汝等當學尒時彼
諸菩薩聞說是法皆大歡喜以衆妙華若干
種色若干種香遍散三千大千世界供養於
佛及此經法并諸菩薩已稽首佛足歎未曾
有言釋迦牟尼佛乃能於此善行方便言已
忽然不現還到彼國
見阿閦佛品第十二
尒時世尊問維摩詰汝欲見如來為以何等
觀如來乎維摩詰言如自觀身實相觀佛亦
然我觀如來前際不來後際不去今則不住
不觀色不觀色如不觀色性不觀受相行識
不觀識如不觀識性非四大起同於虛空六
入无積眼耳鼻舌身心已過不在三界三垢
已離順三脫門三明與无明等不一相不異
相不自相不他相非无相非取相不此岸不
彼岸不中流而化衆生觀於寂滅亦不永滅
不此不彼不以此不以彼不可以智知不可
以識識无晦无明无名无相无强无弱非淨
非穢不在方不離方非有為非无為无示无
說不施不慳不戒不犯不忍不恚不進不怠
不定不亂不智不愚不誠不欺不來不去不
出不入一切言語道斷非福田非不福田非
應供養非不應供養非取非捨非相非无相
同真際等法性不可稱不可量過諸稱量非
大非小非見非聞非覺非知離衆結縛等諸
智同衆生於諸法无分別一切无失无濁无

BD01840號　維摩詰所說經卷下　（15–12）

出不入一切言語道斷非福田非不福田非
應供養非不應供養非取非捨非相非无相
同真際等法性不可稱不可量過諸稱量非
大非小非見非聞非覺非知離衆結縛等諸
智同衆生於諸法无分別一切无失无濁无
惱无作无起无生无滅无畏无憂无喜无猒
无著无已有无當有无今有不可以一切言
說分別顯示世尊如來身為若此作如是觀
以斯觀者名為正觀若他觀者名為邪觀
尒時舍利弗問維摩詰汝於何沒而來生此
維摩詰言汝所得法有沒生乎舍利弗言无
沒生也若諸法无沒生相云何問言汝於何
沒而來生此於意云何譬如幻師幻作男女
寧沒生耶舍利弗言无沒生也汝豈不聞佛
說諸法如幻相乎荅曰如是若一切法如幻
相者云何問言汝於何沒而來生此舍利弗
沒者為虛誑法敗壞之相生者為虛誑法相
續之相菩薩雖沒不盡善本雖生不長諸惡
是時佛告舍利弗有國名妙喜佛号无動是
維摩詰於彼國沒而來生此舍利弗言未曾
有也世尊是人乃能捨清淨土而來樂此多
怒害處維摩詰語舍利弗於意云何日光出
時與冥合乎荅曰不也日光出時則无衆冥
維摩詰言夫日何故行閻浮提荅曰欲以明照
為之除冥維摩詰言菩薩如是雖生不淨
佛土為化衆生不與愚闇而共合也但滅衆
生煩惱闇耳是時大衆渴仰欲見妙喜世界

BD01840 號　維摩詰所說經卷下　（15–13）

有也世尊是人乃能捨清淨土而來樂此多
怒害處維摩詰語舍利弗於意云何日光出
時與冥合乎荅曰不也日光出時則无衆冥
維摩詰言夫日何故行閻浮提荅曰欲以明照
為之除冥維摩詰言菩薩如是雖生不淨
佛土為化衆生不與愚闇而共合也但滅衆
生煩惱闇耳是時大衆渴仰欲見妙喜世界
不動如來及其菩薩聲聞之衆佛知一切衆
會所念告維摩詰言善男子為此衆會現妙
喜國不動如來及諸菩薩聲聞之衆悉皆欲
見於是維摩詰心念吾當不起于座接妙喜
國鐵圍山川溪谷江河大海泉源須彌諸山
及日月星宿天龍鬼神梵天宮等并諸菩薩
聲聞之衆城邑聚落男女大小乃至无動如
來及菩提樹諸妙蓮華能於十方作佛事者
三道寶階從閻浮提至忉利天以此寶階諸
天來下悉為礼敬无動如來聽受經法閻浮
提人亦登其階上昇忉利見彼諸天妙喜世
界成就如是无量功德上至阿迦膩吒天下
至水際以右手斷取如陶家輪入此世界猶
持華鬘示一切衆作是念已入於三昧現神
通力以其右手斷取妙喜世界置於此土彼
得神通菩薩及聲聞衆并餘天人俱發聲言
唯然世尊誰取我去願見救護无動佛言非
我所為是維摩詰神力所作其餘未得神通
者不覺不知已之所往妙喜世界雖入此土
而不增減於是世界亦不迫隘如本无異

BD01840 號　維摩詰所說經卷下　（15–14）

及曰月星宿天龍鬼神梵天宫等并諸菩薩
聲聞之衆城邑聚落男女大小乃至无動如
来及菩提樹諸妙蓮華能於十方作佛事者
三道寶階從閻浮提至忉利天以此寶階諸
天來下悉為礼敬无動如来聽受經法閻浮
提人亦登其階上昇忉利見彼諸天妙喜世
界成就如是无量功德上至阿迦膩吒天下
至水際以右手斷取如陶家輪入此世界猶
持華鬘示一切衆作是念已入於三昧現神
通力以其右手斷取妙喜世界置於此土彼
得神通菩薩及聲聞衆并餘天人俱發聲言
唯然世尊誰取我去願見救護无動佛言非
我所為是維摩詰神力所作其餘未得神通
者不覺不知己之所往妙喜世界雖入此土
而不增減於是世界亦不迫隘如本无異
爾時釋迦牟尼佛告諸大衆汝等且觀妙喜世
界无動如来其國嚴飾菩薩行淨弟子清白
皆曰唯然已見佛言若菩薩欲得如是清淨
佛土當學无動如来所行之道現此妙喜國
時娑婆世界十四那由他人發阿耨多羅三
藐三菩提心皆願生於妙喜佛土釋迦牟尼

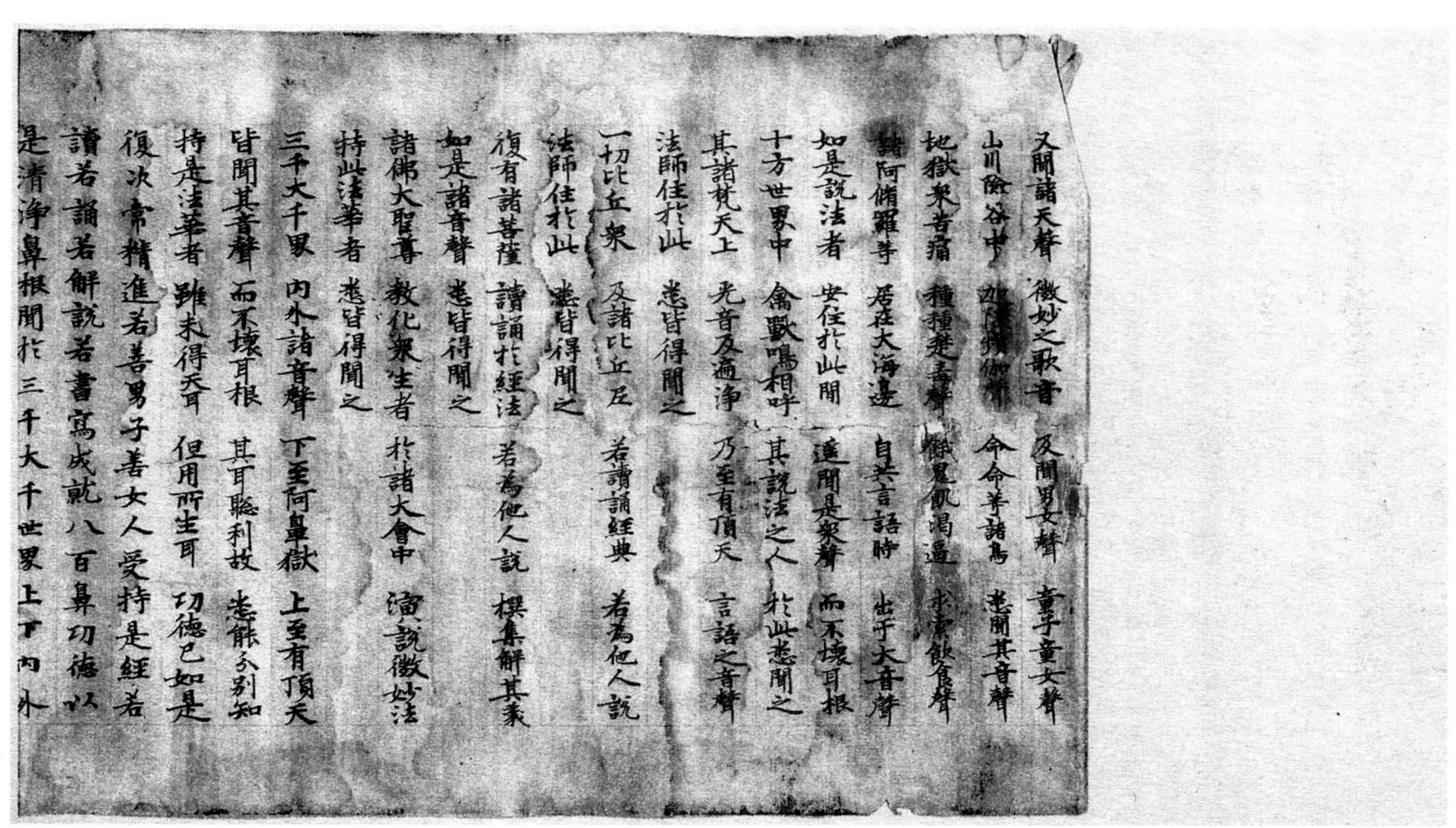

BD01840 號　維摩詰所說經卷下

（15–15）

又聞諸天聲　微妙之歌音　及聞男女聲　童子童女聲
山川嶮谷中　迦陵頻伽聲　命命等諸鳥　悉聞其音聲
地獄衆苦痛　種種楚毒聲　餓鬼飢渴逼　求索飲食聲
諸阿脩羅等　居在大海邊　自共言語時　出于大音聲
如是說法者　安住於此間　遥聞是衆聲　而不壞耳根
十方世界中　禽獸鳴相呼　其說法之人　於此悉聞之
其諸梵天上　光音及遍淨　乃至有頂天　言語之音聲
法師住於此　悉皆得聞之
一切比丘衆　及諸比丘尼　若讀誦經典　若為他人說
法師住於此　悉皆得聞之
復有諸菩薩　讀誦於經法　若為他人說　撰集解其義
如是諸音聲　悉皆得聞之
諸佛大聖尊　教化衆生者　於諸大會中　演說微妙法
持此法華者　悉皆得聞之
三千大千界　內外諸音聲　下至阿鼻獄　上至有頂天
皆聞其音聲　而不壞耳根　其耳聰利故　悉能分別知
持是法華者　雖未得天耳　但用所生耳　功德已如是
復次常精進若善男子善女人受持是經若
讀若誦若解說若書寫成就八百鼻功德以
是清淨鼻根聞於三千大千世界上下內外

BD01841 號　妙法蓮華經卷六

（3–1）

持是法華者　雖未得天耳　但用所生耳　功德已如是
復次常精進　若善男子善女人受持是經若
讀若誦若解說若書寫成就八百鼻功德以
是清淨鼻根聞於三千大千世界上下內外
種種諸香須曼那華香闍提華香末利華香
瞻蔔華香波羅羅華香赤蓮華香青蓮華香
白蓮華香華樹香菓樹香栴檀香沈水香多
摩羅䟦香多伽羅香及千萬種和香若末若
丸若塗香持是經者於此間住悉能分別又
復別知衆生之香象香馬香牛羊等香男香
女香童子香童女香及草木叢林香若近若
遠所有諸香悉皆得聞分別不錯持是經者
雖住於此亦聞天上諸天之香波利質多羅
拘鞞陁羅樹香及曼陁羅華香摩訶曼陁羅
華香曼殊沙華香摩訶曼殊沙華香栴檀沈
水種種末香諸雜華香如是等天香和合所
出之香無不聞知又聞諸天身香釋提桓因
在勝殿上五欲娛樂嬉戲時香若在妙法堂
上為忉利諸天說法時香若於諸園遊戲時
香及餘天等男女身香皆悉遙聞如是展轉
乃至梵世上至有頂諸天身香亦皆聞之并
聞諸天所燒之香及聲聞香辟支佛香菩薩
香諸佛身香亦皆遙聞知其所在雖聞此香
然於鼻根不壞不錯若欲分別為他人說憶
念不謬尒時世尊欲重宣此義而說偈言
是人鼻清淨　於此世界中　若香若臭物　種種悉聞知

BD01841 號　妙法蓮華經卷六　（3–2）

上為忉利諸天說法時香若於諸園遊戲時
香及餘天等男女身香皆悉遙聞如是展轉
乃至梵世上至有頂諸天身香亦皆聞之并
聞諸天所燒之香及聲聞香辟支佛香菩薩
香諸佛身香亦皆遙聞知其所在雖聞此香
然於鼻根不壞不錯若欲分別為他人說憶
念不謬尒時世尊欲重宣此義而說偈言
是人鼻清淨　於此世界中　若香若臭物　種種悉聞知
須曼那闍提　多摩羅栴檀　沈水及桂香　種種華菓香
及知衆生香　男子女人香　說法者遠住　聞香知所在
大勢轉輪王　小轉輪及子　群臣諸宮人　聞香知所在
身所著珎寶　及地中寶藏　轉輪王寶女　聞香知所在
諸人嚴身具　衣服及瓔珞　種種所塗香　聞香知其身
諸天若行坐　遊戲及神變　持是法華經　聞香悉能知
諸樹華菓實　及蘇油香氣　持經者住此　悉知其所在
諸山深嶮處　栴檀樹華敷　衆生在中者　聞香皆能知
鐵圍山大海　地中諸衆生　持經者聞香　悉知其所在
阿脩羅男女　及其諸眷屬　鬪諍遊戲時　聞香皆能知
曠野險隘處　師子象虎狼　野牛水牛等　聞香知所在
若有懷妊者　未辯其男女　無根及非人　聞香悉能知
以聞香力故　知其初懷妊　成就不成就　安樂產福子
以聞香力故　知男女所念　染欲癡恚心　亦知脩善者

BD01841 號　妙法蓮華經卷六　（3–3）

如是諸星刑色者　云何而令生歡喜
諸天及與諸非天　緊那羅等及諸龍
諸藥叉等并羅刹　人及迦多富多那
猛利威德諸大神　瞋怒云何而殄滅
秘密言辭供養法　今當次第而宣說
尒時釋迦如來從自心上而放慈心遊戲光
明入於諸星頂髻之中尋時日月一切星神從
座而起以諸天供即以供養釋迦如來膝輪
著地合掌作礼而白佛言世尊如來應供
正真等覺利益我等唯願世尊宣說法門
令於我等而聚集已守衛防護說法之師
令得吉慶遠離刀杖消滅毒藥及作結界
尒時釋迦如來即便為說供養星法及以密
言陀羅尼曰
唵護呼羅迦耶莎訶　唵尸儞者薇莎訶　唵落落
當伽俱摩囉也莎訶　唵報須也報須也莎訶　唵報
伽阿毖婆須也莎訶　唵阿酒羅薩多摩也莎訶
唵吒哩毖囊歟羅那也莎訶　唵阿蚕多畢哩耶
莎訶　唵藉底羯多薇莎訶
金剛手此則是彼九星秘密心呪讀便成辦
當作廿二指一色香壇中安供養或凡或銅
金銀等器奉獻供養一一供養當誦一百八
遍金剛手然後誦此諸星母陀羅尼秘密言

BD01842號　諸星母陀羅尼經　（4–1）

唵吒哩毖囊歟羅那也莎訶　唵阿蚕多畢哩耶
莎訶　唵藉底羯多薇莎訶
金剛手此則是彼九星秘密心呪讀便成辦
當作廿二指一色香壇中安供養或凡或銅
金銀等器奉獻供養一一供養當誦一百八
遍金剛手然後誦此諸星母陀羅尼秘密言
辞滿足七遍一切諸星而作守護所有貧窮
患得解脫命將欲盡而得長壽金剛手若苾
蒭苾芻尼烏波索迦烏波斯迦及餘有情之
類若歷耳根而不中夭金剛手諸星壇中設
供養已每日而讀誦者彼說法師一切諸星
如彼所願悉令滿足與彼同類貧匱諸事
皆得消滅
尒時釋迦如來即便為說諸星母陀羅尼
即說呪曰
南謨佛陀耶　南謨婆拔囉馱囉耶　南摩鉢麼
達囉耶　南摩薩婆迦囉訶　南摩薩婆阿奢
波囉甫迦喃　南謨諾奢多囉喃　南護搖參奢
囉尸喃　怛也没彥没彥　歟室囉歟室囉　鉢
朋鉢朋　婆囉婆囉　鉢婆囉鉢婆囉　三婆囉
三婆囉　基多耶基多耶　磨囉磨囉　磨訖
陀磨訖陀　伽須耶　薩婆碧達　俱嚕俱嚕
晋那晋那　乞舍波耶乞舍波　扇眡呈伭
須磨耶須磨戌　咄嚕多你　達奢耶揭
磨喃　啰伽薄帝　落叉耶落叉耶　磨那婆
波哩波藍　婆羅波薩都王毖荼　薩婆
吒訶那乞奢多囉　陀多磨歟你　歟囉
你歟囉薄伽薄底　磨訶摩戌　薩馱

BD01842號　諸星母陀羅尼經　（4–2）

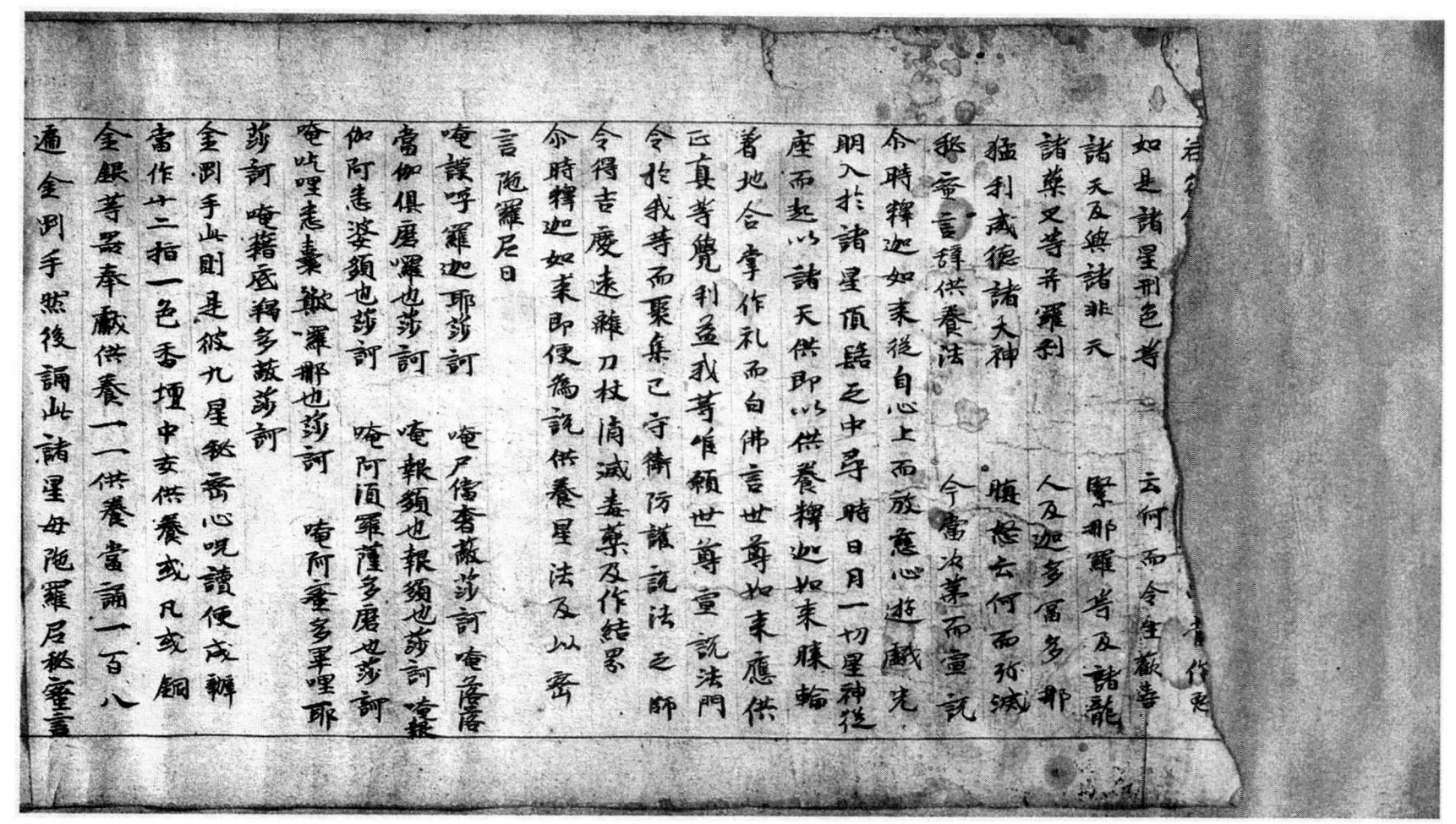

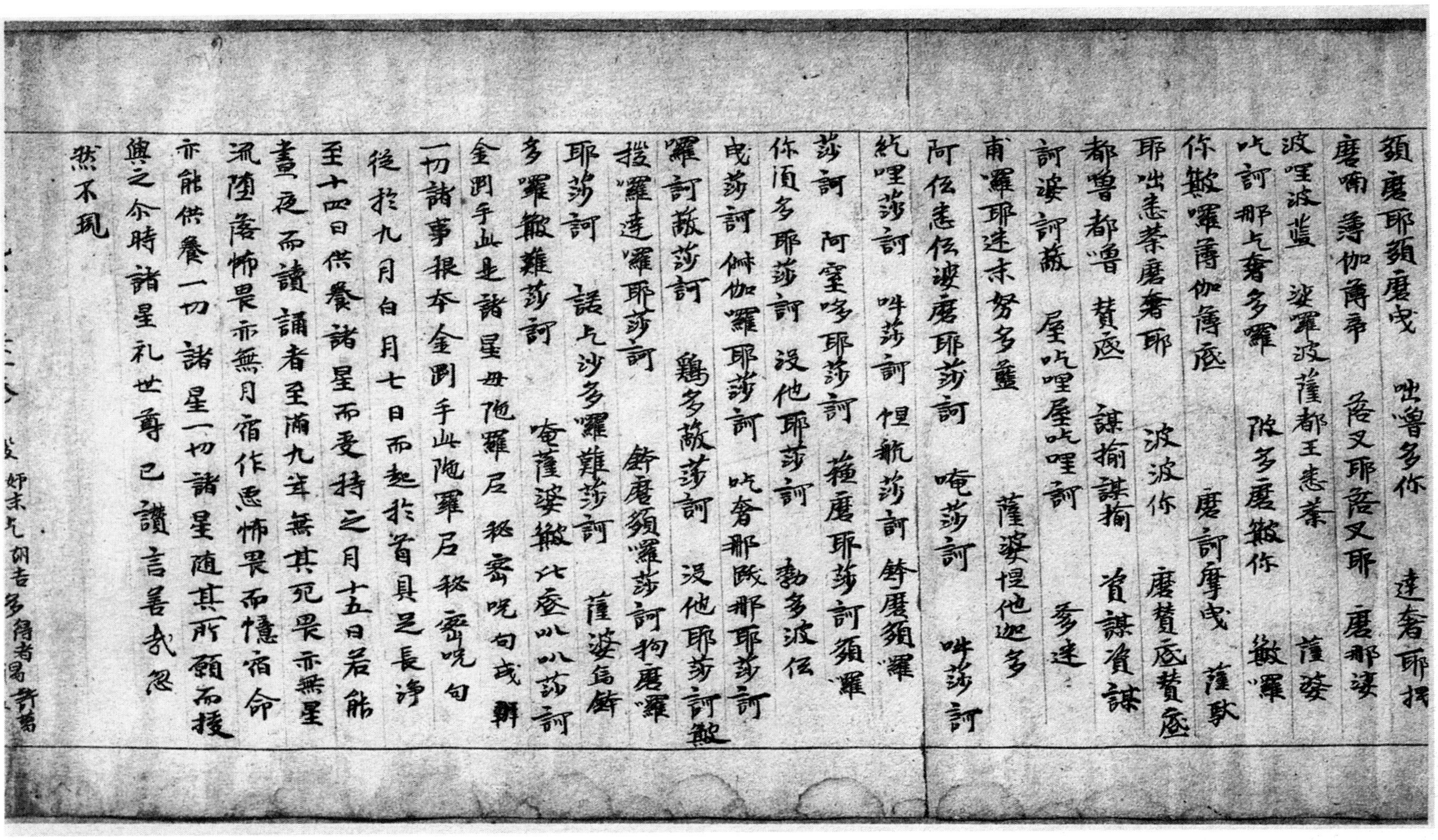
頞麼耶頞麼曳　咄嚕多你　達奢耶撥
麼喃　謨伽薄帝　洛叉耶洛叉耶　麼那婆
波哩波藍　娑羅波薩都王恚荼　薩婆
吒訶　那乞奢多羅　陀多麼敝你　敝羅
你敝囉薄伽薄底　麼訶摩曳　薩馱
耶咄恚荼麼奢耶　波波你　麼贊底贊底
都嚕都嚕　贊底　謀揄謀揄　資謀資謀
訶婆訶薇　屋吒哩屋吒哩訶　爹迷
甫羅耶迷末努多薑　薩婆提他迦多
阿伍恚伍婆麼耶莎訶　唵莎訶　吽莎訶
紇哩莎訶　吽莎訶　怛毹莎訶　鉾麼頞羅
莎訶　阿窒哆耶莎訶　薤麼耶莎訶頞羅
你湏多耶莎訶　没他耶莎訶　勳多波伍
曳莎訶　俳伽羅耶莎訶　吒奢那賤那耶莎訶
羅訶薇莎訶　鷄多薇莎訶　没他耶莎訶敝
撥羅達羅耶莎訶　鉾麼頞羅莎訶拘麼羅
耶莎訶　諾乞沙多羅難莎訶　薩婆烏鉾
多羅敝難莎訶　唵薩婆敝比丘以以莎訶
金剛手山是諸星母陁羅尼　秘密呪句　戒辨
一切諸事根本金剛手山陁羅尼　秘密呪句
從於九月白月七日而起於首具足長淨
至十四日供養諸星而受持之月十五日若能
晝夜而讀誦者至滿九年無其死畏亦無星
流隨落怖畏亦無月宿作惡怖畏而憶宿命
亦能供養一切諸星一切諸星隨其所願而援
與之尒時諸星礼世尊已讚言善哉忽
然不現
撥 妒末　紇 胡吉　哆 得者　揭 許

BD01842號　諸星母陁羅尼經　（4–3）

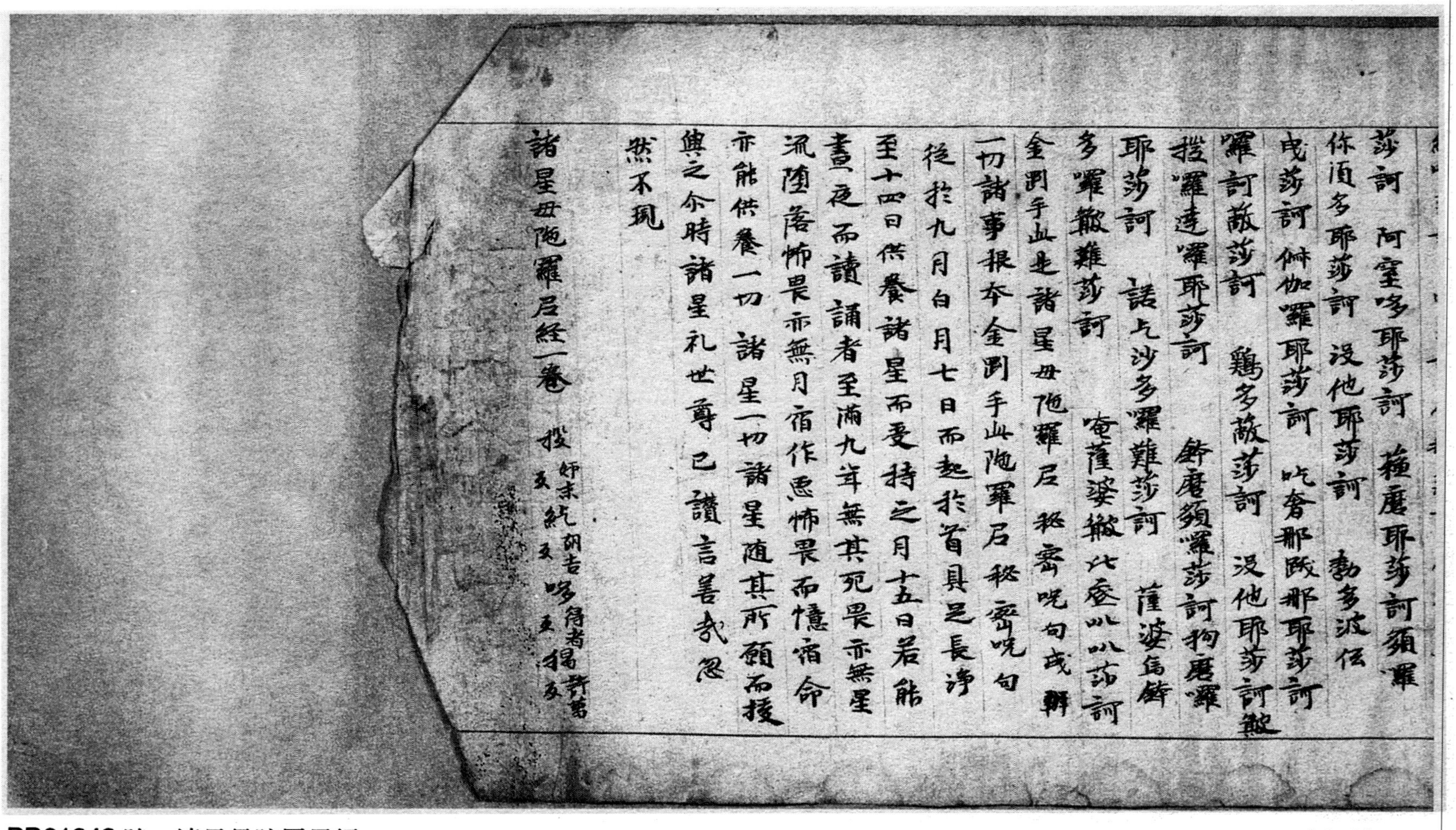
莎訶　阿窒哆耶莎訶　薤麼耶莎訶頞羅
你湏多耶莎訶　没他耶莎訶　勳多波伍
曳莎訶　俳伽羅耶莎訶　吒奢那賤那耶莎訶
羅訶薇莎訶　鷄多薇莎訶　没他耶莎訶敝
撥羅達羅耶莎訶　鉾麼頞羅莎訶拘麼羅
耶莎訶　諾乞沙多羅難莎訶　薩婆烏鉾
多羅敝難莎訶　唵薩婆敝比丘以以莎訶
金剛手山是諸星母陁羅尼　秘密呪句　戒辨
一切諸事根本金剛手山陁羅尼　秘密呪句
從於九月白月七日而起於首具足長淨
至十四日供養諸星而受持之月十五日若能
晝夜而讀誦者至滿九年無其死畏亦無星
流隨落怖畏亦無月宿作惡怖畏而憶宿命
亦能供養一切諸星一切諸星隨其所願而援
與之尒時諸星礼世尊已讚言善哉忽
然不現
諸星母陁羅尼經一卷　撥 妒末反　紇 胡吉反　哆 得者反　揭 許謁反

BD01842號　諸星母陁羅尼經　（4–4）

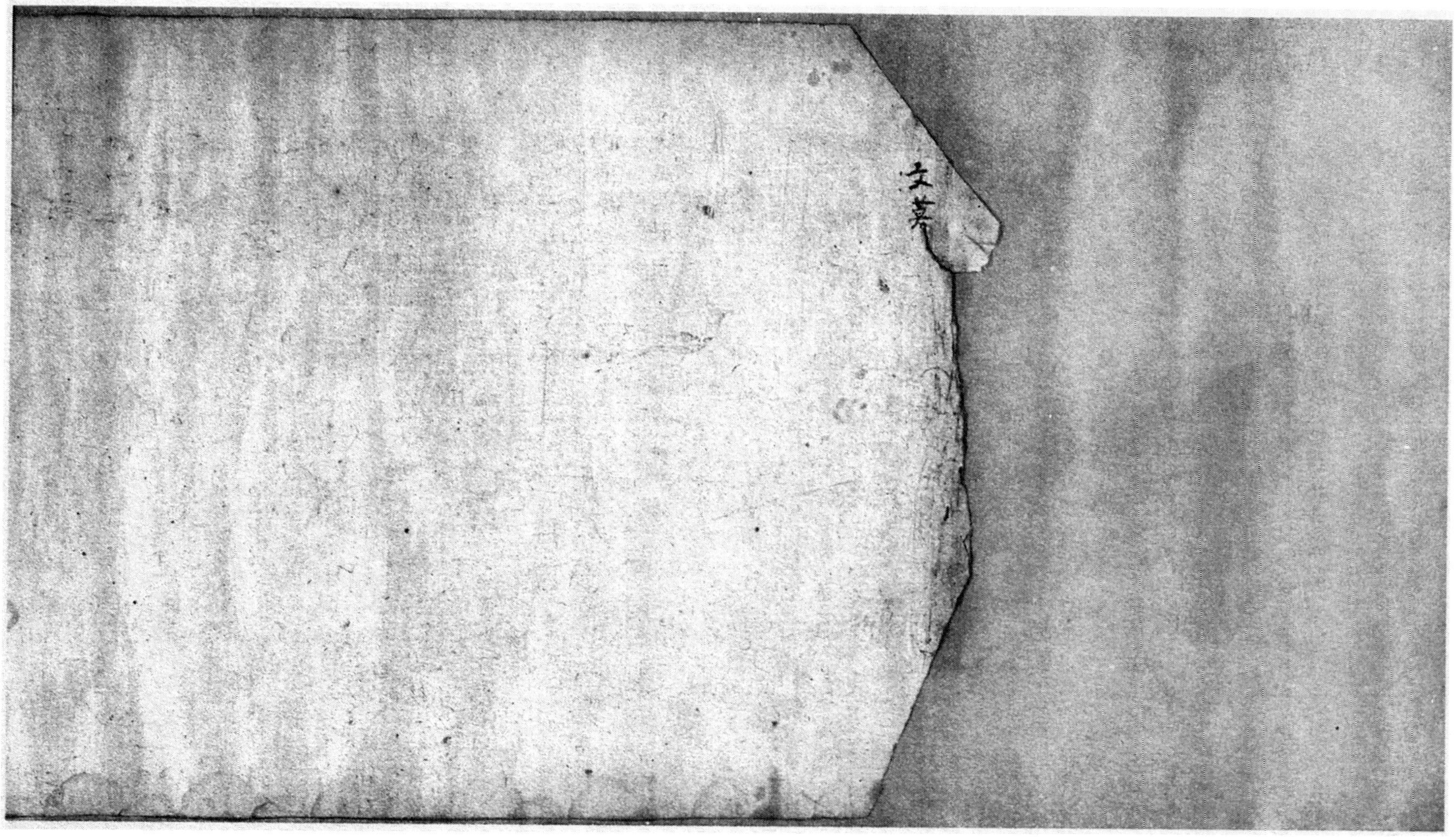

BD01842 號背　題名　　　　（1–1）

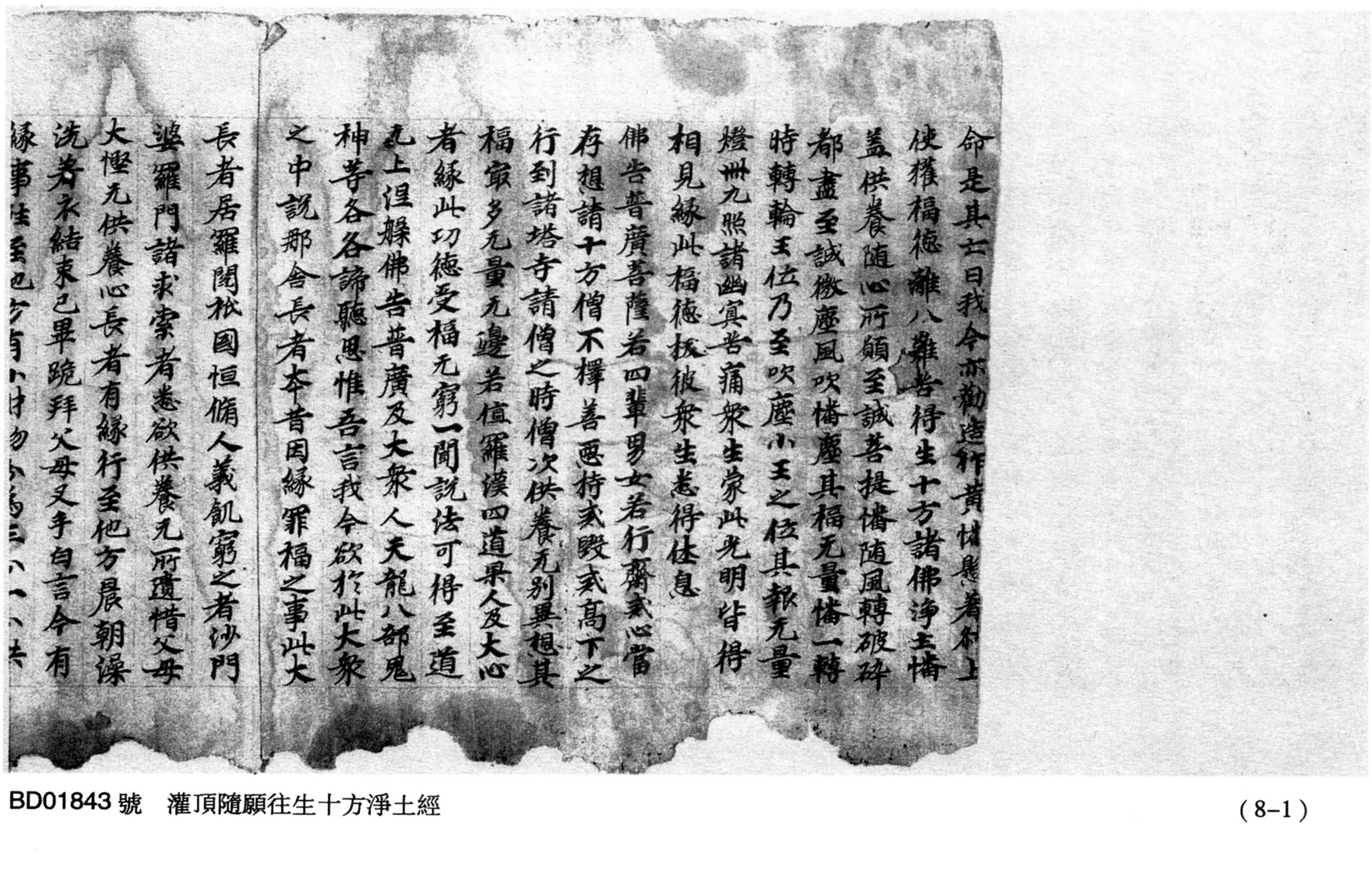

BD01843 號　灌頂隨願往生十方淨土經　　　　（8–1）

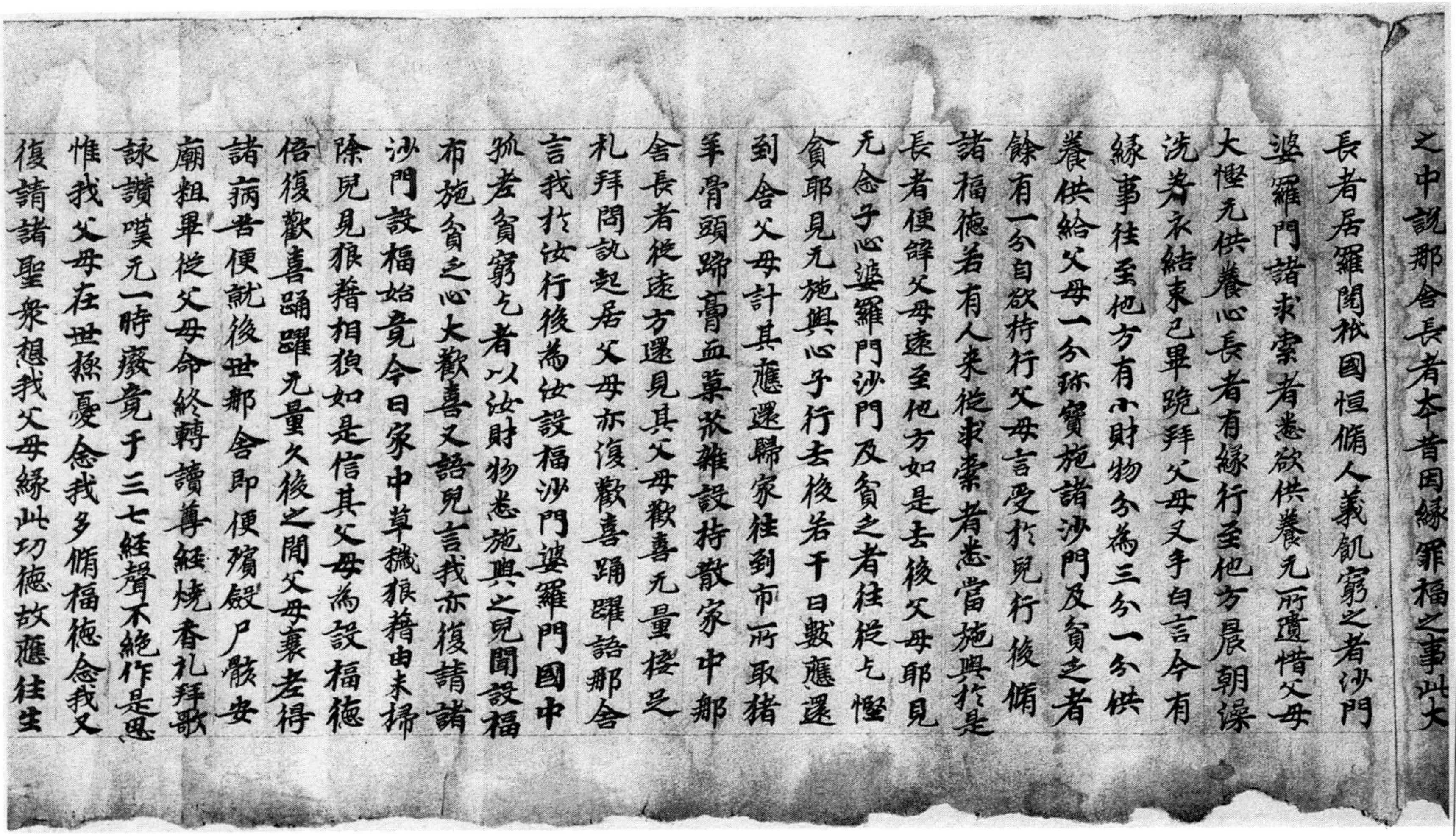
之中說那舍長者本昔因緣罪福之事此大
長者居羅閱祇國恒脩人義飢窮之者沙門
婆羅門諸求索者悉欲供養无所遺惜父母
大慳无供養心長者有緣行至他方晨朝澡
洗著衣結束已畢跪拜父母叉手白言今有
緣事往至他方有小財物分為三分一分供
養供給父母一分珍寶施諸沙門及貧之者
餘有一分自欲持行父母言受於兒行後脩
諸福德若有人來從求索者悉當施與於是
長者便辭父母遠至他方如是去後父母耶見
无念子心婆羅門沙門及貧之者往從乞慳
貪耶見无施與心子行去後若干日數應還
到舍父母計其應還歸家往到市所取豬
羊骨頭蹄膏血草於雜設持散家中那
舍長者從遠方還見其父母歡喜无量樓足
礼拜問訊起居父母亦復歡喜踊躍語那舍
言我於汝行後為汝設福沙門婆羅門國中
孤老貧窮乞者以汝財物悉施與之兒聞設福
布施貧乏之心大歡喜又語兒言我亦復請諸
沙門設福始竟今日家中草穢狼藉由未掃
除兒見狼藉相狼如是信其父母為設福德
倍復歡喜踊躍无量久後之間父母褁老得
諸病苦便就後世那舍即便殯殮尸骸安
廟粗畢從父母命終轉讀尊經燒香礼拜歌
詠讚嘆无一時廢竟于三七經聲不絶作是思
惟我父母在世極憂念我多脩福德念我父
復請諸聖衆想我父母緣此功德故應往生

BD01843號　灌頂隨願往生十方淨土經　（8–2）

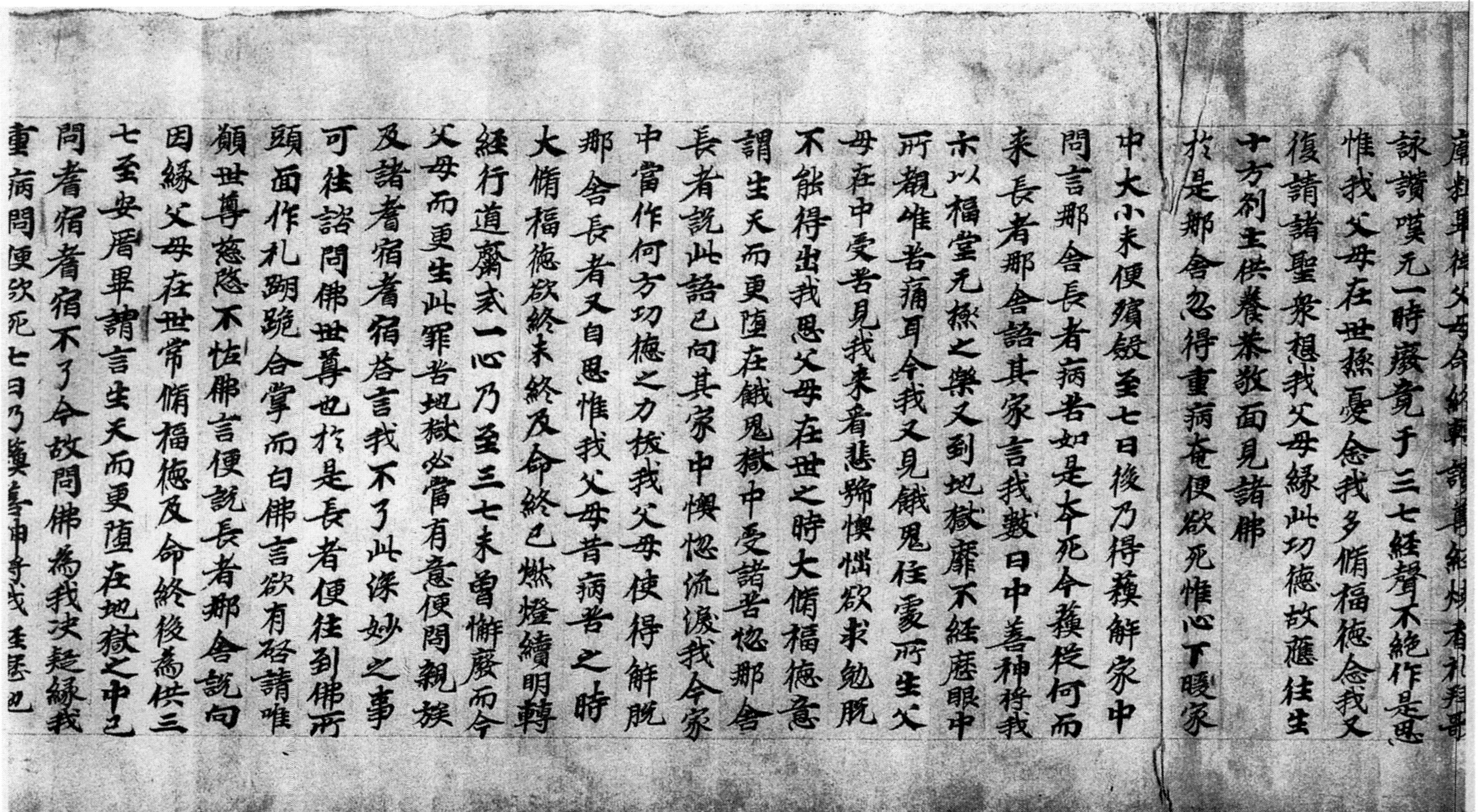
廟粗畢從父母命終轉讀尊經燒香礼拜歌
詠讚嘆无一時廢竟于三七經聲不絶作是思
惟我父母在世極憂念我多脩福德念我父
復請諸聖衆想我父母緣此功德故應往生
十方剎土供養恭敬面見諸佛
於是那舍忽得重病奄便欲死惟心下暖家
中大小未便殯殮至七日後乃得蘇解家中
問言那舍長者病苦如是本死今蘇從何而
來長者那舍語其家言我數日中善神將我
亦以福堂无極之樂又到地獄靡不經歷眼中
所覩唯苦痛耳今我又見餓鬼住處所生父
母在中受苦見我來看悲號懊惱欲求勉脫
不能得出我思父母在世之時大脩福德意
謂生天而更墮在餓鬼獄中受諸苦惱那舍
長者說此語已向其家中懊惱流淚我今家
中當作何方功德之力拔我父母使得解脫
那舍長者又自思惟我父母昔病苦之時
大脩福德欲終未終及命終已燃燈續明轉
經行道齋戒一心乃至三七未曾懈廢而今
父母而更生此罪苦地獄必當有意便問親族
及諸耆宿耆宿答言我不了此深妙之事
可往諸問佛世尊也於是長者便往到佛所
頭面作礼蹋跪合掌而白佛言欲有咨請唯
願世尊慈愍不怯佛言便說長者那舍說向
因緣父母在世常脩福德及命終後為供三
七至安厝畢謂言生天而更墮在地獄之中已
問耆宿耆宿不了今故問佛為我決疑緣我
重病問便欲死七日乃蘇[illegible]

BD01843號　灌頂隨願往生十方淨土經　（8–3）

頭面作礼胡跪合掌而白佛言欲有啓請唯
願世尊慈愍不怯佛言便説長者耶舍説向
因緣父母在世常脩福德及命終後爲供三
七至安厝畢請言生天而更墮在地獄之中已
問耆宿耆宿不了今故問佛爲我決疑緣我
重病問便欲死七日乃蘇善神將我經歷地
獄靡不周遍以是因緣得見父母在苦劇地脩
福如此而更墮罪不解所以今故問佛唯願世尊
解釋我疑脩何福業令我父母解脱厄難
不遭苦惱悉得生天封受自然快樂无極得
涅槃道
佛語長者汝一心諦聽我之所説汝前欲行
往至他方留財寶物與汝父母令汝父母脩
諸福德父母耶見欺誑於汝實不脩福忘言
爲作脩諸福緣以慳貪故墮彼地獄長者聞
佛神口所説疑惑永除作如是言是我之過
非父母咎即於佛前代其父母悔過此罪慳
貪之殃長者父母於彼地獄小得休息佛語
長者今我借汝天眼天眼使更得見父母休
息長者於是承佛威神見其父母皆得休息耶
舍長者又白佛言今者又當作何福業使我
父母解脱彼苦佛語長者今諸聖衆安居三
月行道欲竟可還家中作百味飲食之具種
種甘美以好淨器成持供養及好衣明種種
華香金銀珎寶雜碎供具以施於僧令汝
得福使汝父母解脱此難不復受苦餓鬼形
也長者耶舍即如佛言還家供辦不違尊

BD01843號　灌頂隨願往生十方淨土經　（8–4）

月行道欲竟可還家中作百味飲食之具種
種甘美以好淨器成持供養及好衣明種種
華香金銀珎寶雜碎供具以施於僧令汝
得福使汝父母解脱此難不復受苦餓鬼形
也長者耶舍即如佛言還家供辦不違尊
教作供養已緣此生天封受自然无爲快樂
汝今欲見汝父母所生宮殿處不令更以威神
令汝得見不復生苦長者承佛神威之力見
其父母生在天上諸天娛樂自在隨意无復
罣㝵佛告耶舍罪福如是不可不慎如長者
眼所見心所聞故言自作自得非天與人如
長者父母雖在餓鬼其罪小輕一切餓鬼受
罪甚重不可具説長者父母其罪輕者有小
福德扶接所介長者脩福竟于三七於諸餓
鬼受罪輕也所以然者前章中言若人在世
不識三寶不脩齋戒无善師教過命已後死
弟父母親屬知識爲其脩福七分之中爲獲
一也是故長者父母有罪雖在地獄餓鬼之
中受罪輕者緣脩福故七分獲一令脩福德
供養衆僧以是因緣解脱衆難故得生天佛
告普廣菩薩摩訶薩若人未終臨終之日若
已終竟又是終日父母親族知識用友爲命
終者脩諸福業齋戒一心洗浴身體着鮮潔
之衣一心礼敬十方諸佛又當稱揚十方佛
号别以華香供養諸佛可得解脱憂苦之
患得昇天上入泥洹道
佛告普廣菩薩摩訶薩若未終時礼拜十

BD01843號　灌頂隨願往生十方淨土經　（8–5）

之衣一心礼敬十方諸佛又當稱楊十方佛
号别以華香供養諸佛可得解脫憂苦之
患得昇天上入泥洹道
佛告普廣菩薩摩訶薩若未終時礼拜十
方諸佛命終之人所生之處常得值佛千劫万
劫億万劫數重罪之殃无不得脫亦復當爲
說是灌頂无上章句三世諸佛天中之天各
皆順本三世如來說是无上惣持章句普廣
菩薩摩訶薩汝當諦聽我今爲汝及一切衆
生諸病苦者若其臨終若已終竟復是終日
聞此章句所生之處當得見佛不墮八難遠
於惡道於是世尊在大衆中宣說諸佛无上
章句即作偈頌而說之曰
婆利富婁耶　遮利三漫陁　達舍尼羅佉　摩訶毗羅訶
伽帝三漫陁　毗陁摩伽帝　摩訶伽利波　婆帝婆䅉陁
娑婆婁伽提　脩鉢利富耶　阿利耶達摩　摩訶毗波提
帝剎毗波伽　脩勒波憒根　醞帝三傅叉　摩訶三漫陁
阿陁摩羅尼　阿利摩羅多　毗皷三漫陁　達尼佉羅陁
佛告普廣菩薩摩訶薩是爲灌頂无上章句
必定不二解除亡者无量罪厄令過命者得
生天上隨心所願往生十方以大章句真實之
言在所生處常見十方微妙淨土若在世
時應當受持如是章句齋戒一心爲過命者
七日七夜受行八禁長齋菜食礼敬十方諸佛
世尊當發大願攝我獲得憎耶僧涅諸
衆生輩使向无上正真大道
尒時世尊說是語已告諸大衆善男子善女

BD01843號　灌頂隨願往生十方淨土經　（8–6）

七日七夜受行八禁長齋菜食礼敬十方諸佛
世尊當發大願攝我獲得憎耶僧涅諸
衆生輩使向无上正真大道
尒時世尊說是語已告諸大衆善男子善女
人等及天龍八部一切鬼神汝等衆輩聞說
十方淨佛國土復聞說是耶舍長者因緣罪
福生信心不普廣菩薩復從坐起白佛世尊
言說是十方諸佛淨土无量功德莊嚴快樂
復得聞是耶舍因緣世尊又說衆事因緣甚
善大喜踊躍无量世尊說是多所利益後世
衆生緣此解脫以爲軌則不復貪恡資生之
物聞此經言但生施心无所愛惜隨意施與貧
乏使足國土豐饒施心平等如是漸漸積功
累德悉成佛道
普廣菩薩摩訶薩又白佛言若四輩男女欲
脩學是願生淨土灌頂經典有幾事行得此
經法佛言普廣有十二事可得脩學是經
典也一者不信九十五種耶見之道二者堅持
禁戒至終不犯三者懃學禪定教未學者四
者忍辱不瞋見惡不怋五者常樂布施慈念
孤老六者常懃精進晝夜不懈七者若行來
出入朝拜塔像及諸尊長然後捨去八者合
集衆人爲作唱導普得信心九者不貪世業
衣服妓樂資生之物常好善行依四依法十
者行此法時无所希望但欲利益諸衆生輩

BD01843號　灌頂隨願往生十方淨土經　（8–7）

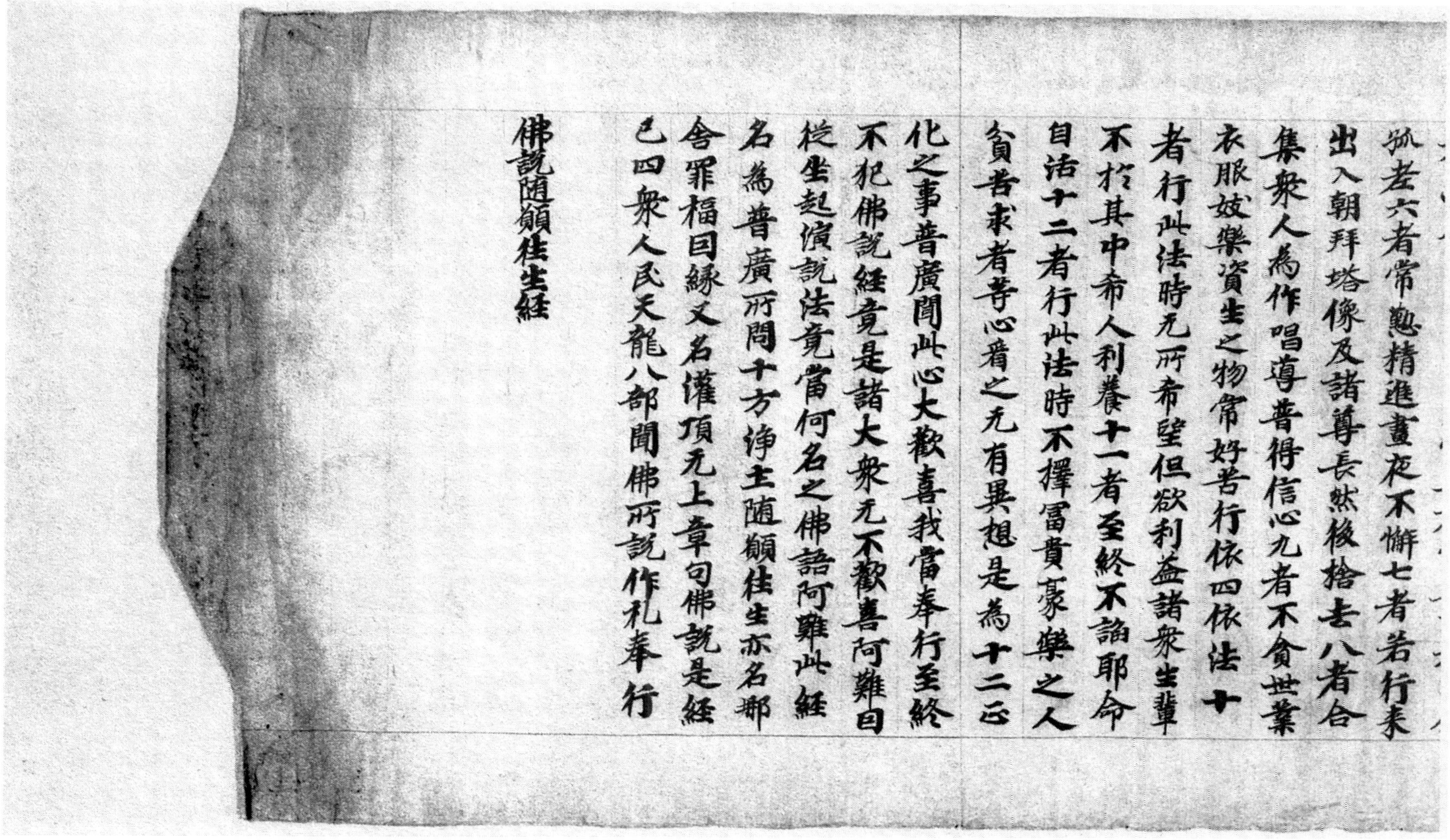

弧老六者常懃精進晝夜不懈七者若行来
出入朝拜塔像及諸尊長然後捨去八者合
集衆人為作唱導普得信心九者不貪世業
衣服妓樂資生之物常好苦行依四依法十
者行此法時无所希望但欲利益諸衆生輩
不於其中希人利養十一者至終不諂耶命
自活十二者行此法時不擇富貴豪樂之人
貧者求者善心看之无有異想是為十二正
化之事普廣聞此心大歡喜我當奉行至終
不犯佛說經竟是諸大衆无不歡喜阿難白
從坐起復說法竟當何名之佛語阿難此經
名為普廣所問十方淨土隨願往生亦名聊
舍罪福因緣又名灌頂无上章句佛說是經
已四衆人民天龍八部聞佛所說作礼奉行
佛說隨願往生經

BD01843號　灌頂隨願往生十方淨土經　（8–8）

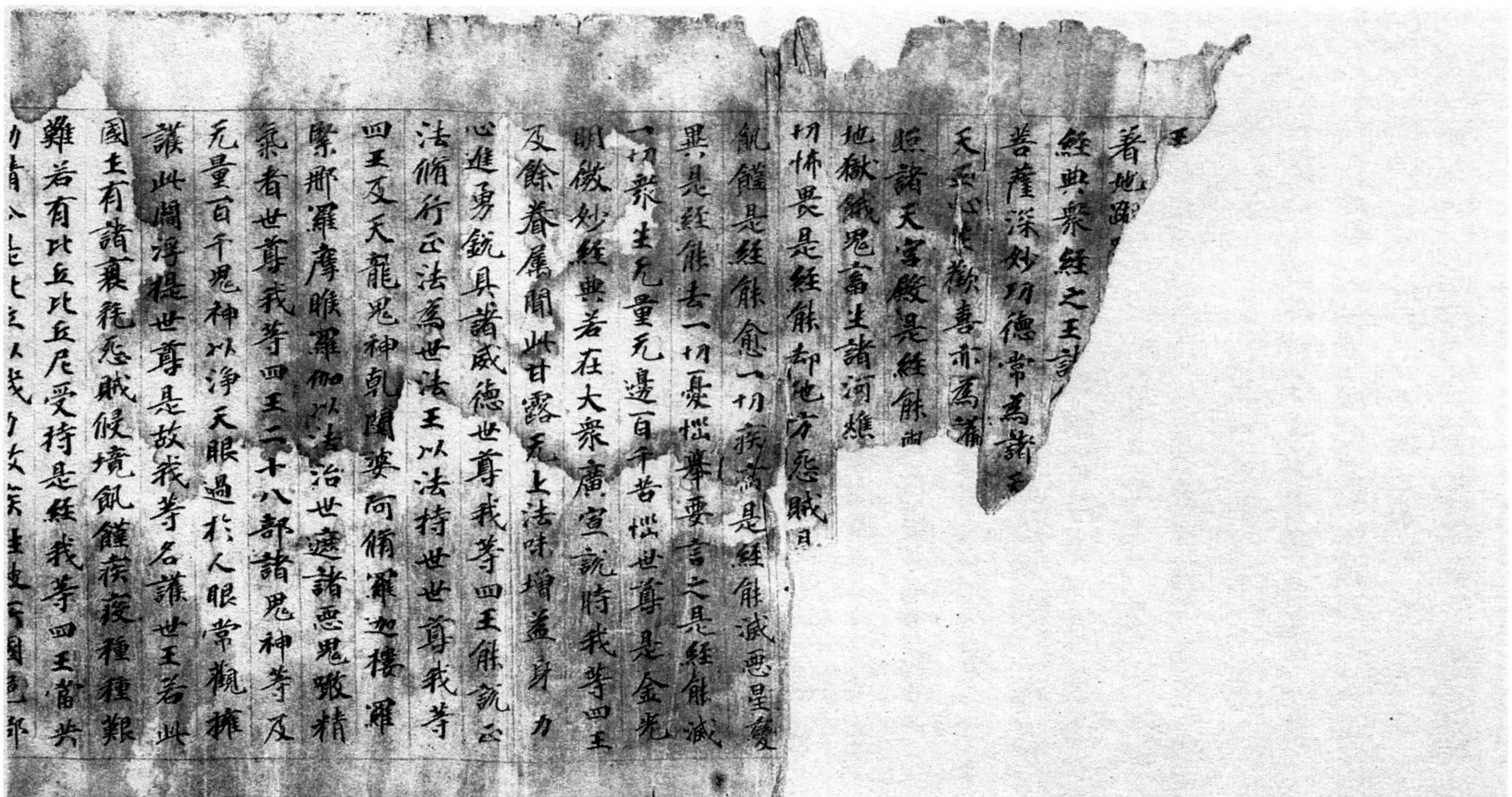

著地踊
經典衆經之王
菩薩深妙功德常為諸天
天王心生歡喜亦為護
照諸天宮殿是經能照
地獄餓鬼畜生諸河燋
切怖畏是經能却他方怨賊且
飢饉是經能愈一切疾病是經能滅惡星變
異是經能去一切憂惱舉要言之是經能滅
一切衆生无量无邊百千苦惱世尊是金光
明微妙經典若在大衆廣宣說時我等四王
及餘眷屬聞此甘露无上法味增益身力
心進勇銳具諸威德世尊我等四王能說正
法脩行正法為世法王以法持世世尊我等
四王及天龍鬼神乾闥婆阿脩羅迦樓羅
緊那羅摩睺羅伽以法治世遮諸惡鬼噉精
氣者世尊我等四王二十八部諸鬼神等及
无量百千鬼神以淨天眼過於人眼常觀擁
護此閻浮提世尊是故我等名護世王若此
國土有諸衰耗怨賊侵境飢饉疾疫種種艱
難若有比丘比丘尼受持是經我等四王當共

BD01844號　金光明經卷二　（21–1）

緊那羅摩睺羅伽以法治世遮諸惡鬼啖精
氣者世尊我等四王二十八部諸鬼神等及
无量百千鬼神以淨天眼過於人眼常觀擁
護此閻浮提世尊是故我等名護世王若此
國土有諸衰耗怨賊侵境飢饉疾疫種種艱
難若有比丘比丘尼受持是經我等四王當共
勸請令是比丘以我力故疾往彼所國邑郡
縣廣宣流布是金光明微妙經典令如是等
種種百千衰耗之事悉皆盡滅世尊如諸國
主所有土境是持經者若至其國是王應當往
是人所聽受如是微妙經典聞已歡喜復當
護念恭敬是人世尊我等四王復當勤心擁
護是王及國人民為除衰患令得安隱世尊
若有比丘比丘尼優婆塞優婆夷受持是經
若諸人王有能供給施其所安我等四王亦當
能令是王及國人民一切安隱具足无患世尊
若有四衆受持讀誦是妙經典若諸人王有能
供養恭敬尊重讚歎我等四王亦當復令
如是人王於諸王中當得第一供養恭敬尊
重讚歎亦令諸王飲上羨慕稱讚其善尒
時世尊讚歎護世四天王等善哉善哉汝
等四王過去以曾供養恭敬尊重讚歎无
量百千万億諸佛所種善根說於正法脩行正
法以法治世為人天王汝等今日長夜利益於
諸衆生行大悲心施與衆生一切樂具能遮
諸惡勸與諸善以是義故若有人王能供養
恭敬此金光明微妙經典汝等正應如是護念
滅其苦惱與其安樂汝等四王及諸眷屬无

BD01844號　金光明經卷二　（21–2）

量
法以法治世為人天王汝等今日長夜利益於
諸衆生行大悲心施與衆生一切樂具能遮
諸惡勸與諸善以是義故若有人王能供養
恭敬此金光明微妙經典汝等正應如是護念
滅其苦惱與其安樂汝等四王及諸眷屬无
量无邊百千鬼神若能護念如是經典者
即是護持去来現在諸佛正法汝等四王及
餘天衆百千鬼神與阿脩羅共戰鬪時汝
等諸天常得勝利汝等若能護念是經悉
能調伏一切諸苦所謂怨賊飢饉疾疫若四部
衆有能受持讀誦此經汝等亦應勤心守
護為除衰惱施與安樂尒時四王復白佛言世
尊是金光明微妙經典於未来世所在流布
若國土城邑郡縣村落隨所至處若諸國王
以天律治世復能恭敬至心聽受是妙經典
并復尊重供養供給持是經典四部之衆以是
因緣我等時時得聞如是微妙經典聞已即
得增益身力心進勇銳具諸威德是故我等
及无量鬼神常當隱形隨是經典所流布處
而作擁護令无留難亦當護念聽是經典諸
國王等及其人民除其患難悉令安隱他方怨
賊亦使退散若有人王聽是經時隣國怨敵
興如是念當具四兵壞彼國土世尊以是經
典威神力故尒時隣敵更有異怨為作留難
於其境界起諸衰惱灾異疫病尒時怨敵
起如是等諸惡事已倫具四兵發向是國
規往討罰我等尒時當與眷屬无量无邊

BD01844號　金光明經卷二　（21–3）

典威神力故尒時隣敵更有異怨為作留難
於其境界起諸衰惱災異疫病尒時怨敵
起如是等諸惡事已倚具四兵發向是國
規往討罰我等尒時當與眷屬无量无邊
百千鬼神隱蔽其形為作護助令彼怨敵自
然退散起諸怖懅種種留難彼國兵衆尚不
能到況復當能有所破壞
尒時佛讚四天王等善哉善哉汝等四王乃
能擁護我百千億那由他劫所可脩集阿耨多
羅三藐三菩提及諸人王受持是經恭敬供
養者為消衰患令其安樂復能擁護宮殿
舍宅城邑村落國土邊壃乃至怨賊悉令退
散滅其衰惱令得安樂亦令一切閻浮提内所
有諸王无諸凶衰鬭訟之事四王當知此閻
浮提八万四千城邑聚落八万四千諸人王等
各於其國娛樂快樂各各於國而得自在於
自在所有錢財珍寶各各自足不相侵奪如
其宿世所脩集業受報不生惡心貪求他國各
各自生利益之心生於慈心安樂之心不諍訟
心不破壞心无繫縛心无楚撻心各於其土自生
愛樂上下和穆猶如水乳心相愛念增諸善根
以是因緣故此閻浮提安隱豐樂人民熾盛大
地沃壤陰陽和調時不越序日月星宿不失常
度風雨隨時无諸災橫人民豐盞自足於財心
无貪悋亦无嫉妬等行十善其人壽終多生
天上天宮充滿增益天衆若未來世有諸人
王聽是經典及供養恭敬受持是經四部之

BD01844號　金光明經卷二　（21-4）

度風雨隨時无諸災橫人民豐盞自足於財心
无貪悋亦无嫉妬等行十善其人壽終多生
天上天宮充滿增益天衆若未來世有諸人
王聽是經典及供養恭敬受持是經四部之
衆是王則為安樂利益汝等四王及餘眷屬无
量百千諸鬼神等何以故汝等四王若得時時
聞是經典則為已得正法之水服甘露味增益
身力心進勇鋭具諸威德是諸人王若能至
心聽受是典則為已能供養於我若供養我
則是供養過去未來現在諸佛則得无量不可
思議功德之聚以是因緣是諸人王應得擁護
及后妃婇女中宮眷屬諸王子等亦應得護
衰惱消滅快樂熾盛宮殿堂宇安隱清淨无
諸災變護宅之神增長威德亦受无量歡
喜快樂是諸國土所有人民悉受種種五欲
之樂一切惡事悉皆消滅
尒時四天王白佛言世尊未來之世若有人王
欲得護身及后妃婇女諸王子等宮殿屋宅
得第一護身所王領最為殊勝具不思議王者
功德欲得攝取无量福聚國土无有他方怨賊
无諸憂惱及諸苦事世尊如是人王不應放
逸散亂其心應生恭敬謙下之心應生莊嚴
第一微妙最勝宮宅種種香汁持用灑地散
種種華敷大法坐師子之座兼以无量珍琦異
物而為校餝張施種種无數微妙幢幡寶蓋當
淨洗浴以香塗身著新淨衣瓔珞自嚴坐小
卑座不自高大除去自在離諸放逸謙下自

BD01844號　金光明經卷二　（21-5）

種種華散大法坐師子之座上以无量珍琦異
物而爲校餝張施種種无數微妙幢幡寶蓋當
淨洗浴以香塗身著新淨衣瓔珞自嚴坐小
卑座不自高大除去自在離諸放逸謙下自
卑除去憍慢正念聽受如是妙典於說法者
生世尊想復於宮內后妃婇女眷屬生慈哀心
和顏與語勸以種種供養之具供養法師是
王尒時既勸化已即生无量歡喜快樂心懷悅
豫倍復自勵不生疲倦多作利益於說法者
倍生恭敬
尒時佛告四天王尒時人王應著白淨鮮潔之
衣種種瓔珞嚴飾莊嚴執持素白微妙上
蓋服餝容儀不失常則躬出奉迎說法之人
何以故是王如是隨其舉足步步之中即是
供養值遇百千億那由他諸佛世尊復得超
越如是等劫生死之難復於未來世尒時劫中
常得封受轉輪王位隨其步步亦得如是現
世功德不可思議自在之力常得最勝微妙七
寶人天宮殿在在生處壽命增益言語辯了人
所信用无所畏忌有大名稱常爲人天之所恭
敬天上人中受上妙樂得大勢力具足威德身
色微妙端正第一常值諸佛遇善知識成就具
足无量福聚汝等四王如是人王見如是等
種種无量功德利益是故此王應當躬出奉迎
法師若一由旬於說法師應生佛想應作是念
今日釋迦如來正知入於我宮受我供養爲我
說法我聞是法　即不退轉於阿耨多羅三

BD01844號　金光明經卷二　（21–6）

種種无量功德利益是故此王應當躬出奉迎
法師若一由旬於說法師應生佛想應作是念
今日釋迦如來正知入於我宮受我供養爲我
說法我聞是法　即不退轉於阿耨多羅三
藐三菩提已爲得值百千万億那由他佛爲已供
養過去未來現在諸佛已得畢竟三惡道苦
我今已種百千无量轉輪聖王釋梵之因種
无邊善根種子已令无量百千万億諸衆生
等度於生死已集无量无邊福聚後宮眷
屬已得擁護宮宅諸衰患已消滅國土无有
惡賊棘剌他方怨敵不能侵陵汝等四王如是
人王應作如是供養正法清淨聽受是妙經典
及恭敬供養尊重讚歎持是經典四部之衆
亦當迴此所得最勝功德之分施與汝等及
餘眷屬諸天鬼神聚集如是諸善功德現世
常得无量无邊不可思議自在之利威德勢
力成就具足能以正法摧伏諸惡
尒時四天王白佛言世尊若未來世有諸人王
作如是等恭敬正心聽受是妙經典及恭
敬供養尊重讚歎持是經典四部之衆嚴治
舍宅香汁灑地專心正念說是法時我等四王
亦當在中共聽此法願諸人王爲自利故以已
所得功德少分施與我等世尊是諸人王於說
法者所坐之處爲我等故燒種種香供養是經
是妙香氣於一念頃即至我等諸天宮殿其
香即時變成香蓋其香微妙金色晃曜照

BD01844號　金光明經卷二　（21–7）

所得功德少分施與我等世尊是諸人王於說
法者所坐之處為我等故燒種種香供養是經
是妙香氣於一念頃即至我等諸天宮殿其
香即時變成香蓋其香微妙金色晃曜照
我等宮釋宮梵宮大辯神天功德天堅牢地
神散脂鬼神衆大將軍二十八部鬼神大將摩
醯首羅金剛密迹摩尼跋陀鬼神大將鬼子
母與五百鬼子周迊圍繞阿耨達龍王娑竭羅
龍王如是等衆自於宮殿各各得聞是妙香
氣及見香蓋光明普照是香蓋光明亦照
一切諸天宮殿佛告四王是香蓋光明非
但至汝四王宮殿何以故是諸人王手擎香爐
供養經時其香遍布於一念頃遍至三千大
千世界百億日月百億大海百億須弥山百億
大鐵圍山小鐵圍山及諸山王百億四天下百億
四天王百億三十三天乃至百億非想非非想
天於此三千大千世界百億三十三天一切龍鬼
乾闥婆阿脩羅迦樓羅緊那羅摩睺羅伽
宮殿虛空悉滿種種香烟雲蓋其蓋金光
亦照宮殿如是三千大千世界所有種種香烟
香蓋皆是此經威力故是諸人王手擎香
爐供養經時種種香氣不但遍此三千大
千世界於一念頃亦遍十方无量无邊恒河沙
等百千万億諸佛世界於諸佛所虛空之中亦成
香蓋金色普照亦復如是諸佛世尊聞是妙
香見是香蓋及金色光於十方界恒河沙等
諸佛世尊作如是等神力變化已口同音於

等百千万億諸佛世界於諸佛所虛空之中亦成
香蓋金色普照亦復如是諸佛世尊聞是妙
香見是香蓋及金色光於十方界恒河沙等
諸佛世尊作如是等神力變化已口同音於
說法者稱讚善哉善哉大士汝等廣宣流布
如是甚深微妙經典則為成就无量无邊不
可思議功德之聚若有聞是甚深經典所得
功德則為不少況持讀誦為他衆生開示分
別演說其義何以故善男子此金光明微妙
經典无量无邊億那由他諸菩薩等若聞得
者即不退轉於阿耨多羅三藐三菩提尒時
十方无量无邊恒河沙等諸佛世界現在諸佛
異口同音作如是言善男子汝於未世畢定當
得坐於道場菩提樹下於三界中最尊最勝
出過一切衆生之上勤脩力故受諸苦行善能
莊嚴菩提道場能壞三千大千世界外道邪
論摧伏諸魔怨賊異形覺了諸法第一寂滅清
淨无垢甚深无上菩提之道善男子汝已能坐金
剛坐處轉於无上諸佛所讚十二種行甚深法
輪能擊无上最大法鼓能吹无上極妙法蠡能
豎无上最勝法幢能然无上極明法炬能雨无
上甘露法雨能斷无量煩惱怨結能令无量百
千万億那由他衆度於无崖可畏大海能脫生
死无際轉輪復過无量百千万億那由他佛
尒時四天王復白佛言世尊是金光明微妙經
典能得未來現在種種无量功德是故人王若
得聞是微妙經典則為已於百千万億无量佛

尒時四天王復白佛言世尊是金光明微妙經
典能得未來現在種種无量功德是故人王若
得聞是微妙經典則為已於百千万億无量佛
所種諸善根我以敬念是人王故復見无量
福德利故我等四王及餘眷屬无量百千万
億鬼神於自宮殿見是種種香烟雲蓋瑞應
之時我當隱蔽不現其身為聽法故當至是
王所至宮殿講法之處大梵天王釋提桓因大
辯天神功德天神堅牢地神散脂鬼神大將軍
等二十八部鬼神大將摩醯首羅金剛密迹
摩尼跋陁鬼神大將鬼子母及五百鬼子周
迊圍繞阿耨達龍王娑竭羅龍王无量百
千万億那由他鬼神諸天如是等衆為聽法
故悉自隱蔽不現其身至是人王所至宮殿
講法之處世尊我等四王及餘眷屬无量鬼
神悉當同心以是人王為善知識同共一行善相
應行能為无上大法施主以甘露味充足我等
應當擁護是王除其衰患令得安隱及其宮
宅國土城邑諸惡災患悉令消滅世尊若有人
王於此經典心生捨離不樂聽聞其心不欲恭
敬供養尊重讚歎若四部衆有受持讀誦
講說之者亦復不能恭敬供養尊重讚歎我
等四王及餘眷屬无量鬼神即便不得聞此
正法背甘露味失大法利无有勢力及以威
德減損天衆增長惡趣世尊我等四王及无
量鬼神捨其國土不但我等亦有无量守護

BD01844號　金光明經卷二　（21-10）

正法背甘露味失大法利无有勢力及以威
德減損天衆增長惡趣世尊我等四王及无
量鬼神捨其國土不但我等亦有无量守護
國土諸舊善神皆悉捨去我等諸天及諸鬼
神既捨離已其國當有種種災異一切人民失
其善心唯有繫縛瞋恚鬪諍互相破壞多諸
疾疫彗星現怪流星崩落五星諸宿違失常
度兩日並現日月博蝕白黑惡虹數數出現大地
震動發大音聲暴風惡雨无日不有穀米勇
貴飢饉凍餓多有他方怨賊侵掠其國人民多
受苦惱其地无有可愛樂處世尊我等四王
及諸无量百千鬼神并守國土諸舊善神
遠離去時生如是等无量惡事世尊若有人
王欲得自護及王國土多受安樂欲令國土一切
衆生悉皆成就具足快樂欲得摧伏一切外敵
欲得擁護一切國土欲以正法正治國土欲得除
滅衆生怖畏世尊是人王等應當畢定聽是
經典及恭敬供養讀誦受持是經典者我等
四王及无量鬼神以是法食善根因緣得服甘
露无上法味增長身力心進勇銳增益諸天
何以故由是人王至心聽受是經典故如諸梵
王說出欲論釋提桓因種種善論五通之人神
仙之論世尊梵天釋提桓因五通神人雖有百
千億那由他无量勝論是金光明於中最勝
所以者何如來說是金光明經為衆生故為令
一切閻浮提內諸人王等以正法治為與一切

BD01844號　金光明經卷二　（21-11）

千億那由他无量勝論是金光明於中最勝
所以者何如來說是金光明經為衆生故為令
一切閻浮提內諸人王等以正法治為與一切
衆生安樂為欲愛護一切衆生欲令衆生无
諸苦惱无有他方怨賊𦾟剌所有諸惡背而
不向欲令國土无有憂惱以正法教无有諍訟
是故人王各於國土應然法炬熾然正法增益
天衆我等四王及无量鬼神閻浮提內諸天善
神以是因緣得服甘露法味充足得大威德進
力具足閻浮提內安隱豐樂人民熾盛安樂其
處復於未來世无量百千不可思議那由他劫常
受微妙第一快樂須得値遇无量諸佛種諸善
根然後證成阿耨多羅三藐三菩提得如是
等无量功德悉是如來正遍知說是如來過於
百千億那由他諸梵天等以大悲力故亦過无
量百千億那由他釋提桓因以昔行力故是故如
來為諸衆生演說如是金光明經若閻浮提
一切衆生及諸人王世間出世所作國土所造世
論皆因此經欲令衆生得安樂故釋迦如來示
現是經廣宣流布世尊以是因緣故是諸人王
應當畢定聽受供養恭敬尊重讚歎是經
尒時佛復告四天王汝等四王及餘眷屬无量
百千那由他鬼神是諸人王若能至心聽是經
典供養恭敬尊重讚歎汝等四王正應擁護
滅其衰患而與安樂若有人能廣宣流布如
是妙典於人天中作大佛事能大利益无量

典供養恭敬尊重讚歎汝等四王正應擁護
滅其衰患而與安樂若有人能廣宣流布如
是妙典於人天中作大佛事能大利益无量
衆生如是之人汝等四王必當擁護莫令他緣
而得擾乱令心澹靜受於快樂續復當得廣宣
是經尒時四天王即從坐起偏袒右肩右膝著
地長跪合掌於世尊前以偈讚曰
佛月清淨　滿足莊嚴　佛日暉曜　放千光明
如來面目　最上明淨　齒白无垢　如蓮華根
功德无量　猶如大海　智樹无邊　法水具足
百千三昧　无有缺減　足下平滿　千輻相現
足指網縵　猶如鵝王　光明晃曜　如寶山王
微妙清淨　如鍊真金　所有福德　不可思議
佛功德山　我今敬礼　佛真法身　猶如虛空
應物現形　如水中月　无有障㝵　如炎如化
是故我今　稽首佛月　尒時世尊　以偈荅曰
此金光明　諸經之王　甚深最勝　為无有上
十力世尊　之所宣說　汝等四王　應當勤護
以是因緣　是深妙典　能與衆生　无量快樂
為諸衆生　安樂利益　故久流布　於閻浮提
能滅三千　大千世界　所有惡趣　无量諸苦
閻浮提內　諸人王等　心生慈悲　正法治世
若能流布　此妙經典　則令其上　安隱豐熟
所有衆生　悉受快樂　若有人王　欲愛己身
及其國土　欲令豐盛　應當至心　淨潔洗浴
往法會所　聽受是典　是經能作　所有善事

若能流布 此妙經典 則令其上 安隱豐熟
所有衆生 悉受快樂 若有人王 欲愛己身
及其國土 欲令豐盛 應當至心 淨潔洗浴
往法會所 聽受是典 是經能作 所有善事
摧伏一切 內外怨敵 須能除滅 无量怖畏
是諸經王 能與一切 无量衆生 安隱快樂
譬如寶樹 在人家中 悉能出生 一切珎寶
是妙經典 亦復如是 悉能出生 諸王功德
如清冷水 能除渴乏 是妙經典 亦復如是
能除諸王 功德渴乏 譬如珎寶 異物篋器
悉在手手 隨意所用 是金光明 亦復如是
隨意能與 諸王法寶 是金光明 微妙經典
常爲諸天 恭敬供養 亦爲護世 四天大王
威神勢力 之所護持 十方諸佛 常念是經
若有演說 稱讚善哉 亦有百千 无量神鬼
從十方來 擁護是人 若有得聞 是妙經典
心生歡喜 踊躍无量 閻浮提內 无量大衆
皆悉歡喜 集聽是法 聽是經故 具諸功德
增益天衆 精氣身力

尒時四天王聞是偈已白佛言世尊我從昔來未曾得聞如是微妙寂滅之法我聞是已心生悲喜涕淚橫流舉身戰動支節怡解復得无量不可思議具足妙樂以天曼陁羅華摩訶曼陁羅華供養奉散於如來上作如是等供養佛已復白佛言世尊我等四王各各自有五百鬼神常當隨逐是說法者而爲守護

復得无量不可思議具足妙樂以天曼陁羅華摩訶曼陁羅華供養奉散於如來上作如是等供養佛已復白佛言世尊我等四王各各自有五百鬼神當當隨逐是說法者而爲守護

金光明經大辯神品第七

尒時大辯神白佛言世尊是說法者我當益其樂說辯才令其所說莊嚴次第善得大智若是經中有失文字句義違錯我能令是說法比丘次第還得能與揔持令不忘失若有衆生於百千佛所種善根是說法者爲是等故於閻浮提廣宣流布是妙經典令不斷絕復令无量无邊衆生得聞是經當令是等悉得猛利不可思議大智慧聚不可稱量福德之報善解无量種種方便善能辯暢一切諸論善知世間種種伎術能出生死得不退轉必定疾得阿耨多羅三藐三菩提

金光明經功德天品第八

尒時功德天白佛言世尊是說法者我當隨之所須之物衣服飲食卧具醫藥及餘資生供給是人无所乏少令心安住晝夜歡樂正念思惟是經章句分別深義若有衆生於百千佛所種諸善根是說法者爲是等故於閻浮提廣宣流布是妙經典令不斷絕是諸衆生聽是經已於未來世无量百千那由他劫常在天上人中受樂值遇諸佛速成阿耨多羅三藐三菩提三惡道苦悉畢无餘世尊我已

佛所種諸善根是說法者為是等故於閻浮
提廣宣流布是妙經典令不斷絕是諸衆生
聽是經已於未來世无量百千那由他劫常
在天上人中受樂值遇諸佛速成阿耨多羅
三藐三菩提三惡道苦悉畢无餘世尊我已
於過去寶華功德海流璃金山照明如來應
供正遍知明行足善逝世間解无上士調御
丈夫天人師佛世尊所種善根是故我今隨
所念方隨所視方隨所至方令无量百千衆
生受諸快樂衣服飲食資生之具金銀七
寶真珠琉璃珊瑚虎珀玉珂貝悉无所乏若
有人能稱金光明微妙經典為我供養諸佛
世尊三稱我名燒香供養供養佛已別以香
華種種美味供養於我灑散諸方當知是
人即能聚集資財寶物以是因緣增長地味
地神諸天悉得歡喜所種穀米牙莖枝葉菓
實滋茂樹神歡喜出生无量種種諸物我
時慈念諸衆生故多與資生所須之物世尊
於此北方毗沙門王有城名曰阿尼曼陀其城有
國名華德光於是國中有最勝園名曰金幢七
寶極妙此即是我常正住處若有欲得財寶
增長是人當於自所住處應淨掃灑洗浴其身
著鮮淨白衣妙香塗身為我至心三稱彼佛
寶華琉璃世尊名号礼拜供養燒香散華亦
當三稱金光明經至誠發願別以香華種種
美味供施於我散灑諸方尒時當說如是章句

寶華琉璃世尊名号礼拜供養燒香散華亦
當三稱金光明經至誠發願別以香華種種
美味供施於我散灑諸方尒時當說如是章句
波利富樓那遮利　三曼陀達舍尼　摩訶毗
訶羅伽帝　三曼陀毗陀那伽帝　摩訶迦梨波帝
波婆祢　薩婆三曼陀　脩鉢梨富餘　阿夜
那　達摩帝　摩訶毗鼓畢帝　摩訶弥勒
簸僧祇帝　醯帝徙三博祇悕帝　三曼陀
阿他　阿樓　婆羅尼
是灌頂章句畢定吉祥真實不虛等行衆
生及中善根應當受持讀誦通利七日七夜
受持八戒朝暮淨心香華供養十方諸佛常
為己身及諸衆生迴向具足阿耨多羅三藐
三菩提作是誓願令我所求皆得吉祥自於
所居房舍屋宅淨潔掃除若自住處若阿蘭
若處以香塗地燒微妙香敷淨好坐以種
種華香布散其地以待於我我於尒時如一
念頃入其室宅即坐從此日夜令此居處若
村邑若僧房若露處无所乏少若錢若金若
銀寶若牛羊若穀米一切所須即得具足悉
受快樂若能以己所作善根最勝之分迴與我
者我當終身不遠其人於所住處至心護念
隨其所須令得成就應當至心礼如是等諸
佛世尊其名曰寶勝如來无垢熾寶光明王相
如來金炎光明如來金百光明照藏如來金
山寶蓋如來金華炎光相如來大炬如來寶

佛世尊其名日寶勝如來无垢熾寶光明王相
如來金炎光明如來金百光明照藏如來金
山寶蓋如來金華炎光相如來大炬如來寶
相如來亦應敬礼信相菩薩金光明菩薩金
藏菩薩常悲菩薩法上菩薩亦應敬礼東
方阿閦如來南方寶相如來西方无量壽佛
北方微妙聲佛
金光明經堅牢地神品第九
尒時地神堅牢白佛言世尊金光明若現在
世若未來世在在處處若城邑聚落若山澤
空處若王宮宅世尊隨是經典所流布處
是地分中敷師子座令說法者坐其座上廣
演宣說是妙經典我當在中常作宣衛隱蔽
其身於法座下頂戴其足我聞法已得服甘
露无上法味增益身力而此大地深十六万八
千由旬從金剛際至海地上悉得衆味增長
具足豐壤肥濃過於今日以是之故閻浮提
內藥草樹木根莖枝葉華菓滋茂美色香
味皆悉具足衆生食已增長壽命色力辯安
六情諸根具足通利威德顏貌端嚴殊特成
就如是種種等已所作事業多得成辦有大
勢力精進勇猛是故世尊閻浮提內安隱豐
樂人民熾盛一切衆生多受快樂應心適意隨
其所樂是諸衆生得是威德大勢力已能供
養是金光明經及恭敬供養受持經者四
部之衆我於尒時當往其所為諸衆生受快

樂人民熾盛一切衆生多受快樂應心適意隨
其所樂是諸衆生得是威德大勢力已能供
養是金光明經及恭敬供養受持經者四
部之衆我於尒時當往其所為諸衆生受快
樂故請說法者廣令宣布如是妙典何以故
世尊是金光明若廣說時我及眷屬所得功
德倍過於常增長身力心進勇銳世尊我服
甘露无上味已閻浮提地縱廣七千由旬豐壤
倍常世尊如此大地衆生所依悉能增長一
切所須之物已令諸衆生隨意所用受於快樂
種種飲食衣服臥具宮殿屋宅樹木林藂
河池泉井如是等物因依於地悉皆具足是
故世尊是諸衆生為知我恩應作是念我當
畢定聽受是經供養恭敬尊重讚歎作是念
已即從住處若城邑聚落舍宅空地往法會
所聽受是經即聽受已還其所止各應相慶
作如是言我等今者聞此甚深无上妙法已
為攝取不可思議功德之聚值遇无量无邊
諸佛三惡道報已得解脫於未來世常生天
上人中受樂是諸衆生各於住處若為他人
演說是經若說一喻一品一緣若復稱歎一佛
菩薩一四句偈乃至一句及稱是經首題名
字世尊隨是所住之處其地具足豐壤肥濃
過於餘地凡是地所生之物悉得增長滋茂廣
大悉令衆生受於快樂多饒財寶好行惠施心
常堅固深信三寶尒時佛告地神堅牢若有

菩薩一四句偈乃至一句及稱是經首題名
字世尊隨是（衆生）所住之處其地具足豐壤肥濃
過於餘地凡是地（因）所生之物悉得增長滋茂廣
大悉令衆生受於快樂多饒財寶好行惠施心
常堅固深信三寶尒時佛告地神堅牢若有
衆生乃至聞是金光明一句之義人中命終隨
意往生三十三天地神若有衆生爲欲供養
是經典故莊嚴屋宅乃至張懸一幡一蓋或
以一衣欲界六天已有自然七寶宮殿是人命
終即生彼往地神於諸七寶宮殿之中各各自
然有七天女共相娛樂日夜常受不可思議微
妙快樂尒時地神白佛言世尊以是因緣說法
比丘坐法座時我常晝夜衛護不離隱蔽
其形在其坐下頂戴其足世尊若有衆生
於百千佛所種諸善根是說法者爲是等
故於閻浮提廣宣流布是妙經典不令斷絕
是故衆生聽是經已未來世中无量百千那
由他劫於天上人中常受快樂值遇諸佛疾
成阿耨多羅三藐三菩提三惡道苦悉斷
无餘

金光明經卷第二

成阿耨多羅三藐三菩提三惡道苦悉斷
无餘

金光明經卷第二

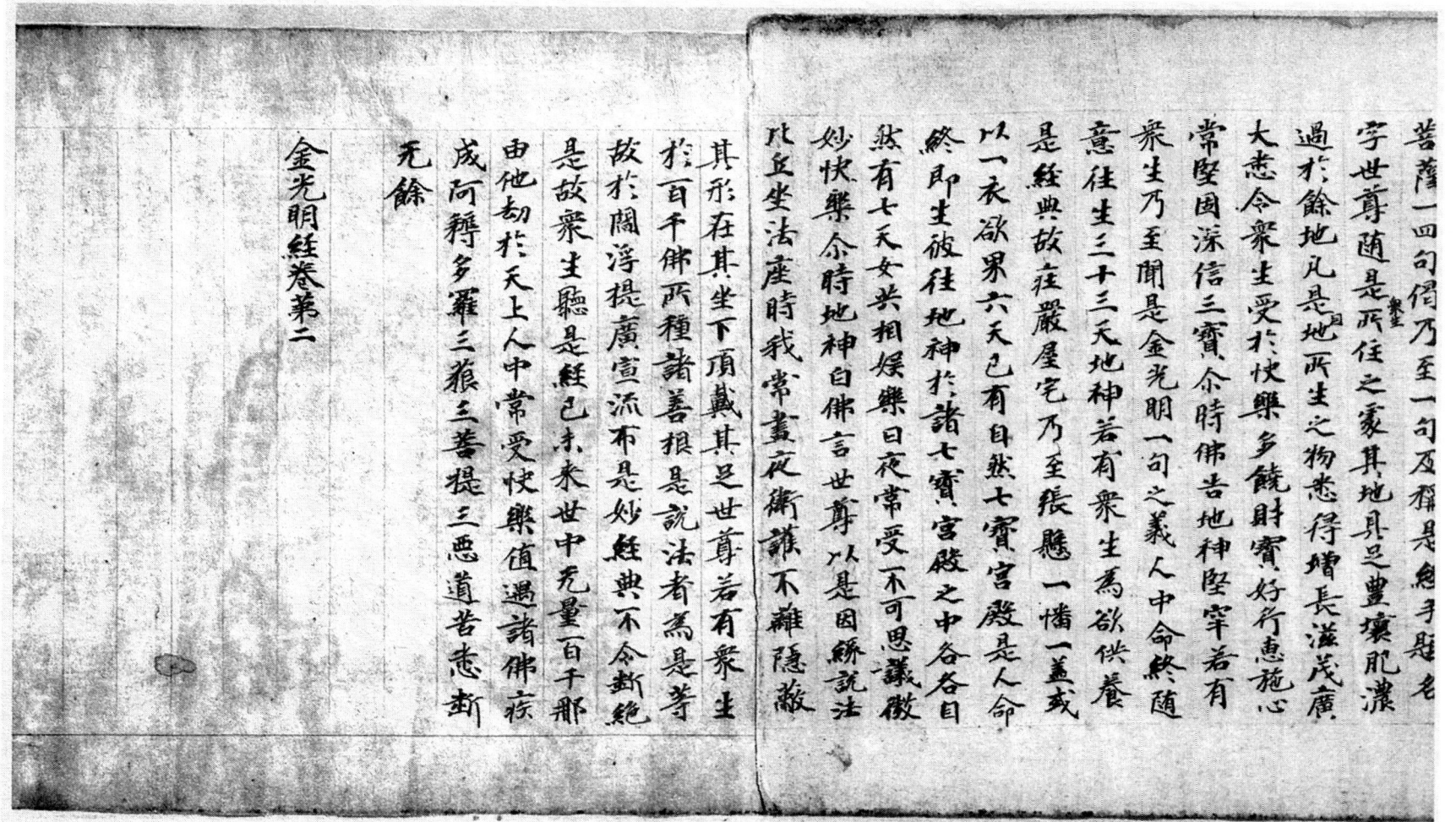

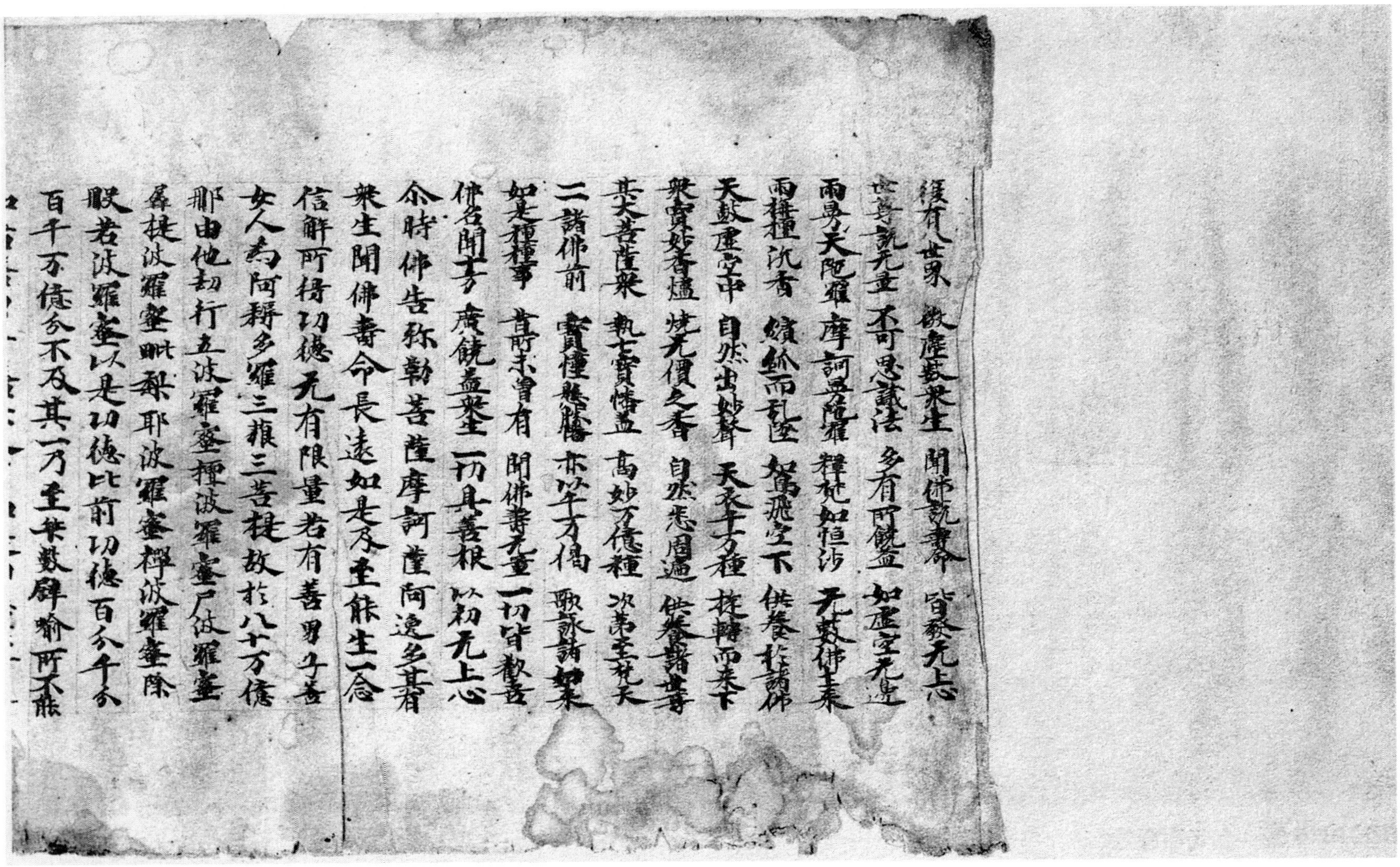

復有八世界　微塵數衆生　聞佛說壽命　皆發无上心
世尊說无量　不可思議法　多有所饒益　如虛空无邊
雨天曼陀羅　摩訶曼陀羅　釋梵如恒沙　无數佛土來
雨栴檀沉香　繽紛而亂墜　如鳥飛空下　供散於諸佛
天鼓虛空中　自然出妙聲　天衣千万種　旋轉而來下
衆寶妙香爐　燒无價之香　自然悉周遍　供養諸世尊
其大菩薩衆　執七寶幡蓋　高妙万億種　次第至梵天
一一諸佛前　寶幢懸勝幡　亦以千万偈　歌詠諸如來
如是種種事　昔所未曾有　聞佛壽无量　一切皆歡喜
佛名聞十方　廣饒益衆生　一切具善根　以助无上心
尒時佛告弥勒菩薩摩訶薩阿逸多其有
衆生聞佛壽命長遠如是乃至能生一念
信解所得功德无有限量若有善男子善
女人為阿耨多羅三藐三菩提故於八十万億
那由他劫行五波羅蜜檀波羅蜜尸波羅蜜
羼提波羅蜜毗梨耶波羅蜜禪波羅蜜除
般若波羅蜜以是功德比前功德百分千分
百千万億分不及其一乃至筭數譬喻所不能

BD01845號　妙法蓮華經（八卷本）卷六　（11–1）

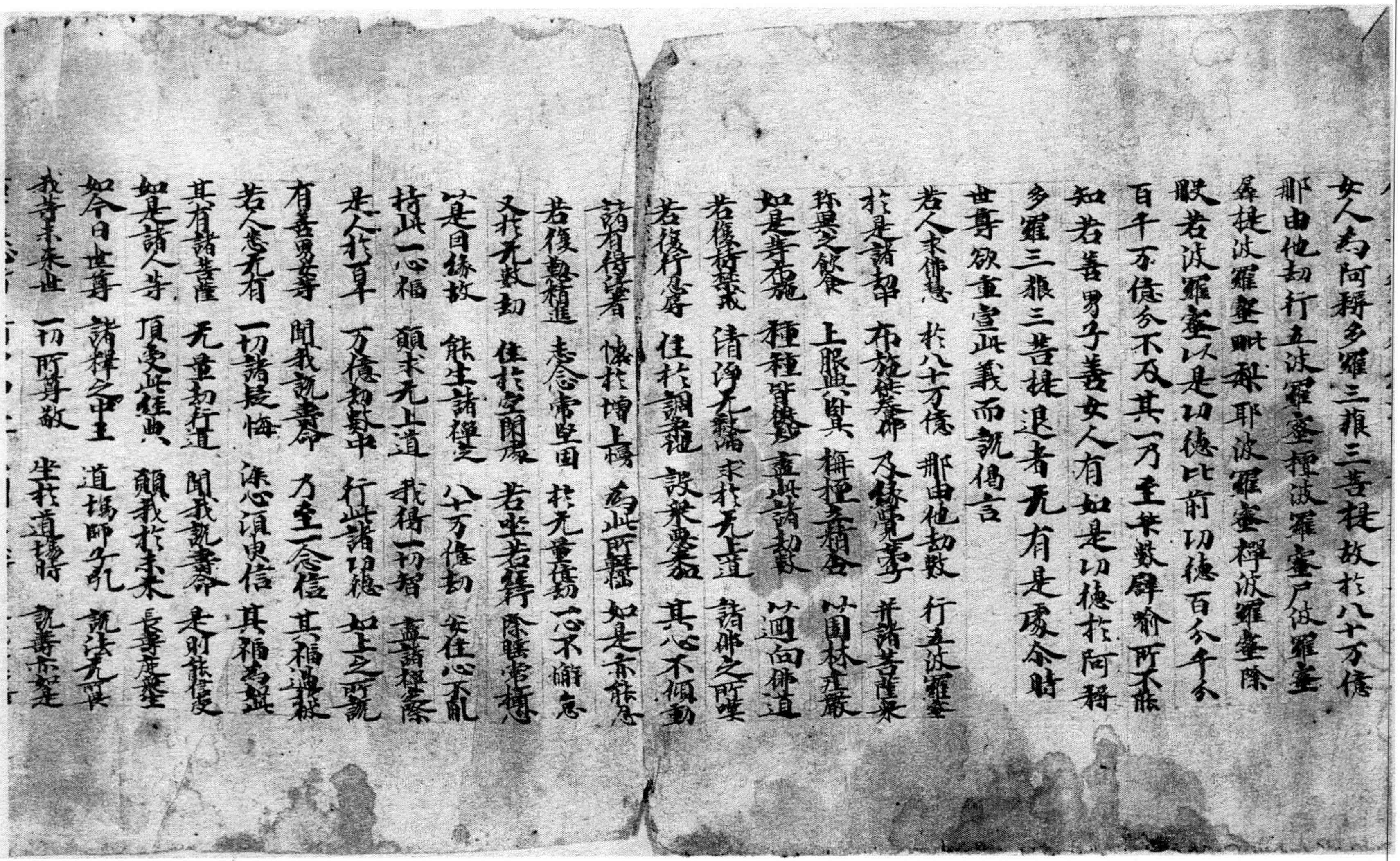

女人為阿耨多羅三藐三菩提故於八十万億
那由他劫行五波羅蜜檀波羅蜜尸波羅蜜
羼提波羅蜜毗梨耶波羅蜜禪波羅蜜除
般若波羅蜜以是功德比前功德百分千分
百千万億分不及其一乃至筭數譬喻所不能
知若善男子善女人有如是功德於阿耨
多羅三藐三菩提退者无有是處尒時
世尊欲重宣此義而說偈言
若人求佛慧　於八十万億　那由他劫數　行五波羅蜜
於是諸劫中　布施供養佛　及緣覺弟子　并諸菩薩衆
珍異之飲食　上服與臥具　栴檀立精舍　以園林莊嚴
如是等布施　種種皆微妙　盡此諸劫數　以迴向佛道
若復持禁戒　清淨无缺漏　求於无上道　諸佛之所歎
若復行忍辱　住於調柔地　設衆惡來加　其心不傾動
諸有得法者　懷於增上慢　為此所輕惱　如是亦能忍
若復懃精進　志念常堅固　於无量億劫　一心不懈息
又於无數劫　住於空閑處　若坐若經行　除睡常攝心
以是因緣故　能生諸禪定　八十万億劫　安住心不亂
持此一心福　願求无上道　我得一切智　盡諸禪定際
是人於百千　万億劫數中　行此諸功德　如上之所說
有善男女等　聞我說壽命　乃至一念信　其福過於彼
若人悉无有　一切諸疑悔　深心須臾信　其福為如此
其有諸菩薩　无量劫行道　聞我說壽命　是則能信受
如是諸人等　頂受此經典　願我於未來　長壽度衆生
如今日世尊　諸釋中之王　道場師子吼　說法无所畏
我等未來世　一切所尊敬　坐於道場時　說壽亦如是

BD01845號　妙法蓮華經（八卷本）卷六　（11–2）

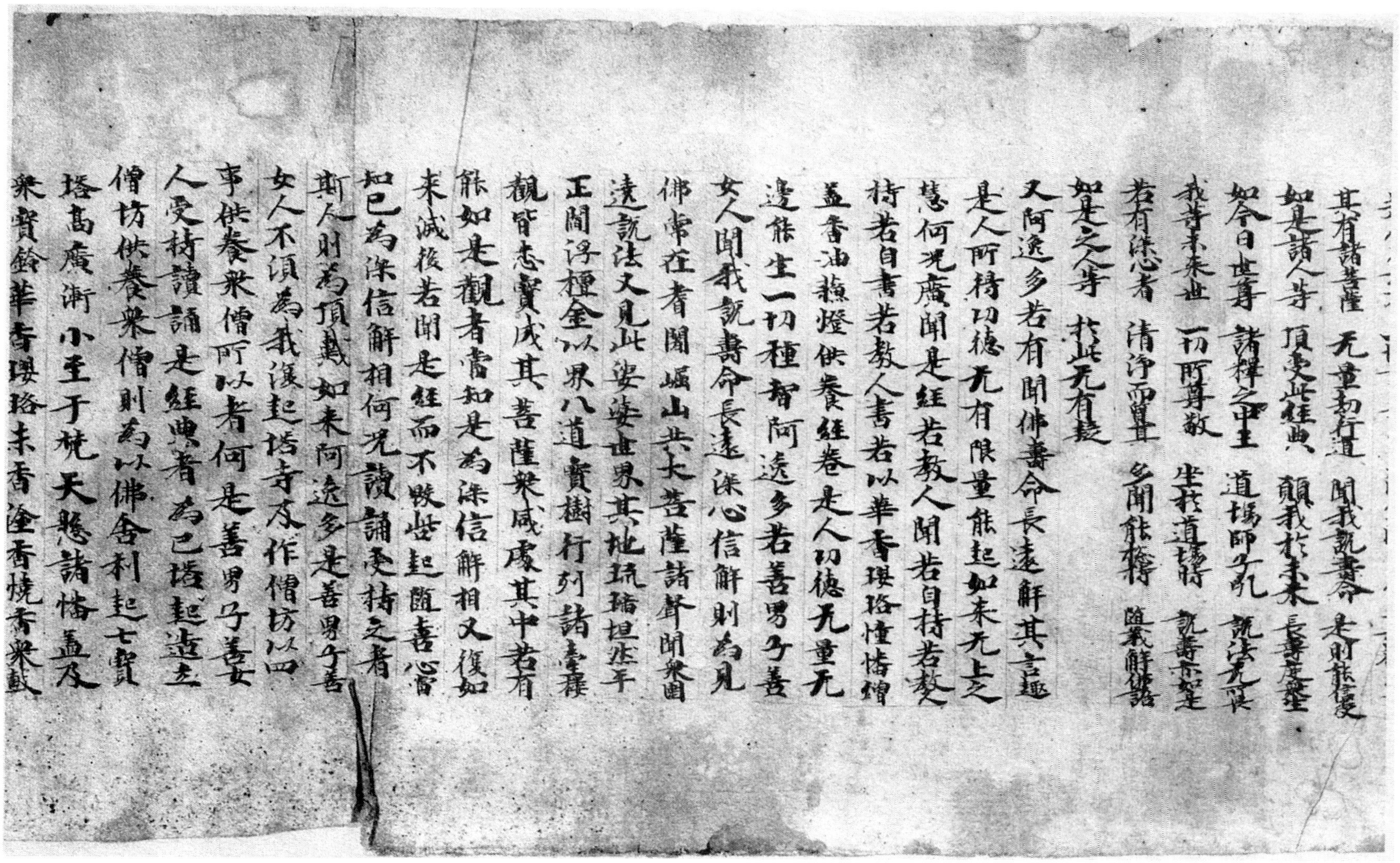

其有諸菩薩　无量劫行道　聞我說壽命　是則能信受
如是諸人等　頂受此經典　願我於未來　長壽度眾生
如今日世尊　諸釋中之王　道場師子吼　說法无所畏
我等未來世　一切所尊敬　坐於道場時　說壽亦如是
若有深心者　清淨而質直　多聞能摠持　隨義解佛語
如是之人等　於此无有疑
又阿逸多若有聞佛壽命長遠解其言趣
是人所得功德无有限量能起如來无上之
慧何況廣聞是經若教人聞若自持若教人
持若自書若教人書若以華香瓔珞幢幡繒
蓋香油蘇燈供養經卷是人功德无量无
邊能生一切種智阿逸多若善男子善
女人聞我說壽命長遠深心信解則為見
佛常在耆闍崛山共大菩薩諸聲聞眾圍
遶說法又見此娑婆世界其地琉璃坦然平
正閻浮檀金以界八道寶樹行列諸臺樓
觀皆悉寶成其菩薩眾咸處其中若有
能如是觀者當知是為深信解相又復如
來滅後若聞是經而不毀呰起隨喜心當
知已為深信解相何況讀誦受持之者
斯人則為頂戴如來阿逸多是善男子善
女人不須為我復起塔寺及作僧坊以四
事供養眾僧所以者何是善男子善女
人受持讀誦是經典者為已起塔造立
僧坊供養眾僧則為以佛舍利起七寶
塔高廣漸小至于梵天懸諸幡蓋及
眾寶鈴華香瓔珞末香塗香燒香眾鼓

BD01845號　妙法蓮華經（八卷本）卷六　（11-3）

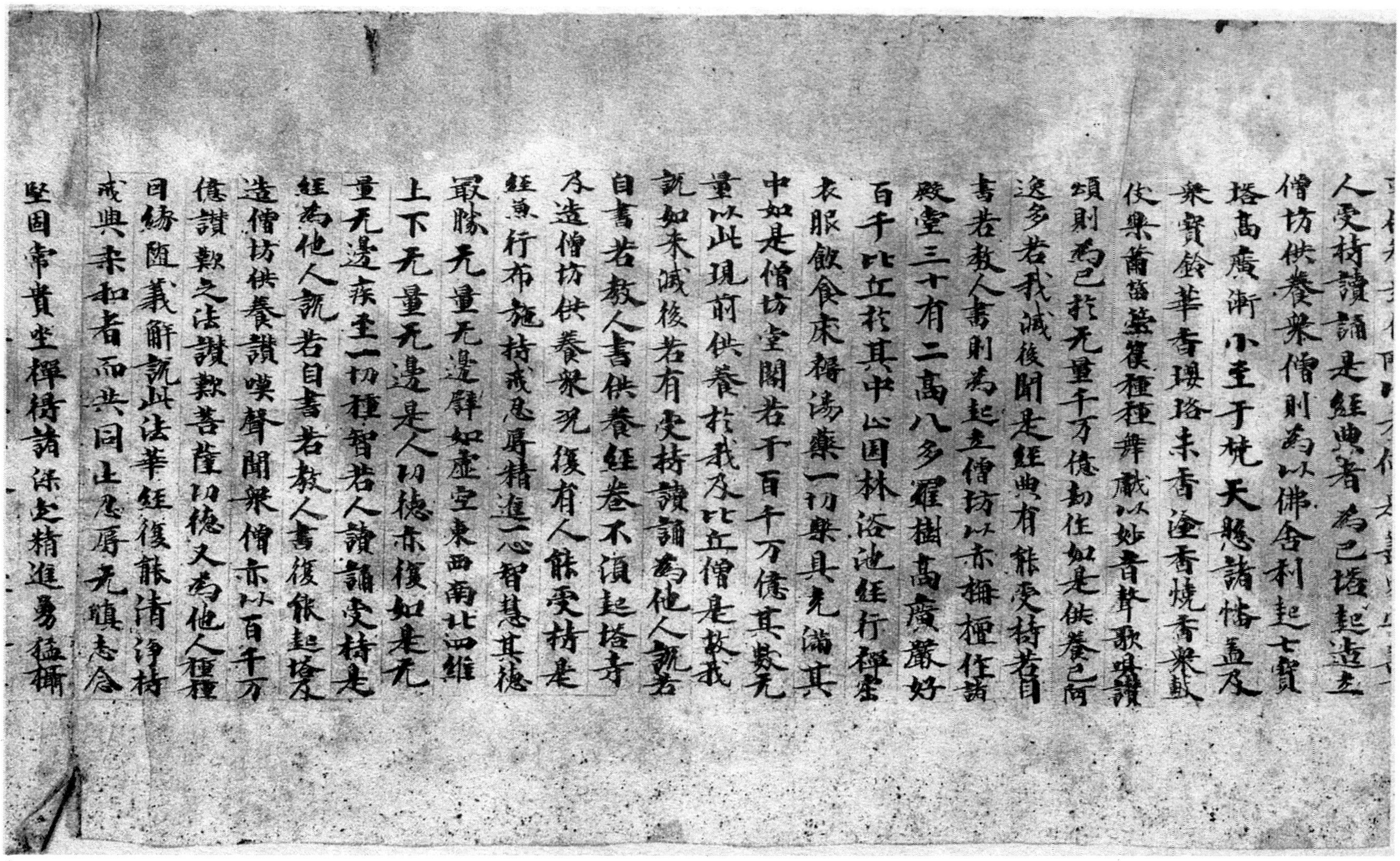

人受持讀誦是經典者為已起塔造立
僧坊供養眾僧則為以佛舍利起七寶
塔高廣漸小至于梵天懸諸幡蓋及
眾寶鈴華香瓔珞末香塗香燒香眾鼓
伎樂簫笛箜篌種種舞戲以妙音聲歌唄讚
頌則為已於无量千万億劫作如是供養已阿
逸多若我滅後聞是經典有能受持若自
書若教人書則為起立僧坊以赤栴檀作諸
殿堂三十有二高八多羅樹高廣嚴好
百千比丘於其中止園林浴池經行禪窟
衣服飲食床褥湯藥一切樂具充滿其
中如是僧坊堂閣若干百千万億其數无
量以此現前供養於我及比丘僧是故我
說如來滅後若有受持讀誦為他人說若
自書若教人書供養經卷不須復起塔寺
及造僧坊供養眾僧況復有人能受持是
經兼行布施持戒忍辱精進一心智慧其德
最勝无量无邊譬如虛空東西南北四維
上下无量无邊是人功德亦復如是无
量无邊疾至一切種智若人讀誦受持是
經為他人說若自書若教人書復能起塔及
造僧坊供養讚歎聲聞眾僧亦以百千万
億讚歎之法讚歎菩薩功德又為他人種種
因緣隨義解說此法華經復能清淨持
戒與柔和者而共同止忍辱无瞋志念
堅固常貴坐禪得諸深定精進勇猛攝

BD01845號　妙法蓮華經（八卷本）卷六　（11-4）

億讚歎之法讚歎善薩功德又為他人種種
因緣隨義解說此法華經復能清淨持
戒與柔和者而共同止忍辱无瞋志念
堅固常貴坐禪得諸深定精進勇猛攝
諸善法利根智慧善荅問難阿逸多若
我滅後諸善男子善女人受持讀誦
是經典者復有如是諸善功德當知是
人已趣道場近阿耨多羅三藐三菩提坐道
樹下阿逸多是善男子善女人若坐若立
若行處此中便應起塔一切天人皆應供
養如佛之塔尒時世尊欲重宣此義而說偈言
若我滅度後　能奉持此經　斯人福无量　如上之所說
是則為具足　一切諸供養　以舍利起塔　七寶而莊嚴
表剎甚高廣　漸小至梵天　寶鈴千万億　風動出妙音
又於无量劫　而供養此塔　華香諸瓔珞　天衣眾伎樂
然香油蘇燈　周匝常照明
惡世法末時　能持是經者　則為已如上　具足諸供養
若能持此經　則如佛現在　以牛頭栴檀　起僧坊供養
堂有三十二　高八多羅樹　上饌妙衣服　床臥皆具足
百千眾住處　園林諸浴池　經行及禪窟　種種皆嚴好
若有信解心　受持讀誦書　若復教人書　及供養經卷
散華香末香　以須曼瞻蔔　阿提目多伽　薰油常然之
如是供養者　得无量功德　如虛空无邊　其福亦如是
況復持此經　兼布施持戒　忍辱樂禪定　不瞋不惡口
恭敬於塔廟　謙下諸比丘　遠離自高心　常思惟智慧
有問難不瞋　隨順為解說　若能行是行　功德不可量
若見此法師　成就如是德　應以天華散　天衣覆其身

BD01845號　妙法蓮華經（八卷本）卷六　（11–5）

況復持此經　兼布施持戒　忍辱樂禪定　不瞋不惡口
恭敬於塔廟　謙下諸比丘　遠離自高心　常思惟智慧
有問難不瞋　隨順為解說　若能行是行　功德不可量
若見此法師　成就如是德　應以天華散　天衣覆其身
頭面接足礼　生心如佛想　又應作是念　不久詣道場
得无漏无為　廣利諸人天
其所住止處　經行若坐臥　乃至說一偈　是中應起塔
莊嚴令妙好　種種以供養　佛子住此地　則是佛受用
常在其於中　經行及坐臥

妙法蓮華經隨喜功德品第十八

尒時弥勒菩薩摩訶薩白佛言世尊若有
善男子善女人聞是法華經隨喜者得幾
所福而說偈言
世尊滅度後　其有聞是經　若能隨喜者　為得幾所福
尒時佛告弥勒菩薩摩訶薩阿逸多如來
滅後若比丘比丘尼優婆塞優婆夷及餘智
者若長若幼聞是經隨喜已從法會出
至於餘處若在僧坊若空閑地若城邑巷陌
聚落田里如其所聞為父母宗親善友知識
隨力演說是諸人等聞已隨喜復行轉教
餘人聞已亦隨喜轉教如是展轉至第五十
阿逸多其第五十善男子善女人隨喜功德
我今說之汝當善聽若四百万億阿僧祇
世界六趣四生眾生卵生胎生濕生化生若有
有形无形有想无想非有想非无想无
足二足四足多足如是等在眾生數者有人
求福隨其所欲娛樂之具皆給與之一一眾

BD01845號　妙法蓮華經（八卷本）卷六　（11–6）

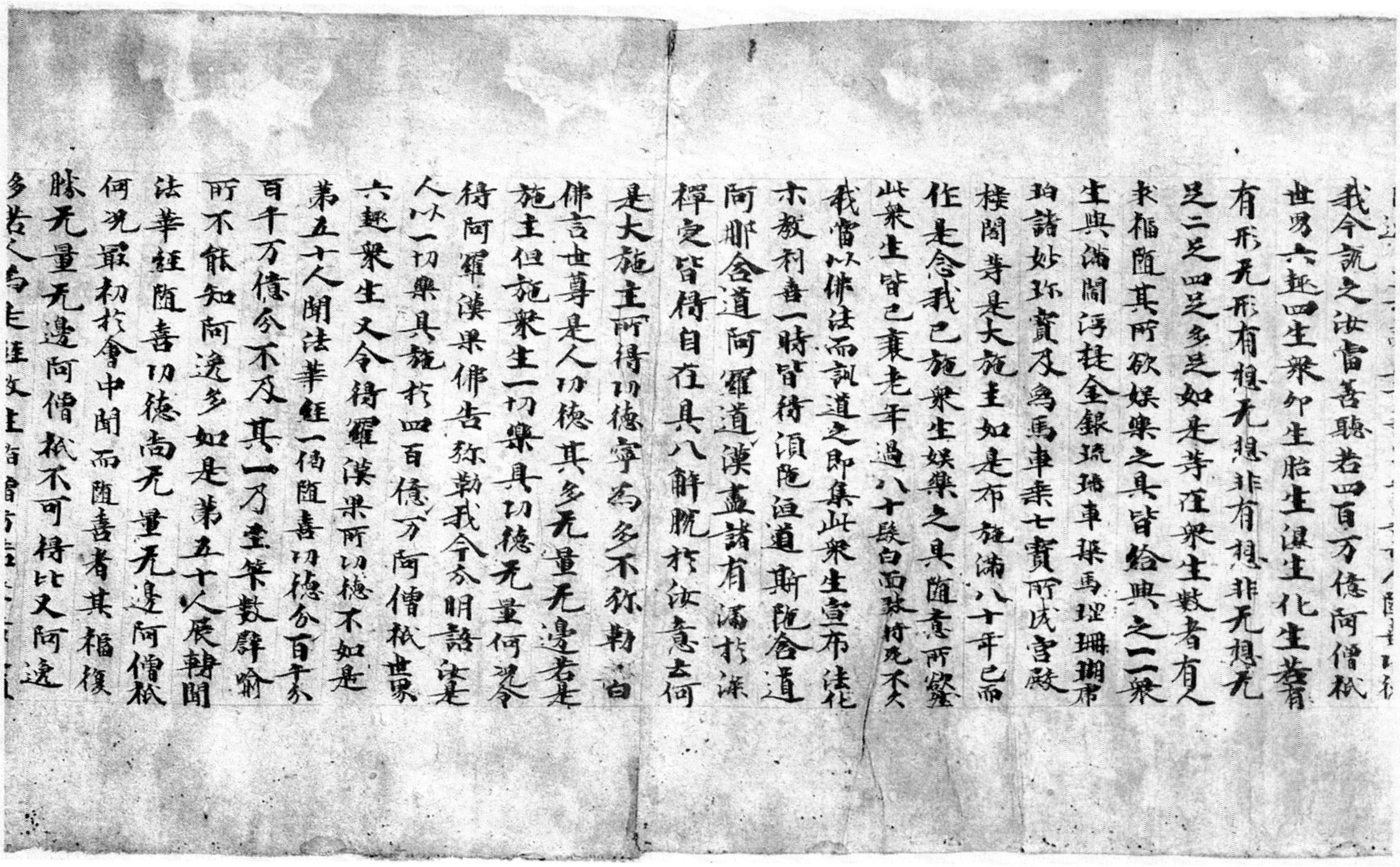
我今說之汝當善聽若四百万億阿僧祇
世界六趣四生衆生卵生胎生濕生化生若有
有形无形有想无想非有想非无想无
足二足四足多足如是等在衆生數者有人
求福隨其所欲娛樂之具皆給與之一一衆
生與滿閻浮提金銀琉璃車𤦲馬瑙珊瑚虎
珀諸妙珍寶及象馬車乘七寶所成宮殿
樓閣等是大施主如是布施滿八十年已而
作是念我已施衆生娛樂之具隨意所欲
此衆生皆已衰老年過八十髮白面皺將死不久
我當以佛法而訓導之即集此衆生宣布法化
示教利喜一時皆得須陁洹道斯陁含道
阿那含道阿羅漢道盡諸有漏於深
禪定皆得自在具八解脫於汝意云何
是大施主所得功德寧為多不彌勒白
佛言世尊是人功德甚多无量无邊若是
施主但施衆生一切樂具功德无量何況令
得阿羅漢果佛告彌勒我今分明語汝是
人以一切樂具施於四百億万阿僧祇世界
六趣衆生又令得羅漢果所得功德不如是
第五十人聞法華經一偈隨喜功德分百千分
百千万億分不及其一乃至筭數譬喻
所不能知阿逸多如是第五十人展轉聞
法華經隨喜功德尚无量无邊阿僧祇
何況最初於會中聞而隨喜者其福復
勝无量无邊阿僧祇不可得比又阿逸
多若人為是經故

BD01845號　妙法蓮華經（八卷本）卷六　（11–7）

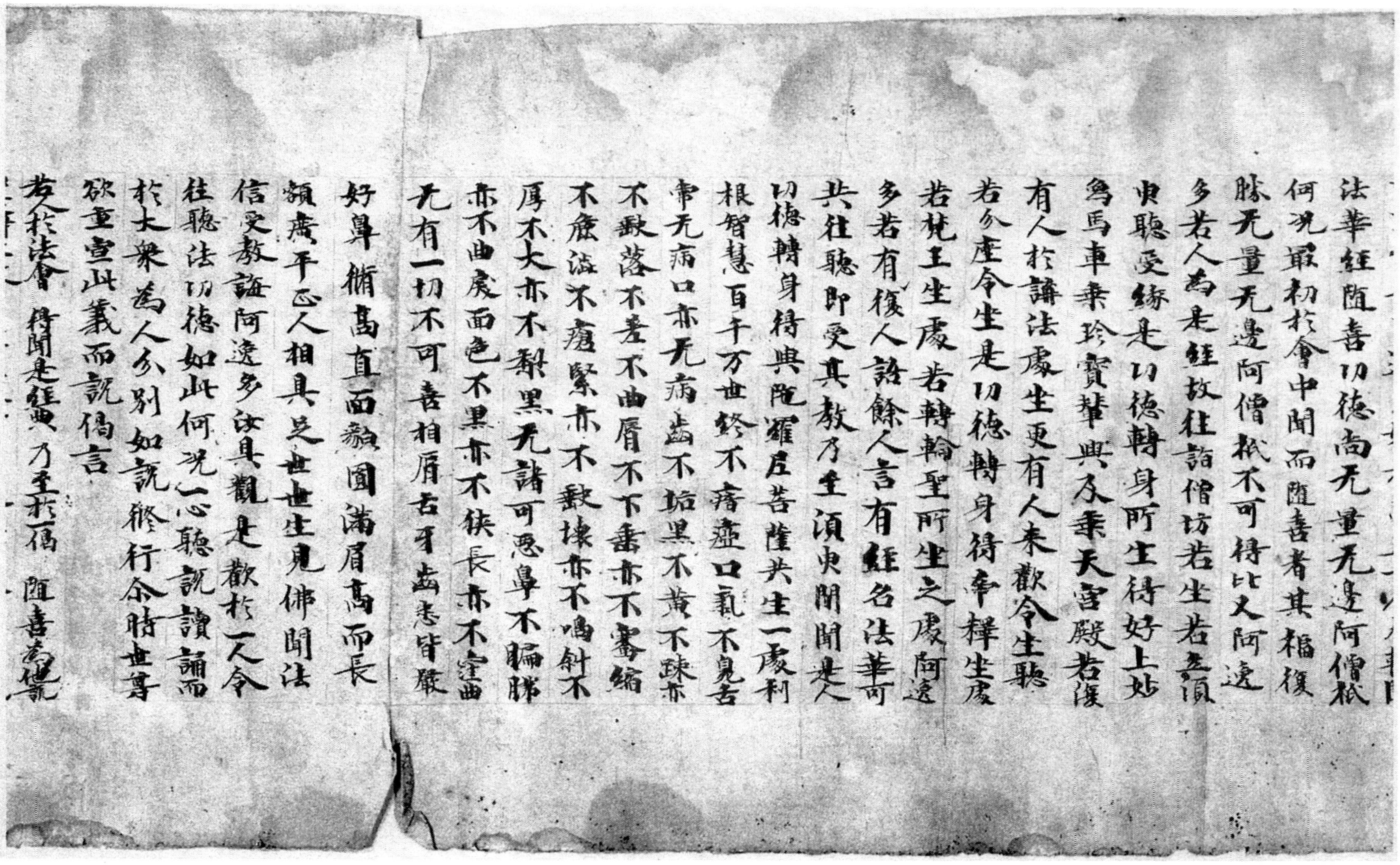
法華經隨喜功德尚无量无邊阿僧祇
何況最初於會中聞而隨喜者其福復
勝无量无邊阿僧祇不可得比又阿逸
多若人為是經故往詣僧坊若坐若立須
臾聽受緣是功德轉身所生得好上妙
象馬車乘珍寶輦輿及乘天宮殿若復
有人於講法處坐更有人來勸令坐聽
若分座令坐是人功德轉身得帝釋坐處
若梵王坐處若轉輪聖王所坐之處阿逸
多若有復人語餘人言有經名法華可
共往聽即受其教乃至須臾間聞是人
功德轉身得與陁羅尼菩薩共生一處利
根智慧百千万世終不瘖瘂口氣不臭舌
常无病口亦无病齒不垢黑不黃不疏亦
不缺落不差不曲脣不下垂亦不褰縮
不麁澀不瘡胗亦不缺壞亦不喎斜不
厚不大亦不黧黑无諸可惡鼻不匾㔸
亦不曲戾面色不黑亦不狹長亦不窊曲
无有一切不可喜相脣舌牙齒悉皆嚴
好鼻脩高直面貌圓滿眉高而長
額廣平正人相具足世世所生見佛聞法
信受教誨阿逸多汝且觀是勸於一人令
往聽法功德如此何況一心聽說讀誦而
於大衆為人分別如說修行爾時世尊
欲重宣此義而說偈言
若人於法會　得聞是經典　乃至於一偈　隨喜為他說

BD01845號　妙法蓮華經（八卷本）卷六　（11–8）

往聽法功德如此何況一心聽說讀誦而
於大衆為人分別如說修行尒時世尊
欲重宣此義而說偈言
若人於法會　得聞是經典　乃至於一偈　隨喜為他說
如是展轉教　至于第五十　最後人獲福　今當分別說
如有大施主　供給无量衆　具滿八十歲　隨意之所欲
見彼衰老相　髮白而面皺　齒踈形枯竭　念其死不久
我今應當教　令得於道果　即為方便說　涅槃真實法
世皆不牢固　如水沫泡焰　汝等咸應當　疾生猒離心
諸人聞是法　皆得阿羅漢　具足六神通　三明八解脫
最後第五十　聞一偈隨喜　是人福勝彼　不可為譬喻
如是展轉聞　其福尚无量　何況於法會　初聞隨喜者
若有勸一人　將引聽法華　言此經深妙　千万劫難遇
即受教往聽　乃至須臾聞　斯人之福報　今當分別說
世世无口患　齒不踈黃黑　脣不厚褰缺　无有可惡相
舌不乾黑短　鼻高脩且直　額廣而平正　面目悉端嚴
為人所喜見　口氣无臭穢　優鉢華之香　常從其口出
若故詣僧坊　欲聽法華經　須臾聞歡喜　今當說其福
後生天人中　得妙象馬車　珎寶之輦輿　及乘天宮殿
若於講法處　勸人坐聽經　是福因緣得　釋梵轉輪座
何況一心聽　解說其義趣　如說而修行　其福不可限
妙法蓮華經法師功德品第十九
尒時佛告常精進菩薩摩訶薩若善男子
善女人受持是法華經若讀若誦若解說
若書寫是人當得八百眼功德千二百耳功
德八百鼻功德千二百舌功德八百身功

BD01845號　妙法蓮華經（八卷本）卷六　（11–9）

尒時佛告常精進菩薩摩訶薩若善男子
善女人受持是法華經若讀若誦若解說
若書寫是人當得八百眼功德千二百耳功
德八百鼻功德千二百舌功德八百身功
德千二百意功德以是功德莊嚴六根皆令
清淨是善男子善女人父母所生清淨肉
眼見於三千大千世界內外所有山林河海
下至阿鼻地獄上至有頂亦見其中一
切衆生及業因緣果報生處悉見悉知尒
時世尊欲重宣此義而說偈言
若於大衆中　以无所畏心　說是法華經　汝聽其功德
是人得八百　功德殊勝眼　以是莊嚴故　其目甚清淨
父母所生眼　悉見三千界　內外彌樓山　須彌及鐵圍
并諸餘山林　大海江河水　下至阿鼻獄　上至有頂處
其中諸衆生　一切皆悉見　雖未得天眼　肉眼力如是
復次常精進若善男子善女人受持此經
若讀若誦若解說若書寫得千二百耳功
德以是清淨耳聞三千大千世界下至阿
鼻地獄上至有頂其中內外種種語言
音聲象聲馬聲牛聲車聲啼哭聲愁歎
聲螺聲鼓聲鍾聲鈴聲笑聲語聲男
聲女聲童子聲童女聲法聲非法聲
苦聲樂聲凡夫聲聖人聲喜聲不喜
聲天聲龍聲夜叉聲乾闥婆聲阿脩
羅聲迦樓羅聲緊那羅聲摩睺羅伽聲
火聲水聲風聲地獄聲畜生聲餓鬼
聲比丘聲比丘尼聲聲聞聲辟支佛聲

BD01845號　妙法蓮華經（八卷本）卷六　（11–10）

其中諸眾生　一切皆悉見　雖未得天眼　肉眼力如是
復次常精進若善男子善女人受持此經
若讀若誦若解說若書寫得千二百耳功
德以是清淨耳聞三千大千世界下至阿
鼻地獄上至有頂其中內外種種語言
音聲象聲馬聲牛聲車聲啼哭聲愁歎
聲螺聲鼓聲鍾聲鈴聲笑聲語聲男
聲女聲童子聲童女聲法聲非法聲
苦聲樂聲凡夫聲聖人聲喜聲不喜
聲天聲龍聲夜叉聲乾闥婆聲阿修
羅聲迦樓羅聲緊那羅聲摩睺羅伽聲
火聲水聲風聲地獄聲畜生聲餓鬼
聲比丘聲比丘尼聲聲聞聲辟支佛
菩薩聲佛聲以要言之三千大千世界
中一切內外所有諸聲雖未得天耳以父
母所生清淨常耳皆悉聞知如是分別
種種音聲而不壞耳根爾時世尊欲重宣

BD01845 號　妙法蓮華經（八卷本）卷六　（11–11）

BD01845 號背　雜寫　（1–1）

香美味
苦惱无復衆患其
諸子等不失心者見此良藥色香俱好即便
服之病盡除愈餘失心者見其父來雖亦歡
喜問訊求索治病然與其藥而不肯服所以
者何毒氣深入失本心故於此好色香藥而
謂不美父作是念此子可愍為毒所中心皆
顛倒雖見我喜求索救療如是好藥而不肯
服我今當設方便令服此藥即作是言汝等
當知我今衰老死時已至是好良藥今留在
此汝可取服勿憂不差作是教已復至他國
遣使還告汝父已死是時諸子聞父背喪心
大憂惱而作是念若父在者慈愍我等能見
救護今者捨我遠喪他國自惟孤露无復恃
怙常懷悲感心遂醒悟乃知此藥色味香美
即取服之毒病皆愈其父聞子悉已得差尋
便來歸咸使見之諸善男子於意云何頗有
人能說此良醫虛妄罪不不也世尊佛言我
亦如是成佛已來无量无邊百千万億那由
他阿僧祇劫為衆生故以方便力言當滅度
亦无有能如法說我虛妄過者爾時世尊欲
重宣此義而說偈言

BD01846號　妙法蓮華經（八卷本）卷六　（14–1）

便來歸咸使見之諸善男子於意云何頗有
人能說此良醫虛妄罪不不也世尊佛言我
亦如是成佛已來无量无邊百千万億那由
他阿僧祇劫為衆生故以方便力言當滅度
亦无有能如法說我虛妄過者爾時世尊欲
重宣此義而說偈言
自我得佛來　所經諸劫數　无量百千万　億載阿僧祇
常說法教化　无數億衆生　令入於佛道　爾來无量劫
為度衆生故　方便現涅槃　而實不滅度　常住此說法
我常住於此　以諸神通力　令顛倒衆生　雖近而不見
衆見我滅度　廣供養舍利　咸皆懷戀慕　而生渴仰心
衆生既信伏　質直意柔軟　一心欲見佛　不自惜身命
時我及衆僧　俱出靈鷲山　我時語衆生　常在此不滅
以方便力故　現有滅不滅　餘國有衆生　恭敬信樂者
我復於彼中　為說无上法　汝等不聞此　但謂我滅度
我見諸衆生　沒在於苦海　故不為現身　令其生渴仰
因其心戀慕　乃出為說法　神通力如是　於阿僧祇劫
常在靈鷲山　及餘諸住處　衆生見劫盡　大火所燒時
我此土安隱　天人常充滿　園林諸堂閣　種種寶莊嚴
寶樹多華菓　衆生所遊樂　諸天擊天鼓　常作衆伎樂
雨曼陀羅華　散佛及大衆　我淨土不毀　而衆見燒盡
憂怖諸苦惱　如是悉充滿　是諸罪衆生　以惡業因緣
過阿僧祇劫　不聞三寶名　諸有脩功德　柔和質直者
則皆見我身　在此而說法　或時為此衆　說佛壽无量
久乃見佛者　為說佛難值　我智力如是　慧光照无量

BD01846號　妙法蓮華經（八卷本）卷六　（14–2）

憂怖諸苦惱 如是悉充滿 是諸罪衆生 以惡業因緣
過阿僧祇劫 不聞三寶名 諸有修功德 柔和質直者
則皆見我身 在此而說法 或時為此衆 說佛壽无量
久乃見佛者 為說佛難值 我智力如是 慧光照无量
壽命无數劫 久脩業所得 汝等有智者 勿於此生疑
當斷令永盡 佛語實不虛 如醫善方便 為治狂子故
實在而言死 无能說虛妄 我亦為世父 救諸苦患者
為凡夫顛倒 實在而言滅 以常見我故 而生憍恣心
放逸著五欲 墮於惡道中 我常知衆生 行道不行道
隨應所可度 為說種種法 每自作是意 以何令衆生
得入无上道 速成就佛身

妙法蓮華經分別功德品第十七

尒時大會聞佛說壽命劫數長遠如是无量
无邊阿僧祇衆生得大饒益於時世尊告彌
勒菩薩摩訶薩阿逸多我說是如來壽命長
遠時六百八十万億那由他恒河沙衆生得
无生法忍復有千倍菩薩摩訶薩得聞持陁
羅尼門復有一世界微塵數菩薩摩訶薩得
樂說无礙辯才復有一世界微塵數菩薩摩
訶薩得百千万億无量旋陁羅尼復有三千
大千世界微塵數菩薩摩訶薩能轉不退法
輪復有二千中國土微塵數菩薩摩訶薩能
轉清淨法輪復有小千國土微塵數菩薩摩
訶薩八生當得阿耨多羅三藐三菩提復有
四四天下微塵數菩薩摩訶薩四生當得阿

BD01846號　妙法蓮華經（八卷本）卷六　（14–3）

輪復有二千中國土微塵數菩薩摩訶薩能
轉清淨法輪復有小千國土微塵數菩薩摩
訶薩八生當得阿耨多羅三藐三菩提復有
四四天下微塵數菩薩摩訶薩四生當得阿
耨多羅三藐三菩提復有三四天下微塵數
菩薩摩訶薩三生當得阿耨多羅三藐三菩
提復有二四天下微塵數菩薩摩訶薩二生
當得阿耨多羅三藐三菩提復有一四天下
微塵數菩薩摩訶薩一生當得阿耨多羅三
藐三菩提復有八世界微塵數衆生皆發阿
耨多羅三藐三菩提心佛說是諸菩薩摩訶
薩得大法利時於虛空中雨曼陁羅華摩訶
曼陁羅華以散无量百千万億寶樹下師子
座上諸佛并散七寶塔中師子座上釋迦牟
尼佛及久滅度多寶如來亦散一切諸大菩
薩及四部衆又雨細末栴檀沉水香等於虛
空中天鼓自鳴妙聲深遠又雨千種天衣垂
諸瓔珞真珠瓔珞摩尼珠瓔珞如意珠瓔珞
遍於九方衆寶香爐燒无價香自然周至供
養大會一一佛上有諸菩薩執持幡蓋次第
而上至于梵天是諸菩薩以妙音聲歌无量
頌讚歎諸佛尒時彌勒菩薩從座而起偏袒
右肩合掌向佛而說偈言
佛說希有法 昔所未曾聞 世尊有大力 壽命不可量
无數諸佛子 聞世尊分別 說得法利者 歡喜充遍身

BD01846號　妙法蓮華經（八卷本）卷六　（14–4）

頌讚歎諸佛。尒時彌勒菩薩從座而起，偏袒
右肩，合掌向佛而說偈言：
佛說希有法，昔所未曾聞，世尊有大力，壽命不可量。
无數諸佛子，聞世尊分別，說得法利者，歡喜充遍身。
或住不退地，或得陁羅尼，或无礙樂說，万億旋摠持。
或有大千界，微塵數菩薩，各各皆能轉，不退之法輪。
或有中千界，微塵數菩薩，各各皆能轉，清淨之法輪。
復有小千界，微塵數菩薩，餘各八生在，當得成佛道。
復有四三二，如是四天下，微塵諸菩薩，隨數生成佛。
或一四天下，微塵數菩薩，餘有一生在，當成一切智。
如是等眾生，聞佛壽長遠，得无量无漏，清淨之果報。
復有八世界，微塵數眾生，聞佛說壽命，皆發无上心。
世尊說无量，不可思議法，多有所饒益，如虛空无邊。
天雨曼陁羅，摩訶曼陁羅，釋梵如恒沙，无數佛土來。
雨栴檀沉水，繽紛而亂墜，如鳥飛空下，供散於諸佛。
天鼓虛空中，自然出妙聲，天衣千万種，旋轉而來下。
眾寶妙香爐，燒无價之香，自然悉周遍，供養諸世尊。
其大菩薩眾，執七寶幡蓋，高妙万億種，次第至梵天。
一一諸佛前，寶幢懸勝幡，亦以千万偈，歌詠諸如來。
如是種種事，昔所未曾有，聞佛壽无量，一切皆歡喜。
佛名聞十方，廣饒益眾生，一切具善根，以助无上心。
尒時佛告彌勒菩薩摩訶薩：阿逸多，其有眾
生聞佛壽命長遠如是，乃至能生一念信解，
所得功德无有限量。若有善男子、善女人，為
阿耨多羅三藐三菩提故，於八十万億那由

BD01846號　妙法蓮華經（八卷本）卷六　（14–5）

尒時佛告彌勒菩薩摩訶薩：阿逸多，其有眾
生聞佛壽命長遠如是，乃至能生一念信解，
所得功德无有限量。若有善男子、善女人，為
阿耨多羅三藐三菩提故，於八十万億那由
他劫行五波羅蜜：檀波羅蜜、尸波羅蜜、羼
提波羅蜜、毗梨耶波羅蜜、禪波羅蜜，除般若
波羅蜜。以是功德比前功德，百分千分百千
万億分不及其一，乃至筭數譬喻所不能知。
若善男子有如是功德，於阿耨多羅三藐三
菩提退者，无有是處。尒時世尊欲重宣此義
而說偈言：
若人求佛惠，於八十万億，那由他劫數，行五波羅蜜。
於是諸劫中，布施供養佛，及緣覺弟子，并諸菩薩眾，
珍異之飲食，上服與臥具，栴檀立精舍，以園林莊嚴。
如是等布施，種種皆微妙，盡此諸劫數，以迴向佛道。
若復持禁戒，清淨无缺漏，求於无上道，諸佛之所歎。
若復行忍辱，住於調柔地，設眾惡來加，其心不傾動。
諸有得法者，懷於增上慢，為此所輕惱，如是亦能忍。
若復勤精進，志念常堅固，於无量億劫，一心不懈息。
又於无數劫，住於空閑處，若坐若經行，除睡常攝心。
以是因緣故，能生諸禪定，八十億万劫，安住心不亂。
持此一心福，願求无上道，我得一切智，盡諸禪定際。
是人於百千，万億劫數中，行此諸功德，如上之所說。
有善男女等，聞我說壽命，乃至一念信，其福過於彼。
若人悉无有，一切諸疑悔，深心須臾信，其福為如此。

BD01846號　妙法蓮華經（八卷本）卷六　（14–6）

持此一心福　願求无上道　我得一切智　盡諸禪定際
是人於百千　万億劫數中　行此諸功德　如上之所說
有善男女等　聞我說壽命　乃至一念信　其福過於彼
若人悉无有　一切諸疑悔　深心須臾信　其福為如此
其有諸菩薩　无量劫行道　聞我說壽命　是則能信受
如是諸人等　頂受此經典　願我於未來　長壽度衆生
如今日世尊　諸釋中之王　道場師子吼　說法无所畏
我等未來世　一切所尊敬　坐於道場時　說壽亦如是
若有深心者　清淨而質直　多聞能總持　隨義解佛語
如是諸人等　於此无有疑
又阿逸多若有聞佛壽命長遠解其言趣是
人所得功德无有限量能起如來无上之慧
何況廣聞是經若教人聞若自持若教人持
若自書若教人書若以華香瓔珞幢幡繒蓋
香油蘇燈供養經卷是人功德无量无邊能
生一切種智阿逸多若善男子善女人聞我
說壽命長遠深心信解則為見佛常在耆闍
崛山共大菩薩諸聲聞衆圍繞說法又見此
娑婆世界其地瑠璃坦然平正閻浮檀金以
界八道寶樹行列諸臺樓觀皆悉寶成其菩
薩衆咸處其中若有能如是觀者當知是為
深信解相又復如來滅後若聞是經而不毀
呰起隨喜心當知已為深信解相何況讀誦
受持之者斯人則為頂戴如來阿逸多是善
男子善女人不須為我復起塔寺及作僧坊
以四事供養衆僧所以者何是善男子善女

BD01846號　妙法蓮華經（八卷本）卷六　（14–7）

受持之者斯人則為頂戴如來阿逸多是善
男子善女人不須為我復起塔寺及作僧坊
以四事供養衆僧所以者何是善男子善女
人受持讀誦是經典者為已起塔造立僧坊
供養衆僧則為以佛舍利起七寶塔高廣漸
小至于梵天懸諸幡蓋及衆寶鈴華香瓔珞
末香塗香燒香衆鼓伎樂簫笛箜篌種種儛
戲以妙音聲歌唄讚頌則為於无量千万億
劫作是供養已阿逸多若我滅後聞是經典
有能受持若自書若教人書則為立僧坊以
赤栴檀作諸殿堂三十有二高八多羅樹高
廣嚴好百千比丘於其中止園林浴池經行
禪窟衣服飲食床褥湯藥一切樂具充滿其
中如是僧坊堂閣若千百千万億其數无量
以此現前供養於我及比丘僧是故我說如
來滅後若有受持讀誦為他人說若自書若
教人書供養經卷不須復起塔寺及造僧坊
供養衆僧況復有人能持是經兼行布施持
戒忍辱精進一心智慧其德最勝无量无邊
譬如虛空東西南北四維上下无量无邊是
人功德亦復如是无量无邊疾至一切種智
若人讀誦受持是經為他人說若自書若教
人書復能起塔及造僧坊供養讚歎聲聞衆
僧亦以百千万億讚歎之法讚歎菩薩功德
又為他人種種因緣隨義解說此法華經復

BD01846號　妙法蓮華經（八卷本）卷六　（14–8）

人書須能起塔及造僧坊供養讚歎聲聞衆
僧亦以百千万億讚歎之法讚歎菩薩功德
又為他人種種因緣隨義解說此法華經復
能清淨持戒與柔和者而共同止忍辱无瞋志
念堅固常貴坐禪得諸深定精進勇猛攝
諸善法利根智慧善荅問難阿逸多若我滅
後諸善男子善女人受持讀誦是經典者復
有如是諸善功德當知是人已趣道場近阿
耨多羅三藐三菩提坐道樹下阿逸多是善
男子善女人若坐若立若經行處此中便應
起塔一切天人皆應供養如佛之塔尒時世
尊欲重宣此義而說偈言
若我滅度後　能奉持此經　斯人福无量　如上之所說
是則為具足　一切諸供養　以舍利起塔　七寶而莊嚴
表刹甚高廣　漸小至梵天　寶鈴千万億　風動出妙音
又於无量劫　而供養此塔　華香諸瓔珞　天衣衆伎樂
然香油蘇燈　周匝常照明　惡世法末時　能持是經者
則為已如上　具足諸供養　若能持此經　則如佛現在
以牛頭栴檀　起僧坊供養　堂有三十二　高八多羅樹
上饌妙衣服　床臥皆具足　百千衆住處　園林諸浴池
經行及禪窟　種種皆嚴好　若有信解心　受持讀誦書
若復教人書　及供養經卷　散華香末香　以須曼瞻蔔
阿提目多伽　熏油常然之　如是供養者　得无量功德
如虛空无邊　其福亦如是　況復持此經　兼布施持戒
忍辱樂禪定　不瞋不惡口　恭敬於塔廟　謙下諸比丘

BD01846 號　妙法蓮華經（八卷本）卷六　（14–9）

若復教人書　及供養經卷　散華香末香　以須曼瞻蔔
阿提目多伽　熏油常然之　如是供養者　得无量功德
如虛空无邊　其福亦如是　況復持此經　兼布施持戒
忍辱樂禪定　不瞋不惡口　恭敬於塔廟　謙下諸比丘
遠離自高心　常思惟智慧　有問難不瞋　隨順為解說
若能行是行　功德不可量　若見此法師　成就如是德
應以天華散　天衣覆其身　頭面接足礼　生心如佛想
又應作是念　不久詣道樹　得无漏无為　廣利諸人天
其所住止處　經行若坐臥　乃至說一偈　是中應起塔
莊嚴令妙好　種種以供養　佛子住此地　則是佛受用
常在於其中　經行及坐臥
妙法蓮華經隨喜功德品第十八
尒時弥勒菩薩摩訶薩白佛言世尊若有善
男子善女人聞是法華經隨喜者得幾所福
而說偈言
世尊滅度後　其有聞是經　若能隨喜者　為得幾所福
尒時佛告弥勒菩薩摩訶薩阿逸多如來滅
後若比丘比丘尼優婆塞優婆夷及餘智者
若長若幼聞是經隨喜已從法會出至於餘
處若在僧坊若空閑地若城邑巷陌聚落田
里如其所聞為父母宗親善友知識隨力演
說是諸人等聞已隨喜復行轉教餘人聞已
亦隨喜轉教如是展轉至第五十阿逸多其
第五十善男子善女人隨喜功德我今說之
汝當善聽若四百万億阿僧祇世界六趣四生

BD01846 號　妙法蓮華經（八卷本）卷六　（14–10）

亦隨喜轉教如是展轉至第五十阿逸多其
第五十善男子善女人隨喜功德我今說之
汝當善聽若四百万億阿僧祇世界六趣四生
衆生卵生胎生濕生化生若有形无形有
想无想非有想非无想无足二足四足多足
如是等在衆生數者有人求福隨其所欲娛
樂之具皆給與之一一衆生與滿閻浮提金
銀琉璃車𤦲馬瑙珊瑚虎珀諸妙珍寶及象
馬車乘七寶所成宮殿樓閣等是大施主如
是布施滿八十年已而作是念我已施衆生
娛樂之具隨意所欲然此衆生皆已衰老年
過八十髮白面皺將死不久我當以佛法而
訓導之即集此衆生宣布法化示教利喜一
時皆得須陁洹道斯陁含道阿那含道阿羅
漢道盡諸有漏於深禪定皆得自在具八解
脫於汝意云何是大施主所得功德寧為多
不彌勒白佛言世尊是人功德甚多无量无
邊若是施主但施衆生一切樂具功德无量
何況令得阿羅漢果佛告彌勒我今分明語
汝是人以一切樂具施於四百万億阿僧祇
世界六趣衆生又令得阿羅漢果所得功德
不如是第五十人聞法華經一偈隨喜功德
百分千分百千万億分不及其一乃至筭數
譬喻所不能知阿逸多如是第五十人展轉
聞法華經隨喜功德尚无量无邊阿僧祇何
況最初於會中聞而隨喜者其福復勝无量

BD01846號　妙法蓮華經（八卷本）卷六　（14–11）

不如是第五十人聞法華經一偈隨喜功德
百分千分百千万億分不及其一乃至筭數
譬喻所不能知阿逸多如是第五十人展轉
聞法華經隨喜功德尚无量无邊阿僧祇何
況最初於會中聞而隨喜者其福復勝无量
无邊阿僧祇不可得比又阿逸多若人為是
經故往詣僧坊若坐若立須臾聽受緣是功
德轉身所生得好上妙象馬車乘珍寶輦轝
及乘天宮若復有人於講法處坐更有人來
勸令坐聽若分座令坐是人功德轉身得帝
釋坐處若梵王坐處若轉輪聖王所坐之處
阿逸多若復有人語餘人言有經名法華可
共往聽即受其教乃至須臾間聞是人功德
轉身得與陁羅尼菩薩共生一處利根智慧
百千万世終不瘖瘂口氣不臭舌常无病口
亦无病齒不垢黑不黃不踈亦不缺落亦不
差曲脣不垂亦不褰縮不麁澁不瘡胗亦不
缺壞亦不喎斜不厚不大亦不黧黑无諸可
惡鼻不匾㔸亦不曲戾面色不黑亦不狹長
亦不窊曲无有一切不可喜相脣舌牙齒悉
皆嚴好鼻脩高直面貌圓滿眉高而長額廣
平正人相具足世世所生見佛聞法信受教
誨阿逸多汝且觀是勸於一人令往聽法功
德如此何況一心聽說讀誦而於大衆為人
分別如說脩行爾時世尊欲重宣此義而說
偈言

BD01846號　妙法蓮華經（八卷本）卷六　（14–12）

語阿逸多汝且觀是勸於一人令往聽法功
德如此何況一心聽說讀誦而於大眾為人
分別如說修行尒時世尊欲重宣此義而說
偈言
若人於法會　得聞是經典　乃至於一偈　隨喜為他說
如是展轉教　至于第五十　最後人獲福　今當分別之
如有大施主　供給無量眾　具滿八十歲　隨意之所欲
見彼衰老相　髮白而面皺　齒踈形枯竭　念其死不久
我今應當教　令得於道果　即為方便說　涅槃真實法
世皆不牢固　如水沫泡焰　汝等咸應當　疾生厭離心
諸人聞是法　皆得阿羅漢　具足六神通　三明八解脫
最後第五十　聞一偈隨喜　是人福勝彼　不可為譬喻
如是展轉聞　其福尚無量　何況於法會　初聞隨喜者
若有勸一人　將引聽法華　言此經深妙　千万劫難遇
即受教往聽　乃至須臾聞　斯人之福報　今當分別說
世世無口患　齒不踈黃黑　脣不厚褰缺　無有可惡相
舌不乾黑短　鼻高修且直　額廣而平正　面目悉端嚴
為人所憙見　口氣無臭穢　優鉢華之香　常從其口出
若故詣僧坊　欲聽法華經　須臾聞歡喜　今當說其福
後生天人中　得妙象馬車　珍寶之輦轝　及乘天宮殿
若於講法處　勸人坐聽經　是福因緣得　釋梵轉輪座
何況一心聽　解說其義趣　如說而修行　其福不可限
妙法蓮華經法師功德品第十九
尒時佛告常精進菩薩摩訶薩若善男子善
女人受持是法華經若讀若誦若解說若書

BD01846號　妙法蓮華經（八卷本）卷六　（14–13）

若於講法處　勸人坐聽經　是福因緣得　釋梵轉輪座
何況一心聽　解說其義趣　如說而修行　其福不可限
妙法蓮華經法師功德品第十九
尒時佛告常精進菩薩摩訶薩若善男子善
女人受持是法華經若讀若誦若解說若書
寫是人當得八百眼功德千二百耳功德八
百鼻功德千二百舌功德八百身功德千二
百意功德以是功德莊嚴六根皆令清淨是
善男子善女人父母所生清淨肉眼見於三
千大千世界內外所有山林河海下至阿鼻
地獄上至有頂亦見其中一切眾生及業因
緣果報生處悉見悉知尒時世尊欲重宣此
義而說偈言
若於大眾中　以無所畏心　說是法華經　汝聽其功德
是人得八百　功德殊勝眼　以是莊嚴故　其目甚清淨
父母所生眼　悉見三千界　內外彌樓山　須彌及鐵圍
并諸餘山林　大海江河水　下至阿鼻獄　上至有頂處
其中諸眾生　一切皆悉見　雖未得天眼　肉眼力如是
復次常精進若善男子善女人受持此經若
讀若誦若解說若書寫得千二百耳功德以
是清淨耳聞三千大千世界下至阿鼻地獄
上至有頂其中內外種種語言音聲象聲馬
聲牛聲車聲啼哭聲愁歎聲螺聲鼓聲鍾聲

BD01846號　妙法蓮華經（八卷本）卷六　（14–14）

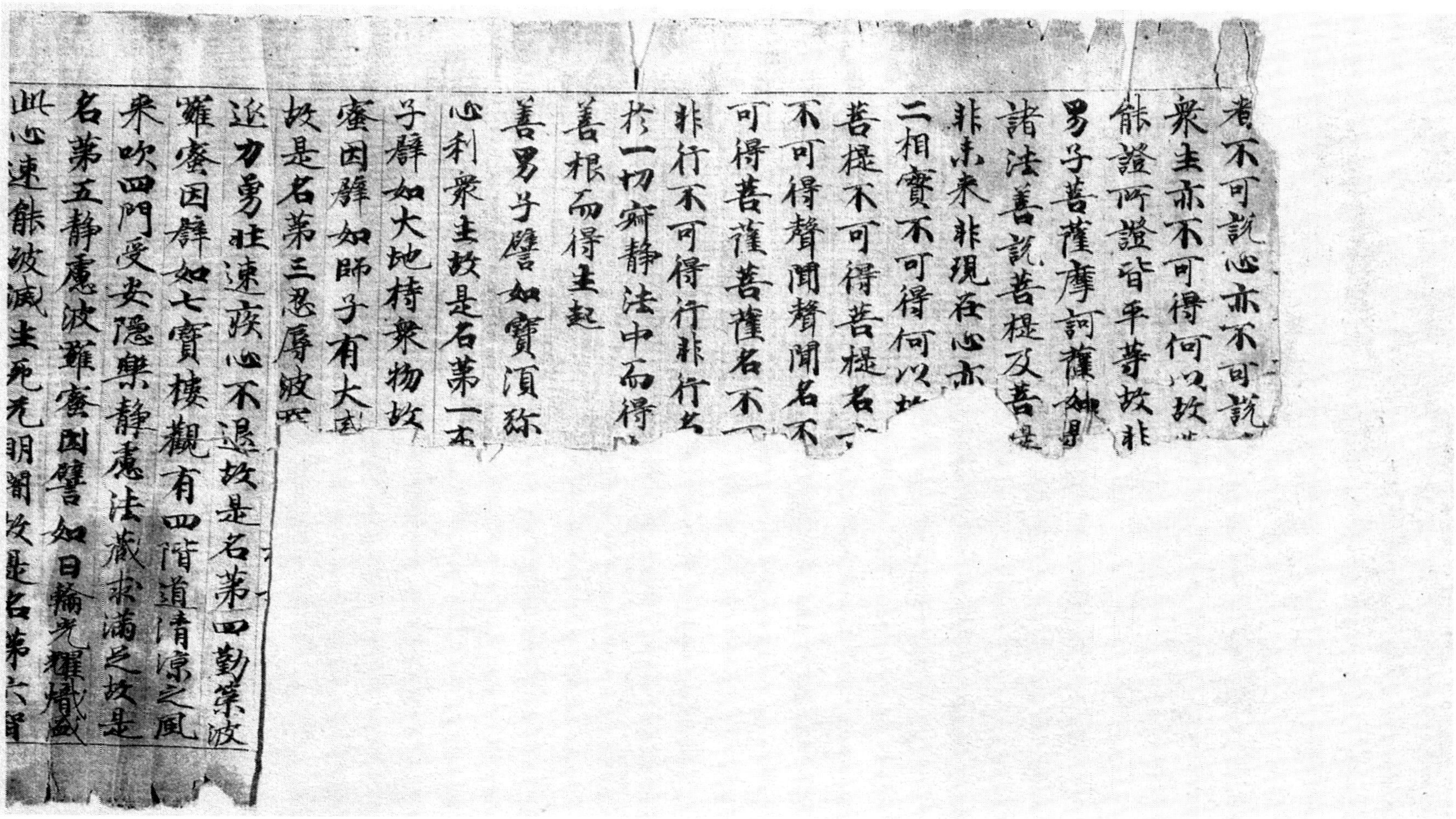

者不可說心亦不可說
衆生亦不可得何以故
能證所證皆平等故非
男子菩薩摩訶薩如是
諸法善說菩提及菩提
非未來非現在心亦
二相實不可得何以故
菩提不可得菩提名
不可得聲聞聲聞名不
可得菩薩菩薩名不
非行不可得行非行
於一切寂靜法中而得
善根而得生起
善男子譬如寶須彌
心利衆生故是名第一
子譬如大地持衆物故
蜜因譬如師子有大
故是名第三忍辱波
進力勇壯速疾心不退故是名第四勤策波
羅蜜因譬如七寶樓觀有四階道清涼之風
來吹四門受安隱樂靜慮法藏求滿足故是
名第五靜慮波羅蜜因譬如日輪光耀熾盛
此心速能破滅生死无明闇故是名第六智

BD01847 號　金光明最勝王經卷四　（6–1）

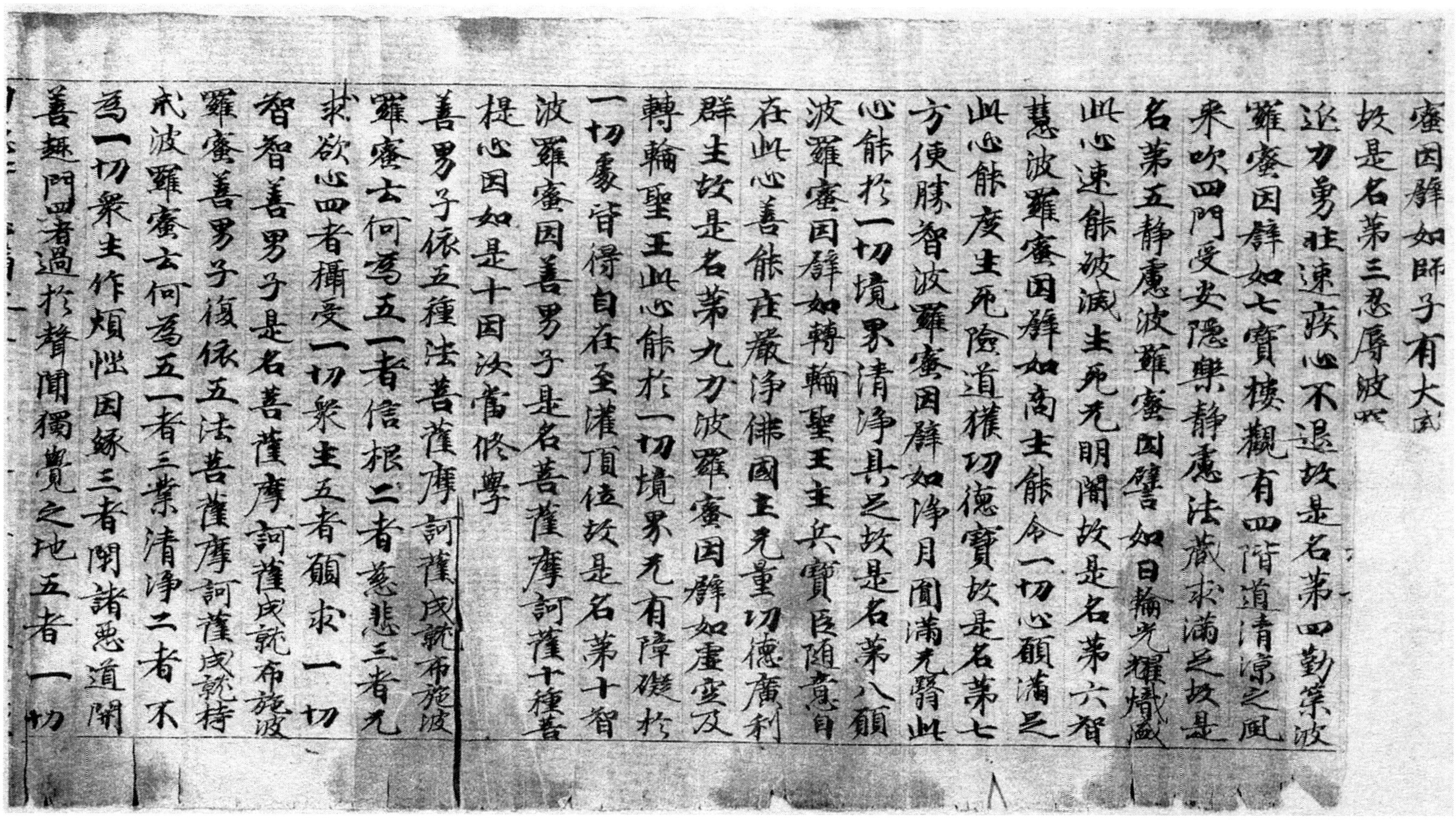

蜜因譬如師子有大
故是名第三忍辱波
進力勇壯速疾心不退故是名第四勤策波
羅蜜因譬如七寶樓觀有四階道清涼之風
來吹四門受安隱樂靜慮法藏求滿足故是
名第五靜慮波羅蜜因譬如日輪光耀熾盛
此心速能破滅生死无明闇故是名第六智
慧波羅蜜因譬如商主能令一切心願滿足
此心能度生死險道獲功德寶故是名第七
方便勝智波羅蜜因譬如淨月圓滿无翳此
心能於一切境界清淨具足故是名第八願
波羅蜜因譬如轉輪聖王主兵寶臣隨意自
在此心善能莊嚴淨佛國土无量功德廣利
群生故是名第九力波羅蜜因譬如虛空及
轉輪聖王此心能於一切境界无有障礙於
一切處皆得自在至灌頂位故是名第十智
波羅蜜因善男子是名菩薩摩訶薩十種菩
提心因如是十因汝當修學
善男子依五種法菩薩摩訶薩成就布施波
羅蜜云何為五一者信根二者慈悲三者无
求欲心四者攝受一切衆生五者願求一切
智智善男子是名菩薩摩訶薩成就布施波
羅蜜善男子復依五法菩薩摩訶薩成就持
戒波羅蜜云何為五一者三業清淨二者不
為一切衆生作煩惱因緣三者閉諸惡道開
善趣門四者過於聲聞獨覺之地五者一切

BD01847 號　金光明最勝王經卷四　（6–2）

求欲心四者攝受一切眾生五者願求一切
智智善男子是名菩薩摩訶薩成就布施波
羅蜜善男子復依五法菩薩摩訶薩成就持
戒波羅蜜云何為五一者三業清淨二者不
為一切眾生作煩惱因緣三者閉諸惡道開
善趣門四者過於聲聞獨覺之地五者一
切功德皆悉滿足善男子是名菩薩摩訶薩成
就持戒波羅蜜善男子復依五法菩薩摩訶
薩成就忍辱波羅蜜云何為五一者能伏貪
瞋煩惱二者不惜身命不求安樂止息之想
三者思惟往業遭苦能忍四者發慈悲心成
就眾生諸善根故五者為得甚深无生法忍
善男子是名菩薩摩訶薩成就忍辱波羅蜜
善男子復依五法菩薩摩訶薩成就勤策波
羅蜜云何為五一者與諸煩惱不樂共住二
者福德未具不受安樂三者於諸難行苦行
之事不生厭心四者以大慈悲攝受利益方
便成熟一切眾生五者願求不退轉地善男
子是名菩薩摩訶薩成就勤策波羅蜜善男
子復依五法菩薩摩訶薩成就靜慮波羅蜜
云何為五一者於諸善法攝令不散故二者
常願解脫不著二邊故三者願得神通成就
眾生諸善根故四者為淨法界蠲除心垢故
五者為斷眾生煩惱根本故善男子是名菩
薩摩訶薩成就靜慮波羅蜜善男子復依五
法菩薩摩訶薩成就智慧波羅蜜云何為五
一者常於一切諸佛菩薩及明智者供養親

BD01847 號　金光明最勝王經卷四　（6–3）

常願解脫不著二邊故三者願得神通成就
眾生諸善根故四者為淨法界蠲除心垢故
五者為斷眾生煩惱根本故善男子是名菩
薩摩訶薩成就靜慮波羅蜜善男子復依五
法菩薩摩訶薩成就智慧波羅蜜云何為五
一者常於一切諸佛菩薩及明智者供養親
近不生厭背二者諸佛如來說甚深法心常
樂聞无有厭足三者真俗勝智樂善分別四
者見修煩惱咸速斷除五者世間伎術五明
之法皆悉通達善男子是名菩薩摩訶薩成
就智慧波羅蜜善男子復依五法菩薩摩訶
薩成就方便波羅蜜云何為五一者於一切
眾生意樂煩惱心行差別悉皆通達二者无
量諸法對治之門心皆曉了三者大慈悲定
出入自在四者於諸波羅蜜多皆願修行成
熟滿足五者一切佛法皆願了達攝受无遺
善男子是名菩薩摩訶薩成就方便勝智波
羅蜜善男子復依五法菩薩摩訶薩成就願
波羅蜜云何為五一者於一切法從本以來
不生不滅非有非无心得安住二者觀一切
法最妙理趣離垢清淨心得安住三者過一
切相心本真如无作无行不異不動心得安
住四者為欲利益諸眾生事於俗諦中心得
安住五者於奢摩他毗鉢舍那同時運行心
得安住善男子是名菩薩摩訶薩成就願波
羅蜜善男子復依五法菩薩摩訶薩成就力

BD01847 號　金光明最勝王經卷四　（6–4）

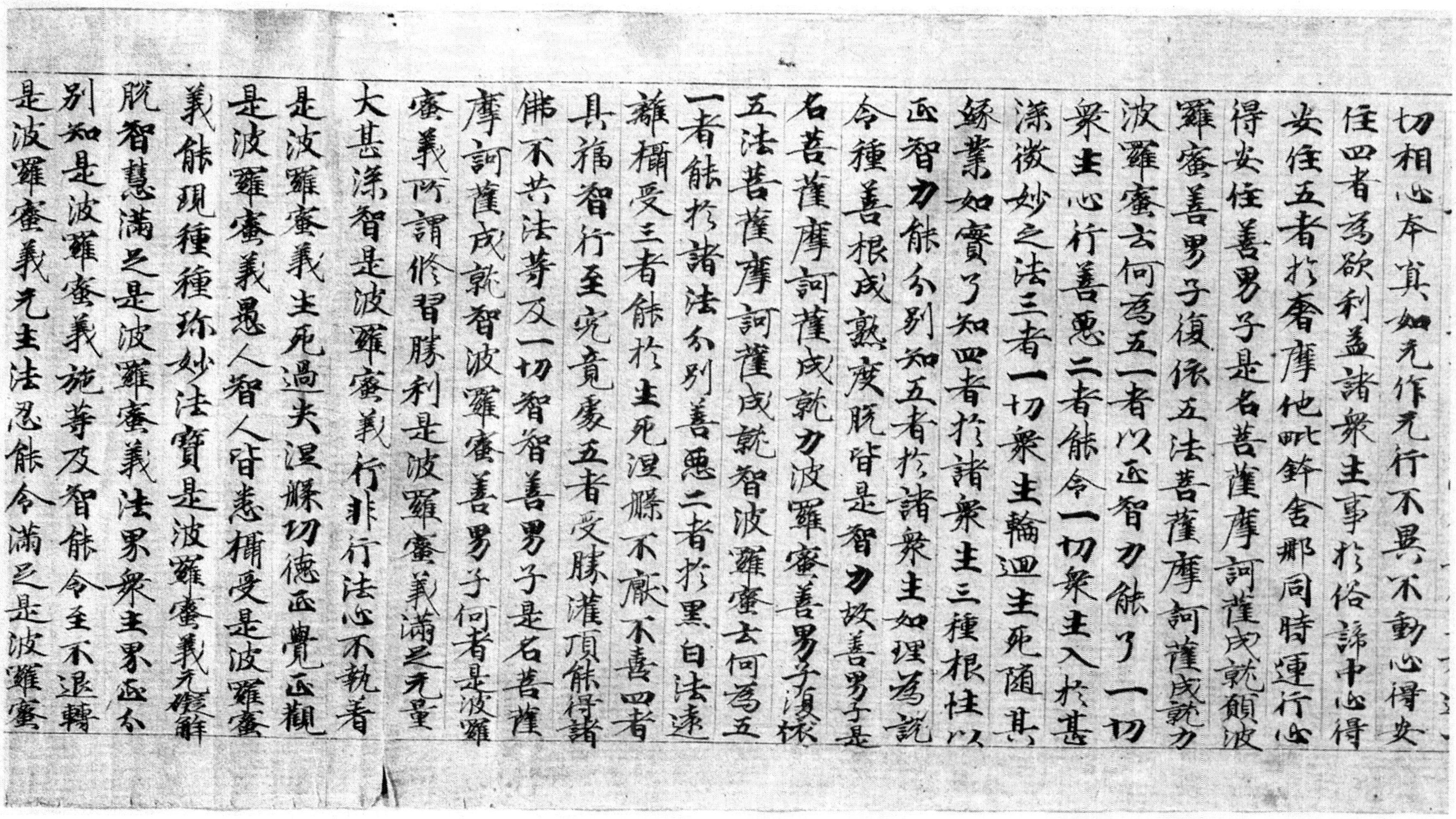
切相心本真如无作无行不異不動心得安
住四者為欲利益諸衆生事於俗諦中心得
安住五者於奢摩他毗鉢舍那同時運行心
得安住善男子是名菩薩摩訶薩成就禪波
羅蜜善男子復依五法菩薩摩訶薩成就力
波羅蜜云何為五一者以正智力能了一切
衆生心行善惡二者能令一切衆生入於甚
深微妙之法三者一切衆生輪迴生死隨其
緣業如實了知四者於諸衆生三種根性以
正智力能分別知五者於諸衆生如理為説
令種善根成熟度脫皆是智力故善男子是
名菩薩摩訶薩成就力波羅蜜善男子復依
五法菩薩摩訶薩成就智波羅蜜云何為五
一者能於諸法分別善惡二者於黑白法遠
離攝受三者能於生死涅槃不厭不喜四者
具福智行至究竟處五者受勝灌頂能得諸
佛不共法等及一切智智善男子是名菩薩
摩訶薩成就智波羅蜜善男子何者是波羅
蜜義所謂修習勝利是波羅蜜義滿足无量
大甚深智是波羅蜜義行非行法心不執著
是波羅蜜義生死過失涅槃功德正覺正觀
是波羅蜜義愚人智人皆悉攝受是波羅蜜
義能現種種珍妙法寶是波羅蜜義无礙解
脫智慧滿足是波羅蜜義法界衆生正分
別知是波羅蜜義施等及智能令至不退轉
是波羅蜜義无生法忍能令滿足是波羅蜜

BD01847 號　金光明最勝王經卷四　（6–5）

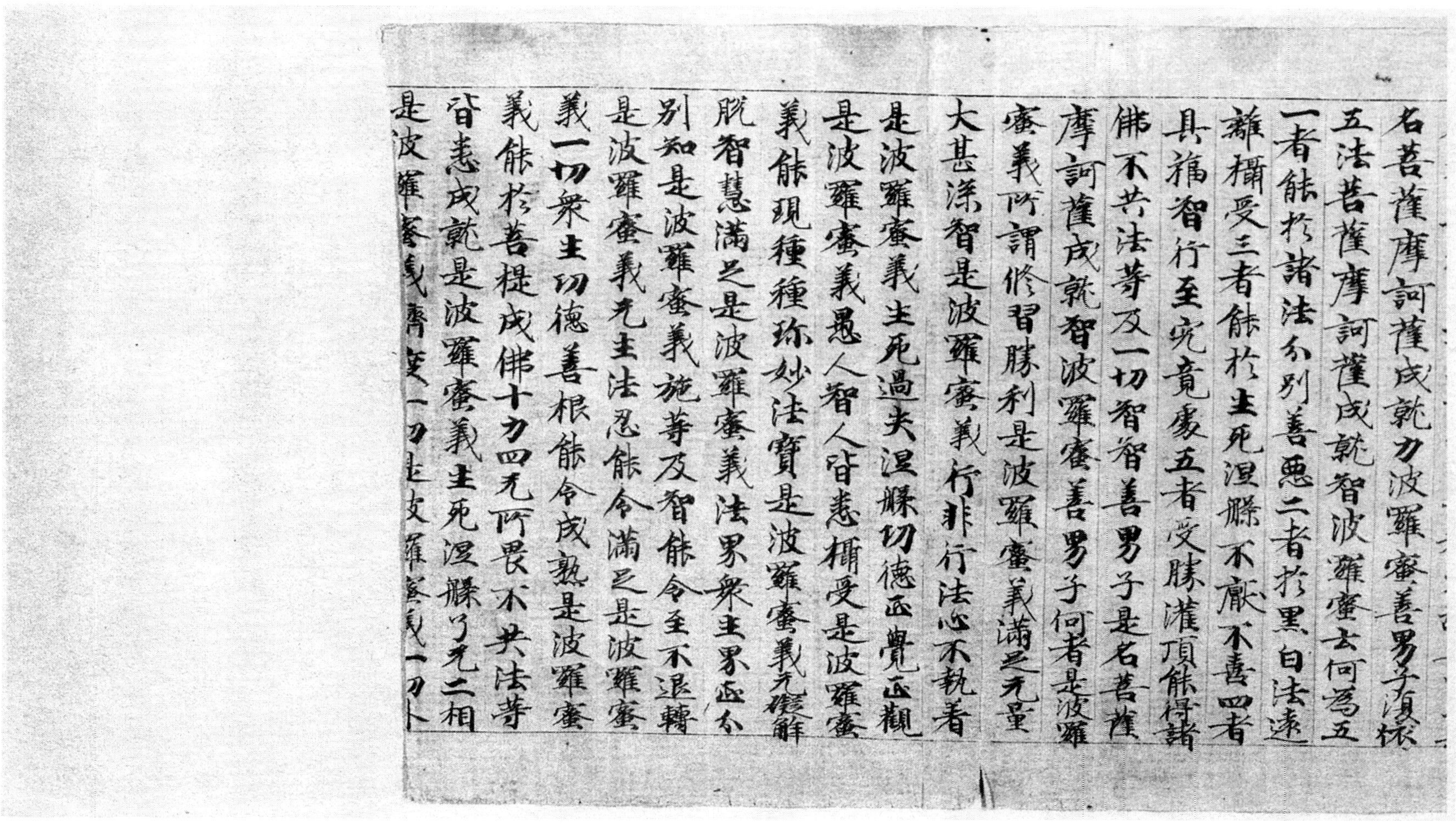
名菩薩摩訶薩成就力波羅蜜善男子復依
五法菩薩摩訶薩成就智波羅蜜云何為五
一者能於諸法分別善惡二者於黑白法遠
離攝受三者能於生死涅槃不厭不喜四者
具福智行至究竟處五者受勝灌頂能得諸
佛不共法等及一切智智善男子是名菩薩
摩訶薩成就智波羅蜜善男子何者是波羅
蜜義所謂修習勝利是波羅蜜義滿足无量
大甚深智是波羅蜜義行非行法心不執著
是波羅蜜義生死過失涅槃功德正覺正觀
是波羅蜜義愚人智人皆悉攝受是波羅蜜
義能現種種珍妙法寶是波羅蜜義无礙解
脫智慧滿足是波羅蜜義法界衆生正分
別知是波羅蜜義施等及智能令至不退轉
是波羅蜜義无生法忍能令滿足是波羅蜜
義一切衆生功德善根能令成熟是波羅蜜
義能於菩提成佛十力四无所畏不共法等
皆悉成就是波羅蜜義生死涅槃了无二相
是波羅蜜義[illegible]一切[illegible]羅蜜義一切[illegible]

BD01847 號　金光明最勝王經卷四　（6–6）

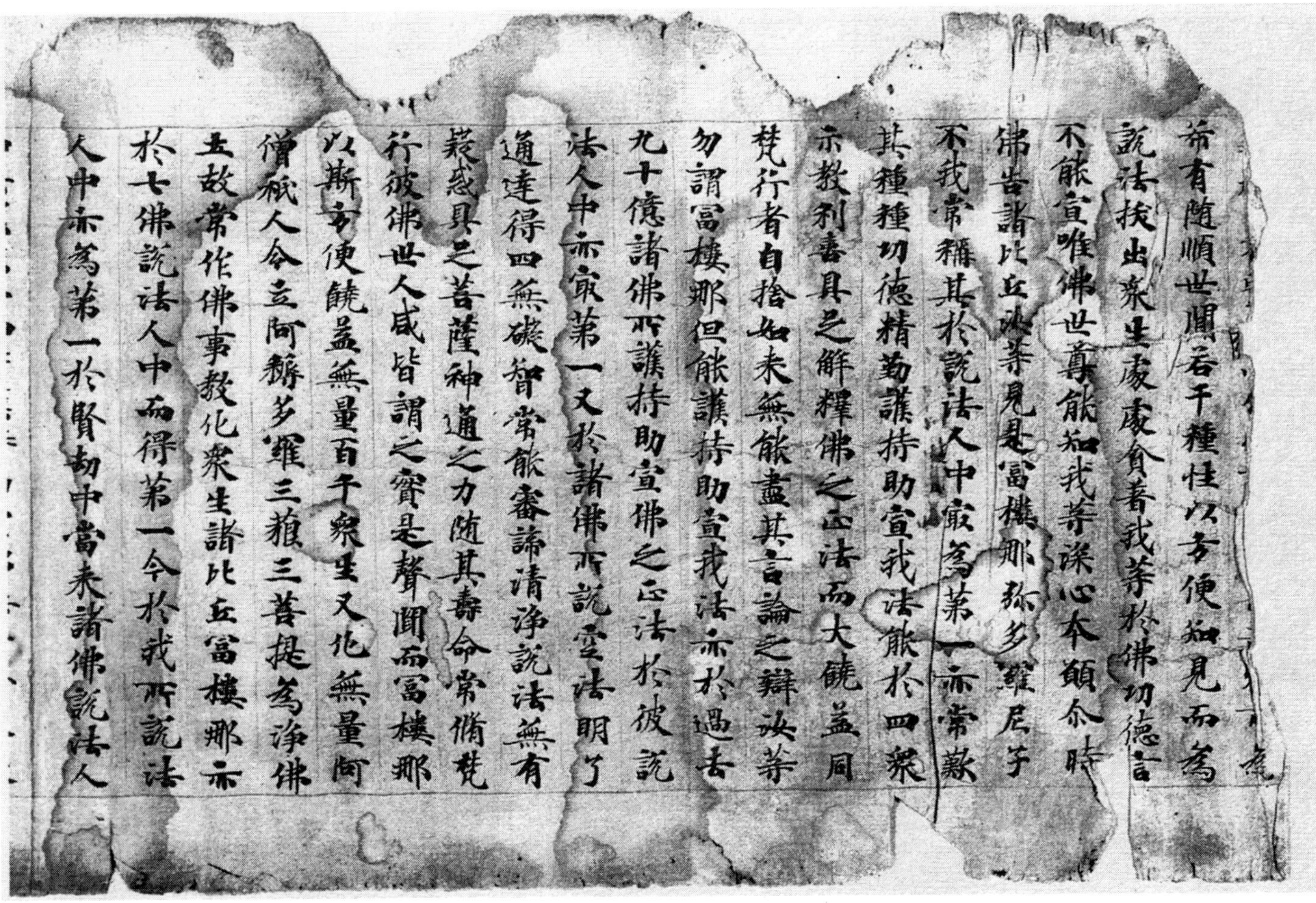

希有隨順世間若干種性以方便知見而為
說法拔出衆生處處貪著我等於佛功德言
不能宣唯佛世尊能知我等深心本願尒時
佛告諸比丘汝等見是富樓那彌多羅尼子
不我常稱其於說法人中最為第一亦常歎
其種種功德精勤護持助宣我法能於四衆
示教利喜具足解釋佛之正法而大饒益同
梵行者自捨如來無能盡其言論之辯汝等
勿謂富樓那但能護持助宣我法亦於過去
九十億諸佛所護持助宣佛之正法於彼說
法人中亦最第一又於諸佛所說空法明了
通達得四無礙智常能審諦清淨說法無有
疑惑具足菩薩神通之力隨其壽命常脩梵
行彼佛世人咸皆謂之實是聲聞而富樓那
以斯方便饒益無量百千衆生又化無量阿
僧祇人令立阿耨多羅三藐三菩提為淨佛
土故常作佛事教化衆生諸比丘富樓那亦
於七佛說法人中而得第一今於我所說法
人中亦為第一於賢劫中當來諸佛說法人

BD01848號　妙法蓮華經卷四　（12–1）

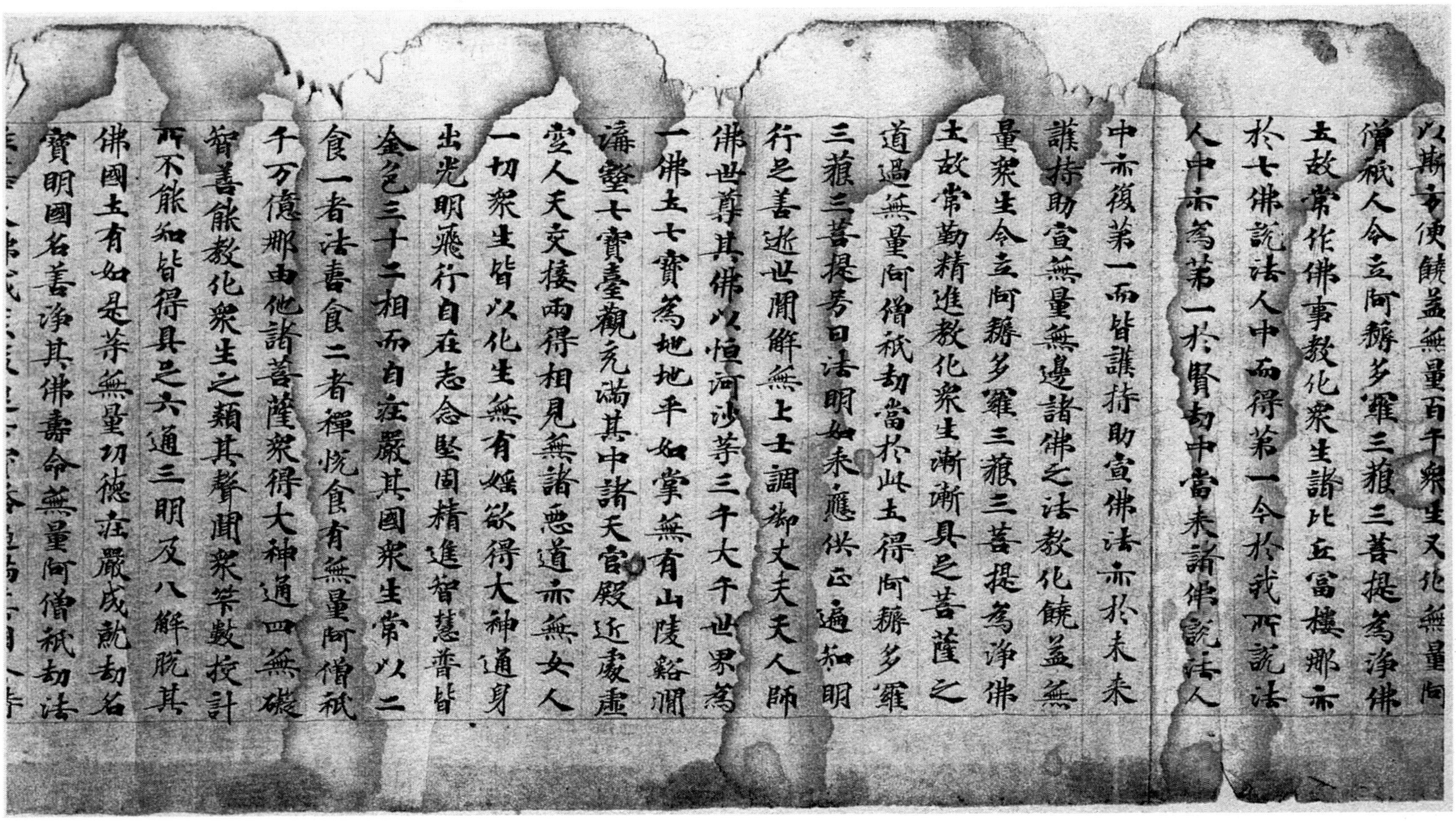

以斯方便饒益無量百千衆生又化無量阿
僧祇人令立阿耨多羅三藐三菩提為淨佛
土故常作佛事教化衆生諸比丘富樓那亦
於七佛說法人中而得第一今於我所說法
人中亦為第一於賢劫中當來諸佛說法人
中亦復第一而皆護持助宣佛法亦於未來
護持助宣無量無邊諸佛之法教化饒益無
量衆生令立阿耨多羅三藐三菩提為淨佛
土故常勤精進教化衆生漸漸具足菩薩之
道過無量阿僧祇劫當於此土得阿耨多羅
三藐三菩提號曰法明如來應供正遍知明
行足善逝世間解無上士調御丈夫天人師
佛世尊其佛以恒河沙等三千大千世界為
一佛土七寶為地地平如掌無有山陵谿澗
溝壑七寶臺觀充滿其中諸天宮殿近處虛
空人天交接兩得相見無諸惡道亦無女人
一切衆生皆以化生無有婬欲得大神通身
出光明飛行自在志念堅固精進智慧普皆
金色三十二相而自莊嚴其國衆生常以二
食一者法喜食二者禪悅食有無量阿僧祇
千万億那由他諸菩薩衆得大神通四無礙
智善能教化衆生之類其聲聞衆筭數校計
所不能知皆得具足六通三明及八解脫其
佛國土有如是等無量功德莊嚴成就劫名
寶明國名善淨其佛壽命無量阿僧祇劫法

BD01848號　妙法蓮華經卷四　（12–2）

千万億那由他諸菩薩衆得大神通四無礙
智善能教化衆生之類其聲聞衆筭數校計
所不能知皆得具足六通三明及八解脫其
佛國土有如是等無量功德莊嚴成就劫名
寶明國名善淨其佛壽命無量阿僧祇劫法
住甚久佛滅度後起七寶塔遍滿其國尒時
世尊欲重宣此義而說偈言
諸比丘諦聽　佛子所行道　善學方便故　不可得思議
知衆樂小法　而畏於大智　是故諸菩薩　作聲聞緣覺
以無數方便　化諸衆生類　自說是聲聞　去佛道甚遠
度脫無量衆　皆悉得成就　雖小欲懈怠　漸當令作佛
内秘菩薩行　外現是聲聞　少欲猒生死　實自淨佛土
示衆有三毒　又現邪見相　我弟子如是　方便度衆生
若我具足說　種種現化事　衆生聞是者　心則懷疑惑
今此富樓那　於昔千億佛　勤脩所行道　宣護諸佛法
為求無上慧　而於諸佛所　現居弟子上　多聞有智慧
所說無所畏　能令衆歡喜　未曾有疲惓　而以助佛事
已度大神通　具四無礙智　知衆根利鈍　常說清淨法
演暢如是義　教諸千億衆　令住大乘法　而自淨佛土
未來亦供養　無量無數佛　護助宣正法　亦自淨佛土
常以諸方便　說法無所畏　度不可計衆　成就一切智
供養諸如來　護持法寶藏　其後當作佛　号名曰法明
其國名善淨　七寶所合成　劫名為寶明　菩薩衆甚多
其數無量億　皆度大神通　威德力具足　充滿其國土
聲聞亦無數　三明八解脫　得四無礙智　以是等為僧

BD01848號　妙法蓮華經卷四　（12–3）

供養諸如來　護持法寶藏　其後當作佛　号名曰法明
其國名善淨　七寶所合成　劫名為寶明　菩薩衆甚多
其數無量億　皆度大神通　威德力具足　充滿其國土
聲聞亦無數　三明八解脫　得四無礙智　以是等為僧
其國諸衆生　婬欲皆已斷　純一變化生　具相莊嚴身
法喜禪悅食　更無餘食想　無有諸女人　亦無諸惡道
富樓那比丘　功德悉成滿　當得斯淨土　賢聖衆甚多
如是無量事　我今但略說
尒時千二百阿羅漢心自在者作是念我等
歡喜得未曾有若世尊各見授記如餘大弟
子者不亦快乎佛知此等心之所念告摩訶
迦葉是千二百阿羅漢我今當現前次第與
受阿耨多羅三藐三菩提記於此衆中我大
弟子憍陳如比丘當供養六万二千億佛然
後得成為佛号曰普明如來應供正遍知明
行足善逝世間解無上士調御丈夫天人師
佛世尊其五百阿羅漢優樓頻螺迦葉伽耶
迦葉那提迦葉迦留陁夷優陁夷阿㝹樓馱
離婆多劫賓那薄拘羅周陁莎伽陁等皆當
得阿耨多羅三藐三菩提盡同一号名曰普
明尒時世尊欲重宣此義而說偈言
憍陳如比丘　當見無量佛　過阿僧祇劫　乃成等正覺
常放大光明　具足諸神通　名聞遍十方　一切之所敬
常說無上道　故号為普明　其國土清淨　菩薩皆勇猛
咸昇妙樓閣　遊諸十方國　以無上供具　奉獻於諸佛

BD01848號　妙法蓮華經卷四　（12–4）

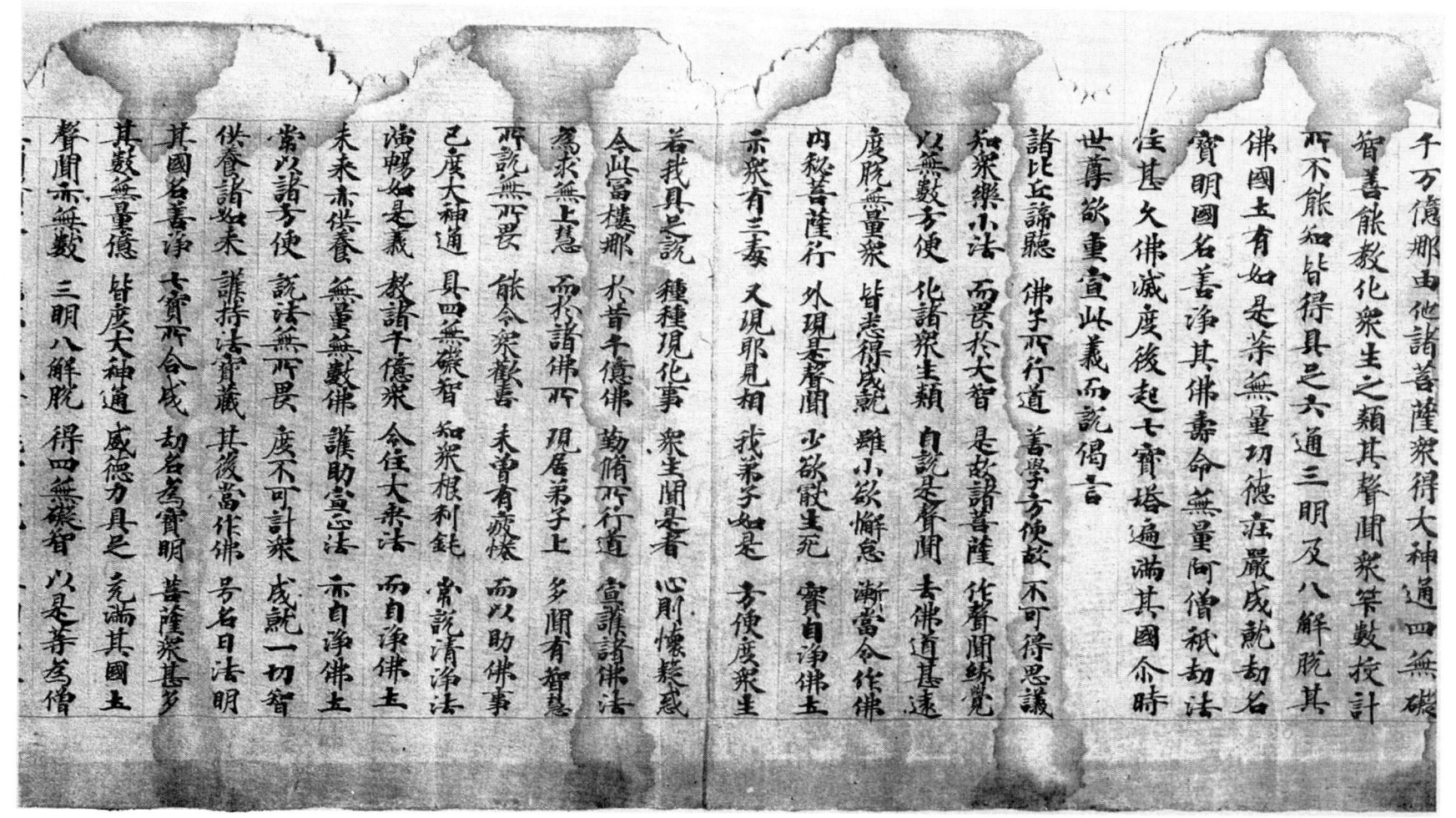

憍陳如比丘　當見無量佛　過阿僧祇劫　乃成等正覺
常放大光明　具足諸神通　名聞遍十方　一切之所敬
常說無上道　故号為普明　其國土清淨　菩薩皆勇猛
咸昇妙樓閣　遊諸十方國　以無上供具　奉獻於諸佛
作是供養已　心懷大歡喜　須臾還本國　有如是神力
佛壽六万劫　正法住倍壽　像法復倍是　法滅天人憂
其五百比丘　次第當作佛　同号曰普明　轉次而授記
我滅度之後　某甲當作佛　其所化世間　亦如我今日
國土之嚴淨　及諸神通力　菩薩聲聞衆　正法及像法
壽命劫多少　皆如上所說　迦葉汝已知　五百自在者
餘諸聲聞衆　亦當復如是　其不在此會　汝當為宣說
尒時五百阿羅漢於佛前得受記已歡喜踊
躍即從座起到於佛前頭面礼足悔過自責
世尊我等常作是念自謂已得究竟滅度今
乃知之如無智者所以者何我等應得如來
智慧而便自以小智為足世尊譬如有人至
親友家醉酒而卧是時親友官事當行以無
價寶珠繫其衣裏與之而去其人醉卧都不
覺知起已遊行到於他國為衣食故勤力求
索甚大艱難若少有所得便以為足於後親
友會遇見之而作是言咄哉丈夫何為衣食
乃至如是我昔欲令汝得安樂五欲自恣於
某年日月以無價寶珠繫汝衣裏今故現在
而汝不知勤苦憂惱以求自活甚為癡也汝
今可以此寶貿易所須常可如意無所乏短
佛亦如是為菩薩時教化我等令發一切智

BD01848 號　妙法蓮華經卷四　　（12–5）

某年日月以無價寶珠繫汝衣裏今故現在
而汝不知勤苦憂惱以求自活甚為癡也汝
今可以此寶貿易所須常可如意無所乏短
佛亦如是為菩薩時教化我等令發一切智
心而尋廢忘不知不覺既得阿羅漢道自謂
滅度資生艱難得少為足一切智願猶在不失
今者世尊覺悟我等作如是言諸比丘汝
等所得非究竟滅我久令汝等種佛善根以
方便故示涅槃相而汝謂為實得滅度世尊
我今乃知實是菩薩得受阿耨多羅三藐三
菩提記以是因緣甚大歡喜得未曾有尒時
阿若憍陳如等欲重宣此義而說偈言
我等聞無上　安隱授記聲　歡喜未曾有　礼無量智佛
今於世尊前　自悔諸過咎　於無量佛寶　得少涅槃分
如無智愚人　便自以為足　譬如貧窮人　往至親友家
其家甚大富　具設諸餚饍　以無價寶珠　繫著內衣裏
嘿與而捨去　時卧不覺知　是人既已起　遊行詣他國
求衣食自濟　資生甚艱難　得少便為足　更不願好者
不覺內衣裏　有無價寶珠　與珠之親友　後見此貧人
苦切責之已　示以所繫珠　貧人見此珠　其心大歡喜
富有諸財物　五欲而自恣　我等亦如是　世尊於長夜
常愍見教化　令種無上願　我等無智故　不覺亦不知
得少涅槃分　自足不求餘　今佛覺悟我　言非實滅度
得佛無上慧　尒乃為真滅　我今從佛聞　受記莊嚴事
及轉次受決　身心遍歡喜
妙法蓮華經授學無學人記品第九

BD01848 號　妙法蓮華經卷四　　（12–6）

常愍見教化　令種無上願　我等無智故　不覺亦不知
得少涅槃分　自足不求餘　今佛覺悟我　言非實滅度
得佛無上慧　尒乃爲真滅　我今從佛聞　受記莊嚴事
及轉次受決　身心遍歡喜

妙法蓮華經授學無學人記品第九

尒時阿難羅睺羅而作是念我等每自思惟
設得受記不亦快乎即從座起到於佛前頭
面禮足俱白佛言世尊我等於此亦應有分
唯有如來我等所歸又我等爲一切世間天
人阿脩羅所見知識阿難常爲侍者護持法
藏羅睺羅是佛之子若佛見授阿耨多羅三
藐三菩提記者我願既滿衆望亦足尒時學
無學聲聞弟子二千人皆從座起偏袒右肩
到於佛前一心合掌瞻仰世尊如阿難羅睺
羅所願住立一面尒時佛告阿難汝於來世
當得作佛号山海慧自在通王如來應供正
遍知明行足善逝世間解無上士調御丈夫
天人師佛世尊當供養六十二億諸佛護持
法藏然後得阿耨多羅三藐三菩提教化廿
千万億恒河沙諸菩薩等令成阿耨多羅三
藐三菩提國名常立勝幡其土清淨琉璃爲
地劫名妙音遍滿其佛壽命無量千万億阿
僧祇劫若人於千万億無量阿僧祇劫中筭
數挍計不能得知正法住世倍於壽命像法
住世復倍正法阿難是山海慧自在通王佛

BD01848號　妙法蓮華經卷四　（12–7）

地劫名妙音遍滿其佛壽命無量千万億阿
僧祇劫若人於千万億無量阿僧祇劫中筭
數挍計不能得知正法住世倍於壽命像法
住世復倍正法阿難是山海慧自在通王佛
爲十方無量千万億恒河沙等諸佛如來所
共讚歎稱其功德尒時世尊欲重宣此義而
說偈言

我今僧中說　阿難持法者　當供養諸佛　然後成正覺
号曰山海慧　自在通王佛　其國土清淨　名常立勝幡
教化諸菩薩　其數如恒沙　佛有大威德　名聞滿十方
壽命無有量　以愍衆生故　正法倍壽命　像法復倍是
如恒河沙等　無數諸衆生　於此佛法中　種佛道因緣

尒時會中新發意菩薩八千人咸作是念我
等尚不聞諸大菩薩得如是記有何因緣而
諸聲聞得如是決尒時世尊知諸菩薩心之
所念而告之曰諸善男子我與阿難等於空
王佛所同時發阿耨多羅三藐三菩提心阿
難常樂多聞我常勤精進是故我已得成阿
耨多羅三藐三菩提而阿難護持我法亦護
將來諸佛法藏教化成就諸菩薩衆其本願
如是故獲斯記阿難面於佛前自聞受記及
國土莊嚴所願具足心大歡喜得未曾有即
時憶念過去無量千万億諸佛法藏通達無
礙如今所聞亦識本願尒時阿難而說偈言

世尊甚希有　令我念過去　無量諸佛法　如今日所聞

BD01848號　妙法蓮華經卷四　（12–8）

國土莊嚴𠩄願具足心大歡喜得未曾有即
時憶念過去無量千万億諸佛法藏通達無
礙如今𠩄聞亦識本願尒時阿難而說偈言
世尊甚希有　令我念過去　無量諸佛法　如今日𠩄聞
我今無復疑　安住於佛道　方便為侍者　護持諸佛法
尒時佛告羅睺羅汝於未世當得作佛号蹈
七寶華如來應供正遍知明行足善逝世間
解無上士調御丈夫天人師佛世尊當供養
十世界微塵等數諸佛如來常為諸佛而作
長子猶如今也是蹈七寶華佛國土莊嚴壽
命劫數𠩄化弟子正法像法亦如山海慧自
在通王如來無異亦為此佛而作長子過是
已後當得阿耨多羅三藐三菩提尒時世尊
欲重宣此義而說偈言
我為太子時　羅睺為長子　我今成佛道　受法為法子
於未來世中　見無量億佛　皆為其長子　一心求佛道
羅睺羅密行　唯我能知之　現為我長子　以示諸衆生
無量億千万　功德不可數　安住於佛法　以求無上道
尒時世尊見學無學二千人其意柔軟寂然
清淨一心觀佛佛告阿難汝見是學無學二
千人不唯然已見阿難是諸人等當供養五
十世界微塵數諸佛如來恭敬尊重護持法
藏末後同時於十方國各得成佛皆同一号
名曰寶相如來應供正遍知明行足善逝世
間解無上士調御丈夫天人師佛世尊壽命
一劫國土莊嚴聲聞菩薩正法像法皆悉同

BD01848 號　妙法蓮華經卷四　（12–9）

藏末後同時於十方國各得成佛皆同一号
名曰寶相如來應供正遍知明行足善逝世
間解無上士調御丈夫天人師佛世尊壽命
一劫國土莊嚴聲聞菩薩正法像法皆悉同
等尒時世尊欲重宣此義而說偈言
是二千聲聞　今於我前住　悉皆與受記　未來當成佛
𠩄供養諸佛　如上說塵數　護持其法藏　後當成正覺
各於十方國　悉同一名号　俱時坐道場　以證無上慧
皆名為寶相　國土及弟子　正法與像法　悉等無有異
咸以諸神通　度十方衆生　名聞普周遍　漸入於涅槃
尒時學無學二千人聞佛授記歡喜踊躍
而說偈言
世尊慧燈明　我聞授記音　心歡喜充滿　如甘露見灌
妙法蓮華經法師品第十
尒時世尊因藥王菩薩告八万大士藥王汝
見是大衆中無量諸天龍王夜叉乾闥婆阿
脩羅迦樓羅緊那羅摩睺羅伽人與非人及
比丘比丘尼優婆塞優婆夷求聲聞者求
辟支佛者求佛道者如是等類咸於佛前聞
妙法華經一偈一句乃至一念隨喜者我皆
與受記當得阿耨多羅三藐三𦬇提
佛告藥王又如來滅度之後若有人聞妙法
華經乃至一偈一句一念隨喜者我亦與受
阿耨多羅三藐三菩提記若復有人受持讀
誦解說書寫妙法華經乃至一偈於此經卷
敬視如佛種種供養華香瓔珞末香塗香燒

BD01848 號　妙法蓮華經卷四　（12–10）

華經乃至一偈一句一念隨喜者我亦與受
阿耨多羅三藐三菩提記若復有人受持讀
誦解說書寫妙法華經乃至一偈於此經卷
敬視如佛種種供養華香瓔珞末香塗香燒
香繒蓋幢幡衣服伎樂乃至合掌恭敬藥王
當知是諸人等已曾供養十万億佛於諸佛
所成就大願愍衆生故生此人間藥王若有
人問何等衆生於未來世當得作佛應示是
諸人等於未來世必得作佛何以故若善男
子善女人於此法華乃至一句受持讀誦解
說書寫種種供養經卷華香瓔珞末香塗香
燒香繒蓋幢幡衣服伎樂合掌恭敬是人一
切世間所應瞻奉應以如來供養而供養之當
知此人是大菩薩成就阿耨多羅三藐三菩
提哀愍衆生願生此間廣演分別妙法華經
何况盡能受持種種供養者藥王當知是人
自捨清淨業報於我滅度後愍衆生故生於
惡世廣演此經若是善男子善女人我滅度
後能竊為一人說法華經乃至一句當知是人
則如來使如來所遣行如來事何况於大衆
中廣為人說藥王若有惡人以不善心於一
劫中現於佛前常毀罵佛其罪尚輕若人以
一惡言毀呰在家出家讀誦法華經者其罪
甚重藥王其有讀誦法花經者當知是人以
佛莊嚴而自莊嚴則為如來肩所荷擔其所

BD01848號　妙法蓮華經卷四

（12–11）

後能竊為一人說法華經乃至一句當知是人
則如來使如來所遣行如來事何况於大衆
中廣為人說藥王若有惡人以不善心於一
劫中現於佛前常毀罵佛其罪尚輕若人以
一惡言毀呰在家出家讀誦法華經者其罪
甚重藥王其有讀誦法花經者當知是人以
佛莊嚴而自莊嚴則為如來肩所荷擔其所
至方應隨向礼一心合掌恭敬供養尊重讃
歎華香瓔珞末香塗香燒香繒蓋幢幡衣服
餚饌作諸伎樂人中上供而供養之應持天
寶而以散之天上寶聚應以奉獻所以者何
是人歡喜說法須臾聞之即得究竟阿耨多
羅三藐三菩提故尒時世尊欲重宣此義而
說偈言
若欲住佛道　成就自然智　常當勤供養　受持法華者
其有欲疾得　一切種智慧　當受持是經　并供持經者
若有能受持　妙法華經者　當知佛所使　愍念諸衆生
諸有能受持　妙法華經者　捨於清淨土　愍衆故生此
當知如是人　自在所欲生　能於此惡世　廣說無上法
應以天華香　及天寶衣服　天上妙寶聚　供養說法者

BD01848號　妙法蓮華經卷四

（12–12）

大般若波羅蜜多經卷第三百
初分多問不二品第六十一之四
復次善現若菩薩摩訶薩以
若波羅蜜多遍能攝受布
靜慮般若波羅蜜多亦遍攝
外空空空大空勝義空有為空無為空畢竟
空無際空散空無變異空本性空自相空共
相空一切法空不可得空無性空自性空無
性自性空亦遍攝受真如法界法性不虛妄
性不變異性平等性離生性法定法住實際
虛空界不思議界亦遍攝受苦聖諦集滅道
聖諦亦遍攝受四靜慮四無量四無色定亦
遍攝受八解脫八勝處九次第定十遍處亦
遍攝受四念住四正斷四神足五根五力七
等覺支八聖道支亦遍攝受空解脫門無相
無願解脫門亦遍攝受五眼六神通亦遍攝
受佛十力四無所畏四無礙解大慈大悲大
喜大捨十八佛不共法亦遍攝受無忘失法
恒住捨性亦遍攝受一切智道相智一切相
智亦遍攝受一切陁羅尼門一切三摩地門
亦遍攝受一切菩薩摩訶薩行亦遍攝受
諸佛無上正等菩提善現是菩薩摩訶薩若

BD01849 號　大般若波羅蜜多經卷三五四　（21–1）

受佛十力四無所畏四無礙解大慈大悲大
喜大捨十八佛不共法亦遍攝受無忘失法
恒住捨性亦遍攝受一切智道相智一切相
智亦遍攝受一切陁羅尼門一切三摩地門
亦遍攝受一切菩薩摩訶薩行亦遍攝受
諸佛無上正等菩提善現是菩薩摩訶薩若
住是念則退失般若波羅蜜多若退失般若波
羅蜜多則不能攝受布施淨戒安忍精進靜
慮般若波羅蜜多亦不能攝受內空外空內
外空空空大空勝義空有為空無為空畢竟
空無際空散空無變異空本性空自相空共
相空一切法空不可得空無性空自性空無性
自性空亦不能攝受真如法界法性不虛
妄性不變異性平等性離生性法定法住實
際虛空界不思議界亦不能攝受苦聖諦集
滅道聖諦亦不能攝受四靜慮四無量四無
色定亦不能攝受八解脫八勝處九次第定
十遍處亦不能攝受四念住四正斷四神足
五根五力七等覺支八聖道支亦不能攝受
空解脫門無相無願解脫門亦不能攝受五
眼六神通亦不能攝受佛十力四無所畏四
無礙解大慈大悲大喜大捨十八佛不共法
亦不能攝受無忘失法恒住捨性亦不能攝
受一切智道相智一切相智亦不能攝受一
切陁羅尼門一切三摩地門亦不能攝受一
切菩薩摩訶薩行亦不能攝受諸佛無上
等菩提何以故善現非離般若波羅蜜多能
遍攝受殊勝善法及證無上正等菩提

BD01849 號　大般若波羅蜜多經卷三五四　（21–2）

受一切智道相智一切相智亦不能攝受一
切陀羅尼門一切三摩地門亦不能攝受一
切菩薩摩訶薩行亦不能攝受諸佛無上
等菩提何以故善現非離般若波羅蜜多能
遍攝受殊勝善法及證無上正等菩提
復次善現若菩薩摩訶薩作如是念安住般
若波羅蜜多便於無上正等菩提定得受記
善現是菩薩摩訶薩若作是念則為退失
甚深般若波羅蜜多若退失般若波羅蜜
則於無上正等菩提不得受記何以故善現
非離般若波羅蜜多可於無上正等菩提而
得受記
復次善現若菩薩摩訶薩作如是念安住般
若波羅蜜多則遍引發布施淨戒安忍精進
靜慮般若波羅蜜多亦遍安住內空外空內
外空空空大空勝義空有為空無為空畢竟
空無際空散空無變異空本性空自相空共
相空一切法空不可得空無性空自性空無
性自性空亦遍安住真如法界法性不虛妄
性不變異性平等性離生性法定法住實際
虛空界不思議界亦遍安住苦聖諦集滅道
聖諦亦遍引發四靜慮四無量四無色定亦
遍引發八解脫八勝處九次第定十遍處亦
遍引發四念住四正斷四神足五根五力七等
覺支八聖道支亦遍引發空解脫門無相
無願解脫門亦遍引發五眼六神通亦遍引
發佛十力四無所畏四無礙解十八佛不共
法亦遍引發無忘失法恒住捨性亦遍引發一
切陀羅尼門一切三摩地門亦遍引發一切

BD01849 號　大般若波羅蜜多經卷三五四　（21–3）

遍引發四念住四正斷四神足五根五力七等
覺支八聖道支亦遍引發空解脫門無相
無願解脫門亦遍引發五眼六神通亦遍引
發佛十力四無所畏四無礙解十八佛不共
法亦遍引發無忘失法恒住捨性亦遍引發一
切陀羅尼門一切三摩地門亦遍引發一切
智道相智一切相智亦遍引發大慈大悲
大喜大捨善現是菩薩摩訶薩若作是念則
退失般若波羅蜜多若退失般若波羅蜜多
則不能引發布施淨戒安忍精進靜慮般若
波羅蜜多亦不能安住內空外空內外空空
空大空勝義空有為空無為空畢竟空無際
空散空無變異空本性空自相空共相空一
切法空不可得空無性空自性空無性自性
空亦不能安住真如法界法性不虛妄性不
變異性平等性離生性法定法住實際虛空
界不思議界亦不能安住苦聖諦集滅道聖
諦亦不能引發四靜慮四無量四無色定亦
不能引發八解脫八勝處九次第定十遍處
亦不能引發四念住四正斷四神足五根五
力七等覺支八聖道支亦不能引發空解脫
門無相無願解脫門亦不能引發五眼六神
通亦不能引發佛十力四無所畏四無礙解
十八佛不共法亦不能引發無忘失法恒住
捨性亦不能引發一切陀羅尼門一切三摩
地門亦不能引發一切智道相智一切相智
亦不能引發大慈大悲大喜大捨何以故善
現非離般若波羅蜜多而能引發安住善法
復次善現若菩薩摩訶薩作如是念佛知諸

BD01849 號　大般若波羅蜜多經卷三五四　（21–4）

十八佛不共法亦不能引發無忘失法恒住
捨性亦不能引發一切陀羅尼門一切三摩
地門亦不能引發一切智道相智一切相智
亦不能引發大慈大悲大喜大捨何以故善
現非離般若波羅蜜多而能引發安住善法
復次善現若菩薩摩訶薩作如是念佛知諸
法無攝受相自證無上正等菩提得菩提已
爲諸有情宣說開示諸法實相善現是菩薩
摩訶薩若作是念則爲退失甚深般若波羅
蜜多何以故善現如來於法無智無覺無說
無示所以者何諸法實性不可知覺不可施
設云何得有知覺說示一切法者若言實有
知覺說示一切法者無有是處
尒時具壽善現白佛言世尊云何菩薩摩訶
薩脩行般若波羅蜜多遠離如是種種過失
佛言善現若菩薩摩訶薩脩行般若波羅
蜜多作如是念諸法無所有不可取若法無所
有不可取則無有能現等覺者亦無有能
宣說開示若如是行是行般若波羅蜜多離諸
過失若菩薩摩訶薩著無所有不可取法則
離般若波羅蜜多何以故善現甚深般若波
羅蜜多於一切法無所執著無所攝受若於
諸法有所執著有所攝受則離般若波羅
蜜多
時具壽善現白佛言世尊般若波羅蜜多
於般若波羅蜜多爲遠離爲不遠離靜慮
精進安忍淨戒布施波羅蜜多於靜慮乃至
布施波羅蜜多爲遠離爲不遠離世尊内空於
内空爲遠離爲不遠離外空内外空空空

時具壽善現白佛言世尊般若波羅蜜多
於般若波羅蜜多爲遠離爲不遠離靜慮
精進安忍淨戒布施波羅蜜多於靜慮乃至
布施波羅蜜多爲遠離爲不遠離世尊内空於
内空爲遠離爲不遠離外空内外空空空大空
勝義空有爲空無爲空畢竟空無際空散空
無變異空本性空自相空共相空一切法空不
可得空無性空自性空無性自性空於外空
乃至無性自性空爲遠離爲不遠離世尊真
如於真如爲遠離爲不遠離法界法性不
虛妄性不變異性平等性離生性法定法住
實際虛空界不思議界於法界乃至不思議
界爲遠離爲不遠離世尊苦聖諦於苦聖
諦爲遠離爲不遠離集滅道聖諦於集滅道
諦爲遠離爲不遠離世尊四靜慮於四靜慮
爲遠離爲不遠離四無量四無色定於四無
量四無色定爲遠離爲不遠離世尊八解脫
於八解脫爲遠離爲不遠離八勝處九次第
定十遍處於八勝處九次第定十遍處爲遠
離爲不遠離世尊四念住於四念住爲遠離
爲不遠離四正斷四神足五根五力七等覺
支八聖道支於四正斷乃至八聖道支爲遠
離爲不遠離世尊空解脫門於空解脫門爲
遠離爲不遠離無相無願解脫門於無相無
願解脫門爲遠離爲不遠離世尊五眼於五
眼爲遠離爲不遠離六神通於六神通爲遠
離爲不遠離世尊佛十力於佛十力爲遠離
爲不遠離四無所畏四無礙解大慈大悲大
喜大捨十八佛不共法於四無所畏乃至十

願解脫門為遠離為不遠離世尊五眼於五
眼為遠離為不遠離六神通於六神通為遠
離為不遠離世尊佛十力於佛十力為遠離
為不遠離四無所畏四無礙解大慈大悲大
喜大捨十八佛不共法於四無所畏乃至十
八佛不共法為遠離為不遠離世尊無忘失
法於無忘失法為遠離為不遠離恒住捨性
於恒住捨性為遠離為不遠離世尊一切陁
羅尼門於一切陁羅尼門為遠離為不遠離
一切三摩地門於一切三摩地門為遠離為不
遠離世尊一切智於一切智為遠離為不
遠離道相智一切相智於道相智一切相智
為遠離為不遠離
世尊若般若波羅蜜多於般若波羅蜜多
設遠離設不遠離云何菩薩摩訶薩能無
執著引發般若波羅蜜多世尊若靜慮精進
安忍淨戒布施波羅蜜多於靜慮乃至布施波
羅蜜多設遠離設不遠離云何菩薩摩訶薩能
無執著引發靜慮乃至布施波羅蜜多世尊
若內空於內空設遠離設不遠離云何菩薩
摩訶薩能無執著安住內空世尊若外空內
外空空空大空勝義空有為空無為空畢竟
空無際空散空無變異空本性空自相空共
相空一切法空不可得空無性空自性空無
性自性空於外空乃至無性自性空設遠離
設不遠離云何菩薩摩訶薩能無執著安
住外空乃至無性自性空世尊若真如於真如
設遠離設不遠離云何菩薩摩訶薩能無
執著安住真如世尊若法界法性不虛妄性不

BD01849號　大般若波羅蜜多經卷三五四　（21–7）

性自性空於外空乃至無性自性空設遠離
設不遠離云何菩薩摩訶薩能無執著安
住外空乃至無性自性空世尊若真如於真如
設遠離設不遠離云何菩薩摩訶薩能無
執著安住真如世尊若法界法性不虛妄性不
變異性平等性離生性法定法住實際虛空
界不思議界於法界乃至不思議界設遠離
設不遠離云何菩薩摩訶薩能無執著安住
法界乃至不思議界世尊若苦聖諦於苦聖
諦設遠離設不遠離云何菩薩摩訶薩能無
執著安住苦聖諦世尊若集滅道聖諦於集
滅道聖諦設遠離設不遠離云何菩薩摩
訶薩能無執著安住集滅道聖諦世尊若四
靜慮於四靜慮設遠離設不遠離云何菩薩
摩訶薩能無執著引發四靜慮世尊若四無量
四無色定於四無量四無色定設遠離設不
遠離云何菩薩摩訶薩能無執著引發四無
量四無色定世尊若八解脫於八解脫設遠
離設不遠離云何菩薩摩訶薩能無執著
引發八解脫世尊若八勝處九次第定十遍處
於八勝處九次第定十遍處設遠離設不遠
離云何菩薩摩訶薩能無執著引發八勝處
九次第定十遍處世尊若四念住於四念住
設遠離設不遠離云何菩薩摩訶薩能無
執著引發四念住世尊若四正斷四神足五根
五力七等覺支八聖道支於四正斷乃至八聖
道支設遠離設不遠離云何菩薩摩訶薩
能無執著引發四正斷乃至八聖道支世尊
若空解脫門於空解脫門設遠離設不遠離

BD01849號　大般若波羅蜜多經卷三五四　（21–8）

執著引發四念住世尊若四正斷四神足五根
五力七等覺支八聖道支於四正斷乃至八聖
道支說遠離說不遠離云何菩薩摩訶薩
能無執著引發四正斷乃至八聖道支世尊
若空解脫門於空解脫門說遠離說不遠離
云何菩薩摩訶薩能無執著引發空解脫門
世尊若無相無願解脫門於無相無願解脫
門說遠離說不遠離云何菩薩摩訶薩能無
執著引發無相無願解脫門世尊若五眼於
五眼說遠離說不遠離云何菩薩摩訶薩能
無執著引發五眼世尊若六神通於六神通
說遠離說不遠離云何菩薩摩訶薩能無執
著引發六神通世尊若佛十力於佛十力說
遠離說不遠離云何菩薩摩訶薩能無執
引發佛十力世尊若四無所畏四無礙解大
慈大悲大喜大捨十八佛不共法於四無所
畏乃至十八佛不共法說遠離說不遠離云
何菩薩摩訶薩能無執著引發四無所畏乃
至十八佛不共法世尊若無忘失法於無忘失
法說遠離說不遠離云何菩薩摩訶薩能
無執著引發無忘失法世尊若恒住捨性於
恒住捨性說遠離說不遠離云何菩薩摩訶
薩能無執著引發恒住捨性世尊若一切陀
羅尼門於一切陀羅尼門說遠離說不遠離
云何菩薩摩訶薩能無執著引發一切陀羅
尼門世尊若一切三摩地門於一切三摩地
門說遠離說不遠離云何菩薩摩訶薩能無
執著引發一切三摩地門世尊若一切智於一
切智說遠離說不遠離云何菩薩摩訶薩

BD01849 號　大般若波羅蜜多經卷三五四　（21–9）

尼門世尊若一切三摩地門於一切三摩地
門說遠離說不遠離云何菩薩摩訶薩能無
執著引發一切三摩地門世尊若一切智於一
切智說遠離說不遠離云何菩薩摩訶薩
能無執著引發一切智世尊若道相智一切
相智於道相智一切相智說遠離說不遠離
云何菩薩摩訶薩能無執著引發道相智一切相智
佛言善現般若波羅蜜多於般若波羅蜜
多非遠離非不遠離是故菩薩摩訶薩能無
執著引發般若波羅蜜多善現靜慮精進安忍
淨戒布施波羅蜜多於靜慮乃至布施波羅
蜜多非遠離非不遠離是故菩薩摩訶薩
能無執著引發靜慮乃至布施波羅蜜多
善現內空於內空非遠離非不遠離是故菩
薩摩訶薩能無執著安住內空善現外空內外
空空空大空勝義空有為空無為空畢竟空無
際空散空無變異空本性空自相空共相空
一切法空不可得空無性空自性空無性自
性空於外空乃至無性自性空非遠離非不
遠離是故菩薩摩訶薩能無執著安住外空
乃至無性自性空善現真如於真如非遠離
非不遠離是故菩薩摩訶薩能無執著安住
真如善現法界法性不虛妄性不變異性平
等性離生性法定法住實際虛空界不思議
界於法界乃至不思議界非遠離非不遠離
是故菩薩摩訶薩能無執著安住法界乃至
不思議界善現苦聖諦於苦聖諦非遠離非
不遠離是故菩薩摩訶薩能無執著安住苦

BD01849 號　大般若波羅蜜多經卷三五四　（21–10）

等性離生性法定法住實際虛空界不思議
界於法界乃至不思議界非遠離非不遠離
是故菩薩摩訶薩能無執著安住法界乃至
不思議界善現苦聖諦於苦聖諦非遠離非
不遠離是故菩薩摩訶薩能無執著安住苦
聖諦善現集滅道聖諦於集滅道聖諦非遠
離非不遠離是故菩薩摩訶薩能無執著安
住集滅道聖諦善現四靜慮於四靜慮非遠
離非不遠離是故菩薩摩訶薩能無執著引
發四靜慮善現四無量四無色定於四無量
四無色定非遠離非不遠離是故菩薩摩訶
薩能無執著引發四無量四無色定善現八
解脫於八解脫非遠離非不遠離是故菩薩
摩訶薩能無執著引發八解脫善現八勝處
九次第定十遍處於八勝處九次第定十遍
處非遠離非不遠離是故菩薩摩訶薩能無
執著引發八勝處九次第定十遍處善現四
念住於四念住非遠離非不遠離是故菩薩
摩訶薩能無執著引發四念住善現四正斷
四神足五根五力七等覺支八聖道支於四
正斷乃至八聖道支非遠離非不遠離是故
菩薩摩訶薩能無執著引發四正斷乃至八
聖道支善現空解脫門於空解脫門非遠離
非不遠離是故菩薩摩訶薩能無執著引發
空解脫門善現無相無願解脫門於無相無
願解脫門非遠離非不遠離是故菩薩摩訶
薩能無執著引發無相無願解脫門善現五
眼於五眼非遠離非不遠離是故菩薩摩訶

BD01849號　大般若波羅蜜多經卷三五四

（21–11）

聖道支善現空解脫門於空解脫門非遠離
非不遠離是故菩薩摩訶薩能無執著引發
空解脫門善現無相無願解脫門於無相無
願解脫門非遠離非不遠離是故菩薩摩訶
薩能無執著引發無相無願解脫門善現五
眼於五眼非遠離非不遠離是故菩薩摩訶
薩能無執著引發五眼善現六神通於六神
通非遠離非不遠離是故菩薩摩訶薩能無
執著引發六神通善現佛十力於佛十力非
遠離非不遠離是故菩薩摩訶薩能無執著
引發佛十力善現四無所畏四無礙解大慈
大悲大喜大捨十八佛不共法於四無所畏
乃至十八佛不共法非遠離非不遠離是故
菩薩摩訶薩能無執著引發四無所畏乃至
十八佛不共法善現無忘失法於無忘失法
非遠離非不遠離是故菩薩摩訶薩能無執
著引發無忘失法善現恒住捨性於恒住捨
性非遠離非不遠離是故菩薩摩訶薩能無
執著引發恒住捨性善現一切陀羅尼門於
一切陀羅尼門非遠離非不遠離是故菩薩
摩訶薩能無執著引發一切陀羅尼門善現
一切三摩地門於一切三摩地門非遠離非
不遠離是故菩薩摩訶薩能無執著引發
一切三摩地門善現一切智於一切智非遠離
非不遠離是故菩薩摩訶薩能無執著引發
一切智善現道相智一切相智於道相智一
切相智非遠離非不遠離是故菩薩摩訶薩
能無執著引發道相智一切相智何以故善
現非即自性非離自性而能安住引發自性

BD01849號　大般若波羅蜜多經卷三五四

（21–12）

一切智善現道相智一切相智於道相智一
切相智非遠離非不遠離是故菩薩摩訶薩
能無執著引發道相智一切相智何以故善
現非即自性非離自性而能安住引發自性
復次善現菩薩摩訶薩行深般若波羅蜜多
時不執著色謂此是色此色屬彼亦不執著
受想行識謂此是受想行識此受想行識屬
彼善現菩薩摩訶薩行深般若波羅蜜多時
不執著眼處謂此是眼處此眼處屬彼亦不
執著耳鼻舌身意處謂此是耳鼻舌身意
處此耳鼻舌身意處屬彼善現菩薩摩訶薩
行深般若波羅蜜多時不執著色處謂此是
色處此色處屬彼亦不執著聲香味觸法處
謂此是聲香味觸法處此聲香味觸法處屬
彼善現菩薩摩訶薩行深般若波羅蜜多時
不執著眼界謂此是眼界此眼界屬彼亦不執
著耳鼻舌身意界謂此是耳鼻舌身意界此
耳鼻舌身意界屬彼善現菩薩摩訶薩行
深般若波羅蜜多時不執著色界謂此是色
界此色界屬彼亦不執著聲香味觸法界謂此
是聲香味觸法界此聲香味觸法界屬彼善
現菩薩摩訶薩行深般若波羅蜜多時不執
著眼識界謂此是眼識界此眼識界屬彼亦
不執著耳鼻舌身意識界謂此是耳鼻舌身
意識界此耳鼻舌身意識界屬彼著現菩薩
摩訶薩行深般若波羅蜜多時不執著眼觸
謂此是眼觸此眼觸屬彼亦不執著耳鼻舌
身意觸謂此是耳鼻舌身意觸此耳鼻舌身

BD01849 號　大般若波羅蜜多經卷三五四　（21–13）

不執著耳鼻舌身意識界謂此是耳鼻舌身
意識界此耳鼻舌身意識界屬彼著現菩薩
摩訶薩行深般若波羅蜜多時不執著眼觸
謂此是眼觸此眼觸屬彼亦不執著耳鼻舌
身意觸謂此是耳鼻舌身意觸此耳鼻舌身
意觸屬彼善現菩薩摩訶薩行深般若波羅
蜜多時不執著眼觸為緣所生諸受謂此是
眼觸為緣所生諸受此眼觸為緣所生諸受
屬彼亦不執著耳鼻舌身意觸為緣所生諸
受謂此是耳鼻舌身意觸為緣所生諸受此
耳鼻舌身意觸為緣所生諸受屬彼善現菩
薩摩訶薩行深般若波羅蜜多時不執著地
界謂此是地界此地界屬彼亦不執著水火
風空識界謂此是水火風空識界此水火風
空識界屬彼善現菩薩摩訶薩行深般若波
羅蜜多時不執著無明謂此是無明此無明
屬彼亦不執著行識名色六處觸受愛取有
生老死愁歎苦憂惱謂此是行乃至老死愁
歎苦憂惱此行乃至老死愁歎苦憂惱屬彼
善現菩薩摩訶薩行深般若波羅蜜多時不
執著布施波羅蜜多謂此是布施波羅蜜多
此布施波羅蜜多屬彼亦不執著淨戒安忍
精進靜慮般若波羅蜜多謂此是淨戒乃至
般若波羅蜜多此淨戒乃至般若波羅蜜多
屬彼善現菩薩摩訶薩行深般若波羅蜜
多時不執著內空謂此是內空此內空屬彼亦
不執著外空內外空空空大空勝義空有為
空無為空畢竟空無際空散空無變異空本

BD01849 號　大般若波羅蜜多經卷三五四　（21–14）

般若[illegible]此淨戒乃至般若波羅蜜多
屬彼善現菩薩摩訶薩行深般若波羅蜜
多時不執著內空謂此是內空此內空屬彼亦
不執著外空內外空空空大空勝義空有為
空無為空畢竟空無際空散空無變異空本
性空自相空共相空一切法空不可得空無
性空自性空無性自性空謂此是外空乃至
無性自性空此外空乃至無性自性空屬彼
善現菩薩摩訶薩行深般若波羅蜜多時不
執著真如謂此是真如此真如屬彼亦不執
著法界法性不虛妄性不變異性平等性離
生性法定法住實際虛空界不思議界謂此
是法界乃至不思議界此法界乃至不思議
界屬彼善現菩薩摩訶薩行深般若波羅
蜜多時不執著苦聖諦謂此是苦聖諦此苦聖
諦屬彼亦不執著集滅道聖諦謂此是集滅
道聖諦此集滅道聖諦屬彼善現菩薩摩
訶薩行深般若波羅蜜多時不執著四靜慮
謂此是四靜慮此四靜慮屬彼亦不執著四無
量四無色定謂此是四無量四無色定此四無
量四無色定屬彼善現菩薩摩訶薩行深
般若波羅蜜多時不執著八解脫謂此是八
解脫此八解脫屬彼亦不執著八勝處九次
第定十遍處謂此是八勝處九次第定十遍
處此八勝處九次第定十遍處屬彼善現菩
薩摩訶薩行深般若波羅蜜多時不執著四
念住謂此是四念住此四念住屬彼亦不執
著四正斷四神足五根五力七等覺支八聖
道支謂此是四正斷乃至八聖道支此四正

[illegible]十遍
處此八勝處九次第定十遍處屬彼善現菩
薩摩訶薩行深般若波羅蜜多時不執著四
念住謂此是四念住此四念住屬彼亦不執
著四正斷四神足五根五力七等覺支八聖
道支謂此是四正斷乃至八聖道支此四正
斷乃至八聖道支屬彼善現菩薩摩訶薩行
深般若波羅蜜多時不執著空解脫門謂此
是空解脫門此空解脫門屬彼亦不執著無相
無願解脫門謂此是無相無願解脫門此
無相無願解脫門屬彼善現菩薩摩訶薩
行深般若波羅蜜多時不執著五眼謂此是五
眼此五眼屬彼亦不執著六神通謂此是六
神通此六神通屬彼善現菩薩摩訶薩行深
般若波羅蜜多時不執著佛十力謂此是佛
十力此佛十力屬彼亦不執著四無所畏四
無礙解大慈大悲大喜大捨十八佛不共法
謂此是四無所畏乃至十八佛不共法此四
無所畏乃至十八佛不共法屬彼善現菩薩
摩訶薩彼深般若波羅蜜多時不執著無忘
失法謂此是無忘失法此無忘失法屬彼亦
不執著恒住捨性謂此是恒住捨性此恒住
捨性屬彼善現菩薩摩訶薩行深般若波羅
蜜多時不執著一切智謂此是一切智此一切
智屬彼亦不執著道相智一切相智謂此
是道相智一切相智此道相智一切相智屬
彼善現菩薩摩訶薩行深般若波羅蜜多
時不執著一切陀羅尼門謂此是一切陀羅尼
門此一切陀羅尼門屬彼亦不執著一切三

是道相智一切相智此道相智一切相智屬
彼善現菩薩摩訶薩行深般若波羅蜜多
時不執著一切陁羅尼門謂此是一切陁羅尼
門此一切陁羅尼門屬彼亦不執著一切三
摩地門謂此是一切三摩地門此一切三摩
地門屬彼善現菩薩摩訶薩行深般若波羅
蜜多時不執著預流果謂此是預流果此預
流果屬彼亦不執著一來不還阿羅漢果謂
此是一來不還阿羅漢果此一來不還阿羅
漢果屬彼善現菩薩摩訶薩行深般若波羅
蜜多時不執著獨覺菩提謂此是獨覺菩
提此獨覺菩提屬彼善現菩薩摩訶薩行深
般若波羅蜜多時不執著一切菩薩摩訶薩行
謂此是一切菩薩摩訶薩行此一切菩薩摩
訶薩行屬彼善現菩薩摩訶薩行深般若波
羅蜜多時不執著諸佛無上正等菩提謂此
是諸佛無上正等菩提此諸佛無上正等菩
提屬彼
善現是菩薩摩訶薩於如是一切法无執著
故便能引發般若波羅蜜多亦能引發靜慮
精進安忍淨戒布施波羅蜜多善現是菩薩
摩訶薩於如是一切法無執著故便能安住
內空亦能安住外空內外空空空大空勝義
空有為空無為空畢竟空無際空散空無變
異空本性空自相空共相空一切法空不可
得空無性空自性空無性自性空善現是菩
薩摩訶薩於如是一切法無執著故便能安
住真如亦能安住法界法性不虛妄性不變

BD01849 號　大般若波羅蜜多經卷三五四　（21-17）

空有為空無為空畢竟空無際空散空無變
異空本性空自相空共相空一切法空不可
得空無性空自性空無性自性空善現是菩
薩摩訶薩於如是一切法無執著故便能安
住真如亦能安住法界法性不虛妄性不變
異性平等性離生性法定法住實際虛空界
不思議界善現是菩薩摩訶薩於如是一切
法無執著故便能安住苦聖諦亦能安住集
滅道聖諦善現是菩薩摩訶薩於如是一切
法無執著故便能引發四靜慮亦能引發四
無量四無色定善現是菩薩摩訶薩於如是
一切法無執著故便能引發八解脫亦能引
發八勝處九次第定十遍處善現是菩薩摩
訶薩於如是一切法無執著故便能引發四
念住亦能引發四正斷四神足五根五力七
覺支八聖道支善現是菩薩摩訶薩於如
是一切法無執著故便能引發空解脫門亦
能引發無相無願解脫門善現是菩薩摩訶
薩於如是一切法無執著故便能引發五眼亦
能引發六神通善現是菩薩摩訶薩於如
是一切法無執著故便能引發佛十力亦能
引發四無所畏四無礙解大慈大悲大喜大
捨十八佛不共法善現是菩薩摩訶薩於如
是一切法無執著故便能引發無忘失法亦能
引發恒住捨性善現是菩薩摩訶薩於如
是一切法無執著故便能引發一切陁羅尼
門亦能引發一切三摩地門善現是菩薩摩
訶薩於如是一切法無執著故便能引發一

BD01849 號　大般若波羅蜜多經卷三五四　（21-18）

引發恒住捨性善現是菩薩摩訶薩於如
是一切法無執著故便能引發一切陀羅尼
門亦能引發一切三摩地門善現是菩薩摩
訶薩於如是一切法無執著故便能發引一
切智亦能引發道相智一切相智何以故善
現若菩薩摩訶薩行深般若波羅蜜多時
於諸法中有所執著謂此是法此法屬彼則不
能隨意引發安住殊勝功德
復次善現菩薩摩訶薩行深般若波羅蜜多
時不觀色若常若無常若樂若苦若我若無
我若淨若不淨若寂靜若不寂靜若遠離若
不遠離亦不觀受想行識若常若無常若樂
若苦若我若無我若淨若不淨若寂靜若不
寂靜若遠離若不遠離善現菩薩摩訶薩
行深般若波羅蜜多時不觀眼處若常若無
常若樂若苦若我若無我若淨若不淨若寂靜
若不寂靜若遠離若不遠離亦不觀耳鼻舌
身意處若常若無常若樂若苦若我若無我
若淨若不淨若寂靜若不寂靜若遠離若不
遠離善現菩薩摩訶薩行深般若波羅蜜多
時不觀色處若常若無常若樂若苦若我若
無我若淨若不淨若寂靜若不寂靜若遠離
若不遠離亦不觀聲香味觸法處若常若無
常若樂若苦若我若無我若淨若不淨若寂
靜若不寂靜若遠離若不遠離善現菩薩摩
訶薩行深般若波羅蜜多時不觀眼界若常
若無常若樂若苦若我若無我若淨若不淨

BD01849號　大般若波羅蜜多經卷三五四

（21–19）

常若樂若苦若我若無我若淨若不淨若寂
靜若不寂靜若遠離若不遠離善現菩薩摩
訶薩行深般若波羅蜜多時不觀眼界若常
若無常若樂若苦若我若無我若淨若不淨
若寂靜若不寂靜若遠離若不遠離亦不觀
耳鼻舌身意界若常若無常若樂若苦若
我若無我若淨若不淨若寂靜若不寂靜若遠
離若不遠離善現菩薩摩訶薩行深般若波
羅蜜多時不觀色界若常若無常若樂若苦
若我若無我若淨若不淨若寂靜若不寂靜
若遠離若不遠離亦不觀香味觸法界若
常若無常若樂若苦若我若無我若淨若不
淨若寂靜若不寂靜若遠離若不遠離善現
菩薩摩訶薩行深般若波羅蜜多時不觀眼
識界若常若無常若樂若苦若我若無我若
淨若不淨若寂靜若不寂靜若遠離若不遠
離亦不觀耳鼻舌身意識界若常若無常若
樂若苦若我若無我若淨若不淨若寂靜若
不寂靜若遠離若不遠離善現菩薩摩訶
行深般若波羅蜜多時不觀眼觸若常若無
常若樂若苦若我若無我若淨若不淨若寂
靜若不寂靜若遠離若不遠離亦不耳鼻
舌身意觸若常若無常若樂若苦若我若無
我若淨若不淨若寂靜若不寂靜若遠離若
不遠離善現菩薩摩訶薩行深般若波羅蜜
多時不觀眼觸為緣所生諸受若常若無常
若樂若苦若我若無我若淨若不淨若寂靜
若不寂靜若遠離若不遠離亦不觀耳鼻舌

BD01849號　大般若波羅蜜多經卷三五四

（21–20）

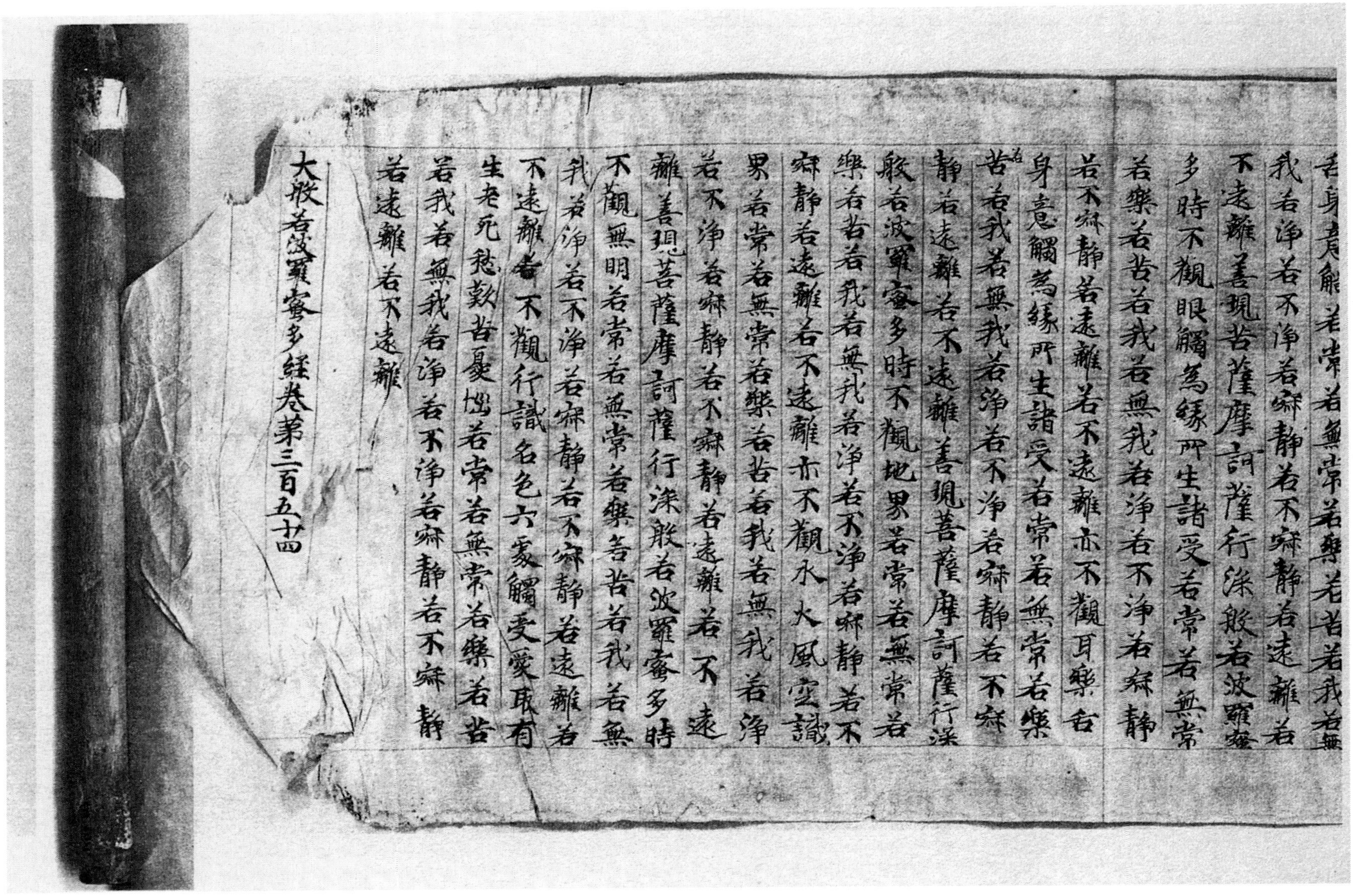
若身意觸若常若無常若樂若苦若我若無
我若淨若不淨若寂靜若不寂靜若遠離若
不遠離善現若菩薩摩訶薩行深般若波羅蜜
多時不觀眼觸爲緣所生諸受若常若無常
若樂若苦若我若無我若淨若不淨若寂靜
若不寂靜若遠離若不遠離亦不觀耳鼻舌
身意觸爲緣所生諸受若常若無常若樂
若苦若我若無我若淨若不淨若寂靜若不寂
靜若遠離若不遠離善現菩薩摩訶薩行深
般若波羅蜜多時不觀地界若常若無常若
樂若苦若我若無我若淨若不淨若寂靜若不
寂靜若遠離若不遠離亦不觀水火風空識
界若常若無常若樂若苦若我若無我若淨
若不淨若寂靜若不寂靜若遠離若不遠
離善現菩薩摩訶薩行深般若波羅蜜多時
不觀無明若常若無常若樂若苦若我若無
我若淨若不淨若寂靜若不寂靜若遠離若
不遠離亦不觀行識名色六處觸受愛取有
生老死愁歎苦憂惱若常若無常若樂若苦
若我若無我若淨若不淨若寂靜若不寂靜
若遠離若不遠離

大般若波羅蜜多經卷第三百五十四

BD01849 號　大般若波羅蜜多經卷三五四　（21–21）

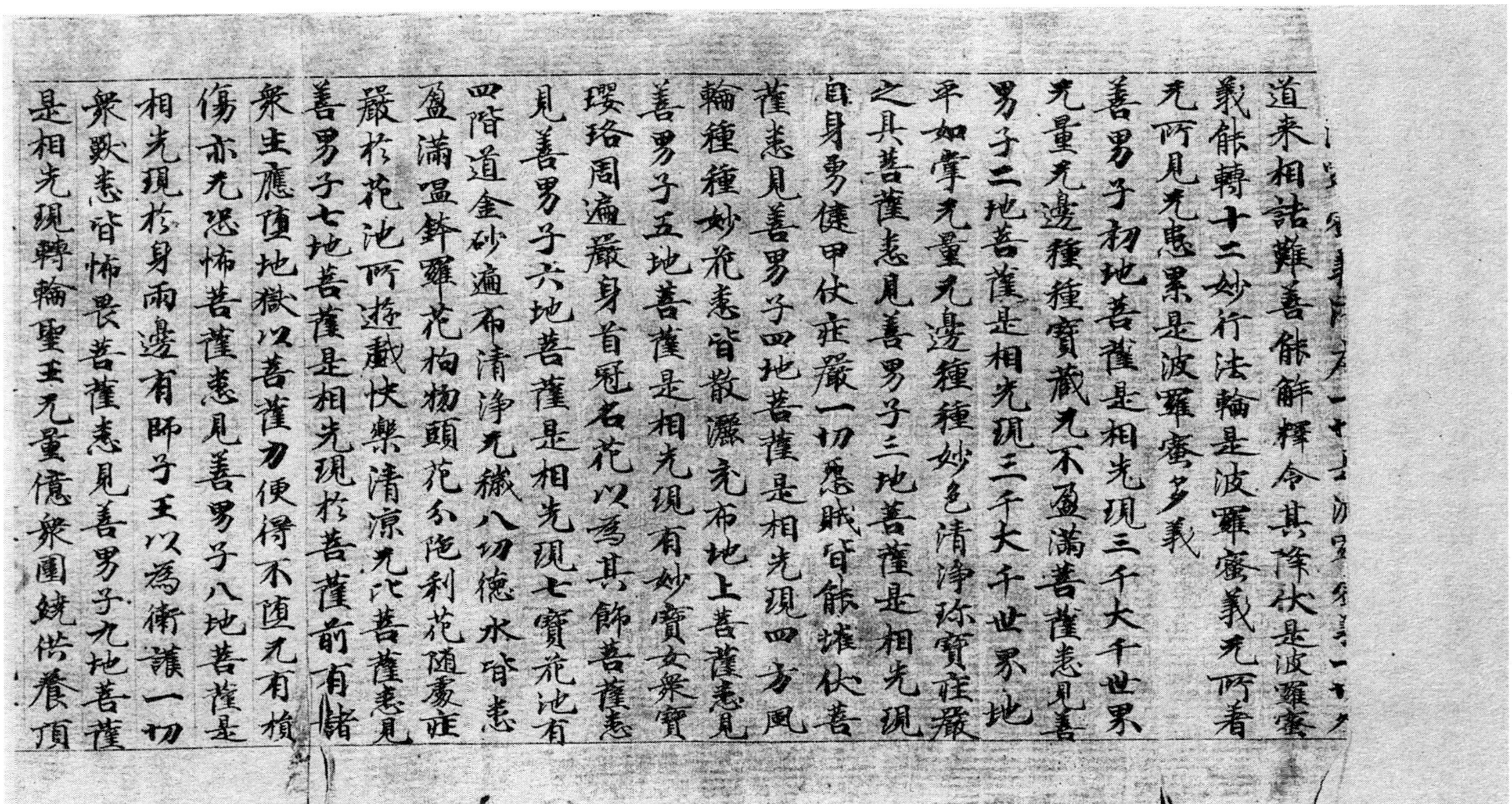
道來相詰難善能解釋令其降伏是波羅蜜
義能轉十二妙行法輪是波羅蜜義无所著
无所見无患累是波羅蜜多義
善男子初地菩薩是相先現三千大千世界
无量无邊種種寶藏无不盈滿菩薩悉見善
男子二地菩薩是相先現三千大千世界地
平如掌无量无邊種種妙色清淨珍寶莊嚴
之具菩薩悉見善男子三地菩薩是相先現
自身勇健甲仗莊嚴一切怨賊皆能摧伏菩
薩悉見善男子四地菩薩是相先現四方風
輪種種妙花悉皆散灑充布地上菩薩悉見
善男子五地菩薩是相先現有妙寶女衆寶
瓔珞周遍嚴身首冠名花以爲其飾菩薩悉
見善男子六地菩薩是相先現七寶花池有
四階道金沙遍布清淨无穢八功德水皆悉
盈滿嗢鉢羅花拘物頭花分陀利花隨處莊
嚴於花池所遊戲快樂清涼无比菩薩悉見
善男子七地菩薩是相先現於菩薩前有諸
衆生應墮地獄以菩薩力便得不墮无有損
傷亦无恐怖菩薩悉見善男子八地菩薩是
相先現於身兩邊有師子王以爲衛護一切
衆獸悉皆怖畏菩薩悉見善男子九地菩薩
是相先現轉輪聖王无量億衆圍遶供養頂

BD01850 號　金光明最勝王經卷四　（13–1）

嚴於花池所遊戲快樂清涼无比菩薩悉見
善男子七地菩薩是相先現於菩薩前有諸
衆生應墮地獄以菩薩力便得不墮无有損
傷亦无恐怖菩薩悉見善男子八地菩薩是
相先現於身兩邊有師子王以爲衛護一切
衆獸悉皆怖畏菩薩悉見善男子九地菩薩
是相先現轉輪聖王无量億衆圍繞供養頂
上白蓋无量衆寶之所莊嚴菩薩悉見善男
子十地菩薩是相先現如來之身金色晃耀
无量淨光悉皆圓滿有无量億梵王圍繞恭
敬供養轉於无上微妙法輪菩薩悉見
善男子云何初地名爲歡喜謂初證得出世
之心昔所未得而今始得於大事用如其所
願悉皆成就生極喜樂是故最初名爲歡喜
諸微細垢犯戒過失皆得清淨是故二地名
爲无垢无量智慧三昧光明不可傾動无能
摧伏聞持陀羅尼以爲根本是故三地名爲
明地以智慧火燒諸煩惱增長光明修行覺
品是故四地名爲焰地修行方便勝智自在
極難得故見修煩惱難伏能伏是故五地名
爲難勝行法相續了了顯現无相思惟皆悉
現前是故六地名爲現前无漏无間无相思
惟解脫三昧遠修行故是地清淨无有障礙
是故七地名爲遠行无相思惟修得自在諸
煩惱行不能令動是故八地名爲不動說一
切法種種差別皆得自在无患无累增長智
慧自在无礙是故九地名爲善慧法身如虛

BD01850號　金光明最勝王經卷四

(13–2)

惟解脫三昧遠修行故是地清淨无有障礙
是故七地名爲遠行无相思惟修得自在諸
煩惱行不能令動是故八地名爲不動說一
切法種種差別皆得自在无患无累增長智
慧自在无礙是故九地名爲善慧法身如虛
空智慧如大雲皆能遍滿覆一切故是故第
十名爲法雲
善男子執著有相我法无明怖畏生死惡趣
无明此二无明障於初地微細學處誤犯无
明發趣種種業行无明此二无明障於二地
未得令得愛著无明能障殊勝總持无明此
二无明障於三地味著等至喜悅无明微妙
淨法愛樂无明此二无明障於四地欲背生
死无明希趣涅槃无明此二无明障於五地
觀行流轉无明麁相現前无明此二无明障
於六地微細諸相現行无明作意欣樂无相
无明此二无明障於七地於无相觀功用无
明執相自在无明此二无明障於八地於所
說義及名句文此二无量未善巧无明於詞
辯中不隨意无明此二无明障於九地於大
神通未得自在變現无明微細祕密未能悟
解事業无明此二无明障於十地於一切境
微細所知障礙无明極細煩惱麁重无明此
二无明障於佛地
善男子菩薩摩訶薩於初地中行施波羅蜜
於第二地行戒波羅蜜於第三地行忍波羅

BD01850號　金光明最勝王經卷四

(13–3)

解事業无明此二无明障於十地於一切境
微細所知障礙无明極細煩惱麁重无明此
二无明障於佛地
善男子菩薩摩訶薩於初地中行施波羅蜜
於第二地行戒波羅蜜於第三地行忍波羅
蜜於第四地行勤波羅蜜於第五地行定波
羅蜜於第六地行慧波羅蜜於第七地行方
便勝智波羅蜜於第八地行願波羅蜜於第
九地行力波羅蜜於第十地行智波羅蜜善
男子菩薩摩訶薩最初發心攝受能生妙寶
三摩地第二發心攝受能生可愛樂三摩地
第三發心攝受能生難動三摩地第四發心
攝受能生不退轉三摩地第五發心攝受能
生寶花三摩地第六發心攝受能生日圓
光焱三摩地第七發心攝受能生一切願如
意成就三摩地第八發心攝受能生現前證
住三摩地第九發心攝受能生智藏三摩地
第十發心攝受能生勇進三摩地善男子是
名菩薩摩訶薩十種發心善男子菩薩摩訶
薩於此初地得陀羅尼名依功德力尒時世
尊即說呪曰
怛　姪　他　晡律你曷奴喇剃
獨　虎獨虎獨虎　耶跋蔗　利　瑜
阿婆婆薩底丁里反下皆同　耶跋旗達囉
調　怛　底　多跋達哈叉溽
憚荼鉢喇訶囓　矩嚕　莎　訶

BD01850號　金光明最勝王經卷四　（13–4）

獨　虎獨虎獨虎　耶跋蔗　利　瑜
阿婆婆薩底丁里反下皆同　耶跋旗達囉
調　怛　底　多跋達哈叉溽
憚荼鉢喇訶囓　矩嚕　莎　訶
善男子此陀羅尼是過一恒河沙數諸佛所
說為護初地菩薩故若有誦持此陀羅尼呪
者得脫一切怖畏所謂虎狼師子惡獸之類
一切惡鬼人非人等怨賊灾橫及諸苦惱解
脫五障不忘念初地
善男子菩薩摩訶薩於第二地得陀羅尼名
善安樂住
怛　姪　他　嗢　篤入聲下同　里
質　里　質　里　嗢篤羅篤羅引喃
繕覩繕覩嗢篤里　虎嚕虎嚕莎訶
善男子此陀羅尼是過二恒河沙數諸佛所
說為護二地菩薩故若有誦持此陀羅尼呪
者脫諸怖畏惡獸惡鬼人非人等怨賊灾橫
及諸苦惱解脫五障不忘念二地
善男子菩薩摩訶薩於第三地得陀羅尼名
難勝力
呾　姪　他　憚宅枳般宅枳
羯喇擻高喇擻　難由哩憚擻里莎訶
善男子此陀羅尼是過三恒河沙數諸佛所
說為護三地菩薩故若有誦持此陀羅尼呪
者脫諸怖畏惡獸惡鬼人非人等怨賊灾橫
及諸苦惱解脫五障不忘念三地

BD01850號　金光明最勝王經卷四　（13–5）

善男子此陀羅尼是過三恒河沙數諸佛所
說爲護三地菩薩故若有誦持此陀羅尼呪
者脫諸怖畏惡獸惡鬼人非人等惡賊災橫
及諸苦惱解脫五障不忘念三地
善男子菩薩摩訶薩於第四地得陀羅尼
名大利益
怛姪他 室唎室唎
陀弭你陀弭你 陀哩陀哩你
室唎室唎你 毗舍羅波世波始娜
畔陀弭帝莎訶
善男子此陀羅尼是過四恒河沙數諸佛所
說爲護四地菩薩故若有誦持此陀羅尼呪
者脫諸怖畏惡獸惡鬼人非人等惡賊災橫
及諸苦惱解脫五障不忘念四地
善男子菩薩摩訶薩於第五地得陀羅尼名
種種功德莊嚴
怛姪他 訶哩訶哩你
遮哩遮哩你 羯喇摩引你
僧羯喇摩引你 三婆山你瞻跋你
悉耽婆你謨漢你 碎闍步陛莎訶
善男子此陀羅尼是過五恒河沙數諸佛所
說爲護五地菩薩摩訶薩故若有誦持此陀
羅尼呪者脫諸怖畏惡獸惡鬼人非人等怨
賊災橫及諸苦惱解脫五障不忘念五地
善男子菩薩摩訶薩於第六地得陀羅尼名
圓滿智

BD01850號　金光明最勝王經卷四

(13–6)

羅尼呪者脫諸怖畏惡獸惡鬼人非人等怨
賊災橫及諸苦惱解脫五障不忘念五地
善男子菩薩摩訶薩於第六地得陀羅尼名
圓滿智
怛姪他 毗徒哩毗徒哩
摩哩你迦里迦里 毗度漢底
嚕嚕嚕 主嚕主嚕
杜嚕婆杜嚕婆 捨捨設者婆哩灑
莎悉底薩婆薩埵喃 悉甸覩漫
曼怛囉鉢陀你莎訶
善男子此陀羅尼是過六恒河沙數諸佛所
說爲護六地菩薩摩訶薩故若有誦持此陀
羅尼呪者脫諸怖畏惡獸惡鬼人非人等怨
賊災橫及諸苦惱解脫五障不忘念六地
善男子菩薩摩訶薩於第七地得陀羅尼名
法勝行
怛姪他 勺訶上勺訶引嚕
勺訶勺訶勺訶嚕 鞞陸枳鞞陸枳
阿蜜栗多唬漢你 勃里山你
鞞嚕勃枳婆嚕伐底 鞞提呬枳
頻陀鞞哩你 阿蜜哩底枳
薄虎主愈 薄虎主愈莎訶
善男子此陀羅尼是過七恒河沙數諸佛所
說爲護七地菩薩故若有誦持此陀羅尼呪
者脫諸怖畏惡獸惡鬼人非人等怨賊災橫

BD01850號　金光明最勝王經卷四

(13–7)

頻陀粹哩你　阿賓哩底枳
薄虎主愈　薄虎主愈莎訶
善男子此陀羅尼是過七恒河沙數諸佛所
說為護七地菩薩故若有誦持此陀羅尼呪
者脫諸怖畏惡獸惡鬼人非人等怨賊灾橫
及諸苦惱解脫五障不忘念七地
善男子菩薩摩訶薩於第八地得陀羅尼名
无盡藏
怛姪他　室唎室唎室唎你
審底審底　羯哩羯哩醯嚕醯嚕
主嚕主嚕　畔陀彌莎訶
善男子此陀羅尼過八恒河沙數諸佛所說
為護八地菩薩故若有誦持此陀羅尼呪者
脫諸怖畏惡獸惡鬼人非人等怨賊灾橫及
諸苦惱解脫五障不忘念八地
善男子菩薩摩訶薩於第九地得陀羅尼
名无量門
怛姪他　訶哩旃荼哩枳
俱藍婆喇體(天里反)　都剌死
拔吒拔吒死室唎室唎　迦室哩迦必室喇
莎(蘇活反)　悉底　薩婆薩埵喃莎訶
善男子此陀羅尼是過九恒河沙數諸佛所
說為護九地菩薩故若有誦持此陀羅尼呪
者脫諸怖畏惡獸惡鬼人非人等怨賊灾橫
及諸苦惱解脫五障不忘念九地
善男子菩薩摩訶薩於第十地得陀羅尼名

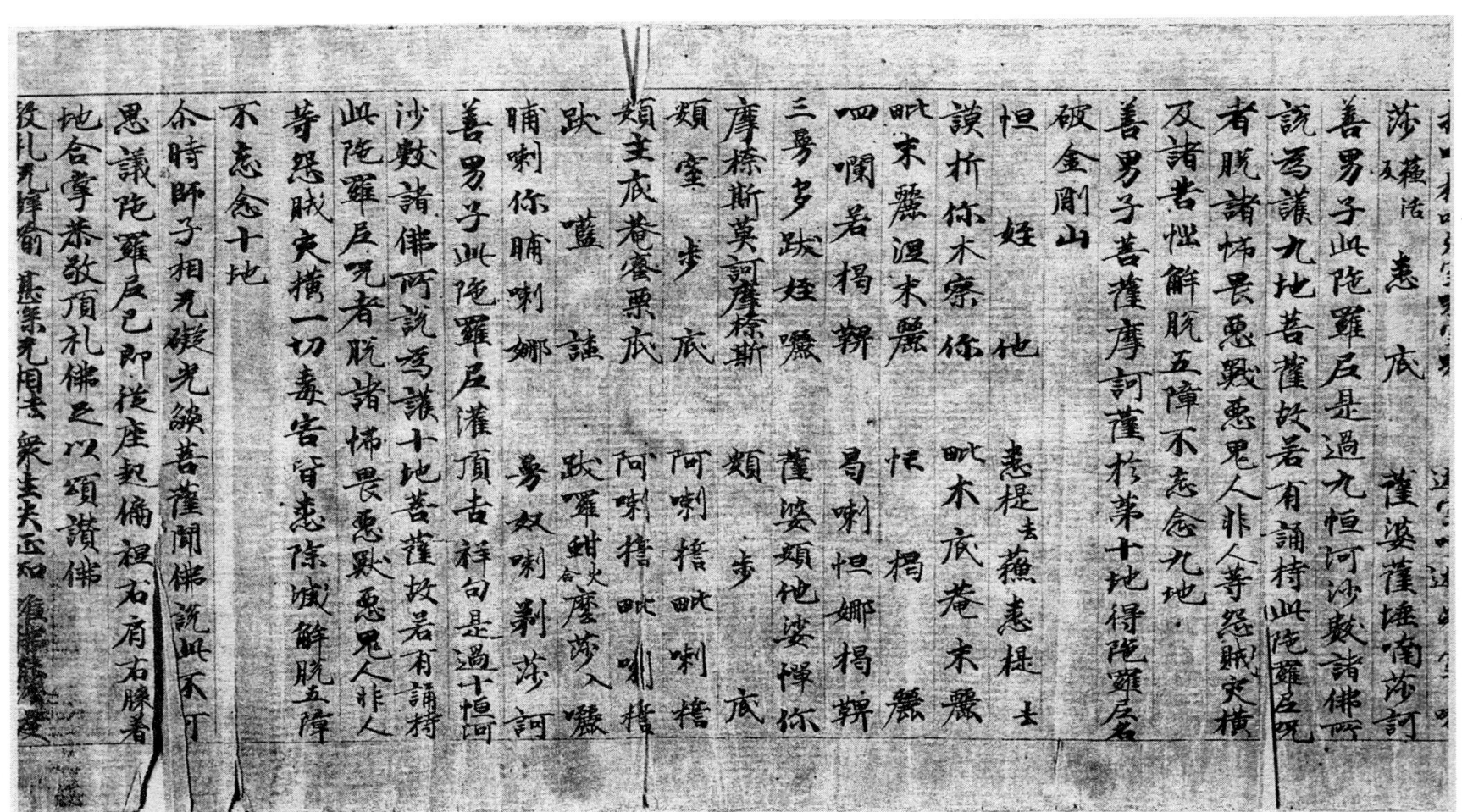

BD01850號　金光明最勝王經卷四　（13–8）

莎(蘇活反)　悉底　薩婆薩埵喃莎訶
善男子此陀羅尼是過九恒河沙數諸佛所
說為護九地菩薩故若有誦持此陀羅尼呪
者脫諸怖畏惡獸惡鬼人非人等怨賊灾橫
及諸苦惱解脫五障不忘念九地
善男子菩薩摩訶薩於第十地得陀羅尼名
破金剛山
怛姪他　悉提(去)蘇悉提(去)
謨折你木察你　毗木底菴末麗
毗末麗涅末麗　忙羯麗
呬喇若羯鞞　曷喇怛娜羯鞞
三曼多跋姪囇　薩婆頞他娑憚你
摩捺斯莫訶摩捺斯　頞步
頞窒步底　阿喇揩毗阿喇揩
頞主底菴蜜栗底　阿喇揩毗喇揩
跋嚧藍謎　跋囉甜(火含反)摩莎(入)囇
晡喇你晡喇娜　曼奴喇剃莎訶
善男子此陀羅尼灌頂吉祥句是過十恒河
沙數諸佛所說為護十地菩薩故若有誦持
此陀羅尼呪者脫諸怖畏惡獸惡鬼人非人
等怨賊灾橫一切毒害皆悉除滅解脫五障
不忘念十地
尒時師子相无礙光燄菩薩聞佛說此不可
思議陀羅尼已即從座起偏袒右肩右膝著
地合掌恭敬頂礼佛足以頌讚佛
敬礼无譬喻　甚深无相法　衆生失正知　唯佛能濟度

BD01850號　金光明最勝王經卷四　（13–9）

此陀羅尼呪者脫諸怖畏惡獸惡鬼人非人
等怨賊灾横一切毒害皆悉除滅解脫五障
不忘念十地
尒時師子相无礙光焰菩薩聞佛說此不可
思議陀羅尼已即從座起偏袒右肩右膝着
地合掌恭敬頂礼佛足以頌讃佛
敬礼无譬喻　甚深无相法　衆生失正知　唯佛能濟度
如來明慧眼　不見一法相　復以正法眼　普照不思議
不生於一法　亦不滅一法　由斯平等見　得至无上處
不壞於生死　亦不住涅槃　不著於二邊　是故證圓寂
於淨不淨品　世尊知一味　由不分別故　獲得最清淨
世尊无邊身　不說於一字　令諸弟子衆　法雨皆充滿
佛觀衆生相　一切種皆无　然於苦惱者　常興於救護
苦樂常无常　有我无我等　不一亦不異　不生亦不滅
如是衆多義　隨說有差別　譬如空谷響　唯佛能了知
法界无分別　是故无異乘　爲度衆生故　分別說有三
尒時大自在梵天王亦從座起偏袒右肩右
膝著地合掌恭敬頂礼佛足而白佛言世尊
此金光明最勝王經希有難量初中後善文
義究竟皆能成就一切佛法若受持者是人
則爲報諸佛恩佛言善男子如是如是如汝
所說善男子若得聽聞是經典者皆不退於
阿耨多羅三藐三菩提何以故善男子是能
成熟不退地菩薩殊勝善根是第一法印是
衆經王故應聽聞受持讀誦何以故善男子
若一切衆生未種善根未成熟善根未親近

BD01850 號　金光明最勝王經卷四　（13–10）

則爲報諸佛恩佛言善男子如是如是如汝
所說善男子若得聽聞是經典者皆不退於
阿耨多羅三藐三菩提何以故善男子是能
成熟不退地菩薩殊勝善根是第一法印是
衆經王故應聽聞受持讀誦何以故善男子
若一切衆生未種善根未成熟善根未親近
諸佛者不能聽聞是微妙法若善男子善女
人能聽受者一切罪障皆悉除滅得最清淨
常得見佛不離諸佛及善知識勝行之人恒
聞妙法住不退地獲得如是勝陀羅尼門所
謂无盡无減海印出妙功德陀羅尼无盡无
減通達衆生意行言語陀羅尼无盡无減日
圓无垢相光陀羅尼无盡无減滿月相光陀
羅尼无盡无減能伏諸惑演功德流陀羅尼
无盡无減破金剛山陀羅尼无盡无減說不可
說義因緣藏陀羅尼无盡无減通達實語
法則音聲陀羅尼无盡无減虛空无垢心行
印陀羅尼无盡无減无邊佛身皆能顯現陀
羅尼无盡无減
善男子如是等无盡无減諸陀羅尼門得成
就故是菩薩摩訶薩能於十方一切佛土化
作佛身演說无上種種正法於法真如不動
不住不來不去善能成熟一切衆生善根亦
不見一衆生可成熟者雖說種種諸法於言
詞中不動不住不去不來能於生滅證无生
滅以何因緣說諸行法无有去來由一切法
體无異故說是法時三万億菩薩摩訶薩得

BD01850 號　金光明最勝王經卷四　（13–11）

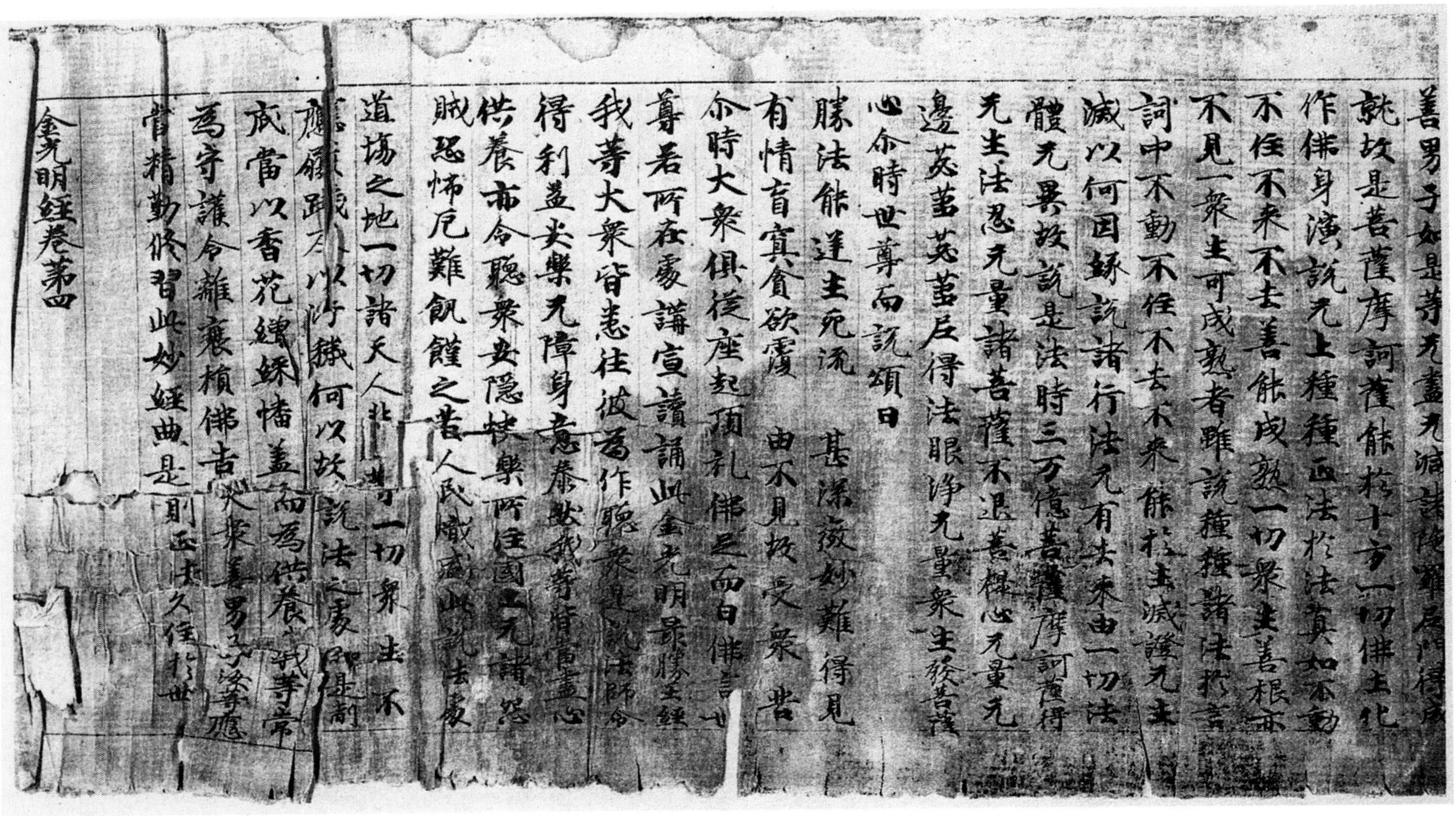
善男子如是等无盡无減諸陀羅尼門得成
就故是菩薩摩訶薩能於十方一切佛土化
作佛身演說无上種種正法於法真如不動
不住不來不去善能成熟一切衆生善根亦
不見一衆生可成熟者雖說種種諸法於言
詞中不動不住不去不來能於生滅證无生
滅以何因緣說諸行法无有去來由一切法
體无異故說是法時三万億菩薩摩訶薩得
无生法忍无量諸菩薩不退菩提心无量无
邊苾芻苾芻尼得法眼淨无量衆生發菩提
心尒時世尊而說頌曰
勝法能逢生死流　甚深微妙難得見
有情盲冥貪欲覆　由不見故受衆苦
尒時大衆俱從座起頂礼佛足而白佛言世
尊若所在處講宣讀誦此金光明最勝王經
我等大衆皆悉往彼為作聽衆是說法師令
得利益安樂无障身意泰然我等皆當盡心
供養亦令聽衆安隱快樂所住國土无諸怨
賊恐怖厄難飢饉之苦人民熾盛此說法處
道場之地一切諸天人非人等一切衆生不
應履踐不以污穢何以故說法之處即是制
底當以香花繒綵幡蓋而為供養我等常
為守護令離衰損佛告大衆善男子汝等應
當精勤修習此妙經典是則正法久住於世
金光明經卷第四

BD01850號　金光明最勝王經卷四　（13–12）

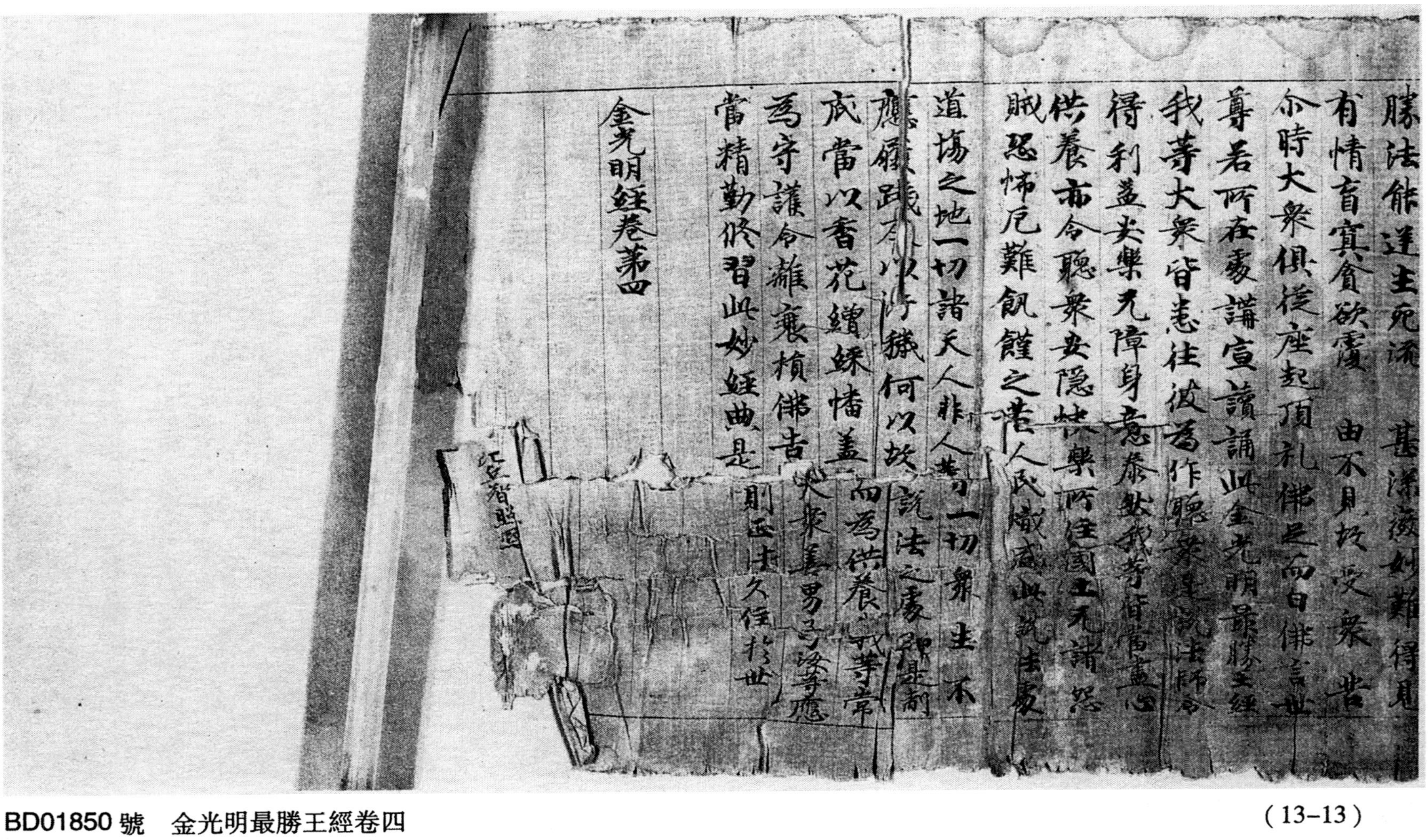

勝法能逢生死流　甚深微妙難得見
有情盲冥貪欲覆　由不見故受衆苦
尒時大衆俱從座起頂礼佛足而白佛言世
尊若所在處講宣讀誦此金光明最勝王經
我等大衆皆悉往彼為作聽衆是說法師令
得利益安樂无障身意泰然我等皆當盡心
供養亦令聽衆安隱快樂所住國土无諸怨
賊恐怖厄難飢饉之苦人民熾盛此說法處
道場之地一切諸天人非人等一切衆生不
應履踐不以污穢何以故說法之處即是制
底當以香花繒綵幡蓋而為供養我等常
為守護令離衰損佛告大衆善男子汝等應
當精勤修習此妙經典是則正法久住於世
金光明經卷第四

BD01850號　金光明最勝王經卷四　（13–13）

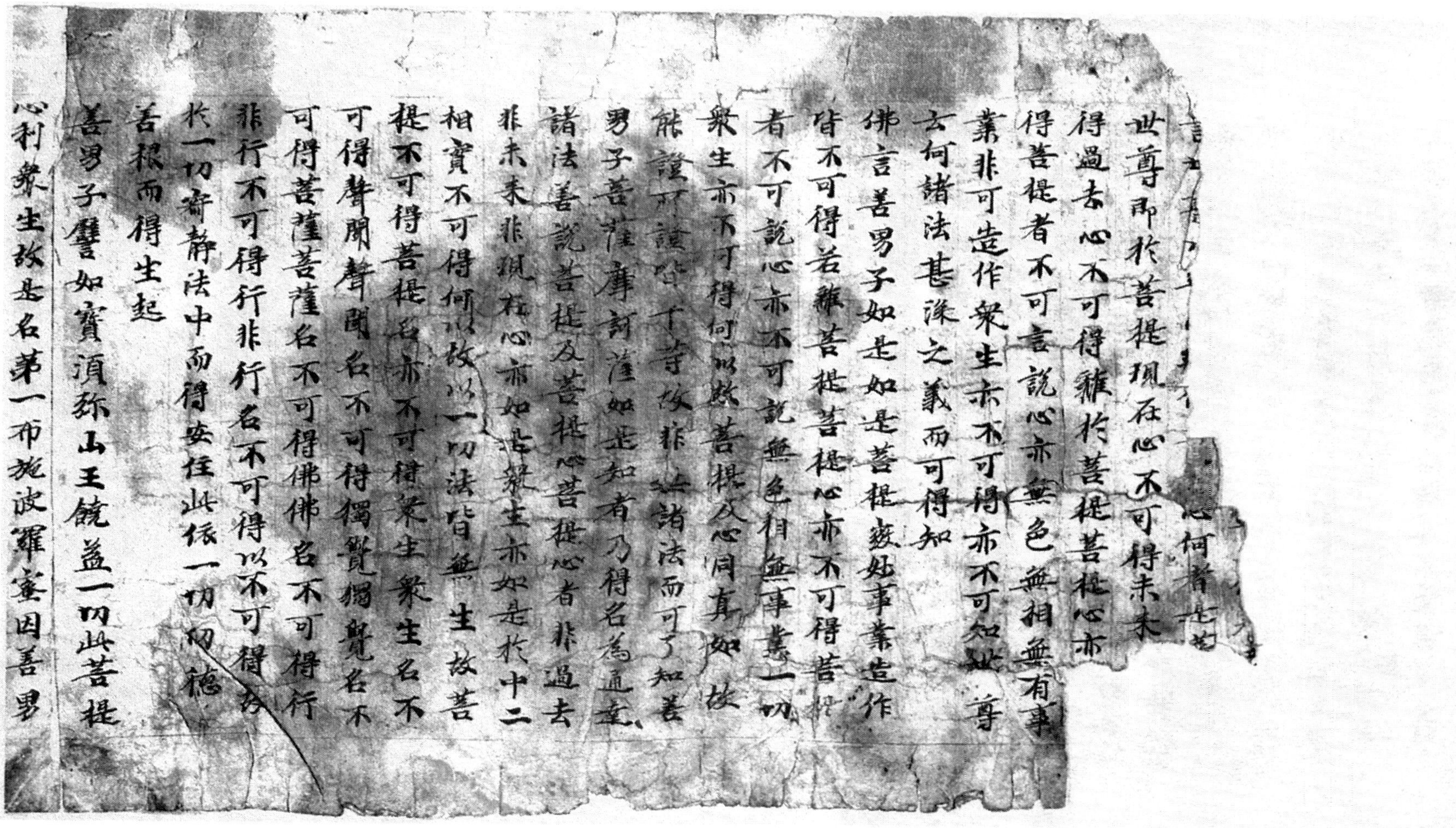

世尊即於菩提現在心不可得未來
得過去心不可得離於菩提菩提心亦
得菩提者不可言說心亦無色無相無有事
業非可造作衆生亦不可得亦不可知世尊
云何諸法甚深之義而可得知
佛言善男子如是如是菩提微妙事業造作
皆不可得若離菩提菩提心亦不可得菩提
者不可說心亦不可說無色相無事業一切
衆生亦不可得何以故菩提及心同真如故
能證所證皆平等故非無諸法而可了知善
男子菩薩摩訶薩如是知者乃得名為通達
諸法善說菩提及菩提心菩提心者非過去
非未來非現在心亦如是衆生亦如是於中二
相實不可得何以故以一切法皆無生故菩
提不可得菩提名亦不可得衆生衆生名不
可得聲聞聲聞名不可得獨覺獨覺名不
可得菩薩菩薩名不可得佛佛名不可得行
非行不可得行非行名不可得以不可得故
於一切寂靜法中而得安住此依一切功德
善根而得生起
善男子譬如寶須弥山王饒益一切此菩提
心利衆生故是名第一布施波羅蜜因善男

BD01851 號　金光明最勝王經卷四

（18–1）

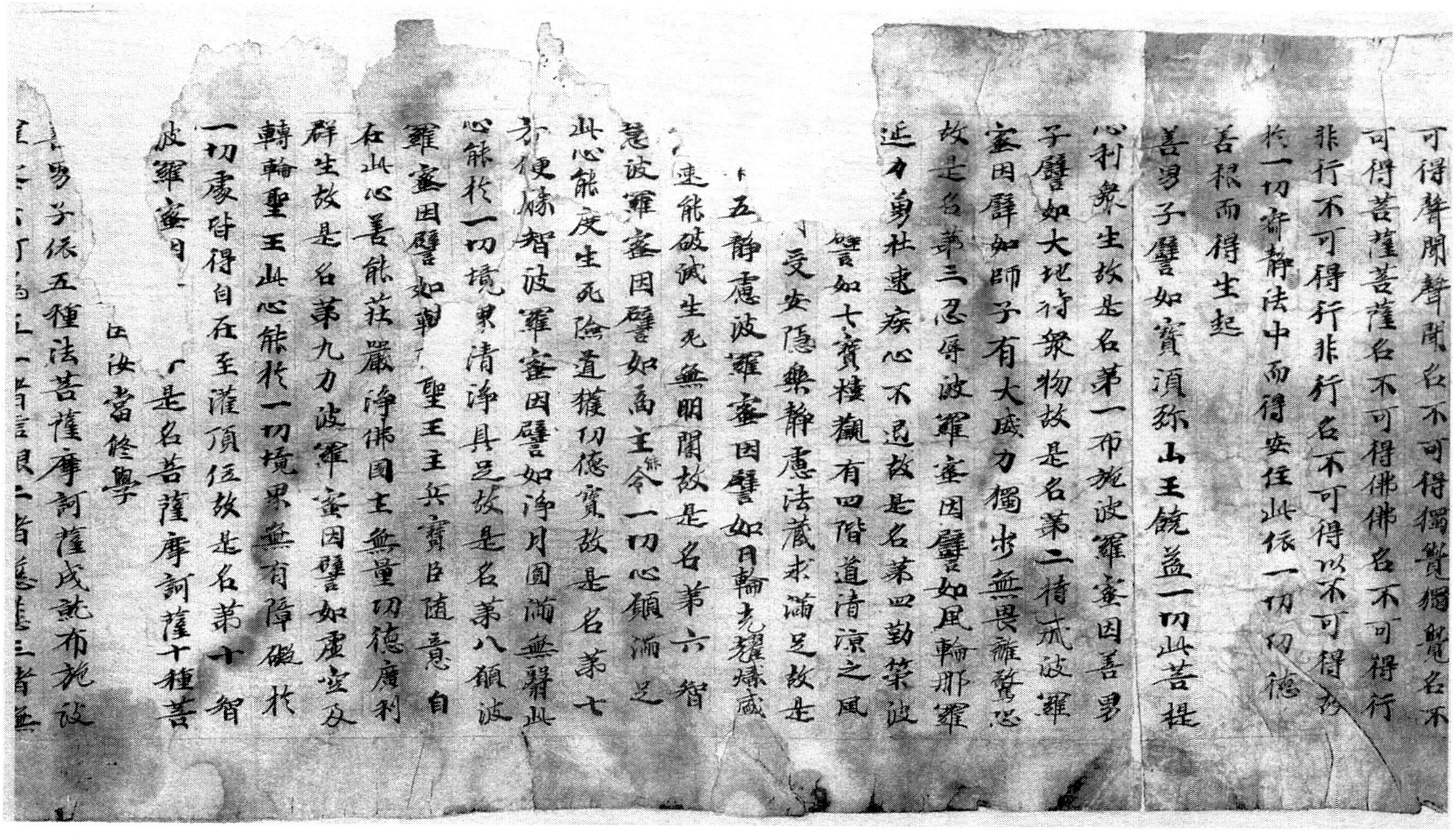

可得聲聞聲聞名不可得獨覺獨覺名不
可得菩薩菩薩名不可得佛佛名不可得行
非行不可得行非行名不可得以不可得故
於一切寂靜法中而得安住此依一切功德
善根而得生起
善男子譬如寶須弥山王饒益一切此菩提
心利衆生故是名第一布施波羅蜜因善男
子譬如大地持衆物故是名第二持戒波羅
蜜因譬如師子有大威力獨步無畏離驚怖
故是名第三忍辱波羅蜜因譬如風輪那羅
延力勇壯速疾心不退故是名第四勤策波
譬如七寶樓觀有四階道清涼之風
受安隱樂靜慮法藏求滿足故是
五靜慮波羅蜜因譬如日輪光耀熾盛
速能破滅生死無明闇故是名第六智
慧波羅蜜因譬如商主能令一切心願滿足
此心能度生死險道獲功德寶故是名第七
方便勝智波羅蜜因譬如淨月圓滿無翳此
心能於一切境界清淨具足故是名第八願波
羅蜜因譬如輪聖王主兵寶臣隨意自
在此心善能莊嚴淨佛國土無量功德廣利
群生故是名第九力波羅蜜因譬如虛空及
轉輪聖王此心能於一切境界無有障礙於
一切處皆得自在至灌頂位故是名第十智
波羅蜜因　是名菩薩摩訶薩十種菩
汝當修學
善男子依五種法菩薩摩訶薩成就布施波

BD01851 號　金光明最勝王經卷四

（18–2）

輭輭重王山心能於一切境界無有障礙於
一切處皆得自在至灌頂位故是名第十智
波羅蜜目　是名菩薩摩訶薩十種善
法汝當修學
善男子依五種法菩薩摩訶薩成就布施波
羅蜜云何為五一者信根二者慈悲三者無
求欲心四者攝受一切衆生五者願求一切智
智善男子是名菩薩摩訶薩成就布施波
羅蜜善男子復依五法菩薩摩訶薩成就持
戒波羅蜜云何為五一者三業清淨二者不
為一切衆生作煩惱因緣三者閉諸惡道開
善趣門四者過於聲聞獨覺之地五者一切
功德皆悉滿足善男子是名菩薩摩訶薩成
就持戒波羅蜜善男子復依五法菩薩摩訶
忍辱羅蜜云何為五一者能伏貪
瞋煩惱二者不惜身命不求安樂止息之想
三者思惟往業遭苦能忍四者發慈悲心成
就衆生諸善根故五者為得甚深無生法忍
善男子是名菩薩摩訶薩成就忍辱波羅蜜
善男子復依五法菩薩摩訶薩成就勤策波
羅蜜云何為五一者與諸煩惱不樂共住二
者福德未具不受安樂三者於諸難行苦行
之事不生厭心四者以大慈悲攝受利益方
便成熟一切衆生五者願求不退轉地善男
子是名菩薩摩訶薩成就勤策波羅蜜善男
子復依五法菩薩摩訶薩成就靜慮波羅蜜
云何為五一者於諸善法攝令不散故二者

BD01851號　金光明最勝王經卷四　（18–3）

便成熟一切衆生五者願求不退轉地善男
子是名菩薩摩訶薩成就勤策波羅蜜善男
子復依五法菩薩摩訶薩成就靜慮波羅蜜
云何為五一者於諸善法攝令不散故二者
常願解脫不著二邊故三者願得神通成就
衆生諸善根故四者為淨法界蠲除心垢故
五者為斷衆生煩惱根本故善男子是名菩
薩摩訶薩成就靜慮波羅蜜善男子復依五
法菩薩摩訶薩成就智慧波羅蜜云何為五
一者常於一切諸佛菩薩及明智者供養親
近不生厭背二者諸佛如來說甚深法心常
樂聞無有厭足三者真俗勝智樂善分別四
者見修煩惱咸速斷除五者世間伎術五明
之法皆悉通達善男子是名菩薩摩訶薩成
就智慧波羅蜜善男子復依五法菩薩摩訶
薩成就方便波羅蜜云何為五一者於一切
衆生意樂煩惱心行差別悉皆通達二者無
量諸法對治之門心皆曉了三者大慈悲定
出入自在四者於諸波羅蜜多皆願修行成
就滿足五者一切佛法皆願了達攝受無遺
善男子是名菩薩摩訶薩成就方便勝智波
羅蜜善男子復依五法菩薩摩訶薩成就願
波羅蜜云何為五一者於一切法從本以來
不生不滅非有非無心得安住二者觀一切
法最妙理趣離垢清淨心得安住三者過一
切相心本真如無作無行不異不動心得安
住四者為欲利益諸衆生事於俗諦中心得

BD01851號　金光明最勝王經卷四　（18–4）

波羅蜜云何為五一者於一切法從本以来
不生不滅非有非無心得安住二者觀一切
法最妙理趣離垢清淨心得安住三者過一
切相心本真如無作無行不異不動心得安
住四者為欲利益諸衆生事於俗諦中心得
安住五者於奢摩他毗鉢舍那同時運行心
得安住善男子是名菩薩摩訶薩成就願波
羅蜜善男子復依五法菩薩摩訶薩成就力
波羅蜜云何為五一者以正智力能了一切
衆生心行善惡二者能令一切衆生入於甚
深微妙之法三者一切衆生輪迴生死隨其
緣業如實了知四者於諸衆生三種根性以
正智力能分別知五者於諸衆生如理為說
令種善根成熟度脫皆是智力故善男子是
名菩薩摩訶薩成就力波羅蜜善男子復依
五法菩薩摩訶薩成就智波羅蜜云何為五
一者能於諸法分別善惡二者於黑白法遠
離攝受三者能於生死涅槃不厭不喜四者
具福智行至究竟處五者受勝灌頂能得諸
佛不共法等及一切智智善男子是名菩薩
摩訶薩成就智波羅蜜善男子何者是波羅
蜜義所謂修習勝利是波羅蜜義滿足無量
大甚深智是波羅蜜義行非行法心不執著
是波羅蜜義生死過失涅槃功德正覺正觀
是波羅蜜義愚人智人皆悉攝受是波羅蜜
義能現種種珍妙法寶是波羅蜜義無礙
解脫智慧滿足是波羅蜜義法界衆生界正分

BD01851號　金光明最勝王經卷四

（18–5）

是波羅蜜義生死過失涅槃功德正覺正觀
是波羅蜜義愚人智人皆悉攝受是波羅蜜
義能現種種珍妙法寶是波羅蜜義無礙
解脫智慧滿足是波羅蜜義法界衆生界正分
別知是波羅蜜義施等及智能令至不退轉
是波羅蜜義無生法忍能令滿足是波羅蜜
義一切衆生功德善根能令成熟是波羅蜜
義能於菩提成佛十力四無畏不共法等
皆悉成就是波羅蜜義生死涅槃了無二相
是波羅蜜義濟度一切是波羅蜜義一切外
道來相詰難善能解釋令其降伏是波羅蜜
義能轉十二妙行法輪是波羅蜜義無所著
無所見無患累是波羅蜜多義
善男子初地菩薩是相先現三千大千世界
無量無邊種種寶藏無不盈滿菩薩悉見
善男子二地菩薩是相先現三千大千世界地
平如掌無量無邊種種妙色清淨珍寶莊嚴
之具菩薩悉見善男子三地菩薩是相先現
自身勇健甲仗莊嚴一切怨賊皆能摧伏菩
薩悉見善男子四地菩薩是相先現四方風
輪種種妙花悉皆散灑充布地上菩薩悉見
善男子五地菩薩是相先現有妙寶女衆寶
瓔珞周遍嚴身首冠名花以為其飾菩薩悉
見善男子六地菩薩是相先現七寶花池有
四階道金沙遍布清淨無穢八功德水皆悉
盈滿嗢鉢羅花拘物頭花分陁利花隨處莊
嚴於花池所遊戲快樂清涼無比菩薩悉見
善男子七地菩薩是相先現菩薩前有[illegible]

BD01851號　金光明最勝王經卷四

（18–6）

四階道金砂遍布清淨無穢八功德水皆悉
盈滿嗢鉢羅花拘物頭花分陁利花隨處莊
嚴於花池所遊戲快樂清涼無比菩薩悉見
善男子七地菩薩是相先現於菩薩前有諸
衆生應墮地獄以菩薩力便得不墮無有損
傷亦無恐怖菩薩悉見善男子八地菩薩是
相先現於身兩邊有師子王以為衛護一切
衆獸悉皆怖畏菩薩悉見善男子九地菩薩
是相先現轉輪聖王無量億衆圍繞供養頂
上白蓋無量衆寶之所莊嚴菩薩悉見善男
子十地菩薩是相先現如來之身金色晃耀
無量淨光悉皆圓滿有無量億梵王圍繞恭
敬供養轉於無上微妙法輪菩薩悉見
善男子云何初地名為歡喜謂初證得出世
之心昔所未得而今始得於大事用如其所
願悉皆成就生極喜樂是故最初名為歡喜
諸微細垢犯戒過失皆得清淨是故二地名
為無垢無量智慧三昧光明不可傾動無能
摧伏聞持陁羅尼以為根本是故三地名為
明地以智慧火燒諸煩惱增長光明修行覺
品是故四地名為焰地修行方便勝智自在
極難得故見修煩惱難伏能伏是故五地名為
難勝行法相續了了顯現無相思惟皆悉
現前是故六地名為現前無漏無間無相思
惟解脫三昧遠修行故是地清淨無有障礙
是故七地名為遠行無相思惟修得自在諸

難勝行法相續了了顯現無相思惟皆悉
現前是故六地名為現前無漏無間無相思
惟解脫三昧遠修行故是地清淨無有障礙
是故七地名為遠行無相思惟修得自在諸
煩惱行不能令動是故八地名為不動說一
切法種種差別皆得自在無患無累增長智
慧自在無礙是故九地名為善慧法身如虛
空智慧如大雲皆能遍滿覆一切是故第
十名為法雲
善男子執著有相我法無明怖畏生死惡趣
無明此二無明障於初地微細學處誤犯無
明發起種種業行無明此二無明障於二地
未得令得愛著無明能障殊勝總持無明此
二無明障於三地味著等至喜愛無明微妙
淨法愛樂無明此二無明障於四地欲背生
死無明希趣涅槃無明此二無明障於五地
觀行流轉無明麁相現前無明此二無明障
於六地微細諸相現行無明作意欣樂無相
無明此二無明障於七地於無相觀功用無
明執相自在無明此二無明障於八地於所
說義及名句文此二無量未善巧無明於詞
辯才不隨意無明此二無明障於九地於大
神通未得自在變現無明微細秘密未能悟
解事業無明此二無明障於十地於一切境
微細所知障礙無明極細煩惱麁重無明此
二無明障於佛地
善男子菩薩摩訶薩於初地中行施波羅蜜

神通未得自在變現無明微細秘密未能悟
解事業無明此二無明障於十地於一切境
微細所知障礙無明極細煩惱麤重無明此
二無明障於佛地
善男子菩薩摩訶薩於初地中行施波羅蜜
於第二地行戒波羅蜜於第三地行忍波羅
蜜於第四地行勤波羅蜜於第五地行定波
羅蜜於第六地行慧波羅蜜於第七地行方
便勝智波羅蜜於第八地行願波羅蜜於第
九地行力波羅蜜於第十地行智波羅蜜善
男子菩薩摩訶薩最初發心攝受能生妙寶
三摩地第二發心攝受能生可愛樂三摩地
第三發心攝受能生難動三摩地第四發心
攝受能生不退轉三摩地第五發心攝受能
生寶花三摩地第六發心攝受能生日圓光
焰三摩地第七發心攝受能生一切願如意
成就三摩地第八發心攝受能生現前證住
三摩地第九發心攝受能生智藏三摩地第
十發心攝受能生勇進三摩地善男子是名
菩薩摩訶薩十種發心善男子菩薩摩訶薩
於此初地得陁羅尼名依功德力尒時世尊
即說呪曰
怛 姪 他 晡㗶你 曼奴 喇剃
獨虎獨虎獨虎 耶跋 蘇 利 瑜
阿婆婆薩底(丁里反 下皆同) 耶跋旃 達 囉
調 怛 底 多 跋 達 略 叉 湯
悍荼鉢剌訶藍 姪嚕莎訶

BD01851號　金光明最勝王經卷四　（18–9）

獨虎獨虎獨虎 耶跋蘇利瑜
阿婆婆薩底(丁里反 下皆同) 耶跋旃達囉
調 怛 底 多跋達略叉湯
悍荼鉢剌訶藍 姪嚕莎訶
善男子此陁羅尼是過一恒河沙數諸佛所
說為護初地菩薩故若有誦持此陁羅尼呪
者得脫一切怖畏所謂虎狼師子惡獸之類
一切惡鬼人非人等怨賊灾橫及諸苦惱解
脫五障不忘念初地
善男子菩薩摩訶薩於第二地得陁羅尼名
善安樂住
怛 姪 他 嗢 篤(奴篤反 下同) 里
質 里 質 里 嗢篤羅篤羅 羅 引喃
緼覩緼覩嗢篤篤里 虎嚕虎嚕莎訶
善男子此陁羅尼是過二恒河沙數諸佛所
說為護二地菩薩故若有誦持此陁羅尼呪
者脫諸怖畏惡獸惡鬼人非人等怨賊灾橫
及諸苦惱解脫五障不忘念二地
善男子菩薩摩訶薩於第三地得陁羅尼名
難勝力
怛 姪 他 憚宅枳 般宅 枳
羯喇撒 高喇撒 雞由哩 憚撒里莎訶
善男子此陁羅尼是過三恒河沙數諸佛所
說為護三地菩薩故若有誦持此陁羅尼呪
者脫諸怖畏惡獸惡鬼人非人等怨賊灾橫
及諸苦惱解脫五障不忘念三地
善男子菩薩摩訶薩於第四地得陁羅尼名

BD01851號　金光明最勝王經卷四　（18–10）

説爲護三地菩薩故若有誦持此陁羅尼呪
者脫諸怖畏惡獸惡鬼人非人等怨賊災橫
及諸苦惱解脫五障不忘念三地
善男子菩薩摩訶薩於第四地得陁羅尼名
大利益
怛姪他　室唎　室唎
陁弭你　陁彌你　陁哩　陁哩你
室唎室唎你　毗舍羅波世　波始娜
畔陁弭帝莎訶
善男子此陁羅尼是過四恒河沙數諸佛所
説爲護四地菩薩故若有誦持此陁羅尼呪
者脫諸怖畏惡獸惡鬼人非人等怨賊災橫
及諸苦惱解脫五障不忘念四地
善男子菩薩摩訶薩於第五地得陁羅尼名
種種功德莊嚴
怛姪他　訶哩訶哩你
遮哩遮哩你　羯喇摩引你
僧羯喇摩引你　三婆山你　瞻跋你
悉耽婆你　謨漢你　碎闍步陛莎訶
善男子此陁羅尼是過五恒河沙數諸佛所
説爲護五地菩薩摩訶薩故若有誦持此陁
羅尼呪者脫諸怖畏惡獸惡鬼人非人等怨
賊災橫及諸苦惱解脫五障不忘念五地
善男子菩薩摩訶薩於第六地得陁羅尼名
圓滿智
怛姪他　毗徒哩　毗徒哩
摩哩你　迦里迦里　毗度漢底

BD01851號　金光明最勝王經卷四　　（18–11）

善男子菩薩摩訶薩於第六地得陁羅尼名
圓滿智
怛姪他　毗徒哩　毗徒哩
摩哩你　迦里迦里　毗度漢底
嚕嚕　嚕嚕　主嚕　主嚕　主嚕
杜嚕婆　杜嚕婆　捨捨設者婆哩灑
莎入悉底薩婆薩埵喃　悉甸覩漫
曼怛囉鉢陁你莎訶
善男子此陁羅尼是過六恒河沙數諸佛所
説爲護六地菩薩摩訶薩故若有誦持此陁
羅尼呪者脫諸怖畏惡獸惡鬼人非人等怨
賊災橫及諸苦惱解脫五障不忘念六地
善男子菩薩摩訶薩於第七地得陁羅尼名
法勝行
怛姪他　勺訶上勺訶引嚕
勺訶勺訶勺訶嚕　鞞陸枳鞞陸枳
阿蜜栗多唬漢你　勃里山你
鞞嚕勅枳婆嚕伐底　鞞提呬枳
頻陁鞞哩你　阿蜜哩底
薄虎主愈　薄虎主愈莎訶
善男子此陁羅尼是過七恒河沙數諸佛所
説爲護七地菩薩故若有誦持此陁羅尼呪
者脫諸怖畏惡獸惡鬼人非人等怨賊災橫
及諸苦惱解脫五障不忘念七地
善男子菩薩摩訶薩於第八地得陁羅尼名
無盡藏
怛姪他　室唎室唎室唎你

BD01851號　金光明最勝王經卷四　　（18–12）

及諸苦惱解脫五障不忘念七地
善男子菩薩摩訶薩於第八地得陀羅尼名
無盡藏
怛姪他 室唎室唎室唎你
蜜底蜜底 羯哩羯哩醯嚕醯嚕
主嚕主嚕 畔陀彌 莎訶
善男子此陀羅尼過八恒河沙數諸佛所說
為護八地菩薩故若有誦持此陀羅尼呪者
脫諸怖畏惡獸惡鬼人非人等怨賊災橫及
諸苦惱解脫五障不忘念八地
善男子菩薩摩訶薩於第九地得陀羅尼名
無量門
怛姪他 訶哩旃荼哩枳
俱藍婆喇體天里反 都 剌 死
跋吒跋吒死室唎室唎 迦室哩迦必室唎
莎蘊活反悉 底 薩婆薩埵喃莎訶
善男子此陀羅尼是過九恒河沙數諸佛所
說為護九地菩薩故若有誦持此陀羅尼呪
者脫諸怖畏惡獸惡鬼人非人等怨賊災橫
及諸苦惱解脫五障不忘念九地
善男子菩薩摩訶薩於第十地得陀羅尼
名破金剛山
怛姪他 悉提去蘊悉提去
謨析你 木察你 毗木底 菴末麗
毗末麗 涅末麗 忙 羯麗
呬闌若揭鞞 曷喇怛娜揭鞞
三曼多跋姪囇 薩婆頞他娑憚你

BD01851號　金光明最勝王經卷四　（18–13）

怛姪他 悉提去蘊悉提去
謨析你 木察你 毗木底 菴末麗
毗末麗 涅末麗 忙 羯麗
呬闌若揭鞞 曷喇怛娜揭鞞
三曼多跋姪囇 薩婆頞他娑憚你
摩捺斯莫訶摩捺斯 頞 步
頞窒步底 阿喇誓毗喇誓
頞主底菴蜜栗底 阿喇誓毗喇誓
跋藍謎 跋囉甜含反磨莎入麗
晡喇你晡喇娜 曼奴喇剌莎訶
善男子此陀羅尼灌頂吉祥句是過十恒河
沙數諸佛所說為護十地菩薩故若有誦持
此陀羅尼呪者脫諸怖畏惡獸惡鬼人非人
等怨賊災橫一切毒害皆悉除滅解脫五障
不忘念十地
尒時師子相無礙光燄菩薩聞佛說此不可
思議陀羅尼已即從座起偏袒右肩右膝著
地合掌恭敬頂禮佛足以頌讚佛
敬禮無譬喻　甚深無相法　眾生失正知　唯佛能濟度
如來聖慧眼　不見一法相　復以正法眼　普照不思議
不生於法　亦不滅一法　由斯平等見　得至無上處
不壞於生死　亦不住涅槃　不著於二邊　是故證圓寂
於淨不淨品　世尊知一味　由不分別故　獲得最清淨
世尊無邊身　不說於一字　令諸弟子眾　法雨皆充滿
佛觀眾生相　一切種皆無　然於苦惱者　常興於救護
苦樂常無常　有我無我等　不一亦不異　不生亦不滅
如是眾多義　隨說有差別　譬如空谷響　唯佛能了知
法界無分別　是故無異乘　為度眾生故　分別說有三

BD01851號　金光明最勝王經卷四　（18–14）

世尊無邊[illegible]
佛觀眾生相　一切種皆無　然於苦惱者　常興於救護
苦樂常無常　有我無我等　不一亦不異　不生亦不滅
如是眾多義　隨說有差別　譬如空谷響　唯佛能了知
法界無分別　是故無異乘　為度眾生故　分別說有三
尒時大自在梵天王亦從座起偏袒右肩右
膝著地合掌恭敬頂礼佛足而白佛言世尊
此金光明最勝王經希有難量初中後善文
義究竟皆能成就一切佛法若受持者是人
則為報諸佛恩佛言善男子如是如是如汝
所說善男子若得聽聞是經典者皆不退於
阿耨多羅三藐三菩提何以故善男子是能
成熟不退地菩薩殊勝善根是第一法印是
眾經王故應聽聞受持讀誦何以故善男子
若一切眾生未種善根未成熟善根未親近
諸佛者不能聽聞是微妙法若善男子善女
人能聽受者一切罪障皆悉除滅得最清淨
常得見佛不離諸佛及善知識勝行之人恒
聞妙法住不退地獲得如是勝陀羅尼門所
謂無盡無減海印出妙功德陀羅尼無盡無
減通達眾生意行言語陀羅尼無盡無減日
圓無垢相光陀羅尼無盡無減滿月相光陀
羅尼無盡無減能伏諸惑演功德流陀羅尼
無盡無減破金剛山陀羅尼無盡無減說不
可說義因緣藏陀羅尼無盡無減通達實語
法則音聲陀羅尼無盡無減虛空無垢心行
印陀羅尼無盡無減無邊佛身皆能顯現陀
羅尼無盡無減

BD01851號　金光明最勝王經卷四　（18–15）

無盡無減破金剛山陀羅尼無盡無減說不
可說義因緣藏陀羅尼無盡無減通達實語
法則音聲陀羅尼無盡無減虛空無垢心行
印陀羅尼無盡無減無邊佛身皆能顯現陀
羅尼無盡無減
善男子如是等無盡無減諸陀羅尼門得成
就故是菩薩摩訶薩能於十方一切佛土化
作佛身演說無上種種正法於法真如不動
不住不來不去善能成熟一切眾生善根亦
不見一眾生可成熟者雖說種種諸法於言
詞中不動不住不去不來能於生滅證無生
滅以何因緣說諸行法無有去來由一切法
體無異故說是法時三万億菩薩摩訶薩得
無生法忍無量諸菩薩不退菩提心無量無
邊苾芻苾芻尼得法眼淨無量眾生發菩薩
心尒時世尊而說頌曰
勝法能逆生死流　甚深微妙難得見
有情盲冥貪欲覆　由不見故受眾苦
尒時大眾俱從座起頂礼佛足而白佛言世
尊若所在處講宣讀誦此金光明最勝王經
我等大眾皆悉往彼為作聽眾是說法師令
得利益安樂無障身意泰然我等皆當盡心
供養亦令聽眾安隱快樂所住國土無諸怨
賊恐怖厄難飢饉之苦人民熾盛此說法處
道場之地一切諸天人非人等一切眾生不
應履踐及以汙穢何以故說法之處即是
制底當以香花繒綵幡蓋而為供養我等

BD01851號　金光明最勝王經卷四　（18–16）

供養亦令聽衆安隱快樂所住國土無諸怨
賊恐怖厄難飢饉之苦人民熾盛此說法處
道場之地一切諸天人非人等一切衆生不
應履踐及以汙穢何以故說法之處即是
制底當以香花繒綵幡蓋而爲供養我等
常爲守護令離衰損佛告大衆善男子汝
等應當精勤修習此妙經典是則正法久
住於世
金光明最勝王經卷第四
釈 善里 僕夫

BD01851 號　金光明最勝王經卷四　(18–17)

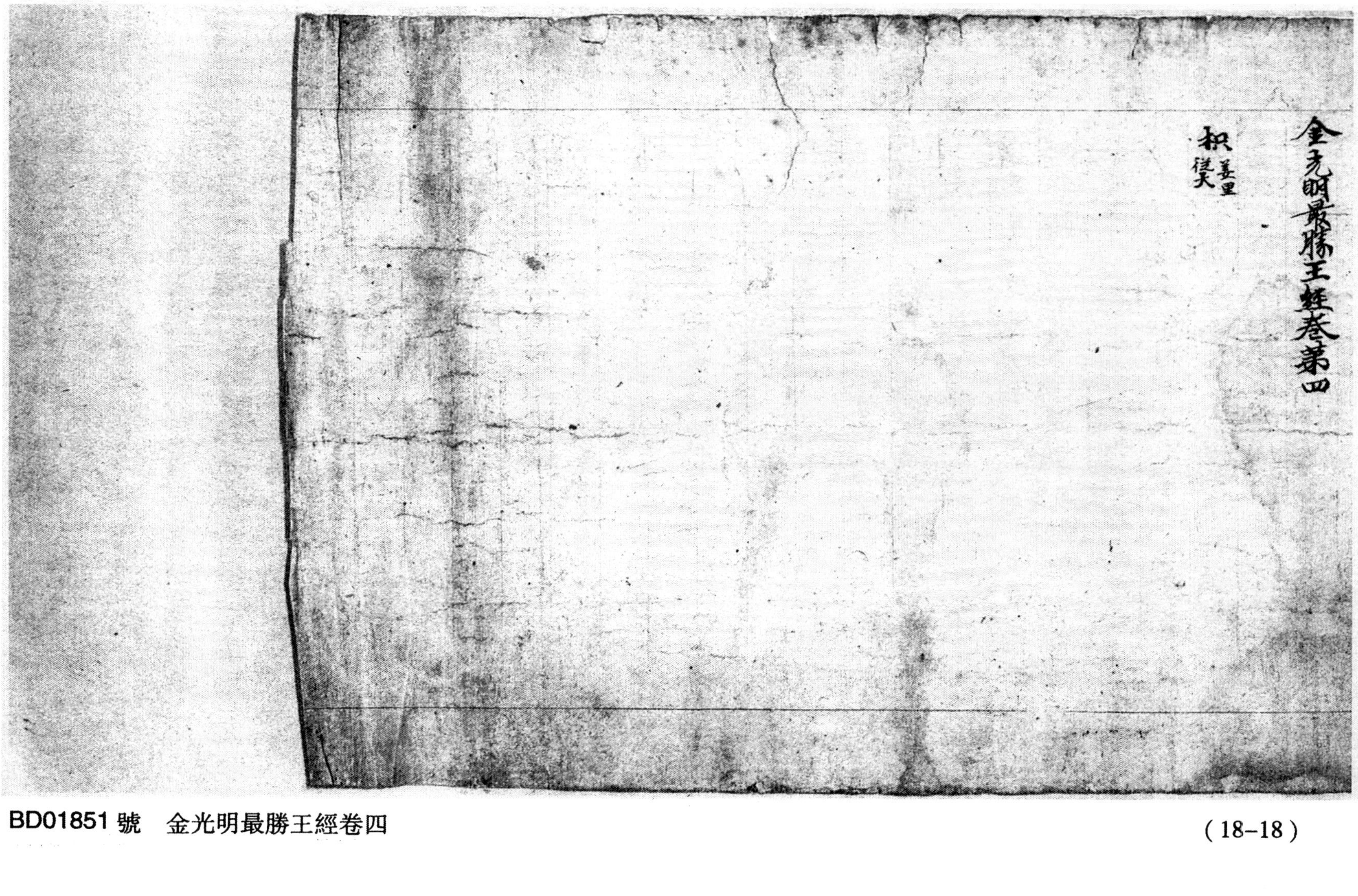
金光明最勝王經卷第四
釈 善里 僕夫

BD01851 號　金光明最勝王經卷四　(18–18)

菩薩應離一切相發阿耨多羅三藐三菩
心不應住色生心不應住聲香味觸法生心
應生无所住心若心有住則為非住是故佛說
菩薩心不應住色布施須菩提菩薩為利
益一切衆生應如是布施如來說一切諸
即是非相又說一切衆生則非衆生須菩提
如來是真語者實語者如語者不誑語者不
異語者須菩提如來所得法此法无實无虛
菩提若菩薩心住於法而行布施如人入闇
則无所見若菩薩心不住法而行布施如
有目日光明照見種種色須菩提當來之
若有善男子善女人能於此經受持讀誦則
為如來以佛智慧悉知是人悉見是人皆得
成就无量无邊功德
須菩提若有善男子善女人初日分以恒
沙等身布施中日分復以恒河沙等身布
後日分亦以恒河沙等身布施如是无量百
千萬億劫以身布施若復有人聞此經典信
心不逆其福勝彼何況書寫受持讀誦為
解說須菩提以要言之是經有不可思議
可稱量无邊功德如來為發大乘者說
發最上乘者說若有人能受持讀誦廣為

BD01852 號　金剛般若波羅蜜經　（9–1）

沙等身布施中日分復以恒河沙等身布
後日分亦以恒河沙等身布施如是无量百
千萬億劫以身布施若復有人聞此經典信
心不逆其福勝彼何況書寫受持讀誦為
解說須菩提以要言之是經有不可思議
可稱量无邊功德如來為發大乘者說
發最上乘者說若有人能受持讀誦廣為
說如來悉知是人悉見是人皆得成就不可
不可稱无有邊不可思議功德如是人等則
為荷擔如來阿耨多羅三藐三菩提何以
須菩提若樂小法者著我見人見衆生見
者見則於此經不能聽受讀誦為人解說
菩提在在處處若有此經一切世間天人阿
脩羅所應供養當知此處則為是塔皆應
敬作禮圍繞以諸華香而散其處
復次須菩提善男子善女人受持讀誦此
若為人輕賤是人先世罪業應墮惡道以今
人輕賤故先世罪業則為消滅當得阿耨
羅三藐三菩提須菩提我念過去无量阿
祇劫於然燈佛前得值八百四千萬億那
他諸佛悉皆供養承事无空過者若復
人於後末世能受持讀誦此經所得功德於
我所供養諸佛功德百分不及一千萬億
乃至筭數譬喻所不能及須菩提若善男
善女人於後末世有受持讀誦此經所得
德我若具說者或有人聞心則狂亂狐疑

BD01852 號　金剛般若波羅蜜經　（9–2）

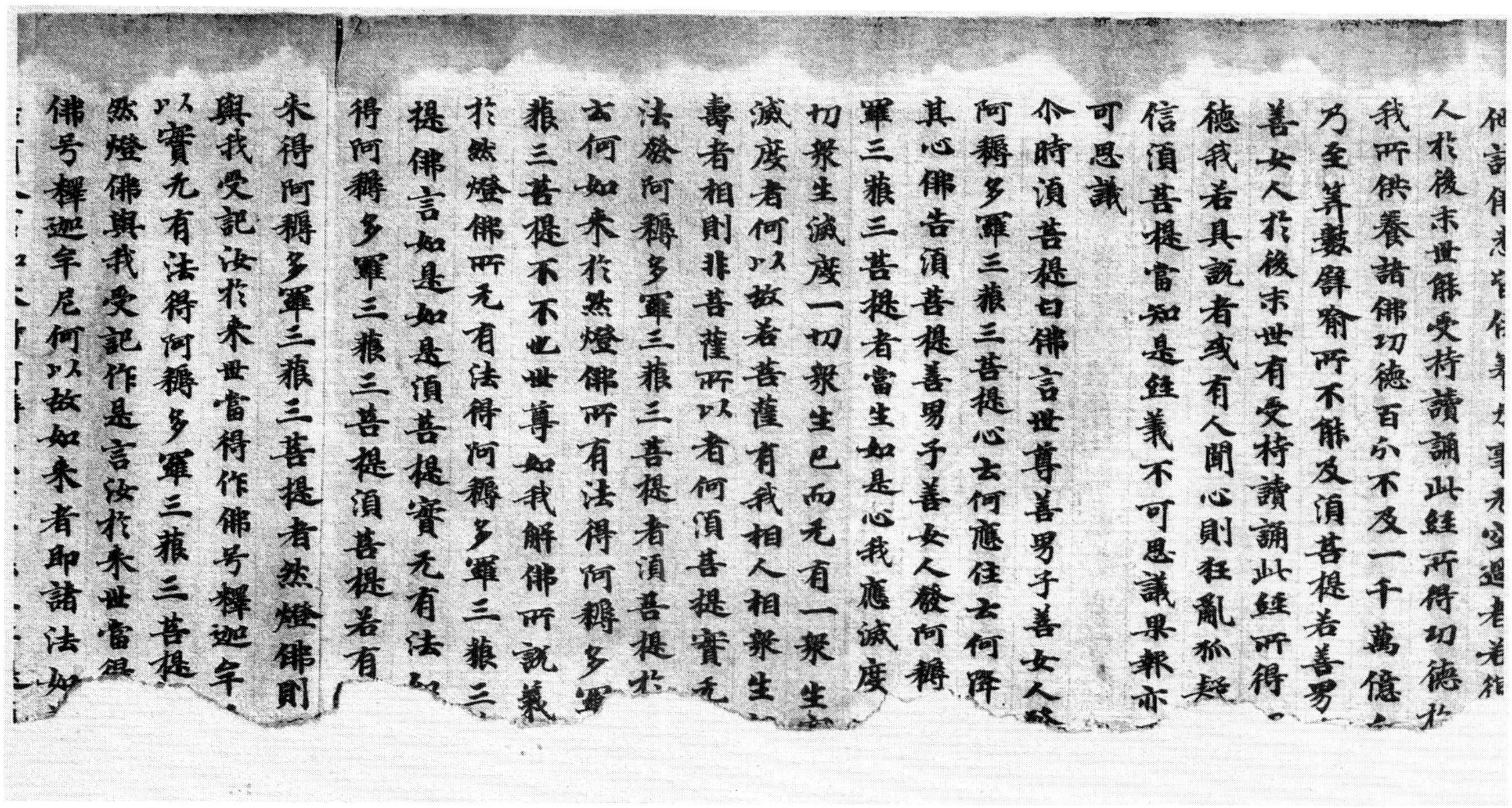
他諸佛悉皆供養承事无空過者若復
人於後末世能受持讀誦此經所得功德於
我所供養諸佛功德百分不及一千萬億
乃至筭數譬喻所不能及須菩提若善男
善女人於後末世有受持讀誦此經所得
德我若具說者或有人聞心則狂亂狐疑
信須菩提當知是經義不可思議果報亦
可思議
尒時須菩提白佛言世尊善男子善女人發
阿耨多羅三藐三菩提心云何應住云何降
其心佛告須菩提善男子善女人發阿耨
羅三藐三菩提者當生如是心我應滅度
切衆生滅度一切衆生已而无有一衆生
滅度者何以故若菩薩有我相人相衆生
壽者相則非菩薩所以者何須菩提實无
法發阿耨多羅三藐三菩提者須菩提於
云何如來於然燈佛所有法得阿耨多羅
藐三菩提不不也世尊如我解佛所說義
於然燈佛所无有法得阿耨多羅三藐三
提佛言如是如是須菩提實无有法
得阿耨多羅三藐三菩提須菩提若有
來得阿耨多羅三藐三菩提者然燈佛則
與我受記汝於來世當得作佛号釋迦牟
以實无有法得阿耨多羅三藐三菩提
然燈佛與我受記作是言汝於來世當得
佛号釋迦牟尼何以故如來者即諸法如

BD01852號　金剛般若波羅蜜經　（9–3）

來得阿耨多羅三藐三菩提者然燈佛則
與我受記汝於來世當得作佛号釋迦牟
以實无有法得阿耨多羅三藐三菩提
然燈佛與我受記作是言汝於來世當得
佛号釋迦牟尼何以故如來者即諸法如
若有人言如來得阿耨多羅三藐三菩提
菩提實无有法佛得阿耨多羅三藐三
須菩提如來所得阿耨多羅三藐三菩
是中无實无虛是故如來說一切法皆
法須菩提所言一切法者即非一切法是故
一切法須菩提譬如人身長大須菩提
世尊如來說人身長大則為非大身是
身須菩提菩薩亦如是若作是言我當
无量衆生則不名菩薩何以故須菩提
有法名為菩薩是故佛說一切法无我无
无衆生无壽者須菩提若菩薩作是言
當莊嚴佛土是不名菩薩何以故如來
嚴佛土者即非莊嚴是名莊嚴須菩提
薩通達无我法者如來說名真是菩薩
須菩提於意云何如來有肉眼不如是世
如來有肉眼須菩提於意云何如來有
不如是世尊如來有天眼須菩提於意
如來有慧眼不如是世尊如來有慧眼
提於意云何如來有法眼不如是世尊如
有法眼須菩提於意云何如來有佛眼
是世尊如來有佛眼須菩提於意云何

BD01852號　金剛般若波羅蜜經　（9–4）

如來有肉眼須菩提於意云何如來有
不如是世尊如來有天眼須菩提於意
如來有慧眼不如是世尊如來有慧眼
提於意云何如來有法眼不如是世尊如
有法眼須菩提於意云何如來有佛眼不
是世尊如來有佛眼須菩提於意云何
中所有沙佛說是沙不如是世尊如來
沙須菩提於意云何如一恒河中所有沙
如是等恒河是諸恒河所有沙數佛世
寧為多不甚多世尊佛告須菩提尒
土中所有眾生若干種心如來悉知何以
如來說諸心皆為非心是名為心所以
須菩提過去心不可得現在心不可得
心不可得須菩提於意云何若有人滿
大千世界七寶以用布施是人以是因
福多不如是世尊此人以是因緣得福
須菩提若福德有實如來不說得福
福德无故如來說得福德多
須菩提於意云何佛可以具足色身見
也世尊如來不應以具足色身見何以故
說具足色身即非具足色身是名具足
菩提於意云何如來可以具足諸相見
也世尊如來不應以具足諸相見何以
來說諸相具足即非具足是名諸相具
菩提汝勿謂如來作是念我當有所
作是念何以故若人言如來有所說

說具足色身即非具足色身是名具足
菩提於意云何如來可以具足諸相見
也世尊如來不應以具足諸相見何以
來說諸相具足即非具足是名諸相具
菩提汝勿謂如來作是念我當有所
作是念何以故若人言如來有所說法
謗佛不能解我所說故須菩提說法者
可說是名說法須菩提白佛言世尊佛
耨多羅三藐三菩提為无所得耶如是
須菩提我於阿耨多羅三藐三菩提
有少法可得是名阿耨多羅三藐三菩
次須菩提是法平等无有高下是名阿
羅三藐三菩提以无我无人无眾生无
脩一切善法則得阿耨多羅三藐三菩
菩提所言善法者如來說非善法是
須菩提若三千大千世界中所有諸須
王如是等七寶聚有人持用布施若人
般若波羅蜜經乃至四句偈等受持讀
他人說於前福德百分不及一百千萬
乃至筭數譬喻所不能及
須菩提於意云何汝等勿謂如來作是
當度眾生須菩提莫作是念何以故實
眾生如來度者若有眾生如來度者
有我人眾生壽者須菩提如來說有我
非有我而凡夫之人以為有我須菩提
者如來說則非凡夫須菩提於意云

當度衆生須菩提莫作是念何以故
衆生如來度者若有衆生如來度者
有我人衆生壽者須菩提如來說有我
非有我而凡夫之人以爲有我須菩提
者如來說則非凡夫須菩提於意云
三十二相觀如來不須菩提言如是
三十二相觀如來佛言須菩提若以三
相觀如來者轉輪聖王則是如來須菩
佛言世尊如我解佛所說義不應以
相觀如來尒時世尊而說偈言
若以色見我　以音聲求我　是人行邪道　不能
須菩提汝若作是念如來不以具足相
阿耨多羅三藐三菩提須菩提莫作
來不以具足相故得阿耨多羅三藐三
須菩提汝若作是念發阿耨多羅三藐
提者說諸法斷滅相莫作是念何以故
耨多羅三藐三菩提者於法不說斷滅
菩提若菩薩以滿恒河沙等世界七寶
若復有人知一切法无我得成於忍此
勝前菩薩所得功德須菩提以諸菩
福德故須菩提白佛言世尊云何菩
福德須菩提菩薩所作福德不應貪
說不受福德須菩提若有人言如來若
去若坐若卧是人不解我所說義何
來者无所從來亦无所去故名如來
須菩提若善男子善女人以三千大

BD01852號　金剛般若波羅蜜經　（9–7）

勝前菩薩所得功德須菩提以諸菩
福德故須菩提白佛言世尊云何菩
福德須菩提菩薩所作福德不應貪
說不受福德須菩提若有人言如來若
去若坐若卧是人不解我所說義何
來者无所從來亦无所去故名如來
須菩提若善男子善女人以三千大
碎爲微塵於意云何是微塵衆寧爲
多世尊何以故若是微塵衆實有者
說是微塵衆所以者何佛說微塵衆則
塵衆是名微塵衆世尊如來所說三
世界則非世界是名世界何以故若世
有者則是一合相如來說一合相則
相是名一合相須菩提一合相者則
說但凡夫之人貪著其事須菩提若
說我見人見衆生見壽者見須菩提
云何是人解我所說義不世尊是人不
所說義何以故世尊說我見人見衆生
者見即非我見人見衆生見壽者見
見人見衆生見壽者見須菩提發
三藐三菩提心者於一切法應如是
見如是信解不生法相須菩提所言
如來說即非法相是名法相須菩提
以滿无量阿僧祇世界七寶持用
善男子善女人發菩薩心者持於
四句偈等受持讀誦爲人演說其

BD01852號　金剛般若波羅蜜經　（9–8）

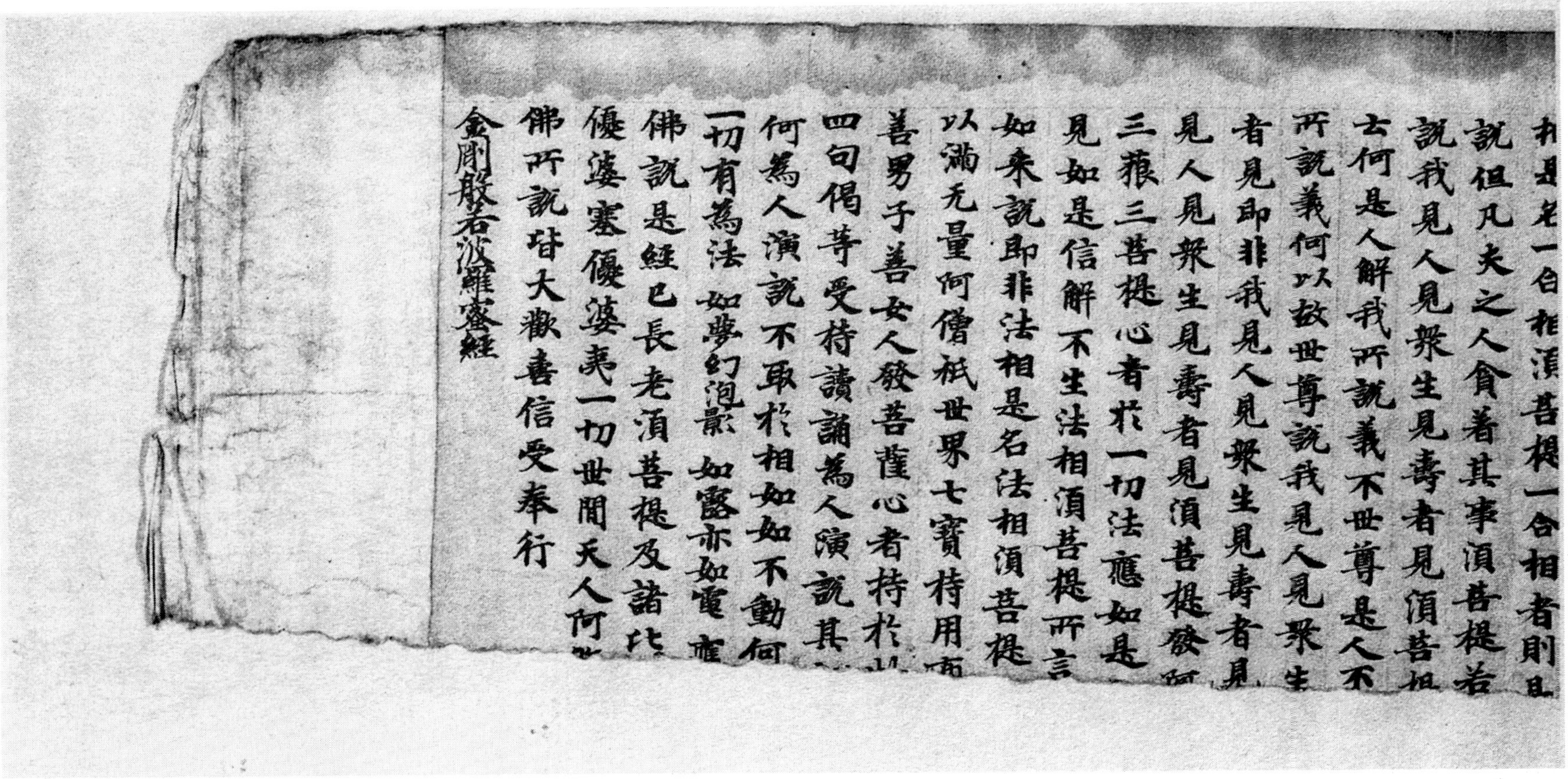

相是名一合相須菩提一合相者則是
說但凡夫之人貪著其事須菩提若
說我見人見衆生見壽者見須菩提
云何是人解我所說義不世尊是人不
所說義何以故世尊說我見人見衆生
者見即非我見人見衆生見壽者見
見人見衆生見壽者見須菩提發阿
三藐三菩提心者於一切法應如是
如來說即非法相是名法相須菩提
見如是信解不生法相須菩提所言
以滿无量阿僧祇世界七寶持用布
善男子善女人發菩薩心者持於此
四句偈等受持讀誦為人演說其
何為人演說不取於相如如不動何
一切有為法　如夢幻泡影　如露亦如電
佛說是經已長老須菩提及諸比
優婆塞優婆夷一切世間天人阿
佛所說皆大歡喜信受奉行
金剛般若波羅蜜經

BD01852 號　金剛般若波羅蜜經　（9–9）

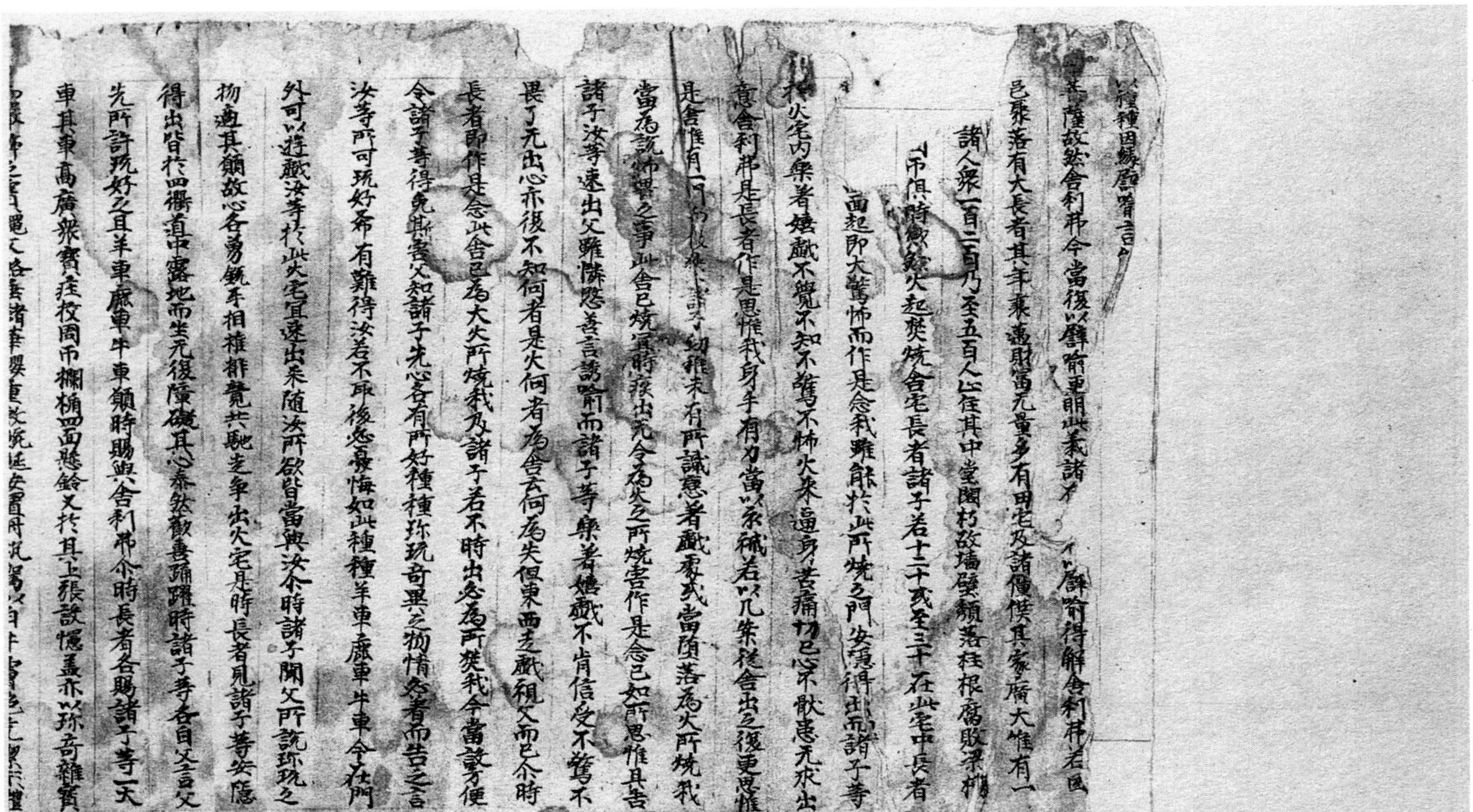

以種種因緣譬喻言
菩薩故然舍利弗今當復以譬喻更明此義諸有
智者以譬喻得解舍利弗若國
邑聚落有大長者其年衰邁財富无量多有田宅及諸僮僕其家廣大唯有一
門多諸人衆一百二百乃至五百人止住其中堂閣朽故墻壁頹落柱根腐敗梁棟
傾危周帀俱時欻然火起焚燒舍宅長者諸子若十二十或至三十在此宅中長者
見是大火從四面起即大驚怖而作是念我雖能於此所燒之門安隱得出而諸子等
於火宅內樂著嬉戲不覺不知不驚不怖火來逼身苦痛切己心不厭患无求出
意舍利弗是長者作是思惟我身手有力當以衣裓若以几案從舍出之復更思惟
是舍唯有一門而復狹小諸子幼稚未有所識戀著戲處或當墮落為火所燒我
當為說怖畏之事此舍已燒宜時疾出无令為火之所燒害作是念已如所思惟具告
諸子汝等速出父雖憐愍善言誘喻而諸子等樂著嬉戲不肯信受不驚不
畏了无出心亦復不知何者是火何者為舍云何為失但東西走戲視父而已尒時
長者即作是念此舍已為大火所燒我及諸子若不時出必為所焚我今當設方便
令諸子等得免斯害父知諸子先心各有所好種種珍玩奇異之物情必樂著而告之言
汝等所可玩好希有難得汝若不取後必憂悔如此種種羊車鹿車牛車今在門
外可以遊戲汝等於此火宅宜速出來隨汝所欲皆當與汝尒時諸子聞父所說珍玩之
物適其願故心各勇銳互相推排競共馳走爭出火宅是時長者見諸子等安隱
得出皆於四衢道中露地而坐无復障礙其心泰然歡喜踊躍時諸子等各白父言父
先所許玩好之具羊車鹿車牛車願時賜與舍利弗尒時長者各賜諸子等一大
車其車高廣衆寶莊校周帀欄楯四面懸鈴又於其上張設幰蓋亦以珍奇雜寶
而嚴飾之寶繩交絡垂諸華纓重敷綩綖安置丹枕駕以白牛

BD01853 號　妙法蓮華經卷二　（12–1）

令諸子等得免斯害父知諸子先心各有所好種種珍玩奇異之物情必樂著而告之言
汝等所可玩好希有難得汝若不取後必憂悔如此種種羊車鹿車牛車今在門
外可以遊戲汝等於此火宅宜速出來隨汝所欲皆當與汝尒時諸子聞父所說珍玩之
物適其願故心各勇銳互相推排競共馳走爭出火宅是時長者見諸子等安隱
得出皆於四衢道中露地而坐无復障礙其心泰然歡喜踊躍時諸子等各白父言父
先所許玩好之具羊車鹿車牛車願時賜與舍利弗尒時長者各賜諸子等一大
車其車高廣衆寶莊校周帀欄楯四面懸鈴又於其上張設幰蓋亦以珍奇雜寶
而嚴飾之寶繩絞絡垂諸華瓔重敷綩綖安置丹枕駕以白牛膚色充潔形體
姝好有大筋力行步平正其疾如風又多僕從而侍衛之所以者何是大長者財富无量
種種諸藏悉皆充溢而作是念我財物无極不應以下劣小車與諸子等今此幼童
皆是吾子愛无偏黨我有如是七寶大車其數无量應當等心各各與之不宜差別
所以者何以我此物周給一國猶尚不匱何況諸子是時諸子各乘大車得未曾有非
本所望舍利弗於汝意云何是長者等與諸子珍寶大車寧有虛妄不舍利弗
言不也世尊是長者但令諸子得免火難全其軀命非為虛妄何以故若全身
命便為已得玩好之具況復方便於彼火宅而拔濟之世尊若是長者乃至不與最
小一車猶不虛妄何以故是長者先作是意我以方便令子得出以是因緣无虛妄
也何況長者自知財富无量欲饒益諸子等與大車佛告舍利弗善哉善哉如汝
所言舍利弗如來亦復如是則為一切世間之父於諸怖畏衰惱憂患无明暗蔽永盡
无餘而悉成就无量知見力无所畏有大神力及智慧力具足方便智慧波羅蜜大慈大
悲常无懈惓恒求善事利益一切而生三界朽故火宅為度衆生生老病死憂悲苦惱
愚癡暗蔽三毒之火教化令得阿耨多羅三藐三菩提見諸衆生為生老病死憂悲
苦惱之所燒煮亦以五欲財利故受種種苦又以貪著追求故現受衆苦後受地獄畜
生餓鬼之苦若生天上及在人間貧窮困苦愛別離苦怨憎會苦如是等種種諸苦
衆生沒在其中歡喜遊戲不覺不知不驚不怖亦不生猒不求解脫於此三界火
宅東西馳走雖遭大苦不以為患舍利弗佛見此已便作是念我為衆生之父應拔其

BD01853號　妙法蓮華經卷二

（12–2）

愚癡暗蔽三毒之火教化令得阿耨多羅三藐三菩提見諸衆生為生老病死憂悲
苦惱之所燒煮亦以五欲財利故受種種苦又以貪著追求故現受衆苦後受地獄畜
生餓鬼之苦若生天上及在人間貧窮困苦愛別離苦怨憎會苦如是等種種諸苦
衆生沒在其中歡喜遊戲不覺不知不驚不怖亦不生猒不求解脫於此三界火
宅東西馳走雖遭大苦不以為患舍利弗佛見此已便作是念我為衆生之父應拔其
苦難與无量无邊佛智慧樂令其遊戲舍利弗如來復作是念若我但以神力及智
慧力捨於方便為諸衆生讚如來知見力无所畏者衆生不能以是得度所以者
是諸衆生未免生老病死憂悲苦惱而為三界火宅所燒何由能解佛之智慧舍利
弗如彼長者雖復身手有力而不用之但以慇懃方便勉濟諸子火宅之難然
後各與珍寶大車如來亦復如是雖有力无所畏而不用之但以智慧方便於
三界火宅拔濟衆生為說三乘聲聞辟支佛佛乘而作是言汝等莫得樂住三
界火宅勿貪麁弊色聲香味觸也若貪著生愛則為所燒汝等速出三界
當得三乘聲聞辟支佛佛乘我今為汝保任此事終不虛也汝等但當勤脩
精進如來以是方便誘進衆生復作是言汝等當知此三乘法皆是聖所稱歎
自在无繫无所依求乘是三乘以无漏根力覺道禪定解脫三昧等而自
娛樂便得无量安隱快樂舍利弗若有衆生內有智性從佛世尊聞法信
受慇懃精進欲速出三界自求涅槃是名聲聞乘如彼諸子為求羊車出於火
宅若有衆生從佛世尊聞法信受慇懃精進求自然慧樂獨善寂深知諸
法因緣是名辟支佛乘如彼諸子為求鹿車出於火宅若有衆生從佛世
尊聞法信受勤脩精進求一切智佛智自然智无師智如來知見力无所畏愍念
安樂无量衆生利益人天度脫一切是名大乘菩薩求此乘故名為摩訶薩
如彼諸子為求牛車出於火宅舍利弗如彼長者見諸子等安隱得出火宅
到无畏處自惟財富无量等以大車而賜諸子如來亦復如是為一切衆生之
父若見无量億千衆生以佛教門出三界苦怖畏險道得涅槃樂如來尒時
便作是念我有无量无邊智慧力无畏等諸佛法藏是諸衆生皆是我子
等與大乘不令有人獨得滅度皆以如來滅度而滅度之是諸衆生脫三界

BD01853號　妙法蓮華經卷二

（12–3）

安樂无量衆生利益人天度脫一切是名大乘菩薩求此乘故名為摩訶薩
如彼諸子為求牛車出於火宅舍利弗如彼長者見諸子等安隱得出火宅
到无畏處自惟財富无量等以大車而賜諸子如來亦復如是為一切衆生之
父若見无量億千衆生以佛教門出三界苦怖畏險道得涅槃樂如來爾時
便作是念我有无量无邊智慧力无畏等諸佛法藏是諸衆生皆是我子
等與大乘不令有人獨得滅度皆以如來滅度而滅度之是諸衆生脫三界
者悉與諸佛禪定解脫等娛樂之具皆是一相一種聖所稱歎能生淨妙第一之
樂舍利弗如彼長者初以三車誘引諸子然後但以與大車寶物莊嚴安隱第
一然彼長者无虛妄之咎如來亦復如是无有虛妄初說三乘引導衆生然
後但以大乘而度脫之何以故如來有无量智力无所畏諸法之藏能與一切衆
生大乘之法但不盡能受舍利弗以是因緣當知諸佛方便力故於一佛乘分
別說三佛欲重宣此義而說偈言
譬如長者 有一大宅 其宅久故 而復頓弊 堂舍高危 柱根摧朽 梁棟傾斜
基陛頹毀 墻壁圮坼 泥塗褫落 覆苫亂墜 椽梠差脫 周障屈曲 雜穢充遍
有五百人 止住其中 鵄梟鵰鷲 烏鵲鳩鴿 蚖蛇蝮蠍 蜈蚣蚰蜒 守宮百足
狖狸鼷鼠 諸惡蟲輩 交橫馳走 屎尿臭處 不淨流溢 蜣蜋諸蟲 而集其上
狐狼野干 咀嚼踐蹋 嚌齧死屍 骨肉狼藉 由是群狗 競來搏撮 飢羸慞惶
處處求食 鬪諍摣掣 啀喍嗥吠 其舍恐怖 變狀如是 處處皆有 魑魅魍魎
夜叉惡鬼 食噉人肉 毒蟲之屬 諸惡禽獸 孚乳產生 各自藏護 夜叉競來
爭取食之 食之既飽 惡心轉熾 鬪諍之聲 甚可怖畏 鳩槃荼鬼 蹲踞土埵
或時離地 一尺二尺 往返遊行 縱逸嬉戲 捉狗兩足 撲令失聲 以腳加頸
怖狗自樂 復有諸鬼 其身長大 裸形黑瘦 常住其中 發大惡聲 叫呼求食
復有諸鬼 其咽如針 復有諸鬼 首如牛頭 或食人肉 或復噉狗 頭髮蓬亂
殘害兇險 飢渴所逼 叫喚馳走 夜叉餓鬼 諸惡鳥獸 飢急四向 窺看窗牖
如是諸難 恐畏无量 是朽故宅 屬于一人 其人近出 未久之間 於後舍宅
欻然火起 四面一時 其焰俱熾 棟梁椽柱 爆聲震裂 摧折墮落 墻壁崩倒

BD01853號　妙法蓮華經卷二　（12–4）

怖狗自樂 復有諸鬼 其身長大 裸形黑瘦 常住其中 發大惡聲 叫呼求食
復有諸鬼 其咽如針 復有諸鬼 首如牛頭 或食人肉 或復噉狗 頭髮蓬亂
殘害兇險 飢渴所逼 叫喚馳走 夜叉餓鬼 諸惡鳥獸 飢急四向 窺看窗牖
如是諸難 恐畏无量 是朽故宅 屬于一人 其人近出 未久之間 於後舍宅
欻然火起 四面一時 其焰俱熾 棟梁椽柱 爆聲震裂 摧折墮落 墻壁崩倒
諸鬼神等 揚聲大叫 鵰鷲諸鳥 鳩槃荼等 周慞惶怖 不能自出 惡獸毒蟲
藏竄孔穴 毗舍闍鬼 亦住其中 薄福德故 為火所逼 共相殘害 飲血噉肉
野干之屬 並已前死 諸大惡獸 競來食噉 臭煙烽㶿 四面充塞 蜈蚣蚰蜒
毒蛇之類 為火所燒 爭走出穴 鳩槃荼鬼 隨取而食 又諸餓鬼 頭上火然
飢渴熱惱 周慞悶走 其宅如是 甚可怖畏 毒害火災 衆難非一 是時宅主
在門外立 聞有人言 汝諸子等 先因遊戲 來入此宅 稚小无知 歡娛樂著
長者聞已 驚入火宅 方宜救濟 令无燒害 告喻諸子 說衆患難 惡[illegible] 毒蟲
災火蔓莚 衆苦次第 相續不絕 毒蛇蚖蝮 及諸夜叉 鳩槃荼鬼 野干狐狗
鵰鷲鵄梟 百足之屬 飢渴惱急 甚可怖畏 此苦難處 況復大火 諸子无知
雖聞父誨 猶故樂著 嬉戲不已 是時長者 而作是念 諸子如此 益我愁惱
今此舍宅 无一可樂 而諸子等 耽湎嬉戲 不受我教 將為火害 即便思惟
設諸方便 告諸子等 我有種種 珍玩之具 妙寶好車 羊車鹿車 大牛之車
今在門外 汝等出來 吾為汝等 造作此車 隨意所樂 可以遊戲 諸子聞說
如此諸車 即時奔競 馳走而出 到於空地 離諸苦難 長者見子 得出火宅
住於四衢 坐師子座 而自慶言 我今快樂 此諸子等 生育甚難 愚小无知
而入險宅 多諸毒蟲 魑魅可畏 大火猛焰 四面俱起 而此諸子 貪著嬉戲
我已救之 令得脫難 是故諸人 我今快樂 爾時諸子 知父安坐 皆詣父所
而白父言 願賜我等 三種寶車 如前所許 諸子出來 當以三車 隨汝所欲
今正是時 唯垂給與 長者大富 庫藏衆多 金銀琉璃 車璖馬瑙 以衆寶物
造諸大車 莊校嚴飾 周帀欄楯 四面懸鈴 金繩交絡 真珠羅網 張施其上
金華諸瓔 處處垂下 衆綵雜飾 周帀圍遶 柔軟繒纊 以為茵蓐 上妙細緤

BD01853號　妙法蓮華經卷二　（12–5）

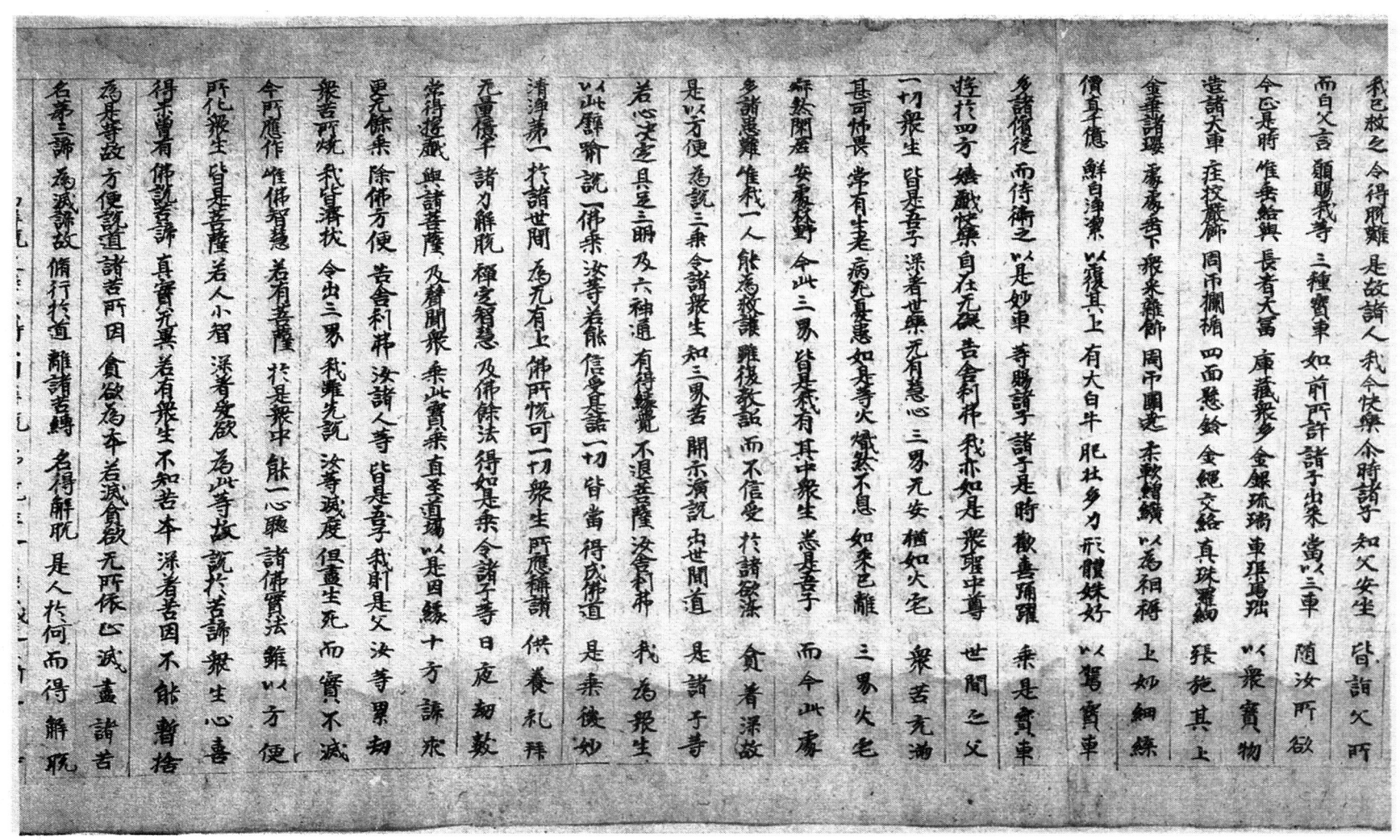

我已救之　令得脫難　是故諸人　我今快樂　爾時諸子　知父安坐　皆詣父所
而白父言　願賜我等　三種寶車　如前所許　諸子出來　當以三車　隨汝所欲
今正是時　唯垂給與　長者大富　庫藏眾多　金銀琉璃　車璩馬瑙　以眾寶物
造諸大車　莊校嚴飾　周帀欄楯　四面懸鈴　金繩交絡　真珠羅網　張施其上
金華諸瓔　處處垂下　眾綵雜飾　周帀圍遶　柔軟繒纊　以為茵蓐　上妙細疊
價直千億　鮮白淨潔　以覆其上　有大白牛　肥壯多力　形體姝好　以駕寶車
多諸儐從　而侍衛之　以是妙車　等賜諸子　諸子是時　歡喜踊躍　乘是寶車
遊於四方　嬉戲快樂　自在无礙　告舍利弗　我亦如是　眾聖中尊　世間之父
一切眾生　皆是吾子　深著世樂　无有慧心　三界无安　猶如火宅　眾苦充滿
甚可怖畏　常有生老　病死憂患　如是等火　熾然不息　如來已離　三界火宅
寂然閑居　安處林野　今此三界　皆是我有　其中眾生　悉是吾子　而今此處
多諸患難　唯我一人　能為救護　雖復教詔　而不信受　於諸欲染　貪著深故
是以方便　為說三乘　令諸眾生　知三界苦　開示演說　出世間道　是諸子等
若心決定　具足三明　及六神通　有得緣覺　不退菩薩　汝舍利弗　我為眾生
以此譬喻　說一佛乘　汝等若能　信受是語　一切皆當　得成佛道　是乘微妙
清淨第一　於諸世間　為无有上　佛所悅可　一切眾生　所應稱讚　供養禮拜
无量億千　諸力解脫　禪定智慧　及佛餘法　得如是乘　令諸子等　日夜劫數
常得遊戲　與諸菩薩　及聲聞眾　乘此寶乘　直至道場　以是因緣　十方諦求
更无餘乘　除佛方便　告舍利弗　汝諸人等　皆是吾子　我則是父　汝等累劫
眾苦所燒　我皆濟拔　令出三界　我雖先說　汝等滅度　但盡生死　而實不滅
今所應作　唯佛智慧　若有菩薩　於是眾中　能一心聽　諸佛實法　雖以方便
所化眾生　皆是菩薩　若人小智　深著愛欲　為此等故　說於苦諦　眾生心喜
得未曾有　佛說苦諦　真實无異　若有眾生　不知苦本　深著苦因　不能暫捨
為是等故　方便說道　諸苦所因　貪欲為本　若滅貪欲　无所依止　滅盡諸苦
名第三諦　為滅諦故　脩行於道　離諸苦縛　名得解脫　是人於何　而得解脫

BD01853號　妙法蓮華經卷二　（12–6）

所化眾生　皆是菩薩　若人小智　深著愛欲　為此等故　說於苦諦　眾生心喜
得未曾有　佛說苦諦　真實无異　若有眾生　不知苦本　深著苦因　不能暫捨
為是等故　方便說道　諸苦所因　貪欲為本　若滅貪欲　无所依止　滅盡諸苦
名第三諦　為滅諦故　脩行於道　離諸苦縛　名得解脫　是人於何　而得解脫
但離虛妄　名為解脫　其實未得　一切解脫　佛說是人　未實滅度　斯人未得
无上道故　我意不欲　令至滅度　我為法王　於法自在　安隱眾生　故現於世
汝舍利弗　我此法印　為欲利益　世間故說　在所遊方　勿妄宣傳　若有聞者
隨喜頂受　當知是人　阿鞞跋致　若有信受　此經法者　是人已曾　見過去佛
恭敬供養　亦聞是法　若人有能　信汝所說　則為見我　亦見於汝　及比丘僧
并諸菩薩　斯法華經　為深智說　淺識聞之　迷惑不解　一切聲聞　及辟支佛
於此經中　力所不及　汝舍利弗　尚於此經　以信得入　況餘聲聞　其餘聲聞
信佛語故　隨順此經　非己智分　又舍利弗　憍慢懈怠　計我見者　莫說此經
凡夫淺識　深著五欲　聞不能解　亦勿為說　若人不信　毀謗此經　則斷一切
世間佛種　或復顰蹙　而懷疑惑　汝當聽說　此人罪報　若佛在世　若滅度後
其有誹謗　如斯經典　見有讀誦　書持經者　輕賤憎嫉　而懷結恨　此人罪報
汝今復聽　其人命終　入阿鼻獄　具足一劫　劫盡更生　如是展轉　至无數劫
從地獄出　當墮畜生　若狗野干　其形頰瘦　黧黮疥癩　人所觸嬈　又復為人
之所惡賤　常困飢渴　骨肉枯竭　生受楚毒　死被瓦石　斷佛種故　受斯罪報
若作駱駝　或生驢中　身常負重　加諸杖捶　但念水草　餘无所知　謗斯經故
獲罪如是　有作野干　來入聚落　身體疥癩　又无一目　為諸童子　之所打擲
受諸苦痛　或時致死　於此死已　更受蟒身　其形長大　五百由旬　聾騃无足
宛轉腹行　為諸小虫　之所唼食　晝夜受苦　无有休息　謗斯經故　獲罪如是
若得為人　諸根闇鈍　矬陋攣躄　盲聾背傴　有所言說　人不信受　口氣常臭
鬼魅所著　貧窮下賤　為人所使　多病痟瘦　无所依怙　雖親附人　人不在意

BD01853號　妙法蓮華經卷二　（12–7）

受諸苦痛或時致死於此死已更受蟒身其形長大五百由旬聾騃无足
宛轉腹行為諸小虫之所唼食晝夜受苦无有休息謗斯經故獲罪如是
若得為人諸根闇鈍矬陋攣躄盲聾背傴有所言說人不信受口氣常臭
鬼魅所著貧窮下賤為人所使多病痟瘦无所依怙雖親附人人不在意
若有所得尋復忘失若修醫道順方治病更增他疾或復致死若自有病
无人救療設服良藥而復增劇若他反逆抄劫竊盜如是等罪橫羅其殃
如斯罪人永不見佛眾聖之王說法教化如斯罪人常生難處狂聾心亂
永不聞法於无數劫如恒河沙生輒聾瘂諸根不具常處地獄如遊園觀
在餘惡道如己舍宅駝驢猪狗是其行處謗斯經故獲罪如是若得為人
聾盲瘖瘂貧窮諸衰以自莊嚴水腫乾痟疥癩癰疽如是等病以為衣服
身常臭處垢穢不淨深著我見增益瞋恚婬欲熾盛不擇禽獸謗斯經故
獲罪如是告舍利弗謗斯經者若說其罪窮劫不盡以是因緣我故語汝
无智人中莫說此經若有利根智慧明了多聞強識求佛道者如是之人
乃可為說若人曾見億百千佛殖諸善本深心堅固如是之人乃可為說
若人精進常修慈心不惜身命乃可為說若人恭敬无有異心離諸凡愚
獨處山澤如是之人乃可為說又舍利弗若見有人捨惡知識親近善友
如是之人乃可為說若見佛子持戒清潔如淨明珠求大乘經如是之人
乃可為說若人无瞋質直柔軟常愍一切恭敬諸佛如是之人乃可為說
復有佛子於大眾中以清淨心種種因緣譬喻言辭說法无礙如是之人
乃可為說若有比丘為一切智四方求法合掌頂受但樂受持大乘經典
乃至不受餘經一偈如是之人乃可為說如人至心求佛舍利如是求經
得已頂受其人不復志求餘經亦未曾念外道典籍如是之人乃可為說
告舍利弗我說是相求佛道者窮劫不盡如是等人則能信解汝當為說
妙法蓮華經
妙法蓮華經信解品第四
爾時慧命須菩提摩訶迦旃延摩訶迦葉摩訶目揵連從佛所聞未曾有法世尊

BD01853號　妙法蓮華經卷二　(12–8)

得已頂受其人不復志求餘經亦未曾念外道典籍如是之人乃可為說
告舍利弗我說是相求佛道者窮劫不盡如是等人則能信解汝當為說
妙法蓮華經
妙法蓮華經信解品第四
爾時慧命須菩提摩訶迦旃延摩訶迦葉摩訶目揵連從佛所聞未曾有法世尊
授舍利弗阿耨多羅三藐三菩提記發希有心歡喜踊躍即從座起整衣服偏
袒右肩右膝著地一心合掌曲躬恭敬瞻仰尊顏而白佛言我等居僧之首年並朽
邁自謂已得涅槃无所堪任不復進求阿耨多羅三藐三菩提世尊往昔說法既久
我時在座身體疲懈但念空无相无作於菩薩法遊戲神通淨佛國土成就眾生
心不喜樂所以者何世尊令我等出於三界得涅槃證又今我等年已朽邁於佛
教化菩薩阿耨多羅三藐三菩提不生一念好樂之心我等今於佛前聞授聲
聞阿耨多羅三藐三菩提記心甚歡喜得未曾有不謂於今忽然得聞希
有之法深自慶幸獲大善利无量珍寶不求自得世尊我等今者樂說譬
喻以明斯義譬若有人年既幼稚捨父逃逝久住他國或十二十至五十歲年
既長大加復窮困馳騁四方以求衣食漸漸遊行遇向本國其父先來求子不得
中止一城其家大富財寶无量金銀琉璃珊瑚虎珀頗梨珠等其諸倉庫悉皆
盈溢多有僮僕臣佐吏民象馬車乘牛羊无數出入息利乃遍他國商估賈
客亦甚眾多時貧窮子遊諸聚落經歷國邑遂到其父所止之城父每念子
與子離別五十餘年而未曾向人說如此事但自思惟心懷悔恨自念老朽多有財
物金銀珍寶倉庫盈溢无有子息一旦終沒財物散失无所委付是以慇懃每憶
其子復作是念我若得子委付財物坦然快樂无復憂慮世尊爾時窮子傭賃
展轉遇到父舍住立門側遙見其父踞師子床寶几承足諸婆羅門剎利居士皆恭敬
圍遶以真珠瓔珞價直千万莊嚴其身吏民僮僕手執白拂侍立左右覆以寶
帳垂諸華幡香水灑地散眾名華羅列寶物出內取與有如是等種種嚴
飾威德特尊窮子見父有大力勢即懷恐怖悔來至此竊作是念此或是王或是
王等非我傭力得物之處不如往至貧里肆力有地衣食易得若久住此或見
逼迫強使我作作是念已疾走而去時富長者於師子座見子便識心大歡喜即作

BD01853號　妙法蓮華經卷二　(12–9)

帳垂諸華幡香水灑地散衆名華羅列寶物出內取與有如是等種種嚴
飾威德特尊窮子見父有大力勢即懷恐怖悔來至此竊作是念此或是王或是
王等非我傭力得物之處不如往至貧里肆力有地衣食易得若久住此或見
逼迫強使我作作是念已疾走而去時富長者於師子座見子便識心大歡喜即作
是念我財物庫藏今有所付我常思念此子无由見之而忽自來甚適我願我
雖年朽猶故貪惜即遣傍人急追將還尒時使者疾走往捉窮子驚愕稱怨
大喚我不相犯何為見捉使者執之逾急強牽將還于時窮子自念无罪而被
囚執此必定死轉更惶怖悶絕躃地父遥見之而語使言不須此人勿強將來以冷水
灑面令得醒悟莫復與語所以者何父知其子志意下劣自知豪貴為子所難
審知是子而以方便不語他人云是我子使者語之我今放汝隨意所趣窮子歡
喜得未曾有從地而起往至貧里以求衣食尒時長者將欲誘引其子而設
方便密遣二人形色憔悴无威德者汝可詣彼徐語窮子此有作處倍與汝
直窮子若許將來使作若言欲何所作便可語之雇汝除糞我等二人亦共汝
作時二使人即求窮子既已得之具陳上事尒時窮子先取其價尋與除糞
其父見子愍而怪之又以他日於窓牖中遥見子身羸瘦憔悴糞土塵坌汙穢不淨
即脫瓔珞細軟上服嚴飾之具更著麁弊垢膩之衣塵土坌身右手執持除糞
之器狀有所畏語諸作人汝等勤作勿得懈息以方便故得近其子後復告言咄
男子汝常此作勿復餘去當加汝價諸有所須瓫器米麵鹽酢之屬莫自疑難
亦有老弊使人須者相給好自安意我如汝父勿復憂慮所以者何我年老大
而汝少壯汝常作時无有欺怠瞋恨怨言都不見汝有此諸惡如餘作人自今已
後如所生子即時長者更與作字名之為兒尒時窮子雖欣此遇猶故自謂客作
賤人由是故於二十年中常令除糞過是已後心相體信入出无難然其所止猶
在本處世尊尒時長者有疾自知將死不久語窮子言我今多有金銀珍寶倉
庫盈溢其中多少所應取與汝悉知之我心如是當體此意所以者何今我與汝
便為不異宜加用心无令漏失尒時窮子即受教勅領知衆物金銀珍寶及諸

BD01853號　妙法蓮華經卷二

(12-10)

後如所生子即時長者更與作字名之為兒尒時窮子雖欣此遇猶故自謂客作
賤人由是故於二十年中常令除糞過是已後心相體信入出无難然其所止猶
在本處世尊尒時長者有疾自知將死不久語窮子言我今多有金銀珍寶倉
庫盈溢其中多少所應取與汝悉知之我心如是當體此意所以者何今我與汝
便為不異宜加用心无令漏失尒時窮子即受教勅領知衆物金銀珍寶及諸
庫藏而无悕取一食之意然其所止故在本處下劣之心亦未能捨復經少時父
知子意漸已通泰成就大志自鄙先心臨欲終時而命其子并會親族國王大臣
剎利居士皆悉已集即自宣言諸君當知此是我子我之所生於某城中捨吾逃走
跉跰辛苦五十餘年其本字某我名某甲昔在本城懷憂推覓忽於此間遇
會得之此實我子我實其父今我所有一切財物皆是子有先所出內是子所
知世尊是時窮子聞父此言即大歡喜得未曾有而作是念我本无心有所悕
求今此寶藏自然而至世尊大富長者則是如來我等皆似佛子如來常說我
等為子世尊我等以三苦故於生死中受諸熱惱迷惑无知樂著小法今日世尊令
我等思惟蠲除諸法戲論之糞我等於中勤加精進得至涅槃一日之價既得
此已心大歡喜自以為足而便自謂於佛法中勤精進故所得弘多世尊先知我等心
著弊欲樂於小法便見縱捨不為分別汝等當有如來知見寶藏之分世尊以方
便力說如來智慧我等從佛得涅槃一日之價以為大得於此大乘无有志求我
等又因如來智慧為諸菩薩開示演說而自於此无有志願所以者何佛知我
等心樂小法以方便力隨我等說而我等不知真是佛子今我等方知世尊於佛智
慧无所悋惜所以者何我等昔來真是佛子而樂小法若我等有樂大之心
佛則為我說大乘法於此經中唯說一乘而昔於菩薩前毀呰聲聞樂小法者然
佛實以大乘教化是故我等說本无心有所悕求今法王大寶自然而至如佛子
所應得者皆已得之尒時摩訶迦葉欲重宣此義而說偈言
我等今日　聞佛音教　歡喜踊躍　得未曾有　佛說聲聞　當得作佛　无上寶聚
不求自得　譬如童子　幼稚无識　捨父逃逝　遠到他土　周流諸國　五十餘年
其父憂念　四方推求　求之既疲　頓止一城　造立舍宅　五欲自娛　其家巨富

BD01853號　妙法蓮華經卷二

(12-11)

佛實以大乘教化是故我等說本无心有所悕求今法王大寶自然而至如佛子
所應得者皆已得之尒時摩訶迦葉欲重宣此義而說偈言
我等今日 聞佛音教 歡喜踊躍 得未曾有 佛說聲聞 當得作佛 无上寶聚
不求自得 譬如童子 幼稚无識 捨父逃逝 遠到他土 周流諸國 五十餘年
其父憂念 四方推求 求之既疲 頓止一城 造立舍宅 五欲自娛 其家巨富
多諸金銀 車璖馬瑙 真珠琉璃 象馬牛羊 輦輿車乘 田業僮僕 人民衆多
出入息利 乃遍他國 商估賈人 无處不有 千万億衆 圍遶恭敬 常為王者
之所愛念 群臣豪族 皆共宗重 以諸緣故 往來者衆 豪富如是 有大力勢
而年朽邁 益憂念子 夙夜惟念 死時將至 癡子捨我 五十餘年 庫藏諸物
當如之何 尒時窮子 求索衣食 從邑至邑 從國至國 或有所得 或无所得
飢餓羸瘦 體生瘡癬 漸次經歷 到父住城 傭賃展轉 遂至父舍 尒時長者
於其門內 施大寶帳 處師子座 眷屬圍遶 諸人侍衛 或有計算 金銀寶物
出內財產 注記券疏 窮子見父 豪貴尊嚴 謂是國王 若是王等 驚怖自恠
何故至此 覆自念言 我若久住 或見逼迫 强驅使作 作是思惟 馳走而去
借問貧里 欲往傭作 長者是時 在師子座 遙見其子 嘿而識之 即勑使者
追捉將來 窮子驚喚 迷悶躃地 是人執我 必當見殺 何用衣食 使我至此
長者知子 愚癡狹劣 不信我言 不信是父 即以方便 更遣餘人 眇目矬陋
无威德者 汝可語之 云當相雇 除諸糞穢 倍與汝價 窮子聞之 歡喜隨來
為除糞穢 淨諸房舍 長者於牖 常見其子 念子愚劣 樂為鄙事 於是長者
著弊垢衣 執除糞器 往到子所 方便附近 語令勤作 既益汝價 并塗足油
飲食充足 薦席厚煖 如是苦言 汝當勤作 又以軟語 若如我子 長者有智
漸令入出 經二十年 執作家事 示其金銀 真珠頗梨 諸物出入 皆使令知
猶處門外 止宿草菴 自念貧事 我无此物 父知子心 漸已曠大 欲與財物
即聚親族 國王大臣 剎利居士 於此大衆 說是我子 捨我他行 經五十歲

BD01853 號　妙法蓮華經卷二　（12–12）

提言甚多世尊何以故是福德即非福德性
是故如來說福德多若復有人於此經中受
持乃至四句偈等為他人說其福勝彼何以
故須菩提一切諸佛及諸佛阿耨多羅三藐
三菩提法皆從此經出須菩提所謂佛法者
即非佛法
須菩提於意云何須陀洹能作是念我得須
陀洹果不須菩提言不也世尊何以故須陀
洹名為入流而无所入不入色聲香味觸法
是名須陀洹須菩提於意云何斯陀含能作
是念我得斯陀含果不須菩提言不也世尊
何以故斯陀含名一往來而實无往來是名
斯陀含須菩提於意云何阿那含能作是念
我得阿那含果不須菩提言不也世尊何以
故阿那含名為不來而實无來是故名阿那
含須菩提於意云何阿羅漢能作是念我得
阿羅漢道不須菩提言不也世尊何以故實
无有法名阿羅漢世尊若阿羅漢作是念我
得阿羅漢道即為著我人衆生壽者世尊佛
說我得无諍三昧人中最為第一是第一離
欲阿羅漢我不作是念我是離欲阿羅漢世

BD01854 號　金剛般若波羅蜜經　（13–1）

故阿那含名為不來而實无來是故名阿那
含須菩提於意云何阿羅漢能作是念我得
阿羅漢道不須菩提言不也世尊何以故實
无有法名阿羅漢世尊若阿羅漢作是念我
得阿羅漢道即為着我人衆生壽者世尊佛
說我得无諍三昧人中最為第一是第一離
欲阿羅漢我不作是念我是離欲阿羅漢世
尊我若作是念我得阿羅漢道世尊則不說
須菩提是樂阿蘭那行者以須菩提實无所
行而名須菩提是樂阿蘭那行
佛告須菩提於意云何如來昔在然燈佛所
於法有所得不世尊如來在然燈佛所於法
實无所得須菩提於意云何菩薩莊嚴佛土
不不也世尊何以故莊嚴佛土者則非莊嚴
是名莊嚴是故須菩提諸菩薩摩訶薩應如
是生清淨心不應住色生心不應住聲香味
觸法生心應无所住而生其心須菩提譬如
有人身如須弥山王於意云何是身為大不
須菩提言甚大世尊何以故佛說非身是名
大身須菩提如恒河中所有沙數如是沙等
恒河於意云何是諸恒河沙寧為多不須菩
提言甚多世尊但諸恒河尚多无數何況其
沙須菩提我今實言告汝若有善男子善女
人以七寶滿尒所恒河沙數三千大千世界
以用布施得福多不須菩提言甚多世尊佛

BD01854 號　金剛般若波羅蜜經　（13–2）

[illegible]
恒河於意云何是諸恒河沙寧為多不須菩
提言甚多世尊但諸恒河尚多无數何況其
沙須菩提我今實言告汝若有善男子善女
人以七寶滿尒所恒河沙數三千大千世界
以用布施得福多不須菩提言甚多世尊佛
告須菩提若善男子善女人於此經中乃至
受持四句偈等為他人說而此福德勝前福
德復次須菩提隨說是經乃至四句偈等當
知此處一切世間天人阿脩羅皆應供養如
佛塔廟何況有人盡能受持讀誦須菩提當
知是人成就最上第一希有之法若是經典
所在之處則為有佛若尊重弟子
尒時須菩提白佛言世尊當何名此經我等
云何奉持佛告須菩提是經名為金剛般若
波羅蜜以是名字汝當奉持所以者何須菩
提佛說般若波羅蜜則非般若波羅蜜須菩
提於意云何如來有所說法不須菩提白佛
言世尊如來无所說須菩提於意云何三千
大千世界所有微塵是為多不須菩提言甚
多世尊須菩提諸微塵如來說非微塵是名
微塵如來說世界非世界是名世界須菩提
於意云何可以三十二相見如來不不也世
尊不可以三十二相得見如來何以故如來
說三十二相即是非相是名三十二相須菩
提若有善男子善女人以恒河沙等身命布

BD01854 號　金剛般若波羅蜜經　（13–3）

於意云何可以三十二相見如来不不也世
尊不可以三十二相得見如来何以故如来
說三十二相即是非相是名三十二相須菩
提若有善男子善女人以恒河沙等身命布
施若復有人於此經中乃至受持四句偈等
為他人說其福甚多
尒時須菩提聞說是經深解義趣涕淚悲泣
而白佛言希有世尊佛說如是甚深經典我
從昔来所得慧眼未曾得聞如是之經世尊
若復有人得聞是經信心清淨則生實相當
知是人成就第一希有功德世尊是實相者
則是非相是故如来說名實相世尊我今得
聞如是經典信解受持不足為難若當来世
後五百歲其有衆生得聞是經信解受持是
人則為第一希有何以故此人无我相人相
衆生相壽者相所以者何我相即是非相人
相衆生相壽者相即是非相何以故離一切
諸相則名諸佛
佛告須菩提如是如是若復有人得聞是經
不驚不怖不畏當知是人甚為希有何以故
須菩提如来說第一波羅蜜非第一波羅蜜
是名第一波羅蜜
須菩提忍辱波羅蜜如来說非忍辱波羅蜜
何以故須菩提如我昔為歌利王割截身體
我於尒時无我相无人相无衆生相无壽者

BD01854 號　金剛般若波羅蜜經　（13–4）

須菩提忍辱波羅蜜如来說非忍辱波羅蜜
何以故須菩提如我昔為歌利王割截身體
我於尒時无我相无人相无衆生相无壽者
相何以故我於往昔節節支解時若有我相
人相衆生相壽者相應生瞋恨須菩提又念
過去於五百世作忍辱仙人於尒所世无我
相无人相无衆生相无壽者相是故須菩提
菩薩應離一切相發阿耨多羅三藐三菩提
心不應住色生心不應住聲香味觸法生心
應生无所住心若心有住則為非住是故佛
說菩薩心不應住色布施須菩提菩薩為利
益一切衆生應如是布施如来說一切諸相
即是非相又說一切衆生則非衆生須菩提
如来是真語者實語者如語者不誑語者不
異語者須菩提如来所得法此法无實无虛
須菩提若菩薩心住於法而行布施如人入
闇則无所見若菩薩心不住法而行布施如
人有目日光明照見種種色須菩提當来之
世若有善男子善女人能於此經受持讀誦
則為如来以佛智慧悉知是人悉見是人皆
得成就无量无邊功德
須菩提若有善男子善女人初日分以恒河
沙等身布施中日分復以恒河沙等身布施
後日分亦以恒河沙等身布施如是无量百
千萬億劫以身布施若復有人聞此經典信

BD01854 號　金剛般若波羅蜜經　（13–5）

得成就无量无邊功德
須菩提若有善男子善女人初日分以恒河
沙等身布施中日分復以恒河沙等身布施
後日分亦以恒河沙等身布施如是无量百
千萬億劫以身布施若復有人聞此經典信
心不逆其福勝彼何況書寫受持讀誦為人
解說須菩提以要言之是經有不可思議不
可稱量无邊功德如來為發大乘者說為發
最上乘者說若有人能受持讀誦廣為人說
如來悉知是人悉見是人皆得成就不可量
不可稱无有邊不可思議功德如是人等則
為荷擔如來阿耨多羅三藐三菩提何以故
須菩提若樂小法者著我見人見衆生見壽
者見則於此經不能聽受讀誦為人解說須
菩提在在處處若有此經一切世間天人阿
脩羅所應供養當知此處則為是塔皆應恭
敬作礼圍繞以諸華香而散其處
復次須菩提善男子善女人受持讀誦此經
若為人輕賤是人先世罪業應墮惡道以今
世人輕賤故先世罪業則為消滅當得阿耨
多羅三藐三菩提須菩提我念過去无量阿
僧祇劫於然燈佛前得值八百四千萬億那
由他諸佛悉皆供養承事无空過者若復有
人於後末世能受持讀誦此經所得功德於
我所供養諸佛功德百分不及一千萬億分

BD01854 號　金剛般若波羅蜜經　（13-6）

多羅三藐三菩提須菩提我念過去无量阿
僧祇劫於然燈佛前得值八百四千萬億那
由他諸佛悉皆供養承事无空過者若復有
人於後末世能受持讀誦此經所得功德於
我所供養諸佛功德百分不及一千萬億分
乃至筭數譬喻所不能及須菩提若善男子
善女人於後末世有受持讀誦此經所得功
德我若具說者或有人聞心則狂亂狐疑不
信須菩提當知是經義不可思議果報亦不
可思議
尒時須菩提白佛言世尊善男子善女人發
阿耨多羅三藐三菩提心云何應住云何降
伏其心佛告須菩提善男子善女人發阿耨
多羅三藐三菩提者當生如是心我應滅度
一切衆生滅度一切衆生已而无有一衆生
實滅度者何以故若菩薩有我相人相衆生
相壽者相則非菩薩所以者何須菩提實无
有法發阿耨多羅三藐三菩提者須菩提於
意云何如來於然燈佛所有法得阿耨多羅
三藐三菩提不不也世尊如我解佛所說義
佛於然燈佛所无有法得阿耨多羅三藐三
菩提佛言如是如是須菩提實无有法如來
得阿耨多羅三藐三菩提須菩提若有法如
來得阿耨多羅三藐三菩提者然燈佛則不
與我受記汝於來世當得作佛号釋迦牟尼

BD01854 號　金剛般若波羅蜜經　（13-7）

菩提佛言如是如是須菩提實无有法如來
得阿耨多羅三藐三菩提須菩提若有法如
來得阿耨多羅三藐三菩提者然燈佛則不
與我受記汝於來世當得作佛号釋迦牟尼
以實无有法得阿耨多羅三藐三菩提是故
然燈佛與我受記作是言汝於來世當得作
佛号釋迦牟尼何以故如來者即諸法如義
若有人言如來得阿耨多羅三藐三菩提須
菩提實无有法佛得阿耨多羅三藐三菩提
須菩提如來所得阿耨多羅三藐三菩提於
是中无實无虛是故如來說一切法皆是佛
法須菩提所言一切法者即非一切法是故
名一切法須菩提譬如人身長大須菩提言
世尊如來說人身長大則為非大身是名大
身須菩提菩薩亦如是若作是言我當滅度
无量衆生則不名菩薩何以故須菩提實无
有法名為菩薩是故佛說一切法无我无人
无衆生无壽者須菩提若菩薩作是言我當
莊嚴佛土是不名菩薩何以故如來說莊嚴
佛土者即非莊嚴是名莊嚴須菩提若菩薩
通達无我法者如來說名真是菩薩
須菩提於意云何如來有肉眼不如是世尊
如來有肉眼須菩提於意云何如來有天眼
不如是世尊如來有天眼須菩提於意云何
如來有慧眼不如是世尊如來有慧眼須菩

BD01854號　金剛般若波羅蜜經　（13–8）

通達无我法者如來說名真是菩薩
須菩提於意云何如來有肉眼不如是世尊
如來有肉眼須菩提於意云何如來有天眼
不如是世尊如來有天眼須菩提於意云何
如來有慧眼不如是世尊如來有慧眼須菩
提於意云何如來有法眼不如是世尊如來
有法眼須菩提於意云何如來有佛眼不如
是世尊如來有佛眼須菩提於意云何恒河
中所有沙佛說是沙不如是世尊如來說是
沙須菩提於意云何如一恒河中所有沙有
如是等恒河是諸恒河所有沙數佛世界如
是寧為多不甚多世尊佛告須菩提尒所國
土中所有衆生若干種心如來悉知何以故
如來說諸心皆為非心是名為心所以者何
須菩提過去心不可得現在心不可得未來
心不可得須菩提於意云何若有人滿三千
大千世界七寶以用布施是人以是因緣得
福多不如是世尊此人以是因緣得福甚多
須菩提若福德有實如來不說得福德多以
福德无故如來說得福德多
須菩提於意云何佛可以具足色身見不不也
世尊如來不應以具足色身見何以故如來說
具足色身即非具足色身是名具足色身須
菩提於意云何如來可以具足諸相見不不
也世尊如來不應以具足諸相見何以故如
來說諸相具足即非具足是名諸相具足須

BD01854號　金剛般若波羅蜜經　（13–9）

具足色身即非具足色身是名具足色身須
菩提於意云何如来可以具足諸相見不不
也世尊如来不應以具足諸相見何以故如
来說諸相具足即非具足是名諸相具足須
菩提汝勿謂如来作是念我當有所說法莫
作是念何以故若人言如来有所說法即為
謗佛不能解我所說故須菩提說法者无法
可說是名說法須菩提白佛言世尊佛得阿
耨多羅三藐三菩提為无所得耶如是如是
須菩提我於阿耨多羅三藐三菩提乃至无
有少法可得是名阿耨多羅三藐三菩提復
次須菩提是法平等无有高下是名阿耨多
羅三藐三菩提以无我无人无衆生无壽者
脩一切善法則得阿耨多羅三藐三菩提須
菩提所言善法者如来說非善法是名善法
須菩提若三千大千世界中所有諸須弥山
王如是等七寶聚有人持用布施若人以此
般若波羅蜜經乃至四句偈等受持讀誦為
他人說於前福德百分不及一百千萬億分
乃至筭數譬喻所不能及
須菩提於意云何汝等勿謂如来作是念我
當度衆生須菩提莫作是念何以故實无有
衆生如来度者若有衆生如来度者如来則
有我人衆生壽者須菩提如来說有我者則
非有我而凡夫之人以為有我須菩提凡夫

當度衆生須菩提莫作是念何以故實无有
衆生如来度者若有衆生如来度者如来則
有我人衆生壽者須菩提如来說有我者則
非有我而凡夫之人以為有我須菩提凡夫
者如来說則非凡夫須菩提於意云何可以
三十二相觀如来不須菩提言如是如是以
三十二相觀如来佛言須菩提若以三十二
相觀如来者轉輪聖王則是如来須菩提白
佛言世尊如我解佛所說義不應以三十二
相觀如来尒時世尊而說偈言
若以色見我　以音聲求我　是人行邪道　不能見如来
須菩提汝若作是念如来不以具足相故得
阿耨多羅三藐三菩提須菩提莫作是念如
来不以具足相故得阿耨多羅三藐三菩提
須菩提汝若作是念發阿耨多羅三藐三菩提
者說諸法斷滅相莫作是念何以故發阿
耨多羅三藐三菩提者於法不說斷滅相須
菩提若菩薩以滿恒河沙等世界七寶布施
若復有人知一切法无我得成於忍此菩薩
勝前菩薩所得功德須菩提以諸菩薩不受
福德故須菩提白佛言世尊云何菩薩不受
福德須菩提菩薩所作福德不應貪著是故
說不受福德須菩提若有人言如来若来若
去若坐若卧是人不解我所說義何以故如
来者无所從来亦无所去故名如来

福德故須菩提白佛言世尊云何菩薩不受
福德須菩提菩薩所作福德不應貪著是故
說不受福德須菩提若有人言如來若來若
去若坐若卧是人不解我所說義何以故如
來者无所從來亦无所去故名如來
須菩提若善男子善女人以三千大千世界
碎為微塵於意云何是微塵衆寧為多不甚
多世尊何以故若是微塵衆實有者佛則不
說是微塵衆所以者何佛說微塵衆則非微
塵衆是名微塵衆世尊如來所說三千大千
世界則非世界是名世界何以故若世界實
有者則是一合相如來說一合相則非一合
相是名一合相須菩提一合相者則是不可
說但凡夫之人貪著其事須菩提若人言佛
說我見人見衆生見壽者見須菩提於意云
何是人解我所說義不世尊是人不解如來
所說義何以故世尊說我見人見衆生見壽
者見即非我見人見衆生見壽者見是名我
見人見衆生見壽者見須菩提發阿耨多羅
三藐三菩提心者於一切法應如是知如是
見如是信解不生法相須菩提所言法相者
如來說即非法相是名法相須菩提若有人
以滿无量阿僧祇世界七寶持用布施若有
善男子善女人發菩薩心者持於此經乃至
四句偈等受持讀誦為人演說其福勝彼云
何為人演說不取於相如如不動何以故

BD01854號　金剛般若波羅蜜經　（13–12）

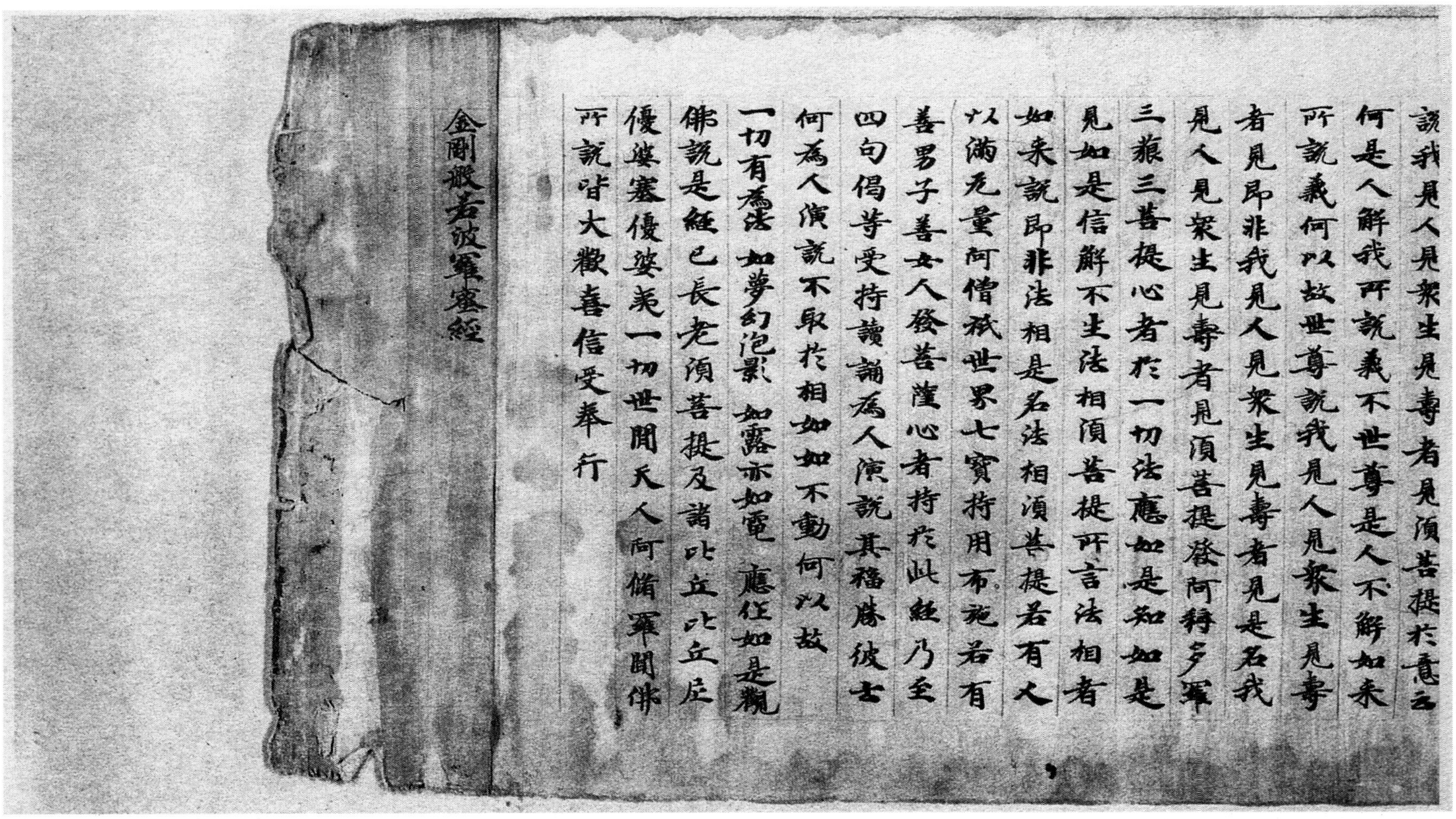
說我見人見衆生見壽者見須菩提於意云
何是人解我所說義不世尊是人不解如來
所說義何以故世尊說我見人見衆生見壽
者見即非我見人見衆生見壽者見是名我
見人見衆生見壽者見須菩提發阿耨多羅
三藐三菩提心者於一切法應如是知如是
見如是信解不生法相須菩提所言法相者
如來說即非法相是名法相須菩提若有人
以滿无量阿僧祇世界七寶持用布施若有
善男子善女人發菩薩心者持於此經乃至
四句偈等受持讀誦為人演說其福勝彼云
何為人演說不取於相如如不動何以故
一切有為法　如夢幻泡影　如露亦如電　應作如是觀
佛說是經已長老須菩提及諸比丘比丘尼
優婆塞優婆夷一切世間天人阿修羅聞佛
所說皆大歡喜信受奉行

金剛般若波羅蜜經

BD01854號　金剛般若波羅蜜經　（13–13）

如来

中作如是言我於昔時作拘留孫佛拘那含

牟尼佛迦葉佛云何爲四所謂字平等語平

等身平等法平等云何字平等謂我名佛

一切如来亦名爲佛佛名无別是謂字等云

何語平等謂我作六十四種梵音聲語一切

如来亦作此語迦陵頻伽梵音聲性不增不

減无有差別是名語等云何身平等謂我與

諸佛法身色相及隨形好等无差別除爲調

伏種種衆生現隨類身是謂身等云何法

平等謂我與諸佛皆同證得卅七種菩提分

法是謂法等是故如来應正等覺於大衆

中作如是說尒時世尊重說頌言

迦葉拘留孫　拘那含是我　依四平等故　爲諸佛子說

尒時大慧菩薩摩訶薩復白佛言世尊如世

尊說我於某夜成最正覺乃至某夜當入

涅槃於其中間不說一字亦不已說亦不當說

亦不今說不說是佛說世尊依何密意作如是語

佛言大慧依二密法故作如是說云何二法謂自

證法及本住法云何自證法謂諸佛所證我

亦同證不增不減證智所行離言說相離

BD01855號　大乘入楞伽經卷四　（24–1）

尒時大慧菩薩摩訶薩復白佛言世尊如世

尊說我於某夜成最正覺乃至某夜當入

涅槃於其中間不說一字亦不已說亦不當說

亦不今說不說是佛說世尊依何密意作如是語

佛言大慧依二密法故作如是說云何二法謂自

證法及本住法云何自證法謂諸佛所證我

亦同證不增不減證智所行離言說相離

分別相離名字相云何本住法謂法本性如

金等在鑛若佛出世若不出世法住法位

法界法性皆悉常住大慧譬如有人行曠野

中見向古城平坦舊道即便隨入止息遊戲

大慧於汝意云何彼作是道及以城中種種

物耶白言不也佛言大慧我及諸佛所證真

如常住法性亦復如是是故說言始從成佛

乃至涅槃於其中間不說一字亦不已說亦

不當說尒時世尊重說頌言

某夜成正覺　某夜般涅槃　於此二中間　我都无所說

自證本住法　故作是密語　我及諸如来　无有少差別

尒時大慧菩薩摩訶薩復白佛言世尊願說

一切法有无相令我及諸菩薩摩訶薩離此

相疾得阿耨多羅三藐三菩提佛言諦聽當

爲汝說大慧言唯佛言大慧世間衆生多墮

二見謂有見无見墮二見故非出出想云何

有見謂實有因緣而生諸法非不實有實

有諸法從因緣生非无法生大慧如是說者

BD01855號　大乘入楞伽經卷四　（24–2）

一切法有无相令我及諸菩薩摩訶薩離此
相疾得阿耨多羅三藐三菩提佛言諦聽當
為汝說大慧言唯佛言大慧世間衆生多墮
二見謂有見无見墮二見故非出出想云何
有見謂實有因緣而生諸法非不實有實
有諸法從因緣生非无法生大慧如是說者
則說无因云何无見謂知受貪瞋癡已而妄計
言无大慧及彼分別有相而不受諸法有復
有知諸如来聲聞緣覺无貪瞋癡性而計為
非有此中誰為壞者大慧白言謂有貪瞋癡
性後取於无名為壞者佛言善哉汝解我問
此人非心无貪瞋癡名為壞者亦壞如来聲
聞緣覺何以故煩惱內外不可得故體性非
異非不異故大慧貪瞋癡性若內若外皆不
可得无體性故无可取故聲聞緣覺及以如
来本性解脫无有能縛及縛因故大慧若
有能縛及以縛因則有所縛作如是說名為
壞者是為无有相我依此義密意而說寧
起我見如須弥山不起空見懷增上慢若起此
見名為壞者墮自共見樂欲之中不了諸法
唯心所現以不了故見有外法剎那无常展轉
差別蘊界處相續流轉起已還滅虛妄分
別離文字相亦成壞者尒時世尊重說頌言
有无是二邊　乃至心所行　淨除彼所行　平等心寂滅
不取於境界　非滅无所有　有真如妙物　如諸聖所行

BD01855號　大乘入楞伽經卷四　（24–3）

唯心所現以不了故見有外法剎那无常展轉
差別蘊界處相續流轉起已還滅虛妄分
別離文字相亦成壞者尒時世尊重說頌言
有无是二邊　乃至心所行　淨除彼所行　平等心寂滅
不取於境界　非滅无所有　有真如妙物　如諸聖所行
本无而有生　生已而復滅　因緣有及无　彼非住我法
非外道非佛　非我非餘衆　能以緣成有　云何而得无
誰以緣成有　而復得言无　惡見說為生　妄想計有无
若知无所生　亦復无所滅　觀世悉空寂　有无二俱離
尒時大慧菩薩摩訶薩復請佛言世尊唯
願為說宗趣之相令我及諸菩薩摩訶薩善
達此義不隨一切衆邪妄解疾得阿耨多羅
三藐三菩提佛言諦聽當為汝說大慧言
唯佛言大慧一切二乘及諸菩薩有二種宗法
相何等為二謂宗趣法相言說法相宗趣法相
者謂自所證殊勝之相離於文字語言分別
入无漏界成自地行超過一切不正尋伺伏魔
外道生智慧光是名宗趣法相言說法相者
謂說九部種種教法離於一異有无等相以
巧方便隨衆生心令入此法是名言說法相
汝及諸菩薩當勤修學尒時世尊重說頌
言
宗趣與言說　自證及教法　若能善知見　不隨他妄解
如愚所分別　非是真實相　彼豈不求度　无法而可得
觀察諸有為　生滅等相續　增長於二見　顛倒无所知

BD01855號　大乘入楞伽經卷四　（24–4）

此及諸菩薩當勤修學尒時世尊重說頌
言
宗趣與言說　自證及教法　若能善知見　不隨他妄解
如愚所分別　非是真實相　彼豈不求度　无法而可得
觀察諸有為　生滅等相續　增長於二見　顛倒无所知
涅槃離心意　唯此一法實　觀世悉虛妄　如幻夢芭蕉
无有貪恚癡　亦復无有人　從愛生諸蘊　如夢之所見
尒時大慧菩薩摩訶薩復白佛言世尊願為
我說虛妄分別相此虛妄分別云何而生是何
而生因何而生誰之所生何故名為虛妄分
別佛言大慧善哉善哉汝為哀愍世間天
人而問此義多所利益多所安樂諦聽諦聽
善思念之當為汝說大慧言唯佛言大慧
一切衆生於種種境不能了達自心所現計能
所取虛妄執着起諸分別墮有无見增長外
道妄見習氣心心所法相應起時執有外義
種種可得計着於我及以我所是故名為虛
妄分別大慧白言若如是者外種種義性離
有无起諸見相世尊第一義諦亦復如是離
諸根量宗因譬喻世尊何故於種種義言起
分別第一義中不言起邪將无世尊所言乖
理一處言起一不言故世尊又說虛妄分別隨有
无見譬如幻事種種非實分別亦尒有无相
離云何而說隨二見邪此說豈不隨於世見
佛言大慧分別不生不滅何以故不起有无

分別第一義中不言起邪將无世尊所言乖
理一處言起一不言故世尊又說虛妄分別隨有
无見譬如幻事種種非實分別亦尒有无相
離云何而說隨二見邪此說豈不隨於世見
佛言大慧分別不生不滅何以故不起有无
分別相故所見外法皆无有故了唯自心
之所現故但以愚夫分別自心種種諸法著
種種相而作是說令知所見皆是自心斷我我
所一切見着離作所作諸惡因緣覺唯心故
轉其意樂善明諸地入佛境界捨五法自性
諸分別見是故我說虛妄分別執着種種
自心所現諸境界生如實了知則得解脫尒
時世尊重說頌言
諸因及與緣　從此生世間　與四句相應　不知於我法
世非有无生　亦非俱不俱　云何諸愚夫　分別因緣起
非有亦非无　亦復非有无　如是觀世間　心轉證无我
一切法不生　以從緣生故　諸緣之所作　所作法非生
果不自生果　有二果失故　无有二果故　非有性可得
觀諸有為法　離能緣所緣　決定唯是心　故我說心量
量之自性處　緣法二俱離　究竟妙淨事　我說名心量
施設假名我　而實不可得　諸蘊蘊假名　亦皆无實事
有四種平等　相因及所生　无我為第四　修行者觀察
離一切諸見　及能所分別　无得亦无生　我說是心量
非有亦非无　有无二俱離　如是心亦離　我說是心量
[illegible]

施設假名我　而實不可得　諸蘊蘊假名　亦皆无實事
有四種平等　相因及所生　无我爲第四　修行者觀察
離一切諸見　及能所分別　无得亦无生　我說是心量
非有亦非无　有无二俱離　如是心亦離　我說是心量
真如空實際　涅槃及法界　種種意成身　我說是心量
妄想習氣縛　種種從心生　衆生見爲外　我說是心量
外所見非有　而心種種現　身資及所住　我說是心量
尒時大慧菩薩摩訶薩復白佛言世尊如来
說言如我所說汝及諸菩薩不應依語而取
其義世尊何故不應依語取義云何爲語云
何爲義佛言諦聽當爲汝說大慧言唯佛
言大慧語者所謂分別習氣而爲其因依於
喉舌脣齶齒輔而出種種音聲文字相對談
說是名爲語云何爲義菩薩摩訶薩住獨
一静處以聞思修慧思惟觀察向涅槃道自
智境界轉諸習氣行於諸地種種行相是
名爲義
復次大慧菩薩摩訶薩善於語義知語與
義不一不異義之與語亦復如是若義異語
則不應因語而顯於義而因語見義如燈照色
大慧譬如有人持燈照物知此物如是在如
是處菩薩摩訶薩亦復如是因語言燈入
離言說自證境界復次大慧若有於不生不
滅自性涅槃三乘一乘五法諸心自性等中如
言取義則墮建立及誹謗見以異於彼起分

大慧譬如有人持燈照物知此物如是在如
是處菩薩摩訶薩亦復如是因語言燈入
離言說自證境界復次大慧若有於不生不
滅自性涅槃三乘一乘五法諸心自性等中如
言取義則墮建立及誹謗見以異於彼起分
別故如見幻事計以爲實是愚夫見非賢聖
也尒時世尊重說頌言
若隨言取義　建立於諸法　以彼建立故　死墮地獄中
蘊中无有我　非蘊即是我　不如彼分別　亦復非无有
如愚所分別　一切皆有性　若如彼所見　皆應見真實
一切染淨法　悉皆无體性　不如彼所見　亦非无所有
復次大慧我當爲汝說智識相汝及諸菩薩
摩訶薩若善了知智識之相則能疾得阿
耨多羅三藐三菩提大慧智有三種謂世
間智出世間智出世間上上智云何世間智謂一
切外道凡愚計有无法云何出世間智謂一切
二乘著自共相云何出世間上上智謂諸佛
菩薩觀一切法皆无有相不生不滅非有非
无證法无我入如来地大慧復有三種智謂
知自相共相智知生滅智知不生不滅智
復次大慧生滅是識不生滅是智墮相无相
及以有无種種相因是識離相无相及有无
因是智有積集相是識无積集相是智著
境界相是識不著境界相是智三和合相應生
是識无导相應自性相是智有得相是識

及以有无種種相因是識離相无相及有无
因是智有積集相是識无積集相是智着
境相是識不着境界相是智三和合相應生
是識无㝵相應自性相是智有得相是識
无得相是智證自聖智所行境界如水中月
不入不出故尒時世尊重說頌言
採集業為心　觀察法為智　慧能證无相　逮自在威光
境界縛為心　覺想生為智　无相及增勝　智慧於中起
心意及與識　離諸分別想　得无分別法　佛子非聲聞
寂滅殊勝忍　如来清淨智　生於善勝義　遠離諸所行
我有三種智　聖者能明照　分別於諸相　開示一切法
我智離諸相　超過於二乘　以諸聲聞等　執着諸法有
如来智无垢　了達唯心故
復次大慧諸外道有九種轉變見所謂形轉變
相轉變因轉變相應轉變見轉變生轉變物
轉變緣明了轉變所作明了轉變是為九一
切外道因是見故起有无轉變論此中形轉變
者謂形別異見譬如以金作莊嚴具環釧瓔
珞種種不同形狀有殊金體无易一切法變
亦復如是諸餘外道種種計着皆非如是亦
非別異但分別故一切轉變如是應知譬如
乳酪酒果等熟外道言此皆有轉變而實
无有若有若无自心所見无外物故如此皆
是愚迷凡夫從自分別習氣而起實无一法
若生若滅如因幻夢所見諸色如石女兒說

BD01855號　大乘入楞伽經卷四　（24–9）

非別異但分別故一切轉變如是應知譬如
乳酪酒果等熟外道言此皆有轉變而實
无有若有若无自心所見无外物故如此皆
是愚迷凡夫從自分別習氣而起實无一法
若生若滅如因幻夢所見諸色如石女兒說
有生死尒時世尊重說頌言
形處時轉變　大種及諸根　中有漸次生　妄想非明智
諸佛不分別　緣起及世間　但諸緣世間　如乾闥婆城
尒時大慧菩薩摩訶薩復白佛言世尊唯願
如来為我解說於一切法深密義及解義相
令我及諸菩薩摩訶薩善知此法不墮如言
取義深密執着離文字語言虛妄分別普入
一切諸佛國土力通自在揔持所印覺慧善
住十无盡願以无功用種種變現光明照曜如
日月摩尼地水火風住於諸地離分別見知
一切法如幻如夢入如来位普化衆生令知諸
法虛妄不實離有无品斷生滅執不着言
說令轉所依佛言諦聽當為汝說大慧於一
切法如言取義執着深密其數无量所謂相
執着緣執着有非有執着生非生執着滅
非滅執着乘非乘執着為无為執着地地自
相執着自分別現證執着外道宗有无品執
着三乘一乘執着大慧此等密執有无量種
皆是凡愚自分別執而密執着此諸分別如
蠶作繭以妄想絲自纏纏他執着有无欲

BD01855號　大乘入楞伽經卷四　（24–10）

相執著自分別現證執著外道宗有无品執
著三乘一乘執著大慧此等密執有无量種
皆是凡愚自分別執而密執著此諸分別如
蠶作繭以妄想絲自纏纏他執著有无欲
樂堅密大慧此中實无密非密相以菩薩摩
訶薩見一切法住寂靜故无分別故若了諸
法唯心所見无有外物皆同无相隨順觀察
於若有若无分別密執悉見寂靜是故无有
密非密相大慧此中无縛亦无有解不了實
者見縛解耳何以故一切諸法若有若无求
其體性不可得故復次大慧愚癡凡夫有三
種密縛謂貪瞋癡及愛來生與貪喜俱以此
密縛令諸衆生續生五趣密縛若斷是則无
有密非密相復次大慧若有執著三和合緣
諸識密縛次苐而起有執著故則有密縛
若見三解脫離三和合識一切諸密皆悉
不生尒時世尊重說頌言
不實妄分別　是名爲密相　若能如實知　諸密網皆斷
凡愚不能了　隨言而取義　譬如蠶處繭　妄想自纏縛
尒時大慧菩薩摩訶薩復白佛言世尊如世
尊說由種種心分別諸法非諸法有自性此但
妄計耳世尊若但妄計无諸法者染淨諸法
將无悉壞佛言大慧如是如是如汝所說一
切凡愚分別諸法而諸法性非如是有此但

BD01855號　大乘入楞伽經卷四　（24–11）

尊說由種種心分別諸法非諸法有自性此但
妄計耳世尊若但妄計无諸法者染淨諸法
將无悉壞佛言大慧如是如是如汝所說一
切凡愚分別諸法而諸法性非如是有此但
妄執无有性相然諸聖者以聖慧眼如實
知見有諸法自性大慧白言若諸聖人以聖慧
眼見有諸法性非天眼肉眼不同凡愚之所
分別云何凡愚得離分別不能覺了諸聖
法故世尊彼非顛倒非不顛倒何以故不見
聖人所見法故聖見遠離有无相故聖亦
不如凡所分別如是得故非自所行境界相
故彼亦見有諸法性相如妄執性而顯現故
不說有因及无因故隨於諸法性相見故世
尊其餘境界既不同此如是則成无窮之失
孰能於法了知性相世尊諸法性不因分
別云何而言以分別故而有諸法世尊分別
相異諸法相異因不相似云何諸法而由分別
復以何故凡愚分別不如是有而作是言爲
令衆生捨分別故說如分別所見法相无如
是法世尊何故令諸衆生離有无見所執著
法而復執著聖智境界墮於有見何以故不
說寂靜空无之法而說聖智自性事故佛言
大慧我非不說寂靜空法墮於有見何以故
已說聖智自性事故我爲衆生无始時來計
著於有於寂靜法以聖事說令其聞已不生

BD01855號　大乘入楞伽經卷四　（24–12）

法而復執著聖智境界隨於有見何以故不
說寂靜空无之法而說聖智自性事故佛言
大慧我非不說寂靜空法隨於有見何以故
已說聖智自性事故我爲衆生无始時來計
著於有於寂靜法以聖事說令其聞已不生
恐怖能如實證寂靜空法離惑亂相入唯識
理知其所見无有外法悟三脫門獲如實印
見法自性了聖境界遠離有无一切諸著復
次大慧菩薩摩訶薩不應成立一切諸法皆
悉不生何以故一切諸法本无有故及彼宗因
生相故復次大慧一切法不生此言自壞何以
故彼宗有待而生故又彼宗即入一切法中
不生相亦不生故又彼宗諸分而成故又彼
宗有无无法皆不生此宗即入一切法中有
无相亦不生故是故一切法不生此宗自壞
不應如是立諸分多過故展轉因異相
故如不生一切法空无自性亦如是大慧
菩薩摩訶薩應說一切法如幻如夢見不
見故一切皆是惑亂相故除爲愚夫而生
恐怖大慧凡夫愚癡墮有无見莫令於彼
而生驚恐遠離大乘爾時世尊重說偈言
无自性无說　无事无依處　凡愚妄分別　惡覺如死屍
一切法不生　外道所成立　以彼所有生　非緣所成故
一切法不生　智者不分別　彼宗因生故　此覺則便壞
辟如目有翳　妄想見毛輪　諸法亦如是　凡愚妄分別

无自性无說　无事无依處　凡愚妄分別　惡覺如死屍
一切法不生　外道所成立　以彼所有生　非緣所成故
一切法不生　智者不分別　彼宗因生故　此覺則便壞
辟如目有翳　妄想見毛輪　諸法亦如是　凡愚妄分別
三有唯假名　无有實法體　由此假施設　分別妄計度
假名諸事相　動亂於心識　佛子悉超過　遊行无分別
无水取水相　斯由渴愛起　凡愚見法尒　諸聖則不然
聖人見清淨　生於三解脫　遠離於生滅　常行无相境
修行无相境　亦復无有无　有无悉平等　是故生聖果
云何法有无　云何成平等　若心不了法　內外斯動乱
了已則平等　亂相尒時滅
尒時大慧菩薩摩訶薩復白佛言世尊如佛
所說若知境界但是假名都不可得則无所
取无所取故亦无能取能取所取二俱无故
不起分別說名爲智世尊何故彼智不得
於境爲不能了一切諸法自相共相一異義
故言不得邪爲以諸法自相共相種種不同更
相隱蔽而不得邪爲山巖石壁簾幰幃障
之所覆隔而不得邪爲極遠極近老小盲冥
諸根不具而不得邪若不了諸法自相共相
一異義故言不得者此不名智應是无智以
有境界而不知故若以諸法自相共相種種
不同更相隱蔽而不得者此亦非知以知於
境說名爲智非不知故若山巖石壁簾幰

一異義故言不得者此不名智應是无智以
有境界而不知故若以諸法自相共相種種
不同更相隱蔽而不得者此亦非知以知於
境說名為智非不知故若山巖石壁簾幔
帷障之所覆隔極遠極近老小盲冥而不知
者彼亦非智以有境界智不具足而不知故
佛言大慧此實是智非如汝說我之所說非
隱覆說我言境界唯是假名不可得者以
了但是自心所見外法有无智慧於中畢竟
无得以无得故尒焰不起入三脫門智體亦忘
非如一切覺想凡夫无始已來戲論熏習計
著外法若有若无種種形相如是而知名為
不知不了諸法唯心所見著我我所分別境
智不知外法是有是无其心住於斷見中故
為令捨離如是分別說一切法唯心建立尒
時世尊重說頌言

若有於所緣　智慧不觀見　彼无智非智　是名妄計者
无邊相互隱　障礙及遠近　智慧不能見　是名為邪智
老小諸根冥　而實有境界　不能生智慧　是名為邪智

復次大慧愚癡凡夫无始虛偽惡邪分別之
所幻惑不了如實及言說法計心外相著方
便說不能修習清淨真實離四句法大慧
白言如是如是誠如尊教願為我說如實之
法及言說法令我及諸菩薩摩訶薩於此
二法而得善巧非外道二乘之所能入佛言

所幻惑不了如實及言說法計心外相著方
便說不能修習清淨真實離四句法大慧
白言如是如是誠如尊教願為我說如實之
法及言說法令我及諸菩薩摩訶薩於此
二法而得善巧非外道二乘之所能入佛言
諦聽當為汝說大慧三世如來有二種法謂
言說法及如實法言說法者謂隨衆生心為
說種種諸方便教如實法者謂修行者於心
所現離諸分別不墮一異俱不俱品超度一
切心意意識於自覺聖智所行境界離諸因
緣相應見相一切外道聲聞緣覺墮二邊者
所不能知是名如實法此二種法汝及諸菩
薩摩訶薩當善修學尒時世尊復說頌言

我說二種法　言教及如實　教法示凡夫　實為修行者

尒時大慧菩薩摩訶薩復白佛言世尊如來
一時說盧迦耶陀呪術詞論但能攝取世間
財利不得法利不應親近承事供養世尊
何故作如是說佛言大慧盧迦耶陀所有詞
論但飾文句誑惑凡愚隨順世間虛妄言說不
如於義不稱於理不能證入真實境界不能
覺了一切諸法恒墮二邊自失正道亦令他
失輪迴諸趣永不出離何以故不了諸法唯
心所見執著外境增分別故是故我說世論
文句因喻莊嚴但誑愚夫不能解脫生老病
死憂悲苦患大慧釋提桓因廣解衆論自

覺□之一切諸法恒墮二邊自失正道亦令他
失輪迴諸趣永不出離何以故不了諸法唯
心所見執著外境增分別故是故我說世論
文句因喻莊嚴但誑愚夫不能解脫生老病
死憂悲苦患大慧釋提桓因廣解衆論自
造諸論彼世論者有一弟子現作龍身詣釋天
宮而立論宗作是要言憍尸迦我共汝論汝若
不如我當破汝千輻之輪我若不如斷一一頭
以謝所屈說是語已即以論法摧伏帝釋壞
千輻輪還来人間大慧世間言論因喻莊
嚴乃至能現畜生之形以妙文詞迷惑諸
天及阿脩羅令其執著生滅等見而況於人
是故大慧不應親近承事供養以彼能作
生苦因故大慧世論唯說身覺境界大慧
彼世論有百千字句後末世中惡見乖離邪
衆崩散分成多部各執自因大慧非餘外道
能立教法唯盧迦耶以百千句廣說无量差
別因相非如實理亦不自知是惑世法尒時
大慧白言世尊若盧迦耶所造之論種種文
字因喻莊嚴執著自宗非如實法名外道
者世尊亦說世間之事謂以種種文句言詞廣
說十方一切國土天人等衆而来集會非是自
智所證之法世尊亦同外道說邪佛言大慧我
非世說亦無来去我說諸法不来不去大慧
来者集生去者壞滅不来不去此則名爲不

BD01855號　大乘入楞伽經卷四

（24–17）

說十方一切國土天人等衆而来集會非是自
智所證之法世尊亦同外道說邪佛言大慧我
非世說亦無来去我說諸法不来不去大慧
来者集生去者壞滅不来不去此則名爲不
生不滅大慧我之所說不同外道墮分別中
何以故外法有无无所著故了唯自心不見
二取不行相境不生分別入空无相无願之
門而解脫故大慧我憶有時於一處住有世
論婆羅門来至我所遽問我言瞿曇一切
是所作耶我時報言婆羅門一切所作是初
世論又問我言一切非所作耶我時報言一切
非所作是第二世論彼復問言一切常耶一
切无常耶一切生耶一切不生耶我時報言是
第六世論彼復問言一切一耶一切異耶一切
俱耶一切不俱耶一切皆由種種因緣而受
生耶我時報言是第十一世論彼復問言
一切有記耶一切无記耶有我耶无我耶有
此世耶无此世耶有他世耶无他世耶有解
脫耶无解脫耶是剎那耶非剎那耶虛空
涅槃及非擇滅是所作耶非所作耶有中有
耶无中有耶我時報言婆羅門如是皆是
汝之世論非我所說婆羅門我說因於无始
戲論諸惡習氣而生三有不了唯是自心所
見而取外法實无可得如外道說我及根境
三合知生我不如是我不說因不說无因唯

BD01855號　大乘入楞伽經卷四

（24–18）

邪无中有邪我時衆言婆羅門如是皆是
汝之世論非我所說婆羅門我說因於无始
戲論諸惡習氣而生三有不了唯是自心所
見而取外法實无可得如外道說我及根境
三合知生我不如是我不說因不說无因唯
依妄心似能所取而說緣起非汝及餘取著
我者之所能測大慧虛空涅槃及非擇滅但
有三數本无體性何況而說作與非作大慧
尒時世論婆羅門復問我言无明愛業為
因緣故有三有邪為无因邪我言此二亦是世
論又問我言一切諸法皆入自相及共相邪我
時報言此亦世論婆羅門乃至少有心識流
動分別外境皆是世論大慧尒時婆羅門
復問我言頗有非是世論不一切外道所有
詞論種種文句因喻莊嚴莫不皆從我法中
出我報言有非汝所許非世不許非不說種
種文句義理相應非不相應彼復問言豈有
世許非世論邪我答言有但非於汝及以一
切外道能知何以故以於外法虛妄分別生
執著故若能了達有无等法一切皆是自心
所見不生分別不取外境於自處住自處住
者是不起義不起於何不起分別此是我法
非汝有也婆羅門略而言之隨何處中心識
往來死生求戀若受若見若觸若住取種種
相和合相續於愛於因而生計著皆汝世論

BD01855號　大乘入楞伽經卷四　（24-19）

者是不起義不起於何不起分別此是我法
非汝有也婆羅門略而言之隨何處中心識
往來死生求戀若受若見若觸若住取種種
相和合相續於愛於因而生計著皆汝世論
非是我法大慧世論婆羅門作如是問我如
是答不問於我自宗實法嘿然而去作是
念言沙門瞿曇无可尊重說一切法无生无相
无因无緣唯是自心分別所見若能了此分
別不生大慧汝今亦復問我是義何故親
近諸世論者唯得財利不得法利大慧白
言所言財法是何等義佛言善哉汝乃能為
未來衆生思惟是義諦聽諦聽當為汝說
大慧所言財者可觸可受可取可味令著外
境墮在二邊增長貪愛生老病死憂悲苦惱
我及諸佛說名財利親近世論之所獲得云何
法利謂了法是心見二无我不取於相无有
分別善知諸地離心意識一切諸佛所共灌
頂具足受行十无盡願於一切恚得自在
是名法利以是不墮一切諸見戲論分別常
斷二邊大慧外道世論令諸癡人墮在二邊
謂常及斷受无因論則起常見以因壞滅則
生斷見我說不見生住滅者名得法利是名
財法二差別相汝及諸菩薩摩訶薩應勤
觀察尒時世尊重說頌言
因大慧衆生　以惑峯者惑　智慧滅諸見　解說得增長

BD01855號　大乘入楞伽經卷四　（24-20）

生斷見我說不見生住滅者名得法利是名
財法二差別相汝及諸菩薩摩訶薩應勤
觀察尒時世尊重說頌言
調伏攝衆生　以威降諸惡　智慧滅諸見　解脫得增長
外道虛妄說　皆是世俗論　横計作所作　不能自成立
唯我一自宗　不著於能所　爲諸弟子說　令離於世論
能取所取法　唯心无所有　二種皆心現　斷常不可得
乃至心流動　是則爲世論　分別不起者　是人見自心
來者見事生　去者事不現　明了知來去　不起於分別
有常及无常　所作无所作　此世他世等　皆是世論法
尒時大慧菩薩摩訶薩復白佛言世尊佛
說涅槃說何等法以爲涅槃而諸外道種種
分別佛言大慧如諸外道分別涅槃皆不隨
順涅槃之相諦聽諦聽當爲汝說大慧或有
外道言見法无常不貪境界藴界處滅心
心所法不現在前不念過現未來境界如燈盡
如種敗如火滅諸取不起分別不生起涅槃
相大慧非以見壞名爲涅槃或謂至方名得
涅槃境界想離猶如風止或謂不見能覺所
覺名爲涅槃或謂不起分別常无常見名
得涅槃或有說言分別諸相發生於苦而不
能知自心所見以不知故怖畏於相以求无
相深生愛樂執爲涅槃或謂覺知內外諸
法自相共相去來現在有性不壞作涅槃想

覺名爲涅槃或謂不起分別常无常見名
得涅槃或有說言分別諸相發生於苦而不
能知自心所見以不知故怖畏於相以求无
相深生愛樂執爲涅槃或謂覺知內外諸
法自相共相去來現在有性不壞作涅槃想
或計我人衆生壽命及一切法无有壞滅作
涅槃想復有外道无有智慧計有自性及以
士夫求那轉變作一切物以爲涅槃或有外
道計福非福盡或計不由智慧諸煩惱盡或
計自在是實作者以爲涅槃或謂衆生展
轉相生以此爲因更无異因彼无智故不能覺
了以不了故執爲涅槃或計諦道虛妄
分別以爲涅槃或計求那與求那者而共和合
一性異性俱及不俱執爲涅槃或計諸物從
自然生孔雀文彩棘針銛利生寶之處出種
種寶如此等事是誰能作即執自然以爲涅
槃或謂能解廿五諦即得涅槃或有說言能
受六分守護衆生斯得涅槃或有說言時生
世間時即涅槃或執有物以爲涅槃或計无物
以爲涅槃或有計著有物无物爲涅槃者或
計諸物與涅槃无別作涅槃想大慧復有異
彼外道所說以一切智大師子吼說能了達唯
心所現不取外境遠離四句住如實見不隨
二邊離能所取不入諸量不著真實住於聖

計諸物與涅槃无别作涅槃想大慧復有異
彼外道所說以一切智大師子吼說能了達唯
心所現不取外境遠離四句住如實見不墮
二邊離能所取不入諸量不著真實住於聖
智所現證法悟二无我離二煩惱淨二種障
轉修諸地入於佛地得如幻等諸大三摩地
永超心意及以意識名得涅槃大慧彼諸外
道虛妄計度不如於理智者所棄皆墮二邊
作涅槃想於此无有若住若出彼諸外道皆
依自宗而生妄覺違背於理无所成就唯令
心意馳散往來一切无有得涅槃者汝及諸
菩薩宜應遠離尒時世尊重說頌言

外道涅槃見　各各異分別　彼唯是妄想　无解脫方便
遠離諸方便　不至无縛處　妄生解脫想　而實无解脫
外道所成立　衆智各異取　彼悉无解脫　愚癡妄分別
一切癡外道　妄見作所作　悉著有无論　是故无解脫
凡愚樂分別　不生真實慧　言說三界本　真實滅苦因
譬如鏡中像　雖現而非實　習氣心鏡中　凡愚見有二
不了唯心現　故起二分別　若知但是心　分別則不生
心即是種種　遠離相所相　知愚所分別　雖見而无見
三有唯分別　外境悉无有　妄想種種現　凡愚不能覺
經經說分別　但是異名字　若離於語言　其義不可得

大乘入楞伽經卷第四

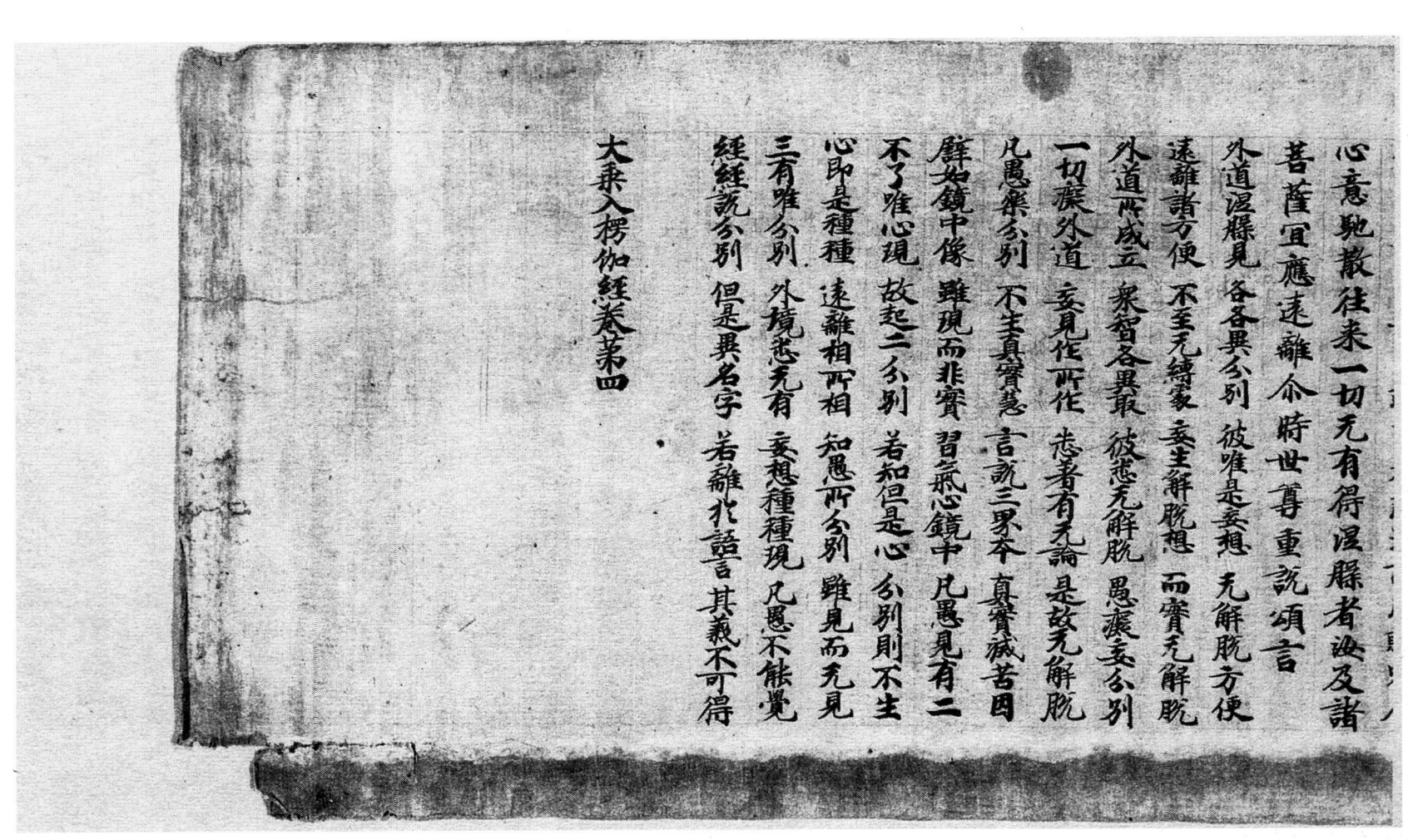

BD01855號　大乘入楞伽經卷四　（24–23）

心意馳散往來一切无有得涅槃者汝及諸
菩薩宜應遠離尒時世尊重說頌言

外道涅槃見　各各異分別　彼唯是妄想　无解脫方便
遠離諸方便　不至无縛處　妄生解脫想　而實无解脫
外道所成立　衆智各異取　彼悉无解脫　愚癡妄分別
一切癡外道　妄見作所作　悉著有无論　是故无解脫
凡愚樂分別　不生真實慧　言說三界本　真實滅苦因
譬如鏡中像　雖現而非實　習氣心鏡中　凡愚見有二
不了唯心現　故起二分別　若知但是心　分別則不生
心即是種種　遠離相所相　知愚所分別　雖見而无見
三有唯分別　外境悉无有　妄想種種現　凡愚不能覺
經經說分別　但是異名字　若離於語言　其義不可得

大乘入楞伽經卷第四

BD01855號　大乘入楞伽經卷四　（24–24）

尒時藥王菩
與說法者陀羅尼呪
之即說呪曰
安尒　曼尒　摩祢　摩摩祢　旨隸　遮
梨第　賒咩　賒履　多瑋　羶帝
目帝　目多履　娑履　阿瑋娑履　桑履
娑履　叉裔　阿叉裔　阿耆膩　羶帝
賒履　陀羅尼　阿盧伽婆娑簸蔗毘叉
膩　祢毘剃　阿便哆邏祢履剃　阿亶
哆波隸輸地　漚究隸　牟究隸　阿羅
隸　波羅隸　首迦差　阿三磨三履　佛
馱毘吉利袠帝　達磨波利差帝
僧伽涅瞿沙祢　婆舍婆舍輸地　曼哆邏
曼哆邏叉夜多　郵樓哆　郵樓哆憍舍略
惡叉邏　惡叉冶多冶　阿婆盧　阿摩若
那多夜
世尊是陀羅尼神呪六十二億恒河沙等諸佛
所說若有侵毀此法師者則為侵毀是諸佛
已時釋迦牟尼佛讚藥王菩薩言善哉善哉
藥王汝愍念擁護此法師故說是陀羅尼於
諸衆生多所饒益
尒時勇施菩薩白佛言世尊我亦為擁護讀

BD01856號　妙法蓮華經卷七

（14–1）

世尊是陀羅尼神呪六十二億恒河沙等諸佛
所說若有侵毀此法師者則為侵毀是諸佛
已時釋迦牟尼佛讚藥王菩薩言善哉善哉
藥王汝愍念擁護此法師故說是陀羅尼於
諸衆生多所饒益
尒時勇施菩薩白佛言世尊我亦為擁護讀
誦受持法華經者說陀羅尼若此法師得是
陀羅尼若夜叉若羅剎若富單那若吉蔗若
鳩槃茶若餓鬼等伺求其短无能得便即於
佛前而說呪曰
痤隸　摩訶痤隸　郁枳　目枳　阿
隸　阿羅婆第　涅隸第　涅隸多婆第
伊緻柅　韋緻柅　旨緻柅　涅隸墀
柅　涅犁墀婆底
世尊是陀羅尼神呪恒河沙等諸佛所說亦
皆隨喜若有侵毀此法師者則為侵毀是諸
佛已
尒時毗沙門天王護世者白佛言世尊我亦為
愍念衆生擁護此法師故說是陀羅尼即
說呪曰
阿梨　那梨　㝹那梨　阿那盧　那履　拘
那履
世尊以是神呪擁護法師我亦自當擁護持
是經者令百由旬內无諸衰患
尒時持國天王在此會中與千万億那由他乹
闥婆衆恭敬圍遶前詣佛所合掌白佛言
世尊我亦以陀羅尼神呪擁護持法華經者

BD01856號　妙法蓮華經卷七

（14–2）

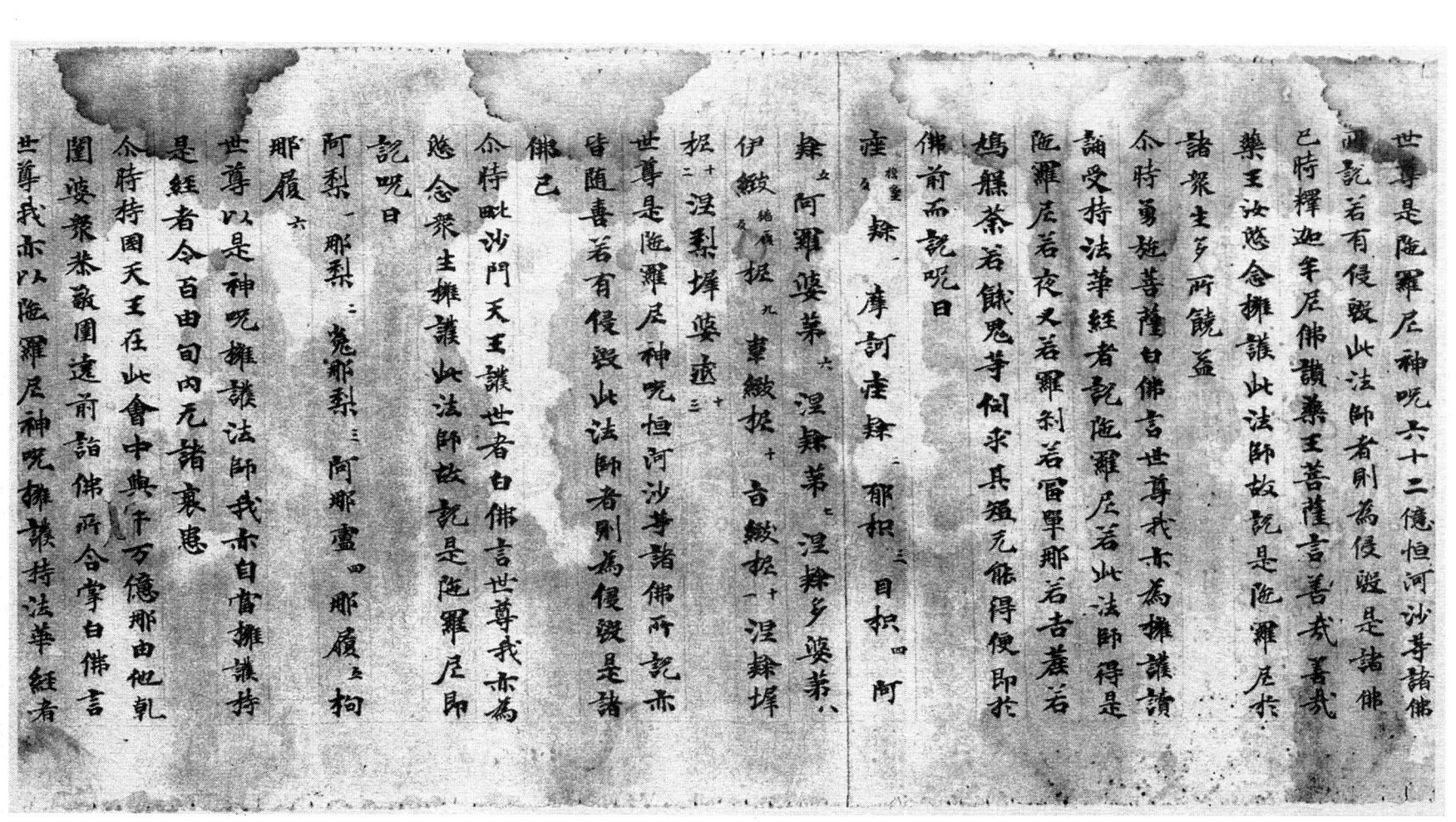

那履六
世尊以是神呪擁護法師我亦自當擁護持
是經者令百由旬内无諸衰患
尒時持國天王在此會中與千万億那由他乹
闥婆衆恭敬圍遶前詣佛所合掌白佛言
世尊我亦以陁羅尼神呪擁護持法華經者
即說呪曰
阿伽祢一 伽祢二 瞿利三 乹陁利四 旃陁利
五 摩蹬耆六 常求利七 浮樓莎柅八 頞底九
世尊是陁羅尼神呪卌二億諸佛所說若
有侵毁此法師者則爲侵毁是諸佛已
尒時有羅刹女等一名藍婆二名毗藍婆三
名曲齒四名華齒五名黑齒六名多髮七名
无厭足八名持瓔珞九名睪諦十名奪一切
衆生精氣是十羅刹女與鬼子母并其子及
眷屬俱詣佛所同聲白佛言世尊我等亦欲擁
護讀誦受持法華經者除其衰患若有伺
求法師短者令不得便即於佛前而說呪曰
伊提履一 伊提泯二 伊提履三 阿提履四 伊
提履五 泥履六 泥履七 泥履八 泥履九 泥履
十 樓醯十一 樓醯十二 樓醯十三 樓醯十四 多醯十六
多醯 多醯十七 兜醯十八 㝹醯十九
寧上我頭上莫惱於法師若夜叉若羅刹若
餓鬼若富單那若吉蔗若毗陁羅若揵馱若
烏摩勒伽若阿跋摩羅若夜叉吉蔗若人
吉蔗若熱病若一日若二日若三日若四日乃
至七日若常熱病若男形若女形若童男形

BD01856號　妙法蓮華經卷七　（14–3）

多醯多醯十七 兜醯十八 㝹醯十九
寧上我頭上莫惱於法師若夜叉若羅刹若
餓鬼若富單那若吉蔗若毗陁羅若揵馱若
烏摩勒伽若阿跋摩羅若夜叉吉蔗若人
吉蔗若熱病若一日若二日若三日若四日乃
至七日若常熱病若男形若女形若童男形
若童女形乃至夢中亦復莫惱即於佛前而
說偈言
若不順我呪　惱亂說法者　頭破作七分　如阿梨樹枝
如煞父母罪　亦如押油殃　斗秤欺誑人　調達破僧罪
犯此法師者　當獲如是殃
諸羅刹女說此偈已白佛言世尊我等亦當
身自擁護受持讀誦脩行是經者令得安隱
離諸衰患消衆毒藥佛告諸羅刹女善哉善
哉汝等但能擁護受持法華名者福不可量
何況擁護具足受持供養經卷華香瓔珞末
香塗香燒香幡蓋伎樂然種種燈蘇燈油燈
諸香油燈蘇摩那華油燈瞻蔔華油燈婆師
迦華油燈優波羅華油燈如是等百千種供養
者睪諦汝等及眷屬應當擁護如是法師
說此陁羅尼品時六万八千人得无生法忍
妙法蓮華經妙莊嚴王本事品第廿七
尒時佛告諸大衆乃往古世過无量无邊不
可思議阿僧祇劫有佛名雲雷音宿王華智
多陁阿伽度阿羅呵三藐三佛陁國名光明
莊嚴劫名喜見彼佛法中有王名妙莊嚴其
王夫人名曰淨德有二子一名淨藏二名淨眼

BD01856號　妙法蓮華經卷七　（14–4）

可思議阿僧祇劫有佛名雲雷音宿王華智
多陁阿伽度阿羅呵三藐三佛陁國名光明
莊嚴劫名喜見彼佛法中有王名妙莊嚴其
王夫人名曰淨德有二子一名淨藏二名淨眼
是二子有大神力福德智慧久脩菩薩所
行之道所謂檀波羅蜜尸波羅蜜羼提波羅
蜜毗梨耶波羅蜜禪波羅蜜般若波羅蜜
方便波羅蜜慈悲喜捨乃至卅七品助道法皆
悉明了通達又得菩薩淨三昧日星宿三昧
淨光三昧淨色三昧淨照明三昧長莊嚴三
昧大威德藏三昧於此三昧亦悉通達尒時
次
彼佛欲引導妙莊嚴王及愍念衆生故說是
法華經時淨藏淨眼二子到其母所合十指
爪掌白言願母往詣雲雷音宿王華智佛所
我等亦當侍從親覲供養礼拜所以者何此
佛於一切天人衆中說法華經宜應聽受母
告子言汝父信受外道深著婆羅門法汝等
應往白父與共俱去淨藏淨眼合十指爪掌
白母我等是法王子而生此耶見家母告子
言汝等當憂念汝父爲現神變若得見者心
必清淨或聽我等往至佛所於是二子念其
父故踊在虛空高七多羅樹現種種神變於
虛空中行住坐卧身上出水身下出火身下
出水身上出火或現大身滿虛空中而復現
小小復現大於空中滅忽然在地入地如水
履水如地現如是等種種神變令其父王心
淨信解

BD01856 號　妙法蓮華經卷七

（14–5）

虛空中行住坐卧身上出水身下出火身下
出水身上出火或現大身滿虛空中而復現
小小復現大於空中滅忽然在地入地如水
履水如地現如是等種種神變令其父王心
淨信解
時父見子神力如是心大歡喜得未曾有合
掌向子言汝等師爲是誰誰之弟子二子白
言大王彼雲雷音宿王華智佛今在七寶菩
提樹下法座上坐於一切世間天人衆中廣說
法華經是我師我是弟子父語子言我今
亦欲見汝等師可共俱往於是二子從空
中下到其母所合掌白母父王今已信解堪
任發阿耨多羅三藐三菩提心我等爲父已
作佛事願母見聽於彼佛所出家脩道尒時
二子欲重宣其意以偈白母
願母放我等　出家作沙門　諸佛甚難值　我等隨佛學
如優曇波羅　值佛復難是　脫諸難亦難　願聽我出家
母即告言聽汝出家所以者何佛難值故於是
二子白父母言善哉父母願時往詣雲雷音宿
王華智佛所親覲供養所以者何佛難
得值如優曇波羅華又如一眼之龜值浮木
孔而我等宿福深厚生值佛法是故父母當
聽我等令得出家所以者何諸佛難值時亦
難遇彼時妙莊嚴王後宮八万四千人皆悉
堪任受持是法華經淨眼菩薩於法華三昧
久已通達淨藏菩薩已於无量百千万億劫
通達離諸惡趣三昧欲令一切衆生離諸惡

BD01856 號　妙法蓮華經卷七

（14–6）

孔而我等宿福深厚生值法是故父母當
聽我等令得出家所以者何諸佛難值時亦
難遇彼時妙莊嚴王後宮八万四千人皆悉
堪任受持是法華經淨眼菩薩於法華三昧
久已通達淨藏菩薩已於无量百千万億劫
通達離諸惡趣三昧欲令一切衆生離諸惡
趣故其王夫人得諸佛集三昧能知諸佛秘
密之藏二子如是以方便力善化其父令心
信解好樂佛法於是妙莊嚴王與群臣眷屬
俱淨德夫人與後宮婇女眷屬俱其王二子
與四万二千人俱一時共詣佛所到已頭面礼
足遶佛三帀却住一面
尒時彼佛為王說法示教利喜王大歡悅尒
時妙莊嚴王及其夫人解頸真珠瓔珞價直
百千以散佛上於虛空中化成四柱寶臺
臺中有大寶牀敷百千万天衣其上有佛結
跏趺坐放大光明尒時妙莊嚴王作是念佛
身希有端嚴殊特成就第一微妙之色時雲
雷音宿王華智佛告四衆言汝等見是妙莊
嚴王於我前合掌立不此王於我法中作比
丘精勤脩習助佛道法當得作佛号娑羅樹
王国名大光劫名大高王其娑羅樹王佛有
无量菩薩衆及无量聲聞其國平正功德如
是其王即時以国付弟王與夫人二子并諸眷
屬於佛法中出家脩道王出家已於八万四
千歲常勤精進脩行妙法華經過是已後得
一切淨功德莊嚴三昧即昇虛空高七多羅

BD01856號　妙法蓮華經卷七　（14–7）

无量菩薩衆及无量聲聞其國平正功德如
是其王即時以国付弟王與夫人二子并諸眷
屬於佛法中出家脩道王出家已於八万四
千歲常勤精進脩行妙法華經過是已後得
一切淨功德莊嚴三昧即昇虛空高七多羅
樹而白佛言世尊此我二子已作佛事以神通
變化轉我邪心令得安住於佛法中得見世
尊此二子者是我善知識為發起宿世善
根饒益我故来生我家
尒時雲雷音宿王華智佛告妙莊嚴王言如
是如是如汝所言若善男子善女人種善根
故世世得善知識其善知識能作佛事示教
利喜令入阿耨多羅三藐三菩提大王當知
善知識者是大因緣所謂化導令得見佛發
阿耨多羅三藐三菩提心大王汝見此二子
不此二子已曾供養六十五百千万億那由
他恒河沙諸佛親近恭敬於諸佛所受持法
華經愍念邪見衆生令住正見妙莊嚴王即
從虛空中下而白佛言世尊如来甚希有以
功德智慧故頂上肉髻光明顯照其眼長廣
而紺青色眉間毫相白如珂月齒白齊密常
有光明脣色赤好如頻婆菓
尒時妙莊嚴王讚歎佛如是等无量百千万
億功德已於如来前一心合掌復白佛言世
尊未曾有也如来之法具足成就不可思議
微妙功德教戒所行安隱快善我從今日不
復自隨心行不生邪見憍慢瞋恚諸惡之心

BD01856號　妙法蓮華經卷七　（14–8）

尒時妙莊嚴王讚歎佛如是等无量百千万
億功徳已於如来前一心合掌復白佛言世
尊未曾有也如来之法具足成就不可思議
微妙功徳教戒所行安隱快善我從今日不
復自隨心行不生耶見憍慢瞋恚諸悪之心
說是語已礼佛而出佛告大衆於意云何妙
莊嚴王豈異人乎今華徳菩薩是其淨徳夫
人今佛前光照莊嚴相菩薩是哀愍妙莊嚴
王及諸眷屬故於彼中生其二子者今藥王
菩薩藥上菩薩是是藥王藥上菩薩成就如
此諸大功徳已於无量百千万億諸佛所殖
衆徳夲成就不可思議諸善功徳若有人識
是二菩薩名字者一切世間諸天人民亦應
礼拜佛說是妙莊嚴王夲事品時八万四千
人遠塵離垢於諸法中得法眼淨

妙法蓮華經普賢菩薩勸發品第廿八

尒時普賢菩薩以自在神通力威徳名聞與
大菩薩无量无邊不可稱數從東方来所經諸
國普皆震動雨寶蓮華作无量百千万億種
種伎樂又與无數諸天龍夜叉乾闥婆阿脩
羅迦樓羅緊那羅摩睺羅伽人非人等大衆
圍繞各現威徳神通之力到娑婆世界耆闍崛
山中頭面礼釋迦牟尼佛右遶七帀白佛言
世尊我於寶威徳上王佛國遥聞此娑婆世
界說法華經與无量无邊百千万億諸菩
薩衆共来聽受唯願世尊當爲說之若善男
子善女人於如来滅後云何能得是法華經
佛告普賢菩薩若有善男子善女人成就四

BD01856 號　妙法蓮華經卷七

（14–9）

界說法華經與无量无邊百千万億諸菩
薩衆共来聽受唯願世尊當爲說之若善男
子善女人於如来滅後云何能得是法華經
佛告普賢菩薩若有善男子善女人成就四
法於如来滅後當得是法華經一者爲諸佛
護念二者植諸徳夲三者入正定聚四者發
救一切衆生之心善男子善女人如是成就四
法於如来滅後必得是經
尒時普賢菩薩白佛言世尊於後五百歲濁
悪世中其有受持是經典者我當守護除其
衰患令得安隱使无伺求得其便者若魔若
魔子若魔女若魔民若爲魔所着者若夜
叉若羅剎若鳩槃荼若毗舍闍若吉蔗若富單
那若韋陁羅等諸惱人者皆不得便是人若行
若立讀誦此經我尒時乘六牙白象王與大
菩薩衆俱詣其所而自現身供養守護安
慰其心亦爲供養法華經故是人若坐思惟
此經尒時我復乘白象王現其人前其人若
於法華經有所忘失一句一偈我當教之與
共讀誦還令通利尒時受持讀誦法華經者
得見我身甚大歡喜轉復精進以見我故即
得三昧及陁羅尼名爲旋陁羅尼百千万億
旋陁羅尼法音方便陁羅尼得如是等陁羅
尼世尊若後世後五百歲濁悪世中比丘比丘
尼優婆塞優婆夷求索者受持者讀誦者
書寫者欲脩習是法華經者於三七日中應一
心精進滿三七日已我當乘六牙白象與无

BD01856 號　妙法蓮華經卷七

（14–10）

得見我身甚大歡喜轉復精進以見我故即
得三昧及陀羅尼名為旋陀羅尼百千万億
旋陀羅尼法音方便陀羅尼得如是等陀羅
尼世尊若後世後五百歲濁惡世中比丘比丘
尼優婆塞優婆夷求索者受持者讀誦者
書寫者欲脩習是法華經者於三七日中應一
心精進滿三七日已我當乘六牙白象與无
量菩薩而自圍遶以一切衆生所喜見身現
其人前而為說法示教利喜亦復與其陀羅
尼呪得是陀羅尼故无有非人能破壞者亦
不為女人之所惑亂我身亦自常護是人唯
願世尊聽我說此陀羅尼呪即於佛前而說呪
曰
阿檀地余賣反一 檀陀婆地二 檀陀婆帝三 檀陀鳩
舍隸四 檀陀脩陀隸五 脩陀隸六 脩陀羅婆底七 佛
馱波羶禰八 薩婆陀羅尼阿婆多尼九 薩婆婆
沙阿婆多尼十 脩阿婆多尼十一 僧伽婆履叉尼
僧伽涅伽陀尼十三 阿僧祇十四 僧伽婆伽地十五 帝隸
阿惰僧伽兜略盧遮反十六 阿羅帝波羅帝十七 薩婆僧
伽三摩地伽蘭地十八 薩婆達磨脩波利刹帝十九 薩婆
薩埵樓馱憍舍略阿㝹伽地二十 辛阿毗吉利地
帝廿一
世尊若有菩薩得聞是陀羅尼者當知普賢
神通之力若法華經行閻浮提有受持者應
作此念皆是普賢威神之力若有受持讀誦
正憶念解其義趣如說脩行當知是人行普
賢行於无量无邊諸佛所深種善根為諸如

BD01856號　妙法蓮華經卷七　（14–11）

世尊若有菩薩得聞是陀羅尼者當知普賢
神通之力若法華經行閻浮提有受持者應
作此念皆是普賢威神之力若有受持讀誦
正憶念解其義趣如說脩行當知是人行普
賢行於无量无邊諸佛所深種善根為諸如
來手摩其頭若但書寫是人命終當生忉利
天上是時八万四千天女作衆伎樂而來迎
之其人即著七寶冠於采女中娛樂快樂何
況受持讀誦正憶念解其義趣如說脩行若
有人受持讀誦解其義趣是人命終為千佛
授手令不恐怖不墮惡趣即往兜率天上弥
勒菩薩所弥勒菩薩有卅二相大菩薩衆所
共圍繞有百千万億天女眷屬而於中生有
如是等功德利益是故智者應當一心自書
若使人書受持讀誦正憶念如說脩行世尊
我今以神通力守護是經於如來滅後閻浮
提內廣令流布使不斷絕
尒時釋迦牟尼佛讚言善哉善哉普賢汝能
護助是經令多所衆生安樂利益汝已成就
不可思議功德深大慈悲從久遠來發阿耨
多羅三藐三菩提意而能作是神通之願守
護是經我等以神通力守護能受持普賢菩
薩名者普賢若有受持讀誦正憶念脩習書
寫是法華經者當知是人則見釋迦牟尼佛如
從佛口聞此經典當知是人供養釋迦牟尼佛
當知是人佛讚善哉當知是人為釋迦牟
尼佛手摩其頭當知是人為釋迦牟尼佛衣

BD01856號　妙法蓮華經卷七　（14–12）

寫是法華經者當知是人則見釋迦牟尼佛如
從佛口聞此經典當知人供養釋迦牟尼佛
當知是人佛讚善哉當知是人為釋迦牟
尼佛手摩其頭當知是人為釋迦牟尼佛衣
之所覆如是之人不復貪著世樂不好外道
經書手筆亦復不喜親近其人及諸惡者若
屠兒若畜猪羊雞狗若獵師若衒賣女色
是人心意質直有正憶念有福德力是人不為
三毒所惱亦不為嫉妬我慢邪慢增上慢所
惱是人少欲知足能脩普賢之行普賢若如
來滅後後五百歲若有人見受持讀誦法華
經者應作是念此人不久當詣道場破諸魔
衆得阿耨多羅三藐三菩提轉法輪擊法鼓
吹法蠡雨法雨當坐天人大衆中師子法座
上普賢若於後世受持讀誦是經典者是人
不復貪著衣服臥具飲食資生之物所願不
虛亦於現世得其福報若有人輕毀之言汝
狂人耳空作是行終无所獲如是罪報當世
世无眼若有供養讚嘆之者當於今世得現
果報若復見受持是經者出其過惡若實若
不實此人現世得白癩病若有輕咲之者當
世世牙齒踈缺醜脣平鼻手脚繚戾眼目角
睞身體臭穢惡瘡膿血水腹短氣諸
是故普賢若見受持是經典者當起遠
如敬佛說是普賢勸發品時恒河沙等
无邊菩薩得百千万億旋陀羅尼三千
世界微塵等諸菩薩具普賢道佛說
時普賢等諸菩薩舍利弗等諸聲聞

BD01856號　妙法蓮華經卷七　（14–13）

三毒所惱亦不為嫉妬我慢邪慢增上慢所
惱是人少欲知足能脩普賢之行普賢若如
來滅後後五百歲若有人見受持讀誦法華
經者應作是念此人不久當詣道場破諸魔
衆得阿耨多羅三藐三菩提轉法輪擊法鼓
吹法蠡雨法雨當坐天人大衆中師子法座
上普賢若於後世受持讀誦是經典者是人
不復貪著衣服臥具飲食資生之物所願不
虛亦於現世得其福報若有人輕毀之言汝
狂人耳空作是行終无所獲如是罪報當世
世无眼若有供養讚嘆之者當於今世得現
果報若復見受持是經者出其過惡若實若
不實此人現世得白癩病若有輕咲之者當
世世牙齒踈缺醜脣平鼻手脚繚戾眼目角
睞身體臭穢惡瘡膿血水腹短氣諸
是故普賢若見受持是經典者當起遠
如敬佛說是普賢勸發品時恒河沙等
无邊菩薩得百千万億旋陀羅尼三千
世界微塵等諸菩薩具普賢道佛說
時普賢等諸菩薩舍利弗等諸聲聞
天龍人非人等一切大會皆大歡喜受持
作禮而去

BD01856號　妙法蓮華經卷七　（14–14）

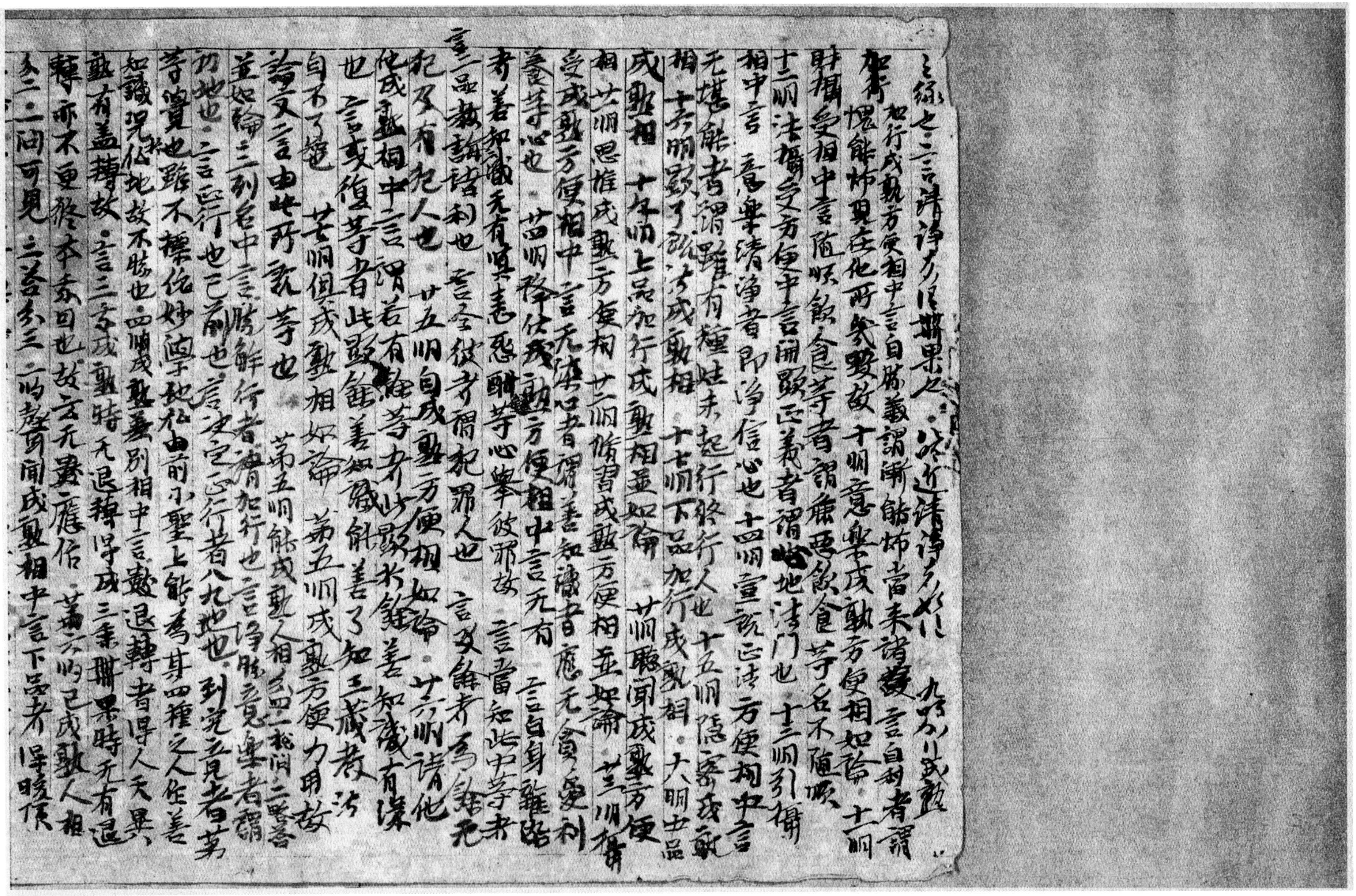

BD01857 號 1　瑜伽師地論分門記卷三七　（16–1）

三練七・二言諸淨方便攝果也・於前近淨淨方便　九明成熟
聚者　加行成熟方便相中言自勝義謂漸能攝當來諸菩薩　言自利者謂
堪能攝現在化所火燒故　十明意樂成熟方便相如論　十一明
財攝受相中言隨順飲食等者謂雖惡飲食等名不隨順
十二明法攝受方便中言開顯正義者謂此地法門也　十三明引攝
相中言　意樂清淨者即淨信心也　十四明宣說正法方便相中言
无堪能者謂雖有種姓未起行終行人也　十五明隱密成熟
相　十六明顯了說方成熟相　十七明下品加行成熟相　十八明中品
成熟相　十九明上品加行成熟相並如論　廿明聽聞成熟方便
相　廿一明思惟成熟方便相　廿二明修習成熟方便相並如論　廿三明攝
受成熟方便相中言无染心者謂善知識者應无貪愛利
養等心也　廿四明修法成熟方便相中言无有　三言自身雜路
者善知識无有嗔恚惡酬等心舉彼邪故　言當知此中等者
言三品教誨諸利也　言令彼者謂犯罪人也　言又餘者為餘无
犯又有犯人也　廿五明自成熟方便相如論　廿六明請他
他成熟相中言謂若有餘等者此顯於餘善知識有深
也　言或復等者此顯餘善知識能善了知三藏教法
自不了達　廿七明俱成熟相如論　第五明成熟方便力用故
論文言由此所說等也　第五明能成熟人相合有四一總問二略答
並如論三列名中言勝解行者謂加行也言淨勝意樂者謂
初地也・言正行也已前也・言決定正行者八九地也・到究竟者第
等覺也雖不擇住妙覺地於由前小聖上能為其四種之人作善
知識況於地故不勝也・四明成熟差別相中言數退轉者得人天果、
熟有盡轉故・言三乘成熟特无退轉得成三乘聖果時无有退
轉亦不更於本乘回也故言无數應信・第六明已成熟人相
三・一問可見・二答分三　一明聲聞成熟相中言下品者得暖頂

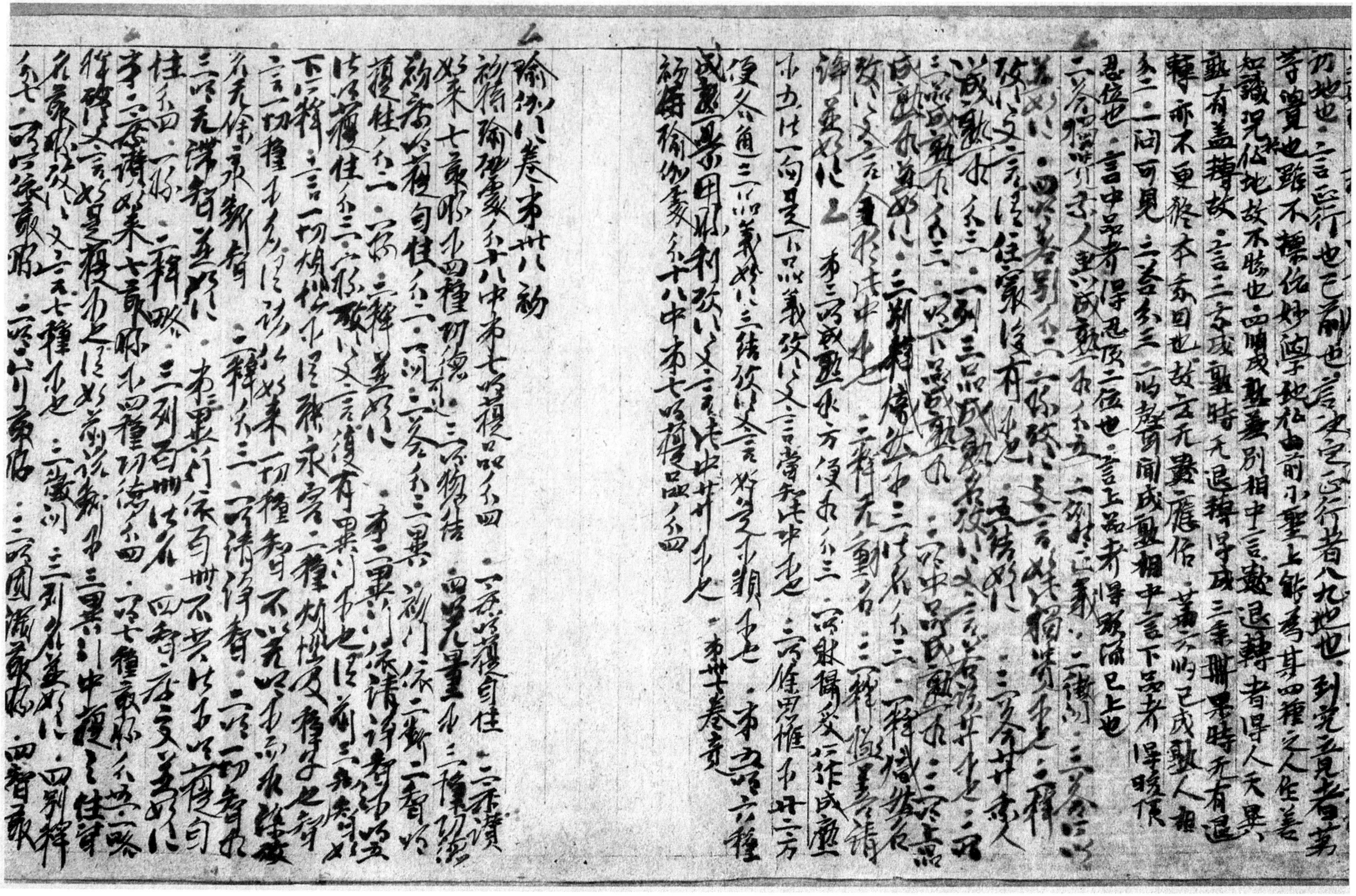

BD01857 號 1　瑜伽師地論分門記卷三七　（16–2）

BD01857 號 2　瑜伽師地論分門記卷三八

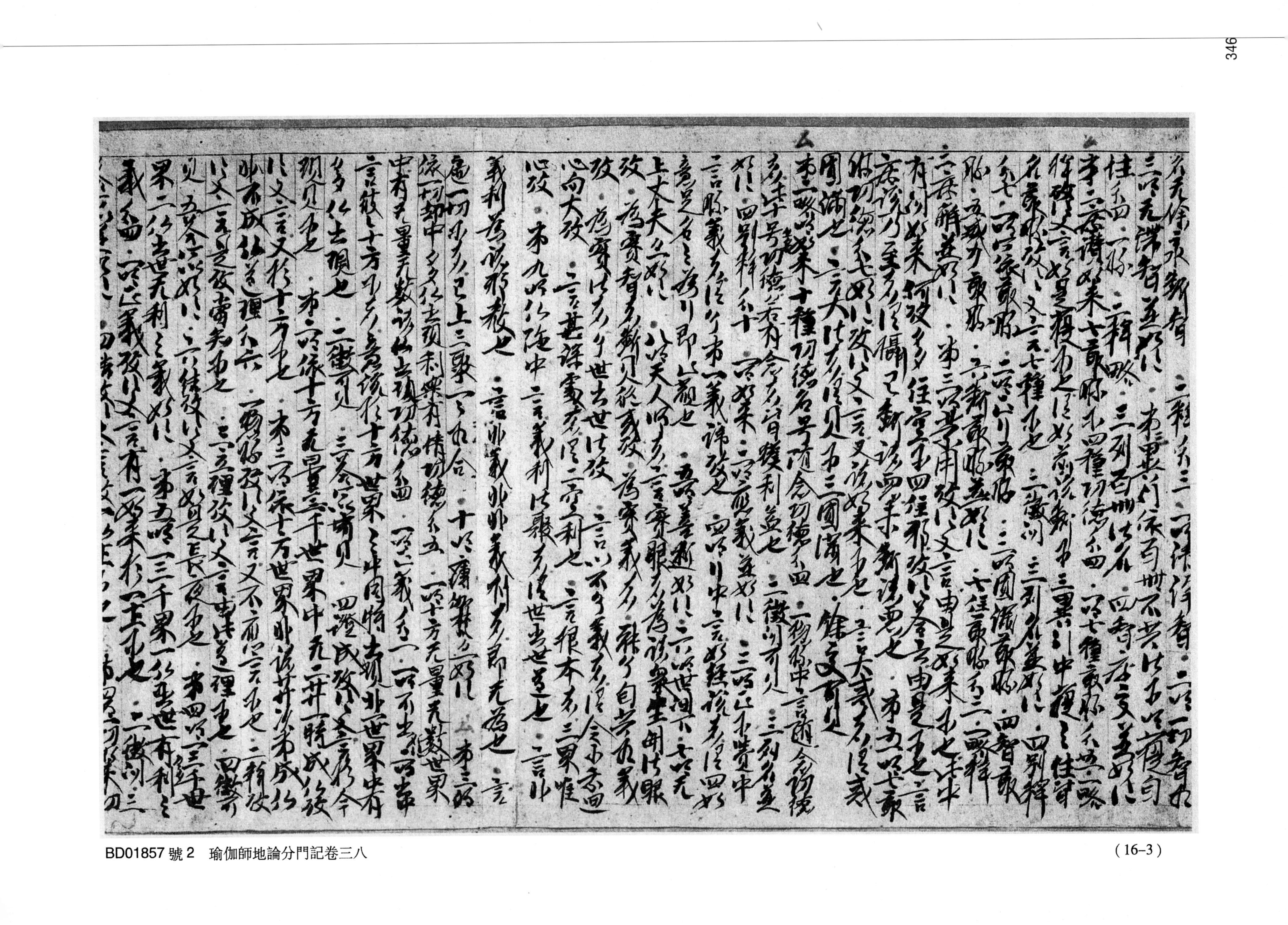

[illegible]

BD01857 號 2　瑜伽師地論分門記卷三八

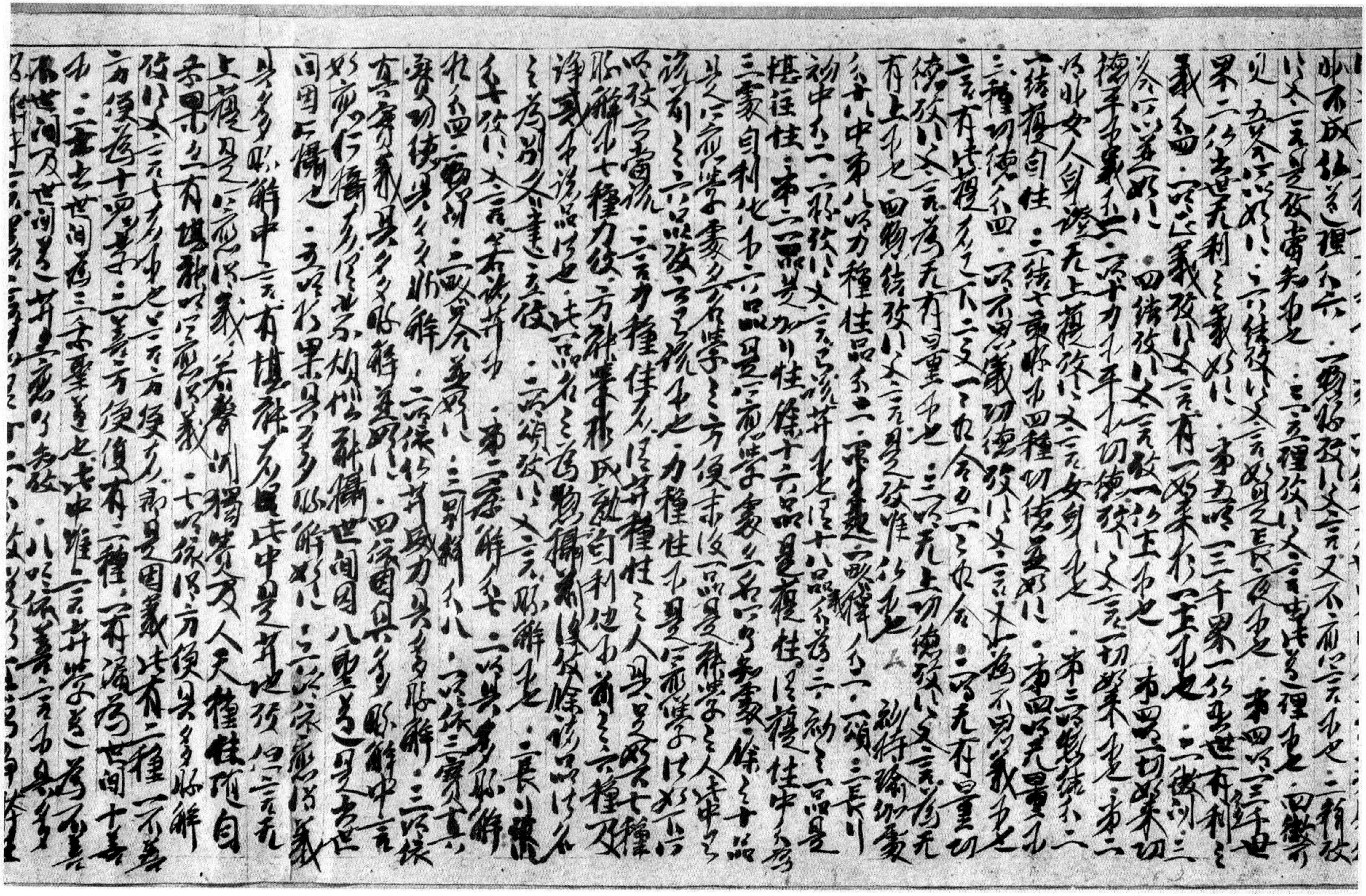

BD01857 號 2　瑜伽師地論分門記卷三八　（16–4）

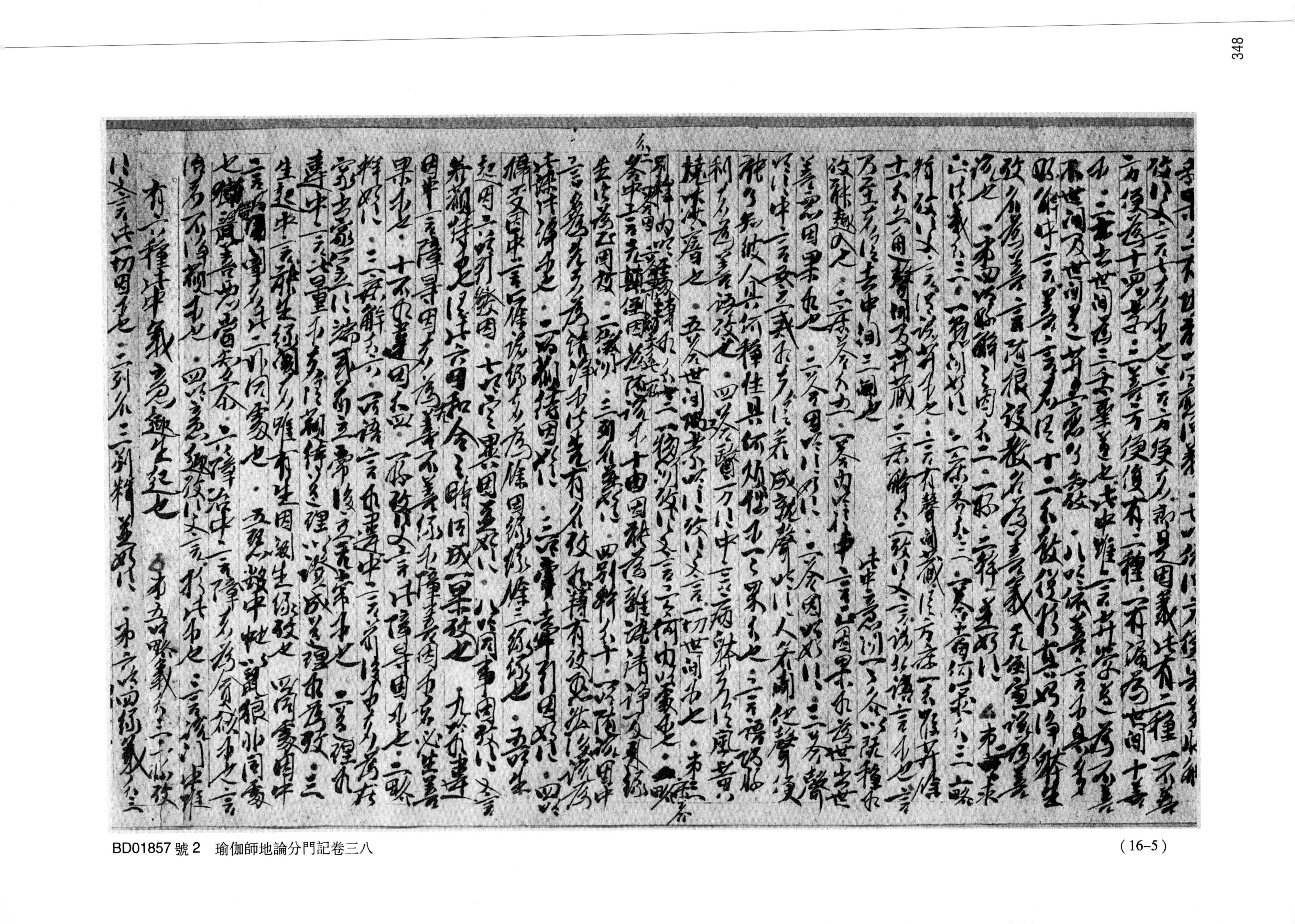

[illegible]

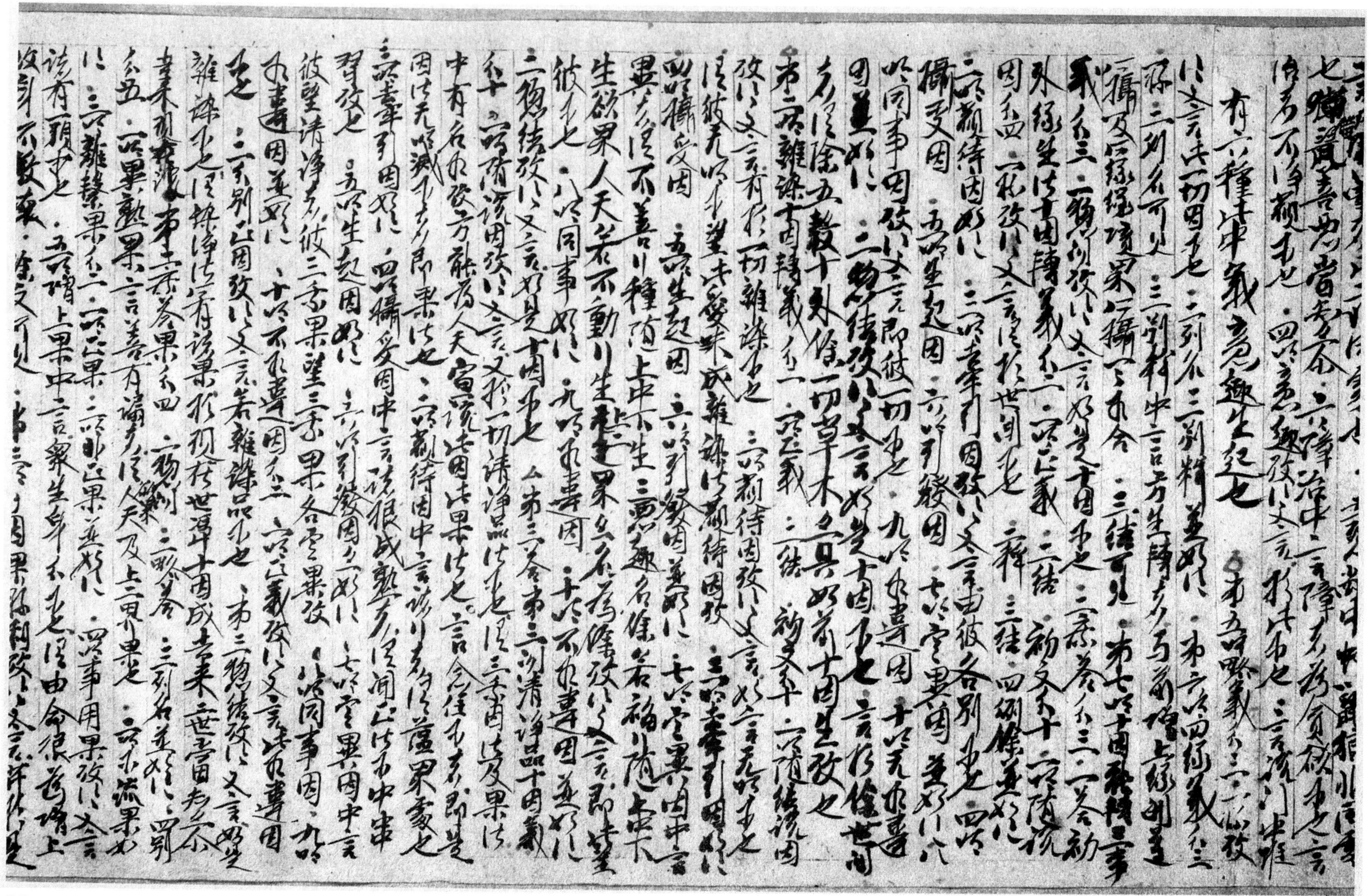

BD01857號2　瑜伽師地論分門記卷三八

（16-6）

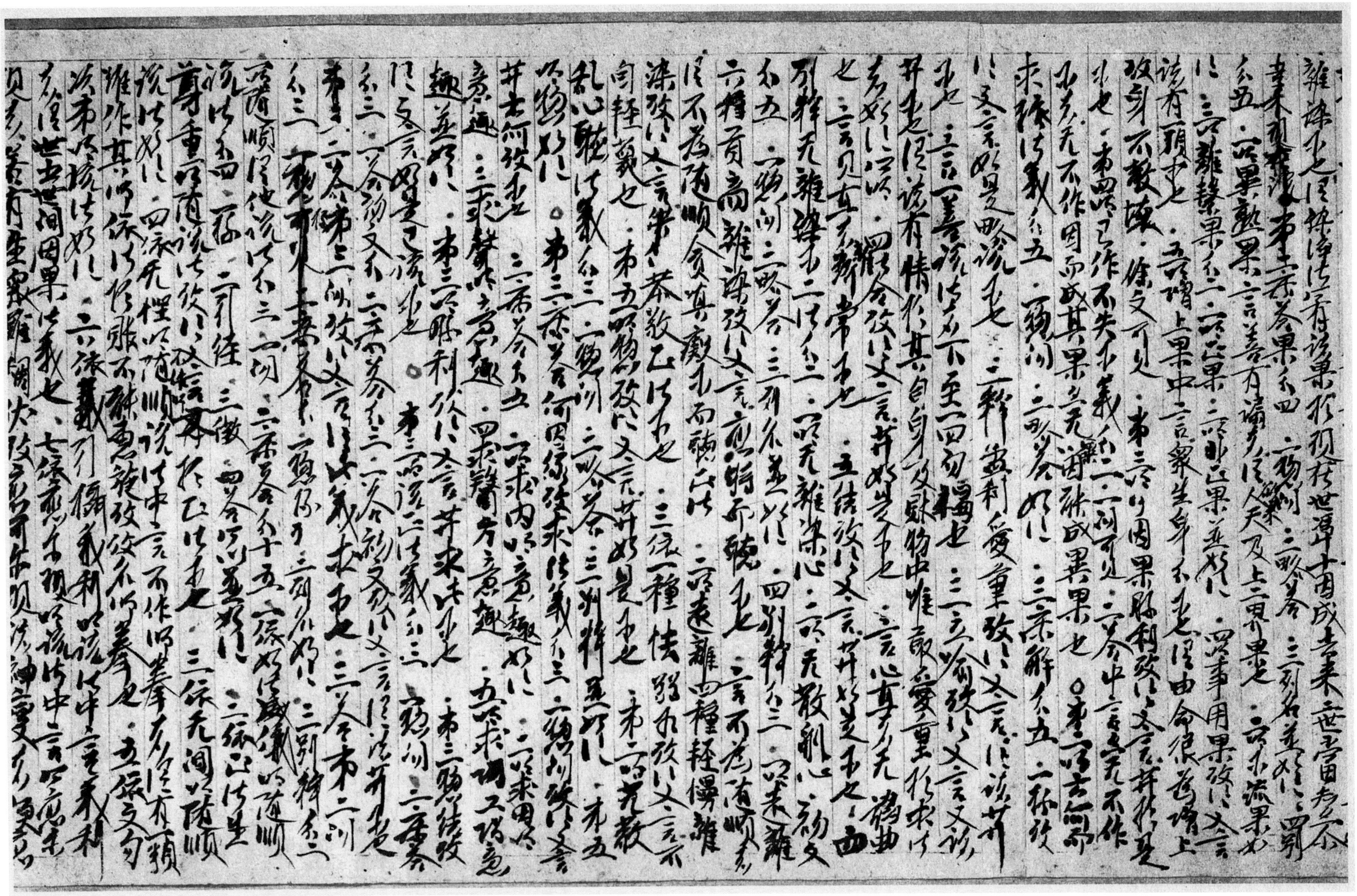

BD01857 號 2　瑜伽師地論分門記卷三八

[illegible]
尊重諸隨說法欲令於法[illegible]
說法如是 四依无悝[illegible]說法中言不作師拳[illegible] 三依无間以隨順
雖作其所依[illegible] 五依文句
[illegible]
[illegible]
[illegible]
[illegible]
[illegible]
[illegible]
[illegible]
[illegible]
[illegible]
[illegible]
[illegible]
明十五及清淨五及隨說於令 三結可見
第四明思正於法隨法[illegible]
中言而以求者謂於如前所說求五明處也
其聞慧心受持五明處法也
者謂[illegible]聞許備 四結 論文言是者許事也 五別釋正思分三
一釋正義分三 一問可見 二答分四 一明思法處故文言謂於法亦也 二明
思諸目故文言隨法等也謂於師所聽聞五明法也 二明思離相分八 一明遠
離不思處中言不思議處者謂諸非法不應思也 二依无間加
行明思於攝文 恒常亦三依少分諸明思相中言少分者依五明處雖
全未解與貪少分便能思惟也 四依少分諸明思相如文 五依義不依文明
思相可見 六依了甚說大說明思相中言甚深者謂諸異品也 三言大說者謂
白品也 七依初思惟明思相謂初發心也 中言堅固者八明得堅實中謂依
行中得究竟堅實也 第四明八思業用分八 一明遠離不應思處故論文
言是諸許也 二明无間加行思業用故文言由能恒常[illegible]也 三少分諸明
業用 四依少分諸信解明思業用並如文 五明依義不文明業用故文言思
惟諸時亦也 六明了甚說大說明思業用中言无擾者无天魔外道
及邪教能動菩薩也 七明初思惟明思業用 八明
得堅實明思業用 並如文 第二物結
第二別釋正義有七 一總問 二略答 三別名並如文 四別釋
[illegible]

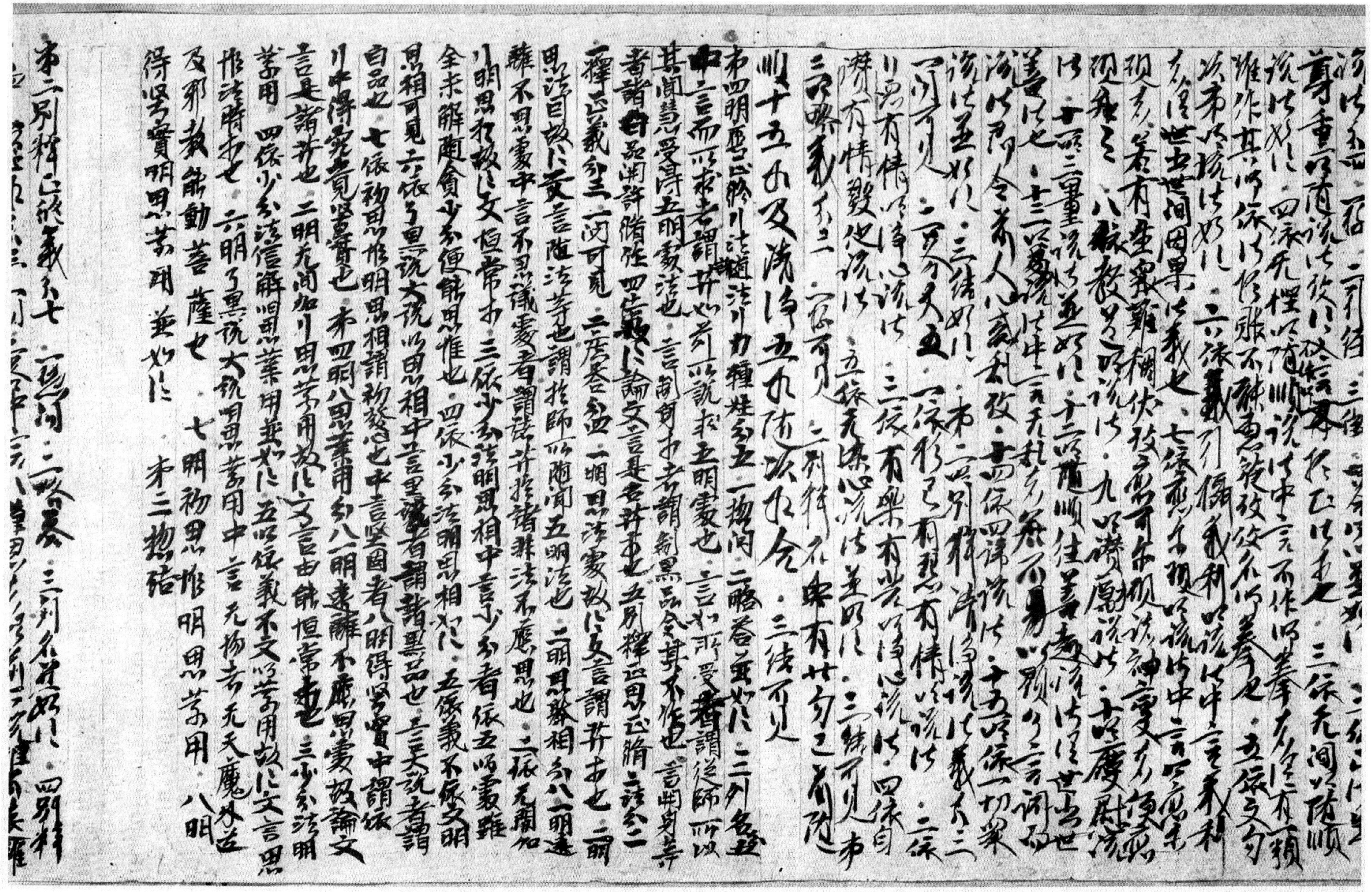

BD01857 號 2　瑜伽師地論分門記卷三八　　（16–8）

及邪教能動菩薩也・七明初思惟明思業用・八明
得果實明思業用並如文・第二總結
第二別釋已說義分七 一標列 二略答 三別釋如文・四別釋
分四 一標 分三 一問 二略答中云八種思業如前已說推求未離
不可不思處也 一問 二略答 三別釋如文 一問可見 二略答中
言方便唯依五明法也 言方便亦四種應知也 三釋可見
三示攝文能已觀 分三 一並如文 四示業能習已觀也 分二 一問
可見 二略答 三結並如文 第五明已觀業用分四 一問 發能
習業用故以復二云當知此中亦也 三示業變能習業用
三示清淨智業用中云增長廣大故 四明
清淨難業用中云智見無間道見多能脫道道
增長廣大隨所宜行 第六明變法業用分三 一示
可見 二釋中言所說依身也 二示知方便一切境之
依止行衛依故智見清淨也 第七明物能助道一切
無也 第八已教授力種姓相分五 一問 二略答並如文 三別
釋分三 一標教授四所攝故以文謂諸菩薩也 言異彼等者謂常與寶虞
也 言從彼之記來此相違前人先起前非或自教授或引將餘
菩及文來令彼教授 二明頭數分八 一依如來知心明教授相故以
文言教授時也 諸應先了前人今意與云中具何者心性後說法 二
依如實了知其根者智斷根利鈍故便隨說聲聞等教 三依如實了
知意樂故以文言尋思如實知也 言尋思意云示先以已化云人意樂
何隨其所樂說三示導 四依如實了知隨眠以教授於故以文云尋
思亦也 言隨眠如實了知者謂善知識了而化門中具何者煩惱故也 五依
如以三結如法依治常見明教授於故以文言基趣入已方也 七依治斷見明
其所應宣說種種入心明教授分三 一標故以文言尋思也 二釋分五
教授在故以文言謂說能治方也 八依修增上增明教授於故以文言全其
除捨方也 言未作謂不若謂初中後三增上增隨次配之
第四明略義分五 一總標 二徵問 三列並如文 四別釋分三 一明令樂所緣
無倒計會相攝並故以文言善知彼心方也 二明正方便道初故以言異調意
說方也 三總攝攝於攝一故以文言善令除棄未作方也 第五明總結故
以文言如是三處方也 第五明八種教授勝利分二 一總標故以文言覺之
菩方也 二釋故以文言能令所餘八力方也 謂十力中除處非處力等力除此
及餘九八如以自明 言遍趣行智力者謂遍知善不善方自果故也
第六明已教誡力種姓相分四 一徵問 二略答並如文 三別釋分五 一依遮
上有罪明教誡義 二依開許無罪現行明教誡義 三依如法諫誨明教誡義

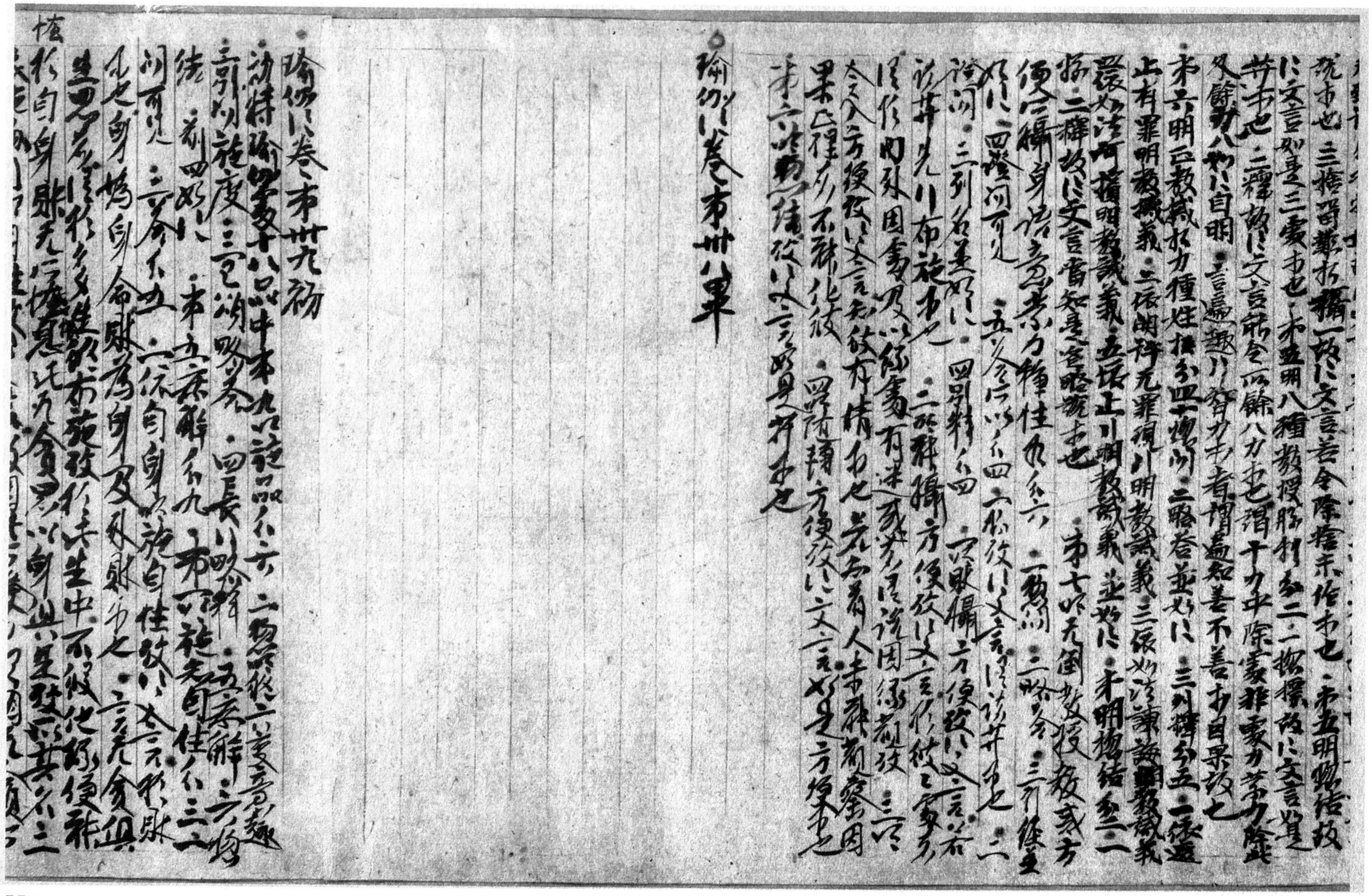

BD01857 號 2　瑜伽師地論分門記卷三八
BD01857 號 3　瑜伽師地論分門記卷三九

（16–10）

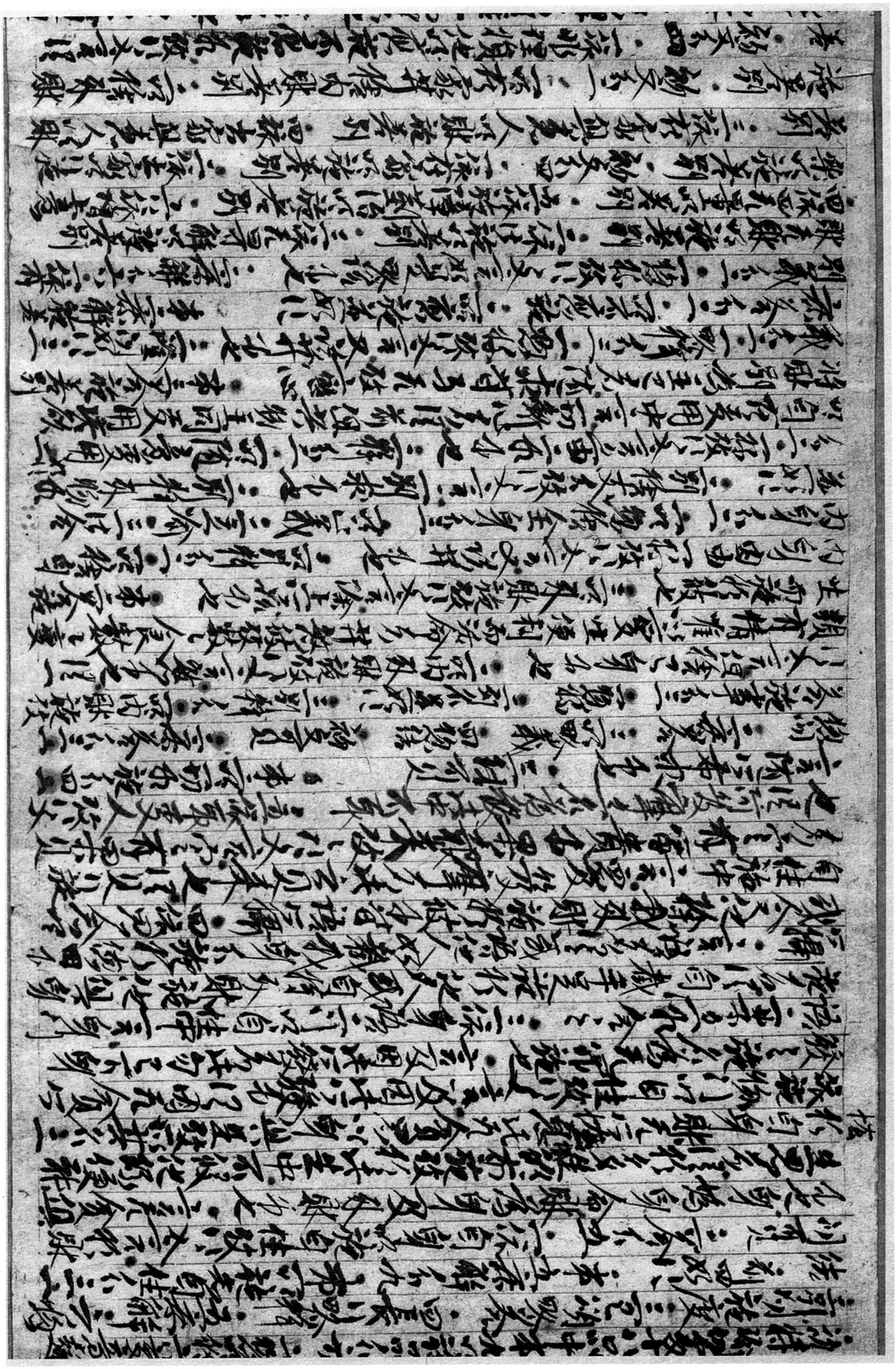

BD01857 號 3　瑜伽師地論分門記卷三八

（16–11）

財无財以施差別・二依功能以差別・三依无畏解以護差別
四依四无量以差別・五依施淨等治以施差別・六依增上意
樂以施差別・初文有四・一依在家以施差別・二依出家以施
差別・三依在家與出家人以財施差別・四依出家與出家人以財
施差別・初文有二・一明在家菩薩內財差別・二明菩薩外財
差・初文有四・一依非理損他以施不施・二依无義故以文三言
說菩薩之・二言非理者謂逼作十惡業之・三言於他者謂上上道句
損害狂或三支[illegible]・二言由諸菩薩若於菩薩不有施
諸菩薩之[illegible]身財等所餘全身謂有情損若有上
多百億千億乃至多百千億亦應施若无利益者
人無不利益前人作非理加害來乞多々使不應施・二言
及有名億義之・二依觀理无四量有情以不應施故以
文言於所可施之・二言意樂清淨者謂不現淨也・三言
不淨者多謂於自身有諸著也・三言讀誦現於多々根益多
人故應修現前乞人之乞・第二一依諸魔來以內施差別故以文
言若有魔眾夫之・二言上品置罪多々彼世者來多々惡心來乞
菩薩者々謂隨意多々於現世中於尼於當來世墮三惡
趣故亦不應施之 二得恬無畏而不應施之・四依魔狂以內施差別有
五・一明不義故以文二言或有眾生來乞之・二徵問・三答・四明施
施人・五物體並如上・第二明在家菩薩外財差別有二・一依[illegible]
物[illegible]等故以文二言若施菩薩之・二別釋有二・一依[illegible]
故以文言若有眾生來乞之・二依邪因意物以外施差別有三
於[illegible]妻以外施差別有・四依自不宜飲食以外施差別有二
並如上・五依行无義利物以外施差別有・一明不義・二徵
三答・四結並如上・六依可施不可施以外施差別有二・一釋故以文
言若有權[illegible]力以不應施故以文・二別以[illegible]以文言無量諸菩薩之
不可施・三依數筆以不可施・四依不隨有情以施・一依[illegible]釋以[illegible]
五依害屬離亦以不可施故以文二言以[illegible]要之・六依[illegible]家以不可施並如上・三答合[illegible]
依[illegible]代藥以不可施故以文・二言以要之・七
施・九依非量食亦以不可施・十依住[illegible]人飲嗜以不可施・八依車乘亦以不可
施・十一依秋[illegible]有情以不可施・十二依父母亦以不可施
十三依稱可[illegible]不可施・十四依妻子亦以不可施並如上
十五依[illegible]以不可施故以文二言唯[illegible]先以之・十六依[illegible]
族住以不可施故以文二言不[illegible]妻子之・十七依王[illegible]不可施
・十八依父母以施物以不可施・十九依不[illegible]父母以不可施
依[illegible]以[illegible]以不可施並如上・第二明在家菩薩以財施差別有

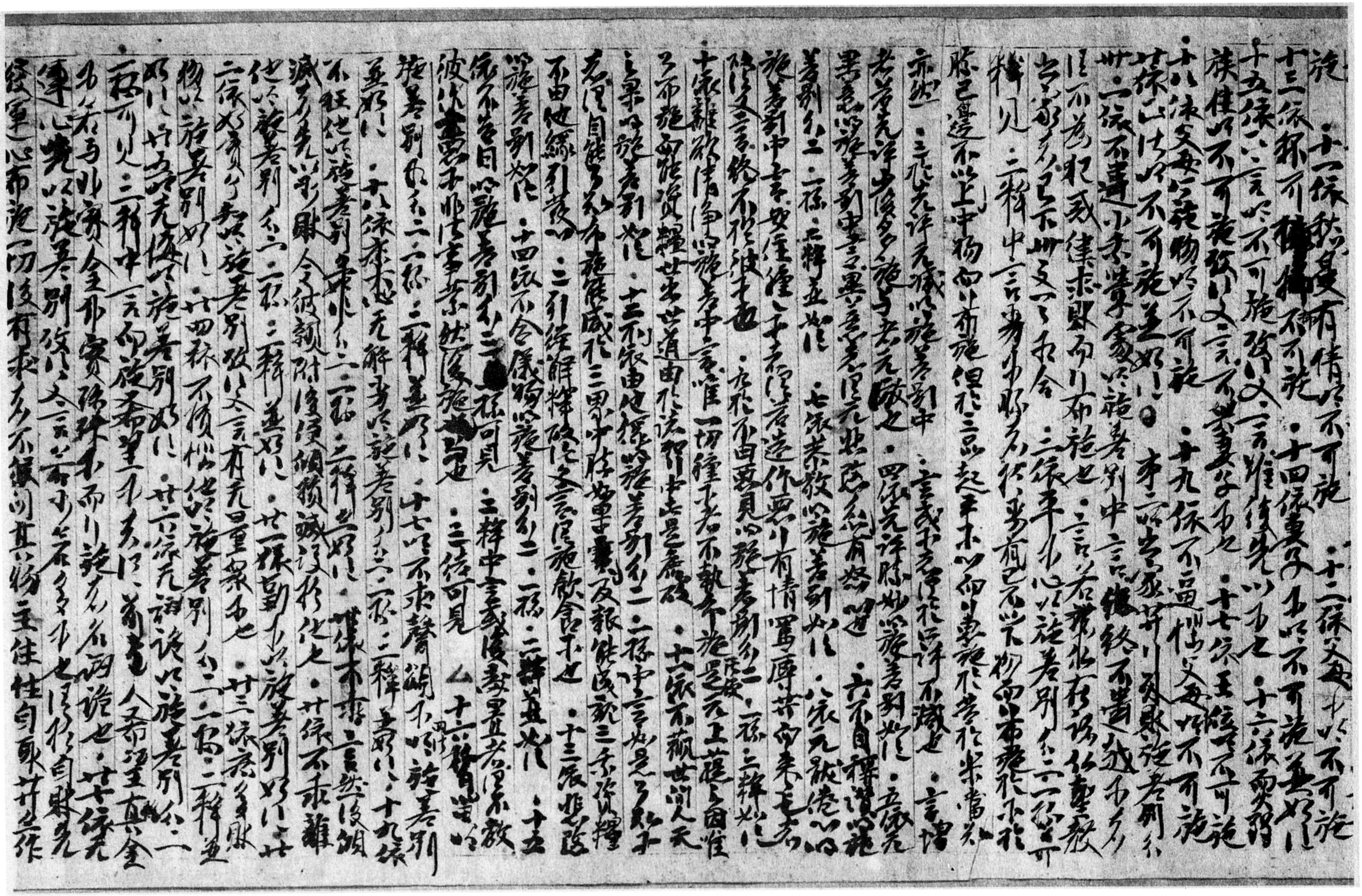

BD01857 號 3　瑜伽師地論分門記卷三八　　（16–13）

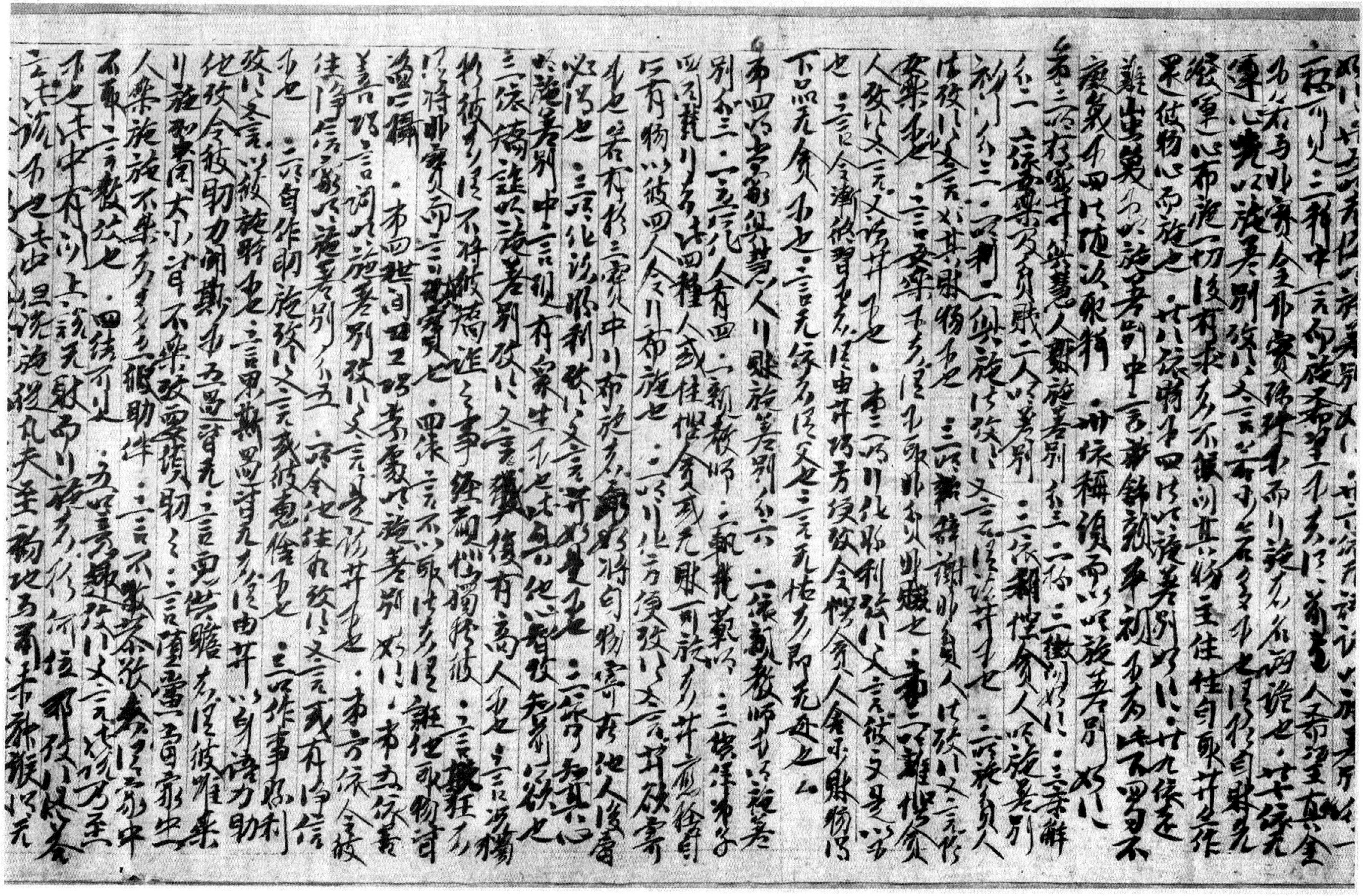

BD01857 號 3　瑜伽師地論分門記卷三八　　（16–14）

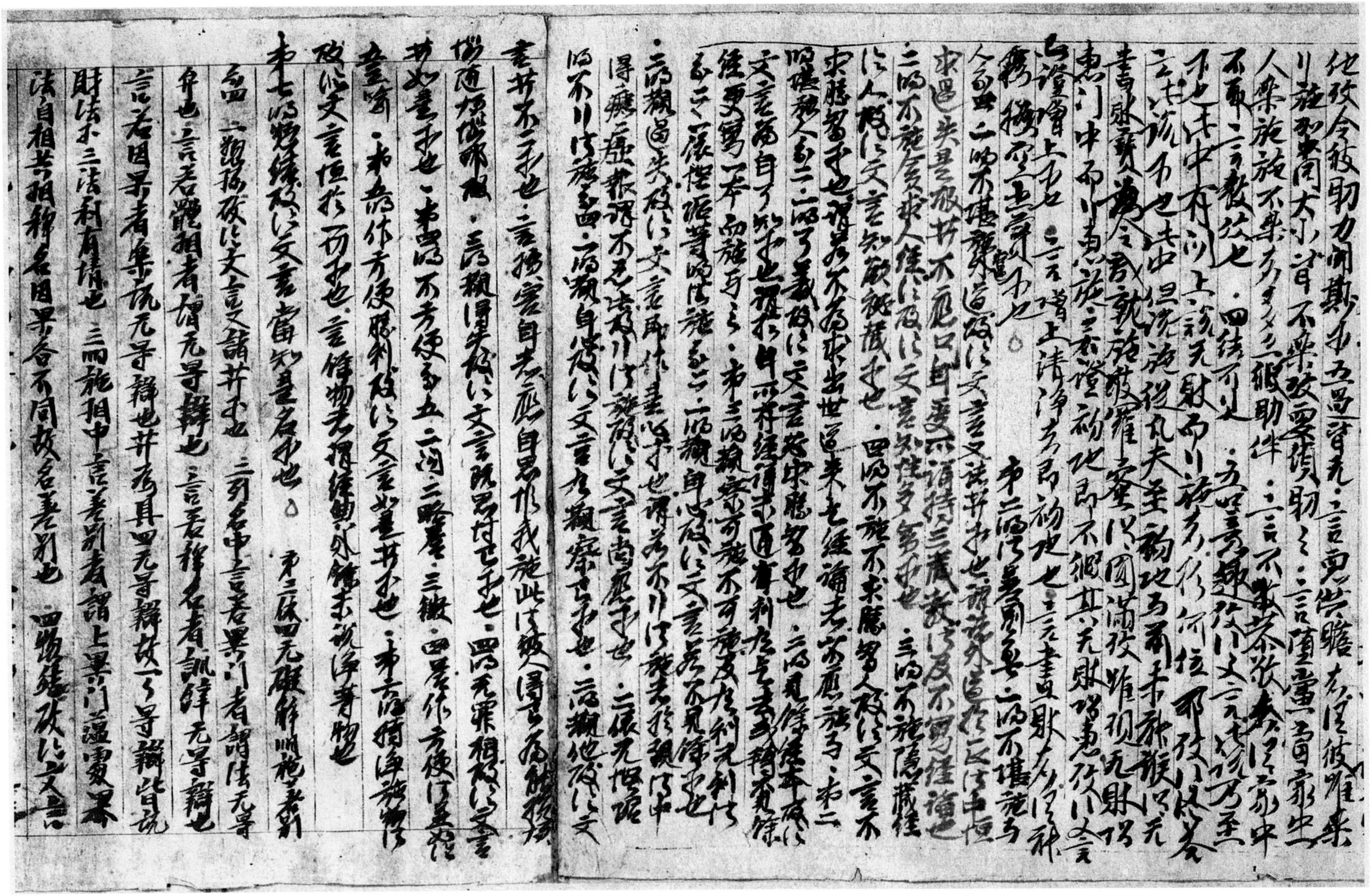

BD01857 號 3　瑜伽師地論分門記卷三八　　（16–15）

善巧。第五修作方便勝利段以文云如是菩薩等也。第六修清淨菩薩
段以文云恒於一切等也。言修物者捐棄財物等說淨等物也
第七明勝緣段以文云當知是名等也 ○ 第二依四無礙解明施差別
分四 一總標段以文云諸菩薩等也 二列名中言若異門者謂法無礙
辯也 言若體相者謂無礙辯也 言若釋名者訓釋無礙辯也
言若因果者集說無礙辯也 菩薩具四無礙辯故一々無礙辯皆說
財法等 三法利有情也 三明施相中言差別者謂上異門盡處果本
法自相共相釋名因果各不同故名差別也 四總結段以文云
當知等也 第四依四無量明施差別分二 一正明義分四 為慈悲
喜捨並如以 二結可見 第五依了施障及對治明施差別分
二 一標 二略答 三列名並如以 四別釋分四 一明未串習障及彼對治
分三 一立所治障故以文云若諸菩薩等也 二立能治道分三 一愚痴界
故以文云菩薩今時等也 二令現果故以文云復以財集等也 三明離勝
故以文云若於今世等也 三結故以文云菩薩如是等也 第二明施物
勘闕障及彼對治分三 一立所治障如以 二立能治道分二 一標故
以文云菩薩今時等也 二釋分二 一令先果報以 二明進修故以文云
設我今者等也 三結故以文云菩薩如是等也 第三明耽著上妙
意財物障及彼對治分二 一立所治障 二立能治道並如以 第四
明觀見當來具是財果障及彼對治分二 一立所治障如以 二立能
治道分三 一明見果故以文云菩薩今時等也 二明能捐中言一切諸行者謂
有顧戀行布施不能迴向无上菩提求人天世間富樂皆有憂易
故以文云皆不堅牢也 三明勝利故以文云如是觀時等也 第五明
能治道分二 一標故以文云如是菩薩等也 二釋中言覺悟思受應知
顛到一切行為上未串習等四門之義隨次配釋 第六明略義分二

BD01857號背　題名

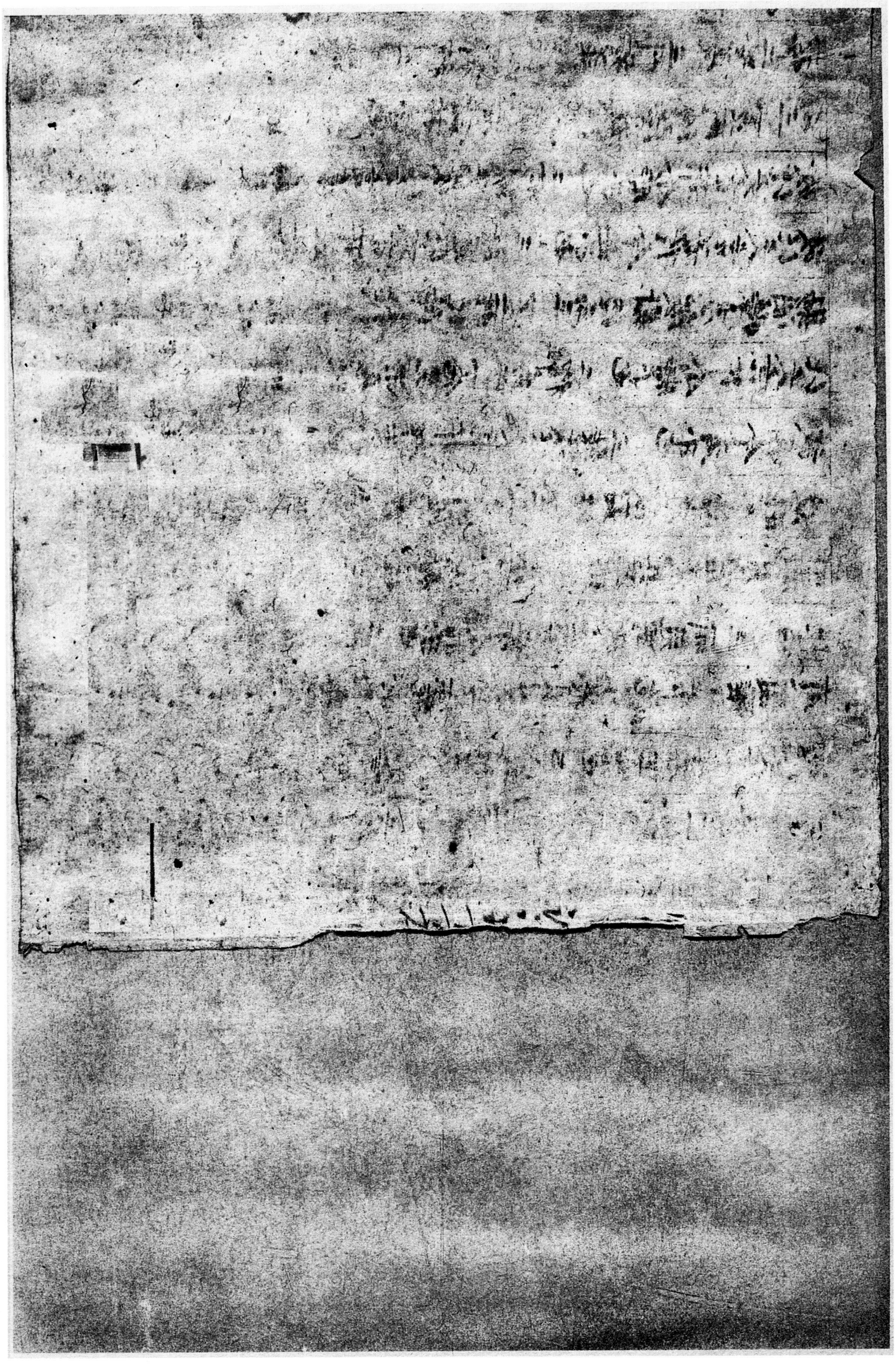

（12–1）

BD01857號背　題名

（12–2）

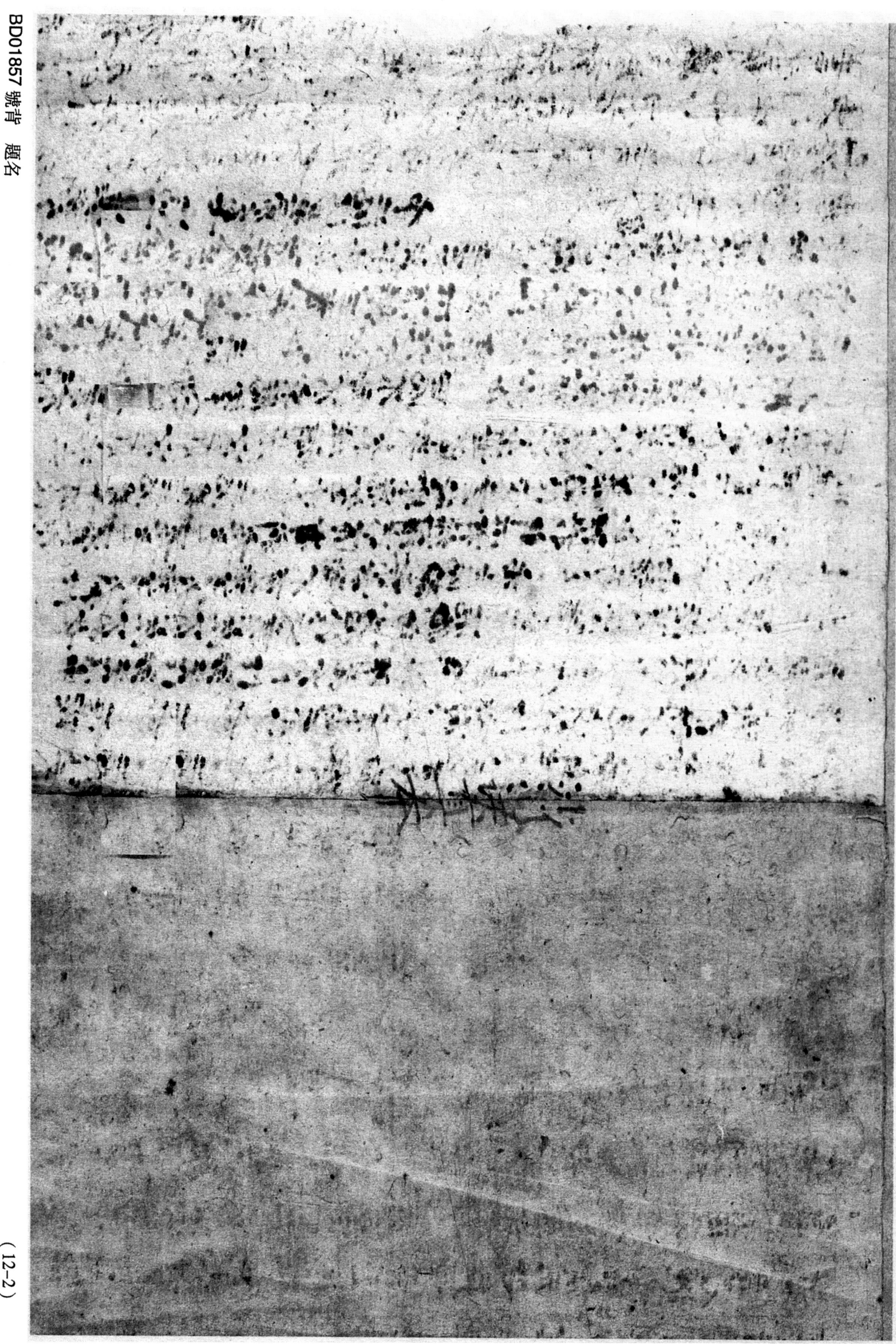

BD01857號背　題名

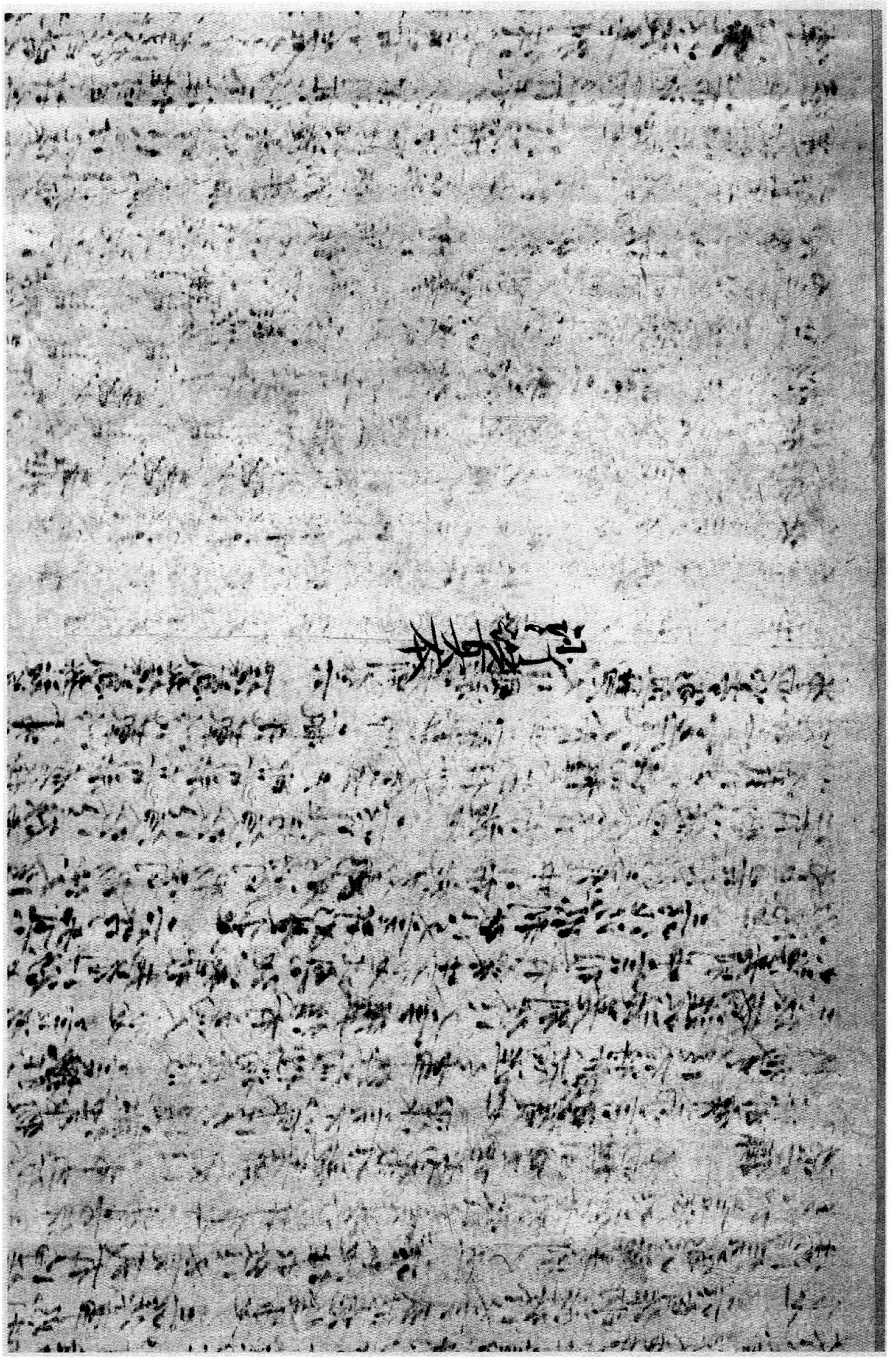

（12–3）

BD01857號背　題名　　（12-4）

BD01857號背　題名

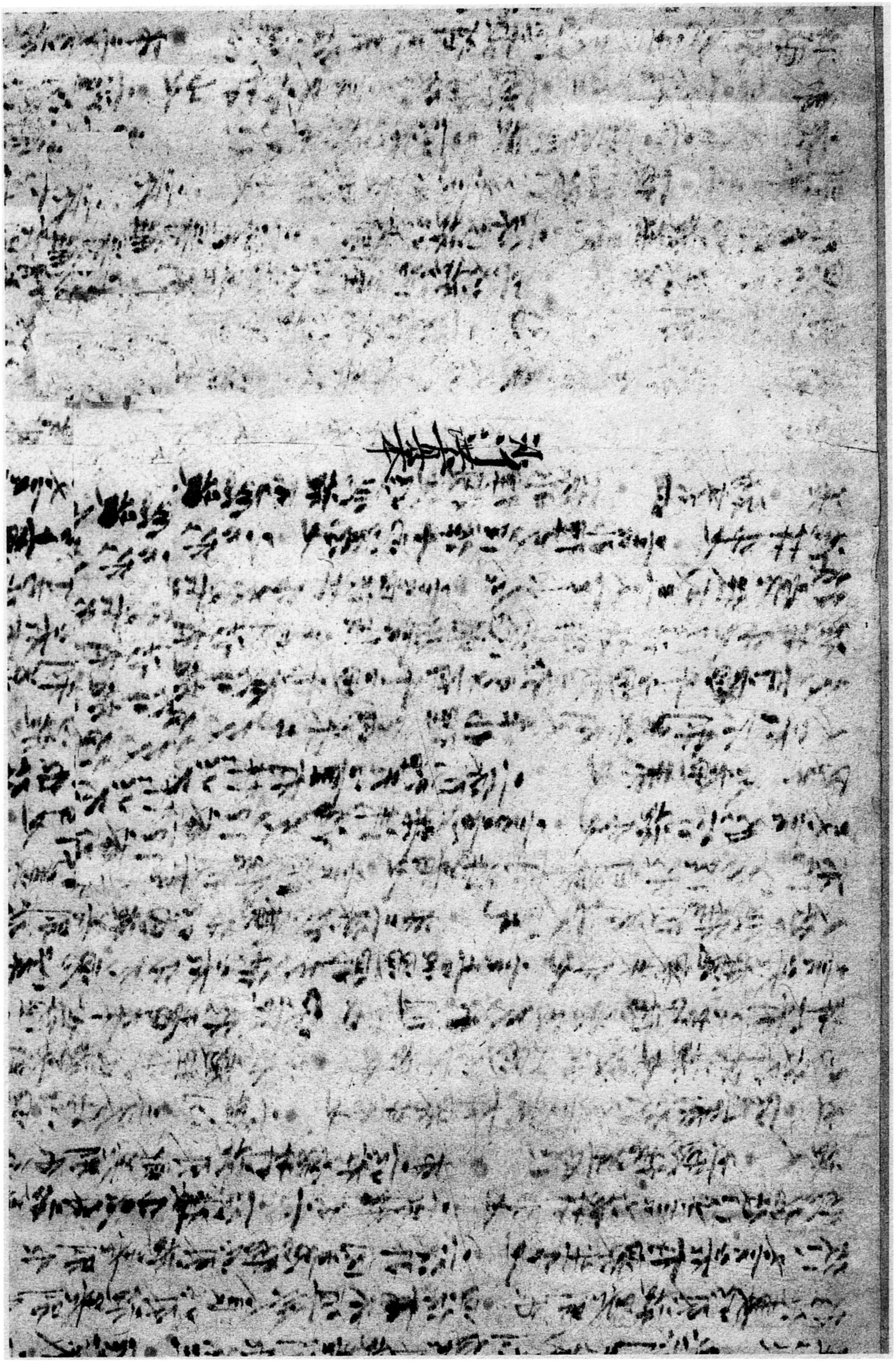

(12–5)

BD01857號背　題名

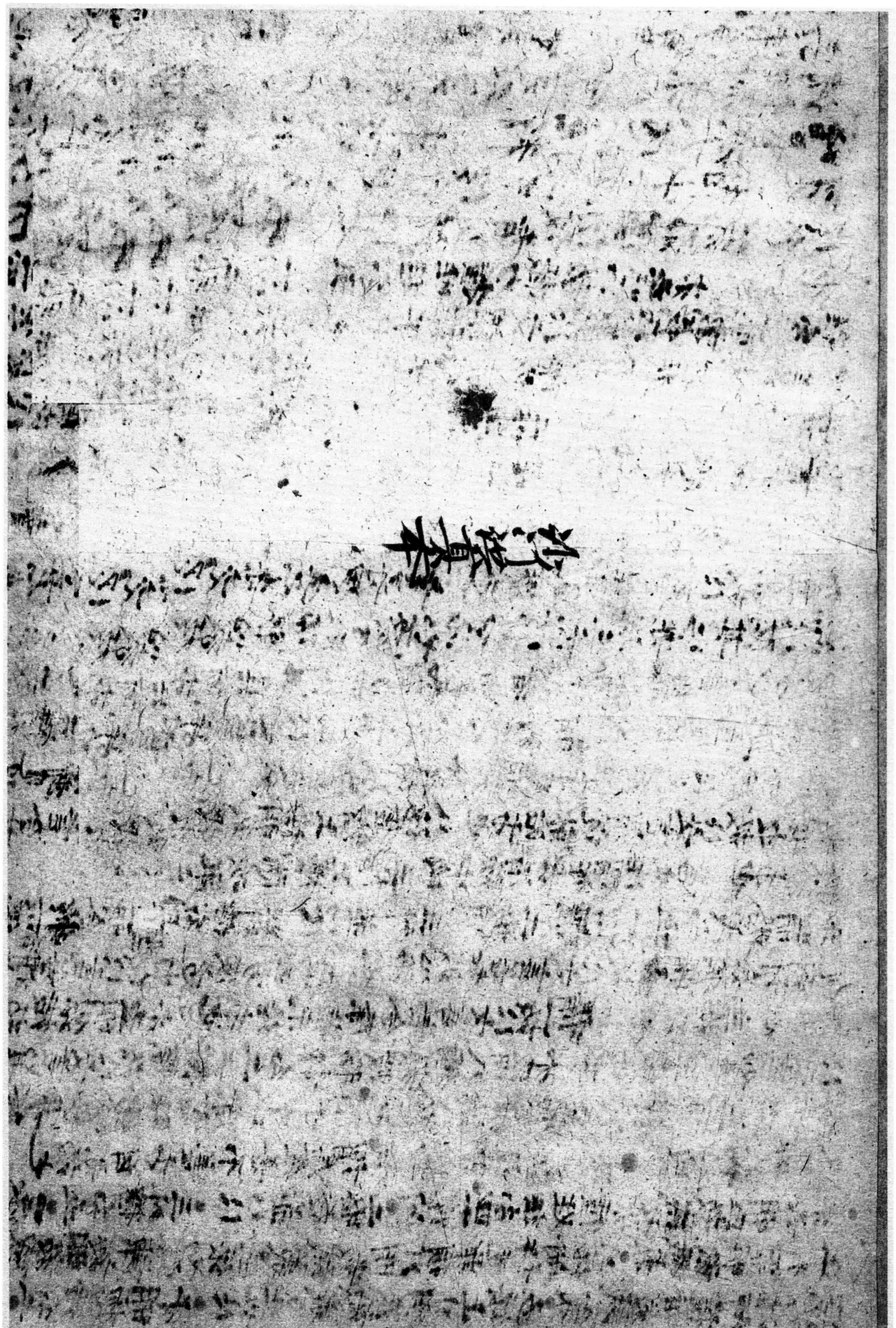

（12–6）

BD01857 號背　題名　　（12–7）

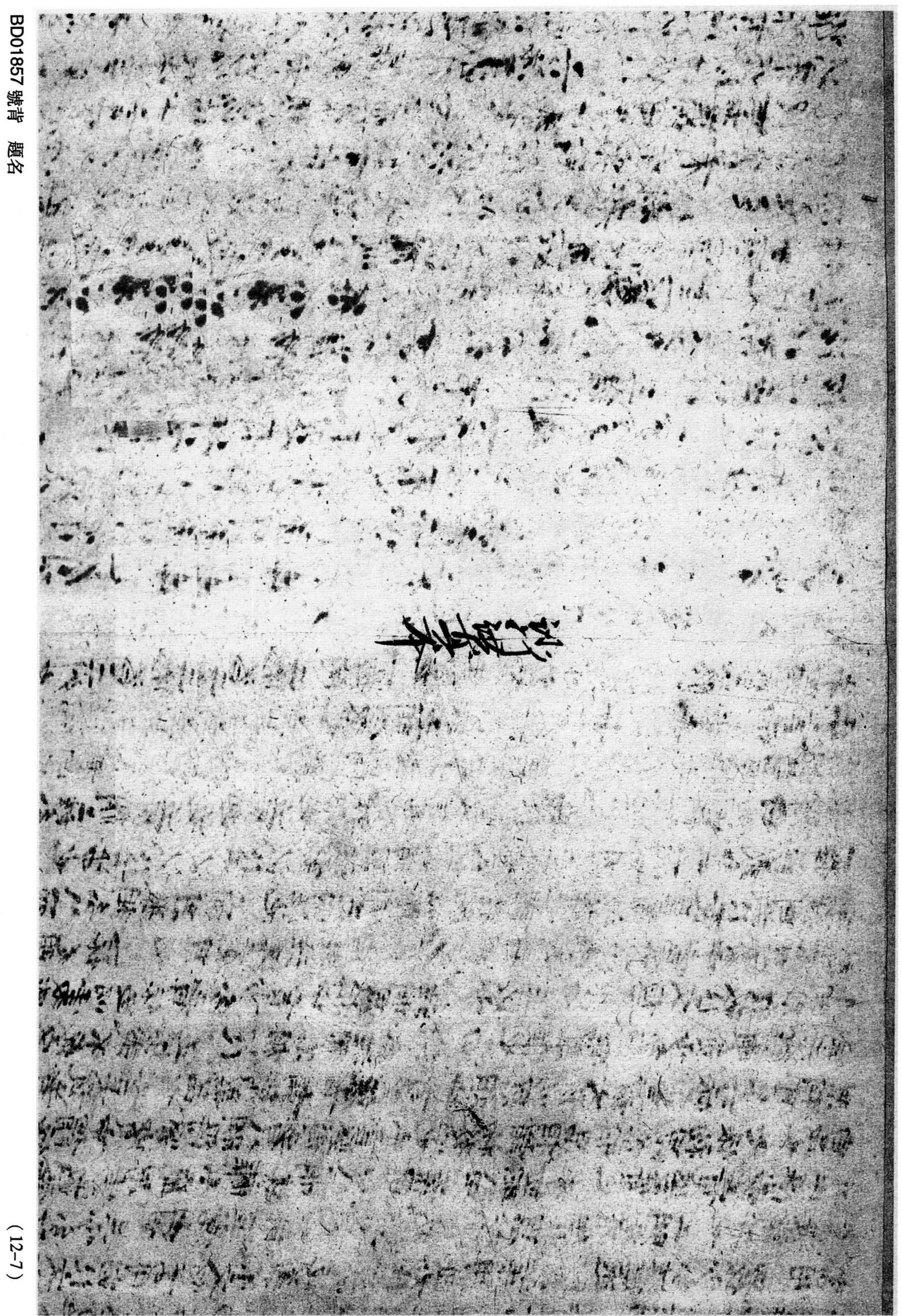

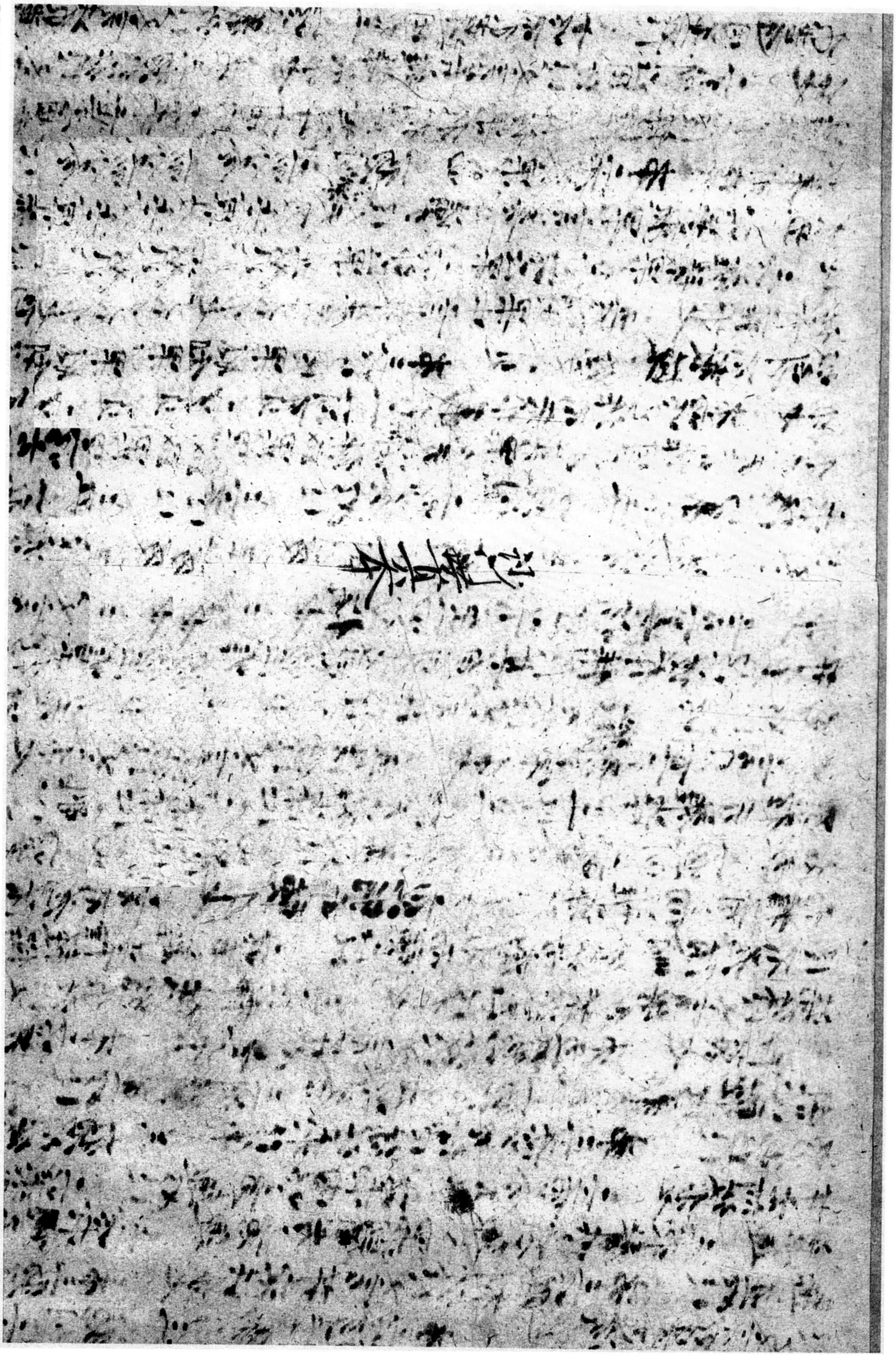

BD01857號背　題名

（12–8）

BD01857號背　題名　（12–9）

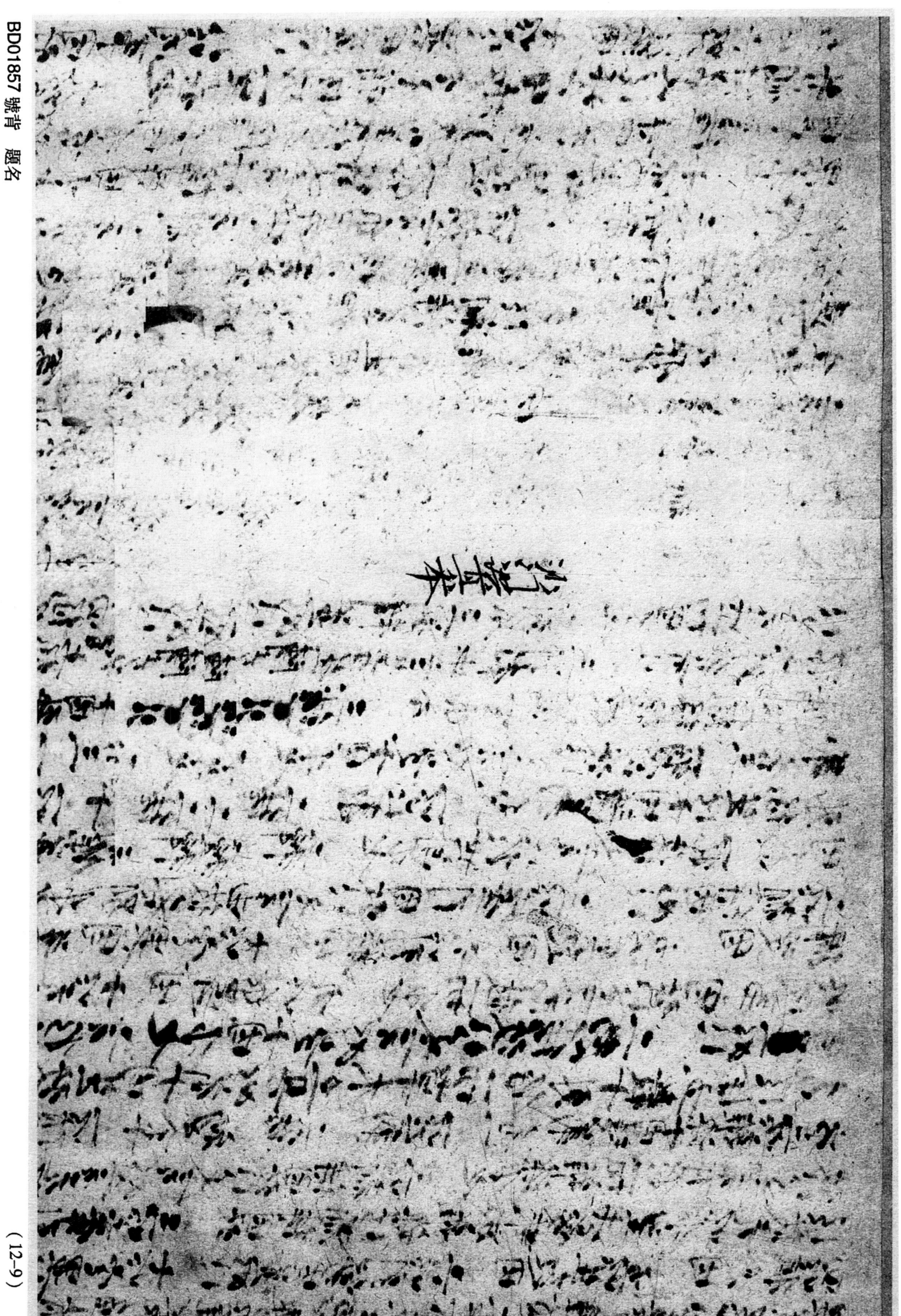

BD01857號背　題名

（12–10）

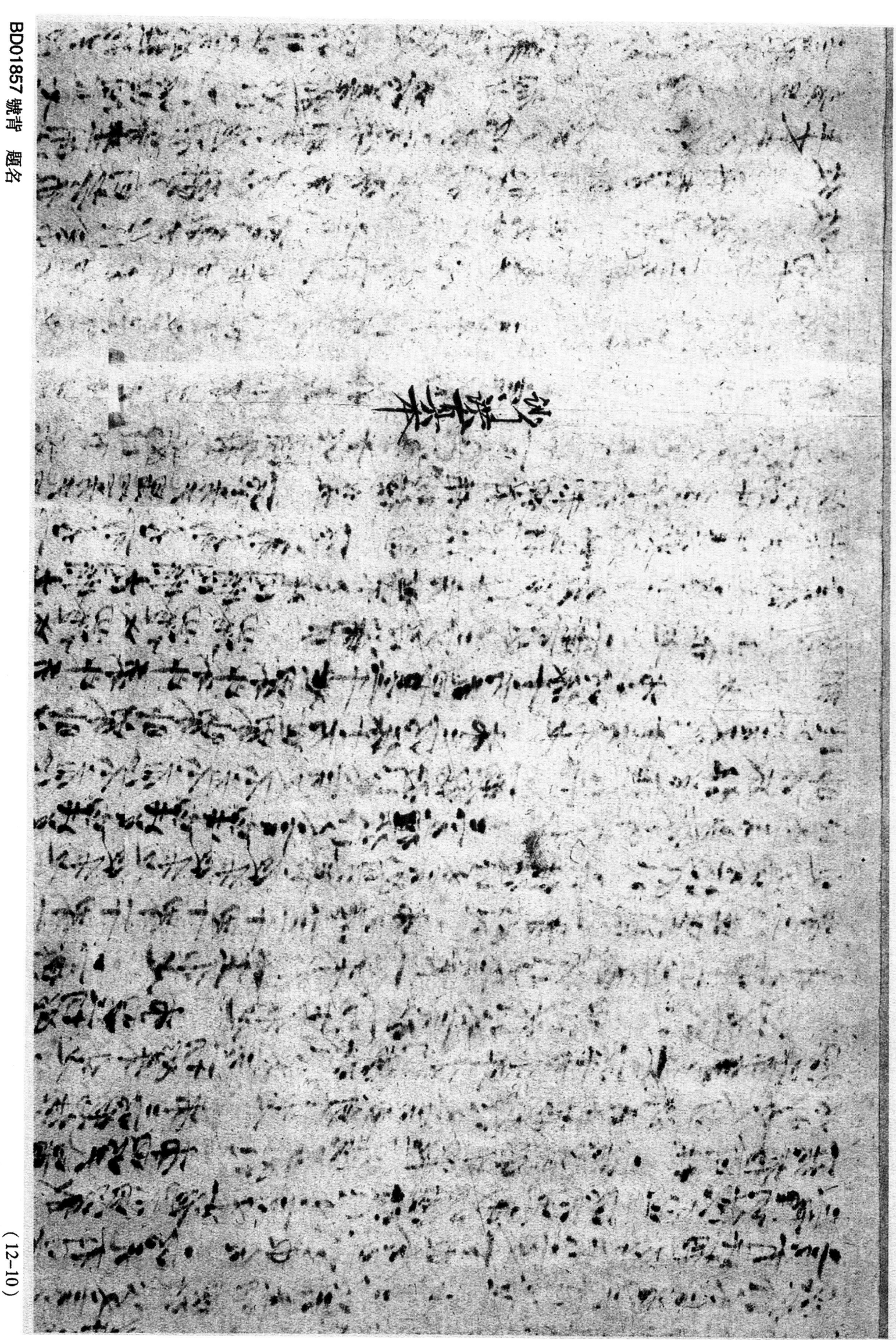

BD01857號背　題名

（12–11）

BD01857號背　題名

（12–12）

妙法蓮華經嘱累品第二十二
尒時釋迦牟尼佛從法座起現大神力以右
手摩无量菩薩摩訶薩頂而作是言我於无
量百千万億阿僧祇劫脩習是難得阿耨多
羅三藐三菩提法今以付嘱汝等汝等應當
一心流布此法廣令增益如是三摩諸菩薩
摩訶薩頂而作是言我於无量百千万億阿
僧祇劫脩習是難得阿耨多羅三藐三菩提
法今以付嘱汝等汝等當受持讀誦廣宣此
法令一切衆生普得聞知所以者何如來有
大慈悲无諸慳悋亦无所畏能與衆生佛之
智慧如來智慧自然智慧如來是一切衆生
之大施主汝等亦應隨學如來之法勿生慳
悋於未來世若有善男子善女人信如來智
慧者當爲演說此法華經使得聞知爲令其
人得佛慧故若有衆生不信受者當於如來
餘深法中示教利喜汝等若能如是則爲已

BD01858 號　妙法蓮華經卷六　（10–1）

之大施主汝等亦應隨學如來之法勿生慳
悋於未來世若有善男子善女人信如來智
慧者當爲演說此法華經使得聞知爲令其
人得佛慧故若有衆生不信受者當於如來
餘深法中示教利喜汝等若能如是則爲已
報諸佛之恩時諸菩薩摩訶薩聞佛作是說
已皆大歡喜遍滿其身益加恭敬曲躬低頭
合掌向佛俱發聲言如世尊勑當具奉行唯
然世尊願不有慮諸菩薩摩訶薩衆如是三
反俱發聲言如世尊勑當具奉行唯然世尊
願不有慮尒時釋迦牟尼佛令十方來諸分
身佛各還本土而作是言諸佛各隨所安多
寶佛塔還可如故說是語時十方无量分身諸
佛坐寶樹下師子座上者及多寶佛并上行
等无邊阿僧祇菩薩大衆舍利弗等聲聞四
衆及一切世間天人阿脩羅等聞佛所說皆
大歡喜
妙法蓮華經藥王菩薩本事品第二十三
尒時宿王華菩薩白佛言世尊藥王菩薩云
何遊於娑婆世界世尊是藥王菩薩有若干
百千万億那由他難行苦行善哉世尊願少
解說諸天龍神夜叉乾闥婆阿脩羅迦樓羅
緊那羅摩睺羅伽人非人等又他國土諸來
菩薩及此聲聞衆聞皆歡喜尒時佛告宿王
華菩薩乃往過去无量恒河沙劫有佛号曰
日月淨明德如來應供正遍知明行足善逝世
間解无上士調御丈夫天人師佛世尊其佛

BD01858 號　妙法蓮華經卷六　（10–2）

華菩薩乃往過去无量恒河沙劫有佛号日
月淨明德如來應供正遍知明行足善逝世
間解无上士調御丈夫天人師佛世尊其佛
有八十億大菩薩摩訶薩七十二恒河沙大
聲聞衆佛壽四万二千劫菩薩壽命亦等彼
國无有女人地獄餓鬼畜生阿脩羅等及以諸
難地平如掌琉璃所成寶樹莊嚴寶帳覆
上垂寶華幡寶瓶香爐周遍國界七寶為
臺一樹一臺其樹去臺盡一箭道此諸寶樹
皆有菩薩聲聞而坐其下諸寶臺上各有百億
諸天作天伎樂歌嘆於佛以為供養爾時彼
佛為一切衆生憙見菩薩及衆菩薩諸聲聞
衆說法華經是一切衆生憙見菩薩樂習苦
行於日月淨明德佛法中精進經行一心求
佛滿万二千歲已得現一切色身三昧得此
三昧已心大歡喜即作念言我得現一切色
身三昧皆是得聞法華經力我今當供養
日月淨明德佛及法華經即時入是三昧於虛
空中雨曼陀羅華摩訶曼陀羅華細末堅黑
栴檀滿虛空中如雲而下又雨海此岸栴檀
之香此香六銖價直娑婆世界以供養佛作
是供養已從三昧起而自念言我雖以神力
供養於佛不如以身供養即服諸香栴檀薰
陸兜樓婆畢力迦沉水膠香又飲瞻蔔諸華
香油滿千二百歲已香油塗身於日月淨明
德佛前以天寶衣而自纏身灌諸香油以神
通力願而自然身光明遍照八十億恒河沙

BD01858號　妙法蓮華經卷六　（10-3）

陸兜樓婆畢力迦沉水膠香又飲瞻蔔諸華
香油滿千二百歲已香油塗身於日月淨明
德佛前以天寶衣而自纏身灌諸香油以神
通力願而自然身光明遍照八十億恒河沙
世界其中諸佛同時讚言善哉善哉善男子
是真精進是名真法供養如來若以華香瓔
珞燒香末香塗香天繒幡蓋及海此岸栴檀
之香如是等種種諸物供養所不能及假使
國城妻子布施亦所不及善男子是名第一
之施於諸施中最尊最上以法供養諸如來
故作是語已而各嘿然其身火然千二百歲過
是已後其身乃盡一切衆生憙見菩薩作如
是法供養已命終之後復生日月淨明德
佛國中於淨德王家結加趺坐忽然化生即
為其父而說偈言
大王今當知　我經行彼處　即時得一切　現諸身三昧
懃行大精進　捨所愛之身
說是偈已而白父言日月淨明德佛今故現
在我先供養佛已得解一切衆生語言陀羅
尼復聞是法華經八百千万億那由他甄迦
羅頻婆羅阿閦婆等偈大王我今當還供養
此佛白已即坐七寶之臺上昇虛空高七多
羅樹到佛所頭面礼足合十指爪以偈讚佛
容顏甚奇妙　光明照十方　我適曾供養　今復還親近
爾時一切衆生憙見菩薩說是偈已而白佛
言世尊世尊猶故在世爾時日月淨明德佛
告一切衆生憙見菩薩善男子我涅槃時到

BD01858號　妙法蓮華經卷六　（10-4）

容顔甚奇妙　光明照十方　我適曾供養　今復還親近
尒時一切衆生憙見菩薩說是偈已而白佛
言世尊世尊猶故在世尒時日月淨明德佛
告一切衆生憙見菩薩善男子我涅槃時到
滅盡時至汝可安施床座我於今夜當般涅
槃又勑一切衆生憙見菩薩善男子我以佛
法囑累於汝及諸菩薩大弟子并阿耨多羅
三藐三菩提法亦以三千大千七寶世界諸
寶樹寶臺及給侍諸天悉付於汝我滅度後
所有舍利亦付囑汝當令流布廣設供養應
起若干千塔如是日月淨明德佛勑一切衆
生憙見菩薩已於夜後分入於涅槃尒時一
切衆生憙見菩薩見佛滅度悲感懊惱戀慕
於佛即以海此岸栴檀爲積供養佛身而以
燒之火滅已後收取舍利作八万四千寶瓶
以起八万四千塔高三世界表刹莊嚴垂諸
幡蓋懸衆寶鈴尒時一切衆生憙見菩薩
復自念言我雖作是供養心猶未足我今當更
供養舍利便語諸菩薩大弟子及天龍夜叉
等一切大衆汝等當一心念我今供養日月
淨明德佛舍利作是語已即於八万四千塔
前然百福莊嚴臂七万二千歲而以供養令
无數求聲聞衆无量阿僧祇人發阿耨多羅
三藐三菩提心皆使得住現一切色身三昧
尒時諸菩薩天人阿脩羅等見其无臂憂惱
悲哀而作是言此一切衆生憙見菩薩是我
等師教化我者而今燒臂身不具足于時一

BD01858 號　妙法蓮華經卷六　（10–5）

三藐三菩提心皆使得住現一切色身三昧
尒時諸菩薩天人阿脩羅等見其无臂憂惱
悲哀而作是言此一切衆生憙見菩薩是我
等師教化我者而今燒臂身不具足于時一
切衆生憙見菩薩於大衆中立此誓言我捨兩
臂必當得佛金色之身若實不虛令我兩臂
還復如故作是誓已自然還復由斯菩薩福
德智慧淳厚所致當尒之時三千大千世界六
種震動天雨寶華一切人天得未曾有佛
告宿王華菩薩於汝意云何一切衆生憙
見菩薩豈異人乎今藥王菩薩是也其所捨
身布施如是无量百千万億那由他數宿王
華若有發心欲得阿耨多羅三藐三菩提者
能然手指乃至足一指供養佛塔勝以國城
妻子及三千大千國土山林河池諸珍寶物
而供養者若復有人以七寶滿三千大千世
界供養於佛及大菩薩辟支佛阿羅漢是
人所得功德不如受持此法華經乃至一四句
偈其福最多宿王華譬如一切川流江河諸
水之中海爲第一此法華經亦復如是於諸
如來所說經中最爲深大又如土山黑山小
鐵圍山大鐵圍山及十寶山衆山之中須弥山
爲第一此法華經亦復如是於諸經中最
爲其上又如衆星之中月天子最爲第一此
法華經亦復如是於千万億種諸經法中最
爲照明又如日天子能除諸闇此經亦復如
是能破一切不善之闇又如諸小王中轉輪

BD01858 號　妙法蓮華經卷六　（10–6）

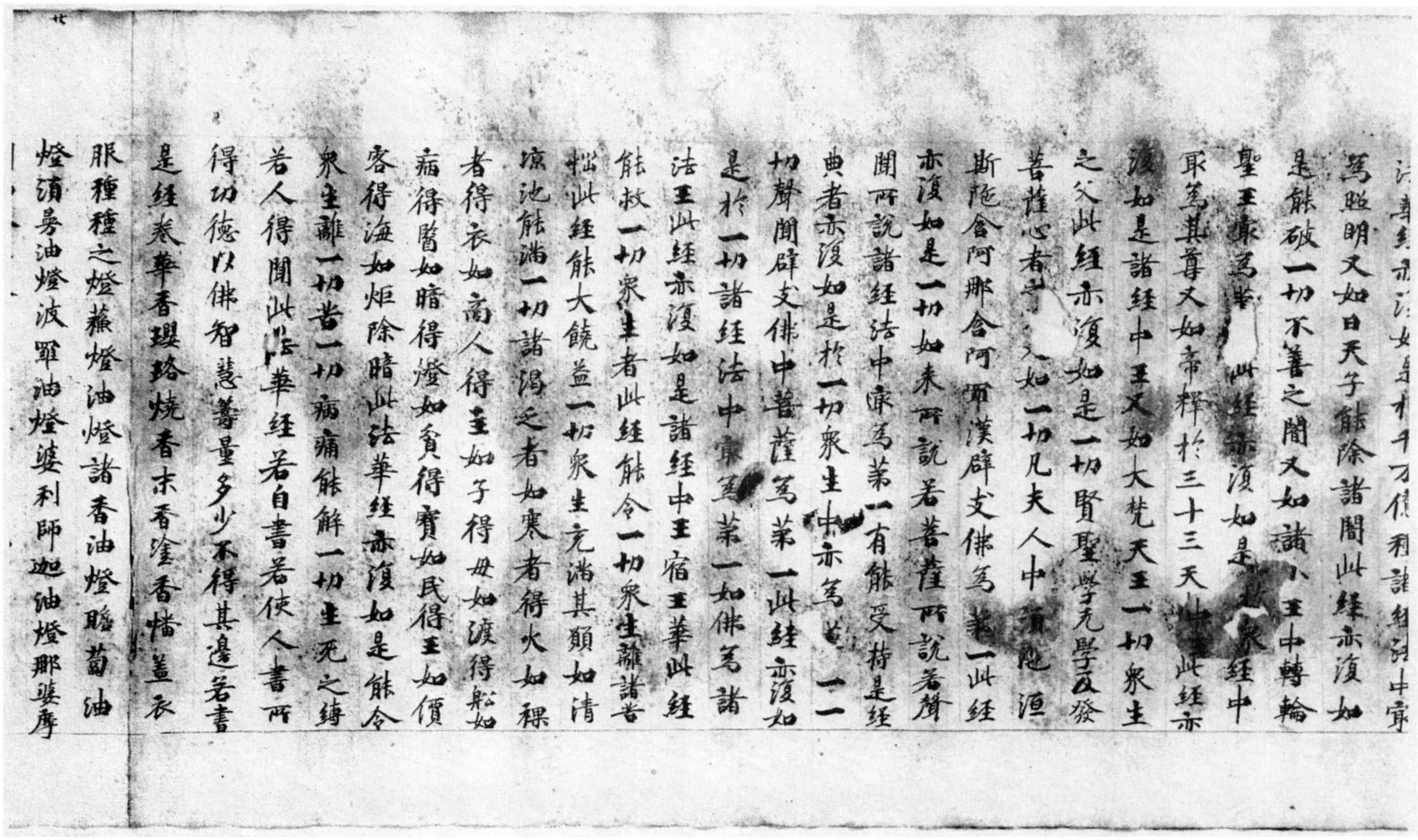
法華經亦復如是於千萬億種諸經法中最
為照明又如日天子能除諸闇此經亦復如
是能破一切不善之闇又如諸小王中轉輪
聖王最為第一此經亦復如是於眾經中
最為其尊又如帝釋於三十三天中王此經亦
復如是諸經中王又如大梵天王一切眾生
之父此經亦復如是一切賢聖學无學及發
菩薩心者之父又如一切凡夫人中須陀洹
斯陀含阿那含阿羅漢辟支佛為第一此經
亦復如是一切如來所說若菩薩所說若聲
聞所說諸經法中最為第一有能受持是經
典者亦復如是於一切眾生中亦為第一一
切聲聞辟支佛中菩薩為第一此經亦復如
是於一切諸經法中最為第一如佛為諸
法王此經亦復如是諸經中王宿王華此經
能救一切眾生者此經能令一切眾生離諸苦
惱此經能大饒益一切眾生充滿其願如清
涼池能滿一切諸渴乏者如寒者得火如裸
者得衣如商人得主如子得母如渡得船如
病得醫如暗得燈如貧得寶如民得王如賈
客得海如炬除暗此法華經亦復如是能令
眾生離一切苦一切病痛能解一切生死之縛
若人得聞此法華經若自書若使人書所
得功德以佛智慧籌量多少不得其邊若書
是經卷華香瓔珞燒香末香塗香幡蓋衣
服種種之燈蘇燈油燈諸香油燈瞻蔔油
燈須曼油燈波羅油燈婆利師迦油燈那婆摩

BD01858 號　妙法蓮華經卷六　（10–7）

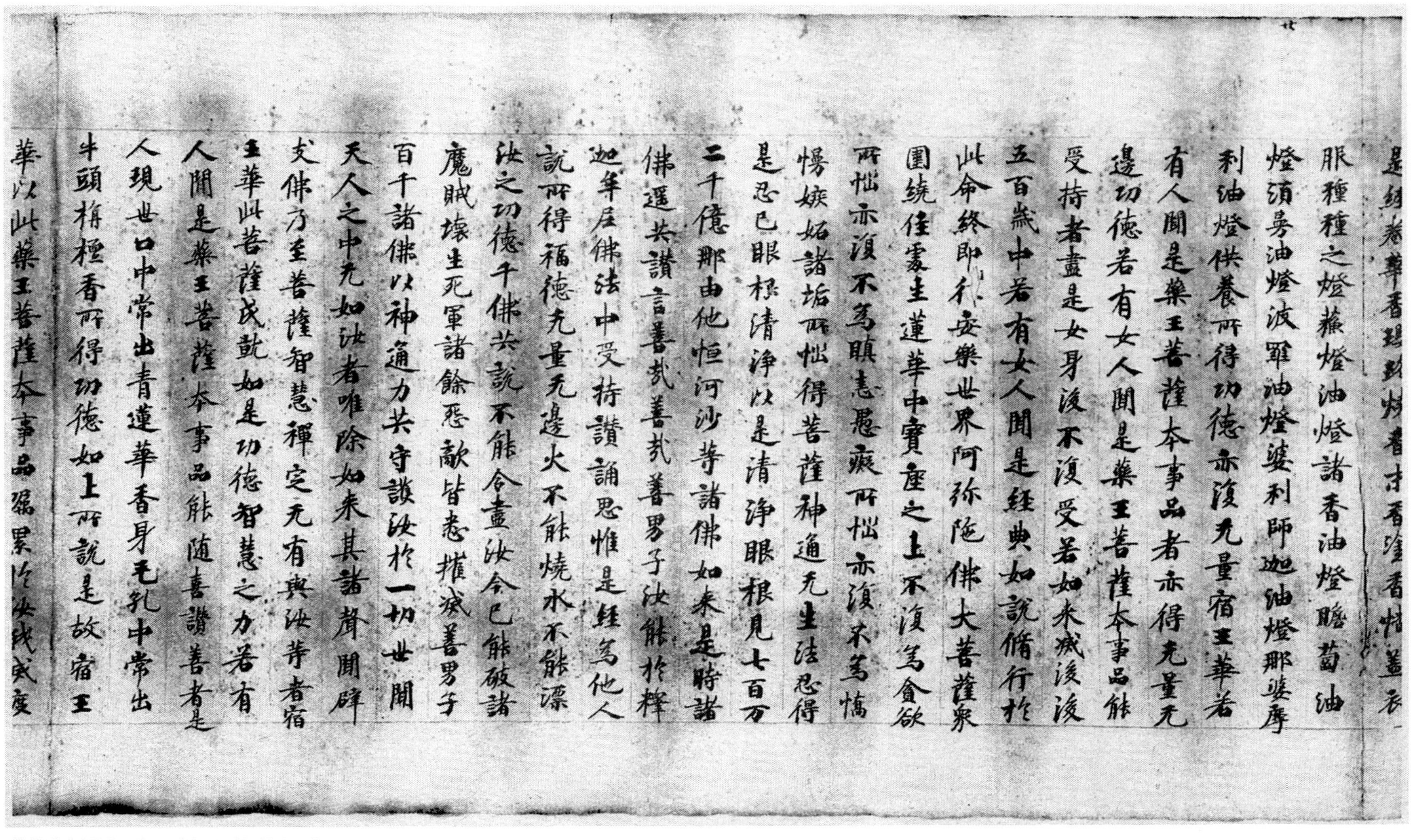
是經卷華香瓔珞燒香末香塗香幡蓋衣
服種種之燈蘇燈油燈諸香油燈瞻蔔油
燈須曼油燈波羅油燈婆利師迦油燈那婆摩
利油燈供養所得功德亦復无量宿王華若
有人聞是藥王菩薩本事品者亦得无量无
邊功德若有女人聞是藥王菩薩本事品能
受持者盡是女身後不復受若如來滅後後
五百歲中若有女人聞是經典如說修行於
此命終即往安樂世界阿彌陀佛大菩薩眾
圍繞住處生蓮華中寶座之上不復為貪欲
所惱亦復不為瞋恚愚癡所惱亦復不為憍
慢嫉妬諸垢所惱得菩薩神通无生法忍得
是忍已眼根清淨以是清淨眼根見七百万
二千億那由他恒河沙等諸佛如來是時諸
佛遙共讚言善哉善哉善男子汝能於釋
迦牟尼佛法中受持讀誦思惟是經為他人
說所得福德无量无邊火不能燒水不能漂
汝之功德千佛共說不能令盡汝今已能破諸
魔賊壞生死軍諸餘怨敵皆悉摧滅善男子
百千諸佛以神通力共守護汝於一切世間
天人之中无如汝者唯除如來其諸聲聞辟
支佛乃至菩薩智慧禪定无有與汝等者宿
王華此菩薩成就如是功德智慧之力若有
人聞是藥王菩薩本事品能隨喜讚善者是
人現世口中常出青蓮華香身毛孔中常出
牛頭栴檀香所得功德如上所說是故宿王
華以此藥王菩薩本事品囑累於汝我滅度

BD01858 號　妙法蓮華經卷六　（10–8）

汝之功德千佛共說不能令盡汝今已能破諸
魔賊壞生死軍諸餘惡敵皆悉摧滅善男子
百千諸佛以神通力共守護汝於一切世間
天人之中无如汝者唯除如來其諸聲聞辟
支佛乃至菩薩智慧禪定无有與汝等者宿
王華此菩薩成就如是功德智慧之力若有
人聞是藥王菩薩本事品能隨喜讃善者是
人現世口中常出青蓮華香身毛孔中常出
牛頭栴檀香所得功德如上所說是故宿王
華以此藥王菩薩本事品囑累於汝我滅度
後後五百歲中廣宣流布於閻浮提无令斷
絕惡魔魔民諸天龍夜叉鳩槃荼等得其便
也宿王華汝當以神通之力守護是經所以
者何此經則為閻浮提人病之良藥若人有
病得聞是經病即消滅不老不死宿王華汝
若見有受持是經者應以青蓮華盛滿末香
供散其上散已作是念言此人不久必當取草
坐於道場破諸魔軍當吹法螺擊大法鼓
度脫一切衆生老病死海是故求佛道者見
有受持是經典人應當如是生恭敬心說是
藥王菩薩本事品時八万四千菩薩得解一
切衆生語言陀羅尼多寶如來於寶塔中
讃宿王華菩薩言善哉善哉宿王華汝成就
不可思議功德乃能問釋迦牟尼佛如此之事
利益无量一切衆生

妙法蓮華經卷第六

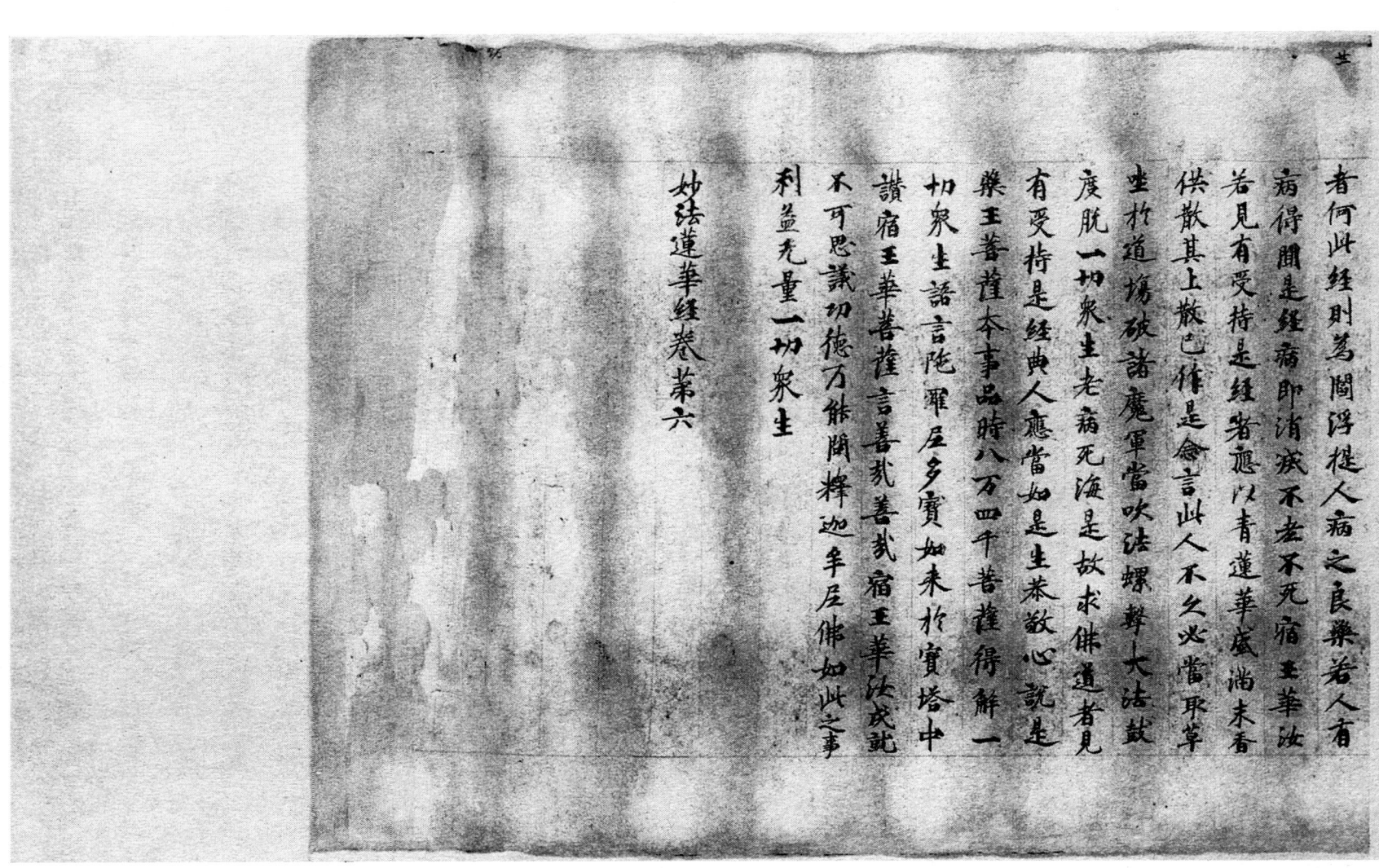

BD01858 號　妙法蓮華經卷六　（10–9）

者何此經則為閻浮提人病之良藥若人有
病得聞是經病即消滅不老不死宿王華汝
若見有受持是經者應以青蓮華盛滿末香
供散其上散已作是念言此人不久必當取草
坐於道場破諸魔軍當吹法螺擊大法鼓
度脫一切衆生老病死海是故求佛道者見
有受持是經典人應當如是生恭敬心說是
藥王菩薩本事品時八万四千菩薩得解一
切衆生語言陀羅尼多寶如來於寶塔中
讃宿王華菩薩言善哉善哉宿王華汝成就
不可思議功德乃能問釋迦牟尼佛如此之事
利益无量一切衆生

妙法蓮華經卷第六

BD01858 號　妙法蓮華經卷六　（10–10）

卧十一隨得數具十二但三衣能聽法者不受
十二杜多功德謂不住阿練若處乃至不受
但三衣兩不和合不獲説聽書寫受持讀
誦修習甚深般若波羅蜜多當知是爲菩薩
魔事復次善現能聽法者受行十二杜多功
德謂住阿練若處乃至受但三衣能説法者
不受十二杜多功德謂不住阿練若處乃至不
受但三衣兩不和合不獲説聽書寫受持讀
誦修習甚深般若波羅蜜多當知是爲菩薩
魔事復次善現能説法者有信有戒有善意
樂欲爲他説甚深般若波羅蜜多方便勸勵
書寫受持讀誦修習能聽法者无信无戒无
善意樂不樂聽受兩不和合不獲説聽書寫
受持讀誦修習甚深般若波羅蜜多當知是
爲菩薩魔事復次善現能聽法者有信有戒
有善意樂求欲聽聞書寫受持讀誦修習甚
深般若波羅蜜多能説法者无信无戒无善

BD01859 號　大般若波羅蜜多經卷三〇三　（4–1）

爲菩薩魔事復次善現能聽法者有信有戒
有善意樂求欲聽聞書寫受持讀誦修習甚
深般若波羅蜜多能説法者无信无戒无善
意樂不欲爲説兩不和合不獲説聽書寫受
持讀誦修習甚深般若波羅蜜多當知是爲
菩薩魔事復次善現能説法者心无慳悋一切
能捨能聽法者心有慳悋不能弃捨兩不和
合不獲説聽書寫受持讀誦修習甚深般若
波羅蜜多當知是爲菩薩魔事復次善現能
聽法者心无慳悋一切能捨能説法者心有
慳悋不能弃捨兩不和合不獲説聽書寫
受持讀誦修習甚深般若波羅蜜多當知是
爲菩薩魔事復次善現能聽法者欲求供養
能説法者衣服飲食卧具醫藥及餘資財能
説法者不樂受用兩不和合不獲説聽書寫
受持讀誦修習甚深般若波羅蜜多當知是爲
菩薩魔事復次善現能説法者欲求供給能
聽法者衣服飲食卧具醫藥及餘資財能聽
法者不樂受用兩不和合不獲説聽書寫受
持讀誦修習甚深般若波羅蜜多當知是爲
菩薩魔事復次善現能説法者成就開智不
樂廣説能聽法者成就演智不樂略説兩不
和合不獲説聽書寫受持讀誦修習甚深
般若波羅蜜多當知是爲菩薩魔事復次善現

BD01859 號　大般若波羅蜜多經卷三〇三　（4–2）

菩薩魔事復次善現能說法者成就開智不
樂廣說能聽法者成就演智不樂略說兩不
和合不獲說聽書寫受持讀誦脩習甚深
般若波羅蜜多當知是為菩薩魔事復次善現
能聽法者成就開智唯樂略說能說法者成
就演智唯樂廣說兩不和合不獲說聽書寫
受持讀誦脩習甚深般若波羅蜜多當知是
為菩薩魔事復次善現能說法者專樂廣知
十二分教次第法義所謂契經應頌記別
諷頌自說因緣譬喻本事本生方廣希法論
義能聽法者不樂廣知十二分教次第法義所
謂契經乃至論義兩不和合不獲說聽書寫
受持讀誦脩習甚深般若波羅蜜多當知是
為菩薩魔事復次善現能聽法者專樂廣知
十二分教次第法義所謂契經乃至論義能
說法者不樂廣知十二分教次第法義所謂
契經乃至論義兩不和合不獲說聽書寫受
持讀誦脩習甚深般若波羅蜜多當知是為
菩薩魔事復次善現能說法者已成就六波
羅蜜多能聽法者未成就六波羅蜜多兩不
和合不獲說聽書寫受持讀誦脩習甚深般
若波羅蜜多當知是為菩薩魔事復次善現
能聽法者已成就六波羅蜜多能說法者未
成就六波羅蜜多兩不和合不獲說聽書寫
受持讀誦脩習甚深般若波羅蜜多當知是

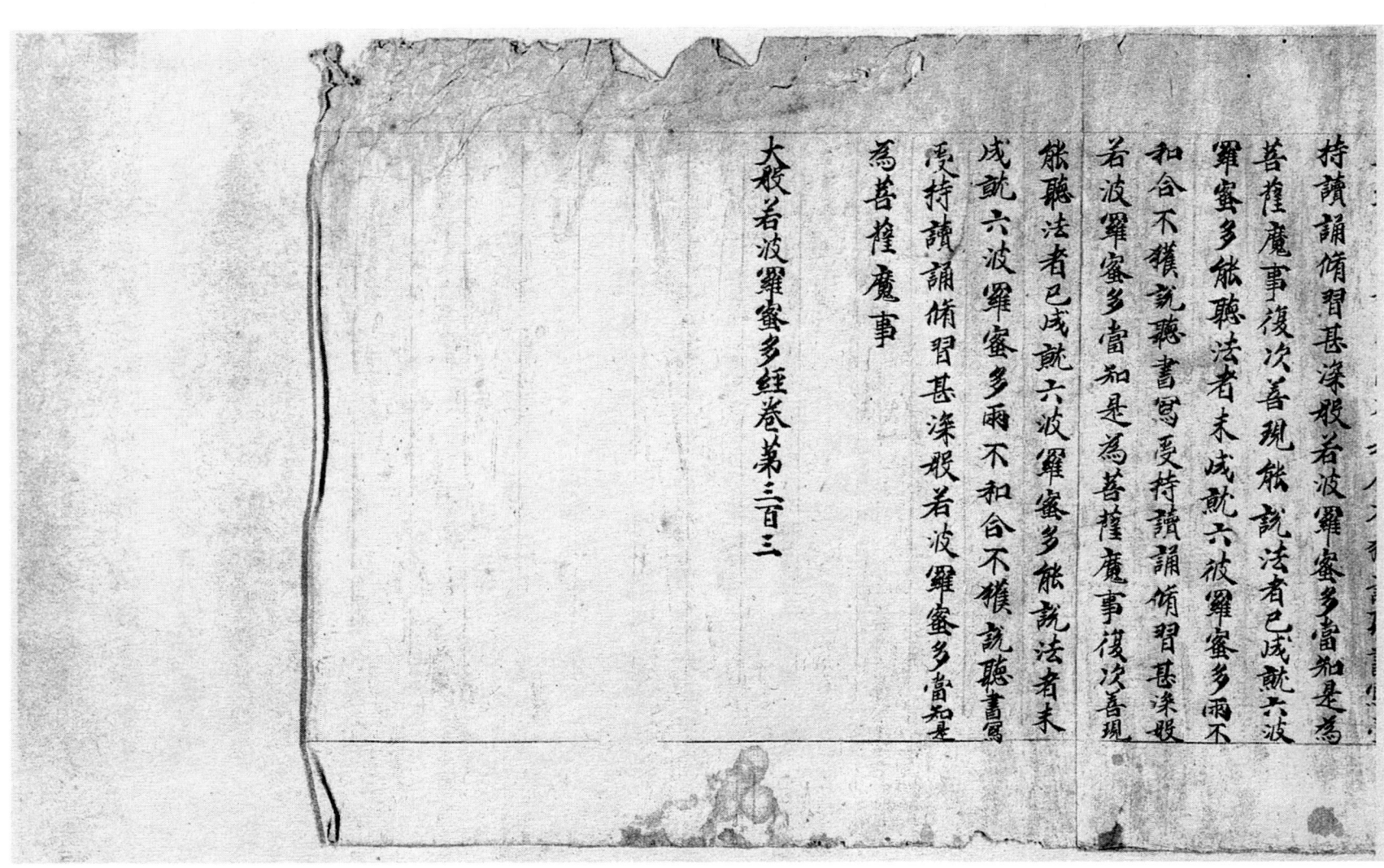

BD01859 號　大般若波羅蜜多經卷三〇三　（4–3）

持讀誦脩習甚深般若波羅蜜多當知是為
菩薩魔事復次善現能說法者已成就六波
羅蜜多能聽法者未成就六波羅蜜多兩不
和合不獲說聽書寫受持讀誦脩習甚深般
若波羅蜜多當知是為菩薩魔事復次善現
能聽法者已成就六波羅蜜多能說法者未
成就六波羅蜜多兩不和合不獲說聽書寫
受持讀誦脩習甚深般若波羅蜜多當知是
為菩薩魔事

大般若波羅蜜多經卷第三百三

BD01859 號　大般若波羅蜜多經卷三〇三　（4–4）

佛說佛名經卷第九

南无悉孱燈佛　南无勝德意佛

南无光明速寄聲佛

從此以上五千三百佛十二

部經一切賢聖

南无大顗速勝佛

南无不可降伏幢佛　南无智炎佛

南无成就勝佛　南无法自在佛

南无不可成就意佛　南无无閡言語堅固聲光佛

南无一切聲出聲勝佛　南无自在切德佛

南无成就自在意佛　南无方天佛

南无不面捨佛　南无衆生心佛

南无平等身佛　南无衆生心佛

南无行勝佛　南无身佛勝佛

BD01860號　佛名經（二十卷本）卷九　（7–1）

南无不面捨佛　南无衆生心佛

南无平等身佛　南无衆生心佛

南无行勝佛　南无身佛勝佛

南无行勝佛　南无自性佛

南无山王佛　南无智光佛

南无千億寶莊嚴佛　南无寶積佛

南无信王佛　南无降伏怨佛

南无安隱佛　南无能與依上佛

南无无邊威德佛　南无金色光佛

南无師子奮迅佛　南无甘露光佛

南无能聖成佛　南无普光佛

南无切德勝積王佛　南无善住摩尼積王佛

南无遠離諸畏樹香隱佛　南无飲甘露佛

南无无邊光佛　南无寶高佛

南无无邊莊嚴王佛　南无離怨佛

南无金色王佛　南无寶作佛

南无无塵勝佛　南无師子聲王佛

南无寶幢佛　南无善心佛

南无高住佛　南无花王佛

南无智作佛　南无海智佛

南无歡喜佛　南无樂莊嚴佛

南无離闇佛　南无堅城佛

南无見細佛　南无无畏德佛

南无生王佛　南无寶幡佛

BD01860號　佛名經（二十卷本）卷九　（7–2）

南无離闇佛　南无堅城佛
南无見細佛　南无无畏德佛
南无生王佛　南无寶語佛
南无稱上佛　南无釋智佛
南无不行威德佛　南无人華佛
南无遠離諸畏佛　南无能与无畏佛
南无金光佛　南无无畏作佛
南无不空見佛　南无寶光佛
南无六十寶作佛　南无降伏王佛
南无金光佛　南无見義佛
南无寶積佛　南无善光佛
南无大釋佛　南无妙无畏佛
南无大慈佛　南无不可降伏王佛
南无難勝佛　南无上首佛
南无法上佛　南无勝一切佛
南无高行佛　南无高稱佛
南无勝聖佛　南无星宿佛
南无識佛　南无高佛
南无聞名佛　南无大悲說佛
南无无量壽佛　南无无垢力三昧奮迅佛
南无一切功德王光明佛　南无大眾佛
南无須弥劫佛　南无堅自在王佛
南无梵吼聲佛　南无弥樓聚佛

BD01860號　佛名經（二十卷本）卷九　（7-3）

南无須弥劫佛　南无堅自在王佛
南无梵吼聲佛　南无弥樓聚佛
南无善眼佛
從此以上五千四百佛十二部
經一切賢聖
南无成就聚佛　南无无导眼佛
南无寶幢佛　南无釋迦牟尼佛
南无功德勝藏佛　南无難勝佛
南无樂說莊嚴佛　南无勝藏積吼王佛
南无无邊功德寶莊嚴威德王劫佛
南无功德寶勝藏德王劫佛
南无樂說一切法莊嚴勝佛　南无无邊樂說相佛
南无千雲吼聲王佛　南无金上光明勝佛
南无種種威德王光明勝佛　南无覺佛
南无清淨金虛空吼莊嚴光明佛
南无一切法行威德奮迅光明佛
南无東方无邊功德寶福德嚴廣世界无垢
清淨光明菩薩分俱蘇摩不斷絕光明莊
嚴光佛
南无南方樂說佛世界无邊功德寶樂
說佛　南无西方光明世界普光佛
南无北方一切寶種種莊嚴世界无邊寶揔首佛
南无東南方无憂世界離一切憂闇佛

BD01860號　佛名經（二十卷本）卷九　（7-4）

訶佛　南无西方光明世界普光佛
南无北方一切寶種種莊嚴世界无邊寶德首佛
南无東南方无憂世界離一切憂闇佛
南无西南方善可見世界大悲觀一切衆生佛
南无東北方住清淨无垢世界虛空无垢佛
南无西北方遠離闇世界光明莊嚴王佛
南无下方盧舍那光明世界憂波羅勝佛
南无上方莊嚴世界稱名聲佛
南无无垢劫无垢世界无垢光如來初成佛彼佛
世界塵沙諸佛出世
南无无垢廣世界名成就善就劫勝讓如來初
成佛彼世界塵沙諸佛出世
南无東方阿閦佛　南无大不迷佛
南无香王佛　南无香上佛
南无南方寶幢佛　南方寶作佛
南无寶成佛　南无寶藏佛
南无寶月佛　南无金剛堅佛
南无東南方大彌留佛　南无彌留山佛
南无彌留王佛　南无彌留幢佛
南无彌留積佛　南无善彌留王佛
南无日藏佛　南无前後上佛
南无淨王佛　南无離中幢佛
南无大難中佛　南无西方阿彌陀佛
南无阿彌幢佛　南无阿彌陀聲佛

BD01860 號　佛名經（二十卷本）卷九　（7–5）

[illegible]佛　南无[illegible]佛
南无大難中佛　南无西方阿彌陀佛
南无阿彌幢佛　南无阿彌陀聲佛
南无阿彌稱佛　南无阿彌吼佛
南无阿彌積佛　南无阿彌勝上佛
南无阿彌師子佛　南无阿彌住持佛
南无阿彌勝佛　南无西南方日藏佛
南无日光明佛　南无无憂佛
南无離一切憂佛　南无佛智清淨業佛
南无盡作佛　南无華佛
南无大花佛　南无華王佛
南无花聲佛　南无盧舍那佛
南无北方妙鼓聲佛　南无妙鼓王佛
南无妙吼聲佛　南无離諸畏佛
南无无畏佛　南无无畏憂佛
南无日香光明佛　南无夢陀香佛
南无幢蓋佛　南无西北方上首積佛
南无山勝積佛　南无佛
南无日上佛　南无清淨王佛
南无淨勝佛　南无日面佛
南无智幢王佛　南无光明佛
南无光明王佛　南无光明光佛
南无上方師子佛　南无師子王佛
南无師子上王佛　南无師子積佛
南无師子山佛　南无[illegible]山王佛

BD01860 號　佛名經（二十卷本）卷九　（7–6）

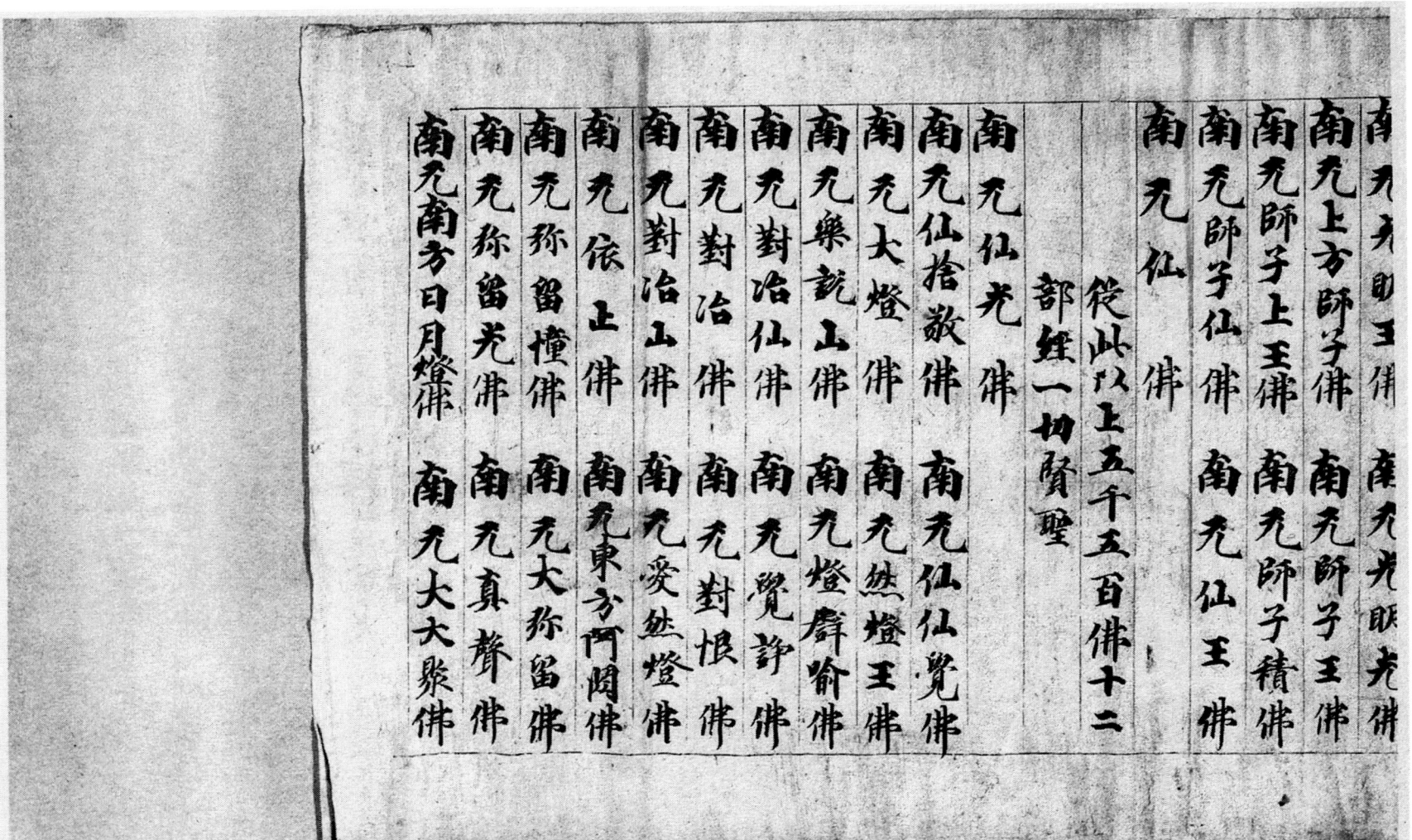

南无无明王佛　南无光眼光佛
南无上方師子佛　南无師子王佛
南无師子上王佛　南无師子積佛
南无師子仙佛　南无仙王佛
南无仙佛
從此以上五千五百佛十二
部經一切賢聖
南无仙光佛
南无仙捨敬佛　南无仙仙覺佛
南无大燈佛　南无然燈王佛
南无樂說山佛　南无燈辟喻佛
南无對治仙佛　南无覺諍佛
南无對治佛　南无對恨佛
南无對治山佛　南无愛然燈佛
南无依止佛　南无東方阿閦佛
南无弥留幢佛　南无大弥留佛
南无弥留光佛　南无真聲佛
南无南方日月燈佛　南无大大聚佛

BD01860號　佛名經（二十卷本）卷九　（7–7）

此義寬故是故八識更互為緣有力无力義皆通故初回緣中
種子義者種子即是習氣果名習氣必由熏習而有緣何義故
未熏習名能熏所熏各具四義令種生長故名熏習[illegible]能熏
四義有生滅若法非常能有作用生長習氣乃是能熏此遮无為
前後不變无生長用故非能熏二有勝用若有生滅勢力增盛能引
習氣乃是能熏此遮異熟心心所等勢力羸劣故非能熏三有增減若
有勝用可增可減攝植習氣乃是能熏此遮佛果圓滿善法无增无減
故非能熏彼若能熏便非圓滿前後佛果應有勝劣四與所
熏和合而轉若與所熏同時同處不即不離乃是能熏此遮他
身剎那前後无和合義故非能熏唯七轉識及彼心所有勝勢用
而增減者具此四義可能熏何等名為所熏四義一堅住性若法始
終一類相續能持習氣乃是所熏此遮轉識及聲風等性不堅
住故非所熏二无記性若法平等无所違逆容習氣乃是所熏此遮
善染勢力強盛无所容納故非所熏由此如來第八淨識唯帶舊種
非新受熏三可熏性若法自在性非堅密能受習氣乃是能熏此
遮心所及无為法依他堅密故非所熏四與熏共和合性若與能熏同
時同處不即不離乃是所熏此遮他身剎那前後无和合義故非
所熏唯異熟識具此四義可是所熏非心所等若亦第八種是誰熏
第八唯是所熏識故答即七識而為熏生說熏成彼相見種故謂前五
識所起相分託第八識相分而生故與第八識熏相分種若第七識託第八識
見分而生熏見分種其第六識具緣第八所有相見熏相見種此既无始
常熏不絕故无始來有果種若亦第八非唯无記能熏七識通三性故答

所熏雖異熟識具此四義可是所熏非心所等若𠫤第八種是誰熏
第八雖是所熏識故答即七識而為熏生說熏成彼相見種故謂前五
識所起相分托第八識相分而生故与第八識熏相分種若第七識托第八識
見分而生熏見分種其第六識具緣第八所有相見熏相見種此既无始
業熏不絕故无始來有異種若亦第八非唯无記能熏七識通三性故答
所扶本質是无故所起相分非善惡故亦所熏種性唯无記更有問答恐
繁心之熏習雖章藉緣不等故令八識斷常有殊謂八識緣總有十
種一總共所依緣即通依根彼現行識依種識故二染淨所依緣即染
淨根緣染淨事依彼轉故三分別所依緣即分別根依分別心緣色等故
四不共依緣即五色根要俱有識方生故五觀辦自體緣謂即種子
要觀從種生識體故六驚動令起緣謂即作意於所引心有驚能故七
所托牽引緣謂所緣境界牽識方生故八開道令起緣謂前念識
將滅能引後念起故九非導令起緣謂即虛空若有導者不能了故十顯
了令見緣謂即光明以於闇中不能了故此中眼識具有十緣隨闕一種
必不生故耳具九緣謂除光明以於闇中亦能聞故鼻舌身三具有八
緣皆除空者合中知故第六意識唯具六緣除五根不依彼故除分別
根即自體故若第八識具有五緣除第六識及通於根第八不依間斷識故
自體不依自體故若第七識唯具四緣除所緣境以彼所緣即所依根无
別體故說於彼轉而緣彼故藉緣多少斷常有殊由此三界通局亦異
謂前五識行相麁動不能思慮唯外門轉起藉多緣所藉眾緣
時多不具故起時少間斷時多居鼻舌識唯欲界繫色无香味无段食
故眼等三識不通无色散色生彼天无色根境故雖有定果色而无業
色故設至仏果成所作智相應淨識亦有間斷所緣俗境有斷滅故
第六意識雖亦麁動自能思慮內外門轉不藉多緣而所藉緣无
時不具應一切時常能現起亦通三界一切地行由遍緣故五位斷滅故
起時多不起時少五位者何生无相天即下說无相果熟及无相定滅
受相定睡眠悶絕五位名義如下所明若至仏果妙觀察智相應

第六意識雖然麁動自能思慮內外门轉不藉多緣而所藉緣无
時不具應一切時常能現起然遍三界一切地行由遍緣故五位斷滅故
起時多不起時少五位者何生无相天即下說无相果熟及无相定滅
受相定睡眠悶絕五位名義如下所明若至仏果妙觀察智相應
淨識常无間斷於一切時觀真俗故若第七識无始時來一類相續恒
无間斷然通三界一切地中與賴耶等為所依故然於三位而有轉易
謂阿羅漢及滅盡定出世道中而无染分染分末那然无間斷平等
性智常相應起常緣平等真俗理故若第八識於有漏位三界九
地恒轉如流恒言遮斷轉表非常猶如暴流因果法尒斷非非常是
緣起理故與趣生而為報體及通三界一切地中由漏无漏三位名殊
隨其名體有捨不捨謂於二乘无學果位并七地捨賴耶名異熟識
體并將得并時捨聲聞獨覺入无餘依并時捨无垢并七地識體无
有捨時大圓鏡智常相應故諸善法影常現前故剎樂有情无
盡期故然八識義差別无邊恐文繁廣略示剛要
論第二心所有法略有五十一種
開日次下第二明心所法於中有三初惣舉數次六位顯名後隨位
別列此初也然此心所諸論開合若瑜伽論有五十三更加邪欲及邪勝
解如邪念恚為障乃親過失重故開為煩惱言正欲等非入善
根耶為鄣輕合在別境小乘依經說卅六更就合說義如下所明
論謂遍行五別境五善十一煩惱有六隨煩惱有廿不定有四開日
此六位顯名也一切心中定可得故緣別境而得生故唯善心中可得生故
性是根本煩惱攝故雖是煩惱等流性故於善染等皆不定故
六位如是差別若瑜伽論惣合為五煩惱皆是染法故以四弁五
差別謂一切性及地時俱五中遍行具四一切別境唯有初二一切善
唯有一謂一切地染四皆无不定唯一謂一切性由此五位種類差別
然此六位諸心所法諸論雜明皆不具足唯識論釋既最圓明下
文護依唯識論釋論行五者一作意二觸三受四想五思開日次下
隨位別列於中六位即分為六此中第一遍行相也作意謂能警

BD01861號　大乘百法明門論開宗義記　（7–3）

雖有一謂一切地染四皆无不定雖一謂一切性由此五位種類差別
然此六位諸心所法諸論雖明皆不具足唯識論釋既最圓明下
文謹依唯識論釋論行五者一作意二觸三受四相五思　開曰次下
隨位別引於中六位即分為六此中第一遍行相也作意謂能驚
心為性於所緣境引心為業謂即驚覺應起心種引趣境故名
作意雖此亦能引起心所心是主故但說引心作謂擊發意即
心王意之作故依主釋也觸謂三和分別變異令心心所觸境為
性受相思等所依為業謂根境識更相隨順故名三和觸依彼
生令彼和合故說為彼三和合位皆有順生心所功能說名變異
觸似彼起故名分別和合一切心及心所令同觸境是觸自性既似
起順心所功能故以受等所依為業受謂領納順違俱非境相為
性起愛為業能起合離非二欲故想謂於境取像為性施設種種
名言為業謂要安立境分齊相方隨起種種名言思謂令心造作為
性於善惡等役心為業謂能取境正因等相驅役自心令造善等
无心起時无此俱五故說此五名為遍行通一切心中行故小乘論名通大
地法　論別境五者一欲二勝解三念四三摩地五惠　開曰此列別
境也所緣境事多分不同於六位中此初說故所言欲者於所樂境希
望為性勤依為業所樂境者謂欲觀境於一切事欲觀察者有
希望故方有欲生若不欲觀隨因勢力任運緣者全无欲故由斯故
說欲非遍行善法欲能發正勤由彼助成一切善事故論說此勤依
為業言勝解者於決定境印持為性不可引轉以為其業謂邪正等
教理證力依所取境審決印持由此異緣不可引轉故猶預境
勝解全无非審決心亦无勝解由斯勝解亦非遍行所言念者
於曾習境令心明記不妄為性定依為業謂數憶持曾所受
境令不失能引定故於曾未受體類境中全不起念設曾所受
不能明記念亦不生故念必非遍行所攝三摩地者此云等持謂即
是定依所觀境平等持心令心專注不散為性智依為業謂觀
[illegible]

境令不失能列定故於曾未受體類境中全不起念設曾所受
不能明記念亦不生故念必非遍行所攝三摩地者此云等持謂於
是定依所觀境平等持心令心專注不散為性智依為業謂觀
得失俱非境中由定心專注不散依斯便有決擇智生若不繫心
專注境位便无定起故非遍行所言惠者於所觀境簡擇
為性斷疑為業謂觀得失俱非境中由惠推求得決定故於
非觀境愚昧心中无簡擇故非遍行攝而小乘論同前遍行名通
大地遍諸心者違未理故如唯識破然此五種或各別起謂作所樂起一欲
乃至所觀唯起定慧或平等相資隨應俱起謂於所樂決定曾
習所觀境中起欲勝解念定惠中二三四五或有心位五皆不起如非四境
章亦隨心一一皆有五受相應於苦憂事欲出離故於喜樂事欲和合故
於平等事亦希望故餘相應義准此說之此五復依性界地等諸門義
如理應思　論善十一者一信二慚三愧四无貪五无瞋六无癡七精進八
輕安九不放逸十行捨十一不害　開曰此顯善位十一心所唯善心俱名
善心所故信慚等定有十一所言信者於實德能深忍樂欲心淨為性
對治不信樂善為業然信差別略有三種一信有實謂於諸法實
事理中深信忍故二信有德謂於三寶真淨德中深信樂故三信有能
謂於一切世出世善深信有力能得能成起希望故由斯對治不信彼心愛
樂證修世出世善忍謂勝解即是信因樂欲謂欲即是信果此性澄清
能淨心等以心勝故立心淨名如水淨珠能清濁水慚等雖善非淨為相
此淨為相无濫彼失又諸染法各別有相唯有不信自相渾濁復能渾
濁餘心心所如極穢物自穢穢他信正翻彼故淨為相所言慚者依法自力
崇重賢善善為性對治无慚止息惡行為業謂依自法尊貴增上崇
重賢善羞恥過惡對治无慚息諸惡行所言愧者依世間力輕拒暴惡為
性對治无愧止息惡行為業謂依世間訶厭增上輕拒暴惡羞恥過罪
對治无愧止息惡行是二通相以慚以愧皆善恥故崇重輕拒是
二別相依慚与愧各別起故善心起時隨緣何境皆有崇重善及輕拒惡

性羞治无愧正息惡行為業謂依世間訶猒增上輕拒暴惡羞恥過罪
對治无愧正息惡行羞恥過惡是二通相以慚以愧皆羞恥故崇重輕拒是
二別相依慚与愧各別起故善心起時隨緣何境皆有崇重善及輕拒惡
義故慚与愧俱遍善心言无貪者於有有具无著為性對治貪著作
善為業言无嗔者於苦苦具无恚為性對治嗔恚作善為業善心起時
隨緣何境皆於有等无著无恚觀有等立非要緣彼如前慚愧觀善
等立故此二種俱遍善心言无癡者作善為業有說癡以惠為性不遍
癡者即有惠故ミ俱捨論不立无癡是通大地唯說十種有說无癡別有
自性非惠為體正對无明如无貪嗔善根攝故言精進者於善惡品脩斷事
中勇悍為性對治懈怠滿善為業勇表勝進簡諸染法悍表精淳簡淨
无記即顯精進唯善性攝此相差別略有五種所謂被甲加行无下无退
无足以初發心長時无間殷重無餘修差別故言輕安者遠離麁重調
暢身心堪任為性對治惛沉轉依為業謂此伏除能障定法令所依正
轉安適故ミ此輕安唯在定地調暢身心堪任无故ミ雖此一不遍善心起
不放逸者精進三根於所斷修防修為性對治放逸成滿一切世出世間善
事為業謂即四法於斷修事皆能防修名不放逸非別有體無畢
相故於ミ防惡事修善事中離四功能无別用故言行捨者精進三根
令心平等正直無功用住為性對治掉舉靜住為業平等正直无功
用住初中後位辯行捨差別由不放逸先除雜染捨復令心寂靜而住
此无別體如不放逸離彼四法无相用故能令寂靜即四法故所令寂
靜即心等故言不害者於諸有情不為損惱无嗔為性能對治害悲愍
為業謂即無嗔於有情所不為損惱假名不害无嗔翻對斷物命嗔不
害違損惱物害无嗔乃樂不害拔苦是謂此二麁相差別理實有
自體不害依彼一分假立為顯慈悲二相別故利樂有情彼二勝故
別立不害假實雙明故十一善後三是假前八實有相用別故若
尒欣猒不惱不疑不慢不憍誰等應非善法答雖皆善但而无體別
者便別立之餘善不然不應為例又諸染法遍六識者勝故翻之
之別立善法慢等忿等唯意識具[illegible]

言違於性名言无唯易樂不言於苦是謂此二麁相暑別理實有
自體不害依彼一分假立為顯慈悲二相別故利樂有情彼二勝故
別立不害假實雙明故十一善後三是假前八實有相用別故若
不放逸不慚不疑不嫉誰等應非善法答雖皆善假而无體別
者便別立之餘善不然不應為例又諸染法遍六識者勝故翻之
之別立善法慚等慈等唯意識俱害雖名然而數現起損惱
他故障无上乘勝因悲故為了知彼增上過失翻立不害失念散亂
及不正知翻入別境善中不說染淨相翻淨寧少染淨勝淨少者少說
多故又解理通說多同體迷情事遍隨相分多故於染淨不應
齊責十五受皆得相應一除憂苦所謂輕安有遍迴受無謂暢
故此五別境皆得相應信等欣等不相違故輕安非欣餘通三界皆
學等三非見所斷說唯修斷非所斷故餘門分別如理應思
論根本煩惱六者一貪二嗔三癡四慢五疑六不正知見
開日此顯六種根本煩惱此六種自性尤重煩擾惱亂有身心能生惑
等諸隨煩惱俱捨說為大煩惱地法唯癡一種似此論同餘五是
此大隨惑中放逸懈怠不信惛掉沉遍染心煩雜熱惱起故名為
大煩惱法貪嗔慢疑不定中攝惡見是惠不別立故是大小乘宗義
差別所言貪者於有有具貪者為性能障无貪生苦為業謂
由愛力取蘊生故所言嗔者於苦苦具憎恚為性能障无嗔不安惡行
所依為業謂嗔必令身心熱惱起諸惡業不善性故所言癡者於
諸理事迷闇為性能障无癡一切雜染所依為業謂由无明起疑邪
定貪等煩惱隨煩惱業能招後生雜染法故所言慢者恃己於他高舉
為性能障不慢生苦為業謂若有慢於得有德心不謙下由此生死
輪轉无窮受諸苦故此[illegible]差別有七九[illegible]三品我德生處所
[illegible]為[illegible]能障不疑善品[illegible]故今[illegible]

BD01861號　大乘百法明門論開宗義記　（7–7）

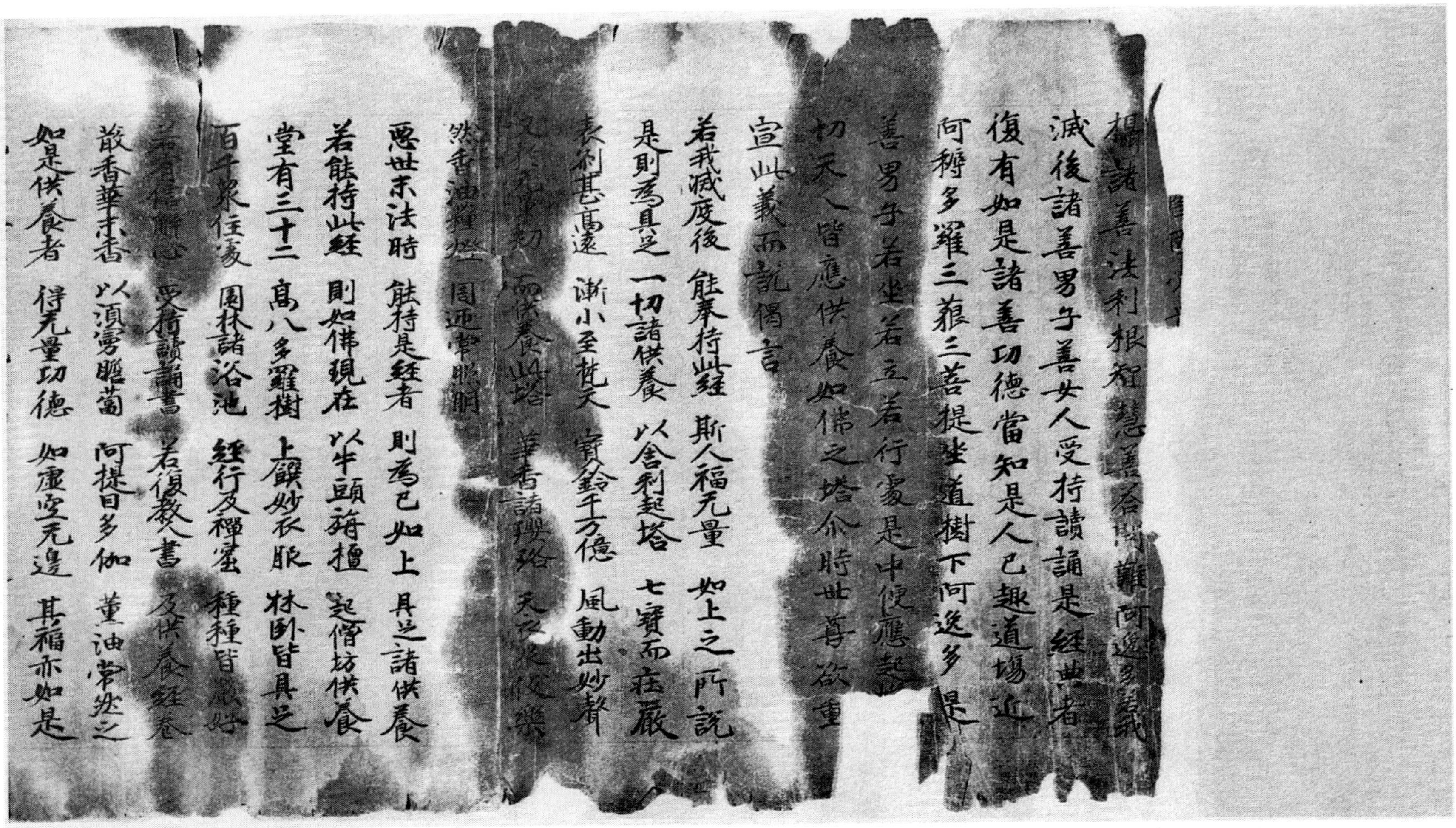
根諸善法利根智慧善答問難阿逸多若我
滅後諸善男子善女人受持讀誦是經典者
復有如是諸善功德當知是人已趣道場近
阿耨多羅三藐三菩提坐道樹下阿逸多是
善男子若坐若立若行處是中便應起塔一
切天人皆應供養如佛之塔尒時世尊欲重
宣此義而說偈言
若我滅度後　能奉持此經　斯人福无量　如上之所說
是則為具足　一切諸供養　以舍利起塔　七寶而莊嚴
表剎甚高廣　漸小至梵天　寶鈴千万億　風動出妙音
又於无量劫　而供養此塔　華香諸瓔珞　天衣眾伎樂
然香油酥燈　周匝常照明
惡世法末時　能持是經者　則為已如上　具足諸供養
若能持此經　則如佛現在　以牛頭栴檀　起僧坊供養
堂有三十二　高八多羅樹　上饌妙衣服　床臥皆具足
百千眾住處　園林諸浴池　經行及禪窟　種種皆嚴好
若有信解心　受持讀誦書　若復教人書　及供養經卷
散華香末香　以須曼瞻蔔　阿提目多伽　薰油常然之
如是供養者　得无量功德　如虛空无邊　其福亦如是

BD01862號　妙法蓮華經（八卷本）卷六　（14–1）

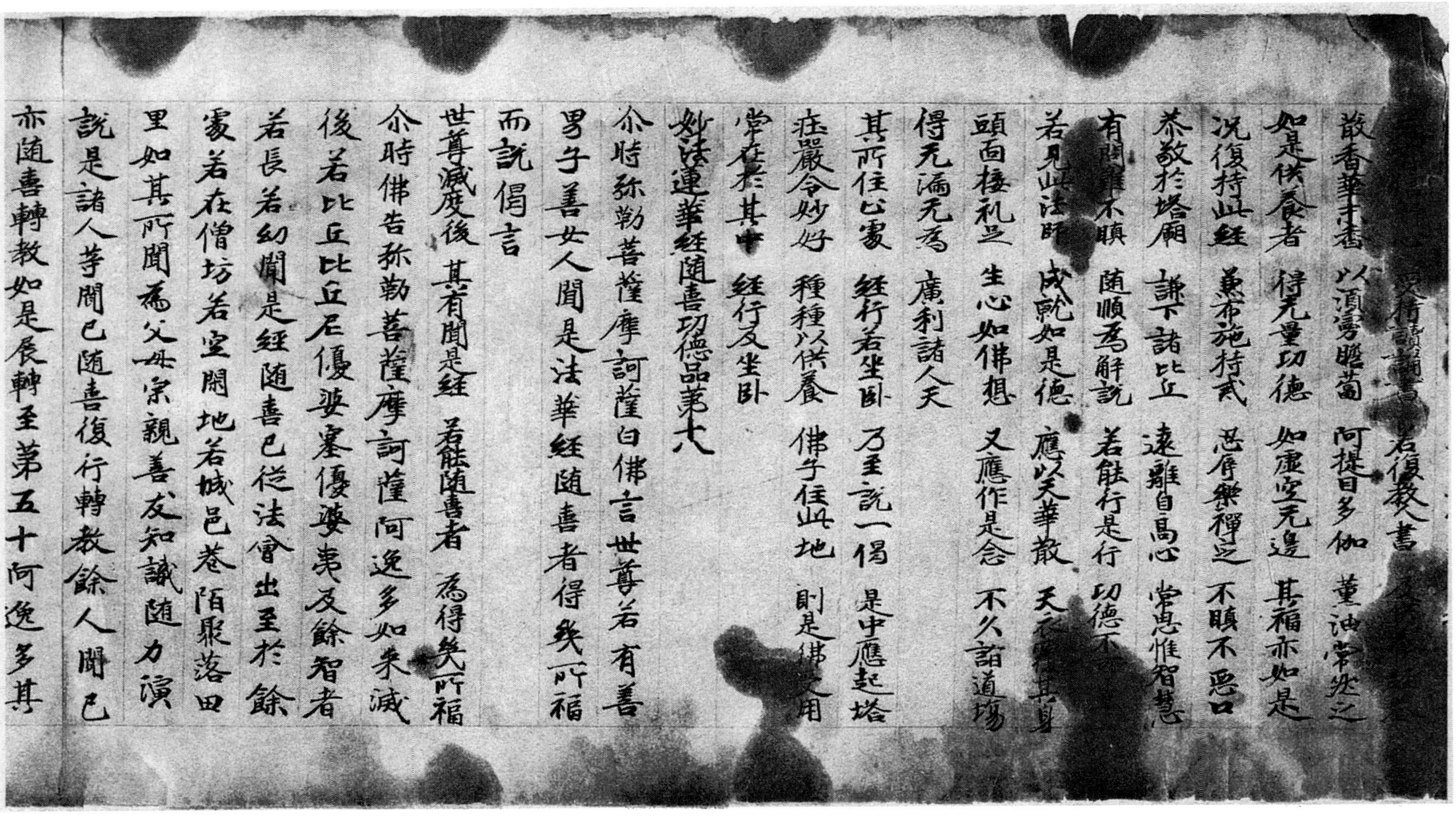
受持讀誦書　若復教人書　及供養經卷
散華香末香　以須曼瞻蔔　阿提目多伽　薰油常然之
如是供養者　得无量功德　如虛空无邊　其福亦如是
況復持此經　兼布施持戒　忍辱樂禪定　不瞋不惡口
恭敬於塔廟　謙下諸比丘　遠離自高心　常思惟智慧
有問難不瞋　隨順為解說　若能行是行　功德不可量
若見此法師　成就如是德　應以天華散　天衣覆其身
頭面接足禮　生心如佛想　又應作是念　不久詣道場
得无漏无為　廣利諸人天
其所住止處　經行若坐臥　乃至說一偈　是中應起塔
莊嚴令妙好　種種以供養　佛子住此地　則是佛受用
常在於其中　經行及坐臥
妙法蓮華經隨喜功德品第十八
尒時彌勒菩薩摩訶薩白佛言世尊若有善
男子善女人聞是法華經隨喜者得幾所福
而說偈言
世尊滅度後　其有聞是經　若能隨喜者　為得幾所福
尒時佛告彌勒菩薩摩訶薩阿逸多如來滅
後若比丘比丘尼優婆塞優婆夷及餘智者
若長若幼聞是經隨喜已從法會出至於餘
處若在僧坊若空閑地若城邑巷陌聚落田
里如其所聞為父母宗親善友知識隨力演
說是諸人等聞已隨喜復行轉教餘人聞已
亦隨喜轉教如是展轉至第五十阿逸多其

BD01862號　妙法蓮華經（八卷本）卷六　（14–2）

里如其所聞為父母宗親善友知識隨力演
說是諸人等聞已隨喜復行轉教餘人聞已
亦隨喜轉教如是展轉至第五十阿逸多其
第五十善男子善女人隨喜功德我今說之
汝當善聽若四百万億阿僧祇世界六趣四
生衆生卵生胎生濕生化生若有形无形有想
无想非有想非无想无足二足四足多足
如是等在衆生數者有人求福隨其所欲娛
樂之具皆給與之一一衆生與滿閻浮提金
銀琉璃車璖馬瑙珊瑚虎珀諸妙珎寶及象
馬車乘七寶所成宮殿樓閣等是大施主如
是布施滿八十年已而作是念我已施衆生娛
樂之具隨意所欲然此衆生皆已衰老年
過八十髮白面皺將死不久我當以佛法而
訓導之即集此衆生宣布法化示教利喜一時
皆得須陁洹道斯陁含道阿那含道阿羅
漢道盡諸有漏於深禪定皆得自在具八解
脫於汝意云何是大施主所得功德寧為多
不弥勒白佛言世尊是人功德甚多无量无
邊若是施主但施衆生一切樂具功德无量
何況令得阿羅漢果佛告弥勒我今分明語
汝是人以一切樂具施於四百万億阿僧祇世
界六趣衆生又令得阿羅漢果所得功德不
如是第五十人聞法華經一偈隨喜功德百

界六趣衆生又令得阿羅漢果所得功德不
如是第五十人聞法華經一偈隨喜功德百
分千分百千万億分不及其一乃至筭數譬
喻所不能知阿逸多如是第五十人展轉聞
法華經隨喜功德尚无量无邊阿僧祇何
況最初於會中聞而隨喜者其福復勝无量
无邊阿僧祇不可得比又阿逸多若人為是
經故往詣僧房若坐若立須臾聽受緣是功
德轉身所生得好上妙象馬車乘珎寶輦輿
及乘天宮若復有人於講法處坐更有人來
勸令坐聽若分坐令坐是人功德轉身得帝
釋坐處若梵王坐處若轉輪聖王所坐之處
阿逸多若復有人語餘人言有經名法華可
共往聽即受其教乃至須臾間聞是人功德
轉身得與陁羅尼菩薩共生一處利根智慧
百千万世終不瘖瘂口氣不臭舌常无病
亦无病齒不垢黑不黄不踈亦不缺落不差
不曲脣不下垂亦不褰縮不麁澁不瘡胗亦
不缺壞亦不喎耶不厚不大亦不黎黑无諸
可惡鼻不匾㔸亦不曲戾面色不黑亦不狹
長亦不窪曲无有一切不可憙相脣舌牙齒悉
皆嚴好鼻脩高直面貌圓滿眉高而長額
廣平正人相具足世世所生見佛聞法信受
教誨阿逸多汝且觀是勸於一人令往聽法

皆嚴好鼻脩高直面貌圓滿眉高而長額
廣平正人相具足世世所生見佛聞法信受
教誨阿逸多汝且觀是勸於一人令往聽法
功德如此何況一心聽說讀誦而於大衆為人
分別如說脩行尒時世尊欲重宣此義而說
偈言
若人於法會　得聞是經典　乃至於一偈　隨喜為他說
如是展轉教　至於第五十　最後人獲福　今當分別之
如有大施主　供給无量衆　具滿八十歲　隨意之所欲
見彼衰老相　髮白而面皺　齒疏形枯竭　念其死不久
我今應當教　令得於道果　即為方便說　涅槃真實法
世皆不牢固　如水沫泡焰　汝等咸應當　疾生厭離心
諸人聞是法　皆得阿羅漢　具足六神通　三明八解脫
最後第五十　聞一偈隨喜　是人福勝彼　不可為譬喻
如是展轉聞　其福尚无量　何況於法會　初聞隨喜者
若有勸一人　將引聽法華　言此經深妙　千万劫難遇
即受教往聽　乃至須臾聞　斯人之福報　今當分別說
世世无口患　齒不疏黃黑　脣不厚褰缺　无有可惡相
舌不乾黑短　鼻脩高且直　額廣而平正　面目悉端嚴
為人所喜見　口氣无臭穢　優鉢華之香　常從其口出
若故詣僧坊　欲聽法華經　須臾聞歡喜　今當說其福
後生天人中　得妙象馬車　珎寶之輦輿　及乘天宮殿
若於講法處　勸人坐聽經　是福因緣得　釋梵轉輪王
何況一心聽　解說其義趣　如說而脩行　其福不可限

後生天人中　得妙象馬車　珎寶之輦輿　及乘天宮殿
若於講法處　勸人坐聽經　是福因緣得　釋梵轉輪王
何況一心聽　解說其義趣　如說而脩行　其福不可限
妙法蓮華經法師功德品第十九
尒時佛告常精進菩薩摩訶薩若善男子善
女人受持是法華經若讀若誦若解說若書
寫是人當得八百眼功德千二百耳功德八百
鼻功德千二百舌功德八百身功德千二百
意功德以是功德莊嚴六根皆令清淨是
善男子善女人父母所生清淨肉眼見於三千
大千世界內外所有山林河海下至阿鼻地
獄上至有頂亦見其中一切衆生及業因緣
果報生處悉見悉知尒時世尊欲重宣此義
而說偈言
若於大衆中　以无所畏心　說是法華經　汝聽其功德
是人得八百　功德殊勝眼　以是莊嚴故　其目甚清淨
父母所生眼　悉見三千界　內外弥樓山　須弥及鐵圍
并餘諸山林　大海江河水　下至阿鼻獄　上至有頂天
其中諸衆生　一切皆悉見　雖未得天眼　肉眼力如是
復次常精進若善男子善女人受持此經若
讀若誦若解說若書寫得千二百耳功德以
是清淨耳聞三千大千世界下至阿鼻地獄
上至有頂其中內外種種語言音聲象聲馬
聲牛聲車聲啼哭聲愁歎聲螺聲鼓聲鍾
[illegible]

上至有頂其中內外種種語言音聲象聲馬
聲牛聲車聲啼哭聲愁歎聲螺聲鼓聲鍾
聲鈴聲咲聲語聲男聲女聲童子聲童女聲
法聲非法聲苦聲樂聲凡夫聲聖人聲喜聲
不喜聲天聲龍聲夜叉聲乾闥婆聲阿脩羅
聲迦樓羅聲緊那羅聲摩睺羅伽聲火聲水
聲風聲地獄聲畜生聲餓鬼聲比丘聲比丘
尼聲聲聞聲辟支佛聲菩薩聲佛聲以要言
之三千大千世界中一切內外所有諸聲雖未
得天耳以父母所生清淨常耳皆悉聞知如是
分別種種音聲而不壞耳根尒時世尊欲重
宣此義而說偈言
父母所生耳　清淨無濁穢　以此常耳聞　三千世界聲
象馬車牛聲　鍾鈴螺鼓聲　琴瑟箜篌聲　簫笛之音聲
清淨好音聲　聽之而不著　無數種人聲　聞悉能解了
又聞諸天聲　微妙之歌音　及聞男女聲　童子童女聲
山川嶮谷中　迦陵頻伽聲　命命等諸鳥　悉聞其音聲
地獄眾苦痛　種種楚毒聲　餓鬼飢渴逼　求索飲食聲
諸阿脩羅等　居在大海邊　自共言語時　出于大音聲
如是說法者　安住於此間　遙聞是眾聲　而不壞耳根
十方世界中　禽獸鳴相呼　其說法之人　於此悉聞之
其諸梵天上　光音及遍淨　乃至有頂天　言語之音聲
法師住於此　悉皆得聞之
一切比丘眾　及諸比丘尼　若讀誦經典　若為他人說

BD01862號　妙法蓮華經（八卷本）卷六　（14-7）

一切比丘眾　及諸比丘尼　若讀誦經典　若為他人說
法師住於此　悉皆得聞之
復有諸菩薩　讀誦於經法　若為他人說　撰集解其義
如是諸音聲　悉皆得聞之
諸佛大聖尊　教化眾生者　於諸大會中　演說微妙法
持此法華者　悉皆得聞之
三千大千界　內外諸音聲　下至阿鼻獄　上至有頂天
皆聞其音聲　而不壞耳根　其耳聰利故　悉能分別知
持是法華者　雖未得天耳　但用所生耳　功德已如是
復次常精進若善男子善女人受持是經若讀
若誦若解說若書寫成就八百鼻功德以是
清淨鼻根聞於三千大千世界上下內外種
種諸香須曼那華香闍提華香末利華香
瞻蔔華香波羅羅華香赤蓮華香青蓮華
香白蓮華香華樹香菓樹香栴檀香沉水香多
摩羅跋香多伽羅香及千萬種和香若末若
丸若塗香持是經者於此間住悉能分別又
復別分知眾生之香象香馬香牛羊等香男香
女香童子香童女香及草木叢林香若近若
遠所有諸香悉皆得聞分別不錯持是經者
雖住於此亦聞天上諸天之香波利質多羅拘
鞞陀羅樹香及曼陀羅華香摩訶曼陀羅
華香曼殊沙華香摩訶曼殊沙華香栴檀
沉水種種末香諸雜華香如是等天香和合所

BD01862號　妙法蓮華經（八卷本）卷六　（14-8）

鞞陀羅樹香及曼陀羅華香摩訶曼陀羅
華香曼殊沙華香摩訶曼殊沙華香栴檀
沉水種種末香諸雜華香如是等天香和合所
出之香无不聞知又聞諸天身香釋提桓因
在勝殿上五欲娛樂嬉戲時香若在妙法堂上
為忉利諸天說法時香若於諸園遊戲時
香及餘天等男女身香皆悉遙聞如是展轉
乃至梵世上至有頂諸天身香亦皆聞之并
聞諸天所燒之香及聲聞香辟支佛香菩薩
香諸佛身香亦皆遙聞知其所在雖聞此香
然於鼻根不壞不錯若欲分別為他人說憶
念不謬尒時世欲重宣此義而說偈言
是人鼻清淨　於此世界中　若香若臭物　種種悉聞之
須曼那闍提　多摩羅栴檀　沉水及桂香　種種華菓香
及知眾生香　男子女人香　說法者遠住　聞香知所在
大勢轉輪王　小轉輪及子　群臣諸宮人　聞香知所在
身所著寶衣　及地中伏藏　轉輪王寶女　聞香知所在
諸人嚴身具　衣服及瓔珞　種種所塗香　聞則知其身
諸天若行坐　遊戲及神變　持是法華者　聞香悉能知
諸樹華菓實　及蘇油香氣　持經者住此　悉知其所在
諸山深嶮處　栴檀樹華敷　眾生在中者　聞香皆能知
鐵圍山大海　地中諸眾生　持經者聞香　悉知其所在
阿脩羅男女　及其諸眷屬　鬪諍遊戲時　聞香皆能知
曠野險隘處　師子象虎狼　野牛水牛等　聞香知所在

阿脩羅男女　及其諸眷屬　鬪諍遊戲時　聞香皆能知
曠野險隘處　師子象虎狼　野牛水牛等　聞香知所在
若有懷妊者　未辯其男女　无根及非人　聞香悉能知
以聞香力故　知其初懷妊　成就不成就　安樂產福子
以聞香力故　知男女所念　染欲癡恚心　亦知脩善者
地中眾伏藏　金銀諸珎寶　銅器之所盛　聞香悉能知
種種諸瓔珞　无能識其價　聞香知貴賤　出處及所在
天上諸華等　曼陀曼殊沙　波利質多樹　聞香悉能知
天園林勝殿　諸觀妙法堂　在中而娛樂　聞香悉能知
諸天若聽法　或受五欲時　來往行坐臥　聞香悉能知
天女所著衣　好華香莊嚴　周旋遊戲時　聞香悉能知
如是展轉上　乃至於梵世　入禪出禪者　聞香悉能知
光音遍淨天　乃至于有頂　初生及退沒　聞香悉能知
諸比丘眾等　於法常精進　若坐若經行　及讀誦經法
或在林樹下　專精而坐禪　持經者聞香　悉知其所在
菩薩志堅固　坐禪若讀經　或為人說法　聞香悉能知
天上諸宮殿　上中下差別　眾寶華莊嚴　聞香悉能知
在在方世尊　一切所恭敬　愍眾而說法　聞香悉能知
眾生在佛前　聞經皆歡喜　如法而脩行　聞香悉能知
雖未得菩薩　无漏法生鼻　而是持經者　先得此鼻相
復次常精進若善男子善女人受持是經若
讀若誦若解說若書寫得千二百舌功德若
好若醜若美不美及諸苦澁物在其舌根皆
變成上味如天甘露无不美者若以舌根於

讀若誦若解說若書寫得千二百舌功德若
好若醜若美不美及諸苦澁物在其舌根皆
變成上味如天甘露无不美者若以舌根於
大衆中有所演說出深妙聲能入其心皆令
歡喜快樂又諸天子天女釋梵諸天聞是深
妙音聲有所演說言論次第皆悉來聽及諸
龍龍女夜叉夜叉女乾闥婆乾闥婆女阿脩羅
阿脩羅女迦樓羅迦樓羅女緊那羅緊那
羅女摩睺羅伽摩睺羅伽女為聽法故皆來
親近恭敬供養及比丘比丘尼優婆塞優婆
夷國王王子群臣眷屬小轉輪王大轉輪王
七寶千子內外眷屬乘其宮殿俱來聽法以
是菩薩善說法故婆羅門居士國內人民盡
其形壽隨侍供養又諸聲聞辟支佛菩薩諸
佛常樂見之是人所在方面諸佛皆向其處
說法悉能受持一切佛法又能出於深妙法音
尒時世尊欲重宣此義而說偈言
是人舌根淨　終不受惡味　其有所食噉　悉皆成甘露
以深淨妙聲　於千衆說法　以諸因緣喻　引導衆生心
聞者皆歡喜　設諸上供養
諸天龍夜叉　及阿脩羅等　皆以恭敬心　而共來聽法
是說法之人　若欲以妙音　遍滿三千界　隨意即能至
大小轉輪王　及千子眷屬　合掌恭敬心　常來聽受法
諸天龍夜叉　羅剎毗舍遮　亦以歡喜心　常樂來供養

BD01862號　妙法蓮華經（八卷本）卷六　（14–11）

是說法之人　若欲以妙音　遍滿三千界　隨意即能至
大小轉輪王　及千子眷屬　合掌恭敬心　常來聽受法
諸天龍夜叉　羅剎毗舍遮　亦以歡喜心　常樂來供養
梵天王魔王　自在大自在　如是諸天衆　常來至其所
諸佛及弟子　聞其說法音　常念而守護　或時為現身
復次常精進若善男子善女人受持是經若
讀若誦若解說若書寫得八百身功德得清
淨身如淨瑠璃衆生憙見其身淨故三千大
千世界衆生生時死時上下好醜生善處惡
處悉於中現及鐵圍大鐵圍彌樓山摩訶彌
樓山等諸山及其中衆生悉於中現下至阿
鼻地獄上至有頂所有及衆生悉於中現若
聲聞辟支佛菩薩諸佛說法皆於身中現其
色像尒時世尊欲重宣此義而說偈言
若持法華者　其身甚清淨　如彼淨瑠璃　衆生皆憙見
又如淨明鏡　悉見諸色像　菩薩於淨身　皆見世所有
唯獨自明了　餘人所不見
三千世界中　一切諸群萌　天人阿脩羅　地獄鬼畜生
如是諸色像　皆於身中現
諸天等宮殿　乃至於有頂　鐵圍及彌樓　摩訶彌樓山
諸大海水等　皆於身中現
諸佛及聲聞　佛子菩薩等　若獨若在衆　說法悉皆現
雖未得无漏　法性之妙身　以清淨常體　一切於中現
復次常精進若善男子善女人如來滅後受

BD01862號　妙法蓮華經（八卷本）卷六　（14–12）

諸佛及聲聞　佛子菩薩等　若獨若在衆　說法悉皆現
雖未得无漏　法性之妙身　以清淨常體　一切於中現
復次常精進若善男子善女人如來滅後受
持是經若讀若誦若解說若書寫得千二百
意功德以是清淨意根乃至聞一偈一句通
達无量无邊之義解是義已能演說一句一
偈至於一月四月乃至一歲諸所說法隨其義
趣皆與實相不相違背若說俗間經書治
世語言資生業等皆順正法三千大千世界
六趣衆生心之所行心所動作心所戲論皆
悉知之雖未得无漏智慧而其意根清淨如
此是人有所思惟籌量言說皆是佛法无不
真實亦是先佛經中所說尒時世尊欲重宣
此義而說偈言
是人意清淨　明利无穢濁　以此妙意根　知上中下法
乃至聞一偈　通達无量義　次第如說法　月四月至歲
是世界內外　一切諸衆生　若天龍及人　夜叉鬼神等
其在六趣中　所念若干種　持法華之報　一時皆悉知
十方无數佛　百福莊嚴相　為衆生說法　悉聞能受持
思惟无量義　說法亦无量　終始不忘錯　以持法華故
悉知諸法相　隨義識次第　達名字語言　如所知演說
此人有所說　皆是先佛法　以演此法故　於衆无所畏
持法華經者　意根淨若斯　雖未得无漏　先有如是相
是人持此經　安住希有地　為一切衆生　歡喜而愛敬
能以千万種　善巧之言語　分別而說法　持法華經故

BD01862 號　妙法蓮華經（八卷本）卷六　（14–13）

是世界內外　一切諸衆生　若天龍及人　夜叉鬼神等
其在六趣中　所念若干種　持法華之報　一時皆悉知
十方无數佛　百福莊嚴相　為衆生說法　悉聞能受持
思惟无量義　說法亦无量　終始不忘錯　以持法華故
悉知諸法相　隨義識次第　達名字語言　如所知演說
此人有所說　皆是先佛法　以演此法故　於衆无所畏
持法華經者　意根淨若斯　雖未得无漏　先有如是相
是人持此經　安住希有地　為一切衆生　歡喜而愛敬
能以千万種　善巧之言語　分別而說法　持法華經故

妙法蓮華經卷第六

BD01862 號　妙法蓮華經（八卷本）卷六　（14–14）

劫有佛名威音王如來應供正遍知明行足善
逝世間解无上士調御丈夫天人師佛世尊
劫名離衰國名大成其威音王佛於彼世
中為天人阿脩羅說法為求聲聞者說應四
諦法度生老病死究竟涅槃為求辟支佛者
說應十二因緣法為諸菩薩因阿耨多羅三
藐三菩提說應六波羅蜜法究竟佛慧得大
勢是威音王佛壽四十萬億那由他恒河沙劫
正法住世劫數如一閻浮提微塵像法住世
劫數如四天下微塵其佛饒益衆生已然
後滅度正法像法滅盡之後於此國土復有
佛出亦号威音王如來應供正遍知明行足
善逝世間解无上士調御丈夫天人師佛世
尊如是次第有二万億佛皆同一号最初威
音王如來既已滅度正法滅後於像法中增上
慢比丘有大勢力尒時有一菩薩比丘名常
不輕得大勢以何因緣名常不輕是比丘凡
有所見若比丘比丘尼優婆塞優婆夷皆
悉礼拜讚歎而作是言我深敬汝等不敢輕
慢所以者何汝等皆行菩薩道當得作佛而
是比丘不專讀誦經典但行礼拜乃至遠見
四衆亦復故往礼拜讚歎而作是言我不敢
輕於汝等汝等皆當作佛四衆之中有生瞋
恚心不淨者惡口罵詈言是无智比丘從何

BD01863號　妙法蓮華經卷六

（7–1）

慢所以者何汝等皆行菩薩道當得作佛而
是比丘不專讀誦經典但行礼拜乃至遠見
四衆亦復故往礼拜讚歎而作是言我不敢
輕於汝等汝等皆當作佛四衆之中有生瞋
恚心不淨者惡口罵詈言是无智比丘從何
所來自言我不輕汝而與我等授記當得作
佛我等不用如是虛妄授記如此經歷多年
常被罵詈不生瞋恚常作是言汝當作佛說
是語時衆人或以杖木瓦石而打擲之避走
遠住猶高聲唱言我不敢輕汝汝等皆當作
佛以其常作是語故增上慢比丘比丘尼優
婆塞優婆夷号之為常不輕是比丘臨欲終
時於虛空中具聞威音王佛先所說法華經
二十千萬億偈悉能受持即得如上眼根清
淨耳鼻舌身意根清淨得是六根清淨已更
增壽命二百萬億那由他歲廣為人說是法
華經於時增上慢四衆比丘比丘尼優婆塞
優婆夷輕賤是人為作不輕名者見其得大
神通力樂說辯力大善寂力聞其所說皆信
伏隨從是菩薩復化千萬億衆令住阿耨多
羅三藐三菩提命終之後得值二千億佛皆
号日月燈明於其法中說是法華經以是因
緣復值二千億佛同号雲自在燈王於此諸
佛法中受持讀誦為諸四衆說此經典故得
是常眼清淨耳鼻舌身意諸根清淨於四衆
中說法心无所畏得大勢是常不輕菩薩摩
訶薩供養如是若干諸佛恭敬尊重讚歎種

BD01863號　妙法蓮華經卷六

（7–2）

是常眼清淨耳鼻舌身意諸根清淨於四衆
中說法心无所畏得大勢是常不輕菩薩摩
訶薩供養如是若干諸佛恭敬尊重讚歎種
諸善根於後復值千萬億佛亦於諸佛法中
說是經典功德成就當得作佛得大勢於意
云何尒時常不輕菩薩豈異人乎則我身是
若我於宿世不受持讀誦此經為他人說者
不能疾得阿耨多羅三藐三菩提我於先佛
所受持讀誦此經為人說故疾得阿耨多羅
三藐三菩提得大勢彼時四衆比丘比丘尼優
婆塞優婆夷以瞋恚意輕賤我故二百億劫
常不值佛不聞法不見僧千劫於阿鼻地獄
受大苦惱畢是罪已復遇常不輕菩薩教化
阿耨多羅三藐三菩提得大勢於汝意云
何尒時四衆常輕是菩薩者豈異人乎今此
會中跋陀婆羅等五百菩薩師子月等五百
比丘尼思佛等五百優婆塞皆於阿耨多羅
三藐三菩提不退轉者是得大勢當知是法
華經大饒益諸菩薩摩訶薩能令至於阿耨
多羅三藐三菩提是故諸菩薩摩訶薩於如
來滅後常應受持讀誦解說書寫是經尒時
世尊欲重宣此義而說偈言
過去有佛　号威音王　神智无量　將導一切
天人神　所共供養　是佛滅後　法欲盡時
有一菩薩　名常不輕　時諸四衆　計著於法
不輕菩薩　往到其所　而語之言　我不輕汝
汝等行道　皆當作佛　諸人聞已　輕毀罵詈

BD01863號　妙法蓮華經卷六　（7-3）

天人神　所共供養　是佛滅後　法欲盡時
有一菩薩　名常不輕　時諸四衆　計著於法
不輕菩薩　往到其所　而語之言　我不輕汝
汝等行道　皆當作佛　諸人聞已　輕毀罵詈
不輕菩薩　能忍受之　其罪畢已　臨命終時
得聞此經　六根清淨　神通力故　增益壽命
復為諸人　廣說是經　諸著法衆　皆蒙菩薩
教化成就　令住佛道　不輕命終　值无數佛
說是經故　得无量福　漸具功德　疾成佛道
彼時不輕　則我身是　時四部衆　著法之者
聞不輕言　汝當作佛　以是因緣　值无數佛
此會菩薩　五百之衆　并及四部　清信士女
今於我前　聽法者是　我於前世　勸是諸人
聽受斯經　第一之法　開示教人　令住涅槃
世世受持　如是經典　億億萬劫　至不可議
時乃得聞　是法華經　億億萬劫　至不可議
諸佛世尊　時說是經　是故行者　於佛滅後
聞如是經　勿生疑惑　應當一心　廣說此經
世世值佛　疾成佛道

妙法蓮華經如來神力品第二十一

尒時千世界微塵等菩薩摩訶薩從地踊出
者皆於佛前一心合掌瞻仰尊顏而白佛言
世尊我等於佛滅後世尊分身所在國土滅
度之處當廣說此經所以者何我等亦自欲
得是真淨大法受持讀誦解說書寫而供養
之尒時世尊於文殊師利等无量百千萬億
舊住娑婆世界菩薩摩訶薩及諸比丘比丘
尼優婆塞優婆夷天龍夜叉乾闥婆阿脩羅

BD01863號　妙法蓮華經卷六　（7-4）

度之處當廣說此經所以者何我等亦自欲
得是真淨大法受持讀誦解說書寫而供養
之尒時世尊於文殊師利等无量百千萬億
舊住娑婆世界菩薩摩訶薩及諸比丘比丘
尼優婆塞優婆夷天龍夜叉乾闥婆阿修羅
迦樓羅緊那羅摩睺羅伽人非人等一切衆
前現大神力出廣長舌上至梵世一切毛孔
放於无量无數色光皆悉遍照十方世界衆
寶樹下師子座上諸佛亦復如是出廣長舌
放无量光釋迦牟尼佛及寶樹下諸佛現神
力時滿百千歲然後還攝舌相一時謦欬俱
共彈指是二音聲遍至十方諸佛世界地皆
六種震動其中衆生天龍夜叉乾闥婆阿修
羅迦樓羅緊那羅摩睺羅伽人非人等以佛
神力故皆見此娑婆世界无量无邊百千萬
億衆寶樹下師子座上諸佛及見釋迦牟尼
佛共多寶如来在寶塔中坐師子座又見无
量无邊百千萬億菩薩摩訶薩及諸四衆恭
敬圍繞釋迦牟尼佛既見是已皆大歡喜得
未曾有即時諸天於虛空中高聲唱言過此
无量无邊百千萬億阿僧祇世界有國名娑
婆是中有佛名釋迦牟尼今爲諸菩薩摩訶
薩說大乘經名妙法蓮華教菩薩法佛所護
念汝等當深心隨喜亦當礼拜供養釋迦牟
尼佛彼諸衆生聞虛空中聲已合掌向娑婆
世界作如是言南无釋迦牟尼佛南无釋迦
牟尼佛以種種華香瓔珞幡蓋及諸嚴身之

BD01863號　妙法蓮華經卷六　（7–5）

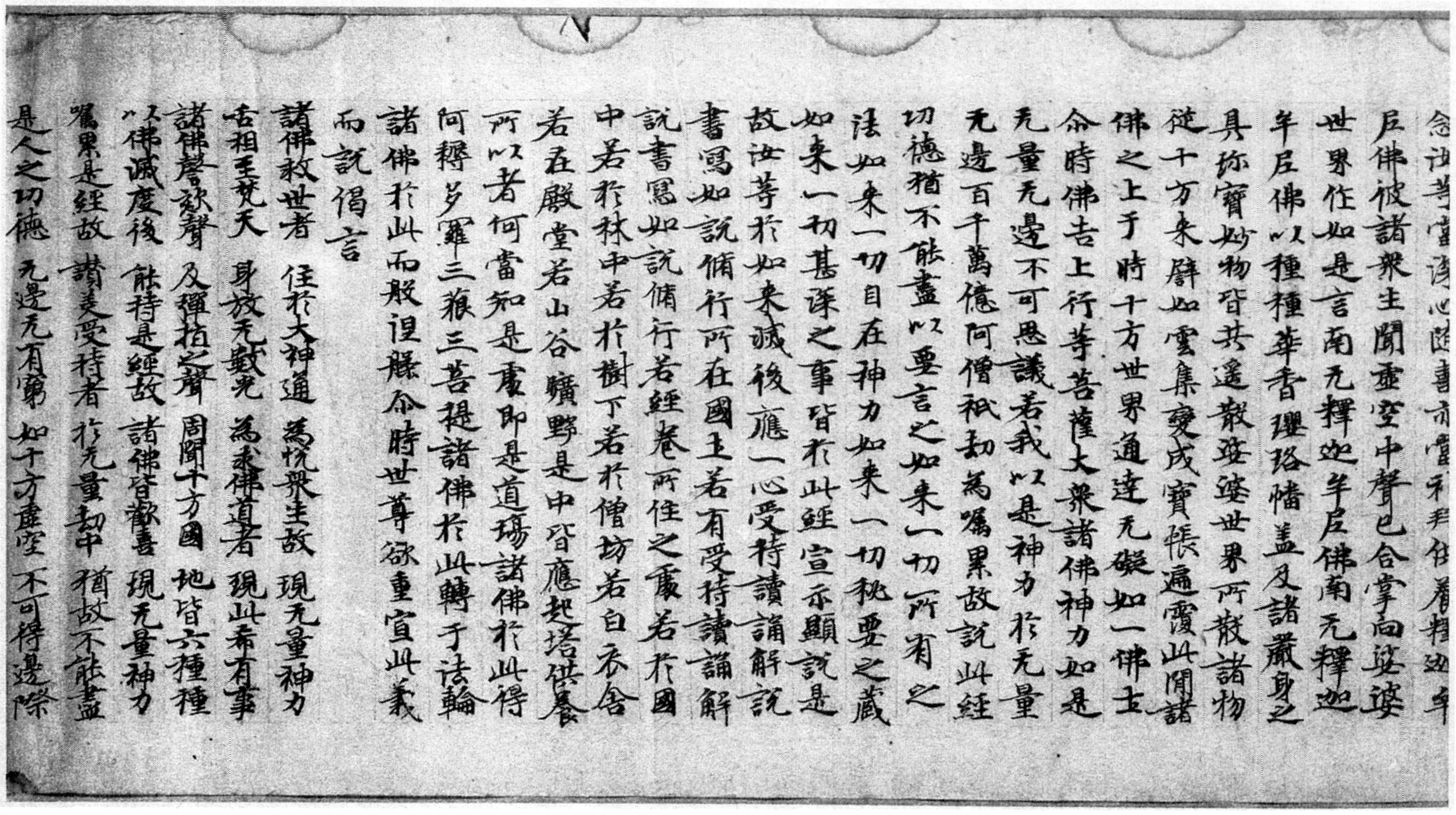
念汝等當深心隨喜亦當礼拜供養釋迦牟
尼佛彼諸衆生聞虛空中聲已合掌向娑婆
世界作如是言南无釋迦牟尼佛南无釋迦
牟尼佛以種種華香瓔珞幡蓋及諸嚴身之
具珍寶妙物皆共遙散娑婆世界所散諸物
從十方来譬如雲集變成寶帳遍覆此間諸
佛之上于時十方世界通達无礙如一佛土
尒時佛告上行等菩薩大衆諸佛神力如是
无量无邊不可思議若我以是神力於无量
无邊百千萬億阿僧祇劫爲囑累故說此經
功德猶不能盡以要言之如来一切所有之
法如来一切自在神力如来一切秘要之藏
如来一切甚深之事皆於此經宣示顯說是
故汝等於如来滅後應一心受持讀誦解說
書寫如說修行所在國土若有受持讀誦解
說書寫如說修行若經卷所住之處若於園
中若於林中若於樹下若於僧坊若白衣舍
若在殿堂若山谷曠野是中皆應起塔供養
所以者何當知是處即是道場諸佛於此得
阿耨多羅三藐三菩提諸佛於此轉于法輪
諸佛於此而般涅槃尒時世尊欲重宣此義
而說偈言
諸佛救世者　住於大神通　爲悅衆生故　現无量神力
舌相至梵天　身放无數光　爲求佛道者　現此希有事
諸佛謦欬聲　及彈指之聲　周聞十方國　地皆六種動
以佛滅度後　能持是經故　諸佛皆歡喜　現无量神力
囑累是經故　讚美受持者　於无量劫中　猶故不能盡
是人之功德　无邊无有窮　如十方虛空　不可得邊際

BD01863號　妙法蓮華經卷六　（7–6）

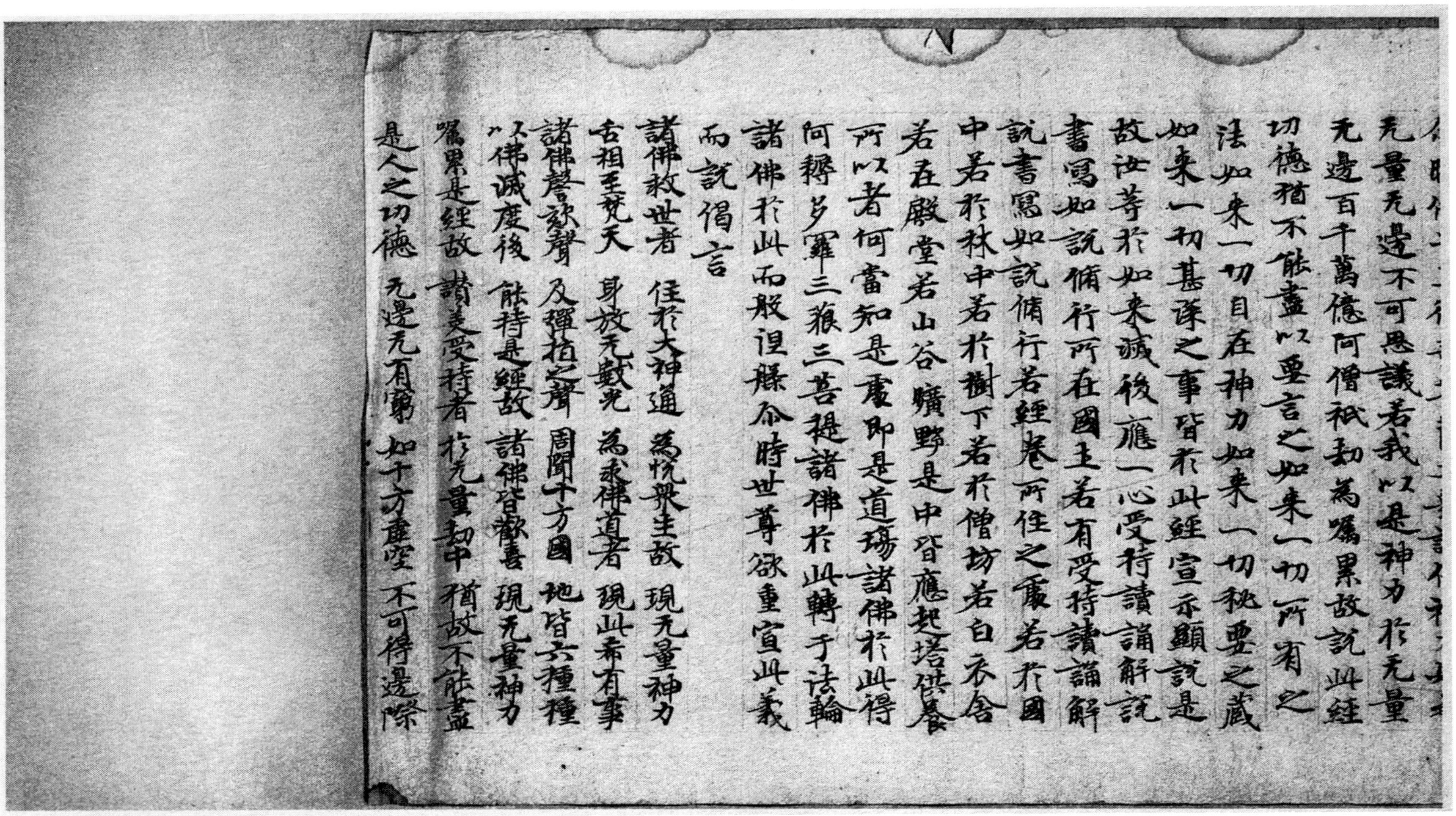

无量无邊不可思議若我以是神力於无量
无邊百千萬億阿僧祇劫為囑累故說此經
功德猶不能盡以要言之如來一切所有之
法如來一切自在神力如來一切秘要之藏
如來一切甚深之事皆於此經宣示顯說是
故汝等於如來滅後應一心受持讀誦解說
書寫如說修行所在國土若有受持讀誦解
說書寫如說修行若經卷所住之處若於園
中若於林中若於樹下若於僧坊若白衣舍
若在殿堂若山谷曠野是中皆應起塔供養
所以者何當知是處即是道場諸佛於此得
阿耨多羅三藐三菩提諸佛於此轉于法輪
諸佛於此而般涅槃尒時世尊欲重宣此義
而說偈言
諸佛救世者　住於大神通　為悅眾生故　現无量神力
舌相至梵天　身放无數光　為求佛道者　現此希有事
諸佛謦欬聲　及彈指之聲　周聞十方國　地皆六種種
以佛滅度後　能持是經故　諸佛皆歡喜　現无量神力
囑累是經故　讚美受持者　於无量劫中　猶故不能盡
是人之功德　无邊无有窮　如十方虛空　不可得邊際

BD01863號　妙法蓮華經卷六　（7–7）

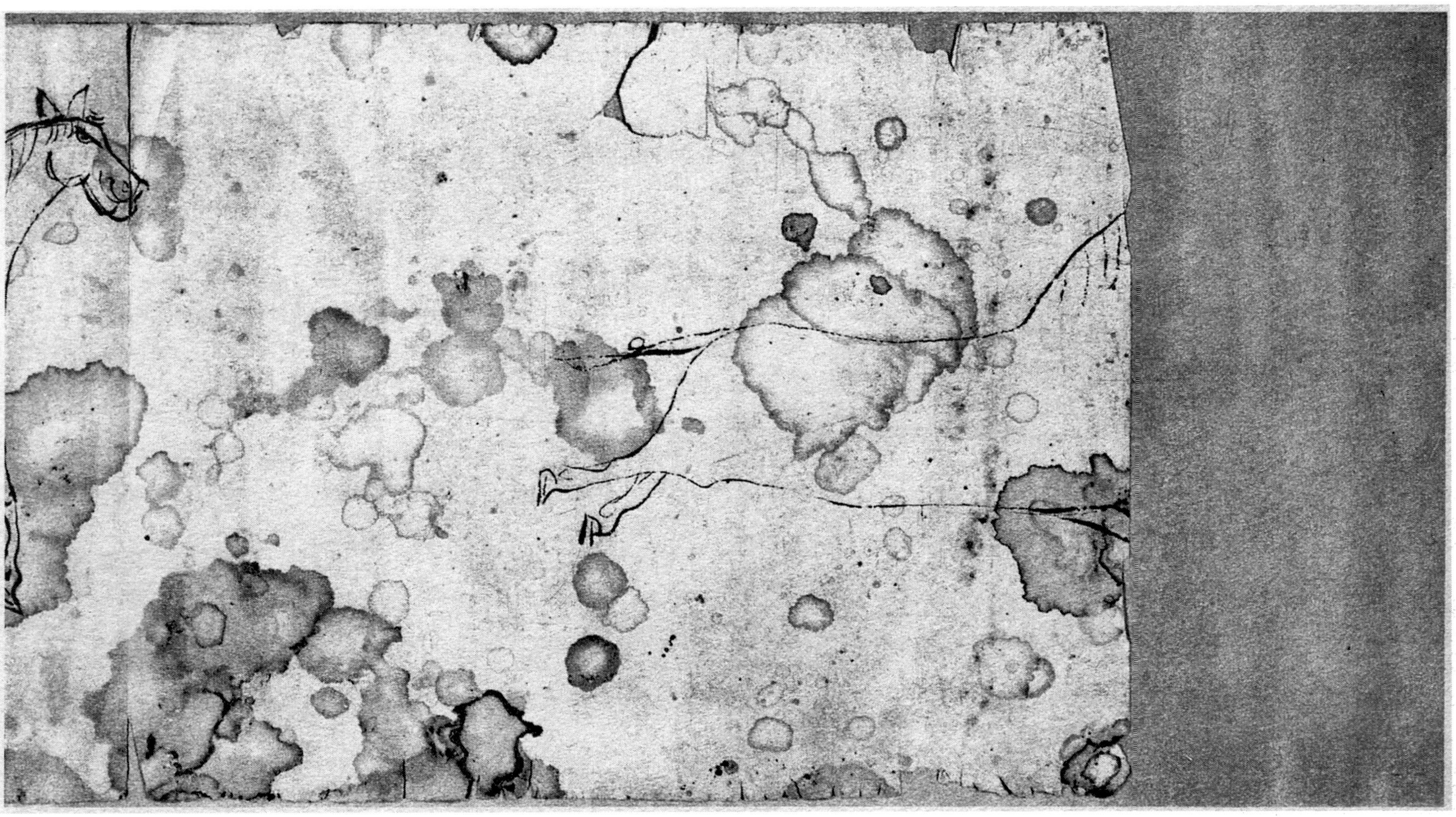

BD01863號背　白畫三匹馬（擬）　（3–1）

BD01863 號背　白畫三匹馬（擬）　（3–2）

BD01863 號背　白畫三匹馬（擬）　（3–3）

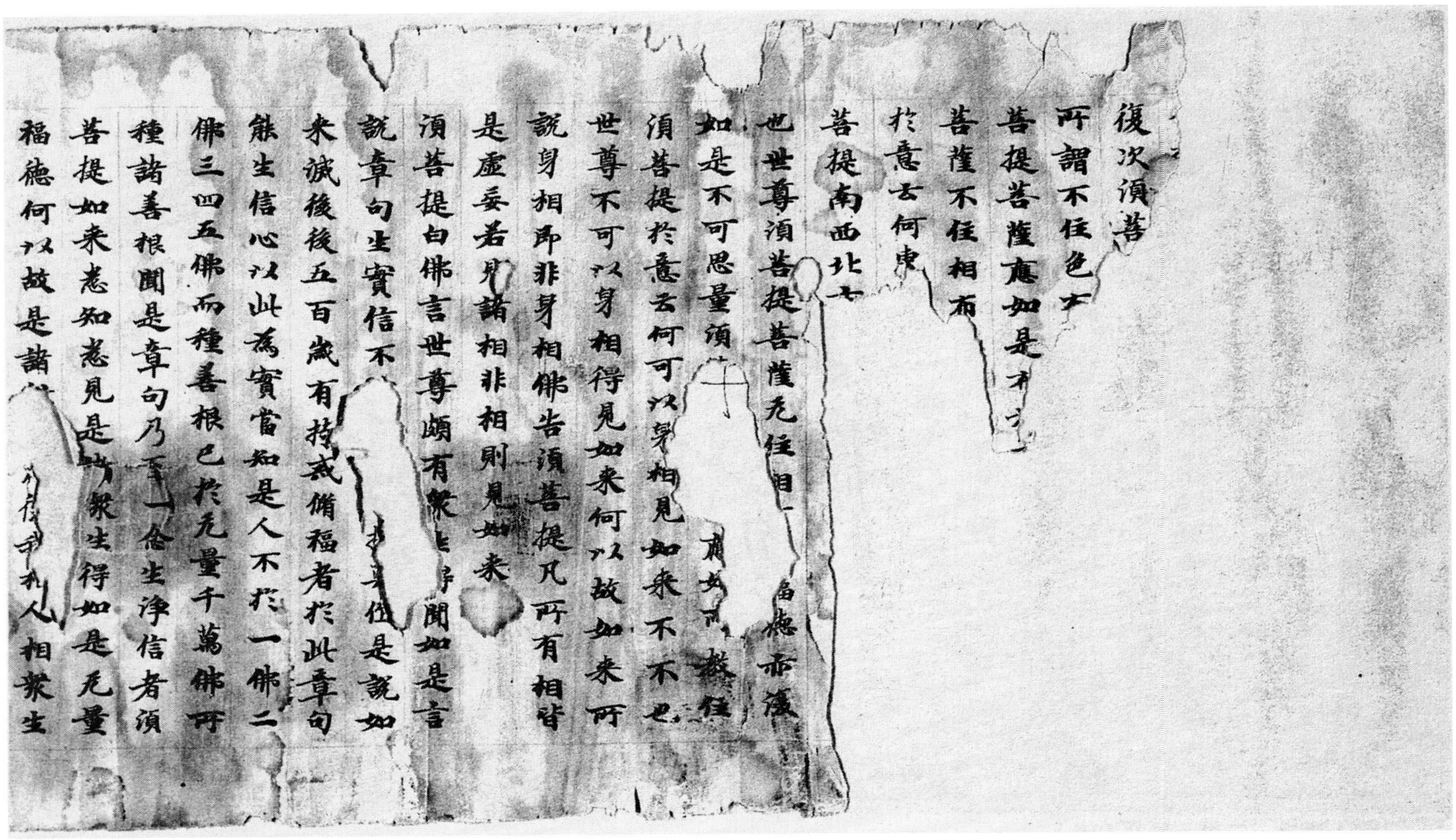

復次須菩
所謂不住色布
菩提菩薩應如是布
菩薩不住相布
於意云何東
菩提南西北方
也世尊須菩提菩薩无住相布……德亦復
如是不可思量須……所教住
須菩提於意云何可以身相見如來不不也
世尊不可以身相得見如來何以故如來所
說身相即非身相佛告須菩提凡所有相皆
是虛妄若見諸相非相則見如来
須菩提白佛言世尊頗有衆生得聞如是言
說章句生實信不……住是說如
来滅後後五百歲有持戒脩福者於此章句
能生信心以此為實當知是人不於一佛二
佛三四五佛而種善根已於无量千萬佛所
種諸善根聞是章句乃至一念生淨信者須
菩提如来悉知悉見是諸衆生得如是无量
福德何以故是諸……人相衆生

BD01864 號　金剛般若波羅蜜經　（2–1）

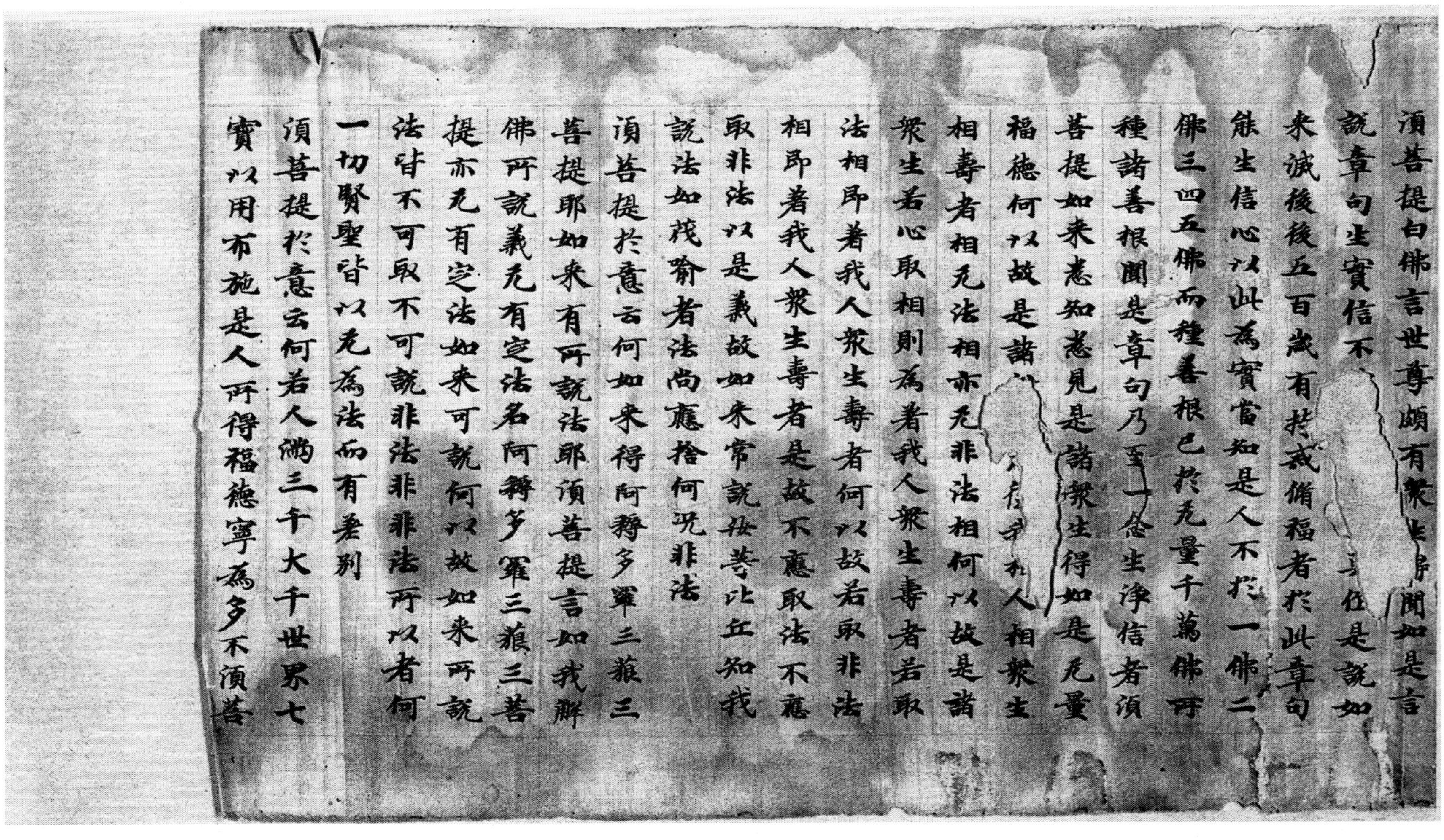

須菩提白佛言世尊頗有衆生得聞如是言
說章句生實信不……住是說如
来滅後後五百歲有持戒脩福者於此章句
能生信心以此為實當知是人不於一佛二
佛三四五佛而種善根已於无量千萬佛所
種諸善根聞是章句乃至一念生淨信者須
菩提如来悉知悉見是諸衆生得如是无量
福德何以故是諸……人相衆生
相壽者相无法相亦无非法相何以故是諸
衆生若心取相則為著我人衆生壽者若取
法相即著我人衆生壽者何以故若取非法
相即著我人衆生壽者是故不應取法不應
取非法以是義故如来常說汝等比丘知我
說法如栰喻者法尚應捨何况非法
須菩提於意云何如来得阿耨多羅三藐三
菩提耶如来有所說法耶須菩提言如我解
佛所說義无有定法名阿耨多羅三藐三菩
提亦无有定法如来可說何以故如来所說
法皆不可取不可說非法非非法所以者何
一切賢聖皆以无為法而有差別
須菩提於意云何若人滿三千大千世界七
寶以用布施是人所得福德寧為多不須菩

BD01864 號　金剛般若波羅蜜經　（2–2）

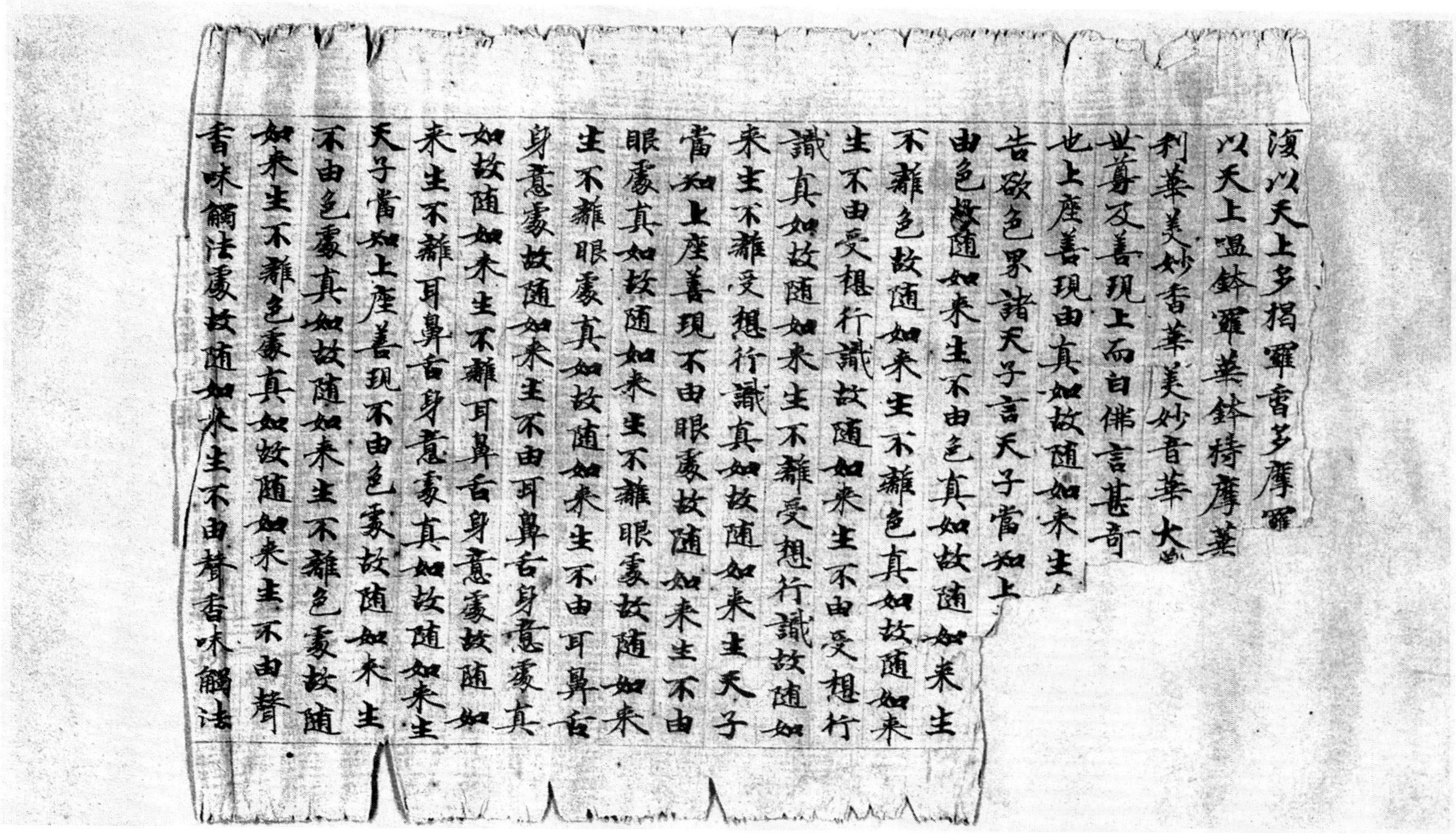
復以天上多揭羅香多摩羅
以天上嗢鉢羅華鉢特摩華
利華美妙香華美妙音華大
世尊及善現上而白佛言甚奇
也上座善現由真如故隨如來生
告欲色界諸天子言天子當知上
由色故隨如來生不由色真如故隨如來生
不離色故隨如來生不離色真如故隨如來
生不由受想行識故隨如來生不由受想行
識真如故隨如來生不離受想行識故隨如
來生不離受想行識真如故隨如來生天子
當知上座善現不由眼處故隨如來生不由
眼處真如故隨如來生不離眼處故隨如來
生不離眼處真如故隨如來生不由耳鼻舌
身意處故隨如來生不由耳鼻舌身意處真
如故隨如來生不離耳鼻舌身意處故隨如
來生不離耳鼻舌身意處真如故隨如來生
天子當知上座善現不由色處故隨如來生
不由色處真如故隨如來生不離色處故隨
如來生不離色處真如故隨如來生不由聲
香味觸法處故隨如來生不由聲香味觸法

BD01865號　大般若波羅蜜多經卷三二二　　（1–1）

BD01865號背　勘記　　（1–1）

佛說延壽命經
尒時世尊在娑羅雙樹間欲涅槃有四衆
比丘比丘尼優婆塞優婆夷等皆來集會有
一菩薩名曰延壽菩薩合掌前白佛言世尊我
等四衆皆來集會奉請如來莫入涅槃唯願如
來哀受我等勸請令住於世莫入涅槃

BD01866 號　延壽命經（大本）　（4–1）

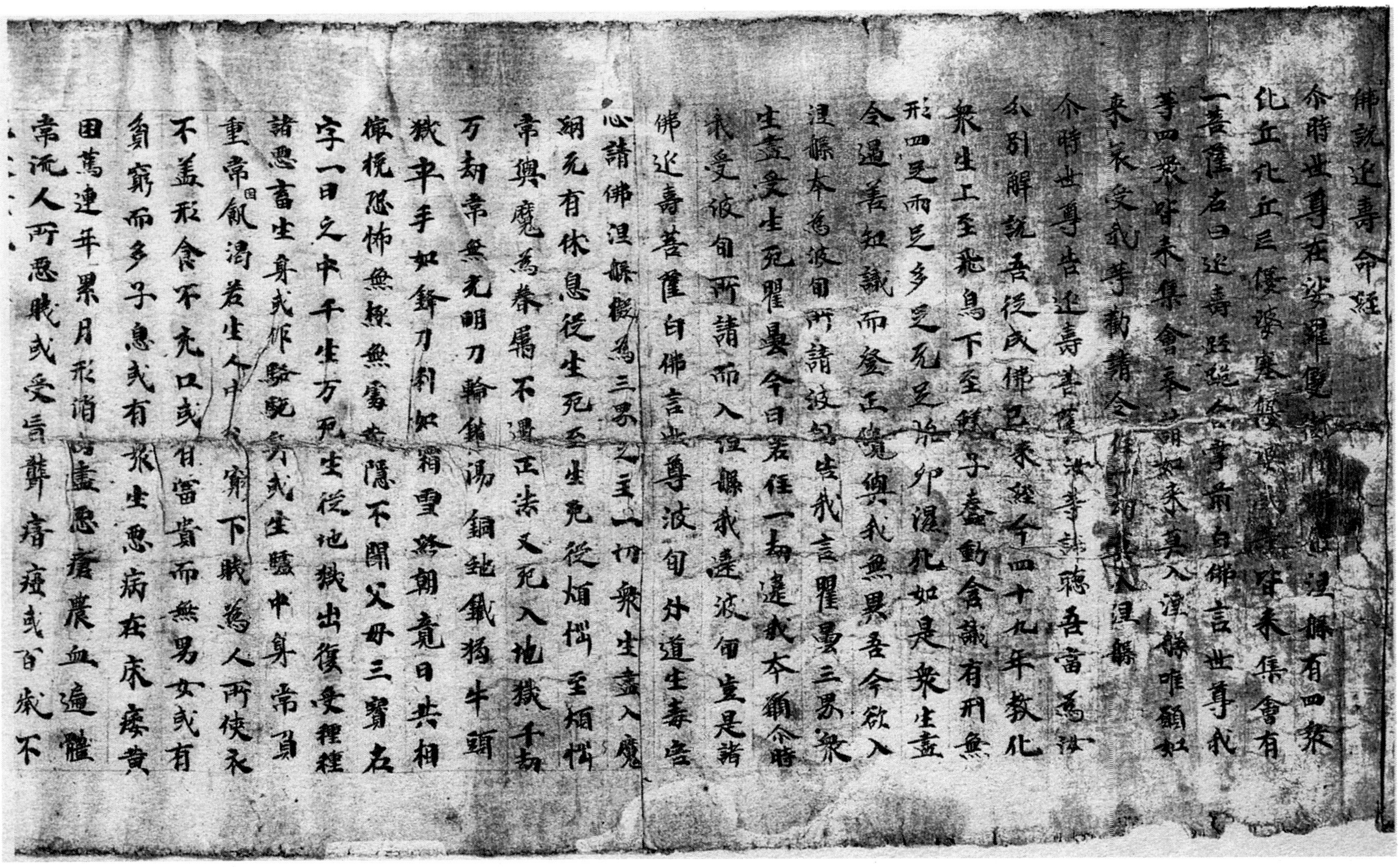

佛說延壽命經
尒時世尊在娑羅雙樹間欲涅槃有四衆
比丘比丘尼優婆塞優婆夷等皆來集會有
一菩薩名曰延壽菩薩合掌前白佛言世尊我
等四衆皆來集會奉請如來莫入涅槃唯願如
來哀受我等勸請令住於世莫入涅槃
尒時世尊告延壽菩薩汝等諦聽吾當為汝
分別解說吾從成佛已來經今四十九年教化
衆生上至飛鳥下至蚊子蠢動含識有形無
形四足兩足多足無足卵濕化如是衆生盡
令過善知識而登正覺與我無異吾今欲入
涅槃本為汝等所請故告我言瞿曇三界衆
生盡受生死瞿曇今日若往一切遺我本願尒時
我受汝等所請而入涅槃我違汝等本願是諸
佛延壽菩薩白佛言世尊汝等外道生毒害
心請佛涅槃假為三界之主一切衆生盡入魔
網無有休息從生死至生死從煩惱至煩惱
常與魔為眷屬不遇正法又死入地獄千劫
万劫常無光明刀輪鑊湯銅柱鐵狗牛頭
獄卒手把鋒刀利如霜雪終朝竟日共相
摧挽恐怖無救無處藏隱不聞父母三寶名
字一日之中千生万死生從地獄出復受種種
諸惡畜生身或作駱駝身或生驢中身常負
重常飢渴若生人中貧窮下賤為人所使衣
不蓋形食不充口或有富貴而無男女或有
貧窮而多子息或有衆生惡病在床痿黃
困篤連年累月形消肉盡惡瘡膿血遍體
常流人所惡賤或受盲聾瘖瘂或百病不

BD01866 號　延壽命經（大本）　（4–2）

不羞形食不充口或有當貴而無男女或有
負窮而多子息或有旅生惡病在床瘦黄
田萬連年累月形消骨盡惡瘡農血遍體
常流人所惡賤或受苦諸痛瘡痍或百歲不
死受苦或三十當貴早亡如是横羅其殃並
入魔網惟願如来令住一劫莫受波旬所請
佛告延壽菩薩善男子我滅度後若有衆
生受如是種種惡報但造延壽經一百卷乃至一
卷兩卷譬如一人有力不如十人之力十人之力
不如百人若造延壽經亦復如是但造此經散
轉与人受持讀誦我當救護譬如慈母生於一子
子若得病慈母亦病子若得愈慈母亦愈善
男子一切衆生皆是吾子善願之者吾當錫
金色譬以摩其頂隨其所願无不雅果尒時
延壽菩薩以偈讃曰
世尊具相真金色　八十種好恙莊嚴　四十九年大慈父
波旬無故請涅槃　舜滅如空不可見　定知三界永無生
佛法滅定起宗殊　魔王毒心覓相向　一切聲聞及菩薩
一切人民四部衆　法河涸竭法幢摧　法山崩倒法船沒
八國諸王皆自撲　血淚流注如果雨　何期大師入涅槃
我等凡夫更久住　聲聞緣覺併悲哉　一切衆生失依附
尒時衆中有大菩薩名曰普淨問延壽菩薩如
来今日入般涅槃將何所囑惡趣衆生令命長
壽莫似如来三界弟一而不住一劫
尒時延壽自言普淨菩薩佛滅度後令寫延壽經
一百卷散与衆生而共將請短命衆生令得
長壽如来大慈錫金色餅為摩頂受記如来
當自覆護尒時普淨…善哉善哉衆如是

BD01866號　延壽命經（大本）　　（4-3）

波旬無故請涅槃　舜滅如空不可見　定知三界永無生
佛法滅定起宗殊　魔王毒心覓相向　一切聲聞及菩薩
一切人民四部衆　法河涸竭法幢摧　法山崩倒法船沒
八國諸王皆自撲　血淚流注如果雨　何期大師入涅槃
我等凡夫更久住　聲聞緣覺併悲哉　一切衆生失依附
尒時衆中有大菩薩名曰普淨問延壽菩薩如
来今日入般涅槃將何所囑惡趣衆生令命長
壽莫似如来三界弟一而不住一劫
尒時延壽自言普淨菩薩佛滅度後令寫延壽經
一百卷散与衆生而共將請短命衆生令得
長壽如来大慈錫金色餅為摩頂受記如来
當自覆護尒時普淨讚言善哉善哉衆如是
言必非虛妄信受奉行
佛說延壽命經一卷

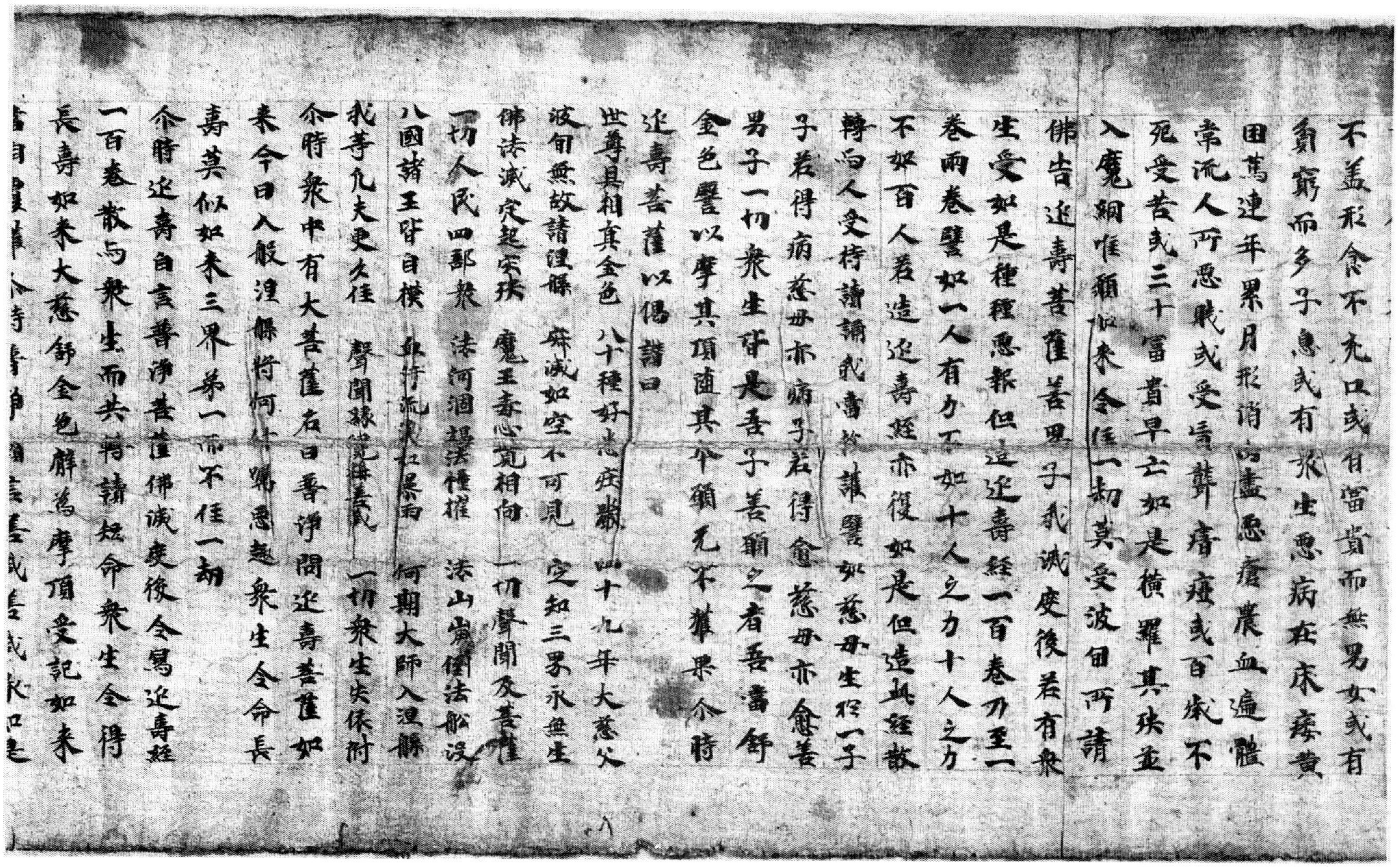

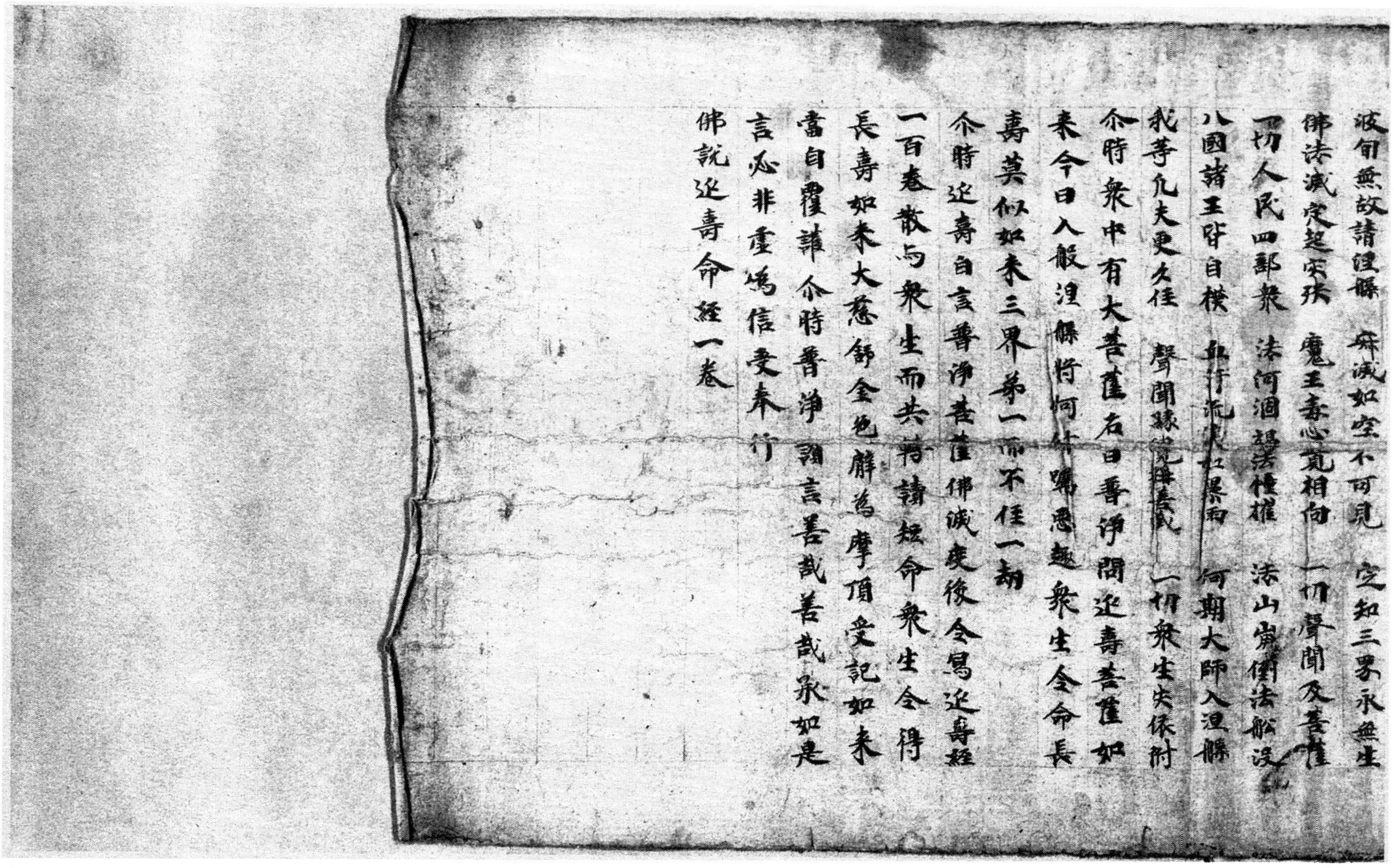

BD01866號　延壽命經（大本）　　（4-4）

BD01866 號背　□年八月十三日兄醜兒左右欠鬪他人名目　（1–1）

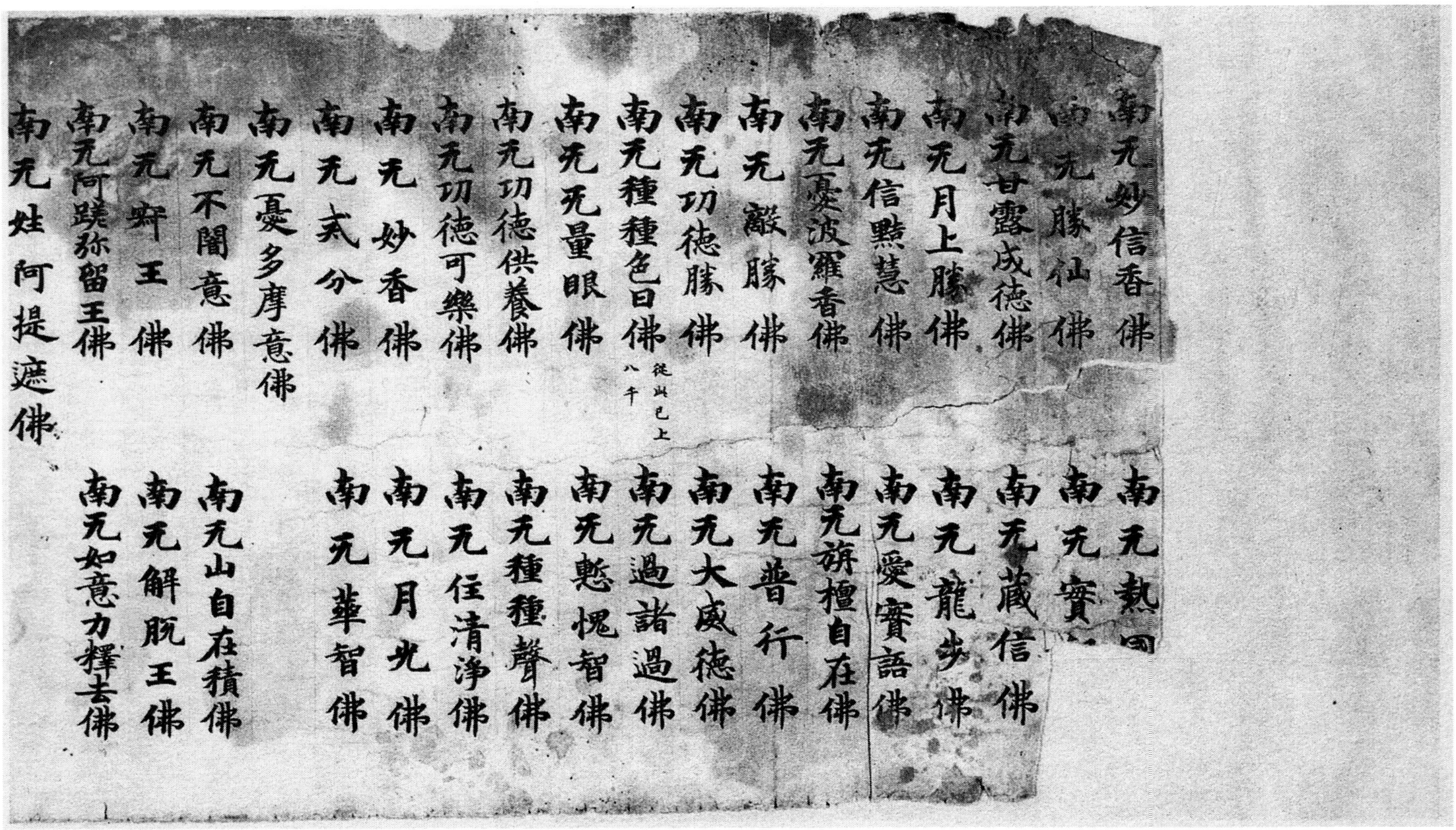

BD01867 號　佛名經（十二卷本）卷一〇　（26–1）

南无屛王佛　南无解脫王佛
南无阿䟦弥留王佛　南无如意力釋去佛
南无姓阿提遮佛
南无不讚嘆世間勝佛
南无法深佛
南无寶星宿解脫王佛
南无百寶勝佛　南无法行自在佛
南无阿羅尼自在佛　南无阿難陁聲佛
南无智步王佛
南无弥留平等奮迅佛
南无智奮迅佛　南无法華通樹提佛
南无多波尼體佛
南无阿尼伽陁路摩勝佛　南无大智念縛佛
南无憂多羅勝法佛
南无阿闍伽提自在一切世間擔佛
南无見无畏佛　南无自在作佛
南无自在量佛
舍利弗我見南方如是等无量佛種種名種
種姓種種佛國土汝等應當至心一心歸命
舍利弗應當歸命西方无量佛
南无阿婆羅焰婆師華佛
南无摩瓫沙口聲去佛
南无智勝增長稱佛　南无莎多波尸佛

BD01867號　佛名經（十二卷本）卷一〇　（26–2）

南无阿婆羅焰婆師華佛
南无摩瓫沙口聲去佛　南无莎多波尸佛
南无智勝增長稱佛
南无歌羅毗羅焰華光佛　南无无等勝佛
南无法行燈佛
南无智奮迅名稱王佛
南无梵聲奮迅妙鼓聲佛　南无千月光明藏佛
南无波頭摩尸利藏眼佛
南无阿僧伽意焰佛　南无摩尼婆陁光佛
南无樂法行佛
南无師子廣眼佛　南无十力生勝佛
南无智作佛
南无无邊精進降伏一切諸怨佛
南无大勝起法佛　南无阿荷見佛
南无无邊命佛　南无觀法智佛
南无无礙精進日善思惟奮迅王佛
南无不利他意佛　南无无邊見佛
南无智見法佛
南无一切善根種子佛
南无憂多智勝發行功德佛　南无智上尸棄王佛
南无智香勝佛
南无福德勝智去佛
南无不可思議法華孔王佛
南无[illegible]佛

BD01867號　佛名經（十二卷本）卷一〇　（26–3）

南无福德勝智去佛
南无不可思議法華吼王佛
南无清淨勝佛
南无不可思議弥留勝佛
南无能開法門佛
南无毗盧遮那法海香王佛
南无力王善住法王佛
南无勝力散一切惡王佛
南无見无邊樂佛
南无善化功德焰華王佛
南无見彼岸佛　南无善化莊嚴佛
南无見樂處佛　南无尼拘律王勝佛
南无妙勝佛
南无大力智慧奮迅王佛
南无法樹提佛　南无堅固蓋成就佛
南无一切種智資生勝佛
南无入勝智自在王佛
南无一切世間得自在有橋梁勝佛
南无盡合勝佛
南无清淨式功德王佛
南无波頭摩散湯楞知多莊嚴佛
南无一王佛　南无大多人安隱佛
南无二勝聲功德佛　南无圓堅佛

BD01867號　佛名經（十二卷本）卷一〇　（26–4）

南无波頭摩散湯楞知多莊嚴佛
南无一王佛　南无大多人安隱佛
南无二勝聲功德佛　南无圓堅佛
南无力士佛　南无寶来摩尼火佛
南无大海弥留佛（從此已上八千一百）　南无勝王佛
南无不住佛　南无不空功德佛
南无初逮離不濁王佛
南无虛空行佛　南无无礙稱佛
南无聲山佛
南无不可思議起三昧稱佛
南无諸天梵王難勉佛
南无示无義王佛　南无護垢王佛
南无照功德佛　南无自在眼佛
南无智齊成就性佛　南无无鄣智成就佛
南无說决定義佛
南无莊嚴法燈妙稱佛
南无二寶法燈佛　南无大焰藏佛
南无自師子上身莊嚴佛
南无智寶因緣莊嚴佛
南无眼諸根清淨眼佛
南无善隨香波頭摩佛
南无法月佛　南无廣救佛
南无式功德佛　南无常鏡佛

BD01867號　佛名經（十二卷本）卷一〇　（26–5）

南无善隨香波頭摩佛
南无法月佛　南无廣救佛
南无式功德佛　南无常鏡佛
南无隨順稱佛　南无法自在佛
南无如意莊嚴佛　南无金藏佛
南无情貪佛
南无思妙義堅固巔佛
南无一切德輪光佛　南无法吼智明佛
南无甘露光佛　南无无邊莊嚴佛
南无勝福田佛
南无善決定佛　南无法莊嚴佛
舍利弗西方如是等无量无邊佛汝當至心
歸命佛
舍利弗汝當至心歸命北方佛
南无勝藏佛　南无自在藏佛
南无无邊華龍一俱蕪摩生佛
南无降伏諸魔勇猛佛
南无定諸魔佛　南无法像佛
南无功德勝佛　南无山峰光佛
南无法王佛　南无普恭敬燈佛
南无地勝佛　南无成就如來𡬶佛
南无一切實成就𡬶佛
南无陁羅尼文句決定義佛

BD01867號　佛名經（十二卷本）卷一〇　（26–6）

南无地勝佛　南无成就如來𡬶佛
南无一切實成就𡬶佛
南无陁羅尼文句決定義佛　南无成就一切稱佛
南无忍自在王佛
南无三世智轉自在佛
南无勝歸依功德善住佛　南无勝功德佛
南无種種摩尼光佛　南无无餘證佛
南无佛功德勝佛　南无隨過去佛佛
南无得佛眼佛
南无大慈成就悲勝佛
南无住持師子智佛
南无无衆生住寶髻王佛
南无自家法不得成就佛
南无大智莊嚴身佛　南无智稱佛
南无佛法首佛　南无一切衆生德佛
南无過一切法開佛　南无自在因陁羅佛
南无滿足意佛　南无大瑠璃佛
南无菩提光明佛
南无不可思議法智光明佛
南无旃檀不空王佛
南无不染波頭摩幢佛
南无法財聲王佛　南无釋法善知稱佛
南无智賜劫佛
[illegible]

BD01867號　佛名經（十二卷本）卷一〇　（26–7）

南无智驤劫佛
南无佛眼清淨分陁利佛
南无智自在稱佛
南无斷无邊疑佛
南无衆生方便自在王佛
南无无邊覺奮迅无礙思惟佛
南无法行地善住佛
南无普衆生界廣佛
南无降伏諸魔力堅意佛
南无天王自在寶含王佛
南无如寶脩行藏佛
南无能生一切歡喜月見佛
南无大迅覺迅佛
南无種種摩尼聲王吼佛
南无无觀王佛
南无不退了勇猛佛
南无佛國土莊嚴身佛　從此已上八千二百
南无智根本華幢佛
南无化身无関稱佛
南无一切龍摩尼藏佛
南无法聲自在佛
南无法甘露娑梨羅佛
南无无邊寶福德藏佛
南无清淨華行佛
南无大法王華勝佛
南无一切盡无盡藏佛
南无花山藏佛
南无智盧空山佛
南无智力不可破壞佛

南无花山藏佛
南无智盧空山佛
南无智力不可破壞佛
南无无礙堅固隨順智佛
南无无邊大海藏佛
南无智王无盡稱佛
南无奮迅心意王佛
南无自性清淨智佛
南无智自在法王佛
南无勝行佛
南无金剛見佛
南无法滿足隨香見佛
南无目陁羅園佛
南无龍月佛
南无无関王佛
南无寶因陁羅輪王佛
南无能生一切衆生敬稱佛
南无火威德光明輪王佛
南无能斷一切衆生疑佛
南无智寶法見佛
南无无鄣礙波羅佛
南无无垢髻佛
南无放光明佛
南无山力月藏佛
南无心自在王佛
南无堅固无畏上首佛
南无堅固勇猛寶佛
南无堅固心善住王佛
南无能破闇瞳王佛
南无勝丈夫分陁利佛
南无百聖藏佛
南无妙蓮華藏佛

南无能破闇曀王佛
南无勝丈夫分陁利佛
南无百聖藏佛
南无妙蓮華藏佛
南无見平等法身佛
南无衆生月佛
南无師子去佛
南无大威德佛
南无妙聲佛
南无无邊光佛
南无見愛佛
南无大首佛
南无勝首佛
南无樂聲佛
南无見寶佛
南无清稱佛
南无師子慧佛
南无德聲佛
南无脩樓毗香佛
南无電燈佛
南无波頭摩光佛
南无大光佛
南无梵聲佛
南无无疑佛
南无无邊勢力佛
南无月面佛
南无无邊光佛
南无愛威德佛
南无散疑佛
南无功德燈佛
南无不藏威德佛
南无无邊藏佛
南无光明奮迅王佛
南无廣稱佛
南无遠離幢佛
南无增長聖佛
南无普見佛
南无不可勝佛
南无威德聚佛
南无堅固步佛
南无摩㝹賒稱佛
南无无邊色佛
南无大光明佛
南无妙聲佛

南无普見佛
南无不可勝佛
南无威德聚佛
南无堅固步佛
南无摩㝹賒稱佛
南无无邊色佛
南无大光明佛
南无妙聲佛
南无不動步佛
南无无邊莊嚴佛
南无大清淨佛
南无威德聚光明佛
南无任智佛
南无金堅佛
南无愛解脫佛
南无愛无畏佛
南无甘露藏佛
南无普觀察佛
南无大脩行佛
南无細威德佛
南无十方恭敬佛
南无光明勝佛
南无重說佛
南无光明莊嚴佛
南无師子奮迅佛
南无善見佛
南无甘露步佛（從此已上八千三百）
南无月光明佛
南无功德稱佛
南无去根佛
南无清淨聲佛
南无无礙輪佛
南无甘露聲佛
南无衆生可敬佛
南无如意威德佛
南无无邊色佛
南无大力佛
南无快莊嚴佛
南无普照觀佛
南无奮迅德佛
南无妙色佛
南无稱意佛
南无寶莊嚴佛
南无高光明佛
南无解脫步佛
南无功德莊嚴佛

南无寶莊嚴佛　南无高光明佛
南无解脫步佛　南无功德莊嚴佛
南无畢竟智佛　南无生難光佛
南无不動智佛　南无行意佛
南无妙色佛　南无寶色佛
南无火聲佛　南无善思惟佛
南无功德華佛　南无思惟世間佛
南无大高光明佛　南无辟喻奮迅佛
南无清淨覺佛　南无月重佛
南无月燈佛　南无无邊光佛
南无種種日佛　南无天城佛
南无心清淨佛　南无波頭摩藏佛
南无常擇智佛　南无師子聲佛
南无无邊光佛　南无勝聲佛
南无可樂意智光佛　南无功德光佛
南无自在光佛　南无淨嚴身佛
南无无濁義佛　南无應威德佛
南无成就義智佛　南无德大聲佛
南无娑藪陁聲佛　南无犢多光佛
南无決定思惟佛　南无薩遮娑莵佛
南无鳴闍光明佛　南无毗弗波威德佛
南无憂多羅魔吒佛　南无夜舍難光佛
南无功德清淨佛　南无法燈佛

BD01867號　佛名經（十二卷本）卷一〇　（26–12）

南无憂多羅魔吒佛　南无夜舍難光佛
南无功德清淨佛　南无法燈佛
南无勝功德佛
南无仙荷波提愛面佛
南无心荷步去佛　南无思惟衆生佛
南无莎伽羅智佛　南无波頭摩藏佛
南无益仙佛　南无莎羅王佛
南无脩利耶光佛　南无菩提味佛
南无寂諸根佛　南无娑莵光佛
南无芬陁利光佛　南无弥留光佛
南无旃陁面佛　南无莎利荼去佛
南无諸方面佛　南无法光明佛
南无尸羅波藪那佛　南无阿難陁智佛
南无阿難陁色佛　南无地荼毗梨耶佛
南无提娑弥多佛　南无涉湯多智佛
南无寂靜光佛　南无摩莵舍威德佛
南无善分若提他佛　南无稱聖佛
南无稱幢佛　南无輪面佛
南无普清淨佛　南无摩訶提闍佛
南无阿羅訶應佛　南无憂多耶勝佛
南无悉達他思惟佛　南无愛供養佛
南无三湯多護佛　從此已上八千四百　南无尼弥佛
南无言[illegible]提佛　南无波意佛

BD01867號　佛名經（十二卷本）卷一〇　（26–13）

南无悲達他思惟佛　南无愛供養佛
南无三漫多讃佛（從此已上八千四百）　南无尼弥佛
南无信菩提佛　南无破意佛
南无出智佛　南无勝聲佛
南无寶多羅婆兜佛　南无弥荷聲佛
南无大焰寯陁佛　南无勝拘吒佛
南无阿舒加愛佛　南无天國土佛
南无師子難提拘沙佛
南无阿難陁波頗佛
南无見愛佛　南无波提波王佛
南无勝雞兜佛　南无方聞聲佛
南无愛眼佛　南无旃陁雞兜佛
南无阿婆夜達多佛　南无耶刹多王佛
南无藉摩提婆佛　南无日光明佛
南无大稱佛　南无真聲佛
南无訖愛佛　南无稱憂多羅佛
南无摩頭羅光明佛　南无脩法聲佛
南无質多意佛　南无婆藪陁清淨佛
南无斫瞋佛　南无破意佛
南无宿王佛　南无毗伽陁畏佛
南无勝憂多摩佛　南无波薩耶智佛
南无悲勝種種光佛　南无普見佛
南无見月佛

南无勝憂多摩佛　南无波薩耶智佛
南无悲勝種種光佛　南无普見佛
南无見月佛
南无降伏諸魔威德佛
南无摩訶羅陁佛　南无心荷步去佛
南无樂光佛　南无普護佛
南无清淨意佛　南无成就義佛
南无香山佛　南无摩尼清淨佛
南无功德光佛　南无日光佛
南无成就光佛　南无見愛佛
南无善思惟佛　南无莎漫多見佛
南无師子憶佛　南无普行佛
南无大步佛
南无阿羅頻頭波頭摩眼佛
南无日光佛　南无阿弥多清淨佛
南无阿難多樓波佛　南无蓋天佛
南无羅多耶光佛　南无莎羅梯羅多佛
南无善見佛　南无親味佛
南无婆耆羅莎佛　南无脩利邪耶耶佛
南无无鄣礙眼佛　南无莎荷去佛
南无大然燈佛　南无盧荷伽佛
南无清淨功德佛　南无功德藏佛
南无法眼佛　南无摩樓多愛佛

南无大然燈佛　南无蘆荷伽佛
南无清淨功德佛　南无功德藏佛
南无　法眼佛　南无摩樓多愛佛
南无阿婆耶愛佛　南无慧幢佛
南无威德光佛　南无月德佛
南无求耶婆藪佛　南无无邊光佛
南无安樂佛　南无稱難兜佛
南无光明吼佛　南无普功德佛
南无勝難兜佛　南无那羅延佛
南无寶清淨佛　南无普心佛
南无善心意佛　南无善意佛
南无不可量威德佛　南无師子髀佛
南无光明意佛　南无那羅延天佛
南无薩遮難兜佛　南无善住意佛
南无阿弥多天佛　南无大慧德佛
南无大幢佛 從此已上八千五百　南无光明日佛
南无　法水佛　南无善法佛
南无旃陁婆菴佛　南无菴摩羅勝佛
南无解脫觀佛　南无羅多那光佛
南无无羅聲佛　南无普心擇佛
南无成就光佛　南无甘露眼佛
南无稱愛佛　南无善護佛
南无天信佛　南无善量步佛

南无稱愛佛　南无善護佛
南无天信佛　南无善量步佛
南无提婆羅多佛　南无深智佛
南无斯那步佛　南无旃陁跋陁佛
南无提闍積佛　南无大勝佛
南无大步佛　南无闍那天佛
南无悉達他意佛　南无質多愛佛
南无師子聲佛　南无信提舍那佛
南无智光佛
南无拘蘇摩提闍佛
南无提闍羅尸佛　南无如意光佛
南无无邊威德佛　南无无邊光佛
南无勝藏佛　南无盧遮那稱佛
南无寶難兜佛　南无郁伽提闍佛
南无日難兜佛　南无摩訶弥留佛
南无摩訶頡荷佛　南无世間得名佛
南无郁伽德佛　南无憂多摩稱佛
南无成就義步佛　南无提婆摩醯多佛
南无　寶智佛
南无阿那毗淨多稱佛
南无金光佛　南无大然燈佛
南无行意佛　南无毗迦摩佛
南无无礙光佛　南无毗摩提闍訶佛

南无行意佛　南无毗迦摩佛
南无无疑光佛　南无毗摩提闍訶佛
南无摩訶跋多佛　南无天聲佛
南无不著少佛　南无天道佛
南无詢陁羅難陁佛　南无華光佛
南无能現佛　南无天愛佛
南无解脫光佛　南无普光佛
南无求那迦羅佛　南无智佛
南无菩提光佛　南无莎伽羅佛
南无菩薩難提佛　南无摩訶提婆佛
南无深智佛　南无法自在佛
南无大波删那佛　南无心意佛
南无智光明佛　南无不錯思惟佛
南无勝功德佛　南无坐稱佛
南无大莊嚴佛　南无月光佛
南无天光佛　南无清淨行佛
南无愛功德佛　南无師子意佛
南无信婆薮那羅佛　南无寶光明佛
南无快光明佛　南无種種婆嵬佛
南无月愛佛　南无蘗摩刈多佛
南无普觀佛　南无不深佛
南无稱光明勝佛　南无月面佛
南无那伽天佛　南无功德衆佛

BD01867 號　佛名經（十二卷本）卷一〇　（26–18）

南无稱光明勝佛　南无月面佛
南无那伽天佛　南无功德衆佛
南无功德智佛　南无華勝佛
南无愛世間佛　南无甘露光佛
南无地光佛 從此已上八千六百　南无作功德佛
南无華勝佛　南无求那婆睢佛
南无法然燈佛　南无普光佛
南无淨聲佛　南无大莊嚴佛
南无解脫日佛　南无堅精進佛
南无智光明佛　南无功德稱佛
南无善智佛　南无不可量莊嚴佛
南无師子陁那佛　南无功德奮迅佛
南无妙天佛　南无觀行佛
南无天提吒佛　南无電光明佛
南无勝愛佛　南无山幢佛
南无華光佛　南无勝意佛
南无山香佛　南无福德奮迅佛
南无勝慧佛　南无信聖佛
南无寶洲佛　南无妙威德佛
南无最後見佛　南无愛行佛
南无妙莊嚴佛　南无功德藏勝佛
南无清淨見佛　南无威德力佛
南无清淨眼佛　南无智行佛

BD01867 號　佛名經（十二卷本）卷一〇　（26–19）

南无清淨見佛　南无威德力佛
南无清淨眼佛　南无智行佛
南无不誸步佛　南无聖眼佛
南无樂解脫佛　南无大聲佛
南无勝土佛　南无成就光明佛
南无自業佛　南无照稱光明佛
南无光明行佛　南无愛自在佛
南无月勝佛　南无勝吼佛
南无勝功德佛　南无撰擇攝取佛
南无相王佛　南无難熱佛
南无聖德佛　南无法高佛
南无甘露功德佛　南无无礙稱佛
南无甘露香佛　南无捨光明佛
南无吼聲佛　南无无畏日佛
南无德无畏佛　南无愛照慧佛
南无智慧不誸佛　南无虛空光佛
南无增上天佛　南无信如意天佛
南无天蓋佛　南无龍光佛
南无妙步佛　南无法威德佛
南无斷諸有佛　南无莊嚴面佛
南无妙色佛　南无普眼佛
南无功德光佛　南无勝月佛
南无平等德佛　南无云何難光佛

BD01867號　佛名經（十二卷本）卷一〇　（26–20）

南无妙色佛　南无普眼佛
南无功德光佛　南无勝月佛
南无平等德佛　南无云何難光佛
南无衆生自在劫佛　南无與无畏親佛
南无攝取衆生意佛　南无降伏諸怨佛
南无攝取光明佛　南无勝山佛
南无一勝光明佛　南无那羅延步佛
南无師子步佛　南无愛式佛
南无清淨佛　南无信名稱佛
南无畢竟智佛　南无難癡佛
南无功德聚佛　南无能思惟忍佛
南无法蓋佛　南无不動目佛
南无天華佛　南无天波頭摩佛
南无普威德佛 從此已上八千七百　南无月光佛
南无大衆上首佛　南无思惟義佛
南无相王佛　南无華面佛
南无思惟名稱佛　南无樹幢佛
南无師子奮迅佛　南无信大衆佛
南无善香佛　南无智慧讚嘆佛
南无功德梁佛　南无智光明佛
南无智海佛　南无威德力佛
南无勝威德佛　南无佛歡喜佛
南无勝清淨佛　南无愛一切佛

BD01867號　佛名經（十二卷本）卷一〇　（26–21）

南无勝清淨佛　南无愛一切佛
南无遠離諸疑佛　南无善思惟勝義佛
南无大山佛　南无降伏聖佛
南无降伏黠慧佛　南无趣菩提佛
南无妙聲佛　南无大勢力佛
南无樂師子佛　南无普寶滿足佛
南无一切世間愛佛　南无金剛輪佛
南无過大佛　南无大將佛
南无衆生月佛　南无大莊嚴佛
南无日光明佛　南无勝嚴佛
南无斷諸有意香佛　南无寂靜行佛
南无攝受稱佛　南无梵天供養佛
南无大吼佛　南无无量无邊願佛
南无世間光明佛　南无可見忍佛
南无大華佛　南无脩行身佛
南无諸根清淨佛　南无婆藪達多佛
南无不怯弱聲佛　南无普見佛
南无月賢佛　南无決定色佛
南无方便脩佛　南无信勝功德佛
南无勝報佛　南无賢莊嚴佛
南无慚愧賢佛　南无堪受器聲佛
南无勝愛佛　南无普行佛
南无普智佛　南无大威力佛

南无勝愛佛　南无普行佛
南无普智佛　南无大威力佛
南无月難兜佛　南无堅固行佛
南无天供養佛　南无敬普佛
南无勝妙稱佛
南无成就一切功德佛
南无堅固莎梨羅佛　南无甘露光佛
南无大貴佛　南无勝聲佛
南无大力佛　南无大步佛
南无信甘露佛　南无道步佛
南无勝聲心佛　南无勝意佛
南无婆樓那步佛　南无大脩行佛
南无威德光佛　南无无淨智佛
南无師子聲佛　南无善德佛
南无善住佛　南无日光佛
南无菩提上首佛　南无降伏怨佛
南无无垢濁義佛　南无勝去佛
南无妙光明佛　南无普光明佛
南无大莊嚴佛　南无功德山佛
南无摩尼月佛　南无愛眼佛
南无勝名佛　南无菩提智佛
南无寶功德佛　從此已上八千八百　南无天光明佛
南无勝仙佛　南无寶智佛智佛

南无勝名佛　南无菩提智佛
南无寶功德佛（從此已上八千八百）　南无天光明佛
南无勝仙佛　南无寶智佛智佛
南无甘露威德佛　南无能思惟佛
南无龍步佛　南无信智佛
南无寶愛佛　南无蓮華香佛
南无勝相佛　南无大威德佛
南无種種日佛　南无廣地佛
南无甘露眼佛　南无慚愧智佛
南无山王自在積佛　南无悕勝佛
南无種種聞錯聲佛
南无信脩行佛　南无捨憂惱佛
南无諸世間智佛
南无威德力佛　南无信勝佛
南无勢力稱佛　南无放光明佛
南无過諸疑佛　南无毗羅耶王佛
南无新華佛　南无勝華佛
南无捨諍佛　南无大長佛
南无大稱佛　南无愛去佛
南无甘露步佛　南无日聚佛
南无月聲佛　南无見天佛
南无清淨光佛　南无秋日佛
南无斛華佛　南无妙聲佛

BD01867號　佛名經（十二卷本）卷一〇　（26–24）

南无甘露步佛　南无日聚佛
南无月聲佛　南无見天佛
南无清淨光佛　南无秋日佛
南无斛華佛　南无妙聲佛
南无雨露佛　南无善天佛
南无勝聲佛　南无愛上首佛
南无愛甘露佛　南无甘露稱佛
南无法華佛　南无大莊嚴佛
南无世間尊重佛　南无高意佛
南无高山佛
南无甘露威德光明佛
南无菩提威德佛　南无清淨心佛
南无能作因降伏怨佛
南无甘露星宿佛　南无大稱佛
南无安隱思惟佛　南无菩提華佛
南无眷摩羅供養佛
南无度世間佛　南无勝成佛
南无法星宿佛　南无大勝佛
南无隨意光明佛　南无火光明佛
南无見愛佛　南无光明愛佛

佛說佛名經卷第十

BD01867號　佛名經（十二卷本）卷一〇　（26–25）

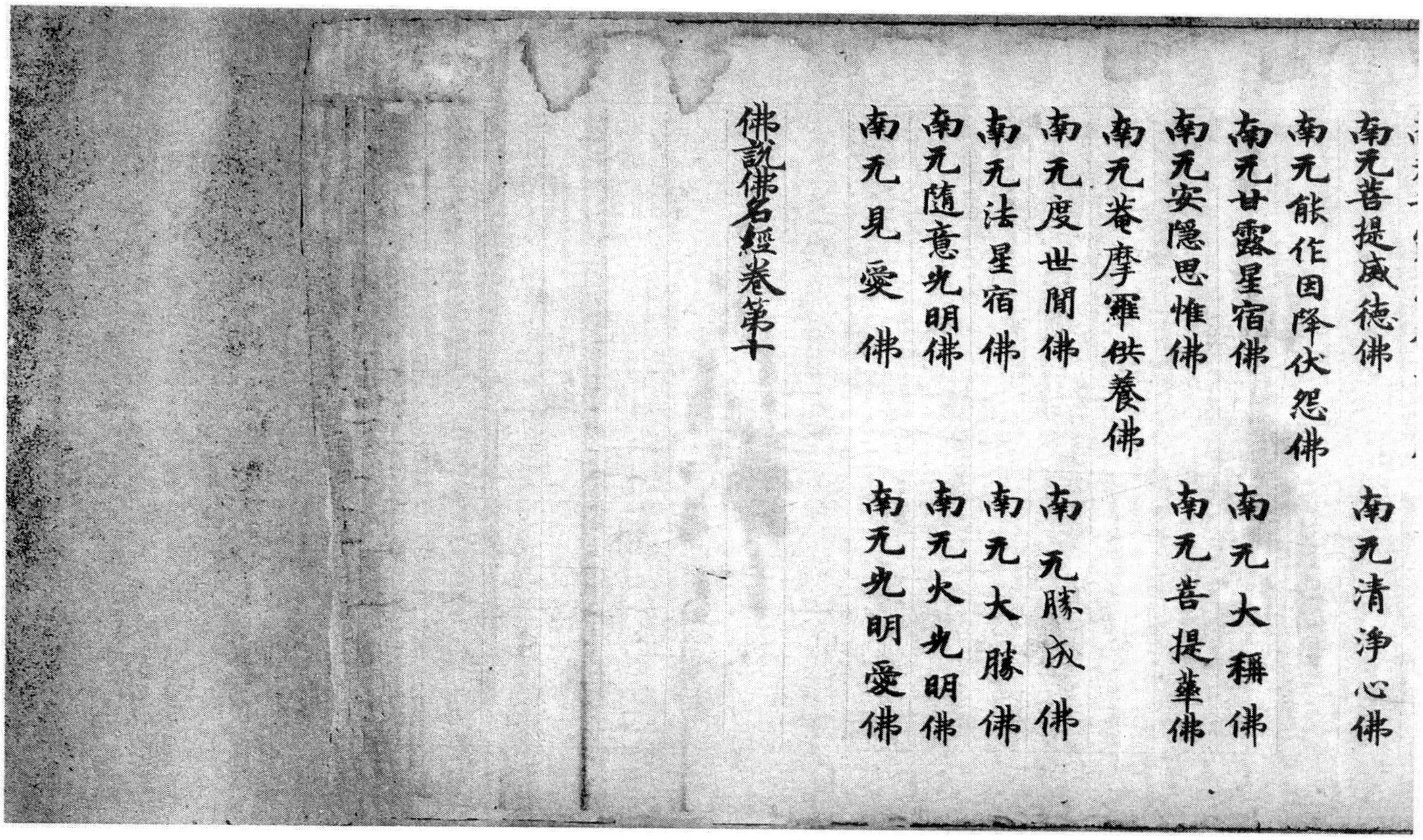
南无菩提威德佛 南无清淨心佛
南无能作因降伏怨佛
南无甘露星宿佛 南无大稱佛
南无安隱思惟佛 南无菩提華佛
南无菴摩羅供養佛
南无度世間佛 南无勝成佛
南无法星宿佛 南无大勝佛
南无隨意光明佛 南无火光明佛
南无見愛佛 南无光明愛佛
佛說佛名經卷第十

BD01867 號　佛名經（十二卷本）卷一〇　（26–26）

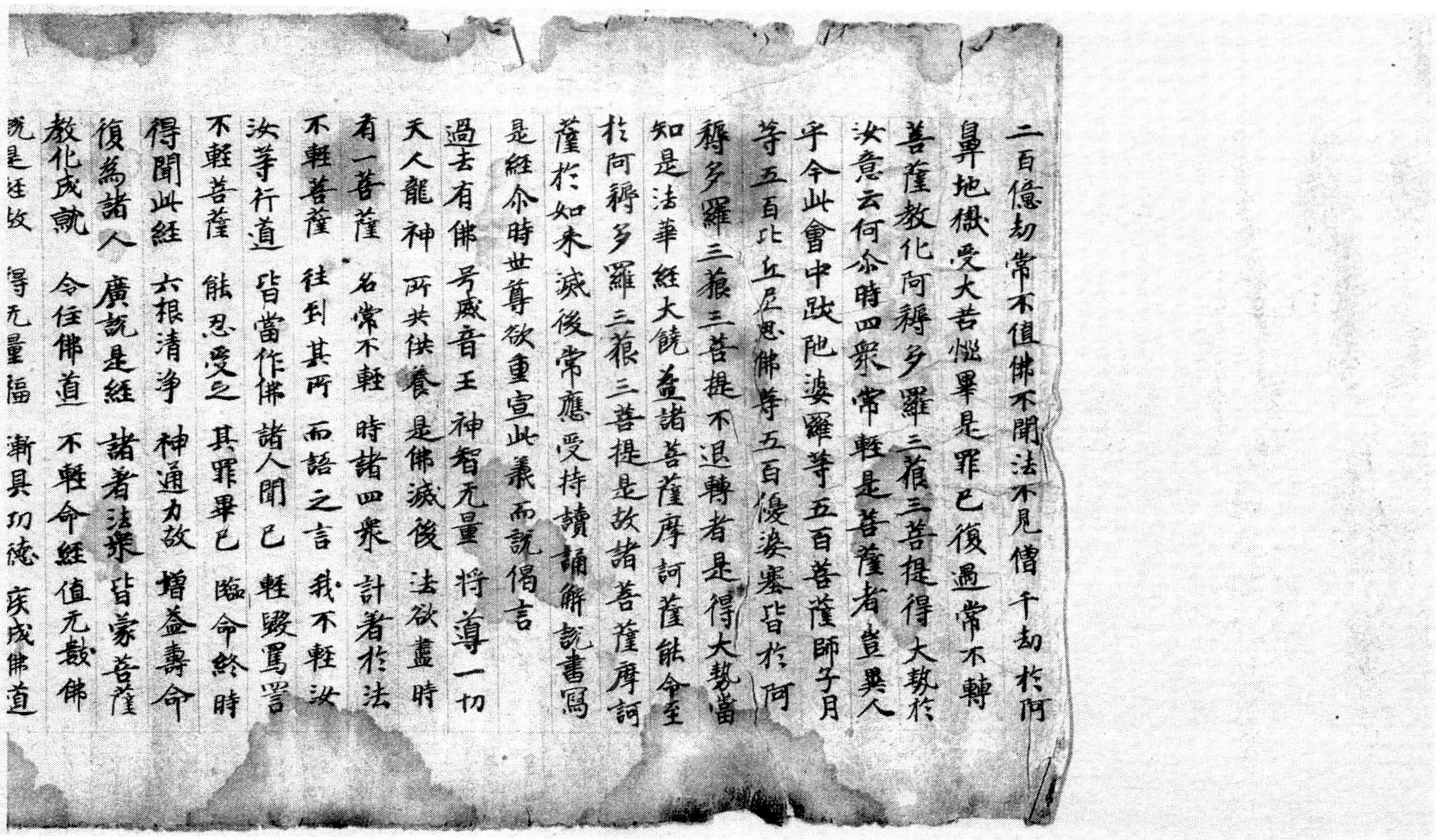
二百億劫常不值佛不聞法不見僧千劫於阿
鼻地獄受大苦惱畢是罪已復遇常不輕
菩薩教化阿耨多羅三藐三菩提得大勢於
汝意云何尒時四衆常輕是菩薩者豈異人
乎今此會中跋陀婆羅等五百菩薩師子月
等五百比丘尼思佛等五百優婆塞皆於阿
耨多羅三藐三菩提不退轉者是得大勢當
知是法華經大饒益諸菩薩摩訶薩能令至
於阿耨多羅三藐三菩提是故諸菩薩摩訶
薩於如來滅後常應受持讀誦解說書寫
是經尒時世尊欲重宣此義而說偈言
過去有佛 号威音王 神智无量 將導一切
天人龍神 所共供養 是佛滅後 法欲盡時
有一菩薩 名常不輕 時諸四衆 計著於法
不輕菩薩 往到其所 而語之言 我不輕汝
汝等行道 皆當作佛 諸人聞已 輕毀罵詈
不輕菩薩 能忍受之 其罪畢已 臨命終時
得聞此經 六根清淨 神通力故 增益壽命
復為諸人 廣說是經 諸著法衆 皆蒙菩薩
教化成就 令住佛道 不輕命終 值无數佛
說是經故 得无量福 漸具功德 疾成佛道

BD01868 號　妙法蓮華經卷六　（13–1）

不輕菩薩　能忍受之　其罪畢已　臨命終時
得聞此經　六根清淨　神通力故　增益壽命
復為諸人　廣說是經　諸著法衆　皆蒙菩薩
教化成就　令住佛道　不輕命終　值無數佛
說是經故　得無量福　漸具功德　疾成佛道
彼時不輕　則我身是　時四部衆　著法之者
聞不輕言　汝當作佛　以是因緣　值無數佛
此會菩薩　五百之衆　并及四部　清信士女
今於我前　聽法者是　我於前世　勸是諸人
聽受斯經　第一之法　開示教人　令住涅槃
世世受持　如是經典　億億万劫　至不可議
時乃得聞　是法華經　億億万劫　至不可議
諸佛世尊　時說是經　是故行者　於佛滅後
聞如是經　勿生疑惑　應當一心　廣說此經
世世值佛　疾成佛道

妙法蓮華經如來神力品第二十一

尒時千世界微塵等菩薩摩訶薩從地踊出
者皆於佛前一心合掌瞻仰尊顏而白佛言
世尊我等於佛滅後世尊分身所在國土滅
度之處當廣說此經所以者何我等亦自欲
得是真淨大法受持讀誦解說書寫而供養
之尒時世尊於文殊師利等無量百千万億
舊住娑婆世界菩薩摩訶薩及諸比丘比丘
尼優婆塞優婆夷天龍夜叉乾闥婆阿脩羅
迦樓羅緊那羅摩睺羅伽人非人等一切衆
前現大神力出廣長舌上至梵世一切毛孔
放於無量無數色光皆悉遍照十方世界衆
寶樹下師子座上諸佛亦復如是出廣長舌

BD01868號　妙法蓮華經卷六　（13–2）

迦樓羅緊那羅摩睺羅伽人非人等一切衆
前現大神力出廣長舌上至梵世一切毛孔
放於無量無數色光皆悉遍照十方世界衆
寶樹下師子座上諸佛亦復如是出廣長舌
放無量光釋迦牟尼佛及寶樹下諸佛現神
力時滿百千歲然後還攝舌相一時謦欬俱
共彈指是二音聲遍至十方諸佛世界地皆
六種震動其中衆生天龍夜叉乾闥婆阿脩
羅迦樓羅緊那羅摩睺羅伽人非人等以佛
神力故皆見此娑婆世界無量無邊百千万
億衆寶樹下師子座上諸佛及見釋迦牟尼
佛共多寶如來在寶塔中坐師子座又見無
量無邊百千万億菩薩摩訶薩及諸四衆恭
敬圍繞釋迦牟尼佛既見是已皆大歡喜得
未曾有即時諸天於虛空中高聲唱言過此
無量無邊百千万億阿僧祇世界有國名娑
婆是中有佛名釋迦牟尼今為諸菩薩摩訶
薩說大乘經名妙法蓮華教菩薩法佛所護
念汝等當深心隨喜亦當礼拜供養釋迦牟
尼佛彼諸衆生聞虛空中聲已合掌向娑婆
世界作如是言南無釋迦牟尼佛南無釋迦
牟尼佛以種種華香瓔珞幡蓋及諸嚴身之
具珎寶妙物皆共遙散娑婆世界所散諸物
從十方來譬如雲集變成寶帳遍覆此間諸
佛之上于時十方世界通達無礙如一佛土
尒時佛告上行等菩薩大衆諸佛神力如是
無量無邊不可思議若我以是神力於無量
無邊百千万億阿僧祇劫為囑累故說此經

BD01868號　妙法蓮華經卷六　（13–3）

尒時佛告上行等菩薩大衆諸佛神力如是
无量无邊不可思議若我以是神力於无量
无邊百千万億阿僧祇劫為囑累故說此經
功德猶不能盡以要言之如來一切所有之法
如來一切自在神力如來一切秘要之藏如來
一切甚深之事皆於此經宣示顯說是故
汝等於如來滅後應一心受持讀誦解說
書寫如說脩行所在國土若有受持讀誦解
說書寫如說脩行若經卷所住之處若於園
中若於林中若於樹下若於僧坊若白衣舍
若在殿堂若山谷曠野是中皆應起塔供養
所以者何當知是處即是道場諸佛於此得
阿耨多羅三藐三菩提諸佛於此轉于法輪諸
佛於此而般涅槃尒時世尊欲重宣此義而
說偈言
諸佛救世者　住於大神通　為悅衆生故　現无量神力
舌相至梵天　身放无數光　為求佛道者　現此希有事
諸佛謦欬聲　及彈指之聲　周聞十方國　地皆六種動
以佛滅度後　能持是經故　諸佛皆歡喜　現无量神力
囑累是經故　讚美受持者　於无量劫中　猶故不能盡
是人之功德　无邊无有窮　如十方虛空　不可得邊際
能持是經者　則為已見我　亦見多寶佛　及諸分身者
又見我今日　教化諸菩薩　能持是經者　令我及分身
滅度多寶佛　一切皆歡喜　十方現在佛　并過去未來
亦見亦供養　亦令得歡喜　諸佛坐道場　所得秘要法
能持是經者　不久亦當得　能持是經者　於諸法之義
名字及言辭　樂說无窮盡　如風於空中　一切无障礙
於如來滅後　知佛所說經　因緣及次第　隨義如實說

亦見亦供養　亦令得歡喜　諸佛坐道場　所得秘要法
能持是經者　不久亦當得　能持是經者　於諸法之義
名字及言辭　樂說无窮盡　如風於空中　一切无障礙
於如來滅後　知佛所說經　因緣及次第　隨義如實說
如日月光明　能除諸幽冥　斯人行世間　能滅衆生闇
教无量菩薩　畢竟住一乘　是故有智者　聞此功德利
於我滅度後　應受持斯經　是人於佛道　決定无有疑

妙法蓮華經囑累品第二十二

尒時釋迦牟尼佛從法座起現大神力以右手
摩无量菩薩摩訶薩頂而作是言我於无
量百千万億阿僧祇劫脩習是難得阿耨多
羅三藐三菩提法今以付囑汝等汝等應當
一心流布此法廣令增益如是三摩諸菩薩摩
訶薩頂而作是言我於无量百千万億阿僧
祇劫脩習是難得阿耨多羅三藐三菩提法
今以付囑汝等汝等當受持讀誦廣宣此法
令一切衆生普得聞知所以者何如來有大慈
悲无諸慳悋亦无所畏能與衆生佛之智慧
如來智慧自然智慧如來是一切衆生之大施
主汝等亦應隨學如來之法勿生慳悋於未
來世若有善男子善女人信如來智慧者
當為演說此法華經使得聞知為令其人
得佛慧故若有衆生不信受者當於如來
餘深法中示教利喜汝等若能如是則為已
報諸佛之恩時諸菩薩摩訶薩聞佛作是說
已皆大歡喜遍滿其身益加恭敬曲躬低頭
合掌向佛俱發聲言如世尊勅當具奉行唯
然世尊願不有慮諸菩薩摩訶薩衆如是三

報諸佛之恩時諸菩薩摩訶薩聞佛作是說
已皆大歡喜遍滿其身益加恭敬曲躬低頭
合掌向佛俱發聲言如世尊勅當具奉行唯
然世尊願不有慮諸菩薩摩訶薩衆如是三
反俱發聲言如世尊勅當具奉行唯然世尊
願不有慮尒時釋迦牟尼佛令十方來諸分
身佛各還本土而作是言諸佛各隨所安多
寶佛塔還可如故說是語時十方无量分身
諸佛坐寶樹下師子座上者及多寶佛并上
行等无邊阿僧祇菩薩大衆舍利弗等聲
聞四衆及一切世間天人阿脩羅等聞佛所說
皆大歡喜

妙法蓮華經藥王菩薩本事品第二十三

尒時宿王華菩薩白佛言世尊藥王菩薩云
何遊於娑婆世界世尊是藥王菩薩有若干
百千万億那由他難行苦行善哉世尊願少
解說諸天龍神夜叉乾闥婆阿脩羅迦樓羅
緊那羅摩睺羅伽人非人等又他國土諸來
菩薩及此聲聞衆聞皆歡喜尒時佛告宿王
華菩薩乃往過去无量恒河沙劫有佛号曰
日月淨明德如來應供正遍知明行足善逝世
間解无上士調御丈夫天人師佛世尊其佛
有八十億大菩薩摩訶薩七十二恒河沙大
聲聞衆佛壽四万二千劫菩薩壽命亦等彼
國无有女人地獄餓鬼畜生阿脩羅等及以
諸難地平如掌琉璃所成寶樹莊嚴寶帳覆
上垂寶華幡寶瓶香爐周遍國界七寶為
臺一樹一臺其樹去臺盡一箭道此諸寶樹皆

BD01868號　妙法蓮華經卷六　（13–6）

國无有女人地獄餓鬼畜生阿脩羅等及以
諸難地平如掌琉璃所成寶樹莊嚴寶帳覆
上垂寶華幡寶瓶香爐周遍國界七寶為
臺一樹一臺其樹去臺盡一箭道此諸寶樹皆
有菩薩聲聞而坐其下諸寶臺上各有百億
諸天作天伎樂歌歎於佛以為供養尒時彼
佛為一切衆生喜見菩薩及衆菩薩諸聲聞
衆說法華經是一切衆生喜見菩薩樂習苦
行於日月淨明德佛法中精進經行一心求
佛滿万二千歲已得現一切色身三昧得此
三昧已心大歡喜即作念言我得現一切色
身三昧皆是得聞法華經力我今當供養日
月淨明德佛及法華經即時入是三昧於虛
空中雨曼陁羅華摩訶曼陁羅華細末堅
黑栴檀滿虛空中如雲而下又雨海此岸栴檀
之香此香六銖價直娑婆世界以供養佛作
是供養已從三昧起而自念言我雖以神力
供養於佛不如以身供養即服諸香栴檀薰
陸兜樓婆畢力迦沉水膠香又飲瞻蔔諸華
香油滿千二百歲已香油塗身於日月淨明
德佛前以天寶衣而自纏身灌諸香油以神
通力願而自然身光明遍照八十億恒河沙
世界其中諸佛同時讚言善哉善哉善男子
是真精進是名真法供養如來若以華香瓔
珞燒香末香塗香天繒幡蓋及海此岸栴檀
之香如是等種種諸物供養所不能及假使
國城妻子布施亦所不及善男子是名第一之
施於諸施中最尊最上以法供養諸如來

BD01868號　妙法蓮華經卷六　（13–7）

之香如是等種種諸物供養所不能及假使
國城妻子布施亦所不及善男子是名第一之
之施於諸施中最尊最上以法供養諸如來
故作是語已而各默然其身火然千二百歲
過是已後其身乃盡一切眾生喜見菩薩作
如是法供養已命終之後復生日月淨明德
佛國中於淨德王家結加趺坐忽然化生即
為其父而說偈言
大王今當知　我經行彼處　即時得一切　現諸身三昧
勤行大精進　捨所愛之身
說是偈已而白父言日月淨明德佛今故現
在我先供養佛已得解一切眾生語言陀羅
尼復聞是法華經八百千万億那由他甄迦
羅頻婆羅阿閦婆等偈大王我今當還供養
此佛白已即坐七寶之臺上昇虛空高七多
羅樹往到佛所頭面禮足合十指爪以偈讚佛
容顏甚奇妙　光明照十方　我適曾供養　今復還親近
爾時一切眾生喜見菩薩說是偈已而白佛
言世尊世尊猶故在世爾時日月淨明德佛
告一切眾生喜見菩薩善男子我涅槃時到
滅盡時至汝可安施床座我於今夜當般涅
槃又勑一切眾生喜見菩薩善男子我以佛法
囑累於汝及諸菩薩大弟子并阿耨多羅
三藐三菩提法亦以三千大千七寶世界諸寶
樹寶臺及給侍諸天悉付於汝我滅度後
所有舍利亦付囑汝當令流布廣設供養應
起若干千塔如是日月淨明德佛勑一切眾生

BD01868號　妙法蓮華經卷六　（13–8）

樹寶臺及給侍諸天悉付於汝我滅度後
所有舍利亦付囑汝當令流布廣設供養應
起若干千塔如是日月淨明德佛勑一切眾生
喜見菩薩已於夜後分入於涅槃爾時一切眾生
喜見菩薩見佛滅度悲感懊惱戀慕於佛
即以海此岸栴檀為𧂐供養佛身而以燒之
火滅已後收取舍利作八万四千寶瓶以起
八万四千塔高三世界表剎莊嚴垂諸幡蓋
懸眾寶鈴爾時一切眾生喜見菩薩復自
念言我雖作是供養心猶未足我今當更
供養舍利便語諸菩薩大弟子及天龍夜叉
等一切大眾汝等當一心念我今供養日月
淨明德佛舍利作是語已即於八万四千塔前
然百福莊嚴臂七万二千歲而以供養令無
數求聲聞眾無量阿僧祇人發阿耨多羅
三藐三菩提心皆使得住現一切色身三昧
爾時諸菩薩天人阿修羅等見其無臂憂
惱悲哀而作是言此一切眾生憙見菩薩是
我等師教化我者而今燒臂身不具足于時一
切眾生憙見菩薩於大眾中立此誓言我捨
兩臂必當得佛金色之身若實不虛令我兩
臂還復如故作是誓已自然還復由斯菩薩
福德智慧淳厚所致當爾之時三千大千世
界六種震動天雨寶華一切人天得未曾有
佛告宿王華菩薩於汝意云何一切眾生憙
見菩薩豈異人乎今藥王菩薩是也其所捨
身布施如是無量百千万億那由他數宿王華

BD01868號　妙法蓮華經卷六　（13–9）

見菩薩豈異人乎今藥王菩薩是也其所捨
身布施如是无量百千万億那由他數宿王華
若有發心欲得阿耨多羅三藐三菩提者能
然手指乃至足一指供養佛塔勝以國城妻子
及三千大千國土山林河池諸珎寶物而供
養者若復有人以七寶滿三千大千世界供
養於佛及大菩薩辟支佛阿羅漢是人所
得功德不如受持此法華經乃至一四句偈
其福最多宿王華譬如一切川流江河諸水
之中海為第一此法華經亦復如是於諸
如來所說經中最為深大又如土山黑山小鐵
圍山大鐵圍山及十寶山衆山之中須彌山
為第一此法華經亦復如是於諸經中最為
其上又如衆星之中月天子最為第一此法
華經亦復如是於千万億種諸經法中最為
照明又如日天子能除諸闇此經亦復如是
能破一切不善之闇又如諸小王中轉輪聖王
最為第一此經亦復如是於衆經中最
為其尊又如帝釋於三十三天中王此經亦
復如是諸經中王又如大梵天王一切衆生之
父此經亦復如是一切賢聖學无學及發
菩薩心者之父又如一切凡夫人中須陁洹斯
陁含阿那含阿羅漢辟支佛為第一此經亦
復如是一切如來所說若菩薩所說若聲聞
所說諸經法中最為第一有能受持是經
典者亦復如是於一切衆生中亦為第一一
切聲聞辟支佛中菩薩為第一此經亦復如
是於一切諸經法中最為第一如佛為諸法

BD01868號　妙法蓮華經卷六　（13–10）

所說諸經法中最為第一有能受持是經
典者亦復如是於一切衆生中亦為第一一
切聲聞辟支佛中菩薩為第一此經亦復如
是於一切諸經法中最為第一如佛為諸法
王此經亦復如是諸經中王宿王華此經能
救一切衆生者此經能令一切衆生離諸苦
惱此經能大饒益一切衆生充滿其願如清
涼池能滿一切諸渴乏者如寒者得火如裸
者得衣如商人得主如子得母如度得船如
病得醫如暗得燈如貧得寶如民得王如
價客得海如炬除暗此法華經亦復如是能
令衆生離一切苦一切病痛能解一切生死之
縛若人得聞此法華經若自書若使人書
所得功德以智慧籌量多少不得其邊若
書是經卷華香瓔珞燒香末香塗香幡蓋
衣服種種之燈蘇燈油燈諸香油燈瞻蔔油燈須
曼油燈波羅羅油燈婆利師迦油燈那婆摩
利油燈供養所得功德亦復无量宿王華若
有人聞是藥王菩薩本事品者亦得无量无
邊功德若有女人聞是藥王菩薩本事品
能受持者盡是女身後不復受若如來滅後後
五百歲中若有女人聞是經典如說脩行於此
命終即往安樂世界阿彌陁佛大菩薩衆
圍繞住處生蓮華中寶座之上不復為貪欲
所惱亦復不為瞋恚愚癡所惱亦復不為憍
慢嫉妬諸垢所惱得菩薩神通无生法忍得
是忍已眼根清淨以是清淨眼根見七百万二
千億那由他恒河沙等諸佛如來是時諸

BD01868號　妙法蓮華經卷六　（13–11）

憍嫉妬諸垢所惱得菩薩神通无生法忍得
是忍已眼根清淨以是清淨眼根見七百万二
千億那由他恒河沙等諸佛如來是時諸
佛遥共讃言善哉善哉善男子汝能於釋迦
牟尼佛法中受持讀誦思惟是經為他人說
所得福德无量无邊火不能燒水不能漂汝之
功德千佛共說不能令盡汝今已能破諸
魔賊壞生死軍諸餘怨敵皆悉摧滅善男子
百千諸佛以神通力共守護汝於一切世間天
人之中无如汝者唯除如來其諸聲聞辟
支佛乃至菩薩智慧禪定无有與汝等者宿
王華此菩薩成就如是功德智慧之力若有
人聞是藥王菩薩本事品能隨喜讃善者
是人現世口中常出青蓮華香身毛孔常出
牛頭栴檀香所得功德如上所說是故宿王
華以此藥王菩薩本事品囑累於汝我度
後後五百歳中廣宣流布於閻浮提无令斷
絶惡魔魔民諸天龍夜叉鳩槃荼等得其
便也宿王華汝當以神通之力守護是經所
以者何此經則為閻浮提人病之良藥若人有病
得聞是經病即消滅不老不死宿王華汝
若見有受持是經者應以青蓮華盛滿末香
供散其上散已作是念言此人不久必當取
草坐於道場破諸魔軍當吹法螺擊大法鼓
度脱一切衆生老病死海是故求佛道者見
有受持是經典人應當如是生恭敬心說是
藥王菩薩本事品時八万四千菩薩得解一
切衆生語言陁羅尼多寶如來於寶塔中讃

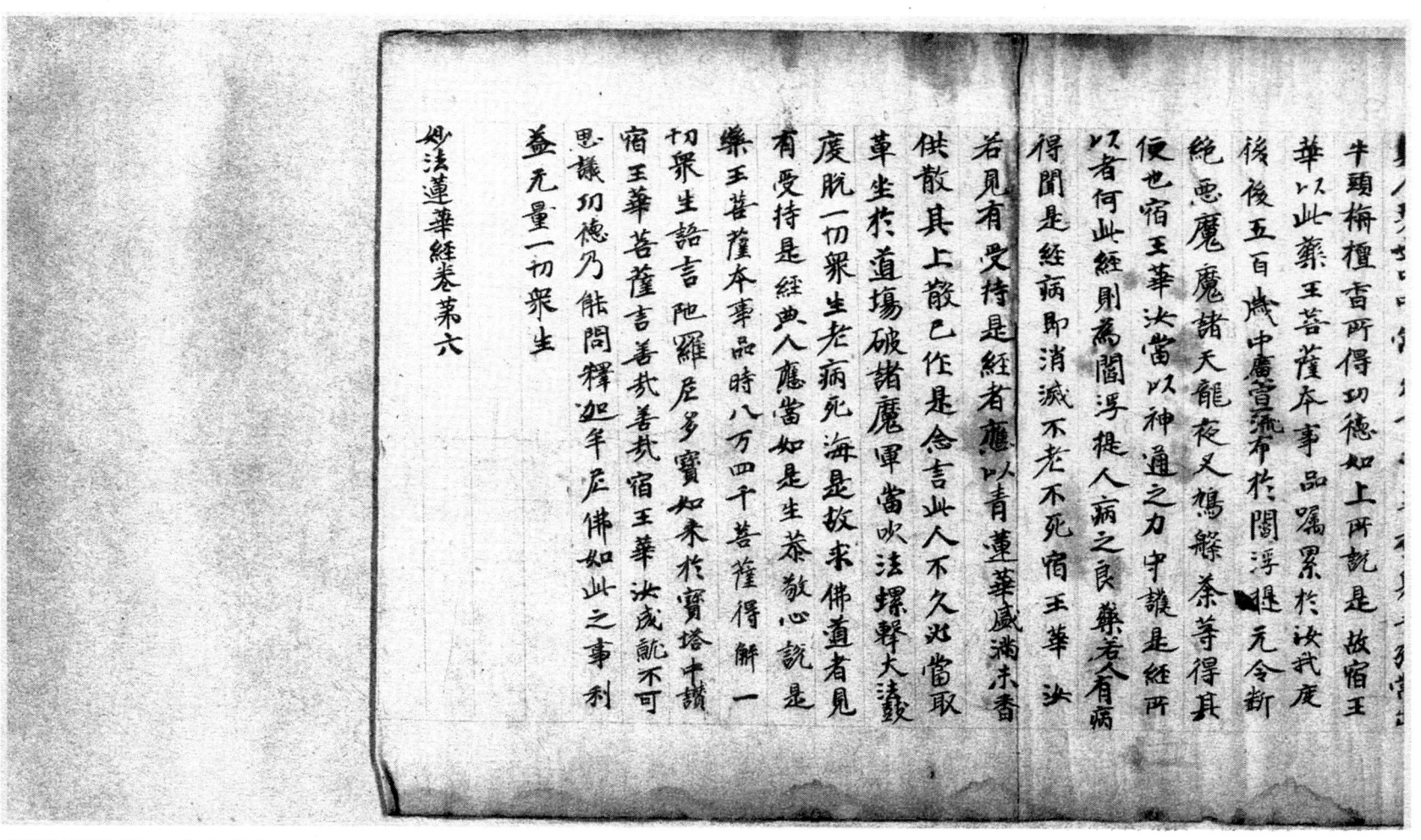

牛頭栴檀香所得功德如上所說是故宿王
華以此藥王菩薩本事品囑累於汝我度
後後五百歳中廣宣流布於閻浮提无令斷
絶惡魔魔民諸天龍夜叉鳩槃荼等得其
便也宿王華汝當以神通之力守護是經所
以者何此經則為閻浮提人病之良藥若人有病
得聞是經病即消滅不老不死宿王華汝
若見有受持是經者應以青蓮華盛滿末香
供散其上散已作是念言此人不久必當取
草坐於道場破諸魔軍當吹法螺擊大法鼓
度脱一切衆生老病死海是故求佛道者見
有受持是經典人應當如是生恭敬心說是
藥王菩薩本事品時八万四千菩薩得解一
切衆生語言陁羅尼多寶如來於寶塔中讃
宿王華菩薩言善哉善哉宿王華汝成就不可
思議功德乃能問釋迦牟尼佛如此之事利
益无量一切衆生

妙法蓮華經卷第六

著　録　凡　例

本目録採用條目式著録法。諸條目意義如下：

1.1　著録編號。用漢語拼音首字“BD”表示，意為“北京圖書館藏敦煌遺書”，簡稱“北敦號”。文獻寫在背面者，標註為“背”。一件遺書上抄有多個文獻者，用數字1、2、3等標示小號。一號中包括幾件遺書，且遺書形態各自獨立者，用字母A、B、C等區別。

1.2　著録分類號。本條記目録暫不分類，該項空缺。

1.3　著録文獻的名稱、卷本、卷次。

1.4　著録千字文編號。

1.5　著録縮微膠卷號。

2.1　著録遺書的總體數據。包括長度、寬度、紙數、正面抄寫總行數與每行字數、背面抄寫總行數與每行字數。如該遺書首尾有殘破，則對殘破部分單獨度量，用加號加在總長度上。凡屬這種情況，長度用括弧標註。

2.2　著録每紙數據。包括每紙長度及抄寫行數或界欄數。

2.3　著録遺書的外觀。包括：(1) 裝幀形式。(2) 首尾存況。(3) 護首、軸、軸頭、天竿、縹帶，經名是書寫還是貼簽，有無經名號，扉頁、扉畫。(4) 卷面殘破情況及其位置。(5) 尾部情況。(6) 有無附加物（蟲繭、油污、線繩及其他）。(7) 有無裱補及其年代。(8) 界欄。(9) 修整。(10) 其他需要交待的問題。

2.4　著録一件遺書抄寫多個文獻的情況。

3.1　著録文獻首部文字與對照本核對的結果。

3.2　著録文獻尾部文字與對照本核對的結果。

3.3　著録録文。

3.4　著録對文獻的説明。

4.1　著録文獻首題。

4.2　著録文獻尾題。

5　著録本文獻與對照本的不同之處。

6.1　著録本遺書首部可與另一遺書綴接的編號。

6.2　著録本遺書尾部可與另一遺書綴接的編號。

7.1　著録題記、題名、勘記等。

7.2　著録印章。

7.3　著録雜寫。

7.4　著録護首及扉頁的內容。

8　著録年代。

9.1　著録字體。如有武周新字、合體字、避諱字等，予以説明。

9.2　著録卷面二次加工的情況。包括句讀、點標、科分、間隔號、行間加行、行間加字、硃筆、墨塗、倒乙、刪除、兑廢等。

10　著録敦煌遺書發現後，近現代人所加內容，裝裱、題記、印章等。

11　備註。著録揭裱互見、圖版本出處及其他需要説明的問題。

上述諸條，有則著録，無則空缺。

為避文繁，上述著録中出現的各種參考、對照文獻，暫且不列版本説明。全目結束時，將統一編制本條記目録出現的各種參考書目。

本條記目録為農曆年份標註其公曆紀年時，未經行歲頭年末之换算，請讀者使用時注意自行换算。

條 記 目 錄

BD01801—BD01868

1.1 BD01801 號
1.3 妙法蓮華經卷四
1.4 秋 001
1.5 105:5273
2.1 (1.2+130.6+1.2)×26.3 厘米;4 紙;76 行,行 17 字。
2.2 01:01.2+18.2,11; 02:47.5,27; 03:47.5,27;
04:17.4+1.2,11。
2.3 卷軸裝。首尾均殘。1、2 紙接縫處有開裂。有烏絲欄。
3.1 首 1 行下殘→大正 262,9/28B22。
3.2 尾 1 行殘→9/29C7~8。
8 7~8 世紀。唐寫本。
9.1 楷書。
11 圖版:《敦煌寶藏》,90/453A~455A。

1.1 BD01802 號
1.3 大般涅槃經(北本)卷二四
1.4 秋 002
1.5 115:6431
2.1 (54+4)×27 厘米;2 紙;27 行,行 17 字。
2.2 01:43.5,20; 02:10.5+4,07。
2.3 卷軸裝。首尾均殘。卷尾殘缺。有烏絲欄。
3.1 首殘→大正 374,12/505A6。
3.2 尾 2 行上殘→12/505B2~4。
6.1 首→BD01673 號。
8 5~6 世紀。南北朝寫本。
9.1 楷書。
9.2 有行間校加字。
11 圖版:《敦煌寶藏》,99/185B~186A。

1.1 BD01803 號
1.3 妙法蓮華經卷二
1.4 秋 003
1.5 105:4908
2.1 185.9×27.1 厘米;4 紙;112 行,行 17 字。
2.2 01:46.5,28; 02:46.5,28; 03:46.5,28;
04:46.4,28。
2.3 卷軸裝。首尾均脱。經黄紙。卷面有水漬。有烏絲欄。
3.1 首行殘→大正 262,9/13B10。
3.2 尾殘→9/15A3。
8 7~8 世紀。唐寫本。
9.1 楷書。
9.2 有校改。
11 圖版:《敦煌寶藏》,87/206A~208B。

1.1 BD01804 號
1.3 大般若波羅蜜多經卷四六六
1.4 秋 004
1.5 084:3174
2.1 (9.4+732.9)×25.5 厘米;17 紙;457 行,行 17 字。
2.2 01:9.4+23.9,20; 02:45.1,28; 03:45.6,28;
04:45.5,28; 05:45.3,28; 06:45.4,28;
07:45.3,28; 08:45.2,28; 09:45.3,28;
10:45.3,28; 11:45.3,28; 12:45.4,28;
13:45.2,28; 14:45.1,28; 15:45.3,28;
16:45.4,28; 17:29.3,17。
2.3 卷軸裝。首殘尾全。首紙殘破,卷前部有殘洞,通卷黴爛。背有古代裱補。有烏絲欄。已修整。
3.1 首 6 行下殘→大正 220,7/355A22~28。
3.2 尾全→7/360B15。
4.2 大般若波羅蜜多經卷第四百六十六(尾)。
7.1 卷端背面有勘記:"四百六十六,卌七袟。"後者為本文獻所屬袟次。
8 8~9 世紀。吐蕃統治時期寫本。
9.1 楷書。
11 圖版:《敦煌寶藏》,76/547B~557A。

1.1　BD01805 號
1.3　金剛般若波羅蜜經
1.4　秋 005
1.5　094:3876
2.1　(1.7+54.7)×26.5 厘米；2 紙；31 行，行 17 字。
2.2　01：1.7+25.2，15；　02：29.5，16。
2.3　卷軸裝。首尾均殘。首紙下邊有殘破，接縫處開裂。有烏絲欄。
3.1　首行下殘→大正 235，8/749C4～5。
3.2　尾殘→8/750A7。
8　8～9 世紀。吐蕃統治時期寫本。
9.1　楷書。
11　圖版：《敦煌寶藏》，81/31B～32A。

1.1　BD01806 號
1.3　大方廣佛華嚴經（唐譯八十卷本）卷二四
1.4　秋 006
1.5　002:0047
2.1　(5+419.7)×28 厘米；10 紙；253 行，行 17 字。
2.2　01：5+42.5，28；　02：47.2，28；　03：47.0，28；
04：47.0，28；　05：47.0，28；　06：47.0，28；
07：47.0，28；　08：47.0，28；　09：47.0，28；
10：01.0，01。
2.3　卷軸裝。首殘尾斷。卷首前部下邊殘缺嚴重。有烏絲欄。已修整。
3.1　首 3 行下殘→大正 279，10/129C10～13。
3.2　尾殘→10/132C6。
7.3　第 6 紙下有一雜寫“無”字；卷末左上角有“五十”二字。
8　9～10 世紀。歸義軍時期寫本。
9.1　楷書。
11　圖版：《敦煌寶藏》，56/220A～226A。

1.1　BD01807 號
1.3　妙法蓮華經卷四
1.4　秋 007
1.5　105:5389
2.1　(2.2+70.5+2.5)×26.3 厘米；2 紙；42 行，行 17 字。
2.2　01：2.2+39.2，23；　02：31.3+2.5，19。
2.3　卷軸裝。首尾均殘。有烏絲欄。
3.1　首行殘→大正 262，9/33B13。
3.2　尾行下殘→9/34A2。
6.2　尾→BD01632 號。
8　7～8 世紀。唐寫本。
9.1　楷書。
11　圖版：《敦煌寶藏》，91/267A～268A。

1.1　BD01808 號
1.3　大般若波羅蜜多經卷一四四
1.4　秋 008
1.5　084:2381
2.1　90.7×25.1 厘米；2 紙；54 行，行 17 字。
2.2　01：44.2，26；　02：46.5，28。
2.3　卷軸裝。首全尾殘。首紙有殘裂。背有古代裱補。有烏絲欄。
3.1　首全→大正 220，5/778B22。
3.2　尾殘→5/779A20。
4.1　大般若波羅蜜多經卷第一百卌四，/初分校量功德品第卌之卌二，三藏法師玄奘奉詔譯/（首）。
8　8～9 世紀。吐蕃統治時期寫本。
9.1　楷書。
11　圖版：《敦煌寶藏》，73/115A～116A。

1.1　BD01809 號
1.3　維摩詰所說經卷下
1.4　秋 009
1.5　070:1293
2.1　(4+55.5+4.5)×26 厘米；2 紙；38 行，行 17 字。
2.2　01：4+17，12；　02：38.5+4.5，26。
2.3　卷軸裝。首尾均殘。卷面有殘裂、殘洞，多水漬，紙變色、糟朽。有烏絲欄。
3.1　首 2 行中下殘→大正 475，14/556B28～C1。
3.2　尾 3 行中下殘→14/557A7～9。
8　9～10 世紀。歸義軍時期寫本。
9.1　楷書。
11　圖版：《敦煌寶藏》，66/435。

1.1　BD01810 號
1.3　大般若波羅蜜多經卷一四三
1.4　秋 010
1.5　084:2376
2.1　(39+74)×25.5 厘米；3 紙；54 行，行 17 字。
2.2　01：23.5，護首；　02：15.5+27.8，26；
03：46.2，28。
2.3　卷軸裝。首殘尾脫。有護首，下邊殘缺，背端有經名，上有經名號，有竹製天竿。第 1 紙有殘洞、撕裂及下邊殘缺。卷面油污。已修整。
3.1　首 9 行下殘→大正 220，5/773B9～20。
3.2　尾殘→5/774A7。
4.1　大般若波羅蜜多經卷第一百卌三，□…□/初分校量功德品第卌之卌一，□…□/（首）。
7.1　第 3 紙背有勘記“一百卌三”。
7.4　護首有經名“大般若波羅蜜多經卷第一百卌三”。
8　8～9 世紀。吐蕃統治時期寫本。
9.1　楷書。

11　圖版：《敦煌寶藏》，73/107A～108A。

1.1　BD01811 號
1.3　大般涅槃經（北本）卷二四
1.4　秋 011
1.5　115:6438
2.1　64×27.1 厘米；2 紙；32 行，行 17 字。
2.2　01：42.0，21；　02：22.0，11。
2.3　卷軸裝。首尾均殘。有烏絲欄。
3.1　首行下殘→大正 374，12/507B1～2。
3.2　尾殘→12/507C7。
6.2　尾→BD01758 號。
8　5～6 世紀。南北朝寫本。
9.1　楷書。
11　圖版：《敦煌寶藏》，99/202B～203A。

1.1　BD01812 號
1.3　金剛般若波羅蜜經
1.4　秋 012
1.5　094:4191
2.1　（1.5+89）×25.5 厘米；2 紙；56 行，行 17 字。
2.2　01：1.5+44.5，28；　02：44.5，28；
2.3　卷軸裝。首殘尾脱。經黄打紙。卷面有水漬，卷尾有残裂。有烏絲欄。
3.1　首下行殘→大正 235，8/750C21～22。
3.2　尾殘→8/751B22。
8　7～8 世紀。唐寫本。
9.1　楷書。
11　圖版：《敦煌寶藏》，82/357B～358B。

1.1　BD01813 號
1.3　金剛般若波羅蜜經
1.4　秋 013
1.5　094:3560
2.1　（3.4+525.2）×26 厘米；12 紙；301 行，行 17 字。
2.2　01：3.4+33.1，21；　02：48.2，28；　03：48.2，28；
04：48.0，27；　05：48.0，28；　06：48.0，28；
07：48.0，29；　08：47.7，28；　09：47.7，29；
10：48.0，28；　11：48.0，27；　12：12.3，拖尾。
2.3　卷軸裝。首殘尾全。第 4 紙上下有殘缺。有烏絲欄。已修整。
3.1　首 3 行上、下殘→大正 235，8/748C23～26。
3.2　尾全→8/752C3。
4.2　金剛般若波羅蜜經（尾）。
8　9～10 世紀。歸義軍時期寫本。
9.1　楷書。
9.2　有刮改。
11　圖版：《敦煌寶藏》，78/546B～553A。

1.1　BD01814 號
1.3　大般若波羅蜜多經卷三八九
1.4　秋 014
1.5　084:3049
2.1　47.1×27.9 厘米；1 紙；28 行，行 17 字。
2.3　卷軸裝。首尾均脱。卷面有殘洞，下邊殘破。有烏絲欄。
3.1　首殘→大正 220，6/1009C23。
3.2　尾殘→6/1010A21。
8　8～9 世紀。吐蕃統治時期寫本。
9.1　楷書。
11　圖版：《敦煌寶藏》，76/215B。

1.1　BD01815 號
1.3　金有陀羅尼經
1.4　秋 015
1.5　254:7603
2.1　（2+71.4）×26.6 厘米；2 紙；42 行，行 17～18 字。
2.2　01：2+26.2，17；　02：45.2，25。
2.3　卷軸裝。首殘尾全。卷尾有藏文，有烏絲欄。
3.1　首行上殘→大正 2910，85/1456A26。
3.2　尾全→85/1456C10。
4.2　金有陀羅尼經一卷（尾）。
7.1　卷尾寫藏文 aim－bran－bran－bris（安佔佔寫）。
8　8～9 世紀。吐蕃統治時期寫本。
9.1　楷書。
9.2　有刮改。
11　圖版：《敦煌寶藏》，107/79B～80A。

1.1　BD01816 號
1.3　妙法蓮華經（八卷本）卷四
1.4　秋 016
1.5　105:5383
2.1　164.7×26.7 厘米；4 紙；96 行，行 17 字。
2.2　01：47.5，28；　02：47.0，28；　03：47.0，28；
04：23.2，12。
2.3　卷軸裝。首脱尾全。有烏絲欄。
3.1　首殘→大正 262，9/33A25。
3.2　尾全→9/34B22。
4.2　妙法蓮華經卷第四（尾）。
5　與《大正藏》對照，分卷不同。截止於見實塔品第十一，應為八卷本。
8　8～9 世紀。吐蕃統治時期寫本。
9.1　楷書。
11　圖版：《敦煌寶藏》，91/257A～258B。

1.1　BD01817 號
1.3　金剛般若波羅蜜經
1.4　秋 017
1.5　094:4107
2.1　(46+1)×25.5 厘米；2 紙；29 行，行 17 字。
2.2　01：46.0，28；　02：01.0，01。
2.3　卷軸裝。首脱尾殘。首紙有殘裂。接縫處有開裂。有烏絲欄。已修整。
3.1　首殘→大正 235，8/750B20。
3.2　尾 1 行上殘→8/750C21~22。
8　7~8 世紀。唐寫本。
9.1　楷書。
9.2　有刮改。
11　圖版：《敦煌寶藏》，82/135B~136A。

1.1　BD01818 號
1.3　梵網經盧舍那佛說菩薩心地戒品第十卷下
1.4　秋 018
1.5　143:6736
2.1　(6+557.5)×24.7 厘米；12 紙；310 行，行 16 字。
2.2　01：6+44，28；　02：50.5，28；　03：50.0，28；
04：51.0，28；　05：50.5，28；　06：50.5，28；
07：50.5，28；　08：50.5，28；　09：50.5，28；
10：51.0，28；　11：50.5，28；　12：08.0，02。
2.3　卷軸裝。首殘尾全。經黄紙。卷面有破裂及小殘洞，上部油污，有黴斑，接縫處有開裂。尾有蟲繭 2 處。有烏絲欄。
3.1　首 3 行中下殘→大正 1484，24/1005C14~17。
3.2　尾殘→24/1009C18。
4.2　梵網經（尾）。
5　與《大正藏》對照，經尾少偈誦。
8　7~8 世紀。唐寫本。
9.1　楷書。
9.2　有行間校加字。
11　圖版：《敦煌寶藏》，101/421B~429A。

1.1　BD01819 號
1.3　金光明最勝王經卷四
1.4　秋 019
1.5　083:1667
2.1　(6.5+587.2)×26 厘米；14 紙；345 行，行 17 字。
2.2　01：06.5，04；　02：46.7，28；　03：47.2，28；
04：47.1，28；　05：47.2，28；　06：47.2，28；
07：47.0，28；　08：47.1，28；　09：47.2，28；
10：47.2，28；　11：47.0，28；　12：47.0，28；
13：46.8，28；　14：22.5，05；
2.3　卷軸裝。首殘尾全。卷端破碎嚴重。尾有原軸，兩端塗棕色漆。有烏絲欄。
3.1　首 4 行中下殘→大正 665，16/418A17~21。
3.2　尾全→16/422B21。
4.2　金光明最勝王經卷第四（尾）。
8　8~9 世紀。吐蕃統治時期寫本。
9.1　楷書。
11　圖版：《敦煌寶藏》，69/185B~192B。

1.1　BD01820 號
1.3　維摩詰所說經卷上
1.4　秋 020
1.5　070:0875
2.1　(10+931)×25.5 厘米；20 紙；525 行，行 17 字。
2.2　01：10+16.5，15；　02：50.0，28；　03：50.0，28；
04：50.0，28；　05：50.0，28；　06：50.0，28；
07：50.0，28；　08：50.0，28；　09：50.0，28；
10：50.0，28；　11：50.0，28；　12：50.0，28；
13：50.0，28；　14：49.5，28；　15：49.5，28；
16：50.0，28；　17：49.5，28；　18：49.5，28；
19：49.5，28；　20：17.0，06。
2.3　卷軸裝。首殘尾全。卷面有破裂及殘洞。背有古代裱補。有烏絲欄。已修整。
3.1　首 6 行中上殘→大正 475，14/537C16~21。
3.2　尾全→14/544A19。
4.2　維摩結經卷上（尾）。
7.1　第 20 紙尾有題記："道京書（?）結摩經一卷"及"◇景書已。"
7.3　卷上邊有雜寫。
8　9~10 世紀。歸義軍時期寫本。
9.1　楷書。
9.2　有行間校加字。有刮改。
11　圖版：《敦煌寶藏》，63/346B~359B。

1.1　BD01821 號
1.3　無量壽宗要經
1.4　秋 021
1.5　275:7729
2.1　(4.5+205.5)×30.5 厘米；5 紙；144 行，行 30 餘字。
2.2　01：4.5+39.5，29；　02：41.5，29；　03：41.5，29；
04：41.5，29；　05：41.5，28。
2.3　卷軸裝。首尾均全。首紙上下邊有殘裂，接縫處有開裂。有烏絲欄。
3.1　首 2 行下殘→大正 936，19/82A3~6。
3.2　尾全→19/84C29。
4.1　大乘無量壽經（首）。
4.2　佛說無量壽宗要經（尾）。
7.1　卷尾有題名："姚（?）良"。
8　8~9 世紀。吐蕃統治時期寫本。

9.1　楷書。
9.2　有刮改。有倒乙。
11　圖版：《敦煌寶藏》，107/445A～447B。

1.1　BD01822 號 1
1.3　賢劫十方千五百佛名經卷上
1.4　秋 022
1.5　066:0841
2.1　（21＋861.8）×25.6 厘米；12 紙；516 行，行 17 字。
2.2　01：21＋36.5，35；　02：87.0，52；　03：87.0，52；
04：87.0，52；　05：87.0，52；　06：87.5，52；
07：87.5，52；　08：87.8，52；　09：87.5，52；
10：87.5，52；　11：32.5，13；　12：07.0，拖尾。
2.3　卷軸裝。首殘尾全。首紙殘缺嚴重，卷前部上下有等距離殘損，卷尾有残裂。有烏絲欄。
2.4　本遺書包括 2 個文獻：（一）《賢劫十方千五百佛名經卷上》，421 行，今编為 BD01822 號 1。（二）《賢劫十方千五百佛名經卷下》，95 行，今編為 BD01822 號 2。
3.1　首 13 行中下殘→大正 442，14/314C4～10。
3.2　尾全→14/318A6。
3.4　説明：
本文獻出於敦煌，《大正藏》依據中村不折所藏殘本收人。該卷有尾題作“十方千五百佛名一卷”，實際僅為卷上。
5　與《大正藏》本對照，佛名前均冠“南無”。
8　7～8 世紀。唐寫本。
9.1　楷書。
11　圖版：《敦煌寶藏》，62/661B～673B。

1.1　BD01822 號 2
1.3　賢劫十方千五百佛名經卷下
1.4　秋 022
1.5　066:0841
2.4　本遺書由 2 個文獻組成，本號為第 2 個，95 行，餘參見 BD01822 號 1 之第 2 項、第 11 項。
3.4　説明：
本文獻首全尾殘。未為歷代大藏經所收。
4.1　佛説賢劫十方千五百佛名經卷下（首）。
4.2　佛名經卷下（尾）。
8　7～8 世紀。唐寫本。
9.1　楷書。

1.1　BD01823 號 1
1.3　金剛經啓請
1.4　秋 023
1.5　094:3519
2.1　515.2×26 厘米；12 紙；正面 227 行，行 17 字。背面 129 行，行字不等。
2.2　01：43.0，24；　02：43.0，23；　03：43.4，24；
04：43.3，23；　05：42.0，23；　06：43.0，28；
07：43.6，28；　08：42.9，28；　09：43.0，26；
10：43.0，空；　11：43.0，空；　12：42.0，空。
2.3　卷軸裝。首尾均全。末紙破碎。尚有三紙空白，未抄經文。有烏絲欄。已修整。
2.4　本遺書包括 3 個文獻：（一）《金剛經啓請》，19 行，抄寫在正面，今編為 BD01823 號 1。（二）《金剛般若波羅蜜經》（三十二分本），208 行，抄寫在正面，今編為 BD01823 號 2。（三）《金光明最勝王經陀羅尼鈔》（擬），129 行，抄寫在背面，今編為 BD01823 號背。
3.3　錄文：
金剛經啓請/
若有人誦持《金剛般若波羅蜜經》，先須至心念淨口業真言，然［後］/啓請八金剛、四菩薩名號。所在之處，常當擁護。/
《淨口業真言》：修利修利，摩訶修利，修修利，娑婆訶。/
《虛空藏菩薩普供養真言》：唵，誐誐曩，三婆嚩襪［日/羅］斛。/
《奉請八金剛》：奉請青除災金剛，奉請辟毒金剛，奉請黄隨求金剛，/奉請白淨水金剛，奉請赤聲火金剛，奉請定除災金剛，奉請紫賢金剛，/奉請大神金剛。
《奉請四菩薩》：奉請金剛春菩薩，奉請金剛索菩薩，/奉請金剛愛菩薩，奉請金剛語菩薩。
《云何梵音》：/云何得長受（壽），金剛不壞身，復以何因緣，得大堅固力。云何於此經，/究竟到彼岸。願佛開微蜜，廣爲衆生說。/
［《念十佛名號》：］若有人受持《金剛波（般）若波羅蜜經》，先須念此十佛名號。聞此佛/名，盡皆安樂。南無清淨法身毗盧遮那佛，南無圓滿報身盧舍那佛，/南無千百化身釋迦牟尼佛，南無當來下生彌勒尊佛，/南無十二上願藥師琉璃光佛，南無阿彌陀佛，南無實勝如來佛，/南無大悲長壽王佛，南無大悲尊勝王佛，南無大悲熾盛光佛。/
《發願文》：稽首三界尊，十方無量佛，我今發弘願，持此金剛經。/上報四重恩，下濟三塗苦，苦有見聞者，悉發菩提心。/盡此一報身，同生極樂國。/
（錄文完）
4.1　金剛經啓請（首）。
8　9～10 世紀。歸義軍時期寫本。
9.1　楷書。
9.2　有行間加行。有倒乙。
11　圖版：《敦煌寶藏》，78/406A～414A。

1.1　BD01823 號 2
1.3　金剛般若波羅蜜經（三十二分本）
1.4　秋 023
1.5　094:3519

2.4　本遺書由3個文獻組成，本號為第2個，208行。餘參見BD01823號1之第2項、第11項。
3.1　首全→大正235，8/748C17。
3.2　尾缺→8/751B15。
3.4　説明：
從寫本形態看，抄寫本號時，似依違於三十二分本與非三十二分本之間，故子目僅抄到第九分，且前九分子目或在正文中，或添加在行間，並不統一。暫按照三十二分本著録。
4.1　金剛般若波羅蜜，法會因由分第一（首）；
8　9～10世紀。歸義軍時期寫本。
9.1　楷書。
9.2　有行間加行。有倒乙。

1.1　BD01823號背
1.33　金光明最勝王經陀羅尼鈔（擬）
1.4　秋023
1.5　094:3519
2.4　本遺書由3個文獻組成，本號為第3個，129行，抄寫在背面。餘參見BD01823號1之第2項、第11項。
3.4　説明：
本文獻係摘抄、彙集《金光明最勝王經》諸卷陀羅尼組成。其中第1行至第12行與第13行至第33行重複。審視原卷，前12行屬於隨意抄寫，後廢棄，自13行起認真抄寫。故13行以後卷面比較正規。詳情如下：
第1行，首題：《金光明經第四卷十地菩薩咒》；
第2～4行→大正665，16/420B1～4；
第4～5行→大正665，16/420B12～14；
第6～7行→大正665，16/420B22～23；
第7～9行→大正665，16/420C1～3；
第10～12行→大正665，16/420C11～13；
第13行，首題：《金光明經第四卷十地菩薩咒》；
第14～18行→16/420B1～4；
第20～22行→16/420B12～14；
第24～25行→16/420B22～23；
第27～30行→16/420C1～3；
第31～34行→16/420C11～13；
第35～40行→16/420C21～421A3；
第41～46行→16/421A11～15；
第48～50行→16/421A23～25；
第51～55行→16/421B4～7；
第56～65行→16/421B15～22；
第66行，首題：《第五卷咒》；
第67～69行→大正665，16/423C24～26；
第69行，首題：《第六卷咒》；
第70～75行→大正665，16/430C10～15；
第76～81行→大正665，16/430C21～26；
第82～90行→大正665，16/431A5～13；
第91～107行→大正665，16/431B20～C4；
以下所抄為卷七咒文。
第108～116行→大正665，16/433A14～20；
第117～119行→大正665，16/433B22～24；
第120～125行→大正665，16/433C3～8；
第126～129行→大正665，16/433C17～20。
8　9～10世紀。歸義軍時期寫本。
9.1　楷書。

1.1　BD01824號
1.3　妙法蓮華經（八卷本）卷七
1.4　秋024
1.5　105:5778
2.1　（1.5+780.1）×25.5厘米；18紙；457行，行17字。
2.2　01：1.5+12，6；　02：46.2，28；　03：46.2，28；
04：46.2，28；　05：46.5，28；　06：46.5，28；
07：46.5，28；　08：46.5，28；　09：46.5，28；
10：46.5，28；　11：46.5，28；　12：46.5，28；
13：46.5，28；　14：46.5，28；　15：46.5，28；
16：46.5，28；　17：46.5，28；　18：25.0，03。
2.3　卷軸裝。首殘尾全。打紙。尾有原軸，兩端塗硃漆。首紙下邊有殘缺，第5紙前上邊有撕裂。首紙背有古代裱補。有烏絲欄。
3.1　首行殘→大正262，9/50C13～14。
3.2　尾全→9/56C1。
4.2　妙法蓮華經卷第七（尾）。
5　與《大正藏》本對照，分卷不同。本卷相當於《大正藏》卷第六常不輕菩薩品第二十起至卷第七妙音菩薩品第二十四。屬於八卷本。
8　7～8世紀。唐寫本。
9.1　楷書。
9.2　有刮改。
11　圖版：《敦煌寶藏》，95/4B～14B。

1.1　BD01825號
1.3　金剛般若波羅蜜經
1.4　秋025
1.5　094:3734
2.1　（14+402.1）×26.5厘米；10紙；283行，行17字。
2.2　01：14+27.5，27；　02：41.7，29；　03：41.5，29；
04：41.7，29；　05：42.0，29；　06：41.7，29；
07：42.0，29；　08：42.0，29；　09：42.0，29；
10：40.0，24。
2.3　卷軸裝。首殘尾全。首紙上邊有殘缺處，左下部有斜向撕裂；卷面有水漬，紙變色，卷尾有蟲繭。有燕尾。卷尾繫有土黄色縹帶，長6厘米。尾有原軸，已脱落，長30.8厘米，兩端塗棕色漆，上邊粘有殘紙，紙上有殘字，難以辨識。有烏絲欄。

3.1　首 7 行上殘→大正 235，8/749A23～29。
3.2　尾全→8/752C3。
4.2　金剛般若波羅蜜經（尾）。
8　8 世紀。唐寫本。
9.1　楷書。
11　圖版：《敦煌寶藏》，80/85A～90A。

1.1　BD01826 號
1.3　金光明最勝王經卷一
1.4　秋 026
1.5　083:1452
2.1　（8.8+375.8）×24.9 厘米；9 紙；正面 232 行，行 17 字。背面 4 行，行字不等。
2.2　01：8.8+12.3，12；　02：40.0，24；　03：46.6，28；
04：45.1，28；　05：46.6，28；　06：46.5，28；
07：46.4，28；　08：46.2，28；　09：46.1，28。
2.3　卷軸裝。首尾均殘。首紙係後補。通卷背面有古代裱補。有烏絲欄。已修整。
2.4　本遺書包括 2 個文獻：（一）《金光明最勝王經卷一》，232 行，抄寫在正面，今編為 BD01826 號。（二）《諸雜難字》，4 行，抄寫在背面，今編為 BD01826 號背。
3.1　首 5 行上下殘→大正 665，16/403A26～B2。
3.2　尾殘→16/406B21。
8　7～8 世紀。唐寫本。
9.1　楷書。
9.2　有刪除號。有倒乙。有行間校加字。有刮改。
11　從該件上揭下古代裱補紙 6 塊，今編爲 BD16042 號（2 塊）、BD16043 號（2 塊）、BD16044 號（2 塊）。
圖版：《敦煌寶藏》，67/644B～651A。

1.1　BD01826 號背
1.3　諸雜難字
1.4　秋 026
1.5　083:1452
2.4　本遺書由 2 個文獻組成，本號為第 2 個，4 行，抄寫在背面。餘參見 BD01826 號之第 2 項、第 11 項。
3.1　首殘→《敦煌音義匯考》，第 1294 頁第 1 行。
3.2　尾殘→《敦煌音義匯考》，第 1296 頁第 5 行。
3.4　説明：
上述對照本中含有校對、考證。另請參見《敦煌音義匯考》第 1272 頁"諸雜難字"題解。
8　10 世紀。歸義軍時期寫本。
9.1　楷書。

1.1　BD01827 號
1.3　大般涅槃經（北本　異卷）卷三三
1.4　秋 027
1.5　115:6490
2.1　（9.8+818.4）×26.5 厘米；18 紙；464 行，行 17 字。
2.2　01：9.8+13.8，13；　02：48.3，28；　03：48.5，28；
04：48.2，28；　05：48.4，28；　06：48.6，28；
07：48.8，28；　08：48.7，28；　09：48.8，28；
10：48.7，28；　11：48.7，28；　12：48.6，28；
13：48.8，28；　14：48.7，28；　15：48.8，28；
16：48.7，28；　17：48.8，28；　18：26.5，03。
2.3　卷軸裝。首殘尾全。第 4、5 紙中部有横裂。有燕尾。有烏絲欄。
3.1　首 5 行下殘→大正 374，12/557C24～29。
3.2　尾全→12/563B10。
4.2　大般涅槃經卷第卅三（尾）
5　與《大正藏》本對照，分卷不同。經文相當於《大正藏》卷三十二師子吼菩薩品第十一之六至卷三十三迦葉菩薩品第十二之一。與其餘諸藏分卷亦均不同。
8　7 世紀。唐寫本。
9.1　楷書。
11　圖版：《敦煌寶藏》，99/513A～524A。

1.1　BD01828 號
1.3　維摩詰所說經卷中
1.4　秋 028
1.5　070:1102
2.1　152×25 厘米；5 紙；96 行，行 17 字。
2.2　01：09.0，05；　02：44.0，28；　03：44.0，28；
04：44.0，28；　05：11.0，07。
2.3　卷軸裝。首尾均殘。第 2 紙殘破，卷自第 3 紙中間斷爲兩截；卷面油污，紙變硬、變脆。有烏絲欄。
3.1　首殘→大正 475，14/545A21。
3.2　尾殘→14/546B8。
8　8～9 世紀。吐蕃統治時期寫本。
9.1　楷書。
11　圖版：《敦煌寶藏》，65/335B～337B。

1.1　BD01829 號
1.3　妙法蓮華經卷六
1.4　秋 029
1.5　105:5671
2.1　（9+973）×26 厘米；20 紙；567 行，行 17 字。
2.2　01：9+30.5，24；　02：29.8，29；　03：49.3，29；
04：50.0，29；　05：49.7，29；　06：49.8，29；
07：49.8，29；　08：49.7，29；　09：49.7，29；
10：49.7，29；　11：49.7，29；　12：49.8，29；
13：49.7，29；　14：49.6，29；　15：49.8，29；
16：49.7，29；　17：49.7，29；　18：49.7，29；
19：49.5，29；　20：47.8，21。

2.3　卷軸裝。首殘尾全。卷首殘破，首紙背面粘有佛經殘片，字朝内；卷後部下邊有殘裂；卷面多水漬、黴斑。有烏絲欄。
3.1　首6行上下殘→大正262，9/46C27～47A4。
3.2　尾全→9/55A9。
4.2　妙法蓮華經卷第六（尾）
8　8～9世紀。吐蕃統治時期寫本。
9.1　楷書。
9.2　有刮改。
11　圖版：《敦煌寶藏》，94/85A～100A。

1.1　BD01830號
1.3　觀世音經
1.4　秋030
1.5　111:6211
2.1　244.5×25厘米；6紙；正面127行，行17字。背面14行，行字不等。
2.2　01：39.5，19；　02：12，7；　03：48，28；
　　04：49.5，28；　05：50，28；　06：45.5，17。
2.3　卷軸裝。首尾均全。卷面多處碎裂，首紙係後補。背有古代裱補，部分裱補紙上有字，有些字朝内粘，難以辨認。有烏絲欄。
2.4　本遺書包括4個文獻：（一）《觀世音經》，127行，抄寫在正面，今編為BD01830號。（二）《觀世音經》，4行，抄寫在背面裱補紙上，今編為BD01830號背1。（三）《觀世音經》，5行，抄寫在背面裱補紙上，今編為BD01830號背2。（四）《觀世音經》，5行，抄寫在背面裱補紙上，今編為BD01830號背3。
3.1　首全→大正262，9/56C2。
3.2　尾全→9/58B7。
4.1　妙法蓮華經觀世音菩薩普門品第廿五（首）。
4.2　觀世音經一卷（尾）。
7.1　本件卷尾有題記："沙州清信弟子田進晟敬寫此經。/咸通十二年六月廿九日書畢。/"
7.3　卷背有雜寫，難以辨認。
8　871年。歸義軍時期寫本。
9.1　楷書。
11　圖版：《敦煌寶藏》，97/359B～363B。

1.1　BD01830號背1
1.3　觀世音經
1.4　秋030
1.5　111:6211
2.4　本遺書由4個文獻組成，本號為第2個，4行，抄寫在背面裱補紙上。餘參見BD01830號之第2項、第11項。
3.1　首→大正262，9/56C16。
3.2　尾→9/56C20。
6.1　首→BD01830號背3。
8　9～10世紀。歸義軍時期寫本。
9.1　楷書。

1.1　BD01830號背2
1.3　觀世音經
1.4　秋030
1.5　111:6211
2.4　本遺書由4個文獻組成，本號為第3個，5行，抄寫在背面裱補紙上。餘參見BD01830號之第2項、第11項。
3.1　首→大正262，9/56C18。
3.2　尾→9/56C13。
6.2　尾→BD01830號背3。
8　9～10世紀。歸義軍時期寫本。
9.1　楷書。

1.1　BD01830號背3
1.3　觀世音經
1.4　秋030
1.5　111:6211
2.4　本遺書由4個文獻組成，本號為第4個，4行，抄寫在背面裱補紙上。餘參見BD01830號之第2項、第11項。
3.1　首→大正262，9/56C13。
3.2　尾→9/56C16。
6.1　首→BD01830號背2。
6.2　尾→BD01830號背1。
8　9～10世紀。歸義軍時期寫本。
9.1　楷書。

1.1　BD01831號
1.3　維摩詰所說經卷中
1.4　秋031
1.5　070:1103
2.1　（10+319.5+2）×26厘米；7紙；186行，行17字。
2.2　01：10+21.5，18；　02：50.0，28；　03：50.0，28；
　　04：50.0，28；　05：50.0，28；　06：50.0，28；
　　07：48+2，28。
2.3　卷軸裝。首殘尾脫。經黄紙。卷首上邊有殘裂。有烏絲欄。
3.1　首6行上下殘→大正475，14/544B5～12。
3.2　尾行下殘→14/546B28。
8　9～10世紀。歸義軍時期寫本。
9.1　楷書。
9.2　有行間校加字。
11　圖版：《敦煌寶藏》，65/338A～342B。

1.1　BD01832號
1.3　四分律（異卷）卷二六
1.4　秋032
1.5　155:6799

2.1　463.5×27 厘米；10 紙；306 行，行 34 字。
2.2　01：23.0，護首；　02：49.0，35；　03：49.0，35；
04：49.0，35；　05：49.0，35；　06：49.0，35；
07：49.0，35；　08：49.0，35；　09：49.0，35；
10：48.5，26。
2.3　卷軸裝。首尾均全。有護首，護首及第 1 紙有 3 個蟲繭；第 2 紙下部有殘裂；卷尾上有蟲繭。有烏絲欄。
3.1　首全→大正 1428，22/748B11。
3.2　尾全→22/755A19。
4.1　四分律藏卷第廿六，第 二 分卷第入（八）（首）。
4.2　四分律藏卷第廿六，第二分卷第六（尾）。
5　與《大正藏》本對照，分卷不同，經文相當於《大正藏》本《四分律》卷二六後部分至《四分律》卷二七前部分。與其餘諸藏的分卷亦均不同。
8　7 世紀。唐寫本。
9.1　楷書。有武周新字"正"、"日"、"人"、"初"，使用周遍。但"國"字未用武周新字。
11　圖版：《敦煌寶藏》，101/642A～647B。

1.1　BD01833 號
1.3　觀無量壽佛經
1.4　秋 033
1.5　016:0201
2.1　(11+702.4)×25.3 厘米；16 紙；413 行，行 17 字。
2.2　01：11+31，25；　02：46.5，27；　03：46.0，27；
04：46.5，27；　05：46.0，27；　06：46.5，27；
07：46.5，27；　08：46.5，27；　09：46.0，27；
10：46.3，27；　11：46.3，27；　12：46.3，27；
13：46.0，27；　14：46.0，27；　15：46.0，27；
16：24.0，10。
2.3　卷軸裝。首殘尾全。卷首下邊有多處殘裂，接縫處有開裂，卷尾下邊有殘裂。已修整。
3.1　首 6 行下殘→大正 365，12/341A28～B5。
3.2　尾全→12/346B21。
4.2　佛說無量壽觀經一卷（尾）。
8　9～10 世紀。歸義軍時期寫本。
9.1　楷書。
11　圖版：《敦煌寶藏》，57/133A～143A。

1.1　BD01834 號
1.3　楞伽阿跋多羅寶經卷四
1.4　秋 034
1.5　036:0327
2.1　(8.5+1100.4)×25.5 厘米；24 紙；659 行，行 17 字。
2.2　01：8.5+5.5，20；　02：47.5，28；　03：47.5，28；
04：47.5，28；　05：47.8，28；　06：47.6，28；
07：47.8，28；　08：47.6，28；　09：47.7，28；
10：47.7，28；　11：47.8，28；　12：47.7，28；
13：47.5，28；　14：47.8，28；　15：47.7，28；
16：47.5，28；　17：47.8，28；　18：47.5，28；
19：47.6，28；　20：47.7，28；　21：47.5，28；
22：47.5，28；　23：47.6，28；　24：47.0，23。
2.3　卷軸裝。首殘尾全。打紙。有烏絲欄。
3.1　首 5 行下殘→大正 670，16/505B22～27。
3.2　尾全→16/514B26。
4.2　楞伽阿跋多羅寶經一切佛語心品卷第四（尾）。
8　7～8 世紀。唐寫本。
9.1　楷書。
9.2　有行間校加字。有刮改。
11　圖版：《敦煌寶藏》，58/72B～88A。

1.1　BD01835 號
1.3　無量壽宗要經
1.4　秋 035
1.5　275:7730
2.1　185.5×31.5 厘米；4 紙；121 行，行 30 餘字。
2.2　01：45.0，29；　02：48.0，32；　03：47.0，31；
04：45.5，29。
2.3　卷軸裝。首尾全。首紙下邊有殘缺，接縫處有開裂，尾紙下邊有殘裂。有烏絲欄。
3.1　首全→大正 936，19/82A3。
3.2　尾全→19/84C29。
4.1　大乘無量壽經（首）。
4.2　佛說無量壽宗要經（尾）。
7.1　第 4 紙尾有題名"張卿"。
8　8～9 世紀。吐蕃統治時期寫本。
9.1　楷書。
11　圖版：《敦煌寶藏》，107/448A～450A。

1.1　BD01836 號
1.3　佛名經（異卷）卷一
1.4　秋 036
1.5　063:0648
2.1　(14+833.6)×28.7 厘米；18 紙；476 行，行 17 字。
2.2　01：14+84，56；　02：46.0，26；　03：46.0，27；
04：46.0，26；　05：46.0，27；　06：46.0，27；
07：46.0，27；　08：46.2，26；　09：90.0，49；
10：45.0，25；　11：45.0，25；　12：46.5，26；
13：30.8，17；　14：43.5，25；　15：43.8，25；
16：42.8，24；　17：32.0，18；　18：08.0，拖尾。
2.3　卷軸裝。首殘尾全。首紙上下殘裂，接縫處多有開裂，第 17 紙下邊破損。有烏絲欄。已修整。
3.4　說明：
本文獻首 7 行中下殘，尾全，有尾題。從外觀形態看，本遺

書抄錄一件文獻，亦即尾題所示“佛說佛名經卷第一”。但經考訂，該文獻與現知各種卷本的《佛名經》均不相同。如果仔細分辨，它相當於如下2個文獻：

第1行～第417行，相當於《佛名經》（十六卷本）卷六，參見：《七寺古逸經典研究叢書》，3/289頁第250行～319頁第649行。

第418行～第476行，相當於《佛名經》（三十卷本）卷一，參見大正441，14/190A13～C17。

何以出現這種情況，目前難以解釋。暫且按照異卷之卷一著錄。

4.2　佛說佛名經卷第一（尾）。

7.3　第16紙背有雜寫1字。背面另有雜寫一處，寫在紙邊，有“方廣”云云。

8　9～10世紀。歸義軍時期寫本。

9.1　楷書。

11　圖版：《敦煌寶藏》，60/649B～660A。

1.1　BD01837號

1.3　妙法蓮華經卷四

1.4　秋037

1.5　105:5226

2.1　998.1×25.5厘米；22紙；609行，行17字。

2.2　01：45.5，28；　02：45.5，28；　03：45.3，28；
04：45.3，28；　05：45.3，28；　06：45.3，28；
07：45.3，28；　08：45.3，28；　09：45.5，28；
10：45.5，28；　11：45.3，28；　12：45.3，28；
13：45.5，28；　14：45.5，28；　15：45.5，28；
16：45.5，28；　17：45.3，28；　18：45.3，28；
19：45.3，28；　20：45.3，28；　21：45.3，28；
22：45.2，21。

2.3　卷軸裝。首脫尾全。經黃紙。接縫處有開裂。有燕尾。背有古代裱補。有烏絲欄。

3.1　首殘→大正262，9/28A21。

3.2　尾全→9/37A2。

4.2　妙法蓮華經卷第四（尾）。

8　7～8世紀。唐寫本。

9.1　楷書。

9.2　有刮改。

11　圖版：《敦煌寶藏》，90/31A～45B。

1.1　BD01838號1

1.3　梵網經盧舍那佛說菩薩心地戒品第十序

1.4　秋038

1.5　143:6687

2.1　(25+830)×26.5厘米；19紙；486行，行17字。

2.2　01：25+10，20；　02：42.2，27；　03：42.7，19；
04：39.5，24；　05：47.0，28；　06：48.3，28；
07：47.5，27；　08：47.0，27；　09：48.7，28；
10：49.5，28；　11：49.5，28；　12：49.5，28；
13：49.2，28；　14：49.5，28；　15：49.3，28；
16：49.2，28；　17：49.2，28；　18：49.2，28；
19：13.0，06。

2.3　卷軸裝。首殘尾全。全卷破爛嚴重，尾有蟲繭。前3紙與第4紙以後各紙異，為歸義軍時期後補。背有古代裱補，裱補紙上有字，字向內粘，文不可識。有烏絲欄。

2.4　本遺書包括3個文獻：（一）《梵網經盧舍那佛說菩薩心地戒品第十序》，14行，今編為BD01838號1。（二）《梵網經盧舍那佛說菩薩心地戒品第十卷下》，465行，今編為BD01838號2。（三）《菩薩安居及解夏自恣法》，7行，今編為BD01838號3。

3.1　首殘→大正1484，24/1003A19。

3.2　尾殘→24/1003B2。

8　9～10世紀。歸義軍時期寫本。

9.1　楷書。

11　圖版：《敦煌寶藏》，101/191B～203B。

1.1　BD01838號2

1.3　梵網經盧舍那佛說菩薩心地戒品第十卷下

1.4　秋038

1.5　143:6687

2.4　本遺書由3個文獻組成，本號為第2個，465行。餘參見BD01838號1之第2項、第11項。

3.1　首全→大正1484，24/1003C29。

3.2　尾全→24/1009C8。

4.1　梵網經盧舍那佛說菩萨心地法門戒品（首）。

4.2　梵網經盧舍那佛說菩薩十重四十八輕戒（尾）。

5　本遺書首3紙為歸義軍時期後補。補抄時多抄經文24行，文可參見大正1484，24/1004B3～B20。與《大正藏》本相比，文字略有不同。末尾缺少若干內容。

8　7～8世紀。唐寫本。

9.1　楷書。

9.2　有行間校加字。有刪除號、倒乙、圈刪、點去符號。

1.1　BD01838號3

1.3　菩薩安居及解夏自恣法

1.4　秋038

1.5　143:6687

2.4　本遺書由3個文獻組成，本號為第3個，7行。餘參見BD01838號1之第2項、第11項。

3.4　說明：

本文獻相當於《梵網經》的附錄，未為歷代大藏經所收。

4.1　菩薩安居及解夏自恣法（首）。

8　7～8世紀。唐寫本。

9.1　楷書。

1.1　BD01839 號
1.3　金剛般若波羅蜜經
1.4　秋 039
1.5　094:4307
2.1　（4+82.1）×25.2 厘米；3 紙；50 行，行 17 字。
2.2　01：02.5，01；　02：1.5+46.3，28；　03：35.8，21。
2.3　卷軸裝。首尾均脫。卷首脫落 2 塊殘片，文可綴接。首 2 紙接縫處脫開。有烏絲欄。
3.1　首 2 行下中殘→大正 235，8/751B22～23。
3.2　尾殘→8/752A23。
5　與《大正藏》本對照，本號缺冥司偈，參見 8/751C16～C19。
8　7～8 世紀。唐寫本。
9.1　楷書。
11　圖版：《敦煌寶藏》，82/625B～626B。

1.1　BD01840 號
1.3　維摩詰所説經卷下
1.4　秋 040
1.5　070:1241
2.1　523×25.5 厘米；11 紙；307 行，行 17 字。
2.2　01：48.0，27；　02：47.5，28；　03：47.5，28；
04：47.5，28；　05：47.5，28；　06：47.5，28；
07：47.5，28；　08：47.5，28；　09：47.5，28；
10：47.5，28；　11：47.5，28。
2.3　卷軸裝。首全尾脫。首紙下邊有殘裂，接縫處有開裂，卷面多黴斑。有烏絲欄。
3.1　首全→大正 475，14/552A5。
3.2　尾殘→14/555C14。
4.1　香積佛品第十（首）。
8　9～10 世紀。歸義軍時期寫本。
9.1　楷書。
9.2　有硃筆、墨筆行間校加字。
11　圖版：《敦煌寶藏》，66/281B～288A。

1.1　BD01841 號
1.3　妙法蓮華經卷六
1.4　秋 041
1.5　105:5762
2.1　97×25.5 厘米；2 紙；56 行，行 17 字。
2.2　01：48.5，28；　02：48.5，28。
2.3　卷軸裝。首尾均脫。打紙。第 1 紙中部有橫向撕裂。有烏絲欄。
3.1　首殘→大正 262，9/48A15。
3.2　尾殘→9/49A13。
8　7～8 世紀。唐寫本。
9.1　楷書。
9.2　有行間校加字。
11　圖版：《敦煌寶藏》，94/640B～641B。

1.1　BD01842 號
1.3　諸星母陀羅尼經
1.4　秋 042
1.5　253:7550
2.1　（2+114）×26 厘米；3 紙；69 行，行 16～18 字。
2.2　01：2+36.5，24；　02：43.2，27；　03：34.3，18。
2.3　卷軸裝。首殘尾全。有烏絲欄。
3.1　首行中殘→大正 1302，21/420B3。
3.2　尾全→21/421A14。
4.2　諸星母陀羅尼經一卷（尾）。
5　尾附音義。
7.1　尾題後背面有題名“文英”。
8　8～9 世紀。吐蕃統治時期寫本。
9.1　楷書。
11　圖版：《敦煌寶藏》，106/645B～647A。

1.1　BD01843 號
1.3　灌頂隨願往生十方淨土經
1.4　秋 043
1.5　249:7473
2.1　（1.8+285.4）×26.2 厘米；7 紙；162 行，行 17 字。
2.2　01：1.8+23.2，15；　02：46.9，28；　03：46.7，28；
04：46.5，28；　05：47.2，28；　06：49.9，28；
07：25.0，07。
2.3　卷軸裝。首殘尾全。首數紙下邊有殘損，第 2 紙有殘洞，接縫處有開裂。有燕尾。有烏絲欄。
3.1　首行下殘→大正 1331，21/530B6～7。
3.2　尾全→21/532B3。
4.2　佛説隨願往生經（尾）。
8　7～8 世紀。唐寫本。
9.1　楷書。
11　圖版：《敦煌寶藏》，106/369A～372B。

1.1　BD01844 號
1.3　金光明經卷二
1.4　秋 044
1.5　081:1376
2.1　（3.5+767.4）×26.3 厘米；17 紙；445 行，行 17 字。
2.2　01：3.5+26，24；　02：45.5，28；　03：45.8，28；
04：45.8，28；　05：45.6，27；　06：47.3，28；
07：47.5，28；　08：47.4，28；　09：47.3，28；
10：47.3，28；　11：47.3，28；　12：47.2，28；
13：47.5，28；　14：46.2，27；　15：39.0，23；
16：47.5，28；　17：47.2，08。

2.3　卷軸裝。首殘尾全。卷首殘破，變色嚴重。有烏絲欄。
3.1　首 8 行中下殘→大正 663，16/340C18～26。
3.2　尾全→16/346B9。
4.2　金光明經卷第二（尾）。
8　8～9 世紀。吐蕃統治時期寫本。
9.1　楷書。
9.2　有行間校加字。有刮改。
11　圖版：《敦煌寶藏》，67/270A～279B。

1.1　BD01845 號
1.3　妙法蓮華經（八卷本）卷六
1.4　秋 045
1.5　105:5626
2.1　351.4×29.5 厘米；8 紙；223 行，行 16～18 字。
2.2　01：46.3，27；　02：46.3，28；　03：26.5，28；
04：46.2，28；　05：46.4，28；　06：46.4，28；
07：46.4，28；　08：46.9，28。
2.3　卷軸裝。首尾均脱。接縫處有開裂，卷面多黴斑。有烏絲欄。
3.1　首殘→大正 262，9/44B28。
3.2　尾殘→9/48A8。
5　與《大正藏》本對照，分卷不同，相當於《大正藏》本卷五分別功德品第十七中部開始至卷六法師功德品第十九前部。應為八卷本。
7.3　卷背有一墨筆雜寫“剌”。
8　9～10 世紀。歸義軍時期寫本。
9.1　楷書。
9.2　有行間校加字。有倒乙。
11　圖版：《敦煌寶藏》，93/404B～409B。

1.1　BD01846 號
1.3　妙法蓮華經（八卷本）卷六
1.4　秋 046
1.5　105:5598
2.1　（3.2＋520）×26.7 厘米；12 紙；295 行，行 17 字。
2.2　01：3.2＋10.5，8；　02：46.3，26；　03：46.5，26；
04：46.3，26；　05：46.2，26；　06：46.4，27；
07：46.4，26；　08：46.5，26；　09：46.3，26；
10：46.3，26；　11：46.3，26；　12：46.0，26。
2.3　卷軸裝。首殘尾脱。卷面有水漬，卷背有鳥糞。
3.1　首 2 行上殘→大正 262，9/43A17～18。
3.2　尾殘→9/47C28。
5　與《大正藏》本對照，分卷不同，相當於《大正藏》本卷五如來壽量品第十六中部開始至卷六法師功德品第十九前部。應為八卷本。
8　9～10 世紀。歸義軍時期寫本。
9.1　楷書。
11　圖版：《敦煌寶藏》，93/293A～300。

1.1　BD01847 號
1.3　金光明最勝王經卷四
1.4　秋 047
1.5　083:1664
2.1　（11＋153.4＋1.5）×25.5 厘米；5 紙；108 行，行 17 字。
2.2　01：04.5，14；　02：6.5＋41.5，28；　03：48.3，28；
04：48.1，28；　05：15.5＋1.5，10；
2.3　卷軸裝。首殘尾斷。有烏絲欄。
3.1　首 18 行下殘→大正 665，16/418A6～25。
3.2　尾行殘→16/419B2～3。
8　8～9 世紀。吐蕃統治時期寫本。
9.1　楷書。
11　圖版：《敦煌寶藏》，69/167B～169A。

1.1　BD01848 號
1.3　妙法蓮華經卷四
1.4　秋 048
1.5　105:5254
2.1　（1.5＋433.5）×25.5 厘米；9 紙；244 行，行 17 字。
2.2　01：1.5＋35，20；　02：49.7，28；　03：49.8，28；
04：49.8，28；　05：49.8，28；　06：49.8，28；
07：49.8，28；　08：50.0，28；　09：49.8，28。
2.3　卷軸裝。首殘尾脱。首紙有殘裂，接縫處有開裂，上邊有等距離殘破，卷背有蟲繭。有烏絲欄。
3.1　首 1 行殘→大正 262，9/27B23。
3.2　尾殘→9/31A24。
8　8～9 世紀。吐蕃統治時期寫本。
9.1　楷書。
11　圖版：《敦煌寶藏》，90/367B～374A。

1.1　BD01849 號
1.3　大般若波羅蜜多經卷三五四
1.4　秋 049
1.5　084:2961
2.1　（10.3＋760.8）×25.5 厘米；18 紙；491 行，行 17 字。
2.2　01：10.3＋31，26；　02：43.1，28；　03：43.3，28；
04：43.8，28；　05：43.9，28；　06：43.5，28；
07：43.3，28；　08：43.5，28；　09：45.0，28；
10：45.5，28；　11：44.1，28；　12：44.5，28；
13：44.2，28；　14：44.7，28；　15：34.2，21；
16：45.2，28；　17：45.0，28；　18：33.0，17。
2.3　卷軸裝。首尾均全。尾有原軸，兩端塗紫紅色漆。卷首上邊破裂，下部殘缺；卷面油污；尾紙有殘洞、下有殘裂。背有古代裱補。有烏絲欄。
3.1　首 6 行下殘→大正 220，6/820A9～16。

3.2　尾全→6/825C5。
4.1　大般若波羅蜜多經卷第三百□…□，/初分多問不二品第六十一之四，□…□/（首）。
4.2　大般若波羅蜜多經卷第三百五十四（尾）。
8　8～9世紀。吐蕃統治時期寫本。
9.1　楷書。
9.2　有刮改。
11　圖版：《敦煌寶藏》，75/632B～642A。

1.1　BD01850號
1.3　金光明最勝王經卷四
1.4　秋050
1.5　083:1689
2.1　（1+435.4）×25厘米；10紙；250行，行17字。
2.2　01：1+30.5，19；　02：48.8，27；　03：48.6，28；
04：48.4，28；　05：48.5，28；　06：48.2，28；
07：48.2，28；　08：48.2，28；　09：48.0，28；
10：18.0，07，
2.3　卷軸裝。首殘尾全。尾有原軸，兩端塗深棕色漆。卷中多處碎裂，卷尾尤爲嚴重；卷面油污。有烏絲欄。
3.1　首行殘→大正665，16/419B2～3。
3.2　尾全→16/422B21。
4.2　金光明經卷第四（尾）。
7.1　尾有題記"比丘智照寫"。
8　8～9世紀。吐蕃統治時期寫本。
9.1　楷書。
11　圖版：《敦煌寶藏》，69/281B～287A。

1.1　BD01851號
1.3　金光明最勝王經卷四
1.4　秋051
1.5　083:1652
2.1　（5.5+634.3）×26.5厘米；14紙；366行，行17字。
2.2　01：5.5+30.5，22；　02：46.1，28；　03：46.3，28；
04：46.5，28；　05：46.7，28；　06：46.6，28；
07：46.7，28；　08：46.7，28；　09：46.6，28；
10：46.5，28；　11：46.6，28；　12：46.5，28；
13：46.5，28；　14：45.5，08；
2.3　卷軸裝。首殘尾全。前4紙殘碎嚴重。卷端背有古代裱補。有烏絲欄。已修整。
3.1　首3行下殘→大正665，16/417C26～29。
3.2　尾全→16/422B21。
4.2　金光明最勝王經卷第四（尾）。
5　尾有音義。
8　8～9世紀。吐蕃統治時期寫本。
9.1　楷書。
11　圖版：《敦煌寶藏》，69/105A～112A。

1.1　BD01852號
1.3　金剛般若波羅蜜經
1.4　秋052
1.5　094:4415
2.1　299.2×22.3厘米；7紙；168行，行14～16字。
2.2　01：48.8，28；　02：48.5，28；　03：48.3，28；
04：48.7，28；　05：48.6，28；　06：48.5，28；
07：07.8，拖尾。
2.3　卷軸裝。首脱尾全。通卷下部殘損，尾有蟲繭。有燕尾。有烏絲欄。
3.1　首殘→大正235，8/750B20。
3.2　尾全→8/752C3。
4.2　金剛般若波羅蜜經（尾）。
5　與《大正藏》本對照，本卷經文無冥司偈，參見大正235，8/751C16～19。
8　7～8世紀。唐寫本。
9.1　楷書。
11　圖版：《敦煌寶藏》，83/137B～141A。

1.1　BD01853號
1.3　妙法蓮華經卷二
1.4　秋053
1.5　105:4877
2.1　（3.1+430.5）×27厘米；10紙；244行，行30～32字不等。
2.2　01：3.1+26.4，17；　02：49.3，28；　03：49.2，28；
04：48.9，28；　05：49.1，27；　06：49.9，28；
07：49.9，28；　08：50.0，28；　09：50.0，28；
10：07.8，04。
2.3　卷軸裝。首尾均殘。首紙前部殘損，卷面有鳥糞；第4紙有1處燒洞；尾紙殘損，有蟲繭。首紙背有古代裱補。有烏絲欄。
3.1　首2行下殘→大正262，9/12B9～13。
3.2　尾殘→9/18B4。
8　8～9世紀。吐蕃統治時期寫本。
9.1　楷書。
9.2　有行間校加字。有刮改。
11　圖版：《敦煌寶藏》，87/143A～149A。

1.1　BD01854號
1.3　金剛般若波羅蜜經
1.4　秋054
1.5　094:3821
2.1　457.5×26厘米；10紙；252行，行17字。
2.2　01：50.0，28；　02：50.5，28；　03：50.0，28；
04：50.0，28；　05：50.0，28；　06：50.0，28；
07：50.0，28；　08：50.0，28；　09：50.0，27；

10：07.0，01。

2.3　卷軸裝。首脫尾全。經黄紙。接縫處有開裂，卷尾上下有蟲繭。首紙背有古代裱補。有烏絲欄。

3.1　首殘→大正 235，8/749B20。

3.2　尾全→8/752C3。

4.2　金剛般若波羅蜜經（尾）。

8　7～8 世紀。唐寫本。

9.1　楷書。

11　圖版：《敦煌寶藏》，80/466B～472B。

1.1　BD01855 號

1.3　大乘入楞伽經卷四

1.4　秋 055

1.5　038：0350

2.1　（3.5＋843.1）×26 厘米；17 紙；463 行，行 17 字。

2.2　01：3.5＋41，25；　02：50.5，28；　03：50.5，28；
04：50.7，28；　05：50.6，28；　06：50.7，28；
07：50.6，28；　08：50.6，28；　09：50.5，28；
10：50.5，28；　11：50.5，28；　12：50.0，28；
13：50.4，28；　14：50.5，28；　15：50.5，28；
16：47.5，28；　17：47.5，18。

2.3　卷軸裝。首殘尾全。卷前部有等距離殘破、水漬、黴斑。有烏絲欄。

3.1　首 2 行中下殘→大正 672，16/608A28～B1。

3.2　尾全→16/614C1。

4.2　大乘入楞伽經卷第四（尾）。

8　8 世紀。唐寫本。

9.1　楷書。

11　圖版：《敦煌寶藏》，58/265A～276B。

1.1　BD01856 號

1.3　妙法蓮華經卷七

1.4　秋 056

1.5　105：6071

2.1　（6.5＋457.5＋18）×24.5 厘米；11 紙；287 行，行 17 字。

2.2　01：6.5＋38.5，27；　02：47.0，28；　03：47.0，28；
04：47.0，28；　05：47.0，28；　06：47.0，28；
07：47.0，28；　08：47.0，28；　09：47.0，28；
10：43＋3.5，28；　11：14.5，08。

2.3　卷軸裝。首尾均殘。經黄打紙。卷前部上邊下邊有残裂，卷中下邊有残裂，卷尾下端殘缺。有烏絲欄。

3.1　首 4 行上殘→大正 262，9/58B17～19。

3.2　尾 10 行下殘→9/62A21～29。

7.3　第 4 紙下邊有雜寫“次”字。

8　7～8 世紀。唐寫本。

9.1　楷書。

11　圖版：《敦煌寶藏》，96/508B～515A。

1.1　BD01857 號 1

1.3　瑜伽師地論分門記卷三七

1.4　秋 057

1.5　201：7202

2.1　587.5×29.1 厘米；13 紙；455 行，行字不等。

2.2　01：45.5，37；　02：45.4，34；　03：45.2，37；
04：45.1，37；　05：45.3，37；　06：45.2，37；
07：45.2，35；　08：45.3，26；　09：45.3，37；
10：45.2，37；　11：45.3，37；　12：45.2，37；
13：44.3，27。

2.3　卷軸裝。首尾均脫。有烏絲欄。

2.4　本遺書包括 3 個文獻：（一）《瑜伽師地論分門記卷三七》，39 行，今編為 BD01857 號 1。（二）《瑜伽師地論分門記卷三八》，241 行，今編為 BD01857 號 2（三）《瑜伽師地論分門記卷三九》，175 行，今編為 BD01857 號 3。

3.4　説明：
本文獻未為歷代大藏經所收。

4.2　第三十七卷竟（尾）。

6.1　首→BD02072 號。

7.1　卷背面各紙接縫處均有硃筆或墨筆“沙門洪真本”題名。

8　9 世紀。歸義軍時期寫本。

9.1　行楷。

9.2　有行間校加字、塗抹、倒乙。天頭有校改字。有硃筆科分、校改。

11　圖版：《敦煌寶藏》，104/507B～515A。

1.1　BD01857 號 2

1.3　瑜伽師地論分門記卷三八

1.4　秋 057

1.5　201：7202

2.4　本遺書由 3 個文獻組成，本號為第 2 個，241 行。餘參見 BD01857 號 1 之第 2 項、第 11 項。

3.4　説明：
本文獻未為歷代大藏經所收。

4.1　瑜伽論卷第三十八初（首）。

4.2　瑜伽論卷第三十八畢（尾）。

7.1　卷背面各紙接縫處均有“沙門洪真本”題名。

8　8～9 世紀。吐蕃統治時期寫本。

9.1　行楷。

9.2　有硃筆科分、校改等。

1.1　BD01857 號 3

1.3　瑜伽師地論分門記卷三九

1.4　秋 057

1.5　201：7202

2.4　本遺書由 3 個文獻組成，本號為第 3 個，175 行。餘參見 BD01857 號 1 之第 2 項、第 11 項。

3.1　首全→大正 2801，85/886B4。
3.2　尾殘→85/888A5。
4.1　瑜伽論卷第三十九初（首）
5　與《大正藏》本對照，文字有差異，應是不同人筆記所致。
7.1　卷背面各紙接縫處均有“沙門洪真本”題名。
8　8～9 世紀。吐蕃統治時期寫本。
9.1　行書。
9.2　有硃筆科分、校改等。

1.1　BD01858 號
1.3　妙法蓮華經卷六
1.4　秋 058
1.5　105:5834
2.1　341.5×27 厘米；9 紙；196 行，行 17 字。
2.2　01：08.0，04；　02：42.0，25；　03：42.0，25；
04：42.0，25；　05：42.0，25；　06：42.0，25；
07：42.0，25；　08：42.0，25；　09：39.5，17。
2.3　卷軸裝。首斷尾全。尾有原軸，兩端塗黑漆。卷面多有殘裂、殘洞，接縫處有開裂，後部殘破嚴重；卷中有黴斑，背有鳥糞。有烏絲欄。
3.1　首殘→大正 262，9/52C3。
3.2　尾全→9/55A9。
4.2　妙法蓮華經卷第六（尾）。
8　7～8 世紀。唐寫本。
9.1　楷書。
9.2　有硃筆斷句、校改。
11　圖版：《敦煌寶藏》，95/317B～322A。

1.1　BD01859 號
1.3　大般若波羅蜜多經卷三〇三
1.4　秋 059
1.5　084:2837
2.1　129.6×27.8 厘米；3 紙；61 行，行 17 字。
2.2　01：52.2，28；　02：52.0，28；　03：25.4，05。
2.3　卷軸裝。首脫尾全。接縫處有開裂，尾紙上下邊殘破。有烏絲欄。
3.1　首殘→大正 220，6/546C11。
3.2　尾全→6/547B20。
4.2　大般若波羅蜜多經卷第三百三（尾）。
8　8～9 世紀。吐蕃統治時期寫本。
9.1　楷書。
11　圖版：《敦煌寶藏》，75/220B～222A。

1.1　BD01860 號
1.3　佛名經（二十卷本）卷九
1.4　秋 060
1.5　063:0674
2.1　256.6×27.5 厘米；5 紙；133 行，行字不等。
2.2　01：51.5，26；　02：51.5，27；　03：51.4，27；
04：51.5，27；　05：50.7，26。
2.3　卷軸裝。首尾均脫。接縫處有開裂。有烏絲欄。
3.1　首殘→斯 05080 號第 1 行。
3.2　尾缺→斯 05080 號第 123 行。
4.1　佛說佛名經卷第九（首）。
5　與對照本相比，卷中文字及佛名略有出入。
8　7～8 世紀。唐寫本。
9.1　楷書。
11　圖版：《敦煌寶藏》，61/147A～150A。

1.1　BD01861 號
1.3　大乘百法明門論開宗義記
1.4　秋 061
1.5　205:7226
2.1　（260.5+2）×28 厘米；7 紙；159 行，行 20 餘字。
2.2　01：40.5，24；　02：43.0，26；　03：43.0，26；
04：42.5，26；　05：42.5，26；　06：42.5，26；
07：6.5+2，05。
2.3　卷軸裝。首脫尾殘。首紙上下邊有撕裂，卷面有等距離油污。文字通欄抄寫，無上下邊欄，有豎欄。
3.1　首殘→大正 2810，85/1054B3。
3.2　尾行中上殘→85/1057A28。
8　8～9 世紀。吐蕃統治時期寫本。
9.1　楷書。
9.2　有行間校加字。有倒乙、校改、間隔號。
11　圖版：《敦煌寶藏》，104/630A～633A。

1.1　BD01862 號
1.3　妙法蓮華經（八卷本）卷六
1.4　秋 062
1.5　105:5632
2.1　526.3×25.5 厘米；12 紙；278 行，行 17 字。
2.2　01：21.0，11；　02：51.7，28；　03：52.0，28；
04：52.0，28；　05：52.0，28；　06：52.0，28；
07：52.0，28；　08：52.1，28；　09：52.0，28；
10：52.0，28；　11：29.2，15；　12：08.3，拖尾。
2.3　卷軸裝。首斷尾全。經黃紙。首紙下邊殘破，接縫處有開裂，卷中有破損殘裂。有燕尾。有烏絲欄。
3.1　首殘→大正 262，9/45C24。
3.2　尾全→9/50B22。
4.2　妙法蓮華經卷第六（尾）。
5　與《大正藏》本對照，分卷不同，相當於《大正藏》本卷五分別功德品第十七後部開始至卷六法師功德品第十九全文。應為八卷本。
8　7～8 世紀。唐寫本。

9.1 楷書。
11 圖版:《敦煌寶藏》,93/445B~453B。

1.1 BD01863 號
1.3 妙法蓮華經卷六
1.4 秋 063
1.5 105:5803
2.1 230.4×25 厘米;5 紙;正面 140 行,行 17 字。背面白畫。
2.2 01:46.1,28; 02:46.0,28; 03:46.1,28;
04:46.1,28; 05:46.1,28。
2.3 卷軸裝。首尾均脱。經黄紙。首紙上下邊有殘裂,接縫處有開裂,卷面有鳥糞。有烏絲欄。
2.4 本遺書包括 2 個文獻:(一)《妙法蓮華經卷六》,140 行,抄寫在正面,今編為 BD01863 號。(二)《白畫三匹馬》(擬),畫在背面,今編為 BD01863 號背。
3.1 首殘→大正 262,9/50B29。
3.2 尾殘→9/52B11。
8 7~8 世紀。唐寫本。
9.1 楷書。
9.2 有刮改。
11 圖版:《敦煌寶藏》,95/200A~204A。

1.1 BD01863 號背
1.3 白畫三匹馬(擬)
1.4 秋 063
1.5 105:5803
2.4 本遺書由 2 個文獻組成,本號為第 2 個,白畫,三匹馬,畫在背面。餘參見 BD01863 號之第 2 項、第 11 項。
3.4 説明:
第 1、2 紙背有白畫,馬三匹,其中第一匹無馬首。
8 7~8 世紀。唐寫本。
9.1 白畫。

1.1 BD01864 號
1.3 金剛般若波羅蜜經
1.4 秋 064
1.5 094:3695
2.1 (16.2+45)×25.5 厘米;2 紙;34 行,行 17 字。
2.2 01:11.7,06 02:4.5+45,28。
2.3 卷軸裝。首殘尾脱。卷首殘破嚴重,尾紙有等距離殘洞。有烏絲欄。
3.1 首 9 行中下殘→大正 235,8/749A12~21。
3.2 尾殘→8/749B20。
8 7~8 世紀。唐寫本。
9.1 楷書。
11 圖版:《敦煌寶藏》,79/559B~560A。

1.1 BD01865 號
1.3 大般若波羅蜜多經卷三二二
1.4 秋 065
1.5 084:2873
2.1 (10+25.4)×25.4 厘米;1 紙;21 行,行 17 字。
2.3 卷軸裝。首殘尾脱。末行有縱向撕裂,上邊下邊殘破。有烏絲欄。
3.1 首 6 行下殘→6/642C17~23。
3.2 尾殘→6/643A9。
7.1 背面有勘記“卅三”,為本文獻所屬袟次;“二”,為本文獻袟内卷次。
8 8~9 世紀。吐蕃統治時期寫本。
9.1 楷書。
11 圖版:《敦煌寶藏》,75/315B。

1.1 BD01866 號
1.3 延壽命經(大本)
1.4 秋 066
1.5 284:8242
2.1 118×29 厘米;4 紙;正面 54 行,行 17 字。背面 4 行,行字不等。
2.2 01:21.5 護首; 02:24.0,15; 03:24.5,15;
04:48.0,24;
2.3 卷軸裝。首尾均全。有護首,有穿縹帶孔。第 2 紙横向撕裂。背有多處古代裱補,紙色不同。有烏絲欄。
2.4 本遺書包括 2 個文獻:(一)《延壽命經》(大本),54 行,抄寫在正面,今編為 BD01866 號。(二)《□年八月十三日兄醜兒左右欠闕他人名目》,4 行,抄寫在背面裱補紙上,今編為 BD01866 號背。
3.1 首全→大正 2888,85/1404A27。
3.2 尾全→85/1404C28。
4.1 佛説延壽命經(首)。
4.2 佛説延壽命經一卷(尾)。
8 9~10 世紀。歸義軍時期寫本。
9.1 楷書。
11 圖版:《敦煌寶藏》,109/397B~399A。

1.1 BD01866 號背
1.3 □年八月十三日兄醜兒左右欠闕他人名目
1.4 秋 066
1.5 284:8242
2.4 本遺書由 2 個文獻組成,本號為第 2 個,4 行,抄寫在背面裱補紙上。餘參見 BD01866 號之第 2 項、第 11 項。
3.3 錄文:
□年八月十三日兄醜兒左右欠闕他人名目/
續(?)地麥壹拾陸石,布壹疋。又布兩疋。又布三丈,紫褐衫壹領。/

絹買還柒碩。又還吳定戎麥壹石伍斟。（押）。/
見人□□□（押）。/
（錄文完）
4.1 卯年八月十三日□醜兒左右欠鬪他人名目（首）。
9.1 行書。
8 9~10世紀。歸義軍時期寫本。

1.1 BD01867號
1.3 佛名經（十二卷本）卷一〇
1.4 秋067
1.5 060:0511
2.1 (3.5+998)×26.3厘米；20紙；508行，行字不等。
2.2 01：3.5+47，26； 02：50.5，26； 03：50.5，26；
04：50.5，26； 05：50.5，26； 06：50.5，26；
07：50.5，26； 08：50.5，26； 09：50.5，26；
10：50.5，26； 11：50.5，26； 12：50.5，26；
13：50.5，26； 14：50.5，26； 15：50.5，26；
16：50.5，26； 17：50.5，26； 18：50.5，26；
19：50.5，26； 20：42.0，14。
2.3 卷軸裝。首殘尾全。麻紙，未入潢。卷面有殘裂，接縫處有開裂，紙面有皺褶；尾有蟲繭。有烏絲欄。
3.1 首2行下殘→大正440，14/168B22~24。
3.2 尾全→14/173A12。
4.2 佛說佛名經卷第十（尾）。
5 與《大正藏》本對照，卷尾缺少2個佛名。
8 7~8世紀。唐寫本。
9.1 楷書。
9.2 有硃筆校改。
11 圖版：《敦煌寶藏》，59/445A~459A。

1.1 BD01868號
1.3 妙法蓮華經卷六
1.4 秋068
1.5 105:5793
2.1 475.9×26厘米；11紙；292行，行17字。
2.2 01：45.6，28； 02：45.5，29； 03：45.5，28；
04：45.4，28； 05：45.7，28； 06：45.8，28；
07：45.4，28； 08：45.3，28； 09：45.4，28；
10：45.3，28； 11：21.0，11。
2.3 卷軸裝。首脫尾全。經黄紙。首紙上邊有殘裂，接縫處有開裂。首紙背有古代裱補。有烏絲欄。
3.1 首殘→大正262，9/51A27。
3.2 尾全→9/55A9。
4.2 妙法蓮華經卷第六（尾）。
8 7~8世紀。唐寫本。
9.1 楷書。
9.2 有刮改、校改。
11 圖版：《敦煌寶藏》，95/143A~149A。

新舊編號對照表

一、千字文號與北敦號、縮微膠卷號對照表

千字文號	北敦號	縮微膠卷號
秋 001	BD01801 號	105：5273
秋 002	BD01802 號	115：6431
秋 003	BD01803 號	105：4908
秋 004	BD01804 號	084：3174
秋 005	BD01805 號	094：3876
秋 006	BD01806 號	002：0047
秋 007	BD01807 號	105：5389
秋 008	BD01808 號	084：2381
秋 009	BD01809 號	070：1293
秋 010	BD01810 號	084：2376
秋 011	BD01811 號	115：6438
秋 012	BD01812 號	094：4191
秋 013	BD01813 號	094：3560
秋 014	BD01814 號	084：3049
秋 015	BD01815 號	254：7603
秋 016	BD01816 號	105：5383
秋 017	BD01817 號	094：4107
秋 018	BD01818 號	143：6736
秋 019	BD01819 號	083：1667
秋 020	BD01820 號	070：0875
秋 021	BD01821 號	275：7729
秋 022	BD01822 號 1	066：0841
秋 022	BD01822 號 2	066：0841
秋 023	BD01823 號 1	094：3519
秋 023	BD01823 號 2	094：3519
秋 023	BD01823 號背	094：3519
秋 024	BD01824 號	105：5778
秋 025	BD01825 號	094：3734
秋 026	BD01826 號	083：1452
秋 026	BD01826 號背	083：1452
秋 027	BD01827 號	115：6490
秋 028	BD01828 號	070：1102
秋 029	BD01829 號	105：5671
秋 030	BD01830 號	111：6211
秋 030	BD01830 號背 1	111：6211
秋 030	BD01830 號背 2	111：6211
秋 030	BD01830 號背 3	111：6211
秋 031	BD01831 號	070：1103
秋 032	BD01832 號	155：6799
秋 033	BD01833 號	016：0201
秋 034	BD01834 號	036：0327
秋 035	BD01835 號	275：7730
秋 036	BD01836 號	063：0648
秋 037	BD01837 號	105：5226
秋 038	BD01838 號 1	143：6687
秋 038	BD01838 號 2	143：6687
秋 038	BD01838 號 3	143：6687
秋 039	BD01839 號	094：4307
秋 040	BD01840 號	070：1241
秋 041	BD01841 號	105：5762
秋 042	BD01842 號	253：7550
秋 043	BD01843 號	249：7473
秋 044	BD01844 號	081：1376
秋 045	BD01845 號	105：5626
秋 046	BD01846 號	105：5598
秋 047	BD01847 號	083：1664
秋 048	BD01848 號	105：5254
秋 049	BD01849 號	084：2961
秋 050	BD01850 號	083：1689
秋 051	BD01851 號	083：1652
秋 052	BD01852 號	094：4415
秋 053	BD01853 號	105：4877
秋 054	BD01854 號	094：3821
秋 055	BD01855 號	038：0350
秋 056	BD01856 號	105：6071
秋 057	BD01857 號 1	201：7202
秋 057	BD01857 號 2	201：7202
秋 057	BD01857 號 3	201：7202

秋 058	BD01858 號	105：5834
秋 059	BD01859 號	084：2837
秋 060	BD01860 號	063：0674
秋 061	BD01861 號	205：7226
秋 062	BD01862 號	105：5632
秋 063	BD01863 號	105：5803
秋 063	BD01863 號	105：5803
秋 064	BD01864 號	094：3695
秋 065	BD01865 號	084：2873
秋 066	BD01866 號	284：8242
秋 066	BD01866 號背	284：8242
秋 067	BD01867 號	060：0511
秋 068	BD01868 號	105：5793

二、縮微膠卷號與北敦號、千字文號對照表

縮微膠卷號	北敦號	千字文號
002：0047	BD01806 號	秋 006
016：0201	BD01833 號	秋 033
036：0327	BD01834 號	秋 034
038：0350	BD01855 號	秋 055
060：0511	BD01867 號	秋 067
063：0648	BD01836 號	秋 036
063：0674	BD01860 號	秋 060
066：0841	BD01822 號 1	秋 022
066：0841	BD01822 號 2	秋 022
070：0875	BD01820 號	秋 020
070：1102	BD01828 號	秋 028
070：1103	BD01831 號	秋 031
070：1241	BD01840 號	秋 040
070：1293	BD01809 號	秋 009
081：1376	BD01844 號	秋 044
083：1452	BD01826 號	秋 026
083：1452	BD01826 號背	秋 026
083：1652	BD01851 號	秋 051
083：1664	BD01847 號	秋 047
083：1667	BD01819 號	秋 019
083：1689	BD01850 號	秋 050
084：2376	BD01810 號	秋 010
084：2381	BD01808 號	秋 008
084：2837	BD01859 號	秋 059
084：2873	BD01865 號	秋 065
084：2961	BD01849 號	秋 049
084：3049	BD01814 號	秋 014
084：3174	BD01804 號	秋 004
094：3519	BD01823 號 1	秋 023
094：3519	BD01823 號 2	秋 023
094：3519	BD01823 號背	秋 023
094：3560	BD01813 號	秋 013
094：3695	BD01864 號	秋 064
094：3734	BD01825 號	秋 025
094：3821	BD01854 號	秋 054
094：3876	BD01805 號	秋 005
094：4107	BD01817 號	秋 017
094：4191	BD01812 號	秋 012
094：4307	BD01839 號	秋 039
094：4415	BD01852 號	秋 052
105：4877	BD01853 號	秋 053
105：4908	BD01803 號	秋 003
105：5226	BD01837 號	秋 037
105：5254	BD01848 號	秋 048
105：5273	BD01801 號	秋 001
105：5383	BD01816 號	秋 016
105：5389	BD01807 號	秋 007
105：5598	BD01846 號	秋 046
105：5626	BD01845 號	秋 045
105：5632	BD01862 號	秋 062
105：5671	BD01829 號	秋 029
105：5762	BD01841 號	秋 041
105：5778	BD01824 號	秋 024
105：5793	BD01868 號	秋 068
105：5803	BD01863 號	秋 063
105：5803	BD01863 號	秋 063
105：5834	BD01858 號	秋 058
105：6071	BD01856 號	秋 056
111：6211	BD01830 號	秋 030
111：6211	BD01830 號背 1	秋 030
111：6211	BD01830 號背 2	秋 030
111：6211	BD01830 號背 3	秋 030
115：6431	BD01802 號	秋 002
115：6438	BD01811 號	秋 011
115：6490	BD01827 號	秋 027
143：6687	BD01838 號 1	秋 038
143：6687	BD01838 號 2	秋 038
143：6687	BD01838 號 3	秋 038

143：6736	BD01818 號	秋 018
155：6799	BD01832 號	秋 032
201：7202	BD01857 號 1	秋 057
201：7202	BD01857 號 2	秋 057
201：7202	BD01857 號 3	秋 057
205：7226	BD01861 號	秋 061
249：7473	BD01843 號	秋 043
253：7550	BD01842 號	秋 042
254：7603	BD01815 號	秋 015
275：7729	BD01821 號	秋 021
275：7730	BD01835 號	秋 035
284：8242	BD01866 號	秋 066
284：8242	BD01866 號背	秋 066